Y0-AEV-608

TABLES OF FUNCTIONS WITH FORMULAE AND CURVES

[FUNKTIONENTAFELN MIT FORMELN UND KURVEN]

BY

DR. EUGENE JAHNKE

FORMERLY PROF. IN THE SCHOOL OF MINES IN BERLIN

AND

FRITZ EMDE

DR.—ING. E.H., DR. TECHN. E.H.
PROF. OF ELECTROTECHNICS IN THE STUTTGART
TECHNICAL COLLEGE

FOURTH EDITION

DOVER PUBLICATIONS
NEW YORK

ENLARGED, REVISED EDITION
PRINTED IN THE U. S. A.

Library of Congress Catalog Card Number: 58-14336

Manufactured in the United States of America

Dover Publications, Inc.
180 Varick Street
New York 14, N.Y.

PREFACE TO 1945 EDITION

In this new edition nearly 400 corrections of errors, and other changes, have been made. Practically all of these are contributions, either directly or indirectly, of Professor R. C. ARCHIBALD, Brown University, of Doctor L. J. COMRIE, London, England, of the MATHEMATICAL TABLES PROJECT, New York City, and of Doctor J. C. P. MILLER, University of Liverpool. A supplementary bibliography compiled by Professor ARCHIBALD has been added to increase the usefulness of this work.

New York, March 1945

Dover Publications

PREFACE TO 1938 EDITION

The principal points in which this third edition of the Tables of Functions differs from the second edition of 1933 are as follows: In the complete elliptic integrals of the first and second kind, formulae and numerical tables have been added for other than the Legendre standard forms. The numerical calculation is thereby improved in many cases. In the cylinder functions the Debye series have been brought into a more convenient form by limiting them to real values of the index and by limiting the angle of the argument to values which occur in practice; they have thus been freed from the additional determinations which necessarily added to the difficulties of the general case. Detailed numerical tables are given for the Lommel-Weber and Struve functions of orders zero and one. Formulae and graphical representations are given for the confluent hypergeometric functions and for the Mathieu functions associated with the elliptic cylinder, which will enable these two classes of functions to be employed more widely in scientific calculations.

The elementary functions which occupied the first 75 pages of the second edition have been omitted. A separate book will shortly appear in which these are given with complete numerical tables and many graphical representations. Many people who are interested in and use the elementary functions never come into contact with the higher functions and for such people the greater part of the complete work would be mere ballast.

Again I have the pleasure of thanking many helpers. Mr. H. Nagaoka (Tokio) and Mr. G. Witt (Berlin) have informed me of corrections to the tables of elliptic integrals and functions. Mr. R. Föll (now of Berlin-Siemensstadt) has calculated and drawn Fig. 28 on p. 54 for the elliptic integral of the first kind. The particulars concerning the complex zeros of the Bessel function $J_{-p}(x+iy)$ on p. 230 and 231 are taken from a thesis by Mr. W. Burkhardtsmaier. The functions $J_p(25)$ to $J_p(29)$ on p. 179 were calculated by Mr. M. J. di Toro (New York) at the suggestion of Mr. Ernst Weber.

Messrs. B. Hague and G. W. O. Howe of Glasgow kindly looked through the English text.

Mrs. E. Schopper, née Bachner, (now in Dessau) calculated the Mathieu functions and worked out the graphical representations. Mr. S. Kerridge (Stuttgart) contributed additional material.

Mr. E. Heidelbauer (Stuttgart) not only did a great amount of calculation, drawing and correction, but also undertook the difficult task of the page arrangement of the text, formulae and diagrams.

My heartfelt thanks are due to all these sincere helpers. I am indebted to the staff of Messrs. Teubner, on whose ability, care, and patience such heavy demands were made. I must also thank the publishers for meeting my wishes in such a friendly manner.

Stuttgart, April 1938.

Fritz Emde.

PREFACE TO 1933 EDITION

When in 1909 Jahnke and I published the "Functionentafeln" there was no other collection of tables of the higher functions and we therefore anticipated a great demand for our book. The sales at first by no means came up to our expectations, but since the war the book has had to be twice reprinted, and the frequent references to it in physical and technical publications show that it is much used in all parts of the world. It is again out of print. Unfortunately the preparation of this new edition was unavoidably delayed and it has taken much longer to complete than was anticipated.

It was felt that the widespread use of the tables demanded the adoption of a high standard in the preparation of the new edition, and I have done all that was in my power to make the use of the higher functions as convenient as possible. Many new tables have been added and old ones extended. If every new table had been included the price of the book would have become excessive, but where it has not been possible to include a table, curves have been given. These curves have been plotted to such a scale and with such fine subdivision that the numerical values can be read off with some accuracy.

I have tried especially to show in a clear manner by means of graphical representation the general character of the complex functions, because in this way their use is greatly simplified. The real and imaginary parts of the functions are not shown graphically because such a method of representation is completely upset if the function is multiplied by a complex constant. The function is represented by a surface the ordinates of which are equal to the modulus of the function; this surface is called the relief of the function. In this method, which is adopted here for the first time, the function reveals itself in its entirety, so that, as tests have shown, even mathematicians, who are only familiar with the function veiled as it were in formulae, hardly recognise it. Whereas formerly one had to link up in his mind the separate and disconnected characteristics and peculiarities of a function, one can now see the whole range at a glance.

Unfortunately time did not allow of all the functions being represented in this manner. Much remains to be done and I hope that Mathematical Institutes will continue the work. It is really a matter for text-books rather than for tables of functions. In every text-book of differential calculus it is regarded as essential to illustrate the nature of simple functions in the real domain by means of curves; is it considered unnecessary for more complicated functions in the complex domain?

The tables on pages 12 to 20 will shorten calculation with complex quantities, especially if one uses a slide-rule.

When we were preparing the first edition no tables existed for many of the higher functions. One had to collect what one could find. Tables for many other functions have since been calculated and published in periodicals and books, so that there are now more than one could include in a book of reasonable size intended for general use. In preparing this new edition I had therefore to pick and choose; I hope that I have chosen wisely.

As in the first edition great use has been made of the work of the Mathematical Tables Committee of the British Association. Fortunately this committee has decided to publish collections of the very accurate tables which they have calculated in past years. Two volumes have already been published. The mathematicians, physicists, and engineers of the whole world regard with the greatest wonderment and gratitude this colossal undertaking of their English colleagues, who have taken upon themselves almost entirely the heavy load of new computation. It is hardly to be conceived that other countries can continue much longer to look idly on without helping in this work.

One must not imagine that there is no need of further computation. This book, indeed, provides a general review which will enable one to judge with greater ease and certainty than heretofore just where further computation is required. It is not tables of a few functions calculated to a high degree of accuracy so much as those of many functions calculated with medium accuracy that constitute the most pressing need. Whether one wishes to become familiar with the functions or to use them it is not necessary that they be known with great accuracy. It will be time enough to compute the values to many decimal places when some exceptional practical case arises which calls for great accuracy; and even then this accuracy will, as a rule, only be required over a limited range. Even in the computation of mathematical tables the expenditure of time and trouble should bear some relation to the usefulness of the result.

As in the old edition no attempt has been made to obtain more than a reasonable degree of accuracy. The last decimal place in the values given must be regarded as uncertain. Any one who requires greater accuracy must consult tables giving a further decimal place. References to more accurate tables are given in each section.

The collections of formulae have been drastically revised with the object of making them as useful as possible to those using the tables. The formulae are intended to serve an entirely different purpose from those given in text-books and have therefore been arranged from an entirely different point of view. It must be remembered that the formulae are here merely accessory and make no claim to completeness. Some of them represent unfulfilled promises, — directions for calculating instead of the results of calculation. Some of them, on the other hand, would be necessary however many tables one had. In future editions, however, it will be necessary to cut down the collections of formulae more and more in order to make room for new tables and diagrams.

In view of the widespread use of the book in other countries it was decided at the suggestion of Dr. Alfred Giesecke-Teubner to give the explanatory text in both German and English.

With reference to various matters of detail the following points might be noted. The Table of Powers was calculated on a Brunsviga nova calculating machine in which the resulting product can with a single turn be put back into the machine as a factor for further multiplication. I must express my gratitude to Herr Otto Hess, the Stuttgart agent for the Brunsviga machines, who kindly placed the machine at my disposal. A machine with the following properties would be very useful: 1) one should be able to calculate on it from left to right without striving after an absolute accuracy which is almost always useless because the numbers with which one starts are not absolutely accurate; 2) one should be able to throw back into the machine with a single turn not only products but also quotients; 3) a storage mechanism should enable one to sum a number of terms having either all the same or alternate signs without having to write down intermediate results.

The section on cubic equations has little in common with what one finds on the subject in text-books of algebra but it gives graphical and tabular aids to their solution. Only short tables are given for the elementary transcendentals. The more extended tables, which one really requires, can be found in the books given on pages 76 to 78. The real subject of this book — the higher functions — begins on page 78. Spherical harmonics of the second kind and the associated spherical harmonics have been added to the section on spherical harmonics and are represented by curves. The section on Bessel functions has been greatly extended. The Nielsen definition of the functions of the second and third kind (N and H) is now uniformly introduced throughout all the tables. The multiplicity of definitions which was formerly so troublesome has thus been done away with. The tables of the more important Bessel functions are now so complete that they can be used as conveniently as the circular functions. Riemann's Zeta function has been included. Many aids and simplifications are at the service of those who have to carry out calculations if they know of their existence and where to look for them; the bibliography at the end of the book will be found useful in indicating where such aids are to be found.

I am indebted to Herr Karl Willy Wagner for the curves on pages 239 to 241 showing the behaviour of the Bessel function $J_p(x)$ for a real argument x and high order p. These curves were calculated in 1922 by Herr Hans Salinger and Herr Hans Stahl of the Technical Department of the Imperial Telegraphs. Those functions related to $J_p(x)$ which I have called $\Lambda_p(x)$ were calculated by Herr A. Walther (Darmstadt), Herr S. Gradstein and Herr K. Hessenberg at the suggestion of Herr R. Straubel of the Zeiss Works in Jena. The tables (p. 250—258) appear here for the first time.

My thanks are due to all those above mentioned and also to the many friends, too numerous to mention by name, in all parts of the world, who have in the past been good enough to write to Jahnke or to me making corrections and suggestions.

Eugen Jahnke died of heart failure on 18th October 1921 at the age of 57. Only a few weeks previously I had discussed with him at Rudolstadt the programme for the new edition. Neither of us at that time had any idea what it would ultimately look like. He was not able to take any further part in the work.

My wife, who had assisted in the preparation of the first edition, also did much laborious computation for the new edition and it was a grief to her when increasing ill-health compelled her to give up this work. Fate denied her the pleasure of seeing the completion of the book.

I am deeply indebted to Professor G. W. O. Howe of Glasgow University who has read and corrected the English text — a friendly token of the days now long past when we were associated in the electrical industry.

Preface.

It would have been impossible for me to have made such far-reaching improvements in the new edition had it not been for the long continued and able assistance of my fellow worker Herr Rudolf Rühle. He has made most of the new calculations, drawn all the new diagrams, collected the formulae for the spherical harmonics and the Riemann Zeta Function and translated the text into English. The greater part of the task of correction has also fallen to him. The arrangement of the tables, diagrams and formulae with respect to the pages was often a difficult matter requiring considerable ingenuity. This new edition thus owes very much to Herr Rühle and I am deeply indebted to him. I must also thank Herr Dipl.-Ing. Gottfried Hänsch for help with the computation and Herr Erich Heidelbauer who has given great assistance with the drawings and other matters.

Finally my sincere thanks are due to Messrs Teubner and their staff, especially Herr Thilo, for their patience under trying circumstances. A special word of praise is due to the publishers for their efforts to keep the price of the book as low as possible. That the quality of the production has not been allowed to suffer thereby is obvious from an examination of the book.

Stuttgart, August 1933.

Fritz Emde.

Contents.

The obliquely printed page numbers refer to the tables.

Figurenverzeichnis. | Index of figures.

Abkürzung: | Abbreviation:

P. R. = Projektion des Reliefs = Höhenkarte = Altitude chart.

Figurenverzeichnis.
Index of figures.

Durchgängig gebrauchte Abkürzungen. | Abbreviations used throughout.

$$i^{\varrho} = \cos\varrho^{\llcorner} + i\sin\varrho^{\llcorner} \equiv e^{i\frac{\pi}{2}\varrho} = \cos\frac{\pi}{2}\varrho + i\sin\frac{\pi}{2}\varrho.$$

Winkeleinheiten: / Angular units: $\frac{\pi}{2}$ rad $= 90^0 = 1^{\llcorner}$ (lies: 1 Rechter / read: 1 right angle)

$^{n}4 \equiv 0{,}4\cdot 10^{n}$; $\quad 2^{n}\,9 \equiv 2{,}9\cdot 10^{n} \quad 3041 \mid n = 3{,}041\cdot 10^{n}.$

$0{,}0^{3}\,7 \equiv 0.000\,7 = 0\,7\cdot 10^{-3}.$

ADDENDA

(Pages referred to below will be found in Addenda, following General Index on pages 302-303.)

Contents.

The obliquely printed page numbers refer to the tables.

Figurenverzeichnis. | Index of figures.

Abkürzung: | Abbreviation:

P. R. = Projektion des Reliefs = Höhenkarte = Altitude chart.

I. Integral-Sinus, -Kosinus und -Logarithmus.
I. Sine, cosine and logarithmic integral.

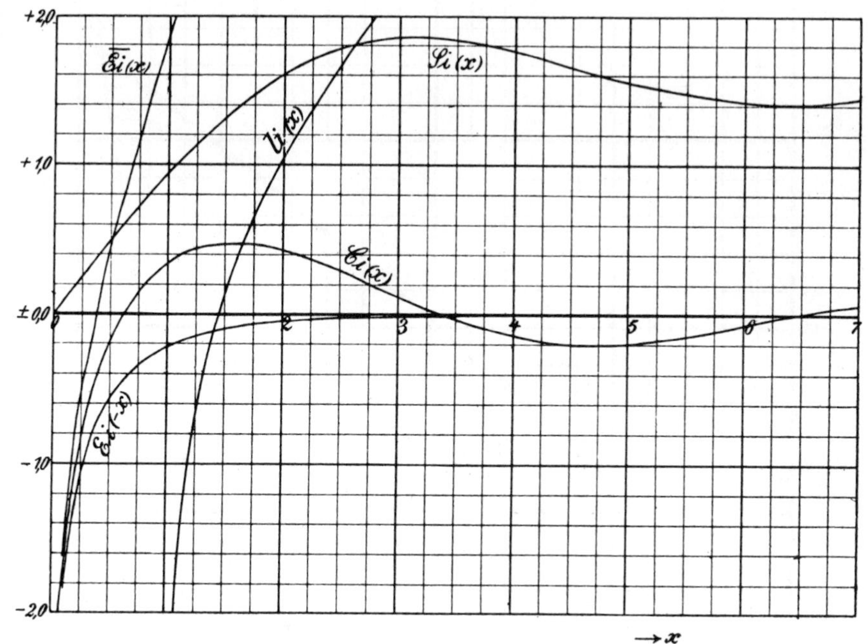

Fig. 1. Integral-Sinus, -Kosinus und -Logarithmus.
Fig. 1. Sine, cosine and logarithmic integral

1. Definitionen.
1. Definitions.

$$-\mathrm{Ei}(-x) = \int_{-\infty}^{-x} \frac{e^t}{-t}\,dt = \int_x^{\infty} \frac{e^{-t}}{t}\,dt > 0, \qquad \infty > x > 0.$$

$$\mathrm{Ei}(-x e^{i\pi}) = \mathrm{Ei}(x - i0) = \mathrm{Ei}^-(x)$$

$$\mathrm{Ei}(-x e^{-i\pi}) = \mathrm{Ei}(x + i0) = \mathrm{Ei}^+(x)$$

$$\mathfrak{S}\mathrm{i}\, x = \int_0^x \frac{\mathfrak{S}\mathrm{in}\, t}{t}\,dt = \tfrac{1}{2}\int_{-x}^{+x} \frac{\mathfrak{S}\mathrm{in}\, t}{t}\,dt = \tfrac{1}{2}\lim_{\varepsilon\to 0}\left(\int_{-x}^{-\varepsilon} \frac{e^t}{t}\,dt + \int_{\varepsilon}^{x} \frac{e^t}{t}\,dt\right)$$

$$= x + \frac{x^3}{3!\,3} + \frac{x^5}{5!\,5} + \cdots$$

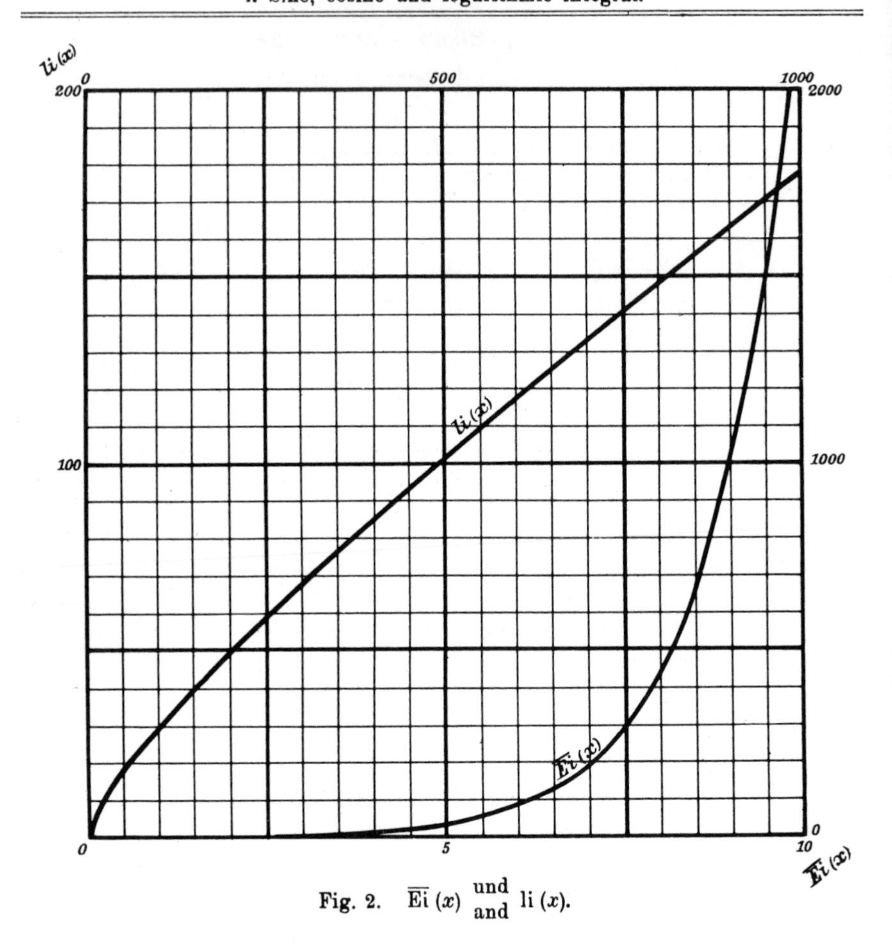

Fig. 2. $\overline{\mathrm{Ei}}\,(x)$ und / and li (x).

$$\mathfrak{Ci}\,x = \mathrm{Ei}\,(-x) + \mathfrak{Si}\,x = \ln\gamma x + \int_0^x \frac{\mathfrak{Cof}\,t - 1}{t}\,dt = \ln\gamma x + \frac{x^2}{2!\,2} + \frac{x^4}{4!\,4} + \cdots,$$

wo | where

$$\ln\gamma = C = \int_0^1 \frac{1 - e^{-t}}{t}\,dt - \int_1^\infty \frac{e^{-t}}{t}\,dt = 0{,}796\,599\,599 - 0{,}219\,383\,934$$

$$= 0{,}577\,215\,665,$$

$$\gamma = e^C = 1{,}781\,072.$$

$\overline{\mathrm{Ei}}\,x = \mathfrak{Ci}\,x + \mathfrak{Si}\,x = \mathrm{li}\,e^x$ (exponential integral)

$$= \mathrm{Ei}^+(x) + i\pi = \mathrm{Ei}^-(x) - i\pi = \tfrac{1}{2}\,\mathrm{Ei}^+(x) + \tfrac{1}{2}\,\mathrm{Ei}^-(x).$$

$$\operatorname{li} x = \int_0^x \frac{dt}{\ln t} = \overline{\operatorname{Ei}}(\ln x)$$ (Integral-Logarithmus) (Logarithmic-integral)

$$\mathfrak{Si}\, iy = i \cdot \operatorname{Si} y, \qquad \operatorname{Si} x = \int_0^x \frac{\sin t}{t}\, dt, \qquad \operatorname{Si} \infty = \frac{\pi}{2}$$

$$\operatorname{Si} iy = i \cdot \mathfrak{Si}\, y, \qquad \operatorname{Si} x = \frac{\pi}{2} + \operatorname{si} x, \qquad \operatorname{si} x = -\int_x^\infty \frac{\sin t}{t}\, dt$$

$$\mathfrak{Ci}\, iy = i\frac{\pi}{2} + \operatorname{Ci} y, \qquad \operatorname{Ci} iy = i\frac{\pi}{2} + \mathfrak{Ci}\, y,$$

$$\operatorname{Ci} x = -\int_x^\infty \frac{\cos t}{t}\, dt = \ln \gamma x - \int_0^x \frac{1-\cos t}{t}\, dt$$

(Integral-Kosinus | Cosine integral)

$\left.\begin{matrix}\operatorname{Si} x \\ \operatorname{si} x\end{matrix}\right\}$ (Integral-Sinus | Sine integral)

Näherungswerte bei kleinem x: | Approximations for small values of x:

$$\mathfrak{Si}\, x \approx \operatorname{Si} x \approx x, \qquad \operatorname{si} x \approx -\left(\frac{\pi}{2} - x\right)$$

$$\mathfrak{Ci}\, x \approx \operatorname{Ci} x \approx \overline{\operatorname{Ei}}\, x \approx \operatorname{Ei}(-x) \approx -\ln \frac{1}{\gamma x}, \qquad \operatorname{li} x \approx -\frac{x}{\ln \frac{1}{x}}$$

2. Halbkonvergente Reihe.
2. Semi-convergent series.

$$\overline{\operatorname{Ei}}\, x = \frac{e^x}{x} H(x), \qquad H(x) = 1 + \frac{1!}{x} + \frac{2!}{x^2} + \cdots, \qquad |x| >> 1.$$

$$-\operatorname{si} y + i \cdot \operatorname{Ci} y = \frac{e^{iy}}{y} H(iy)$$

$$\operatorname{Ci} x \approx +\frac{\sin x}{x}, \qquad \operatorname{si} x \approx -\frac{\cos x}{x}, \qquad \operatorname{Si} x \approx \frac{\pi}{2} - \frac{\cos x}{x}, \qquad x >> 1.$$

3. Negative und rein imaginäre Argumente.
3. Negative and pure imaginary arguments.

$$\mathfrak{Si}(-x) = -\mathfrak{Si}\, x, \quad \mathfrak{Ci}(x e^{\pm i\pi}) = \mathfrak{Ci}\, x \pm i\pi, \quad \overline{\operatorname{Ei}}(x e^{\pm i\pi}) = \operatorname{Ei}(-x) \pm i\pi$$

$$\operatorname{Si}(-x) = -\operatorname{Si} x, \quad \operatorname{si} x + \operatorname{si}(-x) = -\pi, \quad \operatorname{Ci}(x e^{\pm i\pi}) = \operatorname{Ci} x \pm i\pi.$$

$$\operatorname{Ci} y \pm i \operatorname{Si} y = \overline{\operatorname{Ei}}(\pm iy) \mp i\frac{\pi}{2}$$

$$\operatorname{Ci} y + i \operatorname{si} y = \overline{\operatorname{Ei}}\, iy - i\pi \qquad = \operatorname{Ei}^+(iy)$$

$$\operatorname{Ci} y - i \operatorname{si} y = \overline{\operatorname{Ei}}(-iy) + i\pi = \operatorname{Ei}^-(-iy).$$

4. Integrale.
4. Integrals.

$$\int_x^\infty \frac{e^{-mt}}{a+t}\,dt = -e^{ma}\,\mathrm{Ei}\,[-m(a+x)]$$

$$\int_x^\infty \frac{e^{im(b+t)}}{a+t}\,dt = -e^{im(b-a)}\,\mathrm{Ei}^+\,im(a+x)$$

$$\int_0^\infty \frac{t-ia}{t^2+a^2}\,e^{imt}\,dt = -e^{ma}\,\mathrm{Ei}\,(-ma)$$

$$\int_0^\infty \frac{t+ia}{t^2+a^2}\,e^{imt}\,dt = -e^{-ma}\,\mathrm{Ei}^+\,ma$$

$$\int_0^x \mathrm{Ei}\,(-mt)\,dt = x\,\mathrm{Ei}\,(-mx) - \frac{1-e^{-mx}}{m}$$

$$\int_0^x \mathrm{Ei}^+\,(imt)\,dt = x\,\mathrm{Ei}^+\,imx + \frac{1-e^{imx}}{im}$$

$$\int_0^\infty e^{-pt}\,\mathrm{Ci}\,qt\,dt = -\frac{1}{p}\ln\left(1+\frac{p^2}{q^2}\right)$$

$$\int_0^\infty e^{-pt}\,\mathrm{si}\,qt\,dt = -\frac{1}{p}\,\mathrm{arc\,tg}\,\frac{p}{q}$$

$$\int_0^\infty \cos t\,\mathrm{Ci}\,t\,dt = \int_0^\infty \sin t\,\mathrm{si}\,t\,dt = -\frac{\pi}{4}$$

$$\int_0^\infty \mathrm{Ci}^2\,t\,dt = \int_0^\infty \mathrm{si}^2\,t\,dt = \frac{\pi}{2}, \qquad \int_0^\infty \mathrm{Ci}\,t\,\mathrm{si}\,t\,dt = -\ln 2.$$

5. Sici-Spirale.

Trägt man $\mathrm{Ci}\,x$ und $\mathrm{Si}\,x$ als rechtwinklige Koordinaten einer ebenen Kurve auf (Fig. 3), so ist der Krümmungsradius der Kurve $R = \frac{1}{x} = e^{-s}$ (s = Bogenlänge). Die Krümmung wächst exponentiell mit der Bogenlänge. Solche Spiralen eignen sich als Profile von Kurvenlinealen.

5. Sici spiral.

If we draw $\mathrm{Ci}\,x$ and $\mathrm{Si}\,x$ as rectangular coordinates of a plane curve (fig. 3), then the radius of curvature of the curve is $R = \frac{1}{x} = e^{-s}$ (s = length of arc). The curvature increases exponentially with the length of arc. Such spirals are suitable as profiles of French curves.

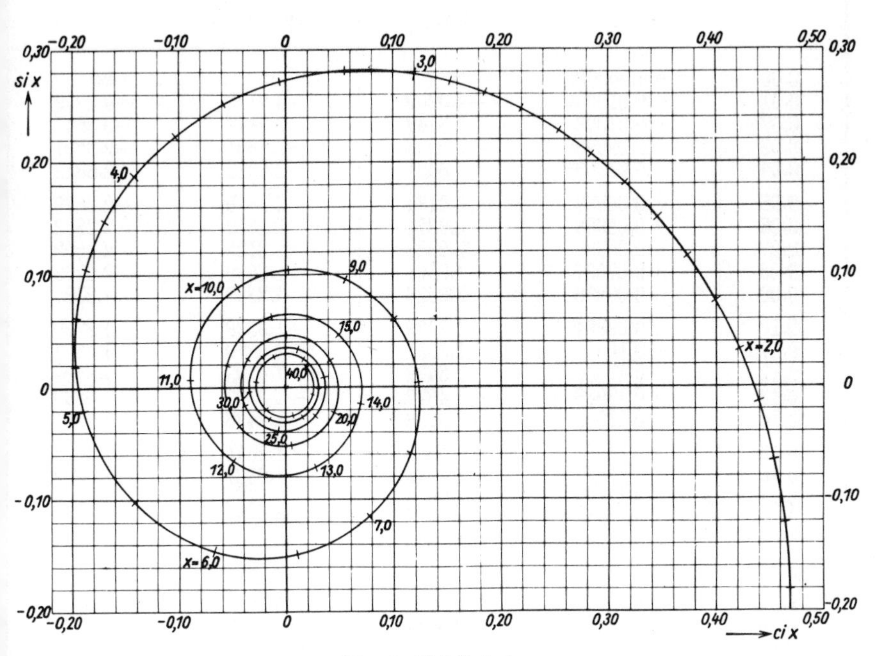

Fig. 3. Sici-Spirale.
Fig. 3. Sici spiral.

Genauere Tafeln: | **More-figure tables:**

a) K. Tani, Tables of si (x) and ci (x) (Meguro, Tokyo 1931). 6 Dezimalen; bis $x = 50$.
b) Brit. Ass. Adv. Sc., Mathematical tables, vol. I (London 1931). 10 Dezimalen; bis $x = 40$.
c) T. Akahira, Sc. pap. Inst. phys. chem. res., Tokyo, table Nr. 3. Juni 1929, S. 181—215, gibt e^{-x}/x und $-\mathrm{Ei}(-x)$ mit 5 bis 6 geltenden Stellen für $x = 20 \ldots 50$ in Schritten von 0,02.

Lehrbücher: | **Text-books:**

a) O. Schlömilch, Compendium der höheren Analysis, II (4. Aufl., Braunschweig 1895, S. 197—205).
b) N. Nielsen, Theorie des Integrallogarithmus (Leipzig 1906 bei Teubner).
c) E. Landau, Verteilung der Primzahlen, I (Leipzig 1909 bei Teubner).
d) F. Ollendorff, Hochfrequenztechnik, S. 567 (Berlin 1926 bei Springer).
e) F. Ollendorff, Erdströme, S. 76, 127, 216 (Berlin 1928 bei Springer).

x	Si (x)	Ci (x)	$\overline{\text{Ei}}$ (x)	Ei ($-r$)
0,00	+0,000000	−∞	−∞	−∞
0,01	+0,010000	−4,0280	−4,0179	−4,0379
0,02	+0,019999	−3,3349	−3,3147	−3,3547
0,03	+0,029998	−2,9296	−2,8991	−2,9591
0,04	+0,039996	−2,6421	−2,6013	−2,6813
0,05	+0,04999	−2,4191	−2,3679	−2,4679
0,06	+0,05999	−2,2371	−2,1753	−2,2953
0,07	+0,06998	−2,0833	−2,0108	−2,1508
0,08	+0,07997	−1,9501	−1,8669	−2,0269
0,09	+0,08996	−1,8328	−1,7387	−1,9187
0,10	+0,09994	−1,7279	−1,6228	−1,8229
0,11	+0,10993	−1,6331	−1,5170	−1,7371
0,12	+0,11990	−1,5466	−1,4193	−1,6595
0,13	+0,12988	−1,4672	−1,3287	−1,5889
0,14	+0,13985	−1,3938	−1,2438	−1,5241
0,15	+0,14981	−1,3255	−1,1641	−1,4645
0,16	+0,15977	−1,2618	−1,0887	−1,4092
0,17	+0,16973	−1,2020	−1,0172	−1,3578
0,18	+0,1797	−1,1457	−0,9491	−1,3098
0,19	+0,1896	−1,0925	−0,8841	−1,2649
0,20	+0,1996	−1,0422	−0,8218	−1,2227
0,21	+0,2095	−0,9944	−0,7619	−1,1829
0,22	+0,2194	−0,9490	−0,7042	−1,1454
0,23	+0,2293	−0,9057	−0,6485	−1,1099
0,24	+0,2392	−0,8643	−0,5947	−1,0762
0,25	+0,2491	−0,8247	−0,5425	−1,0443
0,26	+0,2590	−0,7867	−0,4919	−1,0139
0,27	+0,2689	−0,7503	−0,4427	−0,9849
0,28	+0,2788	0,7153	−0,3949	−0,9573
0,29	+0,2886	−0,6816	−0,3482	−0,9309
0,30	+0,2985	−0,6492	−0,3027	−0,9057
0,31	+0,3083	−0,6179	−0,2582	−0,8815
0,32	+0,3182	−0,5877	−0,2147	−0,8583
0,33	+0,3280	−0,5585	−0,17210	−0,8361
0,34	+0,3378	−0,5304	−0,13036	−0,8147
0,35	+0,3476	−0,5031	−0,08943	−0,7942
0,36	+0,3574	−0,4767	−0,04926	−0,7745
0,37	+0,3672	−0,4511	−0,00979	−0,7554
0,38	+0,3770	−0,4263	+0,02901	−0,7371
0,39	+0,3867	−0,4022	+0,06718	−0,7194
0,40	+0,3965	−0,3788	+0,10477	−0,7024
0,41	+0,4062	−0,3561	+0,14179	−0,6859
0,42	+0,4159	−0,3341	+0,17828	−0,6700
0,43	+0,4256	−0,3126	+0,2143	−0,6546
0,44	+0,4353	−0,2918	+0,2498	−0,6397
0,45	+0,4450	−0,2715	+0,2849	−0,6253
0,46	+0,4546	−0,2517	+0,3195	−0,6114
0,47	+0,4643	−0,2325	+0,3537	−0,5979
0,48	+0,4739	−0,2138	+0,3876	−0,5848
0,49	+0,4835	−0,1956	+0,4211	−0,5721

x	Si (x)	Ci (x)	$\overline{\text{Ei}}$ (x)	Ei ($-x$)
0,50	+0,4931	−0,17778	+0,4542	−0,5598
0,51	+0,5027	−0,16045	+0,4870	−0,5478
0,52	+0,5123	−0,14355	+0,5195	−0,5362
0,53	+0,5218	−0,12707	+0,5517	−0,5250
0,54	+0,5313	−0,11099	+0,5836	−0,5140
0,55	+0,5408	−0,09530	+0,6153	−0,5034
0,56	+0,5503	−0,07999	+0,6467	−0,4930
0,57	+0,5598	−0,06504	+0,6778	−0,4830
0,58	+0,5693	−0,05044	+0,7087	−0,4732
0,59	+0,5787	−0,03619	+0,7394	−0,4636
0,60	+0,5881	−0,02227	+0,7699	−0,4544
0,61	+0,5975	$-0{,}0^{2}8675$	+0,8002	−0,4454
0,62	+0,6069	$+0{,}0^{2}4606$	+0,8302	−0,4366
0,63	+0,6163	+0,01758	+0,8601	−0,4280
0,64	+0,6256	+0,03026	+0,8898	−0,4197
0,65	+0,6349	+0,04265	+0,9194	−0,4115
0,66	+0,6442	+0,05476	+0,9488	−0,4036
0,67	+0,6535	+0,06659	+0,9780	−0,3959
0,68	+0,6628	+0,07816	+1,0071	−0,3883
0,69	+0,6720	+0,08946	+1,0361	−0,3810
0,70	+0,6812	+0,10051	+1,0649	−0,3738
0,71	+0,6904	+0,11132	+1,0936	−0,3668
0,72	+0,6996	+0,12188	+1,1222	−0,3599
0,73	+0,7087	+0,13220	+1,1507	−0,3532
0,74	+0,7179	+0,14230	+1,1791	−0,3467
0,75	+0,7270	+0,15216	+1,2073	−0,3403
0,76	+0,7360	+0,16181	+1,2355	−0,3341
0,77	+0,7451	+0,17124	+1,2636	−0,3280
0,78	+0,7541	+0,1805	+1,2916	−0,3221
0,79	+0,7631	+0,1895	+1,3195	−0,3163
0,80	+0,7721	+0,1983	+1,3474	−0,3106
0,81	+0,7811	+0,2069	+1,3752	−0,3050
0,82	+0,7900	+0,2153	+1,4029	−0,2996
0,83	+0,7989	+0,2235	+1,4306	−0,2943
0,84	+0,8078	+0,2316	+1,4582	−0,2891
0,85	+0,8166	+0,2394	+1,4857	−0,2840
0,86	+0,8254	+0,2471	+1,5132	−0,2790
0,87	+0,8342	+0,2546	+1,5407	−0,2742
0,88	+0,8430	+0,2619	+1,5681	−0,2694
0,89	+0,8518	+0,2691	+1,5955	−0,2647
0,90	+0,8605	+0,2761	+1,6228	−0,2602
0,91	+0,8692	+0,2829	+1,6501	−0,2557
0,92	+0,8778	+0,2896	+1,6774	−0,2513
0,93	+0,8865	+0,2961	+1,7047	−0,2470
0,94	+0,8951	+0,3024	+1,7319	−0,2429
0,95	+0,9036	+0,3086	+1,7591	−0,2387
0,96	+0,9122	+0,3147	+1,7864	−0,2347
0,97	+0,9207	+0,3206	+1,8136	−0,2308
0,98	+0,9292	+0,3263	+1,8407	−0,2269
0,99	+0,9377	+0,3319	+1,8679	−0,2231
1,00	+0,9461	+0,3374	+1,8951	−0,2194

x	Si (x)	Ci (x)	$\overline{\mathrm{Ei}}\,(x)$	Ei $(-x)$
1,0	+0,9461	+0,3374	+1,8951	−0,2194
1,1	+1,0287	+0,3849	+2,1674	−0,1860
1,2	+1,1080	+0,4205	+2,4421	−0,1584
1,3	+1,1840	+0,4457	+2,7214	−0,1355
1,4	+1,2562	+0,4620	+3,0072	−0,1162
1,5	+1,3247	+0,4704	+3,3013	−0,1000
1,6	+1,3892	+0,4717	+3,6053	−0,08631
1,7	+1,4496	+0,4670	+3,9210	−0,07465
1,8	+1,5058	+0,4568	+4,2499	−0,06471
1,9	+1,5578	+0,4419	+4,5937	−0,05620
2,0	+1,6054	+0,4230	+4,9542	−0,04890
2,1	+1,6487	+0,4005	+5,3332	−0,04261
2,2	+1,6876	+0,3751	+5,7326	−0,03719
2,3	+1,7222	+0,3472	+6,1544	−0,03250
2,4	+1,7525	+0,3173	+6,6007	−0,02844
2,5	+1,7785	+0,2859	+7,0738	−0,02491
2,6	+1,8004	+0,2533	+7,5761	−0,02185
2,7	+1,8182	+0,2201	+8,1103	−0,01918
2,8	+1,8321	+0,1865	+8,6793	−0,01686
2,9	+1,8422	+0,1529	+9,2860	−0,01482
3,0	+1,8487	+0,1196	+9,9338	−0,01304
3,1	+1,8517	+0,08699	+10,6263	−0,01149
3,2	+1,8514	+0,05526	+11,3673	−0,01013
3,3	+1,8481	+0,02468	+12,1610	$-0,0^{2}8939$
3,4	+1,8419	−0,004518	+13,0121	$-0,0^{2}7890$
3,5	+1,8331	−0,03213	+13,9254	$-0,0^{2}6970$
3,6	+1,8219	−0,05797	+14,9063	$-0,0^{2}6160$
3,7	+1,8086	−0,08190	+15,9606	$-0,0^{2}5448$
3,8	+1,7934	−0,1038	+17,0948	$-0,0^{2}4820$
3,9	+1,7765	−0,1235	+18,3157	$-0,0^{2}4267$
4,0	+1,7582	−0,1410	+19,6309	$-0,0^{2}3779$
4,1	+1,7387	−0,1562	+21,0485	$-0,0^{2}3349$
4,2	+1,7184	−0,1690	+22,5774	$-0,0^{2}2969$
4,3	+1,6973	−0,1795	+24,2274	$-0,0^{2}2633$
4,4	+1,6758	−0,1877	+26,0090	$-0,0^{2}2336$
4,5	+1,6541	−0,1935	+27,9337	$-0,0^{2}2073$
4,6	+1,6325	−0,1970	+30,0141	$-0,0^{2}1841$
4,7	+1,6110	−0,1984	+32,2639	$-0,0^{2}1635$
4,8	+1,5900	−0,1976	+34,6979	$-0,0^{2}1453$
4,9	+1,5696	−0,1948	+37,3325	$-0,0^{2}1291$
5,0	+1,5499	−0,1900	+40,1853	$-0,0^{2}1148$
6	+1,4247	−0,06806	+85,9898	$-0,0^{3}3601$
7	+1,4546	+0,07670	+191,505	$-0,0^{3}1155$
8	+1,5742	+0,1224	+440,380	$-0,0^{4}3767$
9	+1,6650	+0,05535	+1037,88	$-0,0^{4}1245$
10	+1,6583	−0,04546	+2492,23	$-0,0^{5}4157$
11	+1,5783	−0,08956	+6071,41	$-0,0^{5}1400$
12	+1,5050	−0,04978	+14959,5	$-0,0^{6}4751$
13	+1,4994	+0,02676	+37197,7	$-0,0^{6}1622$
14	+1,5562	+0,06940	+93192,5	$-0,0^{7}5566$
15	+1,6182	+0,04628	+234 956	$-0,0^{7}1918$

x	Si (x)	Ci (x)	x	Si (x)	Ci (x)
20	+1,5482	+0,04442	140	+1,5722	+0,007011
25	+1,5315	−0,00685	150	+1,5662	−0,004800
30	+1,5668	−0,03303	160	+1,5769	+0,001409
35	+1,5969	−0,01148	170	+1,5653	+0,002010
40	+1,5870	+0,01902	180	+1,5741	−0,004432
45	+1,5587	+0,01863	190	+1,5704	+0,005250
50	+1,5516	−0,00563	200	+1,5684	−0,004378
55	+1,5707	−0,01817	300	+1,5709	−0,003332
60	+1,5867	−0,00481	400	+1,5721	−0,002124
65	+1,5792	+0,01285	500	+1,5726	−0,0009320
70	+1,5616	+0,01092	600	+1,5725	+0,0000764
75	+1,5586	−0,00533	700	+1,5720	+0,0007788
80	+1,5723	−0,01240	800	+1,5714	+0,001118
85	+1,5824	−0,001935	900	+1,5707	+0,001109
90	+1,5757	+0,009986	10^3	+1,5702	+0,000826
95	+1,5630	+0,007110	10^4	+1,5709	−0,0000306
100	+1,5622	−0,005149	10^5	+1,5708	+0,0000004
110	+1,5799	−0,000320	10^6	+1,5708	−0,0000004
120	+1,5640	+0,004781	10^7	+1,5708	+0,0
130	+1,5737	−0,007132	∞	$\frac{1}{2}\pi$	0,0

$\frac{x}{\pi}$	Max. / Min. (Ci x)	$\frac{x}{\pi}$	Max. / Min. (si x)
0,5	+0,472 00	1	+0,281 14
1,5	−0,198 41	2	−0,152 64
2,5	+0,123 77	3	+0,103 96
3,5	−0,089 564	4	−0,078 635
4,5	+0,070 065	5	+0,063 168
5,5	−0,057 501	6	−0,052 762
6,5	+0,048 742	7	+0,045 289
7,5	−0,042 292	8	−0,039 665
8,5	+0,037 345	9	+0,035 280
9,5	−0,033 433	10	−0,031 767
10,5	+0,030 260	11	+0,028 889
11,5	−0,027 637	12	−0,026 489
12,5	+0,025 432	13	+0,024 456
13,5	−0,023 552	14	−0,022 713
14,5	+0,021 931	15	+0,021 201
15,5	−0,020 519		

II. Die Fakultät.
II. Factorial function.

Legendre, Gauß und das britische Committee on mathematical tables benutzen für die Funktion verschiedene Zeichen:

Legendre, Gauss and the British Committee on mathematical tables use different signs for the function:

$$\Gamma(1+x) = \Pi(x) = x!, \qquad \frac{d \ln x!}{dx} = \frac{x!'}{x!} = \Psi(x).$$

1. Definition und Berechnung.
1. Definition and computation.

a)
$$z! = \lim_{n\to\infty} \frac{n^z}{\prod_{\nu=1}^{n}\left(1+\frac{z}{\nu}\right)} = \prod_{\nu=1}^{\infty} \frac{\left(1+\frac{1}{\nu}\right)^z}{1+\frac{z}{\nu}}$$

$$z! = e^{-Cz} \prod_{\nu=1}^{\infty} \frac{e^{\frac{z}{\nu}}}{1+\frac{z}{\nu}}, \qquad C = 0{,}577\,215\,665\ldots \qquad \gamma = e^C = 1{,}781\,072\ldots$$

b) Setzt man | **b)** Putting

$$z = x + iy = r e^{i\varrho}, \qquad z! = h e^{i\eta}, \qquad 1 + \frac{iy}{x+n} = r_n e^{i\varrho_n},$$

so ist / we get
$$h = \frac{x!}{\prod_{n=1}^{\infty} r_n}, \qquad \eta = y\,\Psi(x) + \sum_{n=1}^{\infty} (\operatorname{tg}\varrho_n - \varrho_n).$$

c)
$$r \ll 1, \qquad z! = \sqrt{\frac{\pi z}{\sin \pi z}\,\frac{1-z}{1+z}} \cdot e^{A}$$

mit / with
$$A = C_1 z - C_3 z^3 - C_5 z^5 - \cdots$$

$$C_1 = 0{,}422\,784\,335 \qquad C_7 = 0{,}001\,192\,754$$
$$C_3 = 0{,}067\,352\,301 \qquad C_9 = 0{,}000\,223\,155$$
$$C_5 = 0{,}007\,385\,551 \qquad C_{11} = 0{,}000\,044\,926.$$

Weiter ist | Further we have

$$h^4 = \frac{\pi^2 (x^2+y^2)}{\sin^2 \pi x + \mathfrak{Sin}^2 \pi y}\,\frac{(1-x)^2+y^2}{(1+x)^2+y^2} \cdot e^{4A_1},$$

$$2\eta = \varrho - \sigma - \varphi - \psi + 2A_2$$

mit / with
$$A_1 + iA_2 = C_1 r e^{i\varrho} - C_3 r^3 e^{i3\varrho} - C_5 r^5 e^{i5\varrho} - \cdots$$

$$\operatorname{tg}\sigma = \frac{\mathfrak{Tg}\,y}{\operatorname{tg} x}, \qquad \operatorname{tg}\varphi = \frac{y}{1-x}, \qquad \operatorname{tg}\psi = \frac{y}{1+x}.$$

d)
$$x \gg 1, \quad x! = \sqrt{2\pi x}\, x^x e^{-x} \cdot H(x),$$

wo / where
$$H(x) = 1 + \frac{1}{12x} + \frac{1}{288x^2} - \frac{139}{51\,840x^3} - \frac{571}{2\,488\,320x^4} + \cdots$$

e)
$$x \gg 1, \qquad x! = \sqrt{\frac{2\pi}{e}}\, e^{-x} [x(x+1)]^{\frac{x}{2}+\frac{1}{4}} \sqrt[12]{1+\frac{1}{x}}\, e^{\lambda},$$

wo / where
$$\lambda = \frac{1}{180}\left(\frac{1}{x^2} - \frac{1}{(x+1)^2}\right) - \frac{1}{840}\left(\frac{1}{x^4} - \frac{1}{(x+1)^4}\right) + \cdots$$

f) $$x = 0, \qquad y >> 1, \qquad (iy)! = h e^{i\eta},$$

wo
where
$$h = \sqrt{\frac{\pi y}{\operatorname{Sin} \pi y}} \approx \sqrt{2\pi y}\, e^{-\frac{\pi}{2} y},$$
$$\eta = \frac{\pi}{4} + y(\ln y - 1) - \frac{1}{12y}$$

2. Besondere Werte.
2. Special values.

Im folgenden bedeute n eine positive ganze Zahl:

In the following n signifies a positive integer:

$$0! = 1, \qquad n! = 1 \cdot 2 \cdot 3 \ldots (n-1)n, \qquad \frac{z!}{n!(z-n)!} \equiv \binom{z}{n},$$

$$(-n)! = \infty, \qquad \begin{matrix}\text{Residuum}\\ \text{residue}\end{matrix} = \frac{(-1)^{n-1}}{(n-1)!}.$$

$$(-0{,}5)! = \sqrt{\pi} = 1{,}772\,453\,851 \ldots$$
$$(n+0{,}5)! = \sqrt{\pi}\,\frac{1 \cdot 3 \cdot 5 \ldots (2n+1)}{2^{n+1}}$$
$$(-n-0{,}5)! = \sqrt{\pi}\,\frac{(-2)^n}{1 \cdot 3 \cdot 5 \ldots (2n-1)}$$
$$x > 0, \qquad \min(x!) = 0{,}46\,163! = 0{,}88\,560.$$

3. Funktionalgleichungen.
3. Functional equations.

a) Rekursionsformel.
a) Recurrence formula.

$$(z+1)! = z!(z+1) \qquad (z+n)! = z!(z+1)(z+2)\ldots(z+n)$$
$$(z-1)! = \frac{z!}{z} \qquad (z-n)! = \frac{z!}{z(z-1)(z-2)\ldots(z-n+1)}.$$

b) Spiegelung am Punkt −0,5.
b) Reflection at the point −0,5.

$$(-z)! = \frac{\pi}{(z-1)!\sin \pi z} = \frac{\pi z}{z!\sin \pi z}$$

$$(-0{,}5-z)! = \frac{\pi}{(z-0{,}5)!\cos \pi z} = \frac{\pi(0{,}5+z)}{(0{,}5+z)!\cos \pi z}$$

$$(1-z)! = \frac{\pi z(1-z)}{z!\sin \pi z}.$$

Es sei | Let

$$P_0 = z, \quad P_n = z(1-z^2)(4-z^2)\ldots(n^2-z^2), \quad n = 1, 2, \ldots$$

$$Q_0 = 1, \quad Q_n = (0{,}25-z^2)(2{,}25-z^2)(6{,}25-z^2)\ldots[(n-1)n+0{,}25-z^2];$$

dann ist | then we have

$$(n+z)!\,(n-z)! = \frac{\pi P_n}{\sin \pi z}$$

$$(-n+z)!\,(-n-z)! = \frac{-\pi}{P_{n-1}\sin \pi z}$$

$$(n+0{,}5+z)!\,(n+0{,}5-z)! = \frac{\pi Q_{n+1}}{\cos \pi z}$$

$$(-n-0{,}5+z)!\,(-n-0{,}5-z)! = \frac{\pi}{Q_n \cos \pi z}$$

Für $z = 0 + iy$ werden diese vier | For $z = 0 + iy$ these four expressions

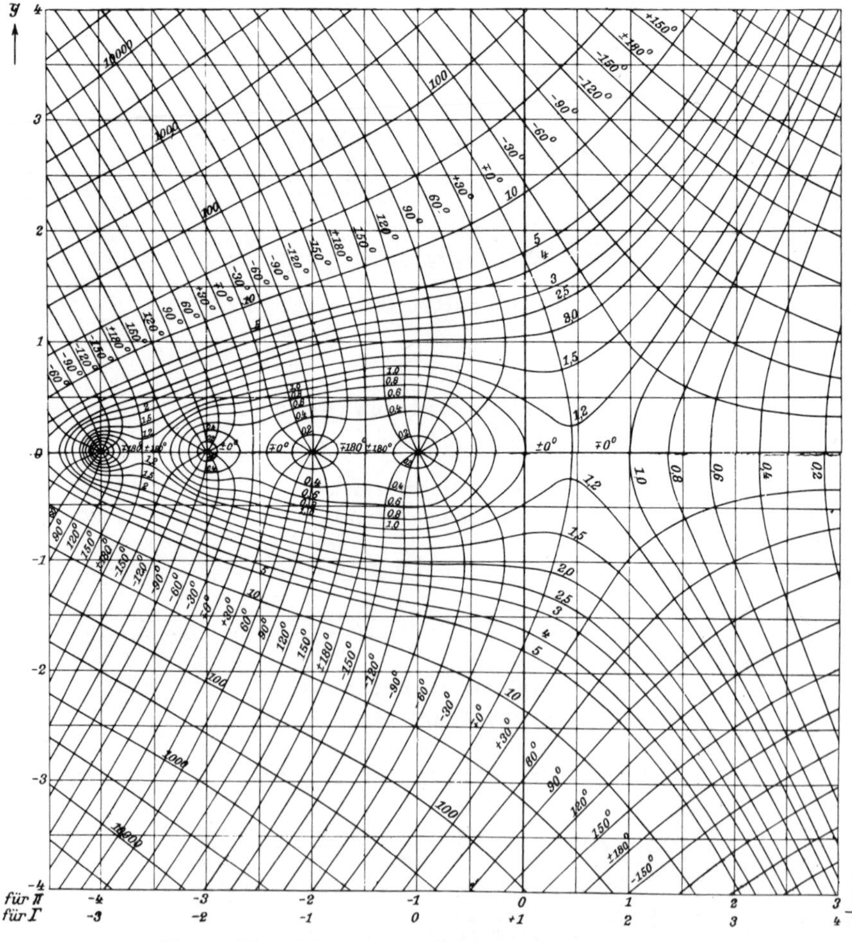

Fig. 4. Höhenkarte zum Relief der reziproken Fakultät.
Fig. 4. Altitude chart of the relief of the reciprocal factorial function.

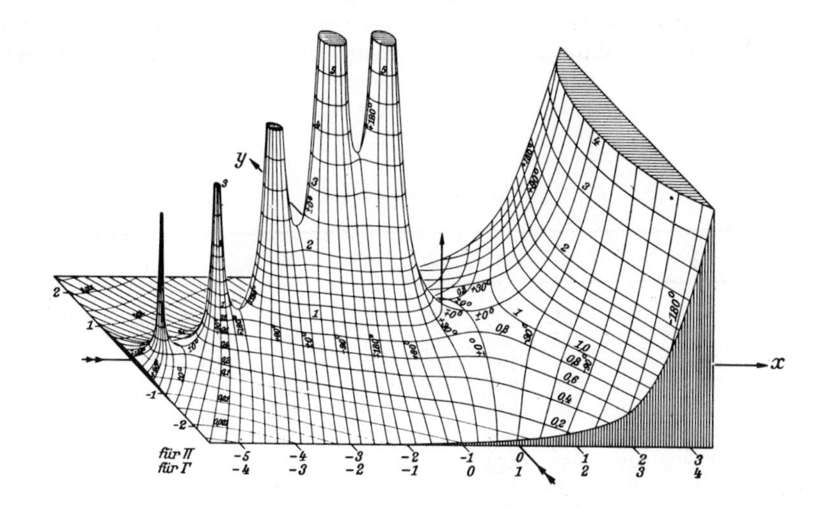

Fig. 5. Relief der Fakultät.
Fig. 5. Relief of the factorial function.

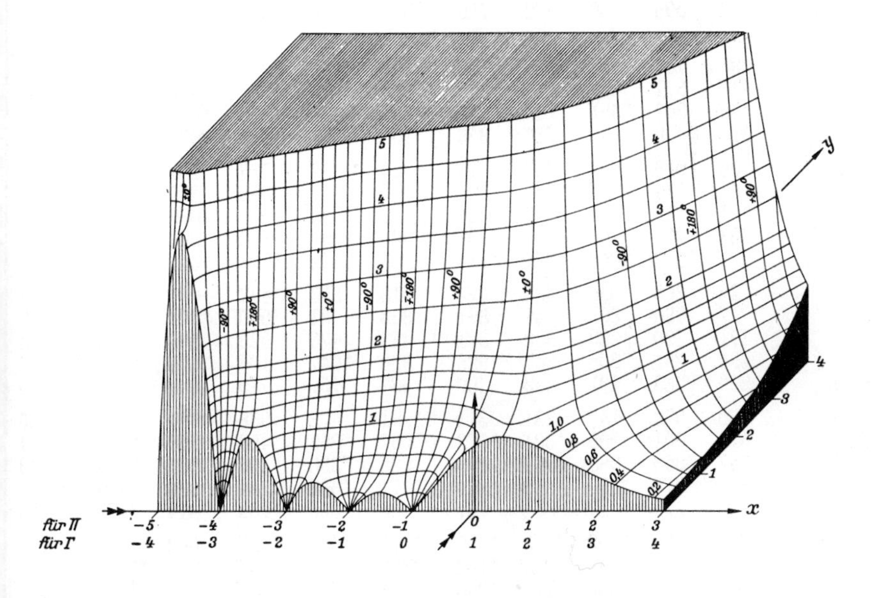

Fig. 6. Relief der reziproken Fakultät.
Fig. 6. Relief of the reciprocal factorial function.

Ausdrücke reell und bedeuten das Quadrat des Betrages jedes der beiden konjugiert komplexen Faktoren auf den linken Seiten.

become real and denote the square of the modulus of each of the two conjugate complex factors on the left-hand sides.

$$x! = \Pi x = \Gamma(x+1)$$

x		0	1	2	3	4	5	6	7	8	9	d
0,0	0,9	—	943	888	835	784	735	687	642	597	555	− 49
1		514	474	436	399	364	330	298	267	237	209	− 34
2		182	156	131	108	085	064	044	025	007	*990	− 21
3	0,8	975	960	946	934	922	912	902	893	885	879	− 10
4		873	868	864	860	858	857	856	856	857	859	− 1
5		862	866	870	876	882	889	896	905	914	924	+ 7
6		935	947	959	972	986	*001	*017	*033	*050	*068	+ 15
7	0,9	086	106	126	147	168	191	214	238	262	288	+ 23
8		314	341	368	397	426	456	487	518	551	584	+ 30
9		618	652	688	724	761	799	837	877	917	958	+ 38
1,0	1,0	000	043	086	131	176	222	269	316	365	415	+ 46
1		465	516	568	621	675	730	786	842	900	959	+ 55
2	1,1	018	078	140	202	266	330	395	462	529	598	+ 64
3		667	738	809	882	956	*031	*107	*184	*262	*341	+ 75
4	1,2	422	503	586	670	756	842	930	*019	*109	*201	+ 86
5	1,3	293	388	483	580	678	777	878	981	*084	*190	+ 99
6	1,4	296	404	514	625	738	852	968	*085	*204	*325	+114
7	1,5	447	571	696	824	953	*084	*216	*351	*487	*625	+131
8	1,6	765	907	*051	*196	*344	*494	*646	*799	*955	**113	+150
9	1,8	274	436	600	767	936	*108	*281	*457	*636	*816	+172
2,0	2,	000	019	037	057	076	095	115	136	156	177	+ 19
1		198	219	240	262	284	307	330	353	376	400	+ 23
2		424	448	473	498	524	549	575	602	629	656	+ 25
3		683	711	740	768	798	827	857	888	918	950	+ 29
4		981	*013	*046	*079	*112	*146	*181	*216	*251	*287	+ 34
5	3,	323	360	398	436	474	513	553	593	634	675	+ 39
6		717	760	803	846	891	936	981	*028	*075	*122	+ 45
7	4,	171	220	269	320	371	423	476	529	583	638	+ 52
8		694	751	808	867	926	986	*047	*108	*171	*235	+ 60
9	5,	299	365	431	499	567	637	707	779	851	925	+ 70
3,0	6,	000	076	153	231	311	391	473	556	640	726	+ 80
1		813	901	990	*081	*173	*267	*362	*458	*556	*656	+ 94
2	7,	757	859	963	*069	*176	*285	*396	*508	*622	*738	+109
3	8,	855	975	*096	*219	*344	*471	*600	*731	*864	*999	+127
4	10,	136	275	417	561	707	855	*005	*158	*314	*471	+148
5	11,	632	795	960	*128	*299	*472	*648	*827	**009	**194	+173
6	13,	381	572	766	962	*162	*366	*572	*782	*995	**211	+204
7	15,	431	655	882	*113	*348	*586	*829	**075	**325	**579	+238
8	10×1,	784	810	837	864	891	920	948	977	*006	*036	+ 29
9	10×2,	067	098	129	161	194	227	260	294	329	364	+ 33

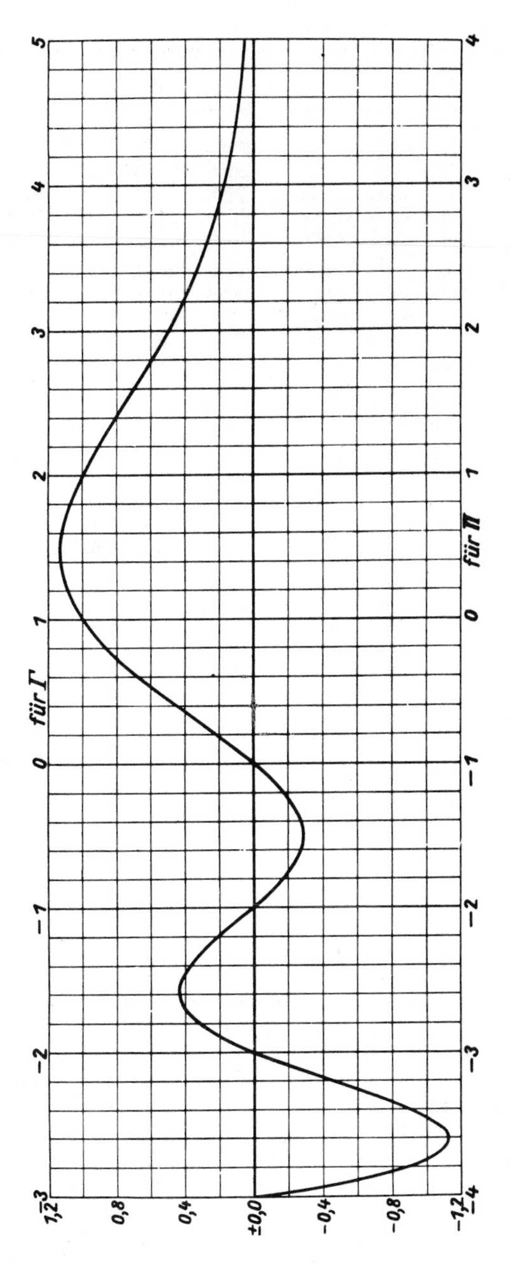

Fig. 7. Die reziproke Fakultät.
Fig. 7. The reciprocal factorial function.

$$\frac{1}{(-x)!}$$

x		0	1	2	3	4	5	6	7	8	9	d
0,0	0,9	—	9416	8820	8209	7586	6951	6302	5640	4965	4278	635
1		3578	2866	2140	1402	0652	*9889	*9114	*8327	*7528	*6717	763
2	0,8	5894	5059	4212	3355	2485	1605	0713	*9811	*8897	*7973	880
3	0,7	7038	6093	5138	4173	3198	2213	1219	0215	*9202	*8181	985
4	0,6	7151	6112	5065	4010	2947	1876	0799	*9714	*8622	*7523	1071
5	0,5	6419	5308	4192	3069	1941	0809	*9673	*8531	*7385	*6235	1132
6	0,4	5082	3926	2767	1605	0441	*9275	*8107	*6938	*5768	*4598	1166
7	0,3	3427	2257	1086	*9917	*8749	*7582	*6416	*5254	*4094	*2937	1167
8	0,2	1783	0633	*9486	*8345	*7207	*6072	*4950	*3831	*2717	*1611	1135
9	+ 0,1	0511	*9420	*8336	*7260	*6194	*5136	*4088	*3050	*2022	*1006	1058
1,0	± 0,0	0000	0994	1976	2947	3904	4848	5778	6695	7597	8485	944
1		9358	*0215	*1056	*1882	*2691	*3483	*4258	*5016	*5755	*6476	792
2	— 0,1	7179	7863	8527	9171	9797	*0401	*0985	*1549	*2091	*2612	604
3	— 0,2	3112	3589	4044	4477	4887	5275	5639	5980	6297	6591	388
4		6861	7106	7327	7524	7696	7844	7968	8066	8139	8187	148
5		8209	8207	8180	8127	8049	7945	7816	7663	7484	7279	104
6		7049	6795	6516	6211	5882	5529	5151	4749	4323	3873	353
7		3399	2902	2382	1839	1274	0686	0076	*9446	*8794	*8120	588
8	— 0,1	7426	6712	5979	5226	4455	3665	2858	2033	1191	0333	790
9	— 0,0	9460	8572	7669	6752	5822	4879	3925	2959	1982	0996	943
2,0	+ 0,0	0000	1004	2016	3035	4060	5090	6125	7164	8205	9249	970
1	+ 0,1	0294	1339	2383	3427	4468	5506	6540	7568	8591	9606	1038
2	0,2	0614	1614	2603	3581	4548	5502	6442	7367	8277	9170	954
3	0,3	0045	0902	1738	2555	3349	4121	4868	5592	6289	6961	782
4		7604	8220	8804	9360	9883	*0374	*0833	*1256	*1645	*1998	491
5	0,4	2314	2593	2833	3034	3195	3315	3394	3430	3424	3374	120
6		3279	3140	2955	2725	2447	2122	1750	1330	0862	0345	325
7	0,3	9778	9163	8498	7782	7017	6201	5335	4418	3451	2434	816
8		1367	0249	*9081	*7863	*6596	*5280	*3915	*2502	*1040	**9531	1316
9	0,1	7975	6372	4724	3032	1295	*9515	*7692	*5829	*3925	*1981	1780

$$\Psi(x) = \frac{d \ln \Pi x}{d x}$$

cf. Fig. 9, p. 19

x		0	1	2	3	4	5	6	7	8	9	d
0,0	−0,5	772	609	448	289	133	*978	*826	*676	*528	*382	155
1	−0,4	238	095	*955	*816	*679	*543	*410	*277	*147	*018	136
2	−0,2	890	764	640	517	395	275	155	038	*921	*806	120
3	−0,1	692	579	467	357	248	139	032	*926	*821	*717	109
4	−0,0	614	512	411	311	211	113	016	+081	+176	+271	98
5	+0,0	365	458	550	642	732	822	911	*000	*087	*174	90
6	+0,1	260	346	431	515	598	681	763	845	926	*006	83
7	+0,2	085	165	243	321	398	475	551	626	701	776	77
8		850	923	996	*069	*141	*212	*283	*353	*423	*493	71
9	+0,3	562	630	699	766	833	900	967	*033	*098	*163	67

$$\frac{1}{x!}$$

x		0	1	2	3	4	5	6	7	8	9	d
,0	1,0	000	057	113	167	220	272	323	372	420	466	52
1		511	555	598	639	679	718	755	791	826	859	39
2		891	922	952	980	*007	*032	*057	*080	*102	*123	25
3	1,1	142	161	178	194	208	222	234	244	254	263	14
4		270	277	282	286	289	291	292	291	290	297	2
5		284	279	273	267	259	250	240	230	218	205	9
6		191	177	161	145	128	109	091	071	049	028	19
7		005	*982	*958	*933	*907	*881	*854	*825	*796	*767	26
8	1,0	737	706	674	642	609	575	541	506	471	435	34
9		398	360	322	284	245	206	165	125	083	042	39
,0		0000	*9575	*9145	*8711	*8273	*7830	*7383	*6933	*6478	*6020	443
1	0,9	5558	5092	4623	4151	3676	3197	2715	2231	1743	1253	479
2		0760	0265	*9767	*9268	*8765	*8261	*7755	*7247	*6737	*6225	504
3	0,8	5711	5196	4679	4161	3642	3122	2600	2078	1554	1030	520
4		0504	*9978	*9452	*8925	*8397	*7868	*7340	*6812	*6283	*5754	529
5	0,7	5225	4696	4167	3639	3111	2583	2055	1527	1000	0474	528
6	0,6	9948	9423	8899	8376	7853	7331	6810	6291	5772	5253	522
7		4737	4222	3708	3196	2685	2175	1667	1160	0654	0150	510
8	0,5	9648	9147	8649	8152	7656	7163	6671	6182	5694	5208	493
9		4724	4242	3762	3284	2808	2335	1864	1394	0927	0462	473
,0		0000	*9540	*9082	*8626	*8173	*7722	*7273	*6827	*6384	*5943	451
1	0,4	5504	5068	4634	4202	3774	3348	2924	2503	2084	1668	426
2		1255	0844	0436	0030	*9627	*9227	*8830	*8435	*8042	*7652	400
3	0,3	7265	6881	6499	6120	5744	5371	5000	4632	4266	3903	373
4		3543	3186	2831	2479	2129	1783	1439	1098	0759	0423	346
5		0090	*9759	*9431	*9106	*8783	*8464	*8147	*7832	*7520	*7210	319
6	0,2	6903	6599	6297	5998	5702	5408	5117	4828	4542	4258	294
7		3977	3698	3422	3148	2877	2609	2343	2079	1818	1559	268
8		1303	1049	0798	0549	0302	0057	*9815	*9575	*9338	*9103	245
9	0,1	8870	8640	8412	8186	7962	7740	7521	7304	7090	6878	222

$$\Psi'(x) = \frac{d^2 \ln \Pi x}{d x^2}$$

cf. Fig. 9, p. 19.

x		0	1	2	3	4	5	6	7	8	9	d
,0	1,6	449	212	*981	*756	*537	*324	*115	**912	**715	**521	213
1	1,4	333	149	*970	*794	*623	*456	*292	*132	**976	**823	167
2	1,2	674	528	385	245	107	*973	*842	*713	*587	*464	134
3	1,1	343	224	108	*993	*882	*772	*664	*559	*455	*353	110
4	1,0	254	156	059	*965	*872	*781	*691	*603	*517	*432	91
5	0,9	348	266	185	106	027	*951	*875	*801	*727	*655	76
6	0,8	584	515	446	378	312	246	181	118	055	*993	66
7	0,7	932	872	813	755	698	641	585	530	476	422	57
8		370	318	266	216	166	117	068	020	*973	*926	49
9	0,6	880	834	789	745	701	658	615	573	531	490	43

c) **Multiplikationssatz.**

c) **Multiplication theorem.**

$$z!\left(z-\frac{1}{n}\right)!\left(z-\frac{2}{n}\right)!\ldots\left(z-\frac{n-1}{n}\right)!=\sqrt{\frac{(2\pi)^{n-1}}{n}}\,\frac{(nz)!}{n^{nz}}$$

$$z!(z-0{,}5)!=\sqrt{\pi}\,\frac{(2z)!}{4^z}$$ (Verdopplungsformel) (Duplication formula).

4. Die logarithmische Ableitung.

4. The logarithmic derivative.

$$\Psi(z)=\frac{d\ln z!}{dz}=\frac{z!'}{z!}=-C+\sum_{\nu=1}^{\infty}\left(\frac{1}{\nu}-\frac{1}{z+\nu}\right).$$

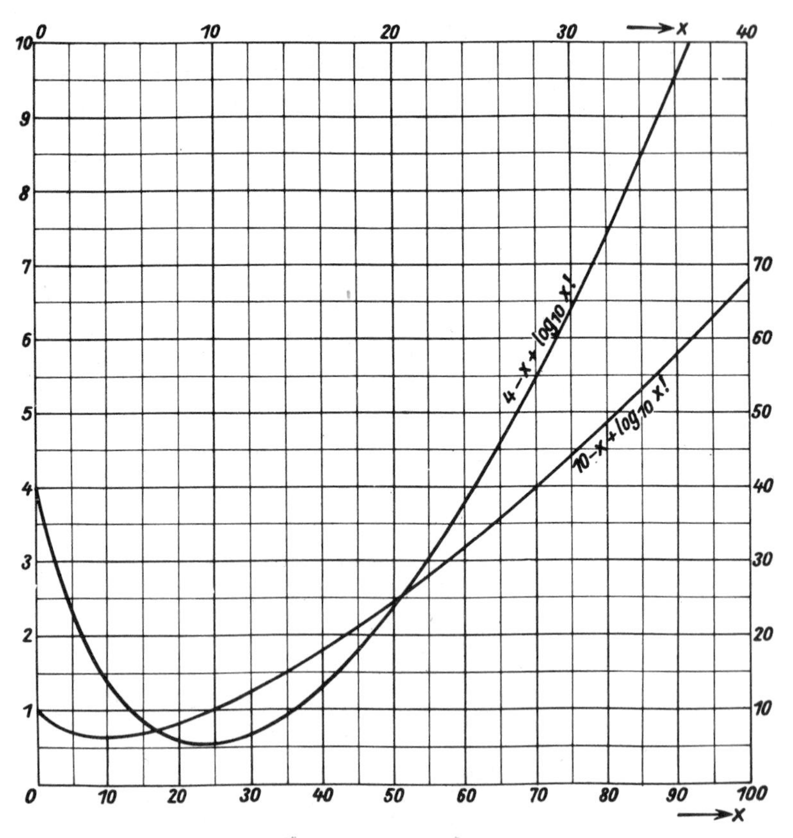

Fig. 8. $x!$ für großes x.

Fig. 8. $x!$ for x large.

Wenn $r >> 1$ und $\varrho \neq \pm \pi$ ist, gilt
When $r >> 1$ and $\varrho \neq \pm \pi$ we have

$$\Psi(z) = \frac{1}{2}\ln[z(z+1)] + \frac{1}{6}\left(\frac{1}{z} - \frac{1}{z+1}\right) - \frac{1}{90}\left(\frac{1}{z^3} - \frac{1}{(z+1)^3}\right) + \cdots$$
$$= \ln z + \frac{1}{2z} - \frac{1}{12z^2} + \frac{1}{120z^4} - \cdots$$

$$\Psi(0) = -C, \qquad \Psi(n) = -C + 1 + \frac{1}{2} + \frac{1}{3} + \cdots + \frac{1}{n}, \qquad \Psi(-n) = \infty$$

$$\Psi(-0{,}5) = -C - 2\ln 2 = -\ln 4\gamma = -1{,}963\,510\,026$$

$$\Psi(-0{,}5 \pm n) = -\ln 4\gamma + 2\left(1 + \frac{1}{3} + \frac{1}{5} + \cdots + \frac{1}{2n-1}\right)$$

$$\Psi(z) = \Psi(z-1) + \frac{1}{z}, \qquad \Psi(z+n) = \Psi(z) + \frac{1}{z+1} + \frac{1}{z+2} + \cdots + \frac{1}{z+n}$$

$$\Psi(z-n) = \Psi(z) - \frac{1}{z} - \frac{1}{z-1} - \cdots - \frac{1}{z-n+1}$$

$$\Psi(-z) = \Psi(z-1) + \pi \operatorname{ctg} \pi z \qquad \Psi(-n-0{,}25) = \Psi(n-0{,}75) + \pi$$
$$\Psi(-0{,}5+z) = \Psi(-0{,}5-z) + \pi \operatorname{tg} \pi z \qquad \Psi(-n-0{,}75) = \Psi(n-0{,}25) - \pi.$$

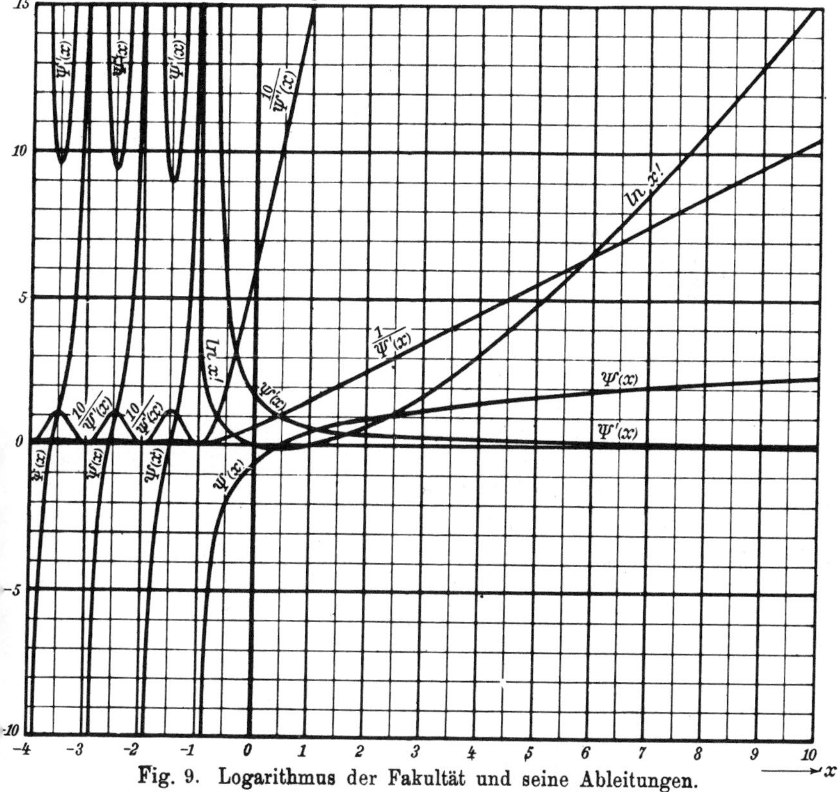

Fig. 9. Logarithmus der Fakultät und seine Ableitungen.
Fig. 9. Logarithm of the factorial function and its derivatives.

5. Die Ableitung der logarithmischen Ableitung.
5. The derivative of the logarithmic derivative.

$$\Psi'(z) = \sum_{\nu=1}^{\infty} \frac{1}{(z+\nu)^2}.$$

Wenn / When $r >> 1$ und / and $\varrho \neq \pm \pi$ ist, gilt / we have

$$\Psi'(z) = \frac{1}{z} - \frac{1}{2z^2} + \frac{1}{6z^3} - \frac{1}{30z^5} + \cdots$$

$$\Psi'(0) = \frac{\pi^2}{6} = 1{,}644\,934\,067$$

$$\Psi'(n) = \frac{\pi^2}{6} - \left(\frac{1}{1^2} + \frac{1}{2^2} + \cdots + \frac{1}{n^2}\right), \qquad \Psi'(-n) = \infty$$

$$\Psi'(-0{,}5) = \frac{\pi^2}{2} = 4{,}934\,802\,201$$

$$\Psi'(n-0{,}5) = \frac{\pi^2}{2} - 4\left(\frac{1}{1^2} + \frac{1}{3^2} + \frac{1}{5^2} + \cdots + \frac{1}{(2n-1)^2}\right)$$

$$\Psi'(-n-0{,}5) = \frac{\pi^2}{2} + 4\left(\frac{1}{1^2} + \frac{1}{3^2} + \frac{1}{5^2} + \cdots + \frac{1}{(2n-1)^2}\right)$$

$$\lim_{n\to\infty} \Psi'(n-0{,}5) = 0, \qquad \lim_{n\to\infty} \Psi'(-n-0{,}5) = \pi^2$$

$$\Psi'(z-1) = \Psi'(z) + \frac{1}{z^2}, \qquad \Psi'(z-1) + \Psi'(-z) = \left(\frac{\pi}{\sin \pi z}\right)^2$$

$$\Psi'(-0{,}5+z) + \Psi'(-0{,}5-z) = \left(\frac{\pi}{\cos \pi z}\right)^2$$

6. Bestimmte Integrale.
6. Integrals.

Es sei / Let $z = x + iy, \qquad w = u + iv.$

$$\int_0^\infty e^{-wt^n} t^z \, dt = \frac{1}{z+1} \frac{\frac{z+1}{n}!}{w^{\frac{z+1}{n}}}, \qquad u > 0, \quad n > 0, \quad x > -1$$

$$\int_0^\infty e^{-t} t^z \, dt = \int_0^1 \left(\ln \frac{1}{t}\right)^z dt = z!, \qquad x > -1$$

$$\int_0^\infty e^{-wt^2} t^z \, dt = \frac{\sqrt{\pi}}{(2\sqrt{w})^{z+1}} \frac{z!}{\frac{z}{2}!}, \qquad u > 0, \quad x > -1$$

$$\int_0^1 t^z (1-t)^w \, dt = \frac{z!\, w!}{(z+w+1)!}, \qquad x > -1, \quad u > -1$$

$$\int_0^\infty \frac{t^z}{(1+t)^w} \, dt = \frac{z!\,(w-z-2)!}{(w-1)!}, \qquad x > -1, \quad u > 0$$

$$\int_0^{\frac{\pi}{2}} \sin^m \varphi \cos^n \varphi \, d\varphi = \frac{\pi}{2^{m+n+1}} \frac{m!\, n!}{\frac{m}{2}!\, \frac{n}{2}!\, \frac{m+n}{2}!}, \qquad \begin{matrix} m > -1 \\ n > -1 \end{matrix}$$

$$\int_0^1 \frac{dt}{\sqrt[n]{1-t^m}} = \frac{\frac{1}{m}!\, \frac{-1}{n}!}{\left(\frac{1}{m} - \frac{1}{n}\right)!}, \qquad \begin{matrix} m > 0 \\ n > 1 \end{matrix}$$

$$\int_0^1 \frac{dt}{\sqrt{1-t^m}} = \sqrt{\pi} \frac{\frac{1}{m}!}{\left(\frac{1}{m} - \frac{1}{2}\right)!} = \sqrt[m]{4} \frac{\frac{1}{m}!^2}{\frac{2}{m}!}, \qquad m > 0$$

$$\int_0^1 \frac{1-t^z}{1-t} dt = C + \Psi(z), \qquad x > 0.$$

Lehrbücher: | **Text-books:**

a) N. Nielsen, Gammafunktion (Leipzig 1906 bei Teubner). 326 Seiten.
b) O. Schlömilch, Compendium der höheren Analysis II (4. Aufl. Braunschweig 1895). S. 245—286.
c) Serret-Scheffers II, Integralrechnung (3. Aufl., Leipzig 1907 bei Teubner). S. 192—260.
d) E. T. Whittaker and G. N. Watson, Modern Analysis (4. ed. Cambridge 1927 at the University Press). p. 235—264.
e) L. M. Milne-Thomson, Finite Differences (London 1933 bei Macmillan , p. 241—271.

Genauere Tafeln: | **More-figure tables:**

a) C. F. Degen, Tabularum ad faciliorem etc. (Havniae 1824). 18 stellige Logarithmen der Fakultäten der ganzen Zahlen bis 1200. Abgedruckt in den Tracts for Computers, Nr. VIII (Cambridge 1922, University Press).
b) A. M. Legendre, Tables of the logarithms of the complete Γ-function to twelwe figures. — Tracts for computers, Nr. IV (Cambridge 1921, University Press) 10 Seiten. Gibt $\log_{10} x!$ mit 12 Dezimalen für $x = 0{,}000 \ldots 1{,}000$ in Schritten 0,001.
c) K. Hayashi, Sieben- und mehrstellige Tafeln usw. (Berlin 1926 bei Springer) geben $\log_{10} x!$ für $x = 0{,}0001 \ldots 1{,}0000$ und $1{,}01 \ldots 2{,}00$ mit 10 bis 8 Dezimalen und $x!$ mit 8 Dezimalen für $x = -6{,}00 \ldots 0{,}00$ und $0{,}000 \ldots 1{,}000$ und $1{,}00 \ldots 4{,}00$.
d) G. Cassinis, Atti del' Ist. Naz. delle Assic., vol. II (Rom 1930) gibt $x!$ mit 7 Dezimalen für $x = 0{,}000 \ldots 1{,}050$; mit 5 geltenden Stellen für $-0{,}9 \ldots +9{,}9$; ferner $\Psi(x)$ mit 7 Dezimalen für $x = 0{,}00 \ldots 1{,}00$; mit 4 Dezimalen für $x = -0{,}9 \ldots +9{,}9$.
e) Brit. Ass. Adv. Sc. Mathematical tables, vol. I (London 1931) geben $x!$ 12 stellig für $x = 0{,}01 \ldots 1{,}00$; ferner $1 + \int_0^x \log_{10} t!\, dt$ 10 stellig; ferner $\Lambda_n(x) = \frac{d^n}{dx^n} \ln x!$:

Λ_1	Λ_2	Λ_3	Λ_4		
12	12	9 … 13	7 … 13 stellig	für	$x = 0{,}01 \ldots 1{,}00$ und $x = 10{,}1 \ldots 60{,}0$.

f) Ingeborg Ginzel, Acta math. 56 (1931), S. 273—354, gibt $(x + iy)!$ 6 stellig für $x = -0{,}5;\ 0{,}0 \ldots +9{,}5;\ 10{,}0$ und $y = 1, 2, \ldots 10$ und andere Werte.
g) K. Pearson, Tables of the incomplete Γ-function (London 1922). 164 Seiten. Ausgedehnte Tafel, 7 stellig.

h) H. T. Davis, Tables of higher mathematical functions, vol. I (Bloomington 1934, Principia Press):

Bereich	Schritt	Dezimalen $\log_{10} z!$	Dezimalen $\Psi(z)$
0,00 ... — 11,00*)	0,01	15	15
0,0000 ... 0,1000*)	0,0001	10	10
0,000 ... 1,000*)	0,001	12	10
0,00 ... 1,00	0,01	20	18
1,00 ... 10,00	0,01	12	—
1,00 ... 19,00	0,02	—	12
— 0,5 ... 99,0	0,5	—	16
10,0 ... 100,0	0,1	12	—
99 ... 449	1	—	10

*) ferner $z!$ und $\log_{10} \Psi(z)$ mit 10 Dezimalen.

$$\frac{1}{\Gamma(re^{i\Theta})} = \frac{1}{(-1+re^{i\Theta})!} = P(r,\Theta) + iQ(r,\Theta)$$

mit 12 Dezimalen für $r = -1{,}0;\ -0{,}9\ \dots +1{,}0$ und $\Theta = 0^\circ, 30^\circ, 45^\circ, 60^\circ, 90^\circ, 120^\circ, 135^\circ, 150^\circ$.

i) ... vol. II (1935):

		Ψ'	Ψ''	$\Psi^{(3)}$	$\Psi^{(4)}$
0,0 ... — 10,0*)	0,1	10	10	10	12
0,00 ... 1,00*)	0,01	12	12	12	12
1,00 ... 4,00	0,01	12	12	15	14
4,00 ... 20,00	0,02	10	10	15	16
20,0 ... 100,0	0,1	15	17	17 18	19

*) ferner die Logarithmen von Ψ', Ψ'', $\Psi^{(3)}$, $\Psi^{(4)}$ mit 10 Dezimalen.

k) K. Pearson, Tables of the incomplete Beta-Function (Cambridge 1934, Biometrika), 59 + 494 Seiten, gibt

$$I_x(p,q) = \frac{B_x(p,q)}{B_1(p,q)}, \qquad \text{wo } B_x = \int_0^x t^{p-1}(1-t)^{q-1}\,dt,$$

mit 7 Dezimalen in Schritten 0,01 von x für $p, q = 0{,}5;\ 1{,}0;\ 1{,}5;\ \dots\ 11{,}0;\ 12;\ 13;\ \dots\ 49;\ 50$ und dazu passend B_1.

7. Die unvollständige Fakultät.
7. The incomplete factorial function.

$$\int_0^y e^{-t} t^x\,dt \equiv (x,y)!, \qquad (x,\infty)! = x!$$

$$\frac{(x,y)!}{(x,\infty)!} = \frac{y^{x+1}}{(x+1)!}\left(1 - \frac{y}{1!}\,\frac{x+1}{x+2} + \frac{y^2}{2!}\,\frac{x+1}{x+3} - \frac{y^3}{3!}\,\frac{x+1}{x+4} + - \cdots\right)$$

$$\frac{(x+n,y)!}{(x+n,\infty)!} = \frac{(x,y)!}{(x,\infty)!} - \frac{e^{-y}y^{x+1}}{(x+1)!}\left(1 + \frac{y}{x+2} + \frac{y^2}{(x+2)(x+3)} + \cdots + \frac{y^{n-1}}{(x+2)(x+3)\dots(x+n)}\right)$$

$$\frac{(x-n,y)!}{(x-n,\infty)!} = \frac{(x,y)!}{(x,\infty)!} + \frac{e^{-y}y^x}{x!}\left(1 + \frac{x}{y} + \frac{x(x-1)}{y^2} + \cdots + \frac{x(x-1)\dots(x-n+2)}{y^{n-1}}\right).$$

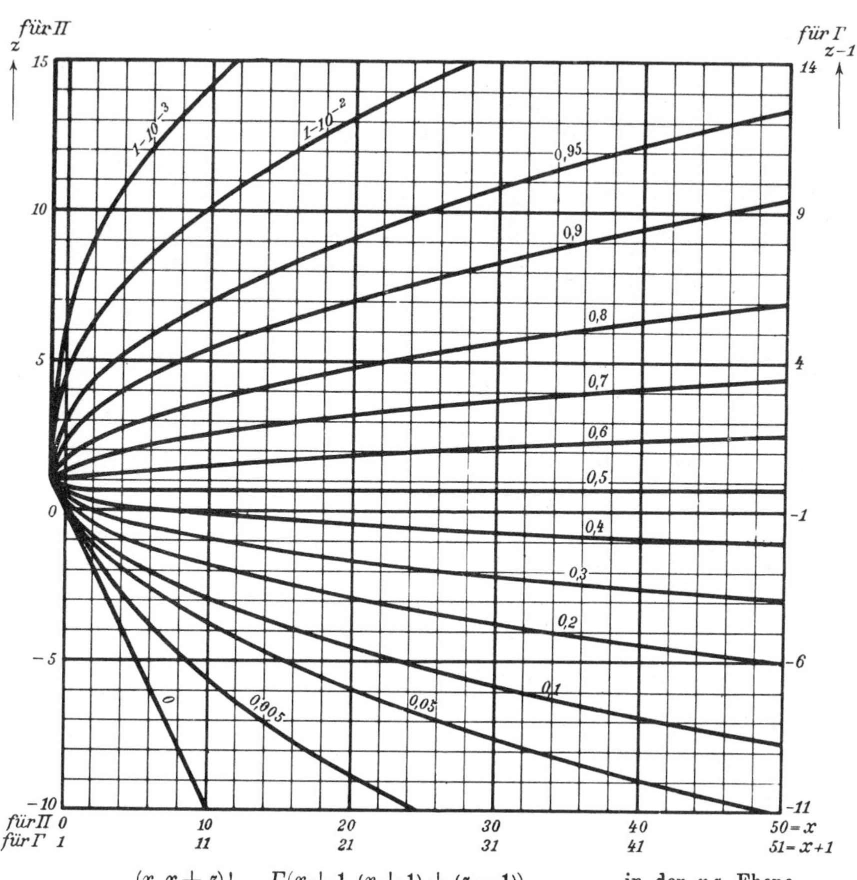

Fig. 10. $\dfrac{(x, x+z)!}{(x, \infty)!} = \dfrac{\Gamma(x+1, (x+1)+(z-1))}{\Gamma(x+1, \infty)} = \text{const}$ in der x,z-Ebene. in the x,z-plane.

III. Fehlerintegral und verwandte Funktionen.

III. Error integral and related functions.

1. Die Funktion $E_n(x)$ wird definiert durch

1. The function $E_n(x)$ is defined by

$$\frac{1}{n}!\, E_n(x) = \int_0^x e^{-t^n}\, dt = \frac{1}{n}\int_0^{x^n} e^{-v}\, v^{\frac{1}{n}-1}\, dv = \frac{\left(\frac{1}{n}-1,\, x^n\right)!}{n} = \frac{\Gamma\left(\frac{1}{n},\, x^n\right)}{n},$$

so daß | thus

$$E_n(\infty)=1,\qquad E_1(x)=1-e^{-x},\qquad \tfrac{1}{n}!\,E_n'(x)=e^{-x^n}$$

$$\tfrac{1}{n}!\,E_n(x)=x-\frac{x^{n+1}}{1!(n+1)}+\frac{x^{2n+1}}{2!(2n+1)}-\frac{x^{3n+1}}{3!(3n+1)}+-\cdots,$$

$$\tfrac{1}{n}![1-E_n(x)]\sim\frac{e^{-x^n}}{n x^{n-1}}\left[1-\frac{n-1}{n x^n}+\frac{(n-1)(2n-1)}{(n x^n)^2}-\frac{(n-1)(2n-1)(3n-1)}{(n x^n)^3}+-\cdots\right].$$

Die spezielle Funktion $E_2(x)=\Phi(x)$ heißt das Fehlerintegral.

The special function $E_2(x)=\Phi(x)$ is called the error integral.

2. Die Ableitungen des Fehlerintegrals:

2. The derivatives of the error integral:

$$\Phi_1(x)=\frac{2}{\sqrt{\pi}}\,e^{-x^2}$$

$$\frac{\Phi_{n+1}(x)}{2^n}=\Phi_1(x)\left[(-x)^n-n\frac{n-1}{4}(-x)^{n-2}+n\frac{(n-1)(n-2)(n-3)}{32}(-x)^{n-4}-\cdots\right].$$

Fehlerintegral. Error integral.

x		0	1	2	3	4	5	6	7	8	9	d
0,0	0,0	000	113	226	338	451	564	676	789	901	*013	113
1	0,1	125	236	348	459	569	680	790	900	*009	*118	111
2	0,2	227	335	443	550	657	763	869	974	*079	*183	106
3	0,3	286	389	491	593	694	794	893	992	*090	*187	100
4	0,4	284	380	475	569	662	755	847	937	*027	*117	93
5	0,5	205	292	379	465	549	633	716	798	879	959	84
6	0,6	039	117	194	270	346	420	494	566	638	708	74
7		778	847	914	981	*047	*112	*175	*238	*300	*361	65
8	0,7	421	480	538	595	651	707	761	814	867	918	56
9		969	*019	*068	*116	*163	*209	*254	*299	*342	*385	46
1,0	0,8	427	468	508	548	586	624	661	698	733	768	38
1		802	835	868	900	931	961	991	*020	*048	*076	30
2	0,9	103	130	155	181	205	229	252	275	297	319	24
3		340	361	381	400	419	438	456	473	490	507	19
4	0,95	23	39	54	69	83	97	*11	*24	*37	*49	14
5	0,96	61	73	84	95	*06	*16	*26	*36	*45	*55	10
6	0,97	63	72	80	88	96	*04	*11	*18	*25	*32	8
7	0,98	38	44	50	56	61	67	72	77	82	86	6
8		91	95	99	*03	*07	*11	*15	*18	*22	*25	4
9	0,99	28	31	34	37	39	42	44	47	49	51	3
2,0	0,995	32	52	72	91	*09	*26	*42	*58	*73	*88	17
1	0,997	02	15	28	41	53	64	75	85	95	*05	11
2	0,998	14	22	31	39	46	54	61	67	74	80	8
3		86	91	97	*02	*06	*11	*15	*20	*24	*28	5
4	0,999	31	35	38	41	44	47	50	52	55	57	3
5		59	61	63	65	67	69	71	72	74	75	2
6		76	78	79	80	81	82	83	84	85	86	1
7		87	87	88	89	89	90	91	91	92	92	1
8	0,9999	25	29	33	37	41	44	48	51	54	56	3
9		59	61	64	66	68	70	72	73	75	77	2

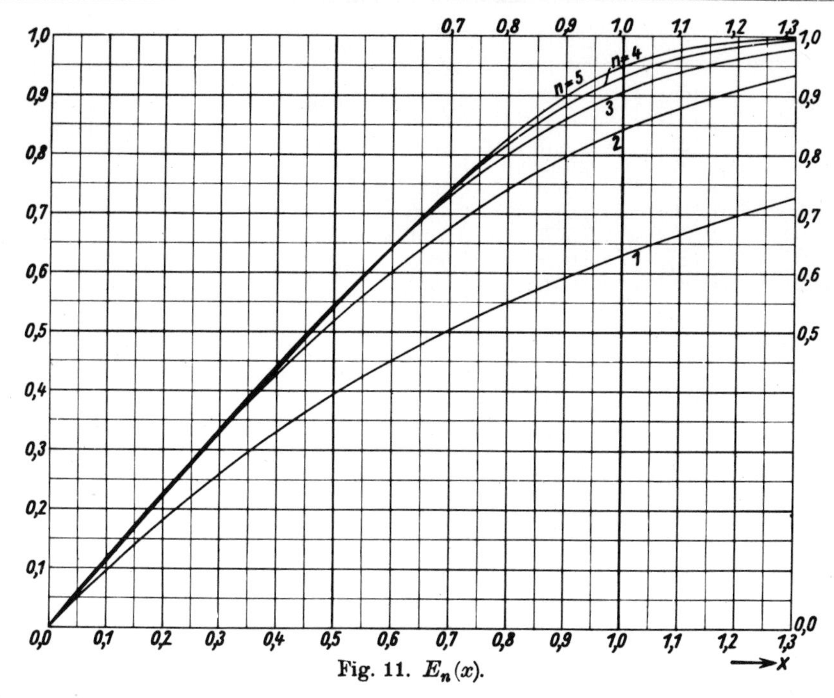

Fig. 11. $E_n(x)$.

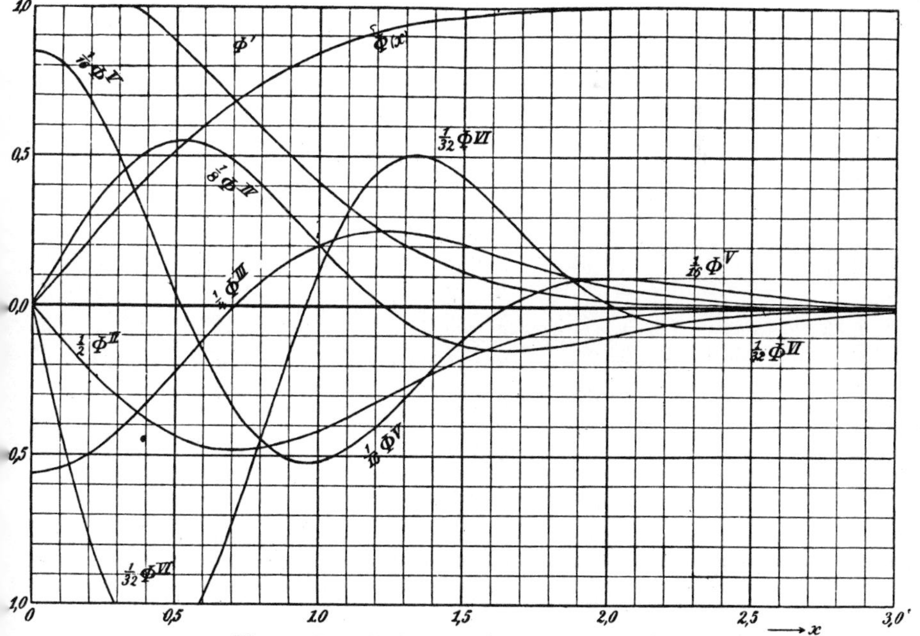

Fig. 12. Die Ableitungen des Fehlerintegrals.
Fig. 12. The derivatives of the error integral.

x	$\Phi_1(x)$	$\Phi_2(x):2$	$\Phi_3(x):4$	$\Phi_4(x):8$	$\Phi_5(x):16$	$\Phi_6(x):32$
0,00	+1,1284	−0,0000	−0,5642	+0,0000	+0,8463	−0,0000
0,01	+1,1283	−0,0113	−0,5640	+0,0169	+0,8459	−0,0423
0,02	+1,1279	−0,0226	−0,5635	+0,0338	+0,8446	−0,0845
0,03	+1,1274	−0,0338	−0,5627	+0,0507	+0,8425	−0,1267
0,04	+1,1266	−0,0451	−0,5615	+0,0675	+0,8395	−0,1686
0,05	+1,1256	−0,0563	−0,5600	+0,0843	+0,8357	−0,2103
0,06	+1,1243	−0,0675	−0,5581	+0,1009	+0,8311	−0,2518
0,07	+1,1229	−0,0786	−0,5559	+0,1175	+0,8257	−0,2928
0,08	+1,1212	−0,0897	−0,5534	+0,1340	+0,8194	−0,3335
0,09	+1,1193	−0,1007	−0,5506	+0,1503	+0,8123	−0,3737
0,10	+1,1172	−0,1117	−0,5474	+0,1665	+0,8045	−0,4134
0,11	+1,1148	−0,1226	−0,5439	+0,1825	+0,7958	−0,4525
0,12	+1,1122	−0,1335	−0,5401	+0,1983	+0,7864	−0,4909
0,13	+1,1095	−0,1442	−0,5360	+0,2139	+0,7762	−0,5287
0,14	+1,1065	−0,1549	−0,5316	+0,2293	+0,7652	−0,5658
0,15	+1,1033	−0,1655	−0,5268	+0,2445	+0,7535	−0,6021
0,16	+1,0999	−0,1760	−0,5218	+0,2595	+0,7411	−0,6375
0,17	+1,0962	−0,1864	−0,5164	+0,2742	+0,7280	−0,6721
0,18	+1,0924	−0,1966	−0,5108	+0,2886	+0,7143	−0,7057
0,19	+1,0884	−0,2068	−0,5049	+0,3027	+0,6998	−0,7384
0,20	+1,0841	−0,2168	−0,4987	+0,3166	+0,6847	−0,7701
0,21	+1,0797	−0,2267	−0,4922	+0,3301	+0,6690	−0,8007
0,22	+1,0751	−0,2365	−0,4855	+0,3433	+0,6527	−0,8302
0,23	+1,0702	−0,2462	−0,4785	+0,3562	+0,6358	−0,8587
0,24	+1,0652	−0,2557	−0,4713	+0,3688	+0,6184	−0,8859
0,25	+1,0600	−0,2650	−0,4638	+0,3809	+0,6004	−0,9120
0,26	+1,0546	−0,2742	−0,4560	+0,3928	+0,5819	−0,9368
0,27	+1,0490	−0,2832	−0,4480	+0,4042	+0,5629	−0,9604
0,28	+1,0433	−0,2921	−0,4399	+0,4153	+0,5435	−0,9827
0,29	+1,0374	−0,3008	−0,4314	+0,4260	+0,5236	−1,0038
0,30	+1,0313	−0,3094	−0,4228	+0,4362	+0,5034	−1,0235
0,31	+1,0250	−0,3177	−0,4140	+0,4461	+0,4827	−1,0418
0,32	+1,0186	−0,3259	−0,4050	+0,4555	+0,4617	−1,0588
0,33	+1,0120	−0,3339	−0,3958	+0,4646	+0,4404	−1,0744
0,34	+1,0052	−0,3418	−0,3864	+0,4731	+0,4187	−1,0887
0,35	+0,9983	−0,3494	−0,3769	+0,4813	+0,3968	−1,1015
0,36	+0,9912	−0,3568	−0,3671	+0,4890	+0,3747	−1,1129
0,37	+0,9840	−0,3641	−0,3573	+0,4963	+0,3523	−1,1229
0,38	+0,9767	−0,3711	−0,3473	+0,5031	+0,3298	−1,1315
0,39	+0,9692	−0,3780	−0,3372	+0,5095	+0,3071	−1,1387
0,40	+0,9615	−0,3846	−0,3269	+0,5154	+0,2842	−1,1445
0,41	+0,9538	−0,3911	−0,3166	+0,5208	+0,2613	−1,1488
0,42	+0,9459	−0,3973	−0,3061	+0,5258	+0,2383	−1,1518
0,43	+0,9379	−0,4033	−0,2955	+0,5304	+0,2152	−1,1533
0,44	+0,9298	−0,4091	−0,2849	+0,5344	+0,1922	−1,1534
0,45	+0,9215	−0,4147	−0,2742	+0,5381	+0,1691	−1,1522
0,46	+0,9132	−0,4201	−0,2634	+0,5412	+0,1461	−1,1496
0,47	+0,9047	−0,4252	−0,2525	+0,5439	+0,1231	−1,1457
0,48	+0,8962	−0,4302	−0,2416	+0,5461	+0,1003	−1,1404
0,49	+0,8875	−0,4349	−0,2307	+0,5479	+0,0775	−1,1338
0,50	+0,8788	−0,4394	+0,2197	+0,5492	+0,0549	−1,1259

x	$\Phi_1(x)$	$\Phi_2(x):2$	$\Phi_3(x):4$	$\Phi_4(x):8$	$\Phi_5(x):16$	$\Phi_6(x):32$
0,50	+0,8788	−0,4394	−0,2197	+0,5492	+0,0549	−1,1259
0,51	+0,8700	−0,4437	−0,2087	+0,5501	+0,0325	−1,1168
0,52	+0,8610	−0,4477	−0,1977	+0,5505	+0,0103	−1,1064
0,53	+0,8520	−0,4516	−0,1867	+0,5505	−0,0118	−1,0948
0,54	+0,8430	−0,4552	−0,1757	+0,5501	−0,0335	−1,0820
0,55	+0,8338	−0,4586	−0,1647	+0,5492	−0,0550	−1,0681
0,56	+0,8246	−0,4618	−0,1537	+0,5479	−0,0762	−1,0530
0,57	+0,8154	−0,4648	−0,1428	+0,5461	−0,0971	−1,0369
0,58	+0,8060	−0,4675	−0,1319	+0,5440	−0,1177	−1,0197
0,59	+0,7967	−0,4700	−0,1210	+0,5414	−0,1379	−1,0015
0,60	+0,7872	−0,4723	−0,1102	+0,5385	−0,1578	−0,9823
0,61	+0,7778	−0,4744	−0,0995	+0,5351	−0,1772	−0,9621
0,62	+0,7683	−0,4763	−0,0888	+0,5314	−0,1962	−0,9411
0,63	+0,7587	−0,4780	−0,0782	+0,5273	−0,2148	−0,9192
0,64	+0,7491	−0,4795	−0,0677	+0,5228	−0,2330	−0,8965
0,65	+0,7395	−0,4807	−0,0573	+0,5180	−0,2507	−0,8730
0,66	+0,7299	−0,4817	−0,0470	+0,5128	−0,2679	−0,8487
0,67	+0,7203	−0,4826	−0,0368	+0,5072	−0,2846	−0,8238
0,68	+0,7106	−0,4832	−0,0267	+0,5014	−0,3009	−0,7982
0,69	+0,7010	−0,4837	−0,0168	+0,4952	−0,3166	−0,7720
0,70	+0,6913	−0,4839	−0,0069	+0,4887	−0,3317	−0,7452
0,71	+0,6816	−0,4839	+0,0028	+0,4819	−0,3464	−0,7180
0,72	+0,6719	−0,4838	+0,0124	+0,4749	−0,3605	−0,6902
0,73	+0,6622	−0,4834	+0,0218	+0,4675	−0,3740	−0,6621
0,74	+0,6526	−0,4829	+0,0311	+0,4599	−0,3869	−0,6335
0,75	+0,6429	−0,4822	+0,0402	+0,4521	−0,3993	−0,6046
0,76	+0,6333	−0,4813	+0,0491	+0,4440	−0,4111	−0,5755
0,77	+0,6237	−0,4802	+0,0579	+0,4356	−0,4223	−0,5460
0,78	+0,6141	−0,4790	+0,0666	+0,4271	−0,4330	−0,5164
0,79	+0,6045	−0,4776	+0,0750	+0,4183	−0,4430	−0,4866
0,80	+0,5950	−0,4760	+0,0833	+0,4094	−0,4524	−0,4568
0,81	+0,5855	−0,4742	+0,0914	+0,4002	−0,4613	−0,4268
0,82	+0,5760	−0,4723	+0,0993	+0,3909	−0,4695	−0,3968
0,83	+0,5666	−0,4703	+0,1070	+0,3814	−0,4771	−0,3669
0,84	+0,5572	−0,4681	+0,1146	+0,3718	−0,4842	−0,3369
0,85	+0,5479	−0,4657	+0,1219	+0,3621	−0,4906	−0,3071
0,86	+0,5386	−0,4632	+0,1290	+0,3522	−0,4965	−0,2774
0,87	+0,5293	−0,4605	+0,1360	+0,3422	−0,5017	−0,2479
0,88	+0,5202	−0,4577	+0,1427	+0,3321	−0,5064	−0,2187
0,89	+0,5110	−0,4548	+0,1493	+0,3220	−0,5105	−0,1896
0,90	+0,5020	−0,4518	+0,1556	+0,3117	−0,5140	−0,1609
0,91	+0,4930	−0,4486	+0,1617	+0,3014	−0,5169	−0,1324
0,92	+0,4840	−0,4453	+0,1677	+0,2911	−0,5193	−0,1044
0,93	+0,4752	−0,4419	+0,1734	+0,2806	−0,5211	−0,0767
0,94	+0,4664	−0,4384	+0,1789	+0,2702	−0,5223	−0,0494
0,95	+0,4576	−0,4347	+0,1842	+0,2598	−0,5231	−0,0226
0,96	+0,4490	−0,4310	+0,1893	+0,2493	−0,5232	+0,0037
0,97	+0,4404	−0,4272	+0,1942	+0,2388	−0,5229	+0,0296
0,98	+0,4319	−0,4232	+0,1988	+0,2284	−0,5221	+0,0549
0,99	+0,4235	−0,4192	+0,2033	+0,2180	−0,5207	+0,0796
1,00	+0,4151	−0,4151	+0,2076	+0,2076	−0,5189	+0,1038

x	$\Phi_1(x)$	$\Phi_2(x):2$	$\Phi_3(x):4$	$\Phi_4(x):8$	$\Phi_5(x):16$	$\Phi_6(x):32$
1,00	+0,4151	−0,4151	+0,2076	+0,2076	−0,5189	+0,1038
1,01	+0,4068	−0,4109	+0,2116	+0,1972	−0,5166	+0,1273
1,02	+0,3987	−0,4066	+0,2154	+0,1869	−0,5138	+0,1503
1,03	+0,3906	−0,4023	+0,2191	+0,1766	−0,5106	+0,1726
1,04	+0,3826	−0,3979	+0,2225	+0,1665	−0,5069	+0,1942
1,05	+0,3747	−0,3934	+0,2257	+0,1564	−0,5028	+0,2152
1,06	+0,3668	−0,3889	+0,2288	+0,1464	−0,4983	+0,2355
1,07	+0,3591	−0,3843	+0,2316	+0,1364	−0,4934	+0,2550
1,08	+0,3515	−0,3796	+0,2342	+0,1266	−0,4881	+0,2739
1,09	+0,3439	−0,3749	+0,2367	+0,1169	−0,4824	+0,2920
1,10	+0,3365	−0,3701	+0,2389	+0,1073	−0,4764	+0,3094
1,11	+0,3291	−0,3653	+0,2410	+0,0979	−0,4701	+0,3260
1,12	+0,3219	−0,3605	+0,2428	+0,0885	−0,4634	+0,3419
1,13	+0,3147	−0,3556	+0,2445	+0,0793	−0,4564	+0,3570
1,14	+0,3076	−0,3507	+0,2460	+0,0703	−0,4491	+0,3714
1,15	+0,3007	−0,3458	+0,2473	+0,0614	−0,4415	+0,3850
1,16	+0,2938	−0,3408	+0,2484	+0,0526	−0,4337	+0,3979
1,17	+0,2870	−0,3358	+0,2494	+0,0440	−0,4256	+0,4099
1,18	+0,2804	−0,3308	+0,2502	+0,0356	−0,4173	+0,4212
1,19	+0,2738	−0,3258	+0,2508	+0,0273	−0,4088	+0,4318
1,20	+0,2673	−0,3208	+0,2513	+0,0192	−0,4001	+0,4416
1,21	+0,2610	−0,3158	+0,2516	+0,0113	−0,3911	+0,4506
1,22	+0,2547	−0,3107	+0,2518	+0,0036	−0,3820	+0,4589
1,23	+0,2485	−0,3057	+0,2518	−0,0039	−0,3728	+0,4664
1,24	+0,2425	−0,3007	+0,2516	−0,0113	−0,3634	+0,4732
1,25	+0,2365	−0,2957	+0,2513	−0,0185	−0,3539	+0,4793
1,26	+0,2307	−0,2906	+0,2509	−0,0255	−0,3442	+0,4846
1,27	+0,2249	−0,2856	+0,2503	−0,0322	−0,3345	+0,4893
1,28	+0,2192	−0,2806	+0,2496	−0,0388	−0,3247	+0,4932
1,29	+0,2137	−0,2756	+0,2487	−0,0452	−0,3148	+0,4965
1,30	+0,2082	−0,2707	+0,2478	−0,0514	−0,3048	+0,4991
1,31	+0,2028	−0,2657	+0,2467	−0,0574	−0,2948	+0,5010
1,32	+0,1976	−0,2608	+0,2455	−0,0632	−0,2848	+0,5023
1,33	+0,1924	−0,2559	+0,2442	−0,0688	−0,2747	+0,5030
1,34	+0,1873	−0,2510	+0,2427	−0,0742	−0,2646	+0,5030
1,35	+0,1824	−0,2462	+0,2412	−0,0794	−0,2546	+0,5025
1,36	+0,1775	−0,2414	+0,2395	−0,0844	−0,2445	+0,5014
1,37	+0,1727	−0,2366	+0,2378	−0,0892	−0,2345	+0,4997
1,38	+0,1680	−0,2319	+0,2360	−0,0938	−0,2246	+0,4974
1,39	+0,1634	−0,2272	+0,2341	−0,0982	−0,2146	+0,4947
1,40	+0,1589	−0,2225	+0,2321	−0,1024	−0,2048	+0,4914
1,41	+0,1545	−0,2179	+0,2300	−0,1064	−0,1950	+0,4876
1,42	+0,1502	−0,2133	+0,2278	−0,1102	−0,1853	+0,4834
1,43	+0,1460	−0,2088	+0,2256	−0,1138	−0,1757	+0,4787
1,44	+0,1419	−0,2043	+0,2233	−0,1172	−0,1661	+0,4736
1,45	+0,1378	−0,1999	+0,2209	−0,1204	−0,1567	+0,4681
1,46	+0,1339	−0,1955	+0,2184	−0,1235	−0,1474	+0,4621
1,47	+0,1300	−0,1911	+0,2159	−0,1263	−0,1382	+0,4558
1,48	+0,1262	−0,1868	+0,2134	−0,1290	−0,1292	+0,4492
1,49	+0,1225	−0,1826	+0,2108	−0,1315	−0,1203	+0,4422
1,50	+0,1189	−0,1784	+0,2081	−0,1338	−0,1115	+0,4348

x	$\Phi_1(x)$	$\Phi_2(x):2$	$\Phi_3(x):4$	$\Phi_4(x):8$	$\Phi_5(x):16$	$\Phi_6(x):32$
1,50	+0,1189	−0,1784	+0,2081	−0,1338	−0,1115	+0,4348
1,51	+0,1154	−0,1743	+0,2054	−0,1359	−0,1029	+0,4272
1,52	+0,1120	−0,1702	+0,2027	−0,1379	−0,0944	+0,4193
1,53	+0,1086	−0,1662	+0,1999	−0,1397	−0,0861	+0,4112
1,54	+0,1053	−0,1622	+0,1971	−0,1414	−0,0780	+0,4028
1,55	+0,1021	−0,1583	+0,1943	−0,1428	−0,0700	+0,3942
1,56	+0,0990	−0,1544	+0,1914	−0,1442	−0,0622	+0,3853
1,57	+0,0959	−0,1506	+0,1885	−0,1453	−0,0546	+0,3763
1,58	+0,0930	−0,1469	+0,1856	−0,1463	−0,0471	+0,3672
1,59	+0,0901	−0,1432	+0,1826	−0,1472	−0,0399	+0,3579
1,60	+0,0872	−0,1396	+0,1797	−0,1479	−0,0328	+0,3484
1,61	+0,0845	−0,1360	+0,1767	−0,1485	−0,0260	+0,3389
1,62	+0,0818	−0,1325	+0,1738	−0,1490	−0,0193	+0,3292
1,63	+0,0792	−0,1291	+0,1708	−0,1493	−0,0128	+0,3195
1,64	+0,0766	−0,1257	+0,1678	−0,1495	−0,0065	+0,3096
1,65	+0,0741	−0,1223	+0,1648	−0,1496	−0,0004	+0,2998
1,66	+0,0717	−0,1191	+0,1618	−0,1495	+0,0055	+0,2899
1,67	+0,0694	−0,1159	+0,1588	−0,1493	+0,0112	+0,2800
1,68	+0,0671	−0,1127	+0,1558	−0,1491	+0,0167	+0,2701
1,69	+0,0649	−0,1096	+0,1528	−0,1487	+0,0220	+0,2602
1,70	+0,0627	−0,1066	+0,1499	−0,1482	+0,0271	+0,2503
1,71	+0,0606	−0,1036	+0,1469	−0,1476	+0,0320	+0,2405
1,72	+0,0586	−0,1007	+0,1440	−0,1469	+0,0367	+0,2307
1,73	+0,0566	−0,0979	+0,1410	−0,1461	+0,0412	+0,2209
1,74	+0,0546	−0,0951	+0,1381	−0,1453	+0,0456	+0,2113
1,75	+0,0528	−0,0924	+0,1352	−0,1443	+0,0497	+0,2017
1,76	+0,0510	−0,0897	+0,1324	−0,1433	+0,0536	+0,1922
1,77	+0,0492	−0,0871	+0,1295	−0,1422	+0,0574	+0,1828
1,78	+0,0475	−0,0845	+0,1267	−0,1410	+0,0609	+0,1735
1,79	+0,0458	−0,0820	+0,1239	−0,1397	+0,0643	+0,1643
1,80	+0,0442	−0,0795	+0,1211	−0,1384	+0,0675	+0,1553
1,81	+0,0426	−0,0772	+0,1183	−0,1370	+0,0705	+0,1464
1,82	+0,0411	−0,0748	+0,1156	−0,1356	+0,0734	+0,1377
1,83	+0,0396	−0,0725	+0,1129	−0,1341	+0,0760	+0,1291
1,84	+0,0382	−0,0703	+0,1102	−0,1325	+0,0785	+0,1206
1,85	+0,0368	−0,0681	+0,1076	−0,1310	+0,0809	+0,1123
1,86	+0,0355	−0,0660	+0,1050	−0,1293	+0,0830	+0,1042
1,87	+0,0342	−0,0639	+0,1024	−0,1276	+0,0850	+0,0963
1,88	+0,0329	−0,0619	+0,0999	−0,1259	+0,0869	+0,0885
1,89	+0,0317	−0,0599	+0,0974	−0,1242	+0,0886	+0,0809
1,90	+0,0305	−0,0580	+0,0949	−0,1224	+0,0901	+0,0735
1,91	+0,0294	−0,0561	+0,0925	−0,1206	+0,0915	+0,0663
1,92	+0,0283	−0,0543	+0,0901	−0,1187	+0,0928	+0,0593
1,93	+0,0272	−0,0525	+0,0878	−0,1168	+0,0939	+0,0525
1,94	+0,0262	−0,0508	+0,0854	−0,1150	+0,0949	+0,0459
1,95	+0,0252	−0,0491	+0,0832	−0,1131	+0,0957	+0,0395
1,96	+0,0242	−0,0475	+0,0809	−0,1111	+0,0964	+0,0332
1,97	+0,0233	−0,0459	+0,0787	−0,1092	+0,0971	+0,0272
1,98	+0,0224	−0,0443	+0,0765	−0,1073	+0,0975	+0,0214
1,99	+0,0215	−0,0428	+0,0744	−0,1053	+0,0979	+0,0158
2,00	+0,0207	−0,0413	+0,0723	−0,1033	+0,0982	+0,0103

x	$\Phi_1(x)$	$\Phi_2(x):2$	$\Phi_3(x):4$	$\Phi_4(x):8$	$\Phi_5(x):16$	$\Phi_6(x):32$
2,00	+0,0207	−0,0413	+0,0723	−0,1033	+0,0982	+0,0103
2,01	+0,0199	−0,0399	+0,0703	−0,1014	+0,0983	+0,0051
2,02	+0,0191	−0,0385	+0,0683	−0,0994	+0,0984	+0,0001
2,03	+0,0183	−0,0372	+0,0663	−0,0974	+0,0983	−0,0047
2,04	+0,0176	−0,0359	+0,0644	−0,0955	+0,0982	−0,0094
2,05	+0,0169	−0,0346	+0,0625	−0,0935	+0,0980	−0,0138
2,06	+0,0162	−0,0334	+0,0606	−0,0916	+0,0976	−0,0180
2,07	+0,0155	−0,0322	+0,0588	−0,0896	+0,0972	−0,0221
2,08	+0,0149	−0,0310	+0,0571	−0,0877	+0,0968	−0,0259
2,09	+0,0143	−0,0299	+0,0553	−0,0857	+0,0962	−0,0296
2,10	+0,0137	−0,0288	+0,0536	−0,0838	+0,0956	−0,0331
2,11	+0,0132	−0,0277	+0,0520	−0,0819	+0,0949	−0,0364
2,12	+0,0126	−0,0267	+0,0504	−0,0800	+0,0941	−0,0396
2,13	+0,0121	−0,0257	+0,0488	−0,0781	+0,0933	−0,0424
2,14	+0,0116	−0,0248	+0,0472	−0,0763	+0,0924	−0,0452
2,15	+0,0111	−0,0238	+0,0457	−0,0745	+0,0915	−0,0478
2,16	+0,0106	−0,0229	+0,0442	−0,0726	+0,0905	−0,0502
2,17	+0,0102	−0,0221	+0,0428	−0,0708	+0,0895	−0,0525
2,18	+0,0097	−0,0212	+0,0414	−0,0691	+0,0884	−0,0546
2,19	+0,0093	−0,0204	+0,0401	−0,0673	+0,0873	−0,0566
2,20	+0,0089	−0,0196	+0,0387	−0,0656	+0,0861	−0,0584
2,21	+0,0085	−0,0189	+0,0374	−0,0638	+0,0850	−0,0601
2,22	+0,0082	−0,0181	+0,0362	−0,0622	+0,0837	−0,0616
2,23	+0,0078	−0,0174	+0,0349	−0,0605	+0,0825	−0,0630
2,24	+0,0075	−0,0167	+0,0337	−0,0589	+0,0812	−0,0642
2,25	+0,0071	−0,0161	+0,0326	−0,0573	+0,0799	−0,0653
2,26	+0,0068	−0,0154	+0,0315	−0,0557	+0,0786	−0,0663
2,27	+0,0065	−0,0148	+0,0304	−0,0541	+0,0773	−0,0672
2,28	+0,0062	−0,0142	+0,0293	−0,0526	+0,0759	−0,0680
2,29	+0,0060	−0,0136	+0,0283	−0,0511	+0,0746	−0,0686
2,30	+0,0057	−0,0131	+0,0273	−0,0496	+0,0732	−0,0691
2,31	+0,0054	−0,0125	+0,0263	−0,0481	+0,0718	−0,0696
2,32	+0,0052	−0,0120	+0,0253	−0,0467	+0,0704	−0,0699
2,33	+0,0050	−0,0115	+0,0244	−0,0453	+0,0690	−0,0701
2,34	+0,0047	−0,0111	+0,0235	−0,0440	+0,0676	−0,0703
2,35	+0,0045	−0,0106	+0,0226	−0,0426	+0,0662	−0,0703
2,36	+0,0043	−0,0102	+0,0218	−0,0413	+0,0648	−0,0703
2,37	+0,0041	−0,0097	+0,0210	−0,0400	+0,0634	−0,0702
2,38	+0,0039	−0,0093	+0,0202	−0,0388	+0,0620	−0,0700
2,39	+0,0037	−0,0089	+0,0194	−0,0376	+0,0606	−0,0697
2,40	+0,0036	−0,0085	+0,0187	−0,0364	+0,0592	−0,0694
2,41	+0,0034	−0,0082	+0,0180	−0,0352	+0,0578	−0,0690
2,42	+0,0032	−0,0078	+0,0173	−0,0340	+0,0564	−0,0685
2,43	+0,0031	−0,0075	+0,0166	−0,0329	+0,0551	−0,0680
2,44	+0,0029	−0,0071	+0,0160	−0,0318	+0,0537	−0,0674
2,45	+0,0028	−0,0068	+0,0154	−0,0308	+0,0524	−0,0668
2,46	+0,0027	−0,0065	+0,0147	−0,0297	+0,0510	−0,0661
2,47	+0,0025	−0,0062	+0,0142	−0,0287	+0,0497	−0,0654
2,48	+0,0024	−0,0060	+0,0136	−0,0278	+0,0484	−0,0646
2,49	+0,0023	−0,0057	+0,0131	−0,0268	+0,0471	−0,0638
2,50	+0,0022	−0,0054	+0,0125	−0,0259	+0,0459	−0,0630

x	$\Phi_1(x)$	$\Phi_2(x):2$	$\Phi_3(x):4$	$\Phi_4(x):8$	$\Phi_5(x):16$	$\Phi_6(x):32$
2,50	+0,0022	−0,0054	+0,0125	−0,0259	+0,0459	−0,0630
2,51	+0,0021	−0,0052	+0,0120	−0,0250	+0,0446	−0,0621
2,52	+0,0020	−0,0050	+0,0115	−0,0241	+0,0434	−0,0612
2,53	+0,0019	−0,0047	+0,0111	−0,0232	+0,0422	−0,0603
2,54	+0,0018	−0,0045	+0,0106	−0,0224	+0,0410	−0,0593
2,55	+0,0017	−0,0043	+0,0102	−0,0216	+0,0398	−0,0583
2,56	+0,0016	−0,0041	+0,0097	−0,0208	+0,0387	−0,0573
2,57	+0,0015	−0,0039	+0,0093	−0,0200	+0,0375	−0,0563
2,58	+0,0015	−0,0037	+0,0089	−0,0193	+0,0364	−0,0553
2,59	+0,0014	−0,0036	+0,0086	−0,0186	+0,0353	−0,0543
2,60	+0,0013	−0,0034	+0,0082	−0,0179	+0,0342	−0,0532
2,61	+0,0012	−0,0032	+0,0078	−0,0172	+0,0332	−0,0522
2,62	+0,0012	−0,0031	+0,0075	−0,0166	+0,0321	−0,0511
2,63	+0,0011	−0,0029	+0,0072	−0,0159	+0,0311	−0,0500
2,64	+0,0011	−0,0028	+0,0069	−0,0153	+0,0301	−0,0489
2,65	+0,0010	−0,0027	+0,0066	−0,0147	+0,0292	−0,0479
2,66	+0,0010	−0,0025	+0,0063	−0,0141	+0,0282	−0,0468
2,67	+0,0009	−0,0024	+0,0060	−0,0136	+0,0273	−0,0457
2,68	+0,0009	−0,0023	+0,0057	−0,0131	+0,0264	−0,0446
2,69	+0,0008	−0,0022	+0,0055	−0,0125	+0,0255	−0,0436
2,70	+0,0008	−0,0021	+0,0052	−0,0120	+0,0247	−0,0425
2,71	+0,0007	−0,0020	+0,0050	−0,0116	+0,0238	−0,0414
2,72	+0,0007	−0,0019	+0,0048	−0,0111	+0,0230	−0,0404
2,73	+0,0007	−0,0018	+0,0045	−0,0106	+0,0222	−0,0393
2,74	+0,0006	−0,0017	+0,0043	−0,0102	+0,0214	−0,0383
2,75	+0,0006	−0,0016	+0,0041	−0,0098	+0,0207	−0,0373
2,76	+0,0006	−0,0015	+0,0039	−0,0094	+0,0199	−0,0363
2,77	+0,0005	−0,0015	+0,0038	−0,0090	+0,0192	−0,0353
2,78	+0,0005	−0,0014	+0,0036	−0,0086	+0,0185	−0,0343
2,79	+0,0005	−0,0013	+0,0034	−0,0082	+0,0178	−0,0333
2,80	+0,0004	−0,0012	+0,0033	−0,0079	+0,0172	−0,0324
2,81	+0,0004	−0,0012	+0,0031	−0,0075	+0,0166	−0,0314
2,82	+0,0004	−0,0011	+0,0030	−0,0072	+0,0159	−0,0305
2,83	+0,0004	−0,0011	+0,0028	−0,0069	+0,0153	−0,0296
2,84	+0,0004	−0,0010	+0,0027	−0,0066	+0,0147	−0,0287
2,85	+0,0003	−0,0010	+0,0026	−0,0063	+0,0142	−0,0278
2,86	+0,0003	−0,0009	+0,0024	−0,0060	+0,0136	−0,0269
2,87	+0,0003	−0,0009	+0,0023	−0,0058	+0,0131	−0,0261
2,88	+0,0003	−0,0008	+0,0022	−0,0055	+0,0126	−0,0252
2,89	+0,0003	−0,0008	+0,0021	−0,0053	+0,0121	−0,0244
2,90	+0,0003	−0,0007	+0,0020	−0,0050	+0,0116	−0,0236
2,91	+0,0002	−0,0007	+0,0019	−0,0048	+0,0112	−0,0228
2,92	+0,0002	−0,0007	+0,0018	−0,0046	+0,0107	−0,0221
2,93	+0,0002	−0,0006	+0,0017	−0,0044	+0,0103	−0,0213
2,94	+0,0002	−0,0006	+0,0016	−0,0042	+0,0099	−0,0206
2,95	+0,0002	−0,0006	+0,0015	−0,0040	+0,0094	−0,0199
2,96	+0,0002	−0,0005	+0,0015	−0,0038	+0,0091	−0,0192
2,97	+0,0002	−0,0005	+0,0014	−0,0036	+0,0087	−0,0185
2,98	+0,0002	−0,0005	+0,0013	−0,0035	+0,0083	−0,0179
2,99	+0,0001	−0,0004	+0,0012	−0,0033	+0,0080	−0,0172
3,00	+0,0001	−0,0004	+0,0012	−0,0031	+0,0076	−0,0166

3. Die Funktionen $\psi_n(x)$ des parabolischen Zylinders genügen der Differentialgleichung

3. The functions $\psi_n(x)$ of the parabolic cylinder satisfy the differential equation

$$\psi_n'' + \left(n + \frac{1}{2} - \frac{x^2}{4}\right)\psi_n = 0$$

und können mittels der Hermiteschen Polynome $H_n(x)$ dargestellt werden, die man aus

and may be represented by means of the Hermite polynomials which we obtain from

$$e^{-\frac{x^2}{2}} H_n(x) = \left(-\frac{d}{dx}\right)^n e^{-\frac{x^2}{2}}$$

erhält:

where:

$H_0 = 1$	$H_2 = x^2 - 1$	$H_4 = x^4 - 6x^2 + 3$	$H_6 = x^6 - 15x^4 + 45x^2 - 15$
$H_1 = x$	$H_3 = x^3 - 3x$	$H_5 = x^5 - 10x^3 + 15x$	$H_7 = x^7 - 21x^5 + 105x^3 - 105x$

$$H_{n+1} = x H_n - H_n' = x H_n - n H_{n-1},$$

$$H_n'' - x H_n' + n H_n = 0.$$

$$\psi_n(x) = \frac{e^{-\frac{x^2}{4}}}{\sqrt{n!\sqrt{2\pi}}} H_n(x), \qquad \int_{-\infty}^{+\infty} \psi_n^2(x)\,dx = 1.$$

$$\int_0^x e^{t^2}\,dt$$

x		0	1	2	3	4	5	6	7	8	9	d
0,0	0,0	000	100	200	300	400	500	601	701	802	902	100
1	0,1	003	104	206	307	409	511	614	717	820	923	102
2	0,2	027	131	236	341	447	553	660	767	875	983	106
3	0,3	092	202	313	424	536	648	762	876	991	*107	112
4	0,4	224	342	461	580	701	823	946	*070	*196	*322	122
5	0,5	450	579	709	841	974	*109	*245	*382	*522	*662	135
6	0,6	805	949	*095	*243	*393	*544	*698	*853	**011	**171	151
7	0,8	333	497	664	833	*005	*179	*356	*536	*718	*903	174
8	1,0	091	282	477	674	875	*079	*287	*498	*713	*932	204
9	1,2	155	382	613	848	*088	*332	*581	*835	**093	**357	244
1,0	1,	463	490	518	547	576	606	636	667	699	731	30
1		765	799	833	869	905	942	980	*019	*059	*099	37
2	2,	141	184	228	272	318	365	414	463	514	566	47
3		620	675	731	789	848	909	972	*037	*103	*171	61
4	3,	241	313	387	463	542	622	705	791	879	970	80
5	4,	063	159	259	361	467	575	688	803	923	*046	108
6	5,	174	305	441	581	726	876	*030	*190	*356	*527	150
7	6,	704	887	*076	*272	*475	*685	*903	**128	**362	**604	212
8	10× 0,	885	911	938	966	995	*025	*057	*089	*123	*158	30
9	10× 1,	194	232	270	311	354	398	443	491	540	592	44

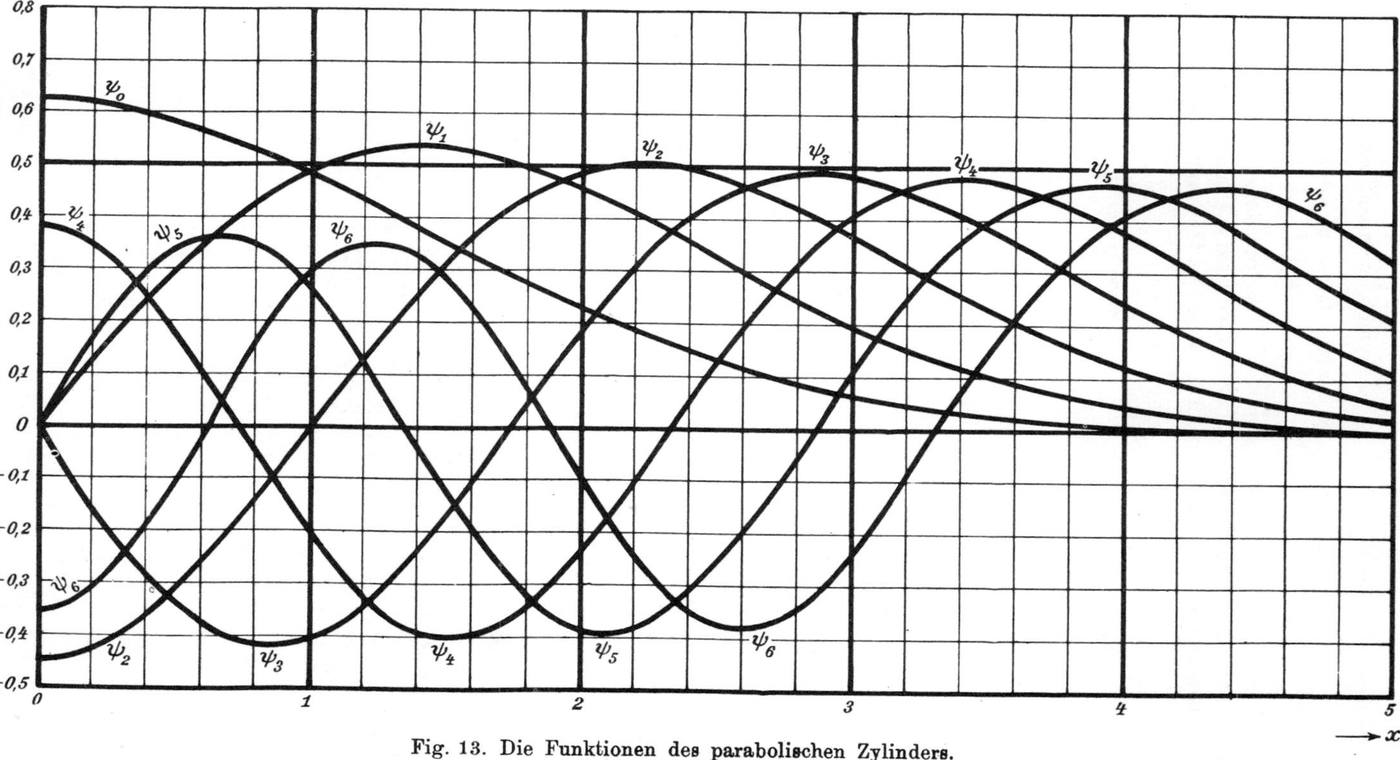

Fig. 13. Die Funktionen des parabolischen Zylinders.
Fig. 13. The functions of the parabolic cylinder.

Asymptotische Darstellung: | Asymptotic expansion:

$$\psi_n(x) \sim e^{-\frac{x^2}{4}} x^n \left(1 - \frac{n(n-1)}{2x^2} + \frac{n(n-1)(n-2)(n-3)}{2 \cdot 4 x^4} - \cdots\right).$$

Die Funktionen $\psi_n(x)$ können mit Hilfe der Tafel für die Ableitungen $\Phi_n(x)$ des Fehlerintegrals berechnet werden:

The functions $\psi_n(x)$ can be computed from the tables of the derivatives $\Phi_n(x)$ of the error integral:

$$\psi_n(x) = c_n \frac{2^{-n} \Phi_{n+1}\left(\frac{x}{\sqrt{2}}\right)}{\Phi_1\left(\frac{x}{2}\right)}, \qquad c_n = (-1)^n \sqrt{\frac{2^n}{n!\sqrt{2\pi}}}$$

n	c_n	n	c_n
0	+ 0,631 619	3	− 0,729 331
1	− 0,893 244	4	+ 0,515 715
2	+ 0,893 244	5	− 0,326 166
		6	+ 0,188 312

u	$C(u)$	$S(u)$	u	$C(u)$	$S(u)$	u	$C(u)$	$S(u)$
0,0	0	0	3,0	0,6057	0,4963	6,0	0,4995	0,4469
0,1	0,1000	0,0005	3,1	0,5616	0,5818	6,1	0,5495	0,5165
0,2	0,1999	0,0042	3,2	0,4663	0,5933	6,2	0,4676	0,5398
0,3	0,2994	0,0141	3,3	0,4057	0,5193	6,3	0,4760	0,4555
0,4	0,3975	0,0334	3,4	0,4385	0,4297	6,4	0,5496	0,4965
0,5	0,4923	0,0647	3,5	0,5326	0,4153	6,5	0,4816	0,5454
0,6	0,5811	0,1105	3,6	0,5880	0,4923	6,6	0,4690	0,4631
0,7	0,6597	0,1721	3,7	0,5419	0,5750	6,7	0,5467	0,4915
0,8	0,7228	0,2493	3,8	0,4481	0,5656	6,8	0,4831	0,5436
0,9	0,7648	0,3398	3,9	0,4223	0,4752	6,9	0,4732	0,4624
1,0	0,7799	0,4383	4,0	0,4984	0,4205	7,0	0,5455	0,4997
1,1	0,7638	0,5365	4,1	0,5737	0,4758	7,1	0,4733	0,5360
1,2	0,7154	0,6234	4,2	0,5417	0,5632	7,2	0,4887	0,4572
1,3	0,6386	0,6863	4,3	0,4494	0,5540	7,3	0,5393	0,5189
1,4	0,5431	0,7135	4,4	0,4383	0,4623	7,4	0,4601	0,5161
1,5	0,4453	0,6975	4,5	0,5260	0,4342	7,5	0,5160	0,4607
1,6	0,3655	0,6389	4,6	0,5672	0,5162	7,6	0,5156	0,5389
1,7	0,3238	0,5492	4,7	0,4914	0,5672	7,7	0,4628	0,4820
1,8	0,3337	0,4509	4,8	0,4338	0,4968	7,8	0,5395	0,4896
1,9	0,3945	0,3734	4,9	0,5002	0,4351	7,9	0,4760	0,5323
2,0	0,4883	0,3434	5,0	0,5636	0,4992	8,0	0,4998	0,4602
2,1	0,5814	0,3743	5,1	0,4998	0,5624	8,1	0,5228	0,5320
2,2	0,6362	0,4556	5,2	0,4389	0,4969	8,2	0,4638	0,4859
2,3	0,6265	0,5531	5,3	0,5078	0,4404	8,3	0,5378	0,4932
2,4	0,5550	0,6197	5,4	0,5573	0,5140	8,4	0,4709	0,5243
2,5	0,4574	0,6192	5,5	0,4784	0,5537	8,5	0,5142	0,4653
2,6	0,3889	0,5500	5,6	0,4517	0,4700			
2,7	0,3926	0,4529	5,7	0,5385	0,4595			
2,8	0,4675	0,3915	5,8	0,5298	0,5461			
2,9	0,5624	0,4102	5,9	0,4484	0,5163			

4. Die Fresnelschen Integrale C und S lassen sich durch das Fehlerintegral Φ der komplexen Veränderlichen

4. Fresnel's integrals C and S may be defined by the error integral Φ of the complex variable

$$u\sqrt{\frac{i\pi}{2}} = \sqrt{iz}$$

z	$C(z)$	$S(z)$	z	$C(z)$	$S(z)$	z	$C(z)$	$S(z)$
0,0	0	0	16,0	0,4743	0,5961	36,0	0,4342	0,5094
0,1	0,2521	0,0084	16,5	0,4323	0,5709	36,5	0,4382	0,4769
0,2	0,3554	0,0237	17,0	0,4080	0,5293	37,0	0,4571	0,4504
0,3	0,4331	0,0434	17,5	0,4066	0,4818	37,5	0,4863	0,4363
0,4	0,4966	0,0665	18,0	0,4278	0,4400	38,0	0,5184	0,4380
0,5	0,5502	0,0924	18,5	0,4660	0,4139	38,5	0,5456	0,4547
0,6	0,5962	0,1205	19,0	0,5113	0,4093	39,0	0,5613	0,4822
0,7	0,6356	0,1504	19,5	0,5528	0,4269	39,5	0,5620	0,5137
0,8	0,6693	0,1818	20,0	0,5804	0,4616	40,0	0,5475	0,5415
0,9	0,6979	0,2143	20,5	0,5878	0,5049	40,5	0,5217	0,5588
1,0	0,7217	0,2476	21,0	0,5738	0,5459	41,0	0,4909	0,5616
1,5	0,7791	0,4155	21,5	0,5423	0,5748	41,5	0,4627	0,5494
2,0	0,7533	0,5628	22,0	0,5012	0,5849	42,0	0,4439	0,5253
2,5	0,6710	0,6658	22,5	0,4607	0,5742	42,5	0,4390	0,4953
3,0	0,5610	0,7117	23,0	0,4307	0,5458	43,0	0,4490	0,4668
3,5	0,4520	0,7002	23,5	0,4181	0,5068	43,5	0,4713	0,4468
4,0	0,3682	0,6421	24,0	0,4256	0,4670	44,0	0,5004	0,4399
4,5	0,3252	0,5565	24,5	0,4511	0,4361	44,5	0,5290	0,4477
5,0	0,3285	0,4659	25,0	0,4879	0,4212	45,0	0,5502	0,4682
5,5	0,3724	0,3918	25,5	0,5269	0,4258	45,5	0,5590	0,4962
6,0	0,4433	0,3499	26,0	0,5586	0,4483	46,0	0,5533	0,5248
6,5	0,5222	0,3471	26,5	0,5755	0,4829	46,5	0,5347	0,5471
7,0	0,5901	0,3812	27,0	0,5738	0,5211	47,0	0,5078	0,5577
7,5	0,6318	0,4415	27,5	0,5541	0,5534	47,5	0,4793	0,5540
8,0	0,6393	0,5120	28,0	0,5217	0,5721	48,0	0,4562	0,5373
8,5	0,6129	0,5755	28,5	0,4846	0,5731	48,5	0,4439	0,5117
9,0	0,5608	0,6172	29,0	0,4518	0,5562	49,0	0,4455	0,4834
9,5	0,4969	0,6286	29,5	0,4314	0,5260	49,5	0,4603	0,4595
10,0	0,4370	0,6084	30,0	0,4279	0,4900	50,0	0,4847	0,4457
10,5	0,3951	0,5632	30,5	0,4420	0,4570			
11,0	0,3804	0,5048	31,0	0,4700	0,4350			
11,5	0,3952	0,4478	31,5	0,5048	0,4291			
12,0	0,4346	0,4058	32,0	0,5379	0,4406			
12,5	0,4881	0,3882	32,5	0,5613	0,4663			
13,0	0,5425	0,3983	33,0	0,5694	0,4999			
13,5	0,5846	0,4325	33,5	0,5605	0,5329			
14,0	0,6047	0,4818	34,0	0,5370	0,5575			
14,5	0,5989	0,5337	34,5	0,5049	0,5677			
15,0	0,5693	0,5758	35,0	0,4720	0,5613			
15,5	0,5240	0,5982	35,5	0,4464	0,5401			

definieren (u und z reell): | (u and z real):

$$C - iS = \frac{\Phi(\sqrt{iz})}{\sqrt{2i}} = \int_0^u i^{-t^2}\,dt = \int_0^z \frac{e^{-it}}{\sqrt{2\pi t}}\,dt = \frac{1}{2}\int_0^z H^{(2)}_{-\frac{1}{2}}(t)\,dt.$$

Der Argumentwinkel beträgt u^2 Rechte oder $z = \frac{\pi}{2}u^2$ Radiant.

S als Funktion von C führt in rechtwinkligen geradlinigen Koordinaten auf die „Cornusche Spirale“ (Fig. 16). Die beiden Gleichungen $C = C(z)$ und $S = S(z)$ ergeben in dem rechtwinkligen Achsenkreuz z, C, S eine räumliche Spirale (Fig. 14), deren Projektionen auf die drei Koordinatenebenen die Cornusche Spirale, $C(z)$, $S(z)$ sind.

The argument angle equals u^2 right-angles or $z = \frac{\pi}{2}u^2$ radians.

S as function of C in orthogonal rectilinear coordinates gives „Cornu's spiral“ (fig. 16). The two equations $C = C(z)$ and $S = S(z)$ give, in the rectangular system z, C, S a spiral in space (fig. 14) whose projections on the three coordinate planes are Cornu's spiral, $C(z)$, $S(z)$.

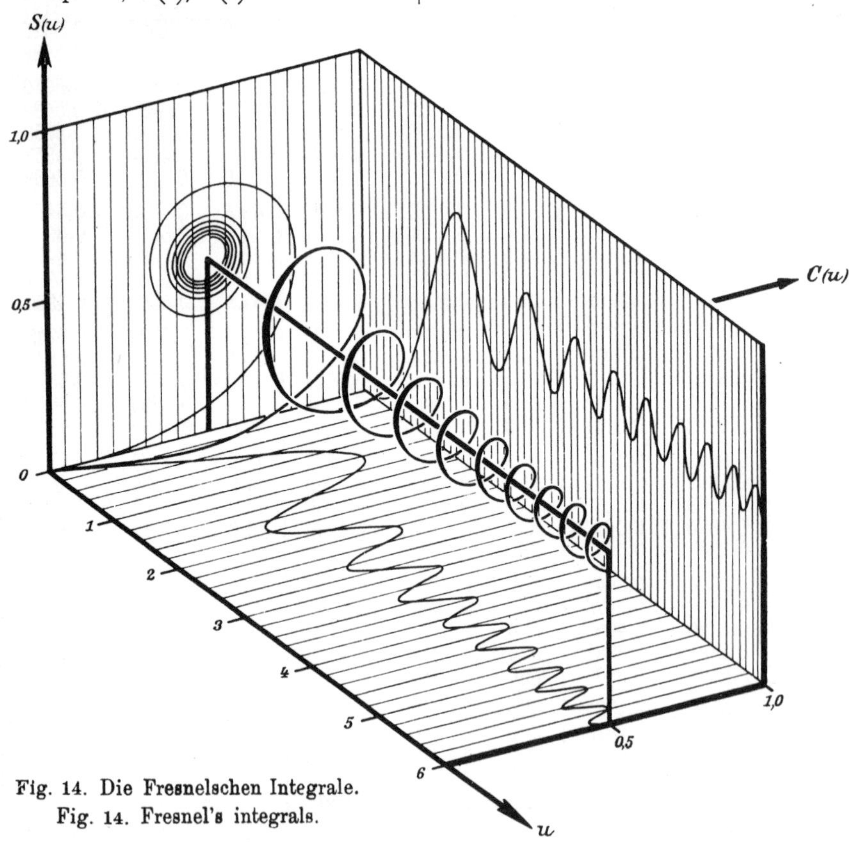

Fig. 14. Die Fresnelschen Integrale.
Fig. 14. Fresnel's integrals.

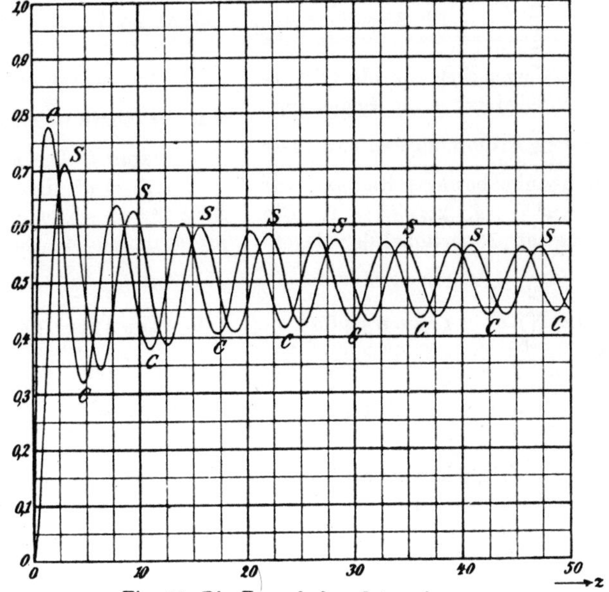

Fig. 15. Die Fresnelschen Integrale.
Fig. 15. Fresnel's integrals.

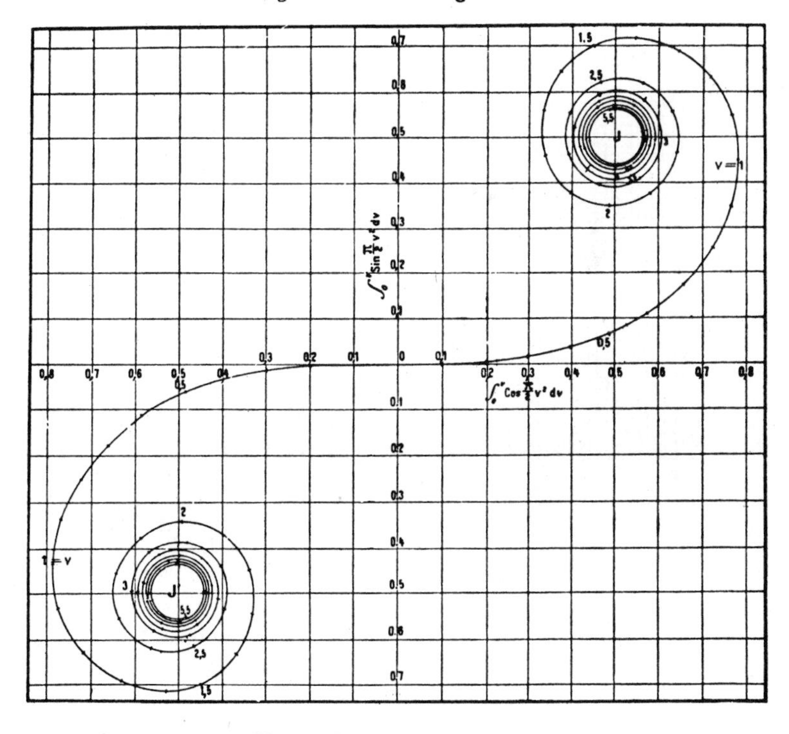

Fig. 16. Die Cornusche Spirale.
Fig. 16. Cornu's spiral.

Bei der Cornuschen Spirale (Spinnlinie, Klothoide) ist u die Bogenlänge $= \frac{1}{\pi R}$ (R = Krümmungsradius). Der Tangentenwinkel beträgt z Radiant $= u^2$ Rechte, $\pi u^2 = 2z$, $2\pi z R^2 = 1$. Die Krümmung ist proportional der Bogenlänge.

In the spiral of Cornu (Clothoid) u is the length of arc $= \frac{1}{\pi R}$ (R = radius of curvature). The angle of tangent is z radians $= u^2$ right angles, $\pi u^2 = 2z$, $2\pi z R^2 = 1$. The curvature increases proportionally to the length of arc.

5.[1]) Die **Nachwirkungsfunktion** ist

5.[1]) The **after effect function** is

$$f(x, y) = \int_{-\infty}^{+\infty} e^{-y^2 z^2 - z - x e^{-z}} dz.$$

(Beispiel: x = Zeit, y konstant, f = elektrischer Nachwirkungsstrom eines geladenen Kondensators.)

(Example: x = time, y constant, f = electric after effect current of a charged condenser.)

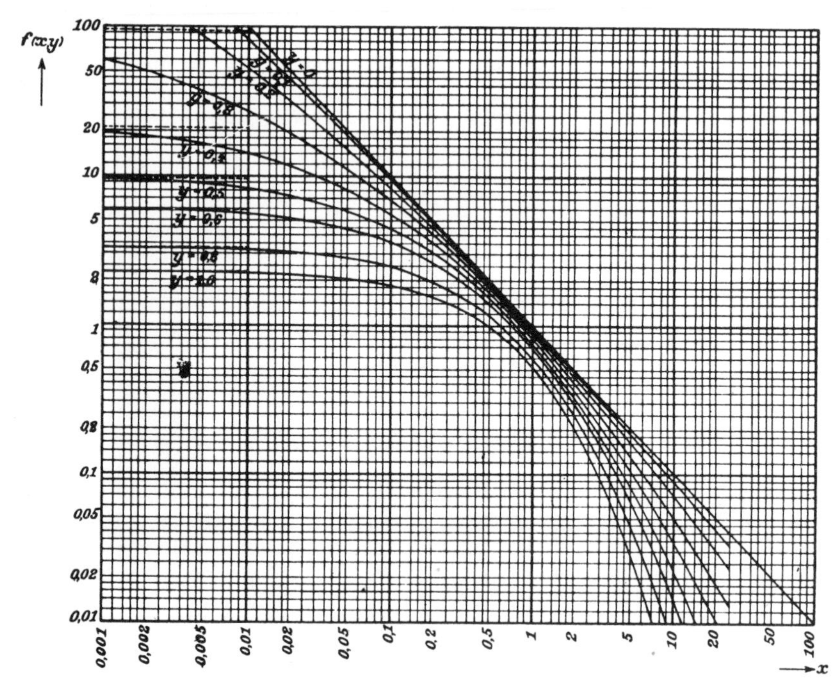

Fig. 17. Die Nachwirkungsfunktion in logarithmischer Auftragung.
Fig. 17. The after effect function on a logarithmic scale.

1) K. W. Wagner, Ann. Phys. (4) 40 (1913), S. 833. — Elektrotechn. Zeitschrift 34 (1913), S. 1280.

$$f(x, y) = \int_{-\infty}^{+\infty} e^{-y^2 z^2 - z - x e^{-z}} \, dz$$

y	x							
	0	0,001	0,003	0,008	0,02	0,05	0,1	0,2
0,00	∞	1000	333	125	50	20	10	5
0,05	$^{45}952$	891	310	116,2	48,54	19,82	9,86	4,97
0,10	$1^{12}275$	667	251,1	99,9	44,10	18,72	9,55	4,87
0,15	790 943	424	180,5	80,4	38,02	17,05	9,05	4,71
0,20	4 591	227	117,2	60,9	31,40	15,12	8,40	4,51
0,25	387,1	115,2	73,0	43,7	24,87	13,11	7,69	4,28
0,30	95,14	59,05	43,7	30,0	19,52	11,25	6,96	4,03
0,35	38,99	31,8	27,2	21,0	15,03	9,58	6,24	3,76
0,40	21,16	19,62	17,70	14,94	11,69	8,08	5,57	3,51
0,45	13,53	13,16	12,47	11,13	9,21	6,81	4,98	3,27
0,50	9,64	9,53	9,18	8,59	7,37	5,80	4,45	3,04
0,55	7,37	7,33	7,15	6,78	6,09	5,02	3,98	2,81
0,60	5,92	5,86	5,78	5,57	5,16	4,39	3,57	2,61
0,65	4,93	4,88	4,82	4,70	4,44	3,87	3,23	2,41
0,70	4,22	4,19	4,15	4,07	3,88	3,44	2,93	2,24
0,75	3,69	3,67	3,64	3,57	3,43	3,10	2,68	2,09
0,80	3,28	3,26	3,24	3,19	3,07	2,82	2,48	1,97
0,85	2,95	2,94	2,92	2,87	2,77	2,57	2,30	1,86
0,90	2,68	2,68	2,66	2,61	2,53	2,36	2,14	1,75
0,95	2,46	2,46	2,45	2,41	2,34	2,19	2,00	1,66
1,00	2,276	2,271	2,261	2,238	2,179	2,054	1,865	1,560

y	x							
	0,4	0,7	1,0	1,5	3,0	5,0	10,0	25,0
0,00	2,500	1,429	1,000	0,667	0,333	0,2000	0,1000	0,0400
0,05	2,487	1,419	0,995	0,660	0,329	0,1965	0,0956	0,0362
0,10	2,456	1,400	0,981	0,647	0,319	0,1874	0,0892	0,0320
0,15	2,408	1,373	0,961	0,631	0,306	0,1747	0,0806	0,0274
0,20	2,343	1,344	0,935	0,610	0,287	0,1601	0,0707	0,0224
0,25	2,267	1,308	0,908	0,587	0,267	0,1447	0,0602	0,0175
0,30	2,185	1,269	0,876	0,562	0,249	0,1300	0,0506	0,0131
0,35	2,097	1,229	0,846	0,537	0,231	0,1160	0,0423	0,0095
0,40	2,008	1,183	0,816	0,514	0,2138	0,1033	0,0349	0,0068
0,45	1,915	1,143	0,786	0,491	0,1977	0,0923	0,0283	0,0048
0,50	1,826	1,102	0,757	0,470	0,1828	0,0823	0,0225	0,0034
0,55	1,739	1,060	0,729	0,452	0,1698	0,0732	0,0177	0,0024
0,60	1,656	1,018	0,703	0,432	0,1585	0,0652	0,0140	0,0017
0,65	1,575	0,979	0,680	0,417	0,1488	0,0584	0,0114	0,0013
0,70	1,500	0,940	0,657	0,400	0,1398	0,0524	0,0098	0,0011
0,75	1,428	0,904	0,632	0,384	0,1313	0,0474	0,0085	0,0009
0,80	1,361	0,873	0,607	0,368	0,1235	0,0430	0,0076	0,0007
0,85	1,296	0,840	0,587	0,352	0,1160	0,0393	0,0065	0,0006
0,90	1,237	0,808	0,568	0,339	0,1085	0,0358	0,0054	0,0005
0,95	1,182	0,779	0,547	0,328	0,1012	0,0328	0,0047	0,0004
1,00	1,135	0,753	0,529	0,318	0,0939	0,0299	0,0038	0,0003

Genauere Tafeln: **More-figure tables:**

a) A. A. Markoff, Tables des valeurs de l'intégrale $\int\limits_x^\infty e^{-t^2}\,dt$ (St. Petersburg u. Leipzig 1888 bei Voss Sort.) für $x = 0{,}001 \ldots 3{,}000$ und $3{,}01 \ldots 4{,}80$ mit 11 Dezimalen.

b) B. Kämpfe, Tafel des Integrals $\Phi(\gamma)$ (Leipzig 1893 bei Engelmann), für $x = 0{,}01 \ldots 3{,}00$ mit 7 Dezimalen.

c) J. Burgess, Tafeln des Fehlerintegrals, Edinb. Trans., **39** II, Nr. 9 (1898), S. 283—321 für $x = 0{,}001 \ldots 1{,}250$ mit 9 Dezimalen und für $x = 1{,}001 \ldots 1{,}500$ und $1{,}502 \ldots 3{,}000$ und $3{,}1 \ldots 6{,}0$ mit 15 Dezimalen.

d) G. N. Watson, Bessel functions (Cambridge 1922 at the University press), p. 744/45 gibt die Fresnelschen Integrale für $z = 0{,}5 \ldots 50{,}0$ mit 6 Dezimalen und für $z = 0{,}02 \ldots 1{,}00$ mit 7 Dezimalen.

e) Brit. Ass. Adv. Sc. Mathematical tables, vol. I (London 1931), geben Funktionen $Hh_n(x)$, die durch wiederholte Integration von $e^{-\frac{x^2}{2}}$ entstehen, 6- bis 13-stellig.

f) H. G. Dawson, On the Numerical Value of $\int\limits_0^x e^{t^2}\,dt$, Proceedings of the London Math. Soc. 29 II (1897/98), S. 519—522) für $x = 0{,}01 \ldots 2{,}00$ mit 6 Dezimalen.

g) Rep. Brit. Ass. 1926, Oxford, geben die Fresnelschen Integrale mit 6 Dezimalen für $z = x = 0{,}1;\ 0{,}2;\ \ldots\ 19{,}9;\ 20{,}0$.

h) K. Pearson, Tables of the incomplete Γ-Funktion (London 1922), gibt unter der Bezeichnung

$$E_n(x) = I(u, p), \qquad u = \sqrt{n}\, x^n, \qquad p = -\frac{n-1}{n},$$
$$x = \left(u\sqrt{p+1}\right)^{p+1}, \qquad n = \frac{1}{p+1},$$

$E_n(x)$ mit 7 Stellen in Schritten 0,1 von u auf p. 118—138 für

$p = -0{,}95$	$-0{,}90$	...	$-0{,}05$	$-0{,}00$
$n = 20$	10	...	1,05 ..	1,00

und mit 5 Stellen in Schritten 0,1 von u auf p. 163, 164 für

$p = -1{,}00$	$-0{,}99$	...	$-0{,}76$	$-0{,}75$
$n = \infty$	100	...	4,17 ..	4,00

i) W. O. Schumann, El. Durchbruchfeldstärke (Berlin 1923 bei Springer) gibt $\frac{1}{4}!\,E_4(x)$ mit 4 Dezimalen für $x = 0{,}1;\ 0{,}2;\ \ldots\ 1{,}0$ (S. 235) und $i^{-1}E_2(ix)$ mit 4 bis 5 Stellen für $x = 0{,}1;\ 0{,}2;\ \ldots\ 2{,}5;\ 2{,}6;\ 2{,}8;\ \ldots\ 7{,}4$ (S. 243).

Lehrbücher: **Text-books:**

a) N. Nielsen, Integrallogarithmus (Leipzig 1906 bei Teubner).

b) Whittaker and Watson, Modern Analysis, 4. ed. (Cambridge 1927), p. 347—351 (Funktionen des parabolischen Zylinders).

c) A. Sommerfeld, Wellenmechanischer Ergänzungsband (Braunschweig 1929), S. 18—20 und 57—62 (Funktionen des parabolischen Zylinders).

IV. Thetafunktionen.
IV. Theta-functions.

1. Definition.

Es sei $0 < q < 1$ und

Let $0 < q < 1$ and

$$\vartheta_3\left(\frac{x}{2\pi}\right) = 1 + 2q\cos x + 2q^4\cos 2x + 2q^9\cos 3x + \cdots$$

$$\vartheta_2\left(\frac{y}{\pi}\right) = 2\sqrt[4]{q}\,(\cos y + q^2\cos 3y + q^6\cos 5y + q^{12}\cos 7y + \cdots).$$

Ferner sei gesetzt

Put further

$$\frac{x}{2} = y = \pi v = \frac{\pi}{2}\varrho, \qquad q = e^{-\pi\varkappa}, \qquad \varkappa = \frac{1}{\pi}\ln\frac{1}{q},$$

$$\vartheta_3(v - 0{,}5) = \vartheta(v), \qquad \vartheta_2(v - 0{,}5) = \vartheta_1(v).$$

Zuweilen ist folgende Schreibweise vorteilhaft:

Sometimes the following manner of writing is advantageous:

$$\vartheta_3(v) = \sum_{n=-\infty}^{+\infty} q^{nn} e^{inx},$$

$$\vartheta_2(v) = q^{0,25} e^{iv} \sum_{n=-\infty}^{+\infty} q^{n(n+1)} e^{inx}.$$

Nullstellen:

Zeros:

$$0 = \vartheta_3(0{,}5 + 0{,}5\varkappa i) = \vartheta(0{,}5\varkappa i) = \vartheta_2(0{,}5) = \vartheta_1(0).$$

Der hier vorkommende Winkel beträgt y Radianten oder v Gestreckte oder $\varrho = 2v$ Rechte oder $x = 2y$ halbe Radianten.

The angle here met with, equals y radians or v double right-angles or $\varrho = 2v$ right-angles or $x = 2y$ half-radians.

2. Umformungen.
2. Transformations.

Es sei
Let

$$1/M = \sqrt[4]{q}\, e^{iv}, \qquad 1/N = q\, e^{ix},$$

und zur Abkürzung stehe ϑ_n für $\vartheta_n(v)$. Dann gilt die folgende Tabelle.

and for brevity write ϑ_n for $\vartheta_n(v)$. Then the following table holds.

v_1	$\vartheta_3(v_1)$	$\vartheta(v_1)$	$\vartheta_2(v_1)$	$\vartheta_1(v_1)$
$-v$	ϑ_3	ϑ	ϑ_2	$-\vartheta_1$
$v \pm 0{,}5$	ϑ	ϑ_3	$\mp\vartheta_1$	$\pm\vartheta_2$
$v + i\,0{,}5\,\varkappa$	$M\vartheta_2$	$iM\vartheta_1$	$M\vartheta_3$	$iM\vartheta$
$v + 0{,}5 + i\,0{,}5\,\varkappa$	$iM\vartheta_1$	$M\vartheta_2$	$-iM\vartheta$	$M\vartheta_3$
$v \pm 1$	ϑ_3	ϑ	$-\vartheta_2$	$-\vartheta_1$
$v + i\varkappa$	$N\vartheta_3$	$-N\vartheta$	$N\vartheta_2$	$-N\vartheta_1$
$v - 1 - i\varkappa$	$N\vartheta_3$	$-N\vartheta$	$-N\vartheta_2$	$-N\vartheta_1$

Ferner sei | Let further

$$F = \sqrt{\varkappa}\, e^{\frac{\pi v^2}{\varkappa}}, \qquad G = \sqrt{\varkappa}\, e^{\frac{\pi v^2}{\varkappa+i}},$$

und es stehe ϑ_n für $\vartheta_n(v, \varkappa)$. | and write ϑ_n for $\vartheta_n(v, \varkappa)$.

v'	$\varkappa'$	$\vartheta_3(v', \varkappa')$	$\vartheta(v', \varkappa')$	$\vartheta_2(v', \varkappa')$	$\vartheta_1(v', \varkappa')$
$\frac{v}{i\varkappa}$	$\frac{1}{\varkappa}$	$F\vartheta_3$	$F\vartheta_2$	$F\vartheta$	$-iF\vartheta_1$
$\frac{v}{1-i\varkappa}$	$\frac{\varkappa}{1-i\varkappa}$	$G\vartheta_2$	$\sqrt{i}\,G\vartheta$	$G\vartheta_3$	$\sqrt{i}\,G\vartheta_1$
v	$1+i\varkappa$	ϑ	ϑ_3	$\sqrt{i}\,\vartheta_2$	$\sqrt{i}\,\vartheta_1$

3. Logarithmische Ableitung.
3. Logarithmic derivative.

$$\left.\begin{array}{l} d\ln\vartheta_3/dx \\ d\ln\vartheta\,/dx \end{array}\right\} = \mp \frac{\sin x}{\mathfrak{Sin}\,\pi\varkappa} + \frac{\sin 2x}{\mathfrak{Sin}\,2\pi\varkappa} \mp \frac{\sin 3x}{\mathfrak{Sin}\,3\pi\varkappa} + \cdots$$

$$\left.\begin{array}{l} \frac{d\ln\vartheta_2}{dx} + \frac{1}{2}\operatorname{tg}\frac{x}{2} \\ \frac{d\ln\vartheta_1}{dx} - \frac{1}{2}\operatorname{ctg}\frac{x}{2} \end{array}\right\} = \mp q\frac{\sin x}{\mathfrak{Sin}\,\pi\varkappa} + q^2\frac{\sin 2x}{\mathfrak{Sin}\,2\pi\varkappa} \mp q^3\frac{\sin 3x}{\mathfrak{Sin}\,3\pi\varkappa} + \cdots$$

4. Für $v = 0$ (statt $\vartheta_n(0)$ schreibt man meist nur ϑ_n) gilt | **4.** For $v = 0$ (instead of $\vartheta_n(0)$ one usually writes simply ϑ_n) we obtain

$$\vartheta_1' = \pi\,\vartheta\,\vartheta_2\,\vartheta_3, \qquad \vartheta^4 + \vartheta_2^4 = \vartheta_3^4.$$

$$\vartheta_1' = 2\pi q^{0,25}(1 - 3q^2 + 5q^6 - 7q^{12} + - \cdots)$$

$$\vartheta_2 = 2q^{0,25}(1 + q^2 + q^6 + q^{12} + \cdots)$$

$$\vartheta_3 = 1 + 2q + 2q^4 + 2q^9 + \cdots$$

$$\vartheta_0 = 1 - 2q + 2q^4 - 2q^9 + - \cdots$$

$$-\frac{\vartheta_1'''}{\vartheta_1'} = \pi^2 \frac{1 - 3^3 q^2 + 5^3 q^6 - + \cdots}{1 - 3q^2 + 5q^6 - + \cdots}$$

$$-\frac{\vartheta_2''}{\vartheta_2} = \pi^2 \frac{1 + 3^2 q^2 + 5^2 q^6 + \cdots}{1 + q^2 + q^6 + \cdots}$$

$$-\frac{\vartheta_3''}{\vartheta_3} = 8\pi^2 \frac{q + 4q^4 + 9q^9 + \cdots}{1 + 2q + 2q^4 + 2q^9 + \cdots}$$

$$+\frac{\vartheta_0''}{\vartheta_0} = 8\pi^2 \frac{q - 4q^4 + 9q^9 - + \cdots}{1 - 2q + 2q^4 - 2q^9 + - \cdots}$$

5. Differentialgleichungen.
5. Differential equations.

$$\frac{\partial^2 \vartheta_n}{\partial v^2} = 4\pi \frac{\partial \vartheta_n}{\partial \varkappa}.$$

$$\left(\frac{d\xi}{dy}\right)^2 = (\vartheta_2^2 - \vartheta_3^2 \xi^2)(\vartheta_3^2 - \vartheta_2^2 \xi^2), \qquad \xi = \frac{\vartheta_1(v)}{\vartheta(v)}.$$

6. Modulfunktion.
6. Modular function.

$$\lambda = \lambda_1 + i\lambda_2 = k^2 = \frac{\vartheta_2^4}{\vartheta_3^4} \approx 16q \frac{1 + 4q^2}{1 + 8q + 24q^2}$$

als Funktion von | as function of

$$\tau = i\varkappa = \tau_1 + i\tau_2$$

heißt elliptische Modulfunktion ($q = e^{i\pi\tau}$). Zu einem gegebenen $k = \sin\alpha$ findet man q, indem man | is called an elliptic modular function ($q = e^{i\pi\tau}$). To a given $k = \sin\alpha$ we find q by computing

$$2\varepsilon = \frac{1 - \sqrt{\cos\alpha}}{1 + \sqrt{\cos\alpha}}$$

berechnet und damit | and therefrom

$$q = \varepsilon + 2\varepsilon^5 + 15\varepsilon^9 + 150\varepsilon^{13} + 1701\varepsilon^{17} + \cdots$$

Genauere Tafeln: | **More-figure tables:**

a) E. P. Adams, Smithsonian math. formulae (Washington 1922), S. 260—309, gibt 10stellig: $u = F(\varphi)$, die Jacobische Zetafunktion zu u, $\frac{\vartheta(v)}{\vartheta(0)}$, $\frac{\vartheta_1(v)}{\vartheta_2(0)}$ mit $k = \sin\Theta$ für $180\,v = 90\,u/K = 1, 2, \ldots 90$ und $\Theta = 5^0, 10^0 \ldots 80^0, 81^0 \ldots 89^0$. (Berechnet von R. L. Hippisley.)

b) H. Nagaoka und S. Sakurai, Table No. 1. (Tokyo 1922, Inst. of phys. and chem. res.) Logarithmen von Null-Thetas, von ϑ-Quotienten, die vollständigen elliptischen Integrale und Hilfstafeln mit 7 Dezimalen für $k^2 = 0{,}001 \ldots 1{,}000$.

c) K. Hayashi, Tafeln der Besselschen, Theta-, Kugel- und anderer Funktionen. (Berlin 1930 bei Springer.) Numeri der von Nagaoka und Sakurai berechneten Logarithmen mit 8 Dezimalen.

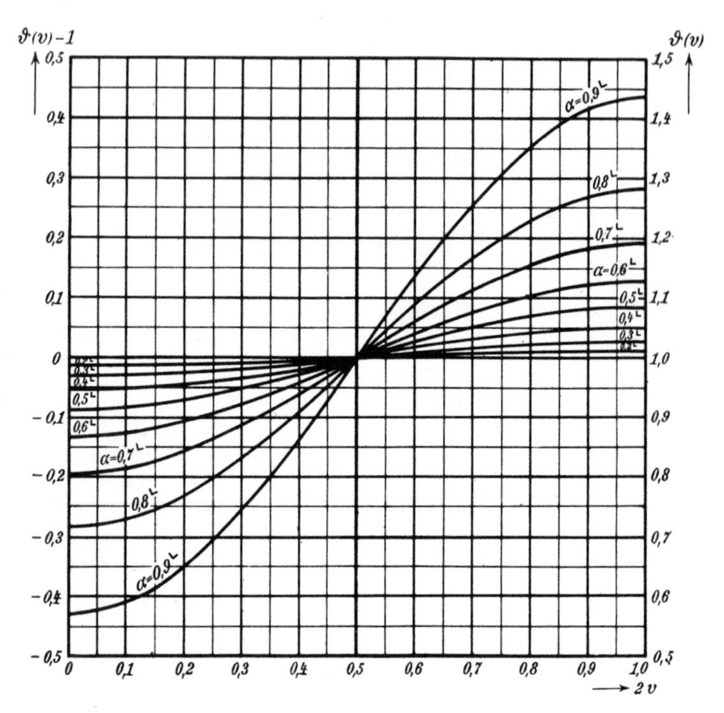

Fig. 18. $\vartheta(v) = \vartheta_3(v_1)$, $\quad 2v + 2v_1 = 1$.

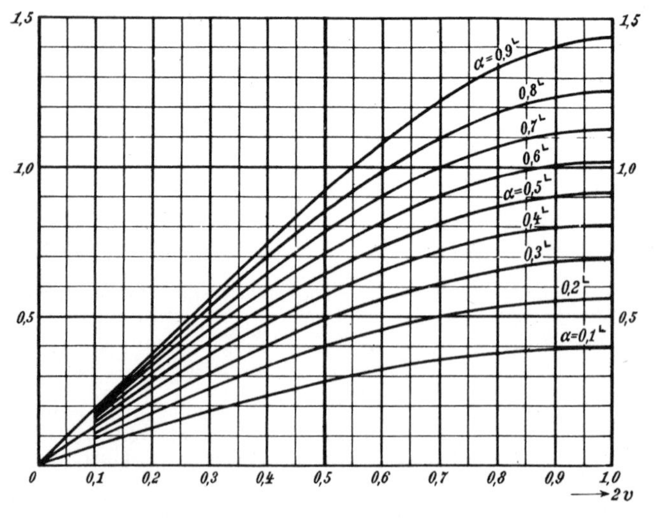

Fig. 19. $\vartheta_1(v) = \vartheta_2(v_1)$, $\quad 2v + 2v_1 = 1$

$2v$	$\alpha=0°$	9°	18°	27°	36°	45°	54°	63°	72°	81°	$2v_1$	
0,0	1,0000	0,9970	0,9874	0,9712	0,9471	0,9135	0,8680	0,8052	0,7152	0,5694	1,0	$\vartheta(v) = \vartheta_3(v_1)$
0,1	1,0000	0,9970	0,9881	0,9725	0,9497	0,9178	0,8744	0,8147	0,7290	0,5898	0,9	
0,2	1,0000	0,9975	0,9899	0,9766	0,9572	0,9300	0,8931	0,8424	0,7691	0,6494	0,8	
0,3	1,0000	0,9982	0,9927	0,9831	0,9689	0,9493	0,9223	0,8853	0,8318	0,7429	0,7	
0,4	1,0000	0,9991	0,9961	0,9911	0,9836	0,9732	0,9592	0,9397	0,9110	0,8619	0,6	
0,5	1,0000	1,0000	1,0000	1,0000	1,0000	1,0000	1,0000	0,9999	0,9992	0,9956	0,5	
0,6	1,0000	1,001	1,004	1,009	1,016	1,027	1,041	1,060	1,088	1,131	0,4	
0,7	1,0000	1,002	1,007	1,017	1,031	1,051	1,078	1,115	1,168	1,254	0,3	
0,8	1,0000	1,003	1,010	1,023	1,043	1,070	1,107	1,158	1,231	1,353	0,2	
0,9	1,0000	1,003	1,012	1,028	1,050	1,082	1,126	1,186	1,272	1,417	0,1	
1,0	1,0000	1,003	1,013	1,029	1,053	1,086	1,132	1,195	1,286	1,439	0,0	
0,0	0,0000	0,0000	0,0000	0,0000	0,0000	0,0000	0,0000	0,0000	0,0000	0,0000	1,0	$\vartheta_1(v) = \vartheta_2(v_1)$
0,1	0,0000	0,06206	0,08804	0,1084	0,1260	0,1419	0,1566	0,1700	0,1810	0,1843	0,9	
0,2	0,0000	0,1226	0,1739	0,2140	0,2488	0,2804	0,3098	0,3368	0,3597	0,3698	0,8	
0,3	0,0000	0,1801	0,2555	0,3145	0,3657	0,4123	0,4560	0,4968	0,5335	0,5563	0,7	
0,4	0,0000	0,2332	0,3308	0,4073	0,4736	0,5343	0,5917	0,6467	0,6989	0,7413	0,6	
0,5	0,0000	0,2805	0,3980	0,4900	0,5700	0,6436	0,7139	0,7827	0,8517	0,9200	0,5	
0,6	0,0000	0,3210	0,4553	0,5607	0,6524	0,7372	0,8188	0,9007	0,9870	1,085	0,4	
0,7	0,0000	0,3535	0,5015	0,6176	0,7188	0,8129	0,9041	0,9972	1,100	1,227	0,3	
0,8	0,0000	0,3773	0,5353	0,6592	0,7675	0,8682	0,9669	1,069	1,184	1,337	0,2	
0,9	0,0000	0,3918	0,5559	0,6847	0,7973	0,9022	1,005	1,113	1,237	1,407	0,1	
1,0	0,0000	0,3967	0,5629	0,6933	0,8074	0,9135	1,018	1.128	1,255	1,431	0,0	
0,0	0,0000	0,0000	0,0000	0,0000	0,0000	0,0000	0,0000	0,0000	0,0000	0,0000	1,0	$\frac{d\ln\vartheta(v)}{\pi\,dv} = -\frac{d\ln\vartheta_3(v_1)}{\pi\,dv_1}$
0,1	0,0000	0,001920	0,007845	0,01833	0,03444	0,05806	0,09324	0,1473	0,2401	0,4380	0,9	
0,2	0,0000	0,003650	0,01490	0,03471	0,06502	0,1092	0,1737	0,2712	0,4333	0,7614	0,8	
0,3	0,0000	0,005020	0,02045	0,04747	0,08839	0,1473	0,2315	0,3555	0,5527	0,9247	0,7	
0,4	0,0000	0,005897	0,02396	0,05536	0,1024	0,1689	0,2618	0,3942	0,5947	0,9469	0,6	
0,5	0,0000	0,006194	0,02509	0,05769	0,1059	0,1729	0,2642	0,3899	0,5719	0,8742	0,5	
0,6	0,0000	0,005883	0,02377	0,05438	0,09906	0,1601	0,2415	0,3502	0,5011	0,7411	0,4	
0,7	0,0000	0,005002	0,02015	0,04589	0,08306	0,1331	0,1984	0,2836	0,3980	0,5748	0,3	
0,8	0,0000	0,003632	0,01460	0,03314	0,05968	0,09500	0,1404	0,1985	0,2748	0,3906	0,2	
0,9	0,0000	0,001909	0,007661	0,01735	0,03115	0,04945	0,07260	0,1020	0,1400	0,1972	0,1	
1,0	0,0000	0,0000	0,0000	0,0000	0,0000	0,0000	0,0000	0,0000	0,0000	0,0000	0,0	
0,0	∞	∞	∞	∞	∞	∞	∞	∞	∞	∞	1,0	$\frac{d\ln\vartheta_1(v)}{\pi\,dv} = -\frac{d\ln\vartheta_2(v_1)}{\pi\,dv_1}$
0,1	6,3138	6,314	6,314	6,314	6,314	6,316	6,320	6,326	6,340	6,384	0,9	
0,2	3,0777	3,078	3,078	3,078	3,080	3,082	3,088	3,100	3,128	3,218	0,8	
0,3	1,9626	1,962	1,963	1,963	1,965	1,969	1,977	1,994	2,031	2,132	0,7	
0,4	1,3764	1,376	1,377	1,377	1,379	1,384	1,393	1,413	1,457	1,570	0,6	
0,5	1,0000	1,0000	1,0000	1,001	1,003	1,007	1,017	1,038	1,083	1,198	0,5	
0,6	0,7265	0,7266	0,7268	0,7273	0,7293	0,7337	0,7432	0,7628	0,8048	0,9099	0,4	
0,7	0,5095	0,5096	0,5097	0,5102	0,5118	0,5156	0,5236	0,5403	0,5753	0,6619	0,3	
0,8	0,3249	0,3249	0,3250	0,3254	0,3266	0,3293	0,3351	0,3473	0,3723	0,4336	0,2	
0,9	0,1584	0,1584	0,1584	0,1586	0,1593	0,1607	0,1638	0,1700	0,1831	0,2148	0,1	
1,0	0,0000	0,0000	0,0000	0,0000	0,0000	0,0000	0,0000	0,0000	0,0000	0,0000	0,0	
$2v$	$\alpha=0°$	9°	18°	27°	36°	45°	54°	63°	72°	81°	$2v_1$	

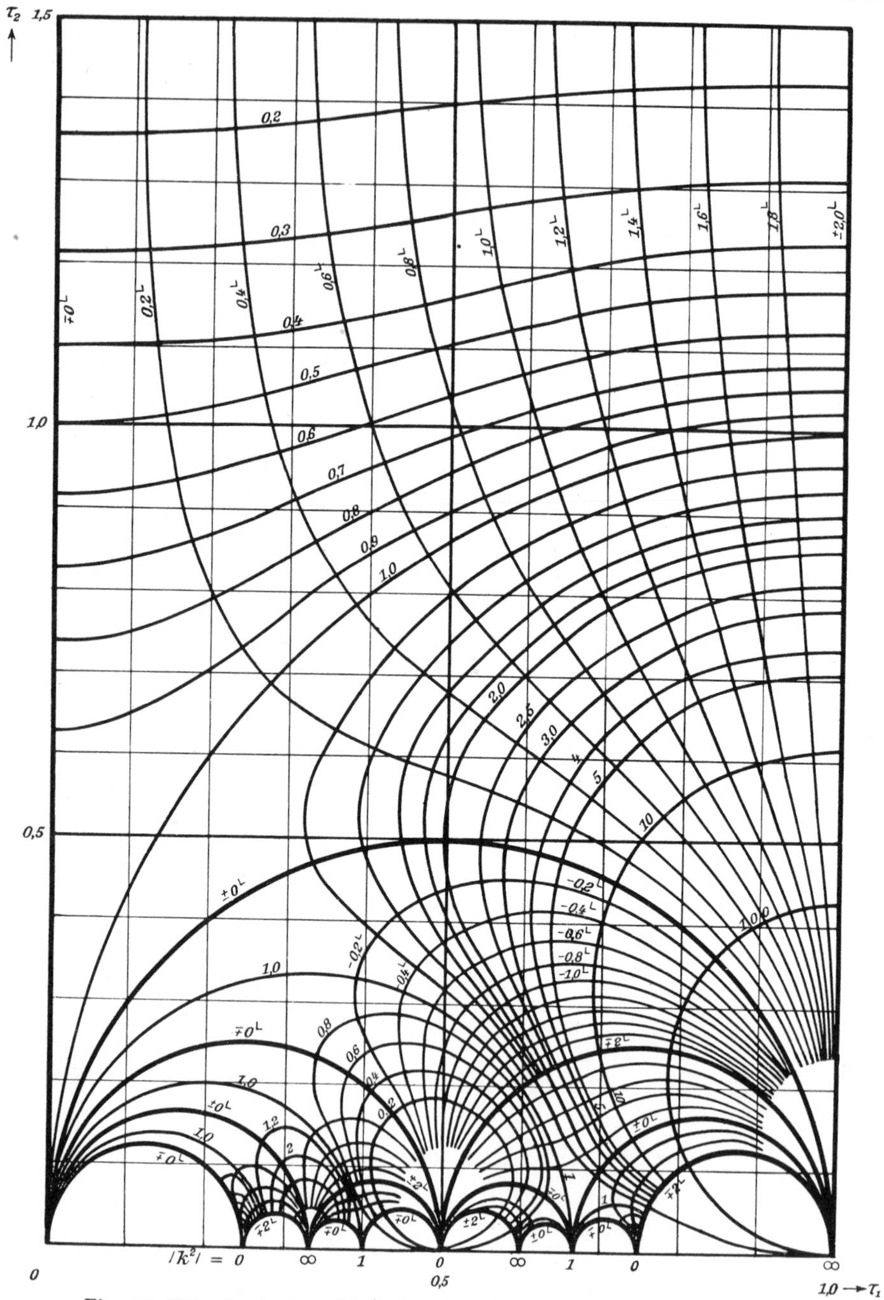

Fig. 20. Höhenkarte der elliptischen Modulfunktion: k^2 als Funktion von τ.
Fig. 20. Altitude chart of the elliptic modular function: k^2 as function of τ

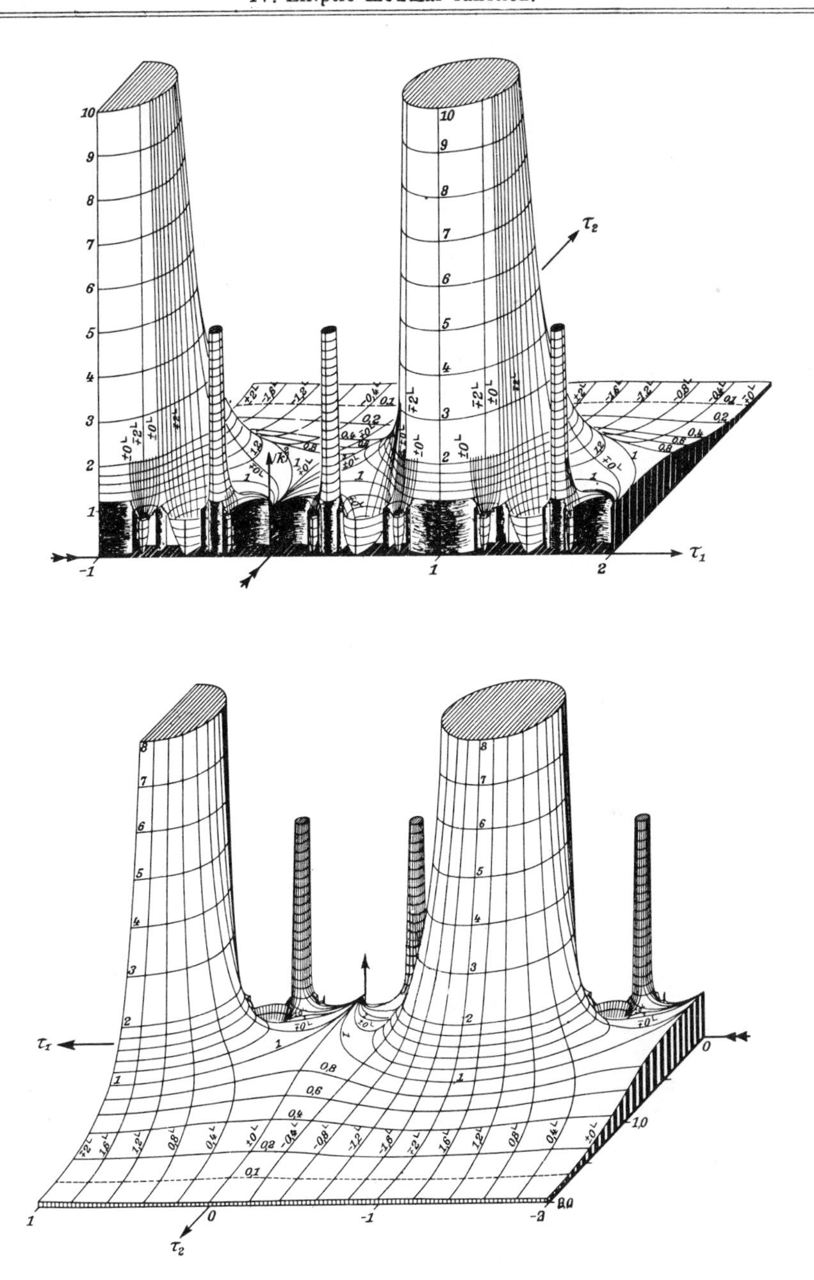

Fig. 21 und 22. Relief der elliptischen Modulfunktion: k^2 als Funktion von τ.

Fig. 21 and 22. Relief of the elliptic modular function: k^2 as function of τ.

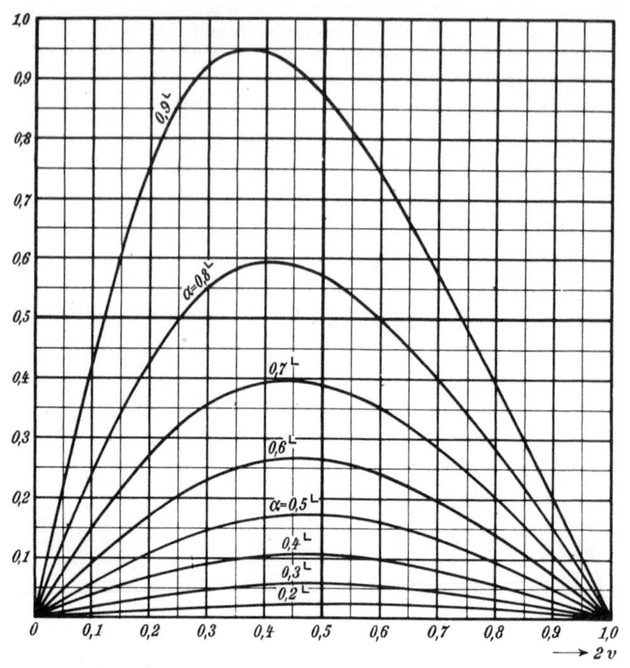

Fig. 23. $\frac{d \ln \vartheta(v)}{\pi\, d v} = -\frac{d \ln \vartheta_3(v_1)}{\pi\, d v_1} \qquad 2v + 2v_1 = 1.$

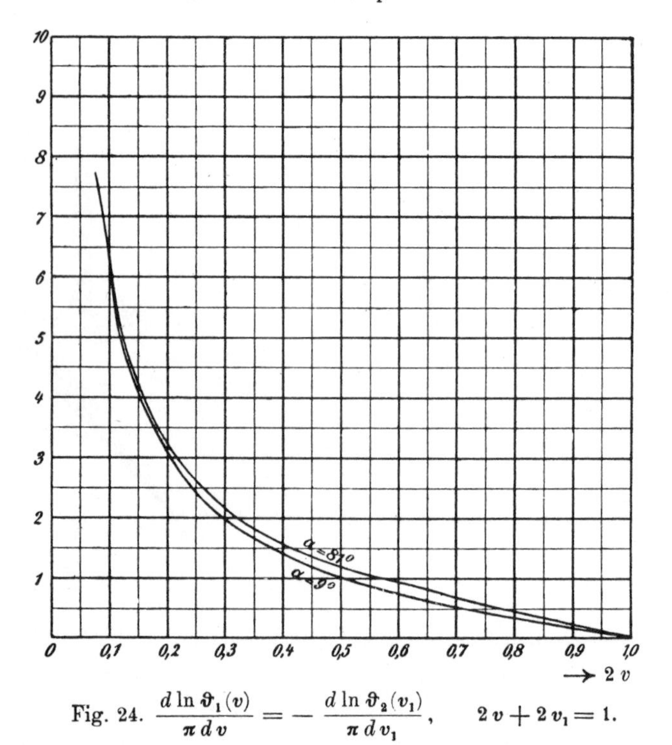

Fig. 24. $\frac{d \ln \vartheta_1(v)}{\pi\, d v} = -\frac{d \ln \vartheta_2(v_1)}{\pi\, d v_1}, \qquad 2v + 2v_1 = 1.$

α	0′	5′	10′	15′	20′	25′	30′	35′	40′	45′	50′	55′
0°	−∞	$\bar{7}$,1213	$\bar{7}$,7233	$\bar{6}$,0755	$\bar{6}$,3254	$\bar{6}$,5192	$\bar{6}$,6776	$\bar{6}$,8115	$\bar{6}$,9275	$\bar{5}$,0298	$\bar{5}$,1213	$\bar{5}$,2041
1°	5,2797	5,3492	5,4136	5,4735	5,5296	5,5822	5,6319	5,6788	5,7234	5,7658	5,8062	5,8448
2°	5,8818	5,9173	5,9513	5,9841	4,0157	4,0462	4,0757	4,1041	4,1317	4,1585	4,1844	5,2096
3°	4,2341	4,2579	4,2811	4,3036	4,3256	4,3471	4,3680	4,3885	4,4085	4,4280	4,4471	5,4658
4°	4,4841	4,5020	4,5196	4,5368	4,5537	4,5703	4,5865	4,6025	4,6181	4,6335	4,6486	5,6635
5°	$\bar{4}$,6781	$\bar{4}$,6925	$\bar{4}$,7066	$\bar{4}$,7206	$\bar{4}$,7343	$\bar{4}$,7478	$\bar{4}$,7610	$\bar{4}$,7741	$\bar{4}$,7870	$\bar{4}$,7997	$\bar{4}$,8122	$\bar{5}$,8246
6°	4,8367	4,8487	4,8606	4,8723	4,8838	4,8952	4,9064	4,9175	4,9284	4,9393	4,9499	4,9605
7°	4,9709	4,9812	4,9914	3,0015	3,0114	3,0213	3,0310	3,0406	3,0502	3,0596	3,0689	3,0781
8°	3,0872	3,0963	3,1052	3,1141	3,1228	3,1315	3,1401	3,1486	3,1570	3,1653	3,1736	3,1818
9°	3,1899	3,1980	3,2059	3,2138	3,2216	3,2294	3,2371	3,2447	3,2523	3,2598	3,2672	3,2745
0°	$\bar{3}$,2819	$\bar{3}$,2891	$\bar{3}$,2963	$\bar{3}$,3034	$\bar{3}$,3105	$\bar{3}$,3175	$\bar{3}$,3245	$\bar{3}$,3314	$\bar{3}$,3382	$\bar{3}$,3450	$\bar{3}$,3518	$\bar{3}$,3585
1°	3,3651	3,3717	3,3783	3,3848	3,3912	3,3976	3,4040	3,4103	3,4166	3,4228	3,4290	3,4351
2°	3,4412	3,4473	3,4533	3,4592	3,4652	3,4711	3,4769	3,4827	3,4885	3,4943	3,5000	3,5056
3°	3,5113	3,5169	3,5224	3,5280	3,5335	3,5389	3,5444	3,5498	3,5551	3,5605	3,5658	3,5710
4°	3,5763	3,5815	3,5866	3,5918	3,5969	3,6020	3,6071	3,6121	3,6171	3,6221	3,6270	3,6319
5°	$\bar{3}$,6368	$\bar{3}$,6417	$\bar{3}$,6465	$\bar{3}$,6514	$\bar{3}$,6562	$\bar{3}$,6609	$\bar{3}$,6657	$\bar{3}$,6704	$\bar{3}$,6751	$\bar{3}$,6797	$\bar{3}$,6844	$\bar{3}$,6890
6°	3,6936	3,6982	3,7027	3,7072	3,7117	3,7162	3,7207	3,7251	3,7295	3,7339	3,7383	3,7427
7°	3,7470	3,7513	3,7556	3,7599	3,7640	3,7684	3,7726	3,7768	3,7809	3,7851	3,7892	3,7933
8°	3,7974	3,8015	3,8056	3,8096	3,8137	3,8177	3,8217	3,8256	3,8296	3,8335	3,8374	3,8414
9°	3,8452	3,8491	3,8530	3,8568	3,8606	3,8645	3,8682	3,8720	3,8758	3,8795	3,8833	3,8870
°	$\bar{3}$,8907	$\bar{3}$,8944	$\bar{3}$,8980	$\bar{3}$,9017	$\bar{3}$,9054	$\bar{3}$,9090	$\bar{3}$,9126	$\bar{3}$,9162	$\bar{3}$,9198	$\bar{3}$,9234	$\bar{3}$,9269	$\bar{3}$,9305
°	3,9340	3,9375	3,9410	3,9445	3,9480	3,9515	3,9549	3,9584	3,9618	3,9652	3,9686	3,9720
°	3,9754	3,9788	3,9821	3,9855	3,9888	3,9921	3,9954	3,9987	2,0020	2,0053	2,0086	2,0118
°	2,0151	2,0183	2,0215	2,0247	2,0279	2,0311	2,0343	2,0374	2,0406	2,0437	2,0469	2,0500
°	2,0531	2,0562	2,0593	2,0624	2,0655	2,0685	2,0716	2,0746	2,0777	2,0807	2,0837	2,0867
°	$\bar{2}$,0897	$\bar{2}$,0927	$\bar{2}$,0957	$\bar{2}$,0987	$\bar{2}$,1016	$\bar{2}$,1046	$\bar{2}$,1075	$\bar{2}$,1104	$\bar{2}$,1134	$\bar{2}$,1163	$\bar{2}$,1192	$\bar{2}$,1221
°	2,1250	2,1279	2,1307	2,1336	2,1365	2,1393	2,1421	2,1450	2,1478	2,1506	2,1534	2,1562
°	2,1590	2,1618	2,1646	2,1673	2,1701	2,1729	2,1756	2,1783	2,1811	2,1838	2,1865	2,1892
°	2,1919	2,1946	2,1973	2,2000	2,2026	2,2053	2,2080	2,2106	2,2132	2,2159	2,2185	2,2211
°	2,2237	2,2264	2,2290	2,2316	2,2341	2,2367	2,2393	2,2419	2,2444	2,2470	2,2495	2,2521
°	$\bar{2}$,2546	$\bar{2}$,2571	$\bar{2}$,2597	$\bar{2}$,2622	$\bar{2}$,2647	$\bar{2}$,2672	$\bar{2}$,2697	$\bar{2}$,2722	$\bar{2}$,2747	$\bar{2}$,2772	$\bar{2}$,2796	$\bar{2}$,2821
°	2,2846	2,2870	2,2895	2,2919	2,2944	2,2968	2,2992	2,3016	2,3041	2,3065	2,3089	2,3113
°	2,3137	2,3161	2,3184	2,3208	2,3232	2,3256	2,3279	2,3303	2,3326	2,3350	2,3373	2,3397
°	2,3420	2,3443	2,3466	2,3490	2,3513	2,3536	2,3559	2,3582	2,3605	2,3627	2,3650	2,3673
°	2,3696	2,3718	2,3741	2,3764	2,3786	2,3809	2,3831	2,3853	2,3876	2,3898	2,3920	2,3943
°	$\bar{2}$,3965	$\bar{2}$,3987	$\bar{2}$,4009	$\bar{2}$,4031	$\bar{2}$,4053	$\bar{2}$,4075	$\bar{2}$,4097	$\bar{2}$,4119	$\bar{2}$,4140	$\bar{2}$,4162	$\bar{2}$,4184	$\bar{2}$,4205
°	2,4227	2,4249	2,4270	2,4292	2,4313	2,4335	2,4356	2,4377	2,4399	2,4420	2,4441	2,4462
°	2,4484	2,4505	2,4526	2,4547	2,4568	2,4589	2,4610	2,4630	2,4651	2,4672	5,4693	2,4714
°	2,4734	2,4755	2,4775	2,4796	2,4817	2,4837	2,4858	2,4878	2,4898	2,4919	2,4939	2,4960
°	2,4980	2,5000	2,5020	2,5040	2,5060	2,5080	2,5100	2,5120	2,5140	2,5160	2,5180	2,5200

α	0′	5′	10′	15′	20′	25′	30′	35′	40′	45′	50′	55
40°	$\bar{2}$,5220	$\bar{2}$,5240	$\bar{2}$,5260	$\bar{2}$,5279	$\bar{2}$,5299	$\bar{2}$,5319	$\bar{2}$,5338	$\bar{2}$,5358	$\bar{2}$,5378	$\bar{2}$,5397	$\bar{2}$,5417	$\bar{2}$,54
41°	$\bar{2}$,5456	$\bar{2}$,5475	$\bar{2}$,5494	$\bar{2}$,5514	$\bar{2}$,5533	$\bar{2}$,5552	$\bar{2}$,5572	$\bar{2}$,5591	$\bar{2}$,5610	$\bar{2}$,5629	$\bar{2}$,5649	$\bar{2}$,56
42°	$\bar{2}$,5687	$\bar{2}$,5706	$\bar{2}$,5725	$\bar{2}$,5744	$\bar{2}$,5763	$\bar{2}$,5782	$\bar{2}$,5801	$\bar{2}$,5820	$\bar{2}$,5839	$\bar{2}$,5857	$\bar{2}$,5876	$\bar{2}$,58
43°	$\bar{2}$,5914	$\bar{2}$,5933	$\bar{2}$,5951	$\bar{2}$,5970	$\bar{2}$,5989	$\bar{2}$,6007	$\bar{2}$,6026	$\bar{2}$,6044	$\bar{2}$,6063	$\bar{2}$,6081	$\bar{2}$,6100	$\bar{2}$,61
44°	$\bar{2}$,6137	$\bar{2}$,6155	$\bar{2}$,6174	$\bar{2}$,6192	$\bar{2}$,6210	$\bar{2}$,6229	$\bar{2}$,6247	$\bar{2}$,6265	$\bar{2}$,6284	$\bar{2}$,6302	$\bar{2}$,6320	$\bar{2}$,63
45°	$\bar{2}$,6356	$\bar{2}$,6374	$\bar{2}$,6393	$\bar{2}$,6411	$\bar{2}$,6429	$\bar{2}$,6447	$\bar{2}$,6465	$\bar{2}$,6483	$\bar{2}$,6501	$\bar{2}$,6519	$\bar{2}$,6536	$\bar{2}$,65
46°	$\bar{2}$,6572	$\bar{2}$,6590	$\bar{2}$,6608	$\bar{2}$,6626	$\bar{2}$,6643	$\bar{2}$,6661	$\bar{2}$,6679	$\bar{2}$,6697	$\bar{2}$,6714	$\bar{2}$,6732	$\bar{2}$,6750	$\bar{2}$,67
47°	$\bar{2}$,6785	$\bar{2}$,6802	$\bar{2}$,6820	$\bar{2}$,6838	$\bar{2}$,6855	$\bar{2}$,6873	$\bar{2}$,6890	$\bar{2}$,6907	$\bar{2}$,6925	$\bar{2}$,6942	$\bar{2}$,6960	$\bar{2}$,69
48°	$\bar{2}$,6994	$\bar{2}$,7012	$\bar{2}$,7029	$\bar{2}$,7046	$\bar{2}$,7064	$\bar{2}$,7081	$\bar{2}$,7098	$\bar{2}$,7115	$\bar{2}$,7133	$\bar{2}$,7150	$\bar{2}$,7167	$\bar{2}$,71
49°	$\bar{2}$,7201	$\bar{2}$,7218	$\bar{2}$,7235	$\bar{2}$,7252	$\bar{2}$,7270	$\bar{2}$,7287	$\bar{2}$,7304	$\bar{2}$,7321	$\bar{2}$,7338	$\bar{2}$,7354	$\bar{2}$,7371	$\bar{2}$,73
50°	$\bar{2}$,7405	$\bar{2}$,7422	$\bar{2}$,7439	$\bar{2}$,7456	$\bar{2}$,7473	$\bar{2}$,7490	$\bar{2}$,7506	$\bar{2}$,7523	$\bar{2}$,7540	$\bar{2}$,7557	$\bar{2}$,7573	$\bar{2}$,75
51°	$\bar{2}$,7607	$\bar{2}$,7623	$\bar{2}$,7640	$\bar{2}$,7657	$\bar{2}$,7673	$\bar{2}$,7690	$\bar{2}$,7707	$\bar{2}$,7723	$\bar{2}$,7740	$\bar{2}$,7756	$\bar{2}$,7773	$\bar{2}$,77
52°	$\bar{2}$,7806	$\bar{2}$,7822	$\bar{2}$,7839	$\bar{2}$,7855	$\bar{2}$,7872	$\bar{2}$,7888	$\bar{2}$,7905	$\bar{2}$,7921	$\bar{2}$,7938	$\bar{2}$,7954	$\bar{2}$,7970	$\bar{2}$,79
53°	$\bar{2}$,8003	$\bar{2}$,8019	$\bar{2}$,8036	$\bar{2}$,8052	$\bar{2}$,8068	$\bar{2}$,8085	$\bar{2}$,8101	$\bar{2}$,8117	$\bar{2}$,8133	$\bar{2}$,8149	$\bar{2}$,8166	$\bar{2}$,81
54°	$\bar{2}$,8198	$\bar{2}$,8214	$\bar{2}$,8230	$\bar{2}$,8246	$\bar{2}$,8263	$\bar{2}$,8279	$\bar{2}$,8295	$\bar{2}$,8311	$\bar{2}$,8327	$\bar{2}$,8343	$\bar{2}$,8359	$\bar{2}$,83
55°	$\bar{2}$,8391	$\bar{2}$,8407	$\bar{2}$,8423	$\bar{2}$,8439	$\bar{2}$,8455	$\bar{2}$,8471	$\bar{2}$,8487	$\bar{2}$,8503	$\bar{2}$,8519	$\bar{2}$,8535	$\bar{2}$,8551	$\bar{2}$,85
56°	$\bar{2}$,8583	$\bar{2}$,8599	$\bar{2}$,8614	$\bar{2}$,8630	$\bar{2}$,8646	$\bar{2}$,8662	$\bar{2}$,8678	$\bar{2}$,8694	$\bar{2}$,8709	$\bar{2}$,8725	$\bar{2}$,8741	$\bar{2}$,87
57°	$\bar{2}$,8773	$\bar{2}$,8788	$\bar{2}$,8804	$\bar{2}$,8820	$\bar{2}$,8836	$\bar{2}$,8851	$\bar{2}$,8867	$\bar{2}$,8883	$\bar{2}$,8898	$\bar{2}$,8914	$\bar{2}$,8930	$\bar{2}$,89
58°	$\bar{2}$,8961	$\bar{2}$,8977	$\bar{2}$,8992	$\bar{2}$,9008	$\bar{2}$,9024	$\bar{2}$,9039	$\bar{2}$,9055	$\bar{2}$,9071	$\bar{2}$,9086	$\bar{2}$,9102	$\bar{2}$,9117	$\bar{2}$,91
59°	$\bar{2}$,9148	$\bar{2}$,9164	$\bar{2}$,9180	$\bar{2}$,9195	$\bar{2}$,9211	$\bar{2}$,9226	$\bar{2}$,9242	$\bar{2}$,9257	$\bar{2}$,9273	$\bar{2}$,9288	$\bar{2}$,9304	$\bar{2}$,93
60°	$\bar{2}$,9335	$\bar{2}$,9350	$\bar{2}$,9366	$\bar{2}$,9381	$\bar{2}$,9397	$\bar{2}$,9412	$\bar{2}$,9427	$\bar{2}$,9443	$\bar{2}$,9458	$\bar{2}$,9474	$\bar{2}$,9489	$\bar{2}$,95
61°	$\bar{2}$,9520	$\bar{2}$,9535	$\bar{2}$,9551	$\bar{2}$,9566	$\bar{2}$,9582	$\bar{2}$,9597	$\bar{2}$,9612	$\bar{2}$,9628	$\bar{2}$,9643	$\bar{2}$,9658	$\bar{2}$,9674	$\bar{2}$,96
62°	$\bar{2}$,9705	$\bar{2}$,9720	$\bar{2}$,9735	$\bar{2}$,9751	$\bar{2}$,9766	$\bar{2}$,9781	$\bar{2}$,9797	$\bar{2}$,9812	$\bar{2}$,9827	$\bar{2}$,9843	$\bar{2}$,9858	$\bar{2}$,98
63°	$\bar{2}$,9889	$\bar{2}$,9904	$\bar{2}$,9919	$\bar{2}$,9934	$\bar{2}$,9950	$\bar{2}$,9965	$\bar{2}$,9980	$\bar{2}$,9996	$\bar{1}$,0011	$\bar{1}$,0026	$\bar{1}$,0041	$\bar{1}$,00
64°	$\bar{1}$,0072	$\bar{1}$,0087	$\bar{1}$,0103	$\bar{1}$,0118	$\bar{1}$,0133	$\bar{1}$,0148	$\bar{1}$,0164	$\bar{1}$,0179	$\bar{1}$,0194	$\bar{1}$,0210	$\bar{1}$,0225	$\bar{1}$,02
65°	$\bar{1}$,0255	$\bar{1}$,0270	$\bar{1}$,0286	$\bar{1}$,0301	$\bar{1}$,0316	$\bar{1}$,0332	$\bar{1}$,0347	$\bar{1}$,0362	$\bar{1}$,0377	$\bar{1}$,0393	$\bar{1}$,0408	$\bar{1}$,04
66°	$\bar{1}$,0439	$\bar{1}$,0454	$\bar{1}$,0469	$\bar{1}$,0484	$\bar{1}$,0500	$\bar{1}$,0515	$\bar{1}$,0530	$\bar{1}$,0545	$\bar{1}$,0561	$\bar{1}$,0576	$\bar{1}$,0591	$\bar{1}$,06
67°	$\bar{1}$,0622	$\bar{1}$,0637	$\bar{1}$,0652	$\bar{1}$ 0668	$\bar{1}$,0683	$\bar{1}$,0698	$\bar{1}$,0714	$\bar{1}$,0729	$\bar{1}$,0744	$\bar{1}$,0760	$\bar{1}$,0775	$\bar{1}$,07
68°	$\bar{1}$,0806	$\bar{1}$,0821	$\bar{1}$,0836	$\bar{1}$,0852	$\bar{1}$,0867	$\bar{1}$,0882	$\bar{1}$,0898	$\bar{1}$,0913	$\bar{1}$,0928	$\bar{1}$,0944	$\bar{1}$,0959	$\bar{1}$,09
69°	$\bar{1}$,0990	$\bar{1}$,1005	$\bar{1}$,1021	$\bar{1}$,1036	$\bar{1}$,1051	$\bar{1}$,1067	$\bar{1}$,1082	$\bar{1}$,1098	$\bar{1}$,1113	$\bar{1}$,1128	$\bar{1}$,1144	$\bar{1}$,11
70°	$\bar{1}$,1175	$\bar{1}$,1190	$\bar{1}$,1206	$\bar{1}$,1221	$\bar{1}$,1237	$\bar{1}$,1252	$\bar{1}$,1268	$\bar{1}$,1283	$\bar{1}$,1299	$\bar{1}$,1314	$\bar{1}$,1330	$\bar{1}$,13
71°	$\bar{1}$,1361	$\bar{1}$,1377	$\bar{1}$,1392	$\bar{1}$,1408	$\bar{1}$,1423	$\bar{1}$,1439	$\bar{1}$,1454	$\bar{1}$,1470	$\bar{1}$,1486	$\bar{1}$,1501	$\bar{1}$,1517	$\bar{1}$,15
72°	$\bar{1}$,1548	$\bar{1}$,1564	$\bar{1}$,1580	$\bar{1}$,1596	$\bar{1}$,1611	$\bar{1}$,1627	$\bar{1}$,1643	$\bar{1}$,1659	$\bar{1}$,1674	$\bar{1}$,1690	$\bar{1}$,1706	$\bar{1}$,17
73°	$\bar{1}$,1738	$\bar{1}$,1754	$\bar{1}$,1769	$\bar{1}$,1785	$\bar{1}$,1801	$\bar{1}$,1817	$\bar{1}$,1833	$\bar{1}$,1849	$\bar{1}$,1865	$\bar{1}$,1881	$\bar{1}$,1897	$\bar{1}$,19
74°	$\bar{1}$,1929	$\bar{1}$,1945	$\bar{1}$,1961	$\bar{1}$,1977	$\bar{1}$,1993	$\bar{1}$,2009	$\bar{1}$,2026	$\bar{1}$,2042	$\bar{1}$,2058	$\bar{1}$,2074	$\bar{1}$,2090	$\bar{1}$,21
75°	$\bar{1}$,2123	$\bar{1}$,2139	$\bar{1}$,2155	$\bar{1}$,2172	$\bar{1}$,2188	$\bar{1}$,2204	$\bar{1}$,2221	$\bar{1}$,2237	$\bar{1}$,2254	$\bar{1}$,2270	$\bar{1}$,2287	$\bar{1}$,23
76°	$\bar{1}$,2320	$\bar{1}$,2336	$\bar{1}$,2353	$\bar{1}$,2369	$\bar{1}$,2386	$\bar{1}$,2403	$\bar{1}$,2419	$\bar{1}$,2436	$\bar{1}$,2453	$\bar{1}$,2470	$\bar{1}$,2487	$\bar{1}$,25
77°	$\bar{1}$,2520	$\bar{1}$,2537	$\bar{1}$,2554	$\bar{1}$,2571	$\bar{1}$,2588	$\bar{1}$,2605	$\bar{1}$,2622	$\bar{1}$,2639	$\bar{1}$,2656	$\bar{1}$,2673	$\bar{1}$,2691	$\bar{1}$,27
78°	$\bar{1}$,2725	$\bar{1}$,2742	$\bar{1}$,2760	$\bar{1}$,2777	$\bar{1}$,2794	$\bar{1}$,2812	$\bar{1}$,2829	$\bar{1}$,2847	$\bar{1}$,2865	$\bar{1}$,2882	$\bar{1}$,2900	$\bar{1}$,29
79°	$\bar{1}$,2935	$\bar{1}$,2953	$\bar{1}$,2971	$\bar{1}$,2989	$\bar{1}$,3007	$\bar{1}$,3024	$\bar{1}$,3042	$\bar{1}$,3061	$\bar{1}$,3079	$\bar{1}$,3097	$\bar{1}$,3115	$\bar{1}$,31

α	0′	5′	10′	15′	20′	25′	30′	35′	40′	45′	50′	55′
80°	$\bar{1}$,3152	$\bar{1}$,3170	$\bar{1}$,3188	$\bar{1}$,3207	$\bar{1}$,3225	$\bar{1}$,3244	$\bar{1}$,3263	$\bar{1}$,3281	$\bar{1}$,3300	$\bar{1}$,3319	$\bar{1}$,3338	$\bar{1}$,3357
81°	$\bar{1}$,3376	$\bar{1}$,3395	$\bar{1}$,3414	$\bar{1}$,3433	$\bar{1}$,3452	$\bar{1}$,3472	$\bar{1}$,3491	$\bar{1}$,3511	$\bar{1}$,3530	$\bar{1}$,3550	$\bar{1}$,3569	$\bar{1}$,3589
82°	$\bar{1}$,3609	$\bar{1}$,3629	$\bar{1}$,3649	$\bar{1}$,3669	$\bar{1}$,3689	$\bar{1}$,3710	$\bar{1}$,3730	$\bar{1}$,3751	$\bar{1}$,3771	$\bar{1}$,3792	$\bar{1}$,3813	$\bar{1}$,3834
83°	$\bar{1}$,3855	$\bar{1}$,3876	$\bar{1}$,3897	$\bar{1}$,3918	$\bar{1}$,3940	$\bar{1}$,3961	$\bar{1}$,3983	$\bar{1}$,4004	$\bar{1}$,4026	$\bar{1}$,4048	$\bar{1}$,4071	$\bar{1}$,4093
84°	$\bar{1}$,4115	$\bar{1}$,4138	$\bar{1}$,4160	$\bar{1}$,4183	$\bar{1}$,4206	$\bar{1}$,4229	$\bar{1}$,4253	$\bar{1}$,4276	$\bar{1}$,4300	$\bar{1}$,4324	$\bar{1}$,4348	$\bar{1}$,4372
85°	$\bar{1}$,4396	$\bar{1}$,4421	$\bar{1}$,4446	$\bar{1}$,4470	$\bar{1}$,4496	$\bar{1}$,4521	$\bar{1}$,4547	$\bar{1}$,4572	$\bar{1}$,4599	$\bar{1}$,4625	$\bar{1}$,4651	$\bar{1}$,4678
86°	$\bar{1}$,4705	$\bar{1}$,4733	$\bar{1}$,4761	$\bar{1}$,4789	$\bar{1}$,4817	$\bar{1}$,4846	$\bar{1}$,4875	$\bar{1}$,4904	$\bar{1}$,4934	$\bar{1}$,4964	$\bar{1}$,4995	$\bar{1}$,5026
87°	$\bar{1}$,5057	$\bar{1}$,5089	$\bar{1}$,5121	$\bar{1}$,5154	$\bar{1}$,5188	$\bar{1}$,5222	$\bar{1}$,5257	$\bar{1}$,5292	$\bar{1}$,5328	$\bar{1}$,5365	$\bar{1}$,5402	$\bar{1}$,5441
88°	$\bar{1}$,5480	$\bar{1}$,5520	$\bar{1}$,5561	$\bar{1}$,5604	$\bar{1}$,5647	$\bar{1}$,5692	$\bar{1}$,5738	$\bar{1}$,5786	$\bar{1}$,5836	$\bar{1}$,5888	$\bar{1}$,5941	$\bar{1}$,5997
89°	$\bar{1}$,6056	$\bar{1}$,6119	$\bar{1}$,6184	$\bar{1}$,6255	$\bar{1}$,6330	$\bar{1}$,6412	$\bar{1}$,6503	$\bar{1}$,6604	$\bar{1}$,6720	$\bar{1}$,6858	$\bar{1}$,7034	$\bar{1}$,7294

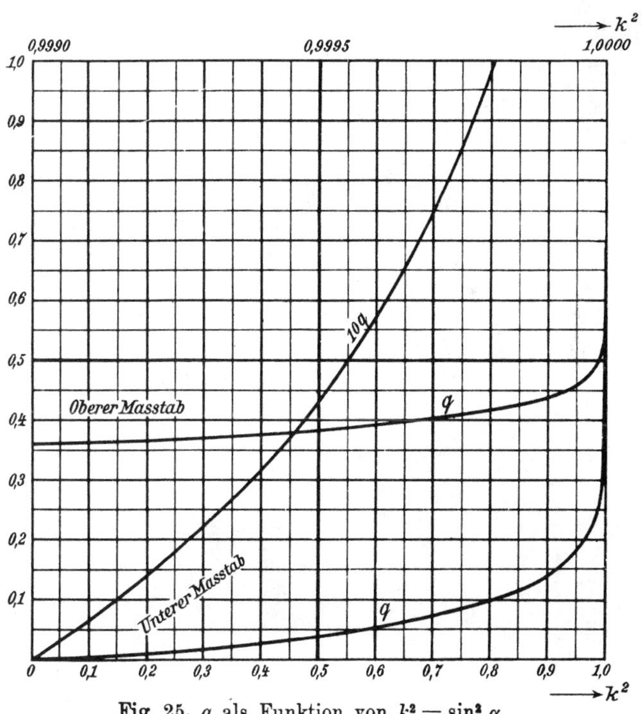

Fig. 25. q als Funktion von $k^2 = \sin^2 \alpha$.
Fig. 25. q as function of $k^2 = \sin^2 \alpha$.

V. Elliptische Integrale.
V. Elliptic Integrals.

$$k = \sin\alpha, \qquad k' = \cos\alpha, \qquad \Delta(k,\varphi) = \sqrt{1 - k^2 \sin^2\varphi} > 0.$$

A. Unvollständige Integrale.
A. Incomplete Integrals.

1. Legendres Normalform des elliptischen Integrals erster Gattung:

1. Legendre's standard form of the elliptic integral of the first kind:

$$u = F(k,\varphi) = \int_0^{\varphi} \frac{d\psi}{\sqrt{1 - k^2 \sin^2\psi}} = \int_0^{\sin\varphi} \frac{dt}{\sqrt{1-t^2}\,\sqrt{1-k^2t^2}}$$

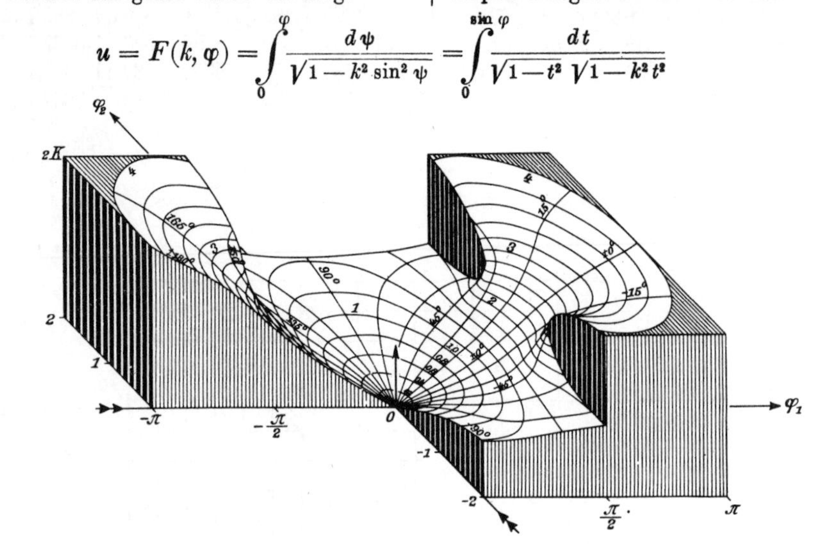

Fig. 26 a. Relief des 1. Zweiges der Funktion $F(k,\varphi)$ mit $k = 0{,}8$.
Fig. 26 a. Relief of the 1. branch of the function $F(k,\varphi)$ with $k = 0{,}8$.

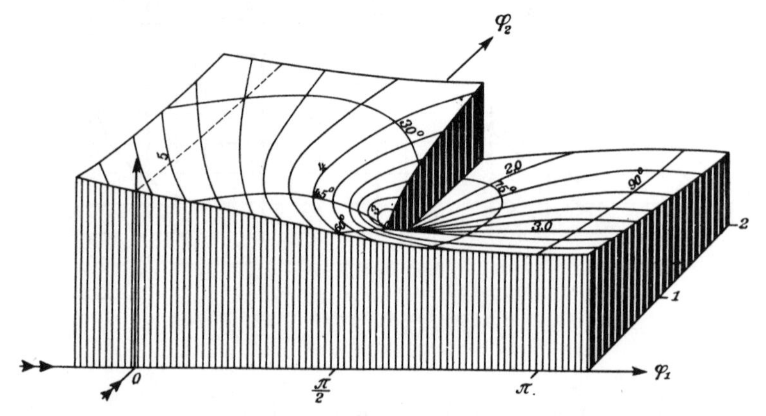

Fig. 26 b. Relief des 2. Zweiges der Funktion $F(k,\varphi)$ mit $k = 0{,}8$.
Fig. 26 b. Relief of the 2. branch of the function $F(k,\varphi)$ with $k = 0{,}8$.

$$u = F(k, \varphi) = \int_{\cos\varphi}^{1} \frac{dt}{\sqrt{1-t^2}\,\sqrt{k'^2+k^2t^2}} = \frac{1}{2}\int_{0}^{\sin^2\varphi} \frac{dt}{\sqrt{t}\,\sqrt{1-t}\,\sqrt{1-k^2t}}$$

$$u = F(k, \varphi) = \int_{0}^{\operatorname{tg}^2\frac{\varphi}{2}} \frac{dt}{\sqrt{t}\,\sqrt{1+t^2+2(k'^2-k^2)t}} = \int_{1}^{\operatorname{tg}^2\left(\frac{\pi}{4}+\frac{\varphi}{2}\right)} \frac{dt}{\sqrt{t}\,\sqrt{k'^2(1+t^2)+2(1+k^2)t}}$$

$$= \int_{\operatorname{tg}^2\left(\frac{\pi}{4}-\frac{\varphi}{2}\right)}^{1} \frac{dt}{\sqrt{t}\,\sqrt{k'^2(1+t^2)+2(1+k^2)t}}.$$

$$F(k, i\psi) = i\cdot F(k', \mathfrak{Amp}\,\psi)$$

$$\int_{\frac{\pi}{2}}^{\frac{\pi}{2}+i\chi} \frac{d\psi}{\Delta\psi} = i\cdot F\left(k', \arcsin\frac{\mathfrak{Tg}\,\chi}{k'}\right) \qquad \int_{i\infty}^{\frac{\pi}{2}+i\chi} \frac{d\psi}{\Delta\psi} = F\left(k, \arcsin\frac{1}{k\,\mathfrak{Cof}\,\chi}\right).$$

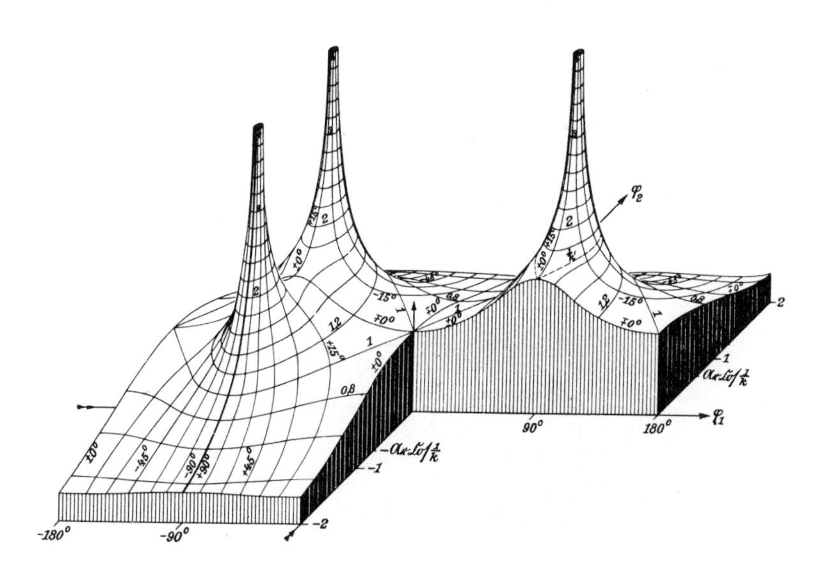

Fig. 27. Relief von $\dfrac{1}{\Delta(k, \varphi)}$ mit $k = 0{,}8$. Verzweigungspunkte: $\pm\dfrac{\pi}{2} \pm i\,\mathfrak{ArCof}\,\dfrac{1}{k}$.

Fig. 27. Relief of $\dfrac{1}{\Delta(k, \varphi)}$ with $k = 0{,}8$. Branch-points: $\pm\dfrac{\pi}{2} \pm i\cosh^{-1}\dfrac{1}{k}$.

2. Legendres Normalform des elliptischen Integrals zweiter Gattung:

2. Legendre's standard form of the elliptic integral of the second kind:

$$E(k,\varphi)=\int_0^{\varphi} d\psi\sqrt{1-k^2\sin^2\psi}=\int_0^{\sin\varphi} dt\sqrt{\frac{1-k^2t^2}{1-t^2}}=\int_{\cos\varphi}^{1} dt\sqrt{\frac{k'^2+k^2t^2}{1-t^2}}$$

$$=\int_0^{\operatorname{tg}^2\frac{\varphi}{2}} dt\cdot\frac{\sqrt{1+t^2+2(k'^2-k^2)t}}{(1+t^2)\sqrt{t}}=\int_1^{\operatorname{tg}^2\left(\frac{\pi}{4}+\frac{\varphi}{2}\right)}\frac{dt}{(1-t)^2}\sqrt{2(1+k^2)-k'^2\left(t+\frac{1}{t}\right)}$$

$$=\int_{\operatorname{tg}^2\left(\frac{\pi}{4}-\frac{\varphi}{2}\right)}^{1}\frac{dt}{(1+t)^2}\sqrt{2(1+k^2)+k'^2\left(t+\frac{1}{t}\right)}.$$

3. $\varphi=90^0$ führt auf die „vollständigen“ elliptischen Integrale:

3. $\varphi=90^0$ gives the „complete“ elliptic integrals:

$$F\left(k,\frac{\pi}{2}\right)=\mathsf{K}(k),\qquad E\left(k,\frac{\pi}{2}\right)=\mathsf{E}(k),$$

$$\mathsf{K}(k')=\mathsf{K}'(k),\qquad \mathsf{E}(k')=\mathsf{E}'(k),$$

$$\mathsf{K}\mathsf{E}'+\mathsf{K}'\mathsf{E}-\mathsf{K}\mathsf{K}'=\frac{\pi}{2},$$

$$F(k,i\infty)=i\mathsf{K}',\qquad F\left(k,\frac{\pi}{2}+i\,\mathfrak{Ar}\,\mathfrak{Cos}\,\frac{1}{k}\right)=\mathsf{K}+i\mathsf{K}'.$$

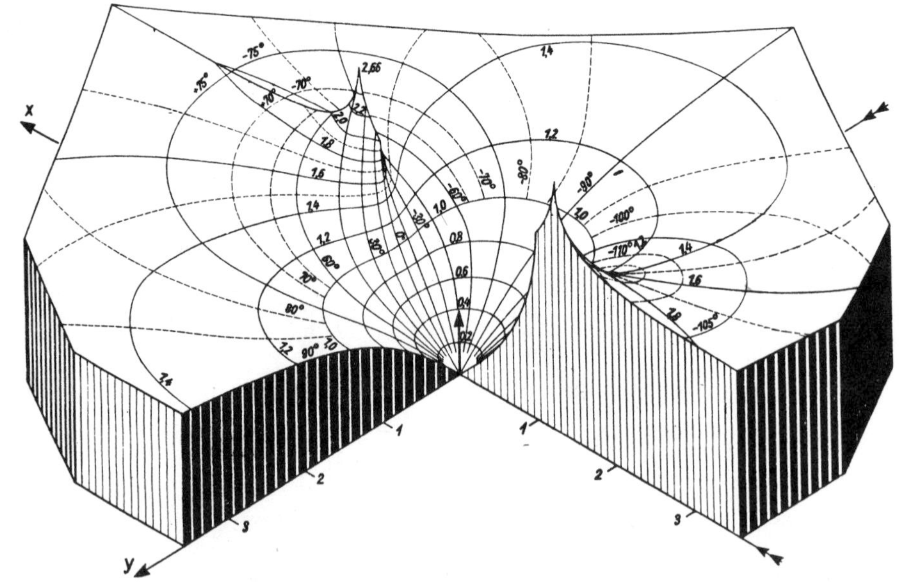

Fig. 28. Relief von $F(k,\varphi)$ mit $k=0{,}8$ über der Ebene $x+iy=\sin\varphi$.

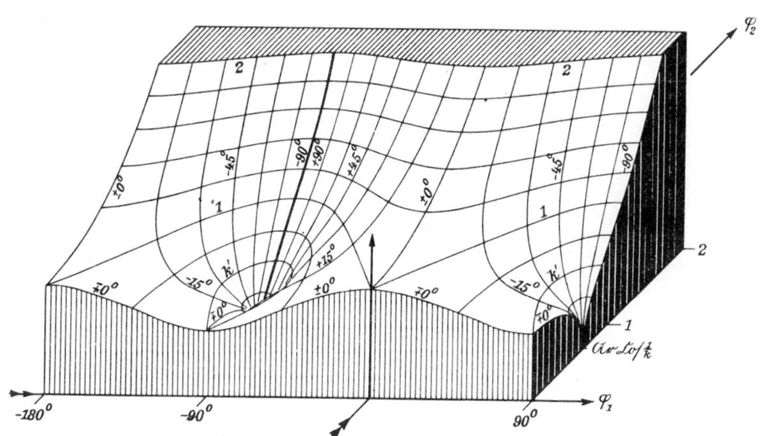

Fig. 29. Relief von $\Delta(k, \varphi)$ mit $k = 0{,}8$. Verzweigungspunkte: $\pm \frac{\pi}{2} \pm i\,\mathfrak{ArCos}\,\frac{1}{k}$.

Fig. 29. Relief of $\Delta(k, \varphi)$ with $k = 0{,}8$. Branch-points: $\pm \frac{\pi}{2} \pm i \cosh^{-1} \frac{1}{k}$.

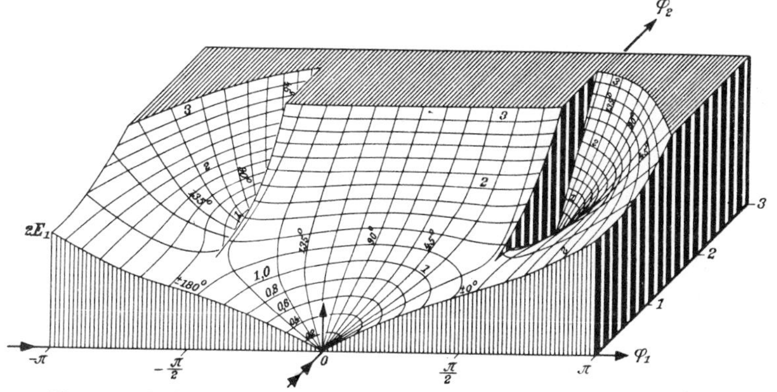

Fig. 30a. Relief des 1. Zweiges der Funktion $E(k, \varphi)$ mit $k = 0{,}8$.

Fig. 30a. Relief of the 1. branch of the function $E(k, \varphi)$ with $k = 0{,}8$.

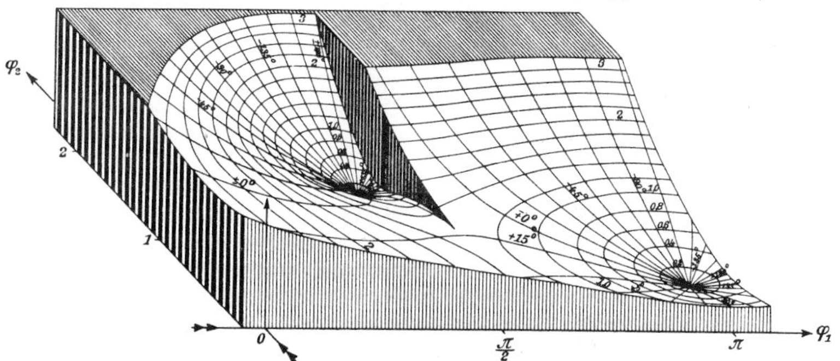

Fig. 30b. Relief des 2. Zweiges der Funktion $E(k, \varphi)$ mit $k = 0{,}8$.

Fig. 30b. Relief of the 2. branch of the function $E(k, \varphi)$ with $k = 0{,}8$.

4. $$F(-\varphi) = -F(\varphi), \qquad E(-\varphi) = -E(\varphi)$$

$$F(n\pi \pm \varphi) = 2n\mathsf{K} \pm F(\varphi)$$

$$E(n\pi \pm \varphi) = 2n\mathsf{E} \pm E(\varphi)$$

$$F\left(\frac{\pi}{2}\varrho\right) = \mathsf{K}\varrho - P_1(\varrho)$$

$$E\left(\frac{\pi}{2}\varrho\right) = \mathsf{E}\varrho + P_2(\varrho)$$

$$P_\nu(\varrho) = P_\nu(2+\varrho) = -P_\nu(2-\varrho) = -P_\nu(-\varrho)$$

5. Es ist bequem, neben E und F noch einzuführen

5. It is convenient to introduce besides E and F

$$D(k, \varphi) = \int_0^\varphi \frac{\sin^2\psi\, d\psi}{\sqrt{1-k^2\sin^2\psi}} = \frac{F-E}{k^2}; \qquad F = E + k^2 D.$$

$$D\left(k, \frac{\pi}{2}\right) = \mathsf{D}(k).$$

6. Andere Integrale, ausgedrückt durch D, E, F:

6. Other integrals, expressed by D, E, F:

$$\int_0^\varphi \frac{\cos^2\psi}{\Delta}\, d\psi = F - D$$

$$\int_0^\varphi \frac{\operatorname{tg}^2\psi}{\Delta}\, d\psi = \frac{\Delta \operatorname{tg}\varphi - E}{k'^2}$$

$$\int_0^\varphi \frac{d\psi}{\Delta\cos^2\psi} = \frac{\Delta\operatorname{tg}\varphi + k^2(D-F)}{k'^2}$$

$$\int_0^\varphi \frac{d\psi}{\Delta^3} = \frac{E}{k'^2} - \frac{k^2}{k'^2}\,\frac{\sin\varphi\cos\varphi}{\Delta}$$

$$\int_0^\varphi \frac{\sin^2\psi}{\Delta^3}\, d\psi = \frac{F-D}{k'^2} - \frac{\sin\varphi\cos\varphi}{k'^2\Delta}$$

$$\int_0^\varphi \frac{\cos^2\psi}{\Delta^3}\, d\psi = D + \frac{\sin\varphi\cos\varphi}{\Delta}$$

$$\int_0^\varphi \Delta\operatorname{tg}^2\psi\, d\psi = \Delta\operatorname{tg}\psi + F - 2E.$$

7. Differentiation und Integration nach dem Modul k:

7. Differentiation and integration with regard to the modulus k:

$$\frac{\partial F}{\partial k} = \frac{k}{k'^2}\left(F - D - \frac{\sin\varphi\cos\varphi}{\Delta}\right), \qquad \frac{\partial E}{\partial k} = -kD,$$

$$\frac{\partial D}{\partial k} = \frac{1}{k k'^2}\left(F - D - \frac{\sin\varphi\cos\varphi}{\Delta}\right) - \frac{D}{k},$$

$$\int F k\,dk = E - k'^2 F - (1 - \Delta)\operatorname{ctg}\varphi,$$

$$\int D k\,dk = -E.$$

8. Um ein vorgelegtes elliptisches Integral mit Hilfe der von Legendre berechneten Tafeln auszuwerten, muß man es auf E und F zurückführen. Es sei

8. To evaluate a given elliptic integral by means of the tables computed by Legendre, we must reduce it to E and F. Let

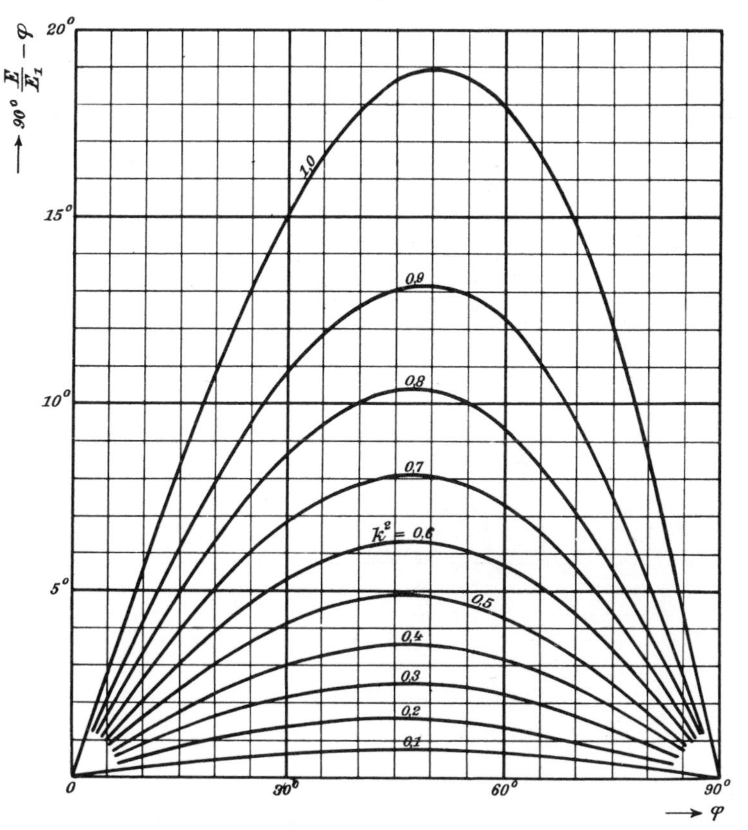

Fig. 31. $90^0 \dfrac{E}{E_1} = \varphi +$ periodische Funktion. ($E_1 = \mathsf{E}$.)

$$k = \sin\alpha = a/c, \qquad k' = \cos\alpha = b/c.$$

$\frac{1}{c}\,F\left(\frac{a}{c},\varphi\right)$	φ	m	$m\;E\left(\frac{a}{c},\varphi\right)$
$\int_0^x \frac{dt}{\sqrt{b^2+t^2}\,\sqrt{c^2+t^2}}$	$\operatorname{tg}\varphi = \frac{x}{b}$	$\frac{c}{b^2}$	$\int_0^x dt\sqrt{\frac{c^2+t^2}{(b^2+t^2)^3}}$
$\int_x^\infty \frac{dt}{\sqrt{b^2+t^2}\,\sqrt{c^2+t^2}}$	$\operatorname{ctg}\varphi = \frac{x}{c}$	$\frac{1}{c}$	$\int_x^\infty dt\sqrt{\frac{b^2+t^2}{(c^2+t^2)^3}}$
$\int_0^x \frac{dt}{\sqrt{a^2-t^2}\,\sqrt{b^2+t^2}}$	$\frac{\sin\varphi}{\Delta\varphi} = \frac{cx}{ab}$	$\frac{1}{b^2c}$	$\int_0^x \frac{dt}{\sqrt{a^2-t^2}\,\sqrt{(b^2+t^2)^3}}$
$\int_x^a \frac{dt}{\sqrt{a^2-t^2}\,\sqrt{b^2+t^2}}$	$\cos\varphi = \frac{x}{a}$	c	$\int_x^a dt\sqrt{\frac{b^2+t^2}{a^2-t^2}}$
$\int_b^x \frac{dt}{\sqrt{t^2+a^2}\,\sqrt{t^2-b^2}}$	$\cos\varphi = \frac{b}{x}$	$\frac{c}{b^2}$	$\int_b^x \frac{dt}{t^2}\sqrt{\frac{t^2+a^2}{t^2-b^2}}$
$\int_x^\infty \frac{dt}{\sqrt{t^2+a^2}\,\sqrt{t^2-b^2}}$	$\frac{\Delta\varphi}{\sin\varphi} = \frac{x}{c}$	c	$\int_x^\infty dt\cdot t^2\sqrt{\frac{t^2+a^2}{t^2-b^2}}$
$\int_0^x \frac{dt}{\sqrt{a^2-t^2}\,\sqrt{c^2-t^2}}$	$\sin\varphi = \frac{x}{a}$	c	$\int_0^x dt\sqrt{\frac{c^2-t^2}{a^2-t^2}}$
$\int_x^a \frac{dt}{\sqrt{a^2-t^2}\,\sqrt{c^2-t^2}}$	$\frac{\cos\varphi}{\Delta\varphi} = \frac{x}{a}$	$\frac{1}{b^2c}$	$\int_x^a \frac{dt}{\sqrt{a^2-t^2}\,\sqrt{(c^2-t^2)^3}}$
$\int_b^x \frac{dt}{\sqrt{t^2-b^2}\,\sqrt{c^2-t^2}}$	$\Delta\varphi = \frac{b}{x}$	$\frac{1}{b^2c}$	$\int_b^x \frac{dt}{t^2\sqrt{t^2-b^2}\,\sqrt{c^2-t^2}}$
$\int_x^c \frac{dt}{\sqrt{t^2-b^2}\,\sqrt{c^2-t^2}}$	$\Delta\varphi = \frac{x}{c}$	c	$\int_x^c \frac{t^2\,dt}{\sqrt{t^2-b^2}\,\sqrt{c^2-t^2}}$
$\int_c^x \frac{dt}{\sqrt{t^2-a^2}\,\sqrt{t^2-c^2}}$	$\frac{\Delta\psi}{\cos\varphi} = \frac{x}{c}$	$\frac{c}{b^2}$	$\int_c^x \frac{dt}{\sqrt{(t^2-a^2)^3}\,\sqrt{t^2-c^2}}$
$\int_x^\infty \frac{dt}{\sqrt{t^2-a^2}\,\sqrt{t^2-c^2}}$	$\sin\varphi = \frac{c}{x}$	$\frac{1}{c}$	$\int_x^\infty \frac{dt}{t^2}\sqrt{\frac{t^2-a^2}{t^2-c^2}}$

9. Einige besondere elliptische Integrale erster Gattung:

9. Some special elliptic integrals of the first kind:

<table>
<tr><th>$m\ F(k,\varphi)$</th><th>$\cos\varphi$</th><th>k</th><th>m</th></tr>
<tr><td>$\int_x^\infty \frac{dt}{\sqrt{t^3-1}}$</td><td>$\frac{x-1-\sqrt{3}}{x-1+\sqrt{3}}$</td><td rowspan="2">$\frac{\sqrt{2-\sqrt{3}}}{2}$
$= 0{,}258\,819\,0$
$= \sin 15^0$</td><td rowspan="4">$\frac{1}{\sqrt[4]{3}}$
$= 0{,}759\,835\,7$</td></tr>
<tr><td>$\int_1^x \frac{dt}{\sqrt{t^3-1}}$</td><td>$\frac{\sqrt{3}+1-x}{\sqrt{3}-1+x}$</td></tr>
<tr><td>$\int_x^1 \frac{dt}{\sqrt{1-t^3}}$</td><td>$\frac{\sqrt{3}-1+x}{\sqrt{3}+1-x}$</td><td rowspan="2">$\frac{\sqrt{2+\sqrt{3}}}{2}$
$= 0{,}965\,925\,8$
$= \sin 75^0$</td></tr>
<tr><td>$\int_{-\infty}^x \frac{dt}{\sqrt{1-t^3}}$</td><td>$\frac{1-x-\sqrt{3}}{1-x+\sqrt{3}}$</td></tr>
<tr><td>$\int_x^1 \frac{dt}{\sqrt{1+t^4}}$</td><td>$\frac{x\sqrt{2}}{\sqrt{1+x^4}}$</td><td rowspan="5">$\frac{1}{\sqrt{2}}$
$= 0{,}707\,106\,8$
$= \sin 45^0$</td><td rowspan="3">$\frac{1}{2}$</td></tr>
<tr><td>$\int_x^\infty \frac{dt}{\sqrt{1+t^4}}$</td><td>$\frac{x^2-1}{x^2+1}$</td></tr>
<tr><td>$\int_0^x \frac{dt}{\sqrt{1+t^4}}$</td><td>$\frac{1-x^2}{1+x^2}$</td></tr>
<tr><td>$\int_1^x \frac{dt}{\sqrt{t^4-1}}$</td><td>$\frac{1}{x}$</td><td rowspan="2">$\frac{1}{\sqrt{2}}$</td></tr>
<tr><td>$\int_x^1 \frac{dt}{\sqrt{1-t^4}}$</td><td>$x$</td></tr>
</table>

10. Ein beliebiges Integral erster Gattung $\int_a^b dt/\sqrt{T}$, wo T ein Polynom 3. oder 4. Grades bedeutet, kann auf F zurückgeführt werden, wenn die Null-

10. Any integral of the first kind $\int_a^b dt/\sqrt{T}$, where T denotes a polynomial of the 3rd or 4th degree, can be reduced to F, if the zeros of the polynomial

stellen des Polynoms bekannt sind. Die für die verschiedenen möglichen Fälle erforderlichen zahlreichen Formeln findet man für Zahlenrechnungen bequem zusammengestellt bei Hoüel, Recueil, p. LIII—LVIII.

are known. The numerous formulae necessary for the different possible cases are collected in a manner convenient for numerical calculations in Hoüel, Recueil, p. LIII—LVIII.

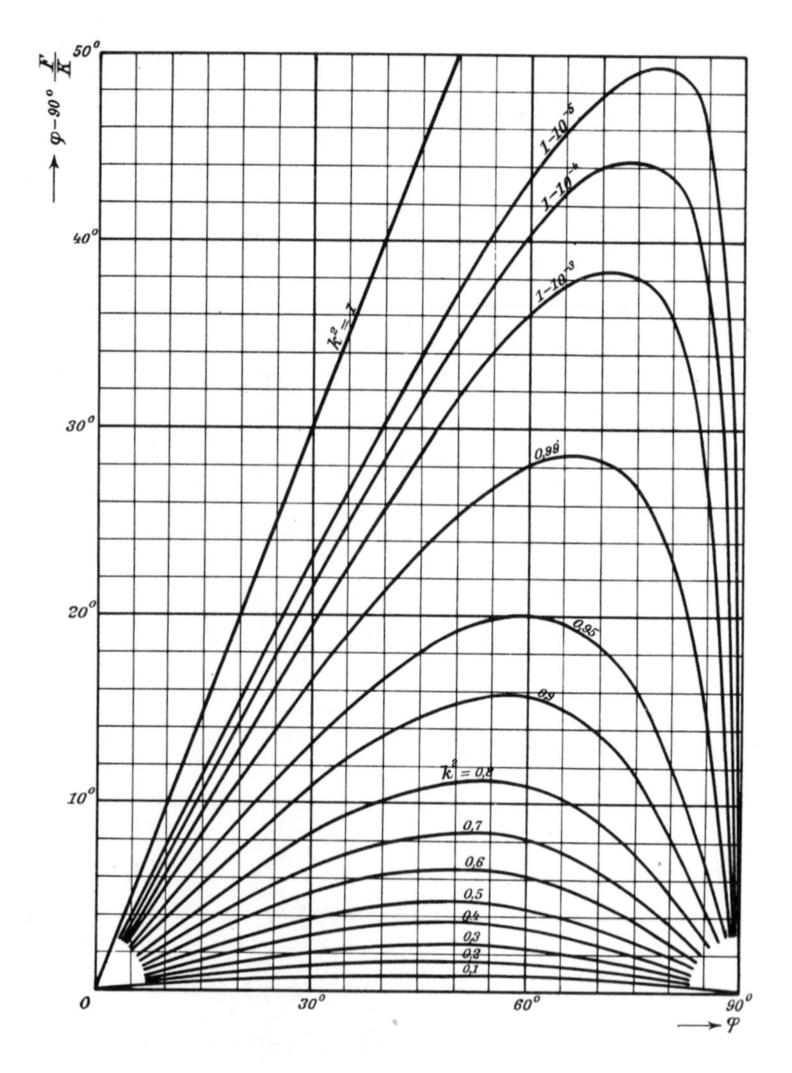

Fig. 32. $90^0 \frac{F}{K} = \varphi$ — periodische Funktion.

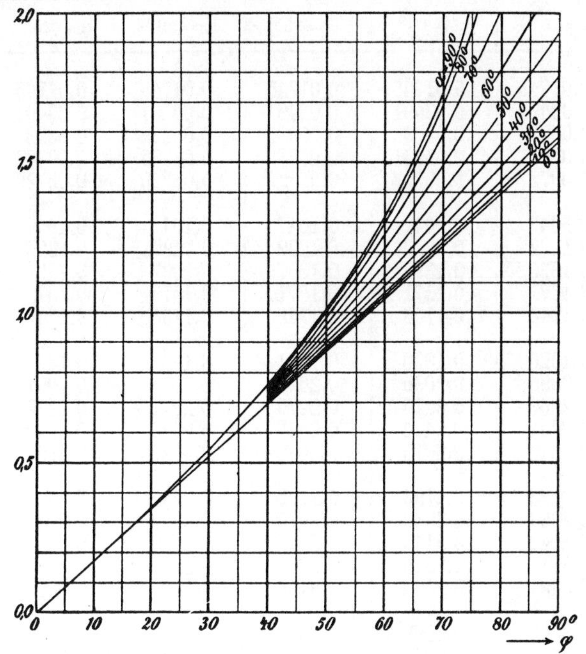

Fig. 33. $F(\alpha, \varphi)$, $\alpha = \text{const.}$

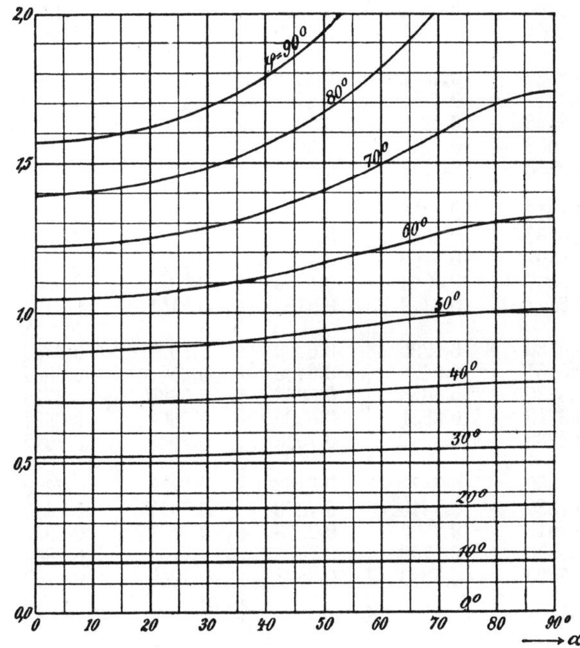

Fig. 34. $F(\alpha, \varphi)$, $\varphi = \text{const.}$

φ	$\alpha = 5°$	$\alpha = 10°$	$\alpha = 15°$	$\alpha = 20°$	$\alpha = 25°$	$\alpha = 30°$
1°	0,01745	0,01745	0,01745	0,01745	0,01745	0,01745
2°	0,03491	0,03491	0,03491	0,03491	0,03491	0,03491
3°	0,05236	0,05236	0,05236	0,05236	0,05236	0,05237
4°	0,06981	0,06981	0,06982	0,06982	0,06982	0,06983
5°	0,08727	0,08727	0,08727	0,08728	0,08729	0,08729
6°	0,1047	0,1047	0,1047	0,1047	0,1048	0,1048
7°	0,1222	0,1222	0,1222	0,1222	0,1222	0,1223
8°	0,1396	0,1396	0,1397	0,1397	0,1397	0,1397
9°	0,1571	0,1571	0,1571	0,1572	0,1572	0,1572
10°	0,1745	0,1746	0,1746	0,1746	0,1747	0,1748
11°	0,1920	0,1920	0,1921	0,1921	0,1922	0,1923
12°	0,2095	0,2095	0,2095	0,2096	0,2097	0,2098
13°	0,2269	0,2270	0,2270	0,2271	0,2272	0,2274
14°	0,2444	0,2444	0,2445	0,2446	0,2448	0,2450
15°	0,2618	0,2619	0,2620	0,2622	0,2623	0,2625
16°	0,2793	0,2794	0,2795	0,2797	0,2799	0,2802
17°	0,2967	0,2968	0,2970	0,2972	0,2975	0,2978
18°	0,3142	0,3143	0,3145	0,3148	0,3151	0,3154
19°	0,3317	0,3318	0,3320	0,3323	0,3327	0,3331
20°	0,3491	0,3493	0,3495	0,3499	0,3503	0,3508
21°	0,3666	0,3668	0,3671	0,3675	0,3680	0,3686
22°	0,3840	0,3843	0,3846	0,3851	0,3856	0,3863
23°	0,4015	0,4017	0,4021	0,4027	0,4033	0,4041
24°	0,4190	0,4192	0,4197	0,4203	0,4210	0,4219
25°	0,4364	0,4367	0,4372	0,4379	0,4388	0,4397
26°	0,4539	0,4542	0,4548	0,4556	0,4565	0,4576
27°	0,4714	0,4717	0,4724	0,4732	0,4743	0,4755
28°	0,4888	0,4893	0,4900	0,4909	0,4921	0,4935
29°	0,5063	0,5068	0,5075	0,5086	0,5099	0,5114
30°	0,5238	0,5243	0,5251	0,5263	0,5277	0,5294
31°	0,5412	0,5418	0,5427	0,5440	0,5456	0,5475
32°	0,5587	0,5593	0,5603	0,5618	0,5635	0,5656
33°	0,5762	0,5769	0,5780	0,5795	0,5814	0,5837
34°	0,5937	0,5944	0,5956	0,5973	0,5994	0,6018
35°	0,6111	0,6119	0,6133	0,6151	0,6173	0,6200
36°	0,6286	0,6295	0,6309	0,6329	0,6353	0,6383
37°	0,6461	0,6470	0,6486	0,6507	0,6534	0,6566
38°	0,6636	0,6646	0,6662	0,6685	0,6714	0,6749
39°	0,6810	0,6821	0,6839	0,6864	0,6895	0,6932
40°	0,6985	0,6997	0,7016	0,7043	0,7077	0,7117
41°	0,7160	0,7173	0,7193	0,7222	0,7258	0,7301
42°	0,7335	0,7348	0,7370	0,7401	0,7440	0,7486
43°	0,7510	0,7524	0,7548	0,7581	0,7622	0,7671
44°	0,7685	0,7700	0,7725	0,7760	0,7804	0,7857
45°	0,7859	0,7876	0,7903	0,7940	0,7987	0,8044

φ	$\alpha = 5°$	$\alpha = 10°$	$\alpha = 15°$	$\alpha = 20°$	$\alpha = 25°$	$\alpha = 30°$
46°	0,8034	0,8052	0,8080	0,8120	0,8170	0,8231
47°	0,8209	0,8228	0,8258	0,8300	0,8354	0,8418
48°	0,8384	0,8404	0,8436	0,8480	0,8537	0,8606
49°	0,8559	0,8580	0,8614	0,8661	0,8721	0,8794
50°	0,8734	0,8756	0,8792	0,8842	0,8905	0,8983
51°	0,8909	0,8932	0,8970	0,9023	0,9090	0,9172
52°	0,9084	0,9108	0,9148	0,9204	0,9275	0,9361
53°	0,9259	0,9284	0,9326	0,9385	0,9460	0,9551
54°	0,9434	0,9460	0,9505	0,9567	0,9646	0,9742
55°	0,9609	0,9637	0,9683	0,9748	0,9832	0,9933
56°	0,9784	0,9813	0,9862	0,9930	1,0018	1,0125
57°	0,9959	0,9989	1,0041	1,0112	1,0204	1,0317
58°	1,0134	1,0166	1,0219	1,0295	1,0391	1,0509
59°	1,0309	1,0342	1,0398	1,0477	1,0578	1,0702
60°	1,0484	1,0519	1,0577	1,0660	1,0766	1,0896
61°	1,0659	1,0695	1,0757	1,0843	1,0953	1,1089
62°	1,0834	1,0872	1,0936	1,1026	1,1141	1,1284
63°	1,1009	1,1049	1,1115	1,1209	1,1330	1,1478
64°	1,1184	1,1225	1,1295	1,1392	1,1518	1,1674
65°	1,1359	1,1402	1,1474	1,1576	1,1707	1,1869
66°	1,1534	1,1579	1,1654	1,1759	1,1896	1,2065
67°	1,1709	1,1756	1,1833	1,1943	1,2085	1,2262
68°	1,1884	1,1932	1,2013	1,2127	1,2275	1,2458
69°	1,2059	1,2109	1,2193	1,2311	1,2465	1,2656
70°	1,2235	1,2286	1,2373	1,2495	1,2655	1,2853
71°	1,2410	1,2463	1,2553	1,2680	1,2845	1,3051
72°	1,2585	1,2640	1,2733	1,2864	1,3036	1,3249
73°	1,2760	1,2817	1,2913	1,3049	1,3226	1,3448
74°	1,2935	1,2994	1,3093	1,3234	1,3417	1,3647
75°	1,3110	1,3171	1,3273	1,3418	1,3608	1,3846
76°	1,3285	1,3348	1,3454	1,3603	1,3800	1,4045
77°	1,3461	1,3525	1,3634	1,3788	1,3991	1,4245
78°	1,3636	1,3702	1,3814	1,3974	1,4183	1,4445
79°	1,3811	1,3879	1,3995	1,4159	1,4374	1,4645
80°	1,3986	1,4057	1,4175	1,4344	1,4566	1,4846
81°	1,4161	1,4234	1,4356	1,4530	1,4758	1,5046
82°	1,4336	1,4411	1,4536	1,4715	1,4950	1,5247
83°	1,4512	1,4588	1,4717	1,4901	1,5143	1,5448
84°	1,4687	1,4765	1,4897	1,5086	1,5335	1,5649
85°	1,4862	1,4942	1,5078	1,5272	1,5527	1,5850
86°	1,5037	1,5120	1,5259	1,5457	1,5720	1,6052
87°	1,5212	1,5297	1,5439	1,5643	1,5912	1,6253
88°	1,5388	1,5474	1,5620	1,5829	1,6105	1,6455
89°	1,5563	1,5651	1,5801	1,6015	1,6297	1,6656
90°	1,5738	1,5828	1,5981	1,6200	1,6490	1,6858

V. $F(\alpha, \varphi)$

φ	$\alpha = 35°$	$\alpha = 40°$	$\alpha = 45°$	$\alpha = 50°$	$\alpha = 55°$	$\alpha = 60°$
1°	0,01745	0,01745	0,01745	0,01745	0,01745	0,01745
2°	0,03491	0,03491	0,03491	0,03491	0,03491	0,03491
3°	0,05237	0,05237	0,05237	0,05237	0,05238	0,05238
4°	0,06983	0,06984	0,06984	0,06985	0,06985	0,06986
5°	0,08730	0,08731	0,08732	0,08733	0,08734	0,08735
6°	0,1048	0,1048	0,1048	0,1048	0,1049	0,1049
7°	0,1223	0,1223	0,1223	0,1224	0,1224	0,1224
8°	0,1398	0,1398	0,1399	0,1399	0,1399	0,1400
9°	0,1573	0,1574	0,1574	0,1575	0,1575	0,1576
10°	0,1748	0,1749	0,1750	0,1751	0,1751	0,1752
11°	0,1924	0,1925	0,1926	0,1927	0,1928	0,1929
12°	0,2099	0,2101	0,2102	0,2103	0,2105	0,2106
13°	0,2275	0,2277	0,2279	0,2280	0,2282	0,2284
14°	0,2451	0,2454	0,2456	0,2458	0,2460	0,2462
15°	0,2628	0,2630	0,2633	0,2636	0,2638	0,2641
16°	0,2804	0,2808	0,2811	0,2814	0,2817	0,2820
17°	0,2981	0,2985	0,2989	0,2993	0,2997	0,3000
18°	0,3159	0,3163	0,3168	0,3172	0,3177	0,3181
19°	0,3336	0,3341	0,3347	0,3352	0,3357	0,3362
20°	0,3514	0,3520	0,3526	0,3533	0,3539	0,3545
21°	0,3692	0,3699	0,3706	0,3714	0,3721	0,3728
22°	0,3871	0,3879	0,3887	0,3896	0,3904	0,3912
23°	0,4049	0,4059	0,4068	0,4078	0,4088	0,4097
24°	0,4229	0,4239	0,4250	0,4261	0,4272	0,4283
25°	0,4408	0,4420	0,4433	0,4446	0,4458	0,4470
26°	0,4589	0,4602	0,4616	0,4630	0,4645	0,4658
27°	0,4769	0,4784	0,4800	0,4816	0,4832	0,4847
28°	0,4950	0,4967	0,4985	0,5003	0,5021	0,5038
29°	0,5132	0,5150	0,5170	0,5190	0,5210	0,5229
30°	0,5313	0,5334	0,5356	0,5379	0,5401	0,5422
31°	0,5496	0,5519	0,5543	0,5568	0,5593	0,5617
32°	0,5679	0,5704	0,5731	0,5759	0,5786	0,5812
33°	0,5862	0,5890	0,5920	0,5950	0,5980	0,6010
34°	0,6046	0,6077	0,6109	0,6143	0,6176	0,6208
35°	0,6231	0,6264	0,6300	0,6336	0,6373	0,6409
36°	0,6416	0,6452	0,6491	0,6531	0,6572	0,6610
37°	0,6602	0,6641	0,6684	0,6727	0,6771	0,6814
38°	0,6788	0,6831	0,6877	0,6925	0,6973	0,7020
39°	0,6975	0,7021	0,7071	0,7123	0,7176	0,7227
40°	0,7162	0,7213	0,7267	0,7323	0,7380	0,7436
41°	0,7350	0,7405	0,7463	0,7524	0,7586	0,7647
42°	0,7539	0,7598	0,7661	0,7727	0,7794	0,7860
43°	0,7728	0,7791	0,7859	0,7931	0,8004	0,8075
44°	0,7918	0,7986	0,8059	0,8136	0,8215	0,8293
45°	0,8109	0,8182	0,8260	0,8343	0,8428	0,8512

φ	$\alpha = 35°$	$\alpha = 40°$	$\alpha = 45°$	$\alpha = 50°$	$\alpha = 55°$	$\alpha = 60°$
46°	0,8300	0,8378	0,8462	0,8552	0,8643	0,8734
47°	0,8492	0,8575	0,8666	0,8761	0,8860	0,8959
48°	0,8685	0,8773	0,8870	0,8973	0,9079	0,9185
49°	0,8878	0,8973	0,9076	0,9186	0,9300	0,9415
50°	0,9072	0,9173	0,9283	0,9401	0,9523	0,9647
51°	0,9267	0,9374	0,9491	0,9617	0,9748	0,9881
52°	0,9462	0,9576	0,9701	0,9835	0,9976	1,0119
53°	0,9658	0,9778	0,9912	1,0055	1,0206	1,0359
54°	0,9855	0,9982	1,0124	1,0277	1,0437	1,0602
55°	1,0052	1,0187	1,0337	1,0500	1,0672	1,0848
56°	1,0250	1,0393	1,0552	1,0725	1,0908	1,1097
57°	1,0449	1,0600	1,0768	1,0952	1,1147	1,1349
58°	1,0648	1,0807	1,0985	1,1180	1,1389	1,1605
59°	1,0848	1,1016	1,1204	1,1411	1,1633	1,1864
60°	1,1049	1,1226	1,1424	1,1643	1,1879	1,2126
61°	1,1250	1,1436	1,1646	1,1877	1,2128	1,2392
62°	1,1453	1,1648	1,1869	1,2113	1,2379	1,2661
63°	1,1655	1,1860	1,2093	1,2351	1,2633	1,2933
64°	1,1859	1,2074	1,2318	1,2591	1,2890	1,3209
65°	1,2063	1,2288	1,2545	1,2833	1,3149	1,3489
66°	1,2267	1,2503	1,2773	1,3076	1,3411	1,3773
67°	1,2472	1,2719	1,3002	1,3321	1,3675	1,4060
68°	1,2678	1,2936	1,3233	1,3568	1,3942	1,4351
69°	1,2885	1,3154	1,3464	1,3817	1,4212	1,4646
70°	1,3092	1,3372	1,3697	1,4068	1,4484	1,4944
71°	1,3299	1,3592	1,3931	1,4320	1,4759	1,5246
72°	1,3507	1,3812	1,4167	1,4574	1,5036	1,5552
73°	1,3716	1,4033	1,4403	1,4830	1,5316	1,5862
74°	1,3924	1,4254	1,4640	1,5087	1,5597	1,6175
75°	1,4134	1,4477	1,4879	1,5346	1,5882	1,6492
76°	1,4344	1,4700	1,5118	1,5606	1,6168	1,6812
77°	1,4554	1,4923	1,5359	1,5867	1,6457	1,7136
78°	1,4765	1,5147	1,5600	1,6130	1,6748	1,7463
79°	1,4976	1,5372	1,5842	1,6394	1,7040	1,7792
80°	1,5187	1,5597	1,6085	1,6660	1,7335	1,8125
81°	1,5399	1,5823	1,6328	1,6926	1,7631	1,8461
82°	1,5611	1,6049	1,6573	1,7194	1,7929	1,8799
83°	1,5823	1,6276	1,6817	1,7462	1,8228	1,9140
84°	1,6035	1,6502	1,7063	1,7731	1,8528	1,9482
85°	1,6248	1,6730	1,7308	1,8001	1,8830	1,9826
86°	1,6461	1,6957	1,7554	1,8271	1,9132	2,0172
87°	1,6673	1,7184	1,7801	1,8542	1,9435	2,0519
88°	1,6886	1,7412	1,8047	1,8813	1,9739	2,0867
89°	1,7099	1,7640	1,8294	1,9084	2,0043	2,1216
90°	1,7313	1,7868	1,8541	1,9356	2,0347	2,1565

φ	$\alpha = 65°$	$\alpha = 70°$	$\alpha = 75°$	$\alpha = 80°$	$\alpha = 85°$	$\alpha = 89°$	$\alpha = 90°$
1°	0,01745	0,01745	0,01745	0,01745	0,01745	0,01745	0,01745
2°	0,03491	0,03491	0,03491	0,03491	0,03491	0,03491	0,03491
3°	0,05238	0,05238	0,05238	0,05238	0,05238	0,05238	0,05238
4°	0,06986	0,06986	0,06987	0,06987	0,06987	0,06987	0,06987
5°	0,08736	0,08736	0,08737	0,08737	0,08738	0,08738	0,08738
6°	0,1049	0,1049	0,1049	0,1049	0,1049		0,1049
7°	0,1224	0,1224	0,1225	0,1225	0,1225		0,1225
8°	0,1400	0,1400	0,1401	0,1401	0,1401		0,1401
9°	0,1576	0,1577	0,1577	0,1577	0,1577		0,1577
10°	0,1753	0,1753	0,1754	0,1754	0,1754	0,1754	0,1754
11°	0,1930	0,1930	0,1931	0,1931	0,1932		0,1932
12°	0,2107	0,2108	0,2109	0,2109	0,2110		0,2110
13°	0,2285	0,2286	0,2287	0,2288	0,2289		0,2289
14°	0,2464	0,2465	0,2466	0,2467	0,2468		0,2468
15°	0,2643	0,2645	0,2646	0,2648	0,2648	0,2648	0,2648
16°	0,2823	0,2825	0,2827	0,2828	0,2829		0,2830
17°	0,3003	0,3006	0,3009	0,3010	0,3011		0,3012
18°	0,3185	0,3188	0,3191	0,3193	0,3194		0,3195
19°	0,3367	0,3371	0,3374	0,3377	0,3378		0,3379
20°	0,3550	0,3555	0,3559	0,3562	0,3563	0,3564	0,3564
21°	0,3734	0,3740	0,3744	0,3747	0,3749		0,3750
22°	0,3919	0,3926	0,3931	0,3935	0,3937		0,3938
23°	0,4105	0,4113	0,4119	0,4123	0,4126		0,4127
24°	0,4293	0,4301	0,4308	0,4313	0,4316		0,4317
25°	0,4481	0,4490	0,4498	0,4504	0,4508	0,4509	0,4509
26°	0,4670	0,4681	0,4690	0,4697	0,4701		0,4702
27°	0,4861	0,4874	0,4884	0,4891	0,4896	0,4897	0,4897
28°	0,5053	0,5067	0,5079	0,5087	0,5092		0,5094
29°	0,5247	0,5262	0,5275	0,5285	0,5291		0,5293
30°	0,5442	0,5459	0,5474	0,5484	0,5491	0,5493	0,5493
31°	0,5639	0,5658	0,5674	0,5686	0,5693		0,5696
32°	0,5837	0,5858	0,5876	0,5889	0,5898	0,5900	0,5900
33°	0,6037	0,6060	0,6080	0,6095	0,6104		0,6107
34°	0,6238	0,6265	0,6287	0,6303	0,6313		0,6317
35°	0,6442	0,6471	0,6495	0,6513	0,6525	0,6528	0,6528
36°	0,6647	0,6679	0,6706	0,6726	0,6739		0,6743
37°	0,6854	0,6890	0,6919	0,6941	0,6955	0,6960	0,6960
38°	0,7063	0,7102	0,7135	0,7159	0,7175		0,7180
39°	0,7275	0,7318	0,7353	0,7380	0,7397		0,7403
40°	0,7488	0,7535	0,7575	0,7604	0,7623	0,7629	0,7629
41°	0,7704	0,7756	0,7799	0,7831	0,7852		0,7859
42°	0,7922	0,7979	0,8026	0,8062	0,8084	0,8091	0,8092
43°	0,8143	0,8205	0,8256	0,8295	0,8320		0,8328
44°	0,8367	0,8433	0,8490	0,8533	0,8560		0,8569
45°	0,8593	0,8665	0,8727	0,8774	0,8804	0,8813	0,8814

φ	$\alpha = 65°$	$\alpha = 70°$	$\alpha = 75°$	$\alpha = 80°$	$\alpha = 85°$	$\alpha = 89°$	$\alpha = 90°$
46°	0,8821	0,8901	0,8968	0,9019	0,9052		0,9063
47°	0,9053	0,9139	0,9212	0,9269	0,9304	0,9316	0,9316
48°	0,9288	0,9381	0,9461	0,9523	0,9561		0,9575
49°	0,9525	0,9627	0,9714	0,9781	0,9824		0,9838
50°	0,9766	0,9876	0,9971	1,0044	1,0091	1,0106	1,0107
51°	1,0010	1,0130	1,0233	1,0313	1,0364		1,0381
52°	1,0258	1,0387	1,0500	1,0587	1,0643		1,0662
53°	1,0509	1,0649	1,0771	1,0867	1,0927	1,0948	1,0948
54°	1,0764	1,0916	1,1048	1,1152	1,1219		1,1242
55°	1,1022	1,1187	1,1331	1,1444	1,1517	1,1541	1,1542
56°	1,1285	1,1462	1,1619	1,1743	1,1823		1,1851
57°	1,1551	1,1743	1,1914	1,2049	1,2136	1,2166	1,2167
58°	1,1822	1,2030	1,2215	1,2362	1,2458		1,2492
59°	1,2097	1,2321	1,2522	1,2684	1,2789		1,2826
60°	1,2376	1,2619	1,2837	1,3014	1,3129	1,3168	1,3170
61°	1,2660	1,2922	1,3159	1,3352	1,3480		1,3524
62°	1,2949	1,3231	1,3490	1,3701	1,3841		1,3890
63°	1,3243	1,3547	1,3828	1,4059	1,4214	1,4266	1,4268
64°	1,3541	1,3870	1,4175	1,4429	1,4599		1,4659
65°	1,3844	1,4199	1,4532	1,4810	1,4998	1,5062	1,5065
66°	1,4153	1,4536	1,4898	1,5203	1,5411	1,5482	1,5485
67°	1,4467	1,4880	1,5274	1,5610	1,5840	1,5920	1,5923
68°	1,4786	1,5232	1,5661	1,6030	1,6287	1,6376	1,6379
69°	1,5111	1,5591	1,6059	1,6466	1,6752	1,6851	1,6856
70°	1,5441	1,5959	1,6468	1,6918	1,7237	1,7349	1,7354
71°	1,5777	1,6335	1,6891	1,7388	1,7745	1,7872	1,7877
72°	1,6118	1,6720	1,7326	1,7876	1,8277	1,8421	1,8427
73°	1,6465	1,7113	1,7774	1,8384	1,8837	1,9001	1,9008
74°	1,6818	1,7516	1,8237	1,8915	1,9427	1,9614	1,9623
75°	1,7176	1,7927	1,8715	1,9468	2,0050	2,0267	2,0276
76°	1,7540	1,8347	1,9207	2,0047	2,0711	2,0962	2,0973
77°	1,7909	1,8777	1,9716	2,0653	2,1414	2,1708	2,1721
78°	1,8284	1,9215	2,0240	2,1288	2,2164	2,2513	2,2528
79°	1,8664	1,9663	2,0781	2,1954	2,2969	2,3385	2,3404
80°	1,9048	2,0119	2,1339	2,2653	2,3837	2,4340	2,4362
81°	1,9438	2,0584	2,1913	2,3387	2,4775	2,5392	2,5421
82°	1,9831	2,1057	2,2504	2,4157	2,5795	2,6566	2,6603
83°	2,0229	2,1537	2,3110	2,4965	2,6911	2,7894	2,7942
84°	2,0630	2,2024	2,3731	2,5811	2,8136	2,9421	2,9487
85°	2,1035	2,2518	2,4366	2,6694	2,9487	3,1217	3,1313
86°	2,1442	2,3017	2,5013	2,7612	3,0978	3,3396	3,3547
87°	2,1852	2,3520	2,5670	2,8561	3,2620	3,6161	3,6425
88°	2,2263	2,4027	2,6336	2,9537	3,4412	3,9911	4,0481
89°	2,2675	2,4535	2,7007	3,0530	3,6328	4,5535	4,7413
90°	2,3088	2,5046	2,7681	3,1534	3,8317	5,4349	∞

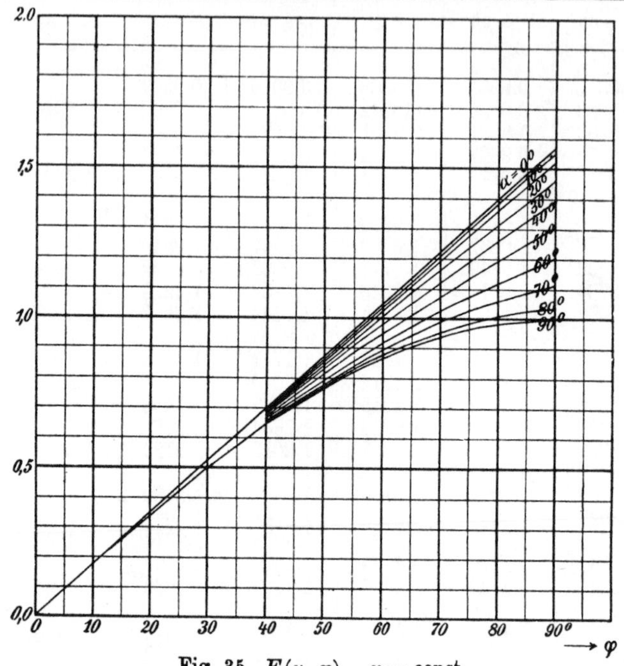

Fig. 35. $E(\alpha, \varphi)$, $\alpha = \text{const.}$

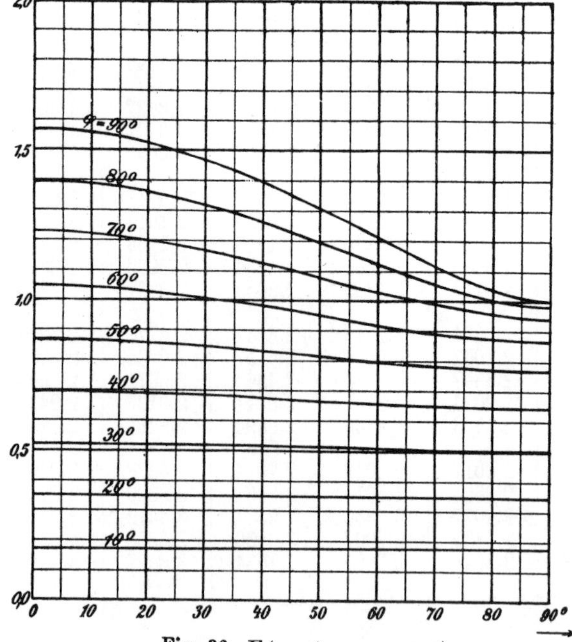

Fig. 36. $E(\alpha, \varphi)$, $\varphi = \text{const.}$

φ	α 0°	5°	10°	15°	20°	25°	30°	35°	40°	45°
1°	0,0175	0,0175	0,0175	0,0175	0,0175	0,0175	0,0175	0,0175	0,0175	0,0175
2°	0,0349	0,0349	0,0349	0,0349	0,0349	0,0349	0,0349	0,0349	0,0349	0,0349
3°	0,0524	0,0524	0,0524	0,0524	0,0524	0,0524	0,0524	0,0524	0,0524	0,0524
4°	0,0698	0,0698	0,0698	0,0698	0,0698	0,0698	0,0698	0,0698	0,0698	0,0698
5°	0,0873	0,0873	0,0873	0,0873	0,0873	0,0873	0,0872	0,0872	0,0872	0,0872
6°	0,1047	0,1047	0,1047	0,1047	0,1047	0,1047	0,1047	0,1047	0,1046	0,1046
7°	0,1222	0,1222	0,1222	0,1222	0,1221	0,1221	0,1221	0,1221	0,1221	0,1220
8°	0,1396	0,1396	0,1396	0,1396	0,1396	0,1396	0,1395	0,1395	0,1394	0,1394
9°	0,1571	0,1571	0,1571	0,1570	0,1570	0,1570	0,1569	0,1569	0,1568	0,1568
10°	0,1745	0,1745	0,1745	0,1745	0,1744	0,1744	0,1743	0,1743	0,1742	0,1741
11°	0,1920	0,1920	0,1920	0,1919	0,1919	0,1918	0,1917	0,1916	0,1915	0,1914
12°	0,2094	0,2094	0,2094	0,2093	0,2093	0,2092	0,2091	0,2089	0,2088	0,2087
13°	0,2269	0,2269	0,2268	0,2268	0,2267	0,2266	0,2264	0,2263	0,2261	0,2259
14°	0,2444	0,2443	0,2443	0,2442	0,2441	0,2439	0,2437	0,2436	0,2434	0,2431
15°	0,2618	0,2618	0,2617	0,2616	0,2615	0,2613	0,2611	0,2608	0,2606	0,2603
16°	0,2793	0,2792	0,2791	0,2790	0,2788	0,2786	0,2784	0,2781	0,2778	0,2775
17°	0,2967	0,2967	0,2966	0,2964	0,2962	0,2959	0,2956	0,2953	0,2949	0,2946
18°	0,3142	0,3141	0,3140	0,3138	0,3136	0,3133	0,3129	0,3125	0,3121	0,3116
19°	0,3316	0,3316	0,3314	0,3312	0,3309	0,3306	0,3301	0,3297	0,3291	0,3286
20°	0,3491	0,3490	0,3489	0,3486	0,3483	0,3478	0,3473	0,3468	0,3462	0,3456
21°	0,3665	0,3665	0,3663	0,3660	0,3656	0,3651	0,3645	0,3639	0,3632	0,3625
22°	0,3840	0,3839	0,3837	0,3834	0,3829	0,3823	0,3817	0,3809	0,3802	0,3793
23°	0,4014	0,4014	0,4011	0,4007	0,4002	0,3996	0,3988	0,3980	0,3971	0,3961
24°	0,4189	0,4188	0,4185	0,4181	0,4175	0,4168	0,4159	0,4150	0,4139	0,4129
25°	0,4363	0,4362	0,4359	0,4354	0,4348	0,4339	0,4330	0,4319	0,4308	0,4296
26°	0,4538	0,4537	0,4533	0,4528	0,4520	0,4511	0,4500	0,4488	0,4475	0,4462
27°	0,4712	0,4711	0,4707	0,4701	0,4693	0,4682	0,4670	0,4657	0,4643	0,4628
28°	0,4887	0,4886	0,4881	0,4875	0,4865	0,4854	0,4840	0,4825	0,4809	0,4793
29°	0,5062	0,5060	0,5055	0,5048	0,5037	0,5025	0,5010	0,4993	0,4975	0,4957
30°	0,5236	0,5234	0,5229	0,5221	0,5209	0,5195	0,5179	0,5161	0,5141	0,5121
31°	0,5411	0,5409	0,5403	0,5394	0,5381	0,5366	0,5348	0,5328	0,5306	0,5283
32°	0,5585	0,5583	0,5577	0,5567	0,5553	0,5536	0,5516	0,5494	0,5470	0,5446
33°	0,5760	0,5757	0,5751	0,5740	0,5725	0,5706	0,5684	0,5660	0,5634	0,5607
34°	0,5934	0,5932	0,5924	0,5912	0,5896	0,5876	0,5852	0,5826	0,5797	0,5768
35°	0,6109	0,6106	0,6098	0,6085	0,6067	0,6045	0,6019	0,5991	0,5960	0,5928
36°	0,6283	0,6280	0,6272	0,6258	0,6238	0,6214	0,6186	0,6155	0,6122	0,6087
37°	0,6458	0,6455	0,6445	0,6430	0,6409	0,6383	0,6353	0,6319	0,6283	0,6245
38°	0,6632	0,6629	0,6619	0,6602	0,6580	0,6552	0,6519	0,6483	0,6444	0,6403
39°	0,6807	0,6803	0,6792	0,6775	0,6750	0,6720	0,6685	0,6646	0,6604	0,6559
40°	0,6981	0,6977	0,6966	0,6947	0,6921	0,6888	0,6851	0,6808	0,6763	0,6715
41°	0,7156	0,7152	0,7139	0,7119	0,7091	0,7056	0,7016	0,6970	0,6921	0,6870
42°	0,7330	0,7326	0,7313	0,7291	0,7261	0,7224	0,7180	0,7132	0,7079	0,7025
43°	0,7505	0,7500	0,7486	0,7463	0,7431	0,7391	0,7345	0,7293	0,7237	0,7178
44°	0,7679	0,7674	0,7659	0,7634	0,7600	0,7558	0,7509	0,7453	0,7393	0,7330
45°	0,7854	0,7849	0,7832	0,7806	0,7770	0,7725	0,7672	0,7613	0,7549	0,7482

φ	α									
	0°	5°	10°	15°	20°	25°	30°	35°	40°	45°
46°	0,8029	0,8023	0,8006	0,7978	0,7939	0,7891	0,7835	0,7772	0,7704	0,7633
47°	0,8203	0,8197	0,8179	0,8149	0,8108	0,8057	0,7998	0,7931	0,7858	0,7782
48°	0,8378	0,8371	0,8352	0,8320	0,8277	0,8223	0,8160	0,8089	0,8012	0,7931
49°	0,8552	0,8545	0,8525	0,8491	0,8446	0,8389	0,8322	0,8247	0,8165	0,8079
50°	0,8727	0,8719	0,8698	0,8663	0,8614	0,8554	0,8483	0,8404	0,8317	0,8227
51°	0,8901	0,8894	0,8871	0,8834	0,8783	0,8719	0,8644	0,8560	0,8469	0,8373
52°	0,9076	0,9068	0,9044	0,9005	0,8951	0,8884	0,8805	0,8716	0,8620	0,8518
53°	0,9250	0,9242	0,9217	0,9175	0,9119	0,9048	0,8965	0,8872	0,8770	0,8663
54°	0,9425	0,9416	0,9390	0,9346	0,9287	0,9212	0,9125	0,9026	0,8919	0,8806
55°	0,9599	0,9590	0,9562	0,9517	0,9454	0,9376	0,9284	0,9181	0,9068	0,8949
56°	0,9774	0,9764	0,9735	0,9687	0,9622	0,9540	0,9443	0,9335	0,9216	0,9091
57°	0,9948	0,9938	0,9908	0,9858	0,9789	0,9703	0,9602	0,9488	0,9363	0,9232
58°	1,0123	1,0112	1,0080	1,0028	0,9956	0,9866	0,9760	0,9641	0,9510	0,9372
59°	1,0297	1,0286	1,0253	1,0198	1,0123	1,0029	0,9918	0,9793	0,9656	0,9511
60°	1,0472	1,0460	1,0426	1,0368	1,0290	1,0192	1,0076	0,9945	0,9801	0,9650
61°	1,0647	1,0634	1,0598	1,0538	1,0456	1,0354	1,0233	1,0096	0,9946	0,9787
62°	1,0821	1,0808	1,0771	1,0708	1,0623	1,0516	1,0390	1,0247	1,0090	0,9924
63°	1,0996	1,0982	1,0943	1,0878	1,0789	1,0678	1,0546	1,0397	1,0233	1,0060
64°	1,1170	1,1156	1,1115	1,1048	1,0955	1,0839	1,0702	1,0547	1,0376	1,0195
65°	1,1345	1,1330	1,1288	1,1218	1,1121	1,1001	1,0858	1,0696	1,0518	1,0329
66°	1,1519	1,1504	1,1460	1,1387	1,1287	1,1162	1,1013	1,0845	1,0660	1,0463
67°	1,1694	1,1678	1,1632	1,1557	1,1453	1,1323	1,1168	1,0993	1,0801	1,0596
68°	1,1868	1,1852	1,1805	1,1726	1,1619	1,1483	1,1323	1,1141	1,0941	1,0728
69°	1,2043	1,2026	1,1977	1,1896	1,1784	1,1644	1,1478	1,1289	1,1081	1,0859
70°	1,2217	1,2200	1,2149	1,2065	1,1949	1,1804	1,1632	1,1436	1,1221	1,0990
71°	1,2392	1,2374	1,2321	1,2234	1,2115	1,1964	1,1786	1,1583	1,1359	1,1120
72°	1,2566	1,2548	1,2494	1,2403	1,2280	1,2124	1,1939	1,1729	1,1498	1,1250
73°	1,2741	1,2722	1,2666	1,2573	1,2445	1,2284	1,2093	1,1875	1,1636	1,1379
74°	1,2915	1,2896	1,2838	1,2742	1,2609	1,2443	1,2246	1,2021	1,1773	1,1507
75°	1,3090	1,3070	1,3010	1,2911	1,2774	1,2603	1,2399	1,2167	1,1910	1,1635
76°	1,3265	1,3244	1,3182	1,3080	1,2939	1,2762	1,2552	1,2312	1,2047	1,1762
77°	1,3439	1,3418	1,3354	1,3249	1,3104	1,2921	1,2704	1,2457	1,2183	1,1889
78°	1,3614	1,3592	1,3526	1,3417	1,3268	1,3080	1,2857	1,2601	1,2319	1,2015
79°	1,3788	1,3765	1,3698	1,3586	1,3433	1,3239	1,3009	1,2746	1,2454	1,2141
80°	1,3963	1,3939	1,3870	1,3755	1,3597	1,3398	1,3161	1,2890	1,2590	1,2266
81°	1,4137	1,4113	1,4042	1,3924	1,3761	1,3556	1,3312	1,3034	1,2725	1,2391
82°	1,4312	1,4287	1,4214	1,4093	1,3925	1,3715	1,3464	1,3177	1,2859	1,2516
83°	1,4486	1,4461	1,4386	1,4261	1,4090	1,3873	1,3616	1,3321	1,2994	1,2640
84°	1,4661	1,4635	1,4558	1,4430	1,4254	1,4032	1,3767	1,3464	1,3128	1,2765
85°	1,4835	1,4809	1,4729	1,4599	1,4418	1,4190	1,3919	1,3608	1,3262	1,2889
86°	1,5010	1,4983	1,4901	1,4767	1,4582	1,4348	1,4070	1,3751	1,3396	1,3012
87°	1,5184	1,5157	1,5073	1,4936	1,4746	1,4507	1,4221	1,3894	1,3530	1,3136
88°	1,5359	1,5330	1,5245	1,5104	1,4910	1,4665	1,4372	1,4037	1,3664	1,3260
89°	1,5533	1,5504	1,5417	1,5273	1,5074	1,4823	1,4524	1,4180	1,3798	1,3383
90°	1,5708	1,5678	1,5589	1,5442	1,5238	1,4981	1,4675	1,4323	1,3931	1,3506

φ	α								
	50°	55°	60°	65°	70°	75°	80°	85°	90°
1°	0,0175	0,0175	0,0175	0,0175	0,0175	0,0175	0,0175	0,0175	0,0175
2°	0,0349	0,0349	0,0349	0,0349	0,0349	0,0349	0,0349	0,0349	0,0349
3°	0,0524	0,0523	0,0523	0,0523	0,0523	0,0523	0,0523	0,0523	0,0523
4°	0,0698	0,0698	0,0698	0,0698	0,0698	0,0698	0,0698	0,0698	0,0698
5°	0,0872	0,0872	0,0872	0,0872	0,0872	0,0872	0,0872	0,0872	0,0872
6°	0,1046	0,1046	0,1046	0,1046	0,1046	0,1045	0,1045	0,1045	0,1045
7°	0,1220	0,1220	0,1220	0,1219	0,1219	0,1219	0,1219	0,1219	0,1219
8°	0,1394	0,1393	0,1393	0,1393	0,1392	0,1392	0,1392	0,1392	0,1392
9°	0,1567	0,1567	0,1566	0,1566	0,1565	0,1565	0,1565	0,1564	0,1564
10°	0,1740	0,1739	0,1739	0,1738	0,1738	0,1737	0,1737	0,1737	0,1737
11°	0,1913	0,1912	0,1911	0,1910	0,1910	0,1909	0,1908	0,1908	0,1908
12°	0,2086	0,2084	0,2083	0,2082	0,2081	0,2080	0,2080	0,2079	0,2079
13°	0,2258	0,2256	0,2254	0,2253	0,2252	0,2251	0,2250	0,2250	0,2250
14°	0,2429	0,2427	0,2425	0,2424	0,2422	0,2421	0,2420	0,2419	0,2419
15°	0,2601	0,2598	0,2596	0,2594	0,2592	0,2590	0,2589	0,2588	0,2588
16°	0,2771	0,2768	0,2766	0,2763	0,2761	0,2759	0,2758	0,2757	0,2756
17°	0,2942	0,2938	0,2935	0,2932	0,2929	0,2927	0,2925	0,2924	0,2924
18°	0,3112	0,3107	0,3103	0,3100	0,3096	0,3094	0,3092	0,3091	0,3090
19°	0,3281	0,3276	0,3271	0,3267	0,3263	0,3260	0,3258	0,3256	0,3256
20°	0,3450	0,3444	0,3438	0,3433	0,3429	0,3425	0,3422	0,3421	0,3420
21°	0,3618	0,3611	0,3604	0,3599	0,3593	0,3589	0,3586	0,3584	0,3584
22°	0,3785	0,3777	0,3770	0,3763	0,3757	0,3753	0,3749	0,3747	0,3746
23°	0,3952	0,3943	0,3935	0,3927	0,3920	0,3915	0,3911	0,3908	0,3907
24°	0,4118	0,4108	0,4098	0,4090	0,4082	0,4076	0,4071	0,4068	0,4067
25°	0,4284	0,4272	0,4261	0,4251	0,4243	0,4236	0,4230	0,4227	0,4226
26°	0,4449	0,4436	0,4423	0,4412	0,4402	0,4394	0,4389	0,4385	0,4384
27°	0,4613	0,4598	0,4584	0,4572	0,4561	0,4552	0,4545	0,4541	0,4540
28°	0,4776	0,4760	0,4744	0,4730	0,4718	0,4708	0,4701	0,4696	0,4695
29°	0,4938	0,4920	0,4903	0,4888	0,4874	0,4863	0,4855	0,4850	0,4848
30°	0,5100	0,5080	0,5061	0,5044	0,5029	0,5017	0,5007	0,5002	0,5000
31°	0,5261	0,5239	0,5218	0,5199	0,5182	0,5169	0,5159	0,5153	0,5150
32°	0,5421	0,5396	0,5373	0,5352	0,5334	0,5319	0,5308	0,5302	0,5299
33°	0,5580	0,5553	0,5528	0,5505	0,5485	0,5468	0,5456	0,5449	0,5446
34°	0,5738	0,5709	0,5681	0,5656	0,5634	0,5616	0,5603	0,5595	0,5592
35°	0,5895	0,5863	0,5833	0,5806	0,5782	0,5762	0,5748	0,5739	0,5736
36°	0,6052	0,6017	0,5984	0,5954	0,5928	0,5907	0,5891	0,5881	0,5878
37°	0,6207	0,6169	0,6134	0,6101	0,6073	0,6050	0,6032	0,6022	0,6018
38°	0,6361	0,6321	0,6282	0,6247	0,6216	0,6191	0,6172	0,6161	0,6157
39°	0,6515	0,6471	0,6429	0,6391	0,6357	0,6330	0,6310	0,6297	0,6293
40°	0,6667	0,6620	0,6575	0,6533	0,6497	0,6468	0,6446	0,6432	0,6428
41°	0,6819	0,6768	0,6719	0,6675	0,6636	0,6604	0,6580	0,6566	0,6561
42°	0,6969	0,6914	0,6862	0,6814	0,6772	0,6738	0,6712	0,6697	0,6691
43°	0,7118	0,7059	0,7003	0,6952	0,6907	0,6870	0,6843	0,6826	0,6820
44°	0,7267	0,7204	0,7144	0,7088	0,7040	0,7001	0,6971	0,6953	0,6947
45°	0,7414	0,7347	0,7282	0,7223	0,7172	0,7129	0,7097	0,7078	0,7071

V. $E(\alpha, \varphi)$.

φ	α								
	50°	55°	60°	65°	70°	75°	80°	85°	90°
46°	0,7560	0,7488	0,7420	0,7356	0,7301	0,7255	0,7222	0,7201	0,7193
47°	0,7705	0,7629	0,7555	0,7488	0,7429	0,7380	0,7344	0,7321	0,7314
48°	0,7849	0,7768	0,7690	0,7618	0,7555	0,7503	0,7464	0,7440	0,7431
49°	0,7992	0,7905	0,7823	0,7746	0,7679	0,7623	0,7582	0,7556	0,7547
50°	0,8134	0,8042	0,7954	0,7872	0,7801	0,7741	0,7697	0,7670	0,7660
51°	0,8275	0,8177	0,8084	0,7997	0,7921	0,7858	0,7811	0,7781	0,7772
52°	0,8414	0,8311	0,8212	0,8120	0,8039	0,7972	0,7922	0,7891	0,7880
53°	0,8553	0,8444	0,8339	0,8242	0,8155	0,8084	0,8031	0,7998	0,7986
54°	0,8690	0,8575	0,8464	0,8361	0,8270	0,8194	0,8137	0,8102	0,8090
55°	0,8827	0,8705	0,8588	0,8479	0,8382	0,8302	0,8242	0,8204	0,8192
56°	0,8962	0,8834	0,8710	0,8595	0,8493	0,8408	0,8344	0,8304	0,8290
57°	0,9097	0,8961	0,8831	0,8709	0,8601	0,8511	0,8443	0,8401	0,8387
58°	0,9230	0,9088	0,8950	0,8822	0,8708	0,8612	0,8540	0,8496	0,8481
59°	0,9362	0,9213	0,9068	0,8933	0,8812	0,8711	0,8635	0,8588	0,8572
60°	0,9493	0,9336	0,9184	0,9042	0,8914	0,8808	0,8728	0,8677	0,8660
61°	0,9623	0,9459	0,9299	0,9149	0,9015	0,8903	0,8818	0,8764	0,8746
62°	0,9752	0,9580	0,9412	0,9254	0,9113	0,8995	0,8905	0,8849	0,8830
63°	0,9880	0,9700	0,9524	0,9358	0,9210	0,9085	0,8990	0,8930	0,8910
64°	1,0007	0,9818	0,9634	0,9460	0,9304	0,9173	0,9072	0,9009	0,8988
65°	1,0133	0,9936	0,9743	0,9561	0,9397	0,9258	0,9152	0,9086	0,9063
66°	1,0259	1,0052	0,9850	0,9659	0,9487	0,9341	0,9230	0,9160	0,9136
67°	1,0383	1,0167	0,9956	0,9756	0,9576	0,9422	0,9305	0,9231	0,9205
68°	1,0506	1,0282	1,0061	0,9852	0,9662	0,9501	0,9377	0,9299	0,9272
69°	1,0628	1,0395	1,0164	0,9946	0,9747	0,9578	0,9447	0,9364	0,9336
70°	1,0750	1,0506	1,0266	1,0038	0,9830	0,9652	0,9514	0,9427	0,9397
71°	1,0871	1,0617	1,0367	1,0129	0,9911	0,9724	0,9579	0,9487	0,9455
72°	1,0991	1,0727	1,0467	1,0218	0,9990	0,9794	0,9642	0,9544	0,9511
73°	1,1110	1,0836	1,0565	1,0306	1,0067	0,9862	0,9702	0,9599	0,9563
74°	1,1228	1,0944	1,0662	1,0392	1,0143	0,9928	0,9759	0,9650	0,9613
75°	1,1346	1,1051	1,0759	1,0477	1,0217	0,9992	0,9814	0,9699	0,9659
76°	1,1463	1,1158	1,0854	1,0561	1,0290	1,0053	0,9867	0,9745	0,9703
77°	1,1580	1,1263	1,0948	1,0643	1,0361	1,0113	0,9917	0,9789	0,9744
78°	1,1695	1,1368	1,1041	1,0725	1,0430	1,0171	0,9965	0,9829	0,9782
79°	1,1811	1,1472	1,1133	1,0805	1,0498	1,0228	1,0011	0,9867	0,9816
80°	1,1926	1,1576	1,1225	1,0884	1,0565	1,0282	1,0054	0,9902	0,9848
81°	1,2040	1,1678	1,1316	1,0962	1,0630	1,0335	1,0096	0,9935	0,9877
82°	1,2154	1,1781	1,1406	1,1040	1,0695	1,0387	1,0135	0,9965	0,9903
83°	1,2267	1,1883	1,1495	1,1116	1,0758	1,0437	1,0173	0,9992	0,9926
84°	1,2381	1,1984	1,1584	1,1192	1,0821	1,0486	1,0209	1,0017	0,9945
85°	1,2493	1,2085	1,1673	1,1267	1,0883	1,0534	1,0244	1,0039	0,9962
86°	1,2606	1,2186	1,1761	1,1342	1,0944	1,0581	1,0277	1,0060	0,9976
87°	1,2719	1,2286	1,1848	1,1417	1,1004	1,0628	1,0309	1,0078	0,9986
88°	1,2831	1,2387	1,1936	1,1491	1,1064	1,0674	1,0340	1,0095	0,9994
89°	1,2943	1,2487	1,2023	1,1565	1,1124	1,0719	1,0371	1,0111	0,9999
90°	1,3055	1,2587	1,2111	1,1638	1,1184	1,0764	1,0401	1,0127	1,0000

B. Vollständige Integrale.
B. Complete Integrals.

11. Es sei / Let

$$J=\int_0^{\frac{\pi}{2}}\frac{\Phi}{\Delta}\,d\varphi,\qquad \Delta=\sqrt{1-k^2\sin^2\varphi},$$

und für[1]) / and for

$\Phi=$	1	Δ^2	$\sin^2\varphi$	$\cos^2\varphi$	$\left(\frac{\sin\varphi\cos\varphi}{\Delta}\right)^2$
$J=$	K	E	D	B	C

Dann ist / Then we have

$$\mathsf{K}=\mathsf{E}+k^2\mathsf{D}$$
$$\mathsf{K}=\mathsf{D}+\mathsf{B}$$
$$\mathsf{K}=2\mathsf{B}+k^2\mathsf{C}$$
$$\mathsf{D}=\mathsf{B}+k^2\mathsf{C}$$
$$2\mathsf{D}=\mathsf{K}+k^2\mathsf{C}$$

$$\mathsf{E}=k'^2\mathsf{D}+\mathsf{B}$$
$$\mathsf{E}=k'^2\mathsf{K}+k^2\mathsf{B}$$
$$\mathsf{E}=(1+k'^2)\mathsf{B}+k'^2k^2\mathsf{C}$$
$$(1+k'^2)\,\mathsf{K}=2\mathsf{E}+k^4\mathsf{C}$$
$$(1+k'^2)\,\mathsf{D}=\mathsf{E}+k^2\mathsf{C}$$

12. Reihen, die nach wachsenden Potenzen von $k^2 \ll 1$ fortschreiten:

12. Series proceeding in ascending powers of $k^2 \ll 1$:

$$\frac{2}{\pi}\mathsf{K}=1+2\,\frac{k^2}{8}+9\left(\frac{k^2}{8}\right)^2+50\left(\frac{k^2}{8}\right)^3+\frac{1225}{4}\left(\frac{k^2}{8}\right)^4+\cdots$$
$$\frac{2}{\pi}\mathsf{E}=1-2\,\frac{k^2}{8}-3\left(\frac{k^2}{8}\right)^2-10\left(\frac{k^2}{8}\right)^3-\frac{175}{4}\left(\frac{k^2}{8}\right)^4-\cdots$$
$$\frac{4}{\pi}\mathsf{D}=1+3\,\frac{k^2}{8}+15\left(\frac{k^2}{8}\right)^2+\frac{175}{2}\left(\frac{k^2}{8}\right)^3+\frac{2205}{4}\left(\frac{k^2}{8}\right)^4+\cdots$$
$$\frac{4}{\pi}\mathsf{B}=1+\frac{k^2}{8}+3\left(\frac{k^2}{8}\right)^2+\frac{25}{2}\left(\frac{k^2}{8}\right)^3+\frac{245}{4}\left(\frac{k^2}{8}\right)^4+\cdots$$
$$\frac{16}{\pi}\mathsf{C}=1+6\,\frac{k^2}{8}+\frac{75}{2}\left(\frac{k^2}{8}\right)^2+245\left(\frac{k^2}{8}\right)^3+\frac{6615}{4}\left(\frac{k^2}{8}\right)^4+\cdots$$

13. Reihen, die nach wachsenden Potenzen von $k'^2 \ll 1$ fortschreiten ($k^2\approx 1$). Es sei

13. Series proceeding in ascending powers of $k'^2 \ll 1$ ($k^2\approx 1$). Let

$$\Lambda=\ln\frac{4}{k'}\quad \text{oder / or}\quad k'=4e^{-\Lambda}.$$

$$\mathsf{K}=\Lambda+\frac{\Lambda-1}{4}k'^2+\frac{9}{64}\left(\Lambda-\frac{7}{6}\right)k'^4+\frac{25}{256}\left(\Lambda-\frac{37}{30}\right)k'^6+\cdots$$
$$\mathsf{E}=1+\frac{1}{2}\left(\Lambda-\frac{1}{2}\right)k'^2+\frac{3}{16}\left(\Lambda-\frac{13}{12}\right)k'^4+\frac{15}{128}\left(\Lambda-\frac{6}{5}\right)k'^6+\cdots$$
$$\mathsf{D}=\Lambda-1+\frac{3}{4}\left(\Lambda-\frac{4}{3}\right)k'^2+\frac{45}{64}\left(\Lambda-\frac{41}{30}\right)k'^4+\frac{175}{256}\left(\Lambda-\frac{289}{210}\right)k'^6+\cdots$$
$$\mathsf{B}=1-\frac{1}{2}\left(\Lambda-\frac{3}{2}\right)k'^2-\frac{9}{16}\left(\Lambda-\frac{17}{12}\right)k'^4-\frac{75}{128}\left(\Lambda-\frac{7}{5}\right)k'^6+\cdots$$
$$\mathsf{C}=\Lambda-2+\frac{9}{4}\left(\Lambda-\frac{5}{3}\right)k'^2+\frac{225}{64}\left(\Lambda-\frac{47}{30}\right)k'^4+\frac{1225}{256}\left(\Lambda-\frac{109}{70}\right)k'^6+\cdots$$

1) Arch. Elektrot. **30** (1936), S. 243.

14. Um die Integrale mit Hilfe der Null-Thetas zu berechnen, setze man $\frac{1-\sqrt{k'}}{1+\sqrt{k'}} = 2\,\varepsilon$ und erhält

14. To compute the integrals by mean of the zero-Thetas, we put $\frac{1-\sqrt{k'}}{1+\sqrt{k'}} = 2$ and obtain

$$q = \varepsilon + 2\,\varepsilon^5 + 15\,\varepsilon^9 + 150\,\varepsilon^{13} + 1707\,\varepsilon^{17} + \cdots \qquad (\varepsilon < 0{,}5$$

ferner, wenn $k^2 < 0{,}5$ ist,

further, if $k^2 < 0{,}5$,

$$\frac{2}{\pi}\mathsf{K} = \vartheta_3^2 \approx 1 + 4q, \quad \frac{2}{\pi}\mathsf{K}k = \vartheta_2^2 \approx 4\sqrt{q}, \quad \frac{2}{\pi}\mathsf{K}k' = \vartheta^2 \approx 1 - 4q,$$

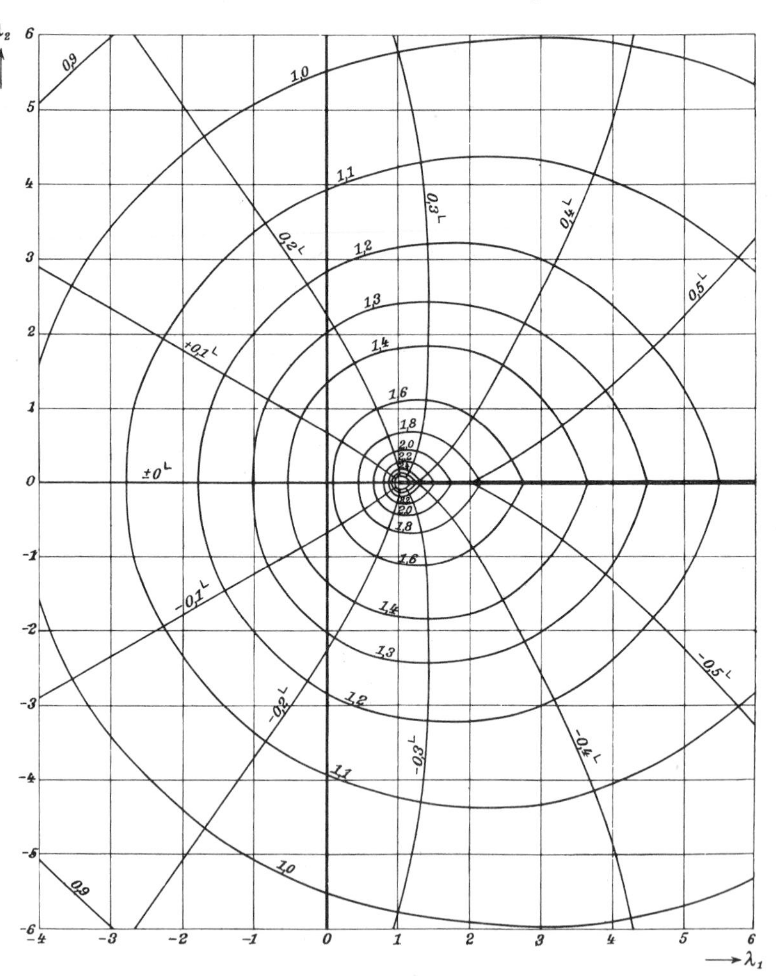

Fig. 37. Höhenkarte des vollständigen elliptischen Integrals K als Funktion von $\lambda = k^2$.
Fig. 37. Altitude chart of the complete elliptic integral K as function of $\lambda = k^2$.

$$\frac{2}{\pi}\mathsf{E} = -\frac{1}{\pi^2}\frac{\vartheta_2''}{\vartheta_2}\cdot\frac{1}{\vartheta_3^2} = \frac{1+9q^2+25q^6+\cdots}{(1+q^2+q^6+\cdots)(1+2q+2q^4+\cdots)^2} \approx 1-4q,$$

$$\frac{4}{\pi}\mathsf{D} = \frac{2}{\pi^2}\frac{\vartheta_3^2}{\vartheta_2^4}\frac{\vartheta_0''}{\vartheta_0} = \frac{(1+2q+2q^4+\cdots)^2}{(1+q^2+q^6+\cdots)^4}\,\frac{1-4q^3+9q^8-\cdots}{1-2q+2q^4-\cdots} \approx 1+6q,$$

$$\frac{4}{\pi}\mathsf{B} = -\frac{2}{\pi^2}\frac{\vartheta_3\vartheta_3''}{\vartheta_2^4} = \frac{(1+2q+2q^4+\cdots)(1+4q^3+9q^8+\cdots)}{(1+q^2+q^6+\cdots)^4} \approx 1+2q.$$

$$\frac{16}{\pi}\mathsf{C} = \frac{8}{\pi^2k^3\vartheta_2^2}\left(\frac{\vartheta_0''}{\vartheta_0}+\frac{\vartheta_3''}{\vartheta_3}\right) = \left(16\frac{q}{k^2}\right)^{1,5}(1+3q^4-4q^6+9q^8-12q^{10}+\cdots).$$

15. Für $k^2 > 0{,}5$ bestimme man q_1 zum Modul $k_1 = k'$ und setze $-\ln q_1 = \Lambda$. Hiermit wird

15. For $k^2 > 0{,}5$ compute q_1 to the modulus $k_1 = k'$ and put $-\ln q_1 = \Lambda$. With this we get

$$\mathsf{K} = \frac{\Lambda}{2}\vartheta_3^2, \qquad \mathsf{E} = \frac{1}{\vartheta_3^2}\left(1+\frac{\Lambda}{2}\frac{1}{\pi^2}\frac{\vartheta_0''}{\vartheta_0}\right),$$

$$\mathsf{D} = \frac{\vartheta_3^2}{\vartheta_0^4}\left[-1+\frac{\Lambda}{2}\left(\vartheta_3^4-\frac{1}{\pi^2}\frac{\vartheta_0''}{\vartheta_0}\right)\right],$$

$$\mathsf{B} = \frac{\vartheta_3^2}{\vartheta_0^4}\left[1+\frac{\Lambda}{2}\left(\frac{1}{\pi^2}\frac{\vartheta_0''}{\vartheta_0}-\vartheta_2^4\right)\right],$$

$$\mathsf{C} = \frac{\vartheta_3^6}{\vartheta_0^8}\,2\left[-1+\frac{\Lambda}{2}\left(\frac{\vartheta_0^4}{2}+\vartheta_2^4-\frac{1}{\pi^2}\frac{\vartheta_0''}{\vartheta_0}\right)\right].$$

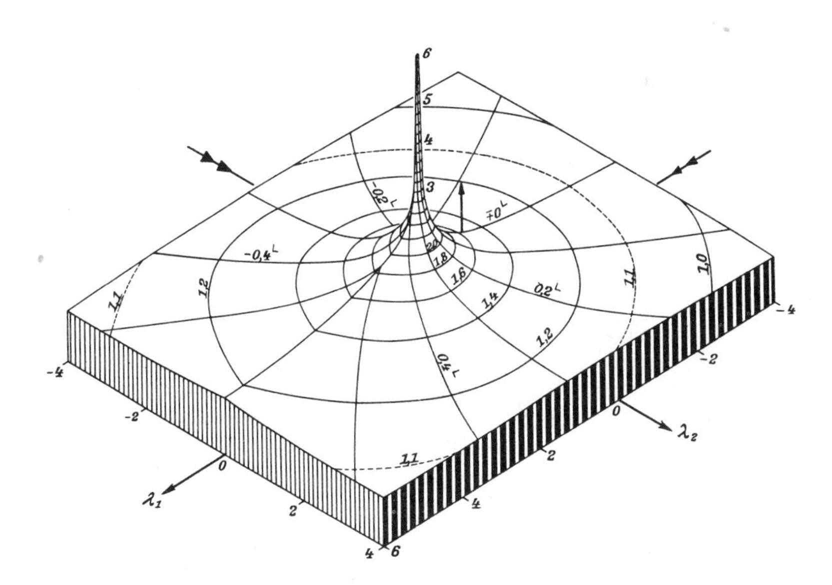

Fig. 38. Relief des vollständigen elliptischen Integrals K als Funktion von $\lambda = k^2$.

Fig. 38. Relief of the complete elliptic integral K as function of $\lambda = k^2$.

16. Differential- und Integralformeln: | **16. Derivatives and Integrals:**

$$x \equiv k^2$$

$$2\frac{d\mathsf{K}}{dx} = \frac{\mathsf{B}}{1-x}$$

$$2\frac{d\mathsf{E}}{dx} = -\mathsf{D}$$

$$2\frac{d\mathsf{D}}{dx} = \frac{\mathsf{D}-\mathsf{C}}{1-x}$$

$$2\frac{d\mathsf{B}}{dx} = \mathsf{C}$$

$$2x\frac{d\mathsf{C}}{dx} = \frac{\mathsf{B}}{1-x} - 4\mathsf{C}$$

$$\int \mathsf{K}\,dx = 2x\mathsf{B}$$

$$\int \mathsf{E}\,dx = \frac{2x}{3}(\mathsf{E}+\mathsf{B})$$

$$\int \mathsf{D}\,dx = -2\mathsf{E}$$

$$\int \mathsf{B}\,dx = 2(\mathsf{E}+x\mathsf{B})$$

$$\int \mathsf{C}\,dx = 2\mathsf{B}$$

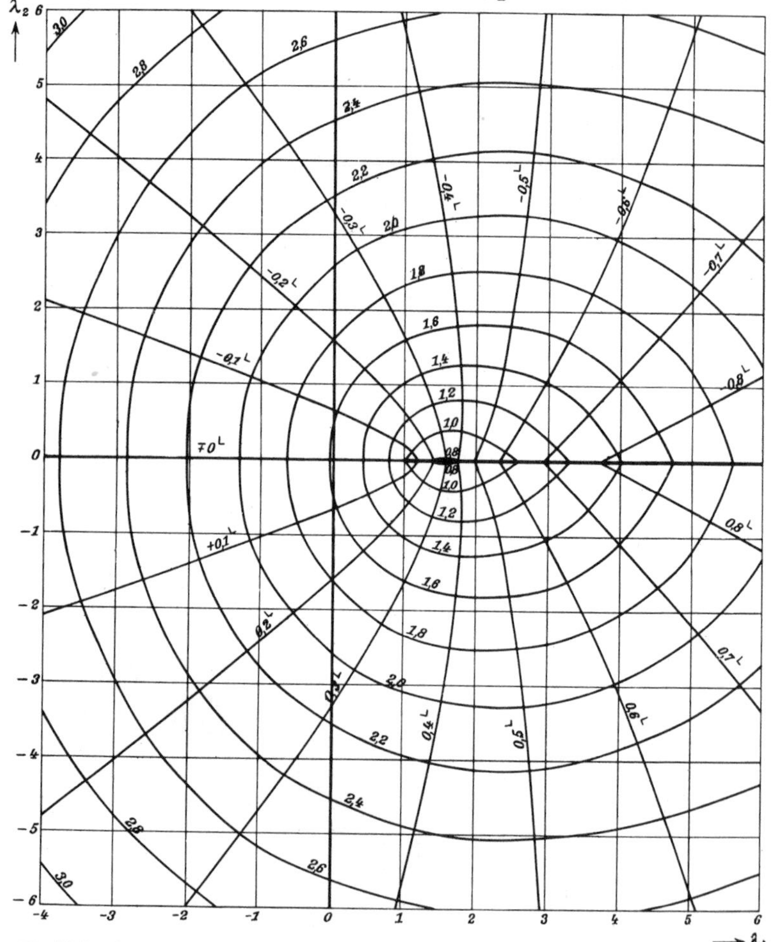

Fig. 39. Höhenkarte des vollständigen elliptischen Integrals E als Funktion von $\lambda = k^2$.

Fig. 39. Altitude chart of the complete elliptic integral E as function of $\lambda = k^2$.

$$\int \mathsf{K} x\,dx = \frac{2x}{9}[(4+3x)\mathsf{B} - 2\mathsf{E}]$$

$$\int \mathsf{E} x\,dx = \frac{2x}{45}[(4+3x)\mathsf{B} + (9x-2)\mathsf{E}]$$

$$\int \mathsf{D} x\,dx = \frac{2x}{3}(2\mathsf{B} - \mathsf{E}) = \frac{2x^2}{3}(\mathsf{D} - \mathsf{C})$$

$$\int \mathsf{B} x\,dx = \frac{2x}{9}[(3x-2)\mathsf{B} + \mathsf{E}] = \frac{2x^2}{9}(3\mathsf{B} - \mathsf{D} + \mathsf{C})$$

$$\int \mathsf{C} x\,dx = -2(2\mathsf{E} + x\mathsf{B})$$

$$\int \mathsf{K} x^2 dx = \frac{2x}{225}[(64+48x+45x^2)\mathsf{B} - 4(8+9x)\mathsf{E}]$$

$$\int \mathsf{D} x^2 dx = \frac{2x}{45}[4(4+3x)\mathsf{B} - (8+9x)\mathsf{E}]$$

$$\int \mathsf{B} x^2 dx = \frac{2x}{225}[(-16-12x+45x^2)\mathsf{B} + (8+9x)\mathsf{E}]$$

$$\int \mathsf{C} x^2 dx = \frac{2x}{9}[(8-3x)\mathsf{B} - 4\mathsf{E}] = \frac{2x^2}{9}[4(\mathsf{D} - \mathsf{C}) - 3\mathsf{B}]$$

$$\int \mathsf{C} x^3 dx = \frac{6x}{225}[(32+24x-15x^2)\mathsf{B} - 2(8+9x)\mathsf{E}]$$

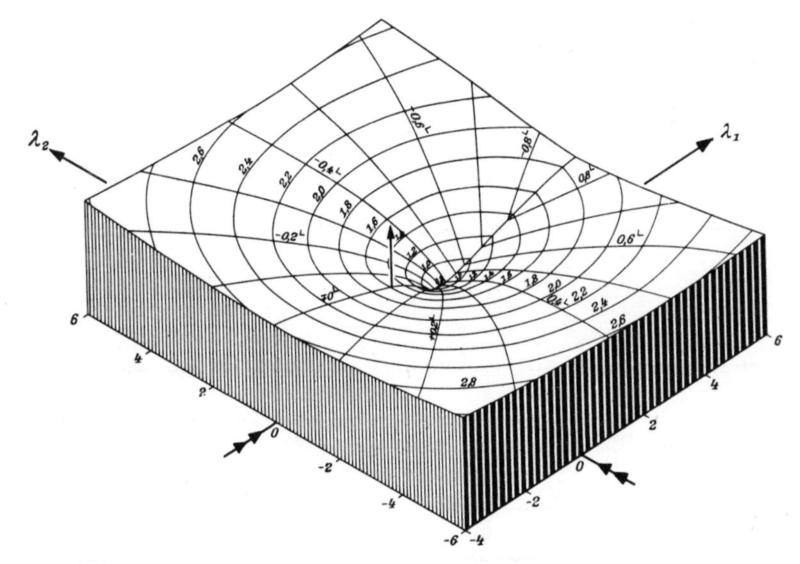

Fig. 40. Relief des vollständigen elliptischen Integrals E als Funktion von $\lambda = k^2$.
Fig. 40. Relief of the complete elliptic integral E as function of $\lambda = k^2$.

$$\int \frac{\mathsf{K}}{x^{1{,}5}}\,dx = -\,2\,\frac{\mathsf{E}}{\sqrt{x}}$$

$$\int \frac{\mathsf{E}}{x^{1{,}5}}\,dx = -\,2\left(\frac{\mathsf{E}}{\sqrt{x}} + \sqrt{x}\,\mathsf{B}\right)$$

$$\int \frac{\mathsf{E}}{1-x}\,dx = 2\,x\,\mathsf{D}$$

$$\int \frac{\mathsf{E}+\mathsf{B}}{(1-x)^2}\,dx = 2\,\frac{\mathsf{E}}{1-x}$$

$$\int \frac{\sqrt{x}\,\mathsf{B} + \dfrac{\mathsf{E}}{\sqrt{x}}}{(1-x)^2}\,dx = 2\sqrt{x}\,\frac{\mathsf{E}}{1-x}$$

$$\int \frac{2\sqrt{x}\,\mathsf{B} - \dfrac{\mathsf{E}}{\sqrt{x}}}{x(1-x)}\,dx = 2\,\frac{\mathsf{K}}{\sqrt{x}}$$

$$\int \frac{\mathsf{D}}{\sqrt{x}}\,dx = 2\sqrt{x}\,\mathsf{B}$$

$$\int \frac{\mathsf{E}}{x^{2{,}5}}\,dx = -\,\frac{2}{9\,x^{1{,}5}}\left[(3-2x)\,\mathsf{E} + x\,\mathsf{B}\right]$$

$$\int \frac{\mathsf{E}}{1-x}\,\frac{dx}{\sqrt{x}} = 2\sqrt{x}\,\mathsf{K}$$

$$\int (\mathsf{K}+\mathsf{D})\,dx = -\,2\,(1-x)\,\mathsf{K}$$

$$\int \left(\frac{\mathsf{E}}{\sqrt{x}} - \sqrt{x}\,\mathsf{D}\right) dx = 2\sqrt{x}\,\mathsf{E}$$

$$\int \frac{\mathsf{D}-3\,\mathsf{C}}{\sqrt{x}}\,dx = 2\,(1-x)\sqrt{x}\,\mathsf{C}$$

K

k^2		0	1	2	3	4	5	6	7	8	9	d	k'^2
0,0	1,5	708	747	787	828	869	910	952	994	*037	*080	41	0,9
0,1	1,6	124	169	214	260	306	353	400	448	497	546	47	0,8
0,2		596	647	698	751	804	857	912	967	*024	*081	53	0,7
0,3	1,7	139	198	258	319	381	444	508	573	639	706	63	0,6
0,4		775	845	916	989	*063	*139	*216	*295	*375	*457	76	0,5
0,5	1,8	541	626	714	804	895	989	*085	*184	*285	*398	94	0,4
0,6	1,9	496	605	718	834	953	*0076	*0203	*0334	*0469	*0609	123	0,3
0,7	2,	0754	0904	1059	1221	1390	1565	1748	1940	2140	2351	175	0,2
0,8		2572	2805	3052	3314	3593	3890	4209	4553	4926	5333	397	0,1
0,9		5781	6278	6836	7471	8208	9083	*0161	*1559	*3541	*6956	875	0,0
k'^2		10	9	8	7	6	5	4	3	2	1	d	k^2

K′

$$\mathsf{h} = \mathsf{K} - \ln\frac{4}{k'}$$

k^2		0	1	2	3	4	5	6	7	8	9	d	k'^2
0,7	0,0	871	851	832	812	791	771	750	728	707	684	20	0,2
0,8		662	639	615	591	567	542	516	489	462	434	24	0,1
0,9		405	375	344	321	278	242	204	163	118	068	36	0,0
k'^2		10	9	8	7	6	5	4	3	2	1	d	k^2

$$\mathsf{h}' = \mathsf{K}' - \ln\frac{4}{k}$$

Rekursionsformeln[1]: | Recurrence formulae[1]:

$$(2n+3)^2\int \mathsf{K}x^{n+1}\,dx - 4(n+1)^2\int \mathsf{K}x^n\,dx = 2x^{n+1}[\mathsf{E}-(2n+3)(1-x)\mathsf{K}]$$
$$= 2x^{n+1}[(2n+3)x\mathsf{B}-2(n+1)\mathsf{E}]$$

$$4(n+1)^2\int \mathsf{E}x^n\,dx - (2n+3)(2n+5)\int \mathsf{E}x^{n+1}\,dx$$
$$= 2x^{n+1}\{[2n+1-(2n+3)x]\mathsf{E}+(1-x)\mathsf{K}\}$$
$$= 2x^{n+1}\{[2(n+1)-(2n+3)x]\mathsf{E}-x\mathsf{B}\}$$

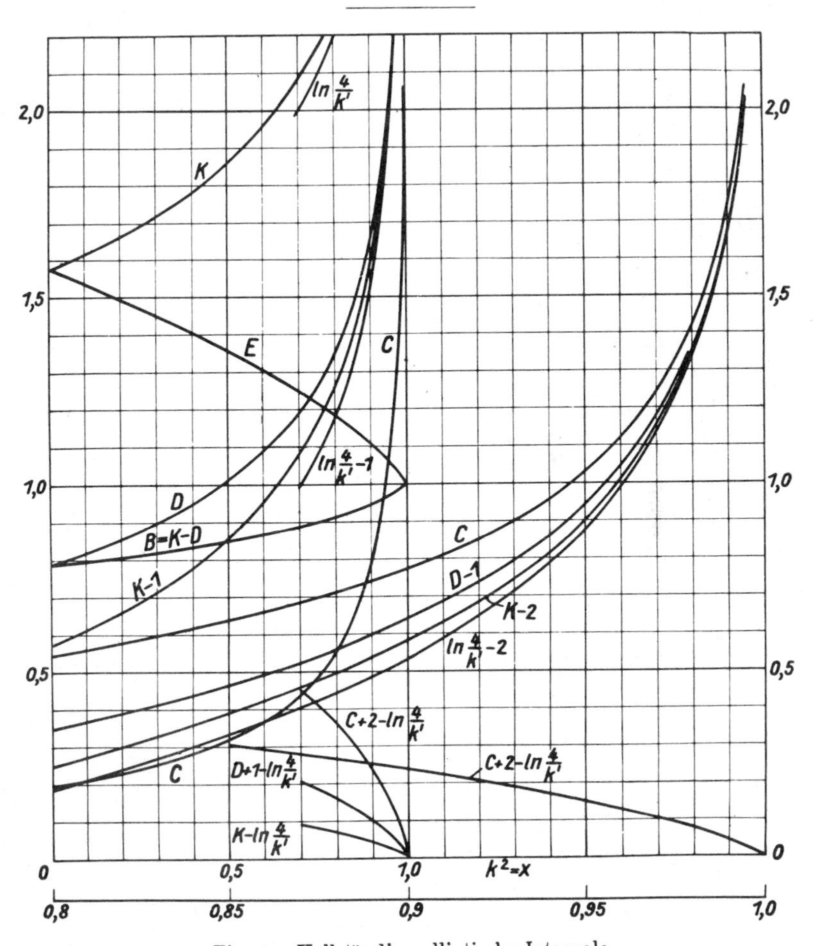

Fig. 41. Vollständige elliptische Integrale.
Fig. 41. Complete elliptic integrals.

1) K. F. Müller, Arch. Elektrot. **17** (1926), S. 336.

$$\int_0^1 \mathsf{K}\,dk = 2\left(\frac{1}{1^2} - \frac{1}{3^2} + \frac{1}{5^2} - + \cdots\right) = 2G$$

$$G = 0{,}915\,965\,594$$ (Catalansche Konstante). (Catalan's constant).

17. Hypergeometrische Differentialgleichungen:

17. Hypergeometric differential equations:

$$\frac{1}{4}\mathsf{K} = \frac{d}{dx}\left(x(1-x)\frac{d\mathsf{K}}{dx}\right) \qquad x(1-x)\frac{d^2\mathsf{K}}{dx^2} + (1-2x)\frac{d\mathsf{K}}{dx} - \frac{1}{4}\mathsf{K} = 0$$

$$-\frac{1}{4}\mathsf{E} = (1-x)\frac{d}{dx}\left(x\frac{d\mathsf{E}}{dx}\right) \qquad x(1-x)\frac{d^2\mathsf{E}}{dx^2} + (1-x)\frac{d\mathsf{E}}{dx} + \frac{1}{4}\mathsf{E} = 0$$

$$-\frac{1}{4}\mathsf{D} = \frac{d}{dx}\left((1-x)\frac{dx\mathsf{D}}{dx}\right) \qquad x(1-x)\frac{d^2\mathsf{D}}{dx^2} + (2-3x)\frac{d\mathsf{D}}{dx} - \frac{3}{4}\mathsf{D} = 0$$

$$\frac{1}{4}\mathsf{B} = (1-x)\frac{d^2x\mathsf{B}}{dx^2} \qquad x(1-x)\frac{d^2\mathsf{B}}{dx^2} + 2(1-x)\frac{d\mathsf{B}}{dx} - \frac{1}{4}\mathsf{B} = 0$$

$$\frac{1}{4}\mathsf{C} = \frac{d}{dx}\left(\frac{1-x}{x}\frac{dx^2\mathsf{C}}{dx}\right) \qquad x(1-x)\frac{d^2\mathsf{C}}{dx^2} + (3-4x)\frac{d\mathsf{C}}{dx} - \frac{9}{4}\mathsf{C} = 0$$

E

k^2		0	1	2	3	4	5	6	7	8	9	d	k'^2
0,0	1,5	708	669	629	589	550	510	470	429	389	348	40	0,9
0,1		308	267	226	184	143	101	059	017	*975	*933	42	0,8
0,2	1,4	890	848	805	762	718	675	631	587	543	498	43	0,7
0,3		454	409	364	318	273	227	181	134	088	041	46	0,6
0,4	1,3	994	947	899	851	803	754	705	656	606	557	49	0,5
0,5		506	456	405	354	302	250	198	145	092	038	52	0,4
0,6	1,2	984	930	875	819	763	707	650	593	534	476	56	0,3
0,7		417	357	296	235	173	111	047	*983	*918	*852	62	0,2
0,8	1,1	785	717	648	578	507	434	360	285	207	129	73	0,1
0,9		048	*965	*879	*791	*700	*605	*505	*399	*286	*160	95	0,0
k'^2		10	9	8	7	6	5	4	3	2	1	d	k^2

E′

$\ln\frac{4}{k'}$

k^2		0	1	2	3	4	5	6	7	8	9	d	k'^2
0,7	1,	9883	*0052	*0228	*0410	*0598	*0794	*0999	*1211	*1434	*1666	196	0,2
0,8	2,•	1910	2167	2437	2723	3026	3348	3694	4064	4464	4899	322	0,1
0,9		5376	5903	6492	7159	7930	8842	9957	*1396	*3423	*6889	912	0,0
k'^2		10	9	8	7	6	5	4	3	2	1	d	k^2

$\ln\frac{4}{k}$

18. Vollständiges elliptisches Integral dritter Gattung[1]):

18. Complete elliptic integral of the third kind[1]):

$$\int_0^{\frac{\pi}{2}} \frac{\sqrt{\cos^2\varphi + k'^2\sin^2\varphi}}{\cos^2\varphi + \lambda'^2\sin^2\varphi}\, d\varphi = \sqrt{\lambda'^2 - k'^2}\left(\frac{\operatorname{arc\,cos}\frac{1}{\lambda'}}{\lambda'\sqrt{\lambda'^2-1}} + R\right),$$

wo | where

$$\begin{aligned} R = {} & \frac{k'^2}{2}\left(\Lambda + \frac{1}{2}\right)\frac{1}{\lambda'^3} \\ & + \frac{k'^4}{16}\left[-1 + \left(\Lambda + \frac{1}{4}\right)\frac{1}{\lambda'^3}\left(1 + \frac{6}{\lambda'^2}\right)\right] \\ & + \frac{k'^6}{16}\left[-\frac{7}{16} - \frac{1}{\lambda'^2} + \left(\Lambda + \frac{1}{6}\right)\frac{1}{\lambda'^3}\left(\frac{3}{8} + \frac{1}{\lambda'^2} + \frac{5}{\lambda'^4}\right)\right] \\ & + \frac{15k'^8}{256}\left[-\frac{37}{144} - \frac{21}{40\lambda'^2} - \frac{1}{\lambda'^4} + \left(\Lambda + \frac{1}{8}\right)\frac{1}{\lambda'^3}\left(\frac{5}{24} + \frac{9}{20\lambda'^2} + \frac{1}{\lambda'^4} + \frac{14}{3\lambda'^6}\right)\right] \\ & + \cdots \end{aligned}$$

mit
with
$$\Lambda = \ln\frac{4}{k'}, \qquad k' = 4e^{-\Lambda}.$$

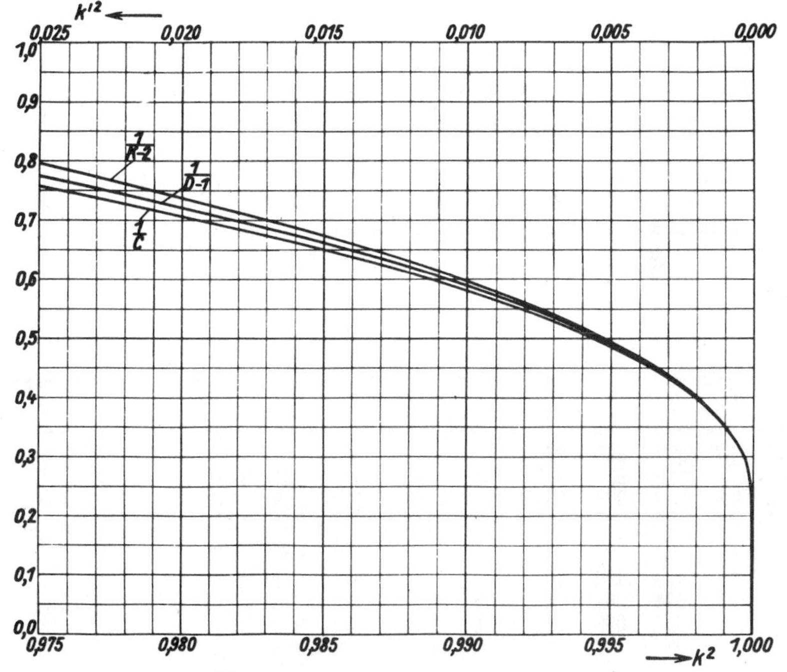

Fig. 42. Große Werte von K, D, C.

1) G. Hamel, Sitzungsber. der Berl. math. Ges. **31** (1932), S. 17—22.

$$\mathsf{C} = \frac{\mathsf{D} - \mathsf{B}}{k^2}$$

k^2		0	1	2	3	4	5	6	7	8	9	d	k'^2
0,0	0,1	9635	9783	9934	*0087	*0243	*0401	*0562	*0726	*0892	*1061	158	0,9
0,1	0,2	1233	1408	1586	1767	1951	2139	2330	2525	2723	2925	188	0,8
0,2		3131	3341	3555	3773	3995	4222	4445	4690	4931	5177	227	0,7
0,3		5429	5686	5949	6217	6491	6772	7060	7354	7655	7963	281	0,6
0,4		828	860	894	928	963	998	*035	*073	*112	*152	35	0,5
0,5	0,3	193	235	279	324	370	418	467	518	571	625	48	0,4
0,6		682	740	801	863	929	996	*067	*140	*217	*297	67	0,3
0,7	0,4	380	468	559	656	757	863	975	*094	*219	*353	106	0,2
0,8	0,5	495	646	809	983	*171	*375	*596	*839	**106	**402	204	0,1
0,9	0,	7733	8107	8535	9032	9620	*0336	*1239	*2442	*4203	*7351	716	0,0
k'^2		10	9	8	7	6	5	4	3	2	1	d	k^2

$$\mathsf{C}' = \frac{\mathsf{D}' - \mathsf{B}'}{k'^2}.$$

$$\mathsf{c} = \mathsf{C} + 2 - \ln \frac{4}{k'}$$

k^2		0	1	2	3	4	5	6	7	8	9	d	k'^2
0,7	0,	4497	4416	4331	4246	4159	4069	3976	3883	3785	3687	90	0,2
0,8		3585	3479	3372	3260	3145	3027	2902	2775	2642	2503	118	0,1
0,9		236	220	204	187	169	149	128	105	078	046	20	0,0
k'^2		10	9	8	7	6	5	4	3	2	1	d	k^2

$$\mathsf{c}' = \mathsf{C}' + 2 - \ln \frac{4}{k}$$

$$\mathsf{B} = \mathsf{K} - \mathsf{D}$$

k^2		0	1	2	3	4	5	6	7	8	9	d	k'^2
0,0	0,7	854	863	874	884	894	904	914	924	935	945	10	0,9
0,1		956	967	977	989	999	*011	*021	*031	*044	*055	12	0,8
0,2	0,8	067	078	090	102	114	125	138	150	163	175	11	0,7
0,3		188	201	214	227	240	253	267	279	294	307	13	0,6
0,4		322	336	350	365	380	395	410	426	441	456	15	0,5
0,5		472	488	504	521	537	554	571	589	607	625	17	0,4
0,6		644	662	681	700	719	739	760	780	801	821	20	0,3
0,7		844	866	888	911	935	959	983	*009	*034	*061	24	0,2
0,8	0,9	088	115	144	174	205	236	268	301	336	373	31	0,1
0,9		411	451	492	536	583	632	686	745	811	889	49	0,0
k'^2		10	9	8	7	6	5	4	3	2	1	d	k^2

$$\mathsf{B}' = \mathsf{K}' - \mathsf{D}'$$

$$D = \frac{K - E}{k^2}$$

k^2		0	1	2	3	4	5	6	7	8	9	d	k'^2
0,0	0,7	854	884	913	944	975	*006	*038	*070	*102	*135	31	0,9
0,1	0,8	168	202	237	271	307	342	379	416	453	491	35	0,8
0,2		529	569	608	649	690	732	774	817	861	906	42	0,7
0,3		951	997	*044	*092	*141	*191	*241	*292	*345	*399	50	0,6
0,4	0,9	453	509	566	624	683	744	806	869	934	*001	61	0,5
0,5	1,0	069	138	210	283	358	435	514	595	678	764	77	0,4
0,6	1,	0852	0943	1037	1134	1234	1337	1443	1554	1668	1788	103	0,3
0,7		1910	2038	2171	2310	2455	2606	2765	2931	3106	3290	151	0,2
0,8		3484	3690	3908	4141	4388	4654	4941	5252	5590	5960	266	0,1
0,9		6370	6827	7344	7935	8625	9451	*0475	*1814	*3730	*7067	826	0,0
k'^2		10	9	8	7	6	5	4	3	2	1	d	k^2

$$D' = \frac{K' - E'}{k'^2}$$

$$d = D + 1 - \ln \frac{4}{k'}$$

k^2		0	1	2	3	4	5	6	7	8	9	d	k'^2
0,7	0,1	—	986	943	900	857	812	766	720	672	624	45	0,2
0,8		574	523	471	417	362	306	247	188	126	061	56	0,1
0,9	0,0	994	924	852	776	695	609	518	418	307	178	86	0,0
k'^2		10	9	8	7	6	5	4	3	2	1	d	k^2

$$d' = D' + 1 - \ln \frac{4}{k}$$

Genauere Tafeln: | **More-figure tables:**

a) A. M. Legendre, Tafeln der ell. Int. (Stuttgart 1931 bei Wittwer, Nachdruck) geben F und E mit 9 Dezimalen, die vollst. Int. K und E mit 12 Dezimalen. Schritt 1° in beiden Argumentwinkeln.

b) L. M. Milne-Thomson, Proc. London math. Soc. **33** (1930) p. 160—164, gibt K, E, ϑ_3^{-2} mit 10 Dezimalen für $k^2 = 0{,}01 \ldots 1{,}00$.

c) A M. Legendre, Tables of the complete und incomplete ell. int. with an introduction by Karl Pearson (London 1934, Cambridge University Press).

Siehe auch: Verzeichnis berechneter Funktionentafeln (Berlin 1928 beim VDI).

Formelsammlungen: | **Collections of Formulae:**

a) J. Hoüel, Recueil de formules et de tables numériques (Paris 1901 bei Gauthier-Villars).

b) W. Laska, Sammlung von Formeln (Braunschweig 1888 bis 1894).

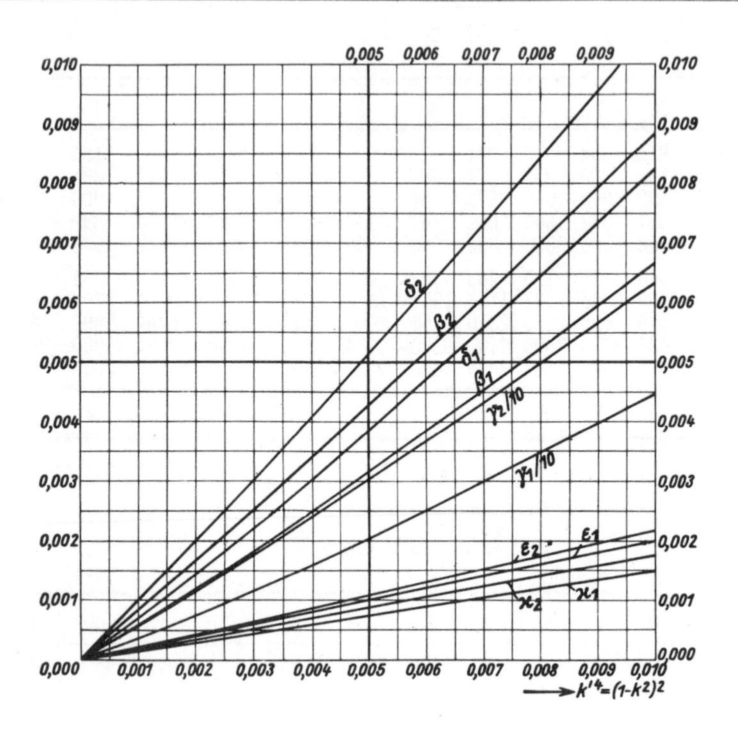

$$\mathsf{E} - 1 = (0{,}5\,k'^2 + \varepsilon_1)\ln\frac{4}{k'} - (0{,}25\,k'^2 + \varepsilon_2)$$

$$1 - \mathsf{B} = (0{,}5\,k'^2 + \beta_1)\ln\frac{4}{k'} - (0{,}75\,k'^2 + \beta_2)$$

Fig. 43. $$\mathsf{K} = \ln\frac{4}{k'} + (0{,}25\,k'^2 + \varkappa_1)\ln\frac{4}{k'} - (0{,}25\,k'^2 + \varkappa_2)$$

$$1 + \mathsf{D} = \ln\frac{4}{k'} + (0{,}75\,k'^2 + \delta_1)\ln\frac{4}{k'} - (k'^2 + \delta_2)$$

$$2 + \mathsf{C} = \ln\frac{4}{k'} + (2{,}25\,k'^2 + \gamma_1)\ln\frac{4}{k'} - (3{,}75\,k'^2 + \gamma_2).$$

Lehrbücher: | **Text books:**

a) O. Schlömilch, Compendium der höh. An., Bd. II, S. 283—363 (Braunschweig 1874).
b) A. Enneper, Ell. Funktionen (Halle 1876 bei Nebert). 541 S.
c) H. Hancock, Ell. Integrals (New York 1917 bei Wiley). 104 S.
d) K. H. Schellbach, Ell. Int. und Theta-Funktionen (Berlin 1864 bei Reimer). 440 S.
e) J. Hak, Eisenlose Drosselspulen (Leipzig 1938 bei K. F. Koehler). 316 Seiten.

α	K	E	α	K	E	α	K	E
0°	1,5708	1,5708	50°	1,9356	1,3055	82° 0′	3,3699	1,0278
1°	1,5709	1,5707	51°	1,9539	1,2963	82° 12′	3,3946	1,0267
2°	1,5713	1,5703	52°	1,9729	1,2870	82° 24′	3,4199	1,0256
3°	1,5719	1,5697	53°	1,9927	1,2776	82° 36′	3,4460	1,0245
4°	1,5727	1,5689	54°	2,0133	1,2682	82° 48′	3,4728	1,0234
5°	1,5738	1,5678	55°	2,0347	1,2587	83° 0′	3,5004	1,0223
6°	1,5751	1,5665	56°	2,0571	1,2492	83° 12′	3,5288	1,0213
7°	1,5767	1,5650	57°	2,0804	1,2397	83° 24′	3,5581	1,0202
8°	1,5785	1,5632	58°	2,1047	1,2301	83° 36′	3,5884	1,0192
9°	1,5805	1,5611	59°	2,1300	1,2206	83° 48′	3,6196	1,0182
10°	1,5828	1,5589	60°	2,1565	1,2111	84° 0′	3,6519	1,0172
11°	1,5854	1,5564	61°	2,1842	1,2015	84° 12′	3,6853	1,0163
12°	1,5882	1,5537	62°	2,2132	1,1921	84° 24′	3,7198	1,0153
13°	1,5913	1,5507	63°	2,2435	1,1826	84° 36′	3,7557	1,0144
14°	1,5946	1,5476	64°	2,2754	1,1732	84° 48′	3,7930	1,0135
15°	1,5981	1,5442	65°	2,3088	1,1638	85° 0′	3,8317	1,0127
16°	1,6020	1,5405	66°	2,3439	1,1546	85° 12′	3,8721	1,0118
17°	1,6061	1,5367	67°	2,3809	1,1454	85° 24′	3,9142	1,0110
18°	1,6105	1,5326	68°	2,4198	1,1362	85° 36′	3,9583	1,0102
19°	1,6151	1,5283	69°	2,4610	1,1273	85° 48′	4,0044	1,0094
20°	1,6200	1,5238	70° 0′	2,5046	1,1184	86° 0′	4,0528	1,0087
21°	1,6252	1,5191	70° 30′	2,5273	1,1140	86° 12′	4,1037	1,0079
22°	1,6307	1,5142	71° 0′	2,5507	1,1096	86° 24′	4,1574	1,0072
23°	1,6365	1,5090	71° 30′	2,5749	1,1053	86° 36′	4,2142	1,0065
24°	1,6426	1,5037	72° 0′	2,5998	1,1011	86° 48′	4,2746	1,0059
25°	1,6490	1,4981	72° 30′	2,6256	1,0968	87° 0′	4,3387	1,0053
26°	1,6557	1,4924	73° 0′	2,6521	1,0927	87° 12′	4,4073	1,0047
27°	1,6627	1,4864	73° 30′	2,6796	1,0885	87° 24′	4,4812	1,0041
28°	1,6701	1,4803	74° 0′	2,7081	1,0844	87° 36′	4,5609	1,0036
29°	1,6777	1,4740	74° 30′	2,7375	1,0804	87° 48′	4,6477	1,0031
30°	1,6858	1,4675	75° 0′	2,7681	1,0764	88° 0′	4,7427	1,0026
31°	1,6941	1,4608	75° 30′	2,7998	1,0725	88° 12′	4,8479	1,0022
32°	1,7028	1,4539	76° 0′	2,8327	1,0686	88° 24′	4,9654	1,0017
33°	1,7119	1,4469	76° 30′	2,8669	1,0648	88° 36′	5,0988	1,0014
34°	1,7214	1,4397	77° 0′	2,9026	1,0611	88° 48′	5,2527	1,0010
35°	1,7313	1,4323	77° 30′	2,9397	1,0574	89° 0′	5,4349	1,0008
36°	1,7415	1,4248	78° 0′	2,9786	1,0538	89° 6′	5,5402	1,0006
37°	1,7522	1,4171	78° 30′	3,0192	1,0502	89° 12′	5,6579	1,0005
38°	1,7633	1,4092	79° 0′	3,0617	1,0468	89° 18′	5,7914	1,0005
39°	1,7748	1,4013	79° 30′	3,1064	1,0434	89° 24′	5,9455	1,0003
40°	1,7868	1,3931	80° 0′	3,1534	1,0401	89° 30′	6,1278	1,0002
41°	1,7992	1,3849	80° 12′	3,1729	1,0388	89° 36′	6,3509	1,0001
42°	1,8122	1,3765	80° 24′	3,1928	1,0375	89° 42′	6,6385	1,0001
43°	1,8256	1,3680	80° 36′	3,2132	1,0363	89° 48′	7,0440	1,0000
44°	1,8396	1,3594	80° 48′	3,2340	1,0350	89° 54′	7,7371	1,0000
45°	1,8541	1,3506	81° 0′	3,2553	1,0338	90°	∞	1,0000
46°	1,8692	1,3418	81° 12′	3,2771	1,0326			
47°	1,8848	1,3329	81° 24′	3,2995	1,0313			
48°	1,9011	1,3238	81° 36′	3,3223	1,0302			
49°	1,9180	1,3147	81° 48′	3,3458	1,0290			

C. Anwendung der vollständigen elliptischen Integrale auf die Induktivität von dünnwandigen Rohrspulen.[1])

C. Application of the complete elliptic integrals to the inductance of thin walled cylindrical coils.[1])

d Spulendurchmesser, l Spulenlänge, $\operatorname{tg}\alpha = d/l$, $k = \sin\alpha$ = Modul, w Windungszahl, L Induktivität der Spule,

d diameter of coil, l length of coil, $\operatorname{tg}\alpha = d/l$, $k = \sin\alpha$ = modulus, w number of turns, L inductance of the coil,

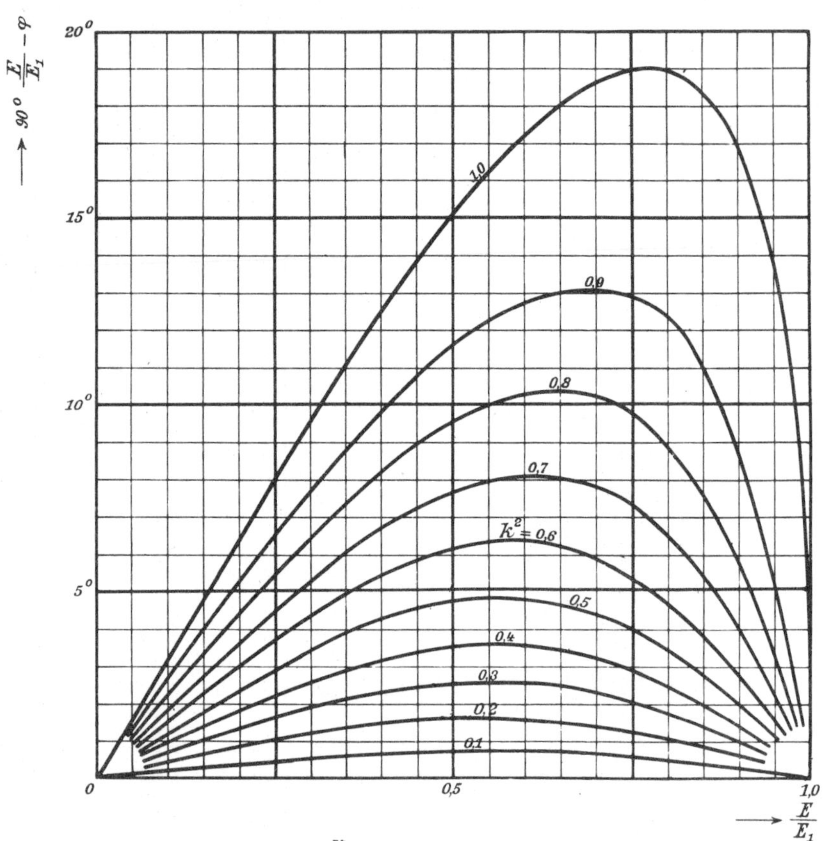

Fig. 44. $\varphi = 90^0 \frac{E}{E_1}$ — periodische Funktion. ($E_1 = \mathsf{E}$).

1) a) P. Debye, Enzykl. math. Wiss., V 2, Art. 17, S. 469.
b) F. Emde, Elektrotech. u. Machinenbau (Wien) **30** (1912). S. 224.
c) H. Nagaoka und S. Sakurai, Table No. 2 (Tokyo 1927, Inst. of phys. and chem. res.), p. 69—180. Ausgedehnte 6stellige Tafeln.
d) K. F. Müller, Archiv f. Elektrotechnik **17** (1926), S. 336—353. (Dort auch Differential- und Integral-Formeln.)
e) F. Ollendorff, Potentialfelder der Elektrotechnik (Berlin 1932 bei Springer), S. 100 bis 123.

$\Pi = 1{,}256 \cdot 10^{-8}$ Henry/cm Permeabilität des leeren Raumes, Wandstärke der Spule sehr klein gegen d und l. Dann ist

$\Pi = 1{,}256 \cdot 10^{-8}$ henry/cm permeability of vacuous space, thickness of the coil very small compared with d and l. Then

$$L = w^2 d \cdot \Pi \cdot \frac{1}{3}\left(\frac{\mathsf{K} + (\mathrm{tg}^2\,\alpha - 1)\,\mathsf{E}}{\sin\alpha} - \mathrm{tg}^2\,\alpha\right).$$

(cf. p. 88, 89.)

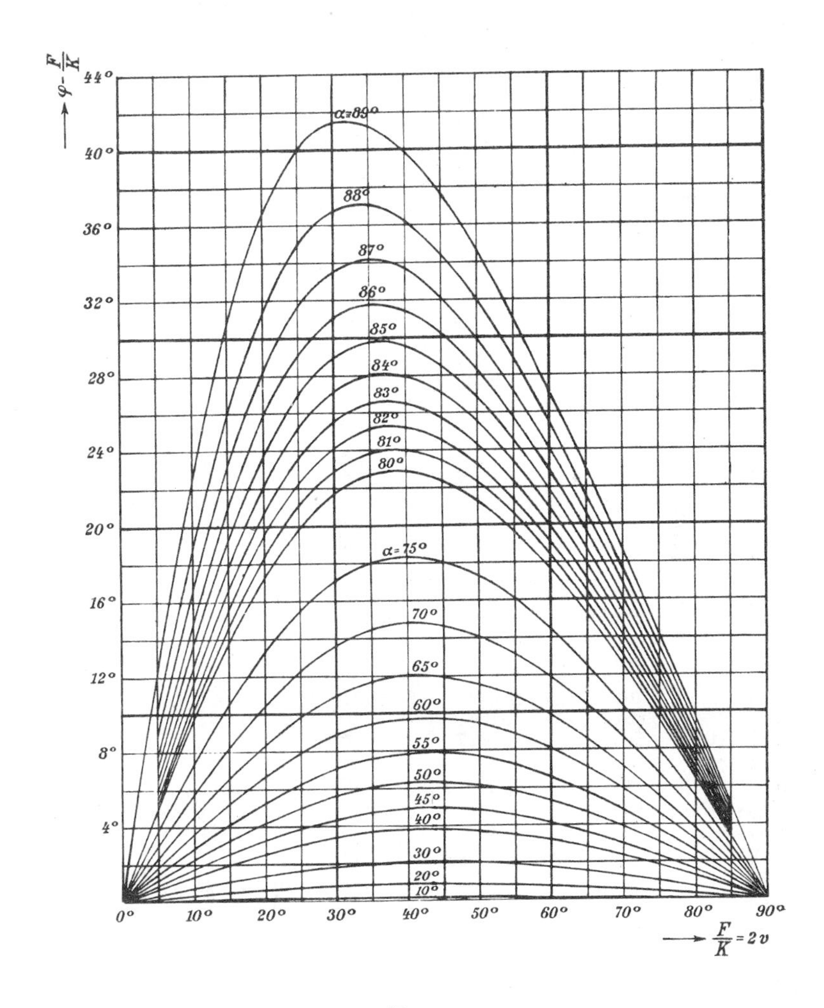

Fig. 45. $\varphi = 90^0 \frac{F}{\mathsf{K}} +$ periodische Funktion.

Lange Spulen.
Long coils.

(cf. p. 86.)

$\frac{d}{l}$	$\frac{4\pi L}{\Pi w^2 d}$	$\frac{4\pi L}{\Pi w^2 l}$	$\frac{d}{l}$	$\frac{4\pi L}{\Pi w^2 d}$	$\frac{4\pi L}{\Pi w^2 l}$
0,00	0	0	0,50	4,037	2,019
0,01	0,09828	$0{,}0^{3}9828$	0,51	4,103	2,092
0,02	0,1957	$0{,}0^{2}3915$	0,52	4,168	2,167
0,03	0,2924	$0{,}0^{2}8771$	0,53	4,232	2,243
0,04	0,3882	0,015526	0,54	4,296	2,320
0,05	0,4832	0,02416	0,55	4,359	2,398
0,06	0,5774	0,03464	0,56	4,422	2,476
0,07	0,6708	0,04695	0,57	4,485	2,556
0,08	0,7634	0,06107	0,58	4,547	2,637
0,09	0,8552	0,07697	0,59	4,608	2,719
0,10	0,9463	0,09463	0,60	4,669	2,802
0,11	1,0366	0,11403	0,61	4,730	2,885
0,12	1,1262	0,13514	0,62	4,790	2,970
0,13	1,2150	0,15795	0,63	4,850	3,056
0,14	1,3030	0,1824	0,64	4,909	3,142
0,15	1,3903	0,2086	0,65	4,968	3,229
0,16	1,4769	0,2363	0,66	5,027	3,318
0,17	1,5628	0,2657	0,67	5,085	3,407
0,18	1,6480	0,2966	0,68	5,143	3,497
0,19	1,7324	0,3292	0,69	5,200	3,588
0,20	1,816	0,3632	0,70	5,257	3,680
0,21	1,899	0,3988	0,71	5,313	3,772
0,22	1,982	0,4360	0,72	5,369	3,866
0,23	2,063	0,4746	0,73	5,425	3,960
0,24	2,144	0,5146	0,74	5,480	4,055
0,25	2,225	0,5562	0,75	5,535	4,151
0,26	2,304	0,5992	0,76	5,590	4,248
0,27	2,383	0,6435	0,77	5,644	4,346
0,28	2,462	0,6893	0,78	5,698	4,444
0,29	2,540	0,7365	0,79	5,751	4,543
0,30	2,617	0,7850	0,80	5,804	4,643
0,31	2,693	0,8349	0,81	5,857	4,744
0,32	2,769	0,8862	0,82	5,909	4,845
0,33	2,845	0,9387	0,83	5,961	4,948
0,34	2,919	0,9925	0,84	6,013	5,051
0,35	2,993	1,0477	0,85	6,064	5,154
0,36	3,067	1,1041	0,86	6,115	5,259
0,37	3,140	1,1617	0,87	6,165	5,364
0,38	3,212	1,2206	0,88	6,216	5,470
0,39	3,284	1,2807	0,89	6,266	5,576
0,40	3,355	1,3420	0,90	6,315	5,684
0,41	3,426	1,4045	0,91	6,365	5,792
0,42	3,496	1,4682	0,92	6,414	5,901
0,43	3,565	1,5331	0,93	6,462	6,010
0,44	3,634	1,5991	0,94	6,511	6,120
0,45	3,703	1,6663	0,95	6,559	6,231
0,46	3,771	1,7346	0,96	6,606	6,342
0,47	3,838	1,804	0,97	6,654	6,454
0,48	3,905	1,874	0,98	6,701	6,567
0,49	3,971	1,946	0,99	6,748	6,680
0,50	4,037	2,019	1,00	6,794	6,794

Flache Spulen.
Flat coils.

$\frac{l}{d}$	$\frac{4\pi L}{\Pi w^2 d}$	$\frac{4\pi L}{\Pi w^2 l}$	$\frac{l}{d}$	$\frac{4\pi L}{\Pi w^2 d}$	$\frac{4\pi L}{\Pi w^2 l}$
0,00	∞	∞	0,50	10,373	20,75
0,01	34,50	3450,4	0,51	10,263	20,12
0,02	30,15	1507,5	0,52	10,155	19,53
0,03	27,60	920,2	0,53	10,049	18,96
0,04	25,80	645,0	0,54	9,946	18,42
0,05	24,40	488,0	0,55	9,845	17,900
0,06	23,26	387,6	0,56	9,746	17,404
0,07	22,29	318,5	0,57	9,649	16,929
0,08	21,46	268,2	0,58	9,555	16,474
0,09	20,72	230,3	0,59	9,462	16,037
0,10	20,07	200,7	0,60	9,371	15,618
0,11	19,47	177,04	0,61	9,282	15,216
0,12	18,93	157,78	0,62	9,195	14,830
0,13	18,44	141,82	0,63	9,109	14,459
0,14	17,978	128,41	0,64	9,025	14,102
0,15	17,551	117,01	0,65	8,943	13,759
0,16	17,153	107,20	0,66	8,862	13,428
0,17	16,779	98,70	0,67	8,783	13,109
0,18	16,428	91,27	0,68	8,705	12,802
0,19	16,097	84,72	0,69	8,629	12,506
0,20	15,783	78,91	0,70	8,554	12,220
0,21	15,485	73,74	0,71	8,480	11,944
0,22	15,202	69,10	0,72	8,408	11,678
0,23	14,931	64,92	0,73	8,337	11,420
0,24	14,674	61,14	0,74	8,267	11,172
0,25	14,427	57,71	0,75	8,198	10,931
0,26	14,190	54,58	0,76	8,131	10,699
0,27	13,963	51,72	0,77	8,065	10,474
0,28	13,745	49,09	0,78	7,999	10,256
0,29	13,535	46,67	0,79	7,935	10,045
0,30	13,333	44,44	0,80	7,872	9,840
0,31	13,138	42,38	0,81	7,810	9,642
0,32	12,949	40,47	0,82	7,749	9,450
0,33	12,767	38,69	0,83	7,689	9,264
0,34	12,591	37,03	0,84	7,630	9,083
0,35	12,421	35,49	0,85	7,571	8,908
0,36	12,256	34,04	0,86	7,514	8,737
0,37	12,096	32,69	0,87	7,458	8,572
0,38	11,940	31,42	0,88	7,402	8,411
0,39	11,789	30,23	0,89	7,347	8,255
0,40	11,643	29,11	0,90	7,293	8,103
0,41	11,500	28,05	0,91	7,240	7,956
0,42	11,362	27,05	0,92	7,188	7,813
0,43	11,227	26,11	0,93	7,136	7,673
0,44	11,095	25,22	0,94	7,085	7,537
0,45	10,967	24,37	0,95	7,035	7,405
0,46	10,843	23,57	0,96	6,985	7,276
0,47	10,721	22,81	0,97	6,937	7,151
0,48	10,602	22,09	0,98	6,889	7,029
0,49	10,486	21,40	0,99	6,841	6,910
0,50	10,373	20,75	1,00	6,794	6,794

VI. Elliptische Funktionen.
VI. Elliptic functions.

Bezeichnungen wie in den beiden vorhergehenden Abschnitten IV und V.

The notation is the same as in the two preceding chapters IV and V.

1. Die Jacobische Amplitude.
1. The Jacobian Amplitude.

Wenn
If

$$u = F(\varphi) = \int_0^\varphi \frac{d\psi}{\Delta\psi}$$

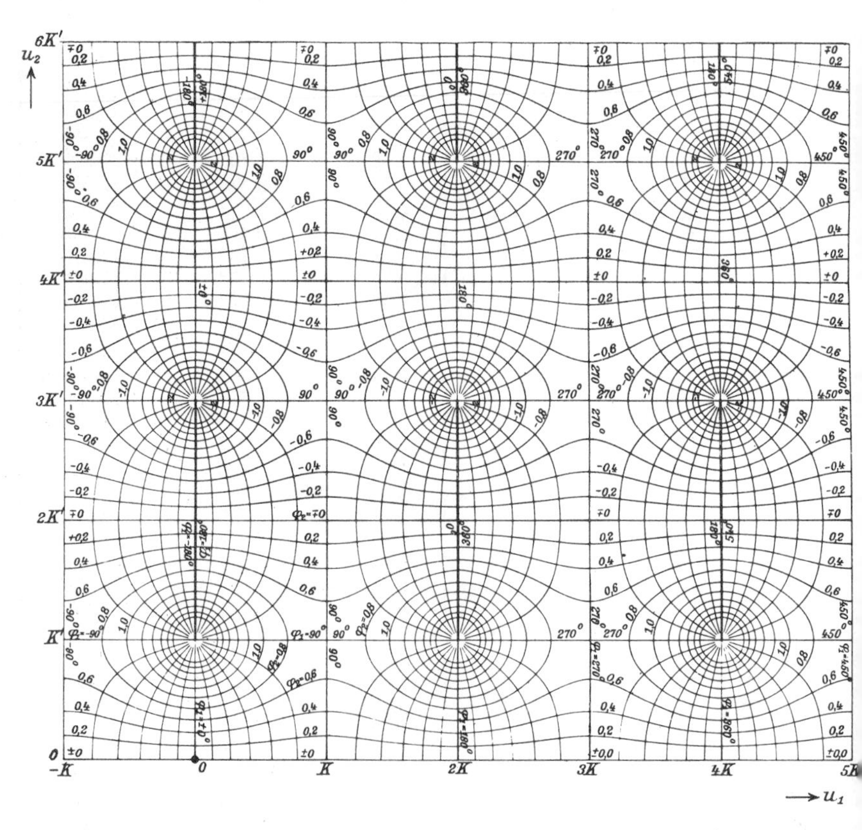

Fig. 46. $\varphi_1 + i\varphi_2 = \operatorname{am}(u_1 + iu_2)$ mit $k = 0{,}8$; $\mathsf{K} = 2{,}00$; $\mathsf{K}' = 1{,}75$.

Man beachte die Verzweigungsschnitte!
Notice the branch-lines!

ist, so heißt φ die **Amplitude** von u: $\varphi = \operatorname{am} u$ (Fig. 47) und ist eine unendlich vieldeutige periodische Funktion von u mit den Verzweigungspunkten

then φ is called the **amplitude** of u: $\varphi = \operatorname{am} u$ (fig. 47) and is an infinite multiform periodic function of u with the branch points

$$u = (2m+1)i\mathsf{K}' + 2n\mathsf{K} \qquad \left(m, n \begin{array}{l}\text{ganz}\\ \text{integer}\end{array}\right)$$

und mit der Periode $4\mathsf{K}'i$.

and with the period $4\mathsf{K}'i$.

$$\operatorname{am}(u+2\mathsf{K}) = \pi + \operatorname{am} u, \qquad \operatorname{am}(u+i2\mathsf{K}') = \pi - \operatorname{am} u,$$

$$\operatorname{am}(u+i4\mathsf{K}') = \operatorname{am} u, \qquad \operatorname{am}(-u) = -\operatorname{am} u,$$

$$\operatorname{am}(i\mathsf{K}'-iu) \approx i \ln \frac{2}{ku} \quad \begin{array}{l}\text{für}\\ \text{for}\end{array} \quad u \to 0.$$

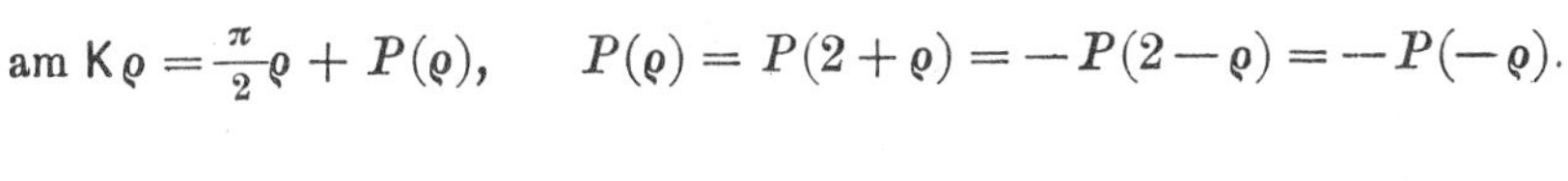

$$\operatorname{am} \mathsf{K}\varrho = \frac{\pi}{2}\varrho + P(\varrho), \qquad P(\varrho) = P(2+\varrho) = -P(2-\varrho) = -P(-\varrho).$$

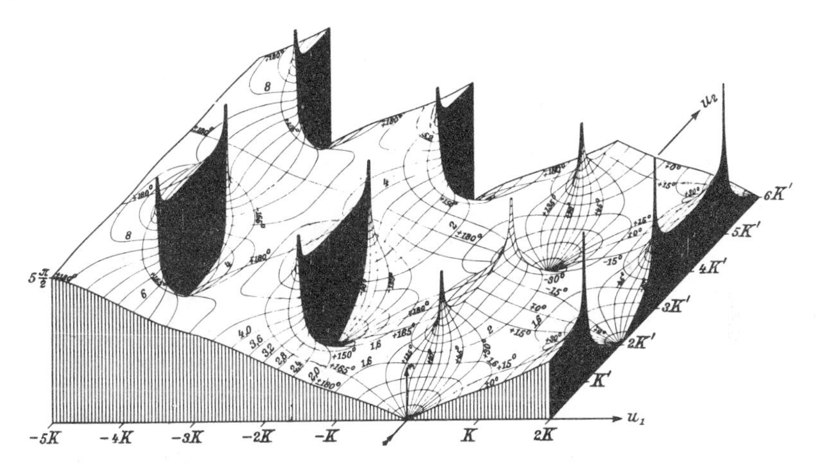

Fig. 47. Relief der Funktion $\varphi = \operatorname{am} u$ für $k = 0{,}8$.
Die vier schwarzen Flächen links sind Verzweigungsschnitte. (Vgl. Fig. 46.)

Fig. 47. Relief of the function $\varphi = \operatorname{am} u$ for $k = 0{,}8$.
The four black surfaces on the left-hand side are branch-lines. (cf. fig. 46.)

Im folgenden sei | In the following let

$$\frac{F}{K} = \frac{u}{K} = \varrho = 2v = \frac{2}{\pi} y, \qquad K' = \varkappa K, \qquad q = e^{-\pi\varkappa}.$$

2. Doppelt-periodische Funktionen.
2. Doubly-periodic functions.

Perioden: | Periods:

$$\sin\varphi = \operatorname{sn} u = \frac{1}{\sqrt{k}} \frac{\vartheta_1(v)}{\vartheta(v)} \qquad 4K \text{ und/and } i2K'$$

$$\cos\varphi = \operatorname{cn} u = \sqrt{\frac{k'}{k}} \frac{\vartheta_2(v)}{\vartheta(v)} \qquad 4K \text{ und/and } 2K + i2K$$

$$\sqrt{1 - k^2 \sin^2\varphi} = \operatorname{dn} u = \sqrt{k'} \frac{\vartheta_3(v)}{\vartheta(v)} \qquad 2K \text{ und/and } i4K'$$

$$\operatorname{tg}\varphi = \frac{\operatorname{sn} u}{\operatorname{cn} u} = \frac{1}{\sqrt{k'}} \frac{\vartheta_1(v)}{\vartheta_2(v)} \qquad 2K \text{ und/and } i4K'.$$

Setzt man $u = u_1 + iu_2$ und macht erstens $-2K' < u_2 < 2K'$, zweitens $u_2 = 0$, so gelten die Näherungen

If we put $u = u_1 + iu_2$ and make firstly $-2K' < u_2 < 2K'$, secondly $u_2 = 0$ we obtain the approximations

$$\operatorname{sn} u \approx \sin y \frac{1 - 4q^2\cos^2 y}{1 - 4q(1-2q)\cos^2 y} \approx \sin y \cdot (1 + 4q\cos^2 y)$$

$$\operatorname{cn} u \approx \cos y \frac{1 - 4q^2\sin^2 y}{1 + 4q(1+2q)\sin^2 y} \approx \cos y \cdot (1 - 4q\sin^2 y)$$

$$\operatorname{dn} u \approx \frac{1 - 4q(1-2q)\sin^2 y}{1 + 4q(1+2q)\sin^2 y} \approx 1 - 8q\sin^2 y$$

$$\frac{\operatorname{sn} u}{\operatorname{cn} u} \approx \operatorname{tg} y \frac{1 + 2q + q^2(1 - 4\cos^2 y)}{1 - 2q + q^2(1 - 4\sin^2 y)} \approx (1 + 4q)\operatorname{tg} y.$$

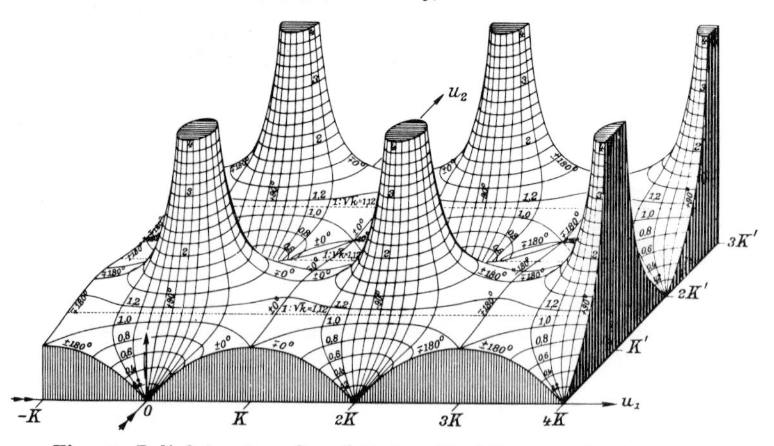

Fig. 48. Relief der doppeltperiodischen Funktion sn u für $k = 0{,}8$.
Fig. 48. Relief of the doubly-periodic function sn u for $k = 0{,}8$.
(cf. p. 105.)

3. Komplexe Überführung von $\operatorname{cn} u$, $\operatorname{dn} u$ in $\operatorname{sn}(u_1, k_1)$.

3. Complex transformation of $\operatorname{cn} u$, $\operatorname{dn} u$ in $\operatorname{sn}(u_1, k_1)$.

Im komplexen Gebiet sind $\operatorname{cn} u$ und $\operatorname{dn} u$ nicht wesentlich verschieden von $\operatorname{sn} u$, denn es ist

In the complex domain $\operatorname{cn} u$ and $\operatorname{dn} u$ are not essentially different from $\operatorname{sn} u$, for

$$\operatorname{cn}(u, k) = \operatorname{sn}(k' \mathsf{K} + k' u, \quad i k / k'),$$
$$\operatorname{dn}(u, k) = k' \cdot \operatorname{sn}(\mathsf{K}' - i \mathsf{K} + i u, \quad k').$$

Vgl. die Figuren 48—50.

Cf. figures 48—50.

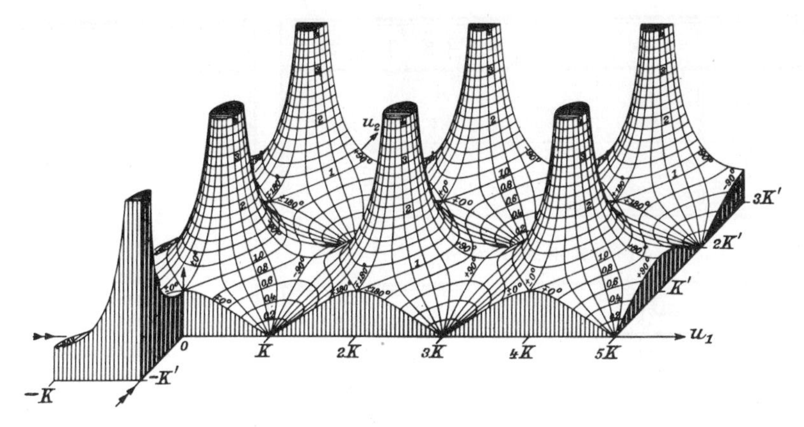

Fig. 49. Relief der doppeltperiodischen Funktion $\operatorname{cn} u$ für $k = 0{,}8$.
Fig. 49. Relief of the doubly-periodic function $\operatorname{cn} u$ for $k = 0{,}8$.

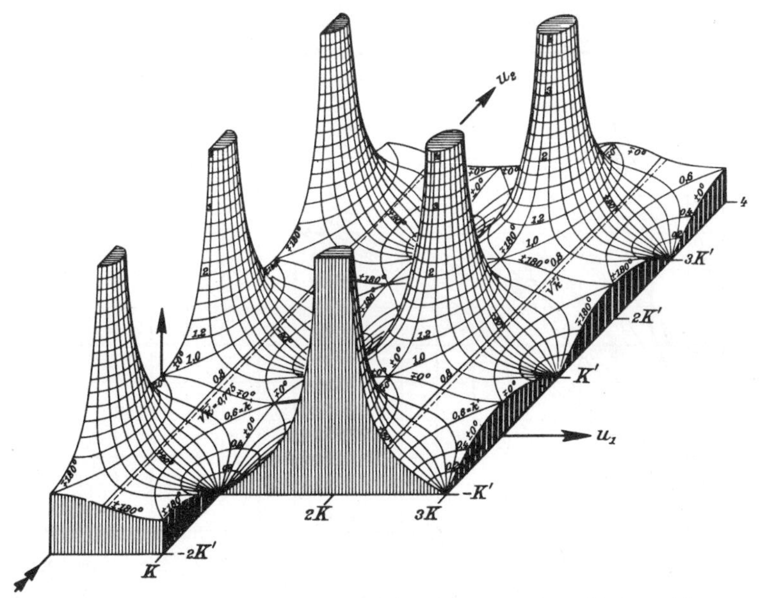

Fig. 50. Relief der doppeltperiodischen Funktion $\operatorname{dn} u$ für $k = 0{,}8$.
Fig. 50. Relief of the doubly-periodic function $\operatorname{dn} u$ for $k = 0{,}8$.

4. Vermehrung von u um Viertel- und Halbperioden.
4. Increase of u by quarter and half-periods.

Zur Abkürzung werde s, c, d statt $\operatorname{sn} u$, $\operatorname{cn} u$, $\operatorname{dn} u$ geschrieben.

For brevity we write s, c, d for $\operatorname{sn} u$, $\operatorname{cn} u$, $\operatorname{dn} u$.

$\operatorname{sn}(m\mathsf{K} + n i \mathsf{K}' + u)$

	$-\mathsf{K}$	0	$+\mathsf{K}$	$\pm 2\mathsf{K}$
$\pm i\mathsf{K}'$	$\frac{-d}{kc}$	$\frac{1}{ks}$	$\frac{d}{kc}$	$\frac{-1}{ks}$
0	$-\frac{c}{d}$	s	$\frac{c}{d}$	$-s$

$\operatorname{cn}(m\mathsf{K} + n i \mathsf{K}' + u)$

	$-\mathsf{K}$	0	$+\mathsf{K}$	$\pm 2\mathsf{K}$
$+i\mathsf{K}'$	$\frac{ik'}{kc}$	$\frac{d}{iks}$	$\frac{k'}{ikc}$	$\frac{id}{ks}$
0	$k'\frac{s}{d}$	c	$-k'\frac{s}{d}$	$-c$
$-i\mathsf{K}'$	$\frac{k'}{ikc}$	$\frac{id}{ks}$	$\frac{ik'}{kc}$	$\frac{d}{iks}$

$\operatorname{dn}(m\mathsf{K} + n i \mathsf{K}' + u)$

	0	$\pm\mathsf{K}$
$\pm 2i\mathsf{K}'$	$-d$	$-\frac{k'}{d}$
$+i\mathsf{K}'$	$\frac{c}{is}$	$ik'\frac{s}{c}$
0	d	$\frac{k'}{d}$
$-i\mathsf{K}'$	$\frac{ic}{s}$	$\frac{k's}{ic}$

$$|\operatorname{sn}(\tfrac{1}{2} i\mathsf{K}' + u_1 + i0)| = \frac{1}{\sqrt{k}}$$

$$|\operatorname{dn}(\tfrac{1}{2}\mathsf{K} + 0 + iu_2)| = \sqrt{k'}$$

$\left(k \begin{matrix}\text{reell}\\ \text{real}\end{matrix}\right)$.

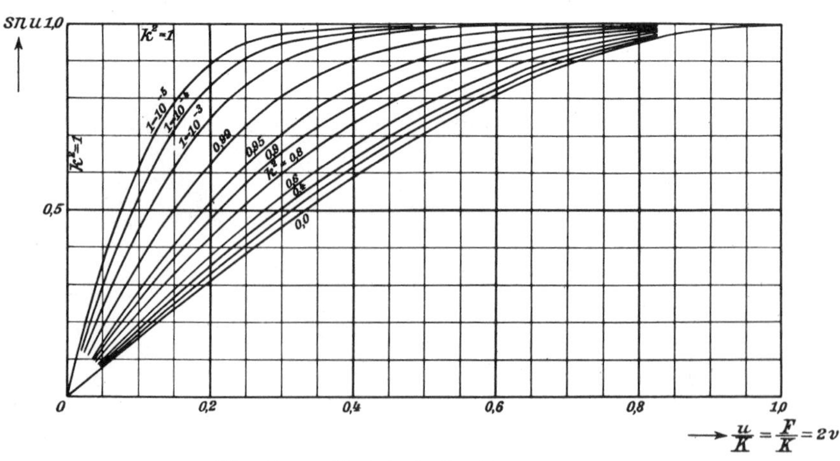

Fig. 51. $\operatorname{sn}(\mathsf{K} \cdot 2v)$ als Funktion von $2v$.
Fig. 51. $\operatorname{sn}(\mathsf{K} \cdot 2v)$ as function of $2v$.

5. Übergang zu einem anderen Modul.
5. Changing to another modulus.

u_1	k_1	$\operatorname{sn}(u_1, k_1)$	$\operatorname{cn}(u_1, k_1)$	$\operatorname{dn}(u_1, k_1)$
$k u$	$\frac{1}{k}$	$k s$	d	c
$i u$	k'	$i \frac{s}{c}$	$\frac{1}{c}$	$\frac{d}{c}$
$k' u$	$\frac{i k}{k'}$	$k' \frac{s}{d}$	$\frac{c}{d}$	$\frac{1}{d}$
$i k u$	$\frac{i k'}{k}$	$i k \frac{s}{d}$	$\frac{1}{d}$	$\frac{c}{d}$
$i k' u$	$\frac{1}{k'}$	$i k' \frac{s}{c}$	$\frac{d}{c}$	$\frac{1}{c}$
$(1+k) u$	$\frac{2\sqrt{k}}{1+k}$	$\frac{(1+k) s}{1+k s^2}$	$\frac{c d}{1+k s^2}$	$\frac{1-k s^2}{1+k s^2}$
$(1+k') u$	$\frac{1-k'}{1+k'}$	$(1+k') \frac{s c}{d}$	$\frac{1-(1+k') s^2}{d}$	$\frac{1-(1-k') s^2}{d}$
$\frac{(1+\sqrt{k'})^2}{2} u$	$\left(\frac{1-\sqrt{k'}}{1+\sqrt{k'}}\right)^2$	$\frac{k^2 s c}{\sqrt{k_1}(1+d)(k'+d)}$	$\frac{d-\sqrt{k'}}{1-\sqrt{k'}} \sqrt{\frac{2}{1+d} \frac{1+k'}{d+k'}}$	$\frac{\sqrt{1+k_1}(d+\sqrt{k'})}{\sqrt{1+d}\sqrt{k'+d}}$

6. Funktionen von Summen.
6. Functions of sums.

Abkürzungen:
Abbreviations: $\operatorname{sn}(u_1, k) = s_1, \quad \operatorname{sn}(u_2, k) = s_2, \quad \operatorname{sn}(u_2, k') = s_2', \ldots$

w	$N \cdot \operatorname{sn} w$	$N \cdot \operatorname{cn} w$	$N \cdot \operatorname{dn} w$	N
$u_1 + u_2$	$s_1 c_2 d_2 + c_1 d_1 s_2$	$c_1 c_2 - s_1 d_1 s_2 d_2$	$d_1 d_2 - k^2 s_1 c_1 s_2 c_2$	$1 - (k s_1 s_2)^2$
$u_1 + i u_2$	$s_1 d_2' + i c_1 d_1 s_2' c_2'$	$c_1 c_2' - i s_1 d_1 s_2' d_2'$	$d_1 c_2' d_2' - i k^2 s_1 c_1 s_2'$	$c_2'^2 + (k s_1 s_2')^2$

$$[1-(k s_1 s_2)^2] \cdot f(u_1 + u_2) \cdot g(u_1 - u_2)$$

	$\operatorname{sn}(u_1 - u_2)$	$\operatorname{cn}(u_1 - u_2)$	$\operatorname{dn}(u_1 - u_2)$
$\operatorname{sn}(u_1 + u_2)$	$s_1^2 - s_2^2$	$s_1 c_1 d_2 + d_1 s_2 c_2$	$s_1 d_1 c_2 + c_1 s_2 d_2$
$\operatorname{cn}(u_1 + u_2)$	$s_1 c_1 d_2 - d_1 s_2 c_2$	$c_1^2 - d_1^2 s_2^2$	$c_1 d_1 c_2 d_2 - k'^2 s_1 s_2$
$\operatorname{dn}(u_1 + u_2)$	$s_1 d_1 c_2 - c_1 s_2 d_2$	$c_1 d_1 c_2 d_2 + k'^2 s_1 s_2$	$d_1^2 - k^2 c_1^2 s_2^2$

7. Beziehungen zwischen den Funktionen. Ableitungen.
7. Connections between the functions. Derivatives.

$$s^2 + c^2 = 1, \qquad d^2 = k'^2 + k^2 c^2 = 1 - k^2 s^2 = c^2 + k'^2 s^2.$$

$$\operatorname{sn}^2 \frac{u}{2} = \frac{1-c}{1+d}, \qquad \operatorname{cn}^2 \frac{u}{2} = \frac{c+d}{1+d}, \qquad \operatorname{dn}^2 \frac{u}{2} = \frac{k'^2 + k^2 c + d}{1+d}.$$

$$(s)' = cd, \quad (c)' = -sd, \quad (d)' = -k^2 sc, \quad (\operatorname{am} u)' = d.$$

8. Integrale.
8. Integrals.

$$k\int_0^u s\,du = \ln\frac{d-kc}{1-k} = \operatorname{Ar\,Cos}\frac{d-k^2c}{1-k^2} = \operatorname{Ar\,Sin} k\,\frac{d-c}{1-k^2}$$

$$= \operatorname{Ar\,Cos}\frac{1}{k'} - \operatorname{Ar\,Cos}\frac{d}{k'} = \operatorname{Ar\,Sin}\frac{k}{k'} - \operatorname{Ar\,Sin}\frac{kc}{k'}$$

$$k\int_0^u c\,du = \arccos d = \arcsin ks$$

$$\int_u^{K}\frac{du}{s} = \ln\frac{c+d}{k's} \qquad\qquad k'\int_0^u\frac{du}{c} = \ln\frac{d+k's}{c}$$

$$k'\int_0^u\frac{du}{d} = \arccos\frac{c}{d} = \arcsin\frac{k's}{d}$$

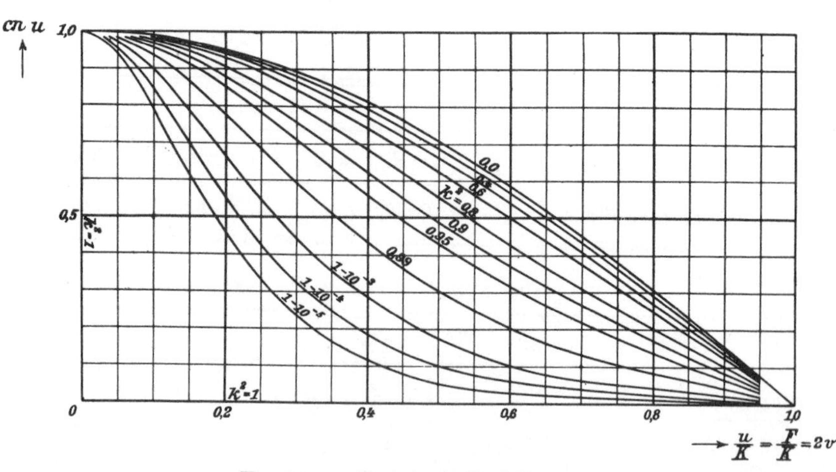

Fig. 52. cn (K · 2 v) als Funktion von 2 v.
Fig. 52. cn (K · 2 v) as function of 2 v.

$$k'\int_0^u \frac{s}{c}\,du = \ln\frac{d+k'}{(1+k')c} \qquad \int_0^u \frac{d}{c}\,du = \ln\frac{1+s}{c}$$

$$\int_u^{\mathsf{K}} \frac{c}{s^2}\,du = \frac{d}{s} - k' \qquad \int_u^{\mathsf{K}} \frac{d}{s^2}\,du = \frac{c}{s}$$

$$k'^2\int_0^u \frac{s}{c^2}\,du = \frac{d}{c} - 1 \qquad \int_0^u \frac{d}{c^2}\,du = \frac{s}{c}$$

$$k'^2\int_0^u \frac{s}{d^2}\,du = 1 - \frac{c}{d} \qquad \int_0^u \frac{c}{d^2}\,du = \frac{s}{d}$$

$$\int_0^u d^2\,du = E(\operatorname{am} u).$$

9. Differentialgleichungen.
9. Differential equations.

$$\left(\frac{ds}{du}\right)^2 = (1-s^2)(1-k^2s^2) \qquad \left(\frac{dd}{du}\right)^2 = (1-d^2)(d^2-k'^2)$$

$$\left(\frac{dc}{du}\right)^2 = (1-c^2)(k'^2+k^2c^2) \qquad \left(\frac{d}{du}\,\frac{s}{c}\right)^2 = \left(1+\frac{s^2}{c^2}\right)\left(1+k'^2\frac{s^2}{c^2}\right)$$

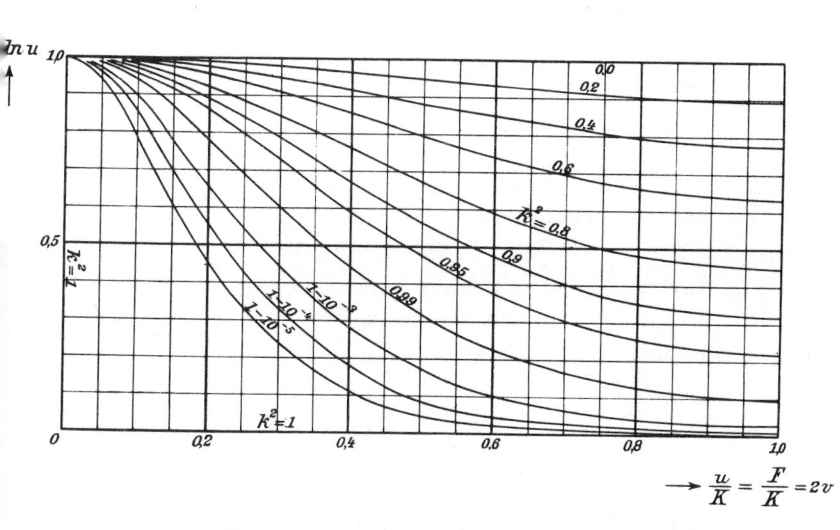

Fig. 53. $\operatorname{dn}(\mathsf{K}\cdot 2v)$ als Funktion von $2v$.
Fig. 53. $\operatorname{dn}(\mathsf{K}\cdot 2v)$ as function of $2v$.

10. Die Jacobische Zetafunktion zn u.

10. The Jacobian Zeta-function zn u.

$$E(\operatorname{am} u) = \frac{\mathsf{E}}{\mathsf{K}} u + \operatorname{zn} u, \qquad \operatorname{zn} u = \frac{1}{\vartheta_3^2} \frac{d \ln \vartheta}{dy}.$$

$$\operatorname{zn} u \approx \frac{4q \sin 2y}{1 + 2q(2 - \cos 2y) + 4q^2(1 - 2\cos 2y)}$$

$$\operatorname{zn} u = \operatorname{zn}(2\mathsf{K} + u) = -\operatorname{zn}(2\mathsf{K} - u) = -\operatorname{zn}(-u).$$

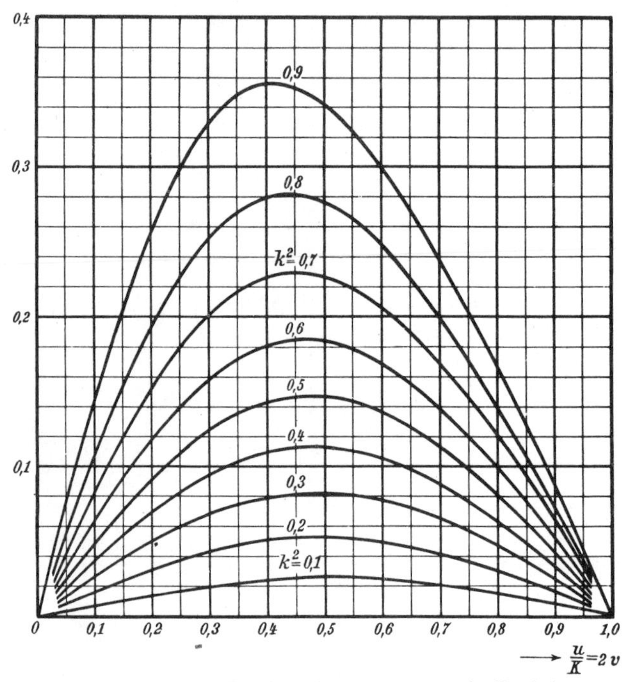

Fig. 54. Die Jacobische Zetafunktion zn$(\mathsf{K} \cdot 2v)$ als Funktion von $2v$.
Fig. 54. The Jacobian Zeta-function zn$(\mathsf{K} \cdot 2v)$ as function of $2v$.

11. Definition der elliptischen Integrale und Funktionen nach Weierstraß.

11. Weierstrass's definition of the elliptic integrals and functions.

$$u = \int_s^\infty \frac{ds}{\sqrt{S}}, \quad S = 4s^3 - g_2 s - g_3 = 4(s - e_1)(s - e_2)(s - e_3),$$

wo die Nullstellen e_1, e_2, e_3 der Funktion S mit ihren Koeffizienten g_2, g_3 in folgender Weise zusammenhängen:

where the zeros e_1, e_2, e_3 of the function S are related to its coefficients in the following manner:

$$e_1 + e_2 + e_3 = 0, \quad e_2 e_3 + e_3 e_1 + e_1 e_2 = -\tfrac{1}{4} g_2, \quad e_1 e_2 e_3 = \tfrac{1}{4} g_3$$

$$\omega = \int_{e_1}^{\infty} \frac{ds}{\sqrt{S}}, \qquad \omega' = i \int_{-\infty}^{e_3} \frac{ds}{\sqrt{S}}$$

$$s = \wp u = \frac{1}{u^2} + \frac{g_2 u^2}{20} + \frac{g_3 u^4}{28} + \frac{g_2{}^2 u^6}{1200} + \frac{3 g_2 g_3 u^8}{6160} + \cdots$$

$$\sqrt{S} = \wp' u = -\frac{2}{u^3} + \frac{g_2 u}{10} + \frac{g_3 u^3}{7} + \frac{g_2{}^2 u^5}{200} + \frac{3 g_2 g_3 u^7}{770} + \cdots$$

$$e_1 = \wp \omega, \qquad e_2 = \wp(\omega + \omega'), \qquad e_3 = \wp \omega'.$$

2ω, $2\omega'$ heißen die Perioden, g_2, g_3 die Invarianten der doppeltperiodischen Funktion $s = \wp u$.

2ω, $2\omega'$ are called the periods, g_2, g_3 the invariants of the doubly-periodic function $s = \wp u$.

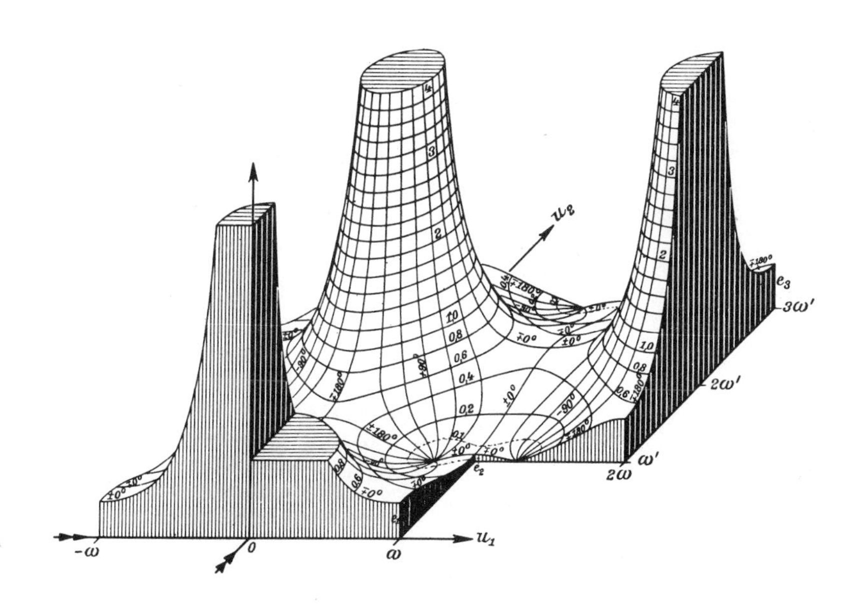

Fig. 55. Relief von $s = \wp(u)$

Fig. 55. Relief of $s = \wp(u)$

$\omega = \mathsf{K} = 2{,}00$	$k = 0{,}8$
$\omega' = i\,\mathsf{K}' = 1{,}75\,i$	$k' = 0{,}6$
$e_1 = 0{,}453 = 1 + e_3$	$g_2 = 1{,}026$
$e_2 = 0{,}093$	$g_3 = -0{,}092$
$e_3 = -0{,}546$	

12. Darstellung der Jacobischen elliptischen Funktionen durch die Weierstraßsche Funktion.

12. Representation of the Jacobian elliptic functions by the Weierstrassian function.

Bei reellen e sei $e_1 > e_2 > e_3$.

For real e let $e_1 > e_2 > e_3$.

$$\operatorname{sn}\left(u\sqrt{e_1-e_3}\right) = \frac{\sqrt{e_1-e_3}}{\sqrt{\wp u - e_3}}, \qquad \operatorname{cn}\left(u\sqrt{e_1-e_3}\right) = \frac{\sqrt{\wp u - e_1}}{\sqrt{\wp u - e_3}}$$

$$\operatorname{dn}\left(u\sqrt{e_1-e_3}\right) = \frac{\sqrt{\wp u - e_2}}{\sqrt{\wp u - e_3}}; \qquad q = e^{-\pi\frac{K'}{K}} = e^{i\pi\frac{\omega'}{\omega}}$$

$$\wp u = e_3 + \frac{e_1-e_3}{\operatorname{sn}^2\left(u\sqrt{e_1-e_3}\right)}, \qquad \omega = \frac{K}{\sqrt{e_1-e_3}}, \qquad \omega' = \frac{iK'}{\sqrt{e_1-e_3}}.$$

13. Definition der Sigma- und der Zetafunktion.

13. Definition of the Sigma- and the Zeta-function.

$$\wp u = -\frac{d\zeta u}{du} = -\frac{d^2 \ln \sigma u}{du^2}$$

$$\zeta u = -\int \wp u\, du = \frac{1}{u} - \frac{g_2 u^3}{60} - \frac{g_3 u^5}{140} - \frac{g_2^2 u^7}{8\,400}$$

$$\sigma u = e^{\int \zeta u\, du} = u - \frac{g_2 u^5}{240} - \frac{g_3 u^7}{840} - \frac{g_2^2 u^9}{161\,280}$$

14. Die spezielle Funktion $\wp(u; 0, 1)$.

14. The special function $\wp(u; 0, 1)$.

Aus
From

$$\wp(u; g_2, g_3) = m^2 \wp\left(mu; \frac{g_2}{m^4}, \frac{g_3}{m^6}\right)$$

folgt für $g_2 = 0$ und $m^6 = g_3$:

we obtain for $g_2 = 0$ and $m^6 = g_3$:

$$\wp(u; 0, g_3) = \sqrt[3]{g_3}\, \wp(u\sqrt[6]{g_3}; 0, 1).$$

Und die Gleichung

From the equation

$$\wp'^2(u; 0, 1) = 4\wp^3(u; 0, 1) - 1$$

zeigt, daß e_1, e_2, e_3 für $g_3 = 1$ gleich den dritten Wurzeln von $\frac{1}{4}$ sind, und zwar

it follows that if $g_3 = 1$ e_1, e_2, e_3 become equal to the cube roots of $\frac{1}{4}$, namely

$$e_1 = \frac{\varepsilon}{\sqrt[3]{4}}, \qquad e_2 = \frac{1}{\sqrt[3]{4}} = 0{,}6300, \qquad e_3 = \frac{\varepsilon^2}{\sqrt[3]{4}},$$

wo $1, \varepsilon, \varepsilon^2$ die kubischen Einheitswurzeln bedeuten. Und aus $e_2 = \wp\omega_2 = \frac{1}{\sqrt[3]{4}}$ folgt die halbe reelle Periode $\omega_2 = 1{,}52\,995$. Es ist dies der sog. äquianharmonische Fall der elliptischen Funktionen.

In der Tafel ist die Periode $2\omega_2$ in 360^0 geteilt.

where $1, \varepsilon, \varepsilon^2$ denote the cubic roots of unity; and from $e_2 = \wp\omega_2 = \frac{1}{\sqrt[3]{4}}$ we obtain the halfreal period $\omega_2 = 1{,}52\,995$. This is the so called equianharmonic case of the elliptic functions.

In the table the period $2\omega_2$ is divided into 360^0.

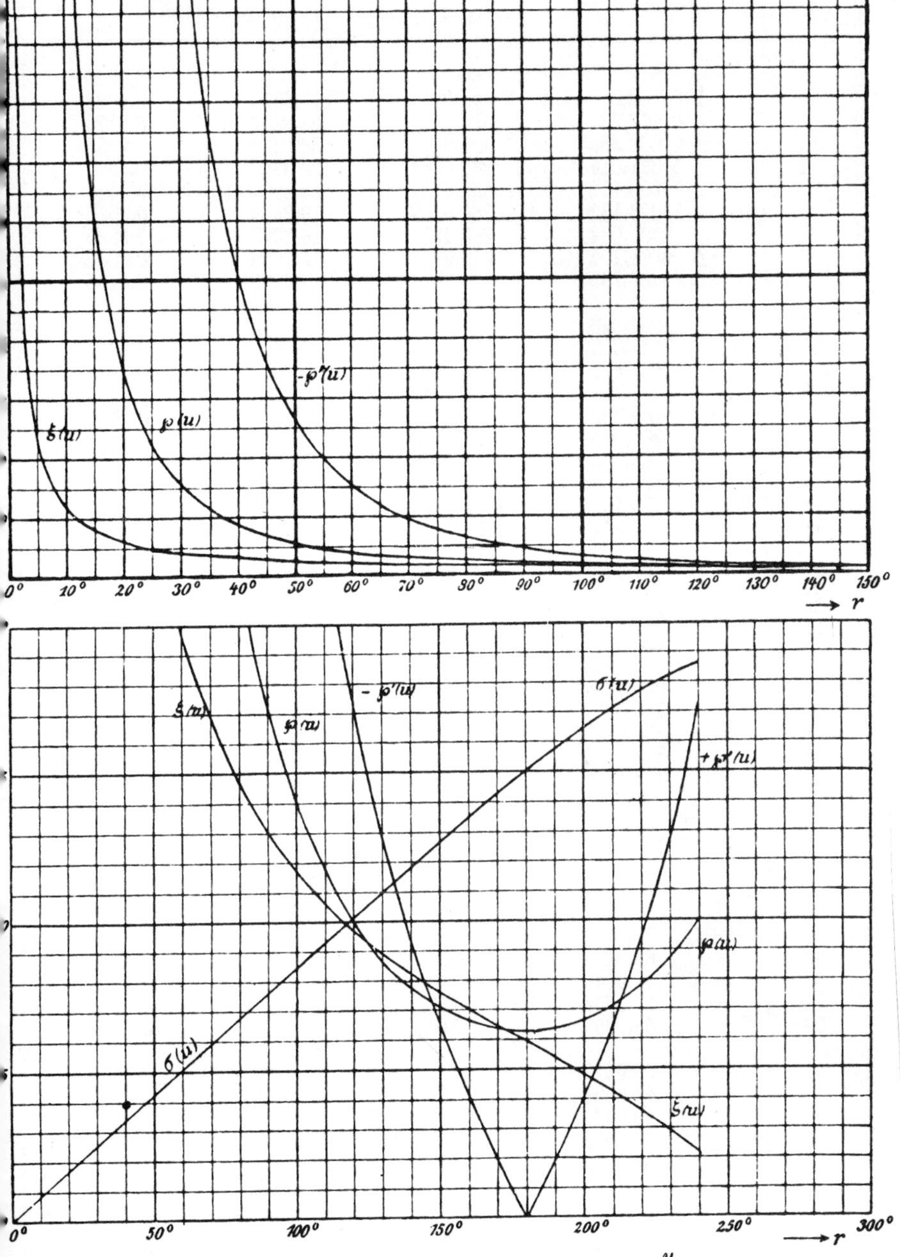

Fig. 56 und Fig. 57. Die Weierstraßschen Funktionen über $r = 180^0 \frac{u}{\omega_2}$ für $g_2 = 0$, $g_3 = 1$.

Fig. 56 und Fig. 57. The Weierstrassian functions against $r = 180^0 \frac{u}{\omega_2}$ for $g_2 = 0$, $g_3 = 1$.

r	$\wp' u$	$\wp u$	ζu	σu
0	$-\infty$	∞	∞	0,0000
1	−3256840,2	13841,87	117,6515	0,0085
2	− 407127,83	3461,247	58,8324	0,0170
3	− 120632,35	1537,9625	39,2179	0,0255
4	− 50891,814	865,0684	29,4120	0,0340
5	− 26056,413	553,6124	23,5284	0,0425
6	− 15078,122	384,5109	19,6089	0,0510
7	− 9494,694	282,4827	16,8072	0,0595
8	− 6361,194	216,2671	14,7060	0,0680
9	− 4467,735	170,8937	13,0726	0,0765
10	− 3256,989	138,4187	11,7652	0,0850
11	− 2447,006	114,3921	10,6954	0,0935
12	− 1884,815	96,1277	9,8045	0,1020
13	− 1479,719	81,9053	9,0502	0,1105
14	− 1186,939	70,6207	8,4036	0,1190
15	− 965,0250	61,5171	7,8433	0,1275
16	− 795,1560	54,0706	7,3533	0,1360
17	− 662,9264	47,8954	6,9207	0,1445
18	− 558,4610	42,7208	6,5361	0,1530
19	− 474,8442	38,3439	6,1922	0,1615
20	− 407,1190	34,6047	5,8826	0,1700
21	− 351,6842	31,3870	5,6024	0,1785
22	− 305,8743	28,5981	5,3477	0,1870
23	− 267,6862	26,1663	5,1153	0,1955
24	− 235,6044	24,0309	4,9021	0,2040
25	− 208,4436	22,1465	4,7060	0,2125
26	− 185,3057	20,4764	4,5251	0,2210
27	− 165,4685	18,9875	4,3575	0,2295
28	− 148,3649	17,6553	4,2018	0,2380
29	− 133,5400	16,4585	4,0569	0,2465
30	− 120,6251	15,3800	3,9217	0,2550
31	− 109,3244	14,4036	3,7174	0,2635
32	− 99,3916	13,5173	3,6766	0,2720
33	− 90,6264	12,7105	3,5651	0,2805
34	− 82,8624	11,9741	3,4603	0,2890
35	− 75,9603	11,2996	3,3614	0,2975
36	− 69,8040	10,6805	3,2680	0,3060
37	− 64,2949	10,1113	3,1798	0,3145
38	− 59,3506	9,5861	3,0961	0,3230
39	− 54,9006	9,1008	3,0166	0,3315
40	− 50,8845	8,6514	2,9412	0,3400
41	− 47,2504	8,2348	2,8695	0,3485
42	− 43,9542	7,8473	2,8012	0,3570
43	− 40,9575	7,4866	2,7360	0,3655
44	− 38,2267	7,1504	2,6738	0,3740
45	− 35,7337	6,8362	2,6144	0,3825
46	− 33,4523	6,5423	2,5634	0,3910
47	− 31,3612	6,2669	2,5031	0,3995
48	− 29,4408	6,0087	2,4510	0,4080
49	− 27,6734	5,7660	2,4009	0,4165

r	$\wp' u$	$\wp u$	ζu	σu	r	$\wp' u$	$\wp u$	ζu	σu
50	−26,0441	5,5378	2,3529	0,4250	100	−3,1691	1,4028	1,1733	0,8496
51	−24,5412	5,3230	2,3068	0,4335	101	−3,0706	1,3763	1,1615	0,8581
52	−23,1510	5,1203	2,2624	0,4420	102	−2,9758	1,3506	1,1499	0,8665
53	−21,8638	4,9292	2,2197	0,4505	103	−2,8845	1,3257	1,1386	0,8750
54	−20,6700	4,7484	2,1786	0,4590	104	−2,7962	1,3016	1,1274	0,8835
55	−19,5620	4,5775	2,1389	0,4675	105	−2,7116	1,2781	1,1164	0,8919
56	−18,5305	4,4157	2,1007	0,4760	106	−2,6297	1,2555	1,1057	0,9004
57	−17,5706	4,2622	2,0638	0,4845	107	−2,5508	1,2335	1,0951	0,9089
58	−16,6757	4,1168	2,0283	0,4930	108	−2,4745	1,2121	1,0847	0,9171
59	−15,8403	3,9786	1,9939	0,5015	109	−2,4009	1,1914	1,0745	0,9258
60	−15,0596	3,8473	1,9606	0,5100	110	−2,3298	1,1713	1,0645	0,9342
61	−14,3292	3,7225	1,9284	0,5185	111	−2,2609	1,1518	1,0546	0,9427
62	−13,6449	3,6036	1,8973	0,5270	112	−2,1943	1,1329	1,0449	0,9511
63	−13,0035	3,4824	1,8672	0,5355	113	−2,1300	1,1145	1,0353	0,9596
64	−12,4013	3,3824	1,8379	0,5440	114	−2,0677	1,0966	1,0259	0,9680
65	−11,8356	3,2795	1,8097	0,5525	115	−2,0073	1,0793	1,0167	0,9765
66	−11,3035	3,1812	1,7822	0,5610	116	−1,9488	1,0625	1,0076	0,9849
67	−10,8026	3,0872	1,7555	0,5695	117	−1,8921	1,0462	0,9986	0,9933
68	−10,3306	2,9975	1,7297	0,5780	118	−1,8371	1,0303	0,9898	1,0018
69	− 9,8856	2,9116	1,7046	0,5865	119	−1,7839	1,0149	0,9811	1,0102
70	− 9,4654	2,8293	1,6802	0,5950	120	−1,7321	1,0000	0,9725	1,0186
71	− 9,0686	2,7506	1,6565	0,6035	121	−1,6818	0,9855	0,9641	1,0270
72	− 8,6932	2,6751	1,6334	0,6119	122	−1,6330	0,9714	0,9558	1,0354
73	− 8,3382	2,6027	1,6110	0,6204	123	−1,5855	0,9577	0,9476	1,0438
74	− 8,0020	2,5333	1,5892	0,6289	124	−1,5394	0,9445	0,9395	1,0523
75	− 7,6832	2,4666	1,5679	0,6374	125	−1,4945	0,9316	0,9315	1,0607
76	− 7,3810	2,4026	1,5472	0,6459	126	−1,4509	0,9190	0,9237	1,0690
77	− 7,0941	2,3411	1,5271	0,6544	127	−1,4084	0,9069	0,9159	1,0774
78	− 6,8218	2,2820	1,5074	0,6629	128	−1,3670	0,8951	0,9082	1,0858
79	− 6,5626	2,2251	1,4883	0,6714	129	−1,3267	0,8837	0,9007	1,0942
80	− 6,3163	2,1704	1,4696	0,6799	130	−1,2873	0,8726	0,8932	1,1026
81	− 6,0819	2,1177	1,4514	0,6884	131	−1,2490	0,8618	0,8858	1,1109
82	− 5,8587	2,0670	1,4336	0,6969	132	−1,2116	0,8513	0,8786	1,1193
83	− 5,6459	2,0181	1,4162	0,7054	133	−1,1750	0,8412	0,8714	1,1277
84	− 5,4431	1,9709	1,3993	0,7139	134	−1,1394	0,8313	0,8643	1,1360
85	− 5,2495	1,9255	1,3827	0,7224	135	−1,1046	0,8218	0,8572	1,1444
86	− 5,0647	1,8817	1,3665	0,7309	136	−1,0705	0,8126	0,8503	1,1527
87	− 4,8882	1,8394	1,3507	0,7393	137	−1,0372	0,8036	0,8434	1,1610
88	− 4,7195	1,7986	1,3353	0,7478	138	−1,0046	0,7949	0,8366	1,1693
89	− 4,5581	1,7592	1,3202	0,7563	139	−0,9727	0,7865	0,8299	1,1776
90	− 4,4037	1,7211	1,3056	0,7648	140	−0,9415	0,7784	0,8232	1,1859
91	− 4,2558	1,6843	1,2909	0,7733	141	−0,9109	0,7705	0,8167	1,1942
92	− 4,1135	1,6487	1,2767	0,7818	142	−0,8810	0,7629	0,8102	1,2025
93	− 3,9785	1,6143	1,2628	0,7902	143	−0,8515	0,7555	0,8037	1,2108
94	− 3,8484	1,5810	1,2493	0,7987	144	−0,8227	0,7484	0,7973	1,2192
95	− 3,7234	1,5489	1,2360	0,8072	145	−0,7945	0,7415	0,7910	1,2273
96	− 3,6035	1,5178	1,2229	0,8157	146	−0,7666	0,7349	0,7847	1,2356
97	− 3,4884	1,4876	1,2102	0,8242	147	−0,7393	0,7285	0,7785	1,2438
98	− 3,3778	1,4586	1,1977	0,8327	148	−0,7125	0,7223	0,7723	1,2520
99	− 3,2714	1,4302	1,1854	0,8411	149	−0,6861	0,7164	0,7662	1,2602

r	$\wp' u$	$\wp u$	ζu	σu	r	$\wp' u$	$\wp u$	ζu	σu
150	−0,6602	0,7106	0,7602	1,2684	200	+0,4200	0,6650	0,4835	1,6511
151	−0,6346	0,7051	0,7541	1,2766	201	+0,4426	0,6687	0,4781	1,6578
152	−0,6094	0,6999	0,7482	1,2848	202	+0,4656	0,6725	0,4724	1,6646
153	−0,5847	0,6948	0,7422	1,2930	203	+0,4887	0,6765	0,4666	1,6712
154	−0,5601	0,6899	0,7363	1,3011	204	+0,5123	0,6808	0,4608	1,6778
155	−0,5361	0,6852	0,7305	1,3093	205	+0,5361	0,6852	0,4550	1,6844
156	−0,5123	0,6808	0,7247	1,3174	206	+0,5601	0,6899	0,4492	1,6908
157	−0,4887	0,6765	0,7189	1,3255	207	+0,5847	0,6948	0,4433	1,6973
158	−0,4656	0,6725	0,7132	1,3336	208	+0,6094	0,6999	0,4374	1,7036
159	−0,4426	0,6687	0,7075	1,3417	209	+0,6346	0,7051	0,4314	1,7099
160	−0,4200	0,6650	0,7020	1,3497	210	+0,6602	0,7106	0,4254	1,7162
161	−0,3976	0,6615	0,6962	1,3578	211	+0,6861	0,7164	0,4194	1,7223
162	−0,3753	0,6582	0,6906	1,3658	212	+0,7125	0,7223	0,4132	1,7284
163	−0,3533	0,6552	0,6850	1,3738	213	+0,7393	0,7285	0,4070	1,7345
164	−0,3315	0,6522	0,6795	1,3818	214	+0,7666	0,7349	0,4008	1,7405
165	−0,3099	0,6495	0,6739	1,3898	215	+0,7945	0,7415	0,3946	1,7463
166	−0,2885	0,6469	0,6684	1,3977	216	+0,8227	0,7484	0,3882	1,7523
167	−0,2673	0,6446	0,6629	1,4056	217	+0,8515	0,7555	0,3819	1,7579
168	−0,2461	0,6424	0,6575	1,4135	218	+0,8810	0,7629	0,3754	1,7636
169	−0,2251	0,6404	0,6520	1,4214	219	+0,9109	0,7705	0,3689	1,7692
170	−0,2042	0,6385	0,6466	1,4293	220	+0,9415	0,7784	0,3623	1,7747
171	−0,1836	0,6369	0,6411	1,4371	221	+0,9727	0,7865	0,3556	1,7801
172	−0,1630	0,6354	0,6357	1,4450	222	+1,0046	0,7949	0,3489	1,7854
173	−0,1423	0,6341	0,6303	1,4528	223	+1,0372	0,8036	0,3421	1,7907
174	−0,1218	0,6329	0,6249	1,4605	224	+1,0705	0,8126	0,3353	1,7958
175	−0,1015	0,6320	0,6196	1,4683	225	+1,1046	0,8218	0,3283	1,8009
176	−0,0811	0,6312	0,6142	1,4760	226	+1,1394	0,8313	0,3213	1,8059
177	−0,0608	0,6306	0,6089	1,4837	227	+1,1750	0,8412	0,3142	1,8108
178	−0,0405	0,6302	0,6035	1,4913	228	+1,2116	0,8513	0,3070	1,8155
179	−0,0202	0,6301	0,5981	1,4990	229	+1,2490	0,8618	0,2997	1,8202
180	0,0000	0,6300	0,5928	1,5066	230	+1,2873	0,8726	0,2924	1,8248
181	+0,0202	0,6301	0,5874	1,5142	231	+1,3267	0,8837	0,2849	1,8293
182	+0,0405	0,6302	0,5821	1,5217	232	+1,3670	0,8951	0,2773	1,8337
183	+0,0608	0,6306	0,5767	1,5292	233	+1,4084	0,9069	0,2697	1,8379
184	+0,0811	0,6312	0,5714	1,5367	234	+1,4509	0,9190	0,2619	1,8421
185	+0,1015	0,6320	0,5660	1,5441	235	+1,4945	0,9316	0,2540	1,8461
186	+0,1218	0,6329	0,5606	1,5516	236	+1,5394	0,9445	0,2461	1,8501
187	+0,1423	0,6341	0,5552	1,5589	237	+1,5855	0,9577	0,2380	1,8539
188	+0,1630	0,6354	0,5498	1,5663	238	+1,6330	0,9714	0,2298	1,8576
189	+0,1836	0,6369	0,5444	1,5736	239	+1,6818	0,9855	0,2215	1,8609
190	+0,2042	0,6385	0,5390	1,5808	240	+1,7321	1,0000	0,2130	1,8646
191	+0,2251	0,6404	0,5335	1,5881					
192	+0,2461	0,6424	0,5281	1,5952					
193	+0,2673	0,6446	0,5226	1,6024					
194	+0,2885	0,6469	0,5171	1,6095					
195	+0,3099	0,6495	0,5116	1,6165					
196	+0,3315	0,6522	0,5061	1,6235					
197	+0,3533	0,6552	0,5005	1,6305					
198	+0,3753	0,6582	0,4949	1,6374					
199	+0,3976	0,6615	0,4893	1,6443					

15. Integralformeln für die Weierstraßschen Funktionen.
15. Integral-formulae for the Weierstrassian functions.

$$\int \wp u \cdot du = -\zeta u, \qquad \int \wp^2 u \cdot du = \tfrac{1}{6}\wp' u + \tfrac{1}{12} g_2 u$$

$$\int \wp^3 u \cdot du = \tfrac{1}{120}\wp''' u - \tfrac{3}{20} g_2 \zeta u + \tfrac{1}{10} g_3 u$$

$$\wp' v \int \frac{du}{\wp u - \wp v} = 2u\,\zeta v + \ln\sigma(u-v) - \ln\sigma(u+v)$$

$$\tfrac{1}{2}(\wp' v)^2 \int \frac{du}{(\wp u - \wp v)^2} + \tfrac{1}{2}\wp'' v \int \frac{du}{\wp u - \wp v} + u\wp v = -\tfrac{1}{2}\zeta(u-v) - \tfrac{1}{2}\zeta(u+v)$$

$$\int \frac{\alpha\wp u + \beta}{\gamma\wp u + \delta}\,du = \frac{\alpha u}{\gamma} + \frac{\alpha\delta - \beta\gamma}{\gamma^2 \wp' v}\left[\ln\sigma(u+v) - \ln\sigma(u-v) - 2u\,\zeta v\right].$$

16. Differentialgleichungen, die auf Weierstraßsche Funktionen führen.
16. Differential equations which give Weierstrassian functions.

$$\left(\frac{dx}{du}\right)^2 = 4x^3 - g_2 x - g_3, \qquad x = \wp u$$

$$\left(\frac{dx}{du}\right)^3 = x^2(x-a)^2, \qquad x = \frac{a}{2} + \tfrac{27}{8}\wp'\left(\frac{u}{2}; 9, g_3\right),\ g_3 = -\tfrac{64}{729}a^3$$

$$\left(\frac{dx}{du}\right)^3 = (x^3 - 3ax^2 + 3x)^2, \qquad x = \frac{2}{a - 3\wp'(u; 0, g_3)},\ g_3 = \frac{4 - 3a^2}{27}$$

$$\left(\frac{dx}{du}\right)^4 = \tfrac{128}{3}(x+a)^2(x+b)^3, \qquad x = 6\wp^2(u; g_2, 0) - b,\ g_2 = -\tfrac{2}{3}(a-b).$$

17. Ausartungen der elliptischen Funktionen.
17. Degenerations of the elliptic functions.

1) $k = 0,\ k' = 1$: $\qquad \omega = \frac{\pi}{\sqrt{6e_1}}, \quad \omega' = \infty\, i$

$\operatorname{sn} u = \sin u,$ $\qquad \wp u = -\frac{1}{3}\left(\frac{\pi}{2\omega}\right)^2 + \frac{\left(\frac{\pi}{2\omega}\right)^2}{\sin^2\left(\frac{u\pi}{2\omega}\right)}$

$\operatorname{cn} u = \cos u,$

$\operatorname{dn} u = 1,$ $\qquad \zeta u = \frac{1}{3}\frac{u\pi}{2\omega} + \frac{\pi}{2\omega}\cot\frac{u\pi}{2\omega}$

$K = \frac{\pi}{2}, \quad K' = \infty,$ $\qquad \sigma u = \frac{2\omega}{\pi}\sin\frac{u\pi}{2\omega}\cdot e^{\frac{1}{6}\left(\frac{u\pi}{2\omega}\right)^2}$

$q = 0,\ \vartheta x = 1,\ \vartheta_1 x = 0,\ \vartheta_2 x = 0,\ \vartheta_3 x = 1$

$\lim\limits_{k=0} \frac{e^{-\pi\frac{K'}{K}}}{k^2} = \frac{1}{16},$ $\qquad e_2 = e_3 = -\frac{e_1}{2},\ g_2 = 3e_1^2,\ g_3 = e_1^3.$

2) $k = 1, k' = 0$: $\omega = \infty, \quad \omega' = \frac{\pi i}{2\sqrt{3 e_1}}$

$$\varphi = \mathfrak{Amp}\, u, \qquad \wp u = -2 e_1 + 3 e_1 \mathfrak{Ctg}^2 (u \sqrt{3 e_1})$$

$$\operatorname{sn} u = \mathfrak{Tg}\, u, \qquad \zeta u = -e_1 u + \sqrt{3 e_1}\, \mathfrak{Ctg}\, (u \sqrt{3 e_1})$$

$$\operatorname{cn} u = \operatorname{dn} u = \frac{1}{\mathfrak{Cos}\, u}, \qquad \sigma u = \frac{1}{\sqrt{3 e_1}} \mathfrak{Sin}\, (u \sqrt{3 e_1}) \cdot e^{-\frac{e_1 u^2}{2}}$$

$$\mathsf{K} = \infty, \quad \mathsf{K}' = \frac{\pi}{2}, \qquad q = 1$$

$$\lim_{k=1} \frac{e^{-\pi \frac{\mathsf{K}}{\mathsf{K}'}}}{1 - k^2} = \frac{1}{16}, \qquad e_1 = e_2 = -\frac{e_3}{2}, \quad g_2 = 3 e_3^2, \quad g_3 = e_3^3$$

3) $e_1 = e_2 = e_3 = 0, \quad g_2 = 0, \quad g_3 = 0, \quad \omega = \infty, \quad \omega' = \infty$

$$\wp u = \frac{1}{u^2}, \quad \zeta u = \frac{1}{u}, \quad \sigma u = u.$$

Tafeln: | **Tables:**

a) L. M. Milne-Thomson, Die elliptischen Funktionen von Jacobi (Berlin 1931 bei Springer), fünfstellig, für reelles Argument, Schritt 0,01 in u, 0,1 in k^2.

b) L. M. Milne-Thomson, The Zeta Function of Jacobi. Reprint from the Proc. R. S. Edinburgh (1931/32) **52,** II, No. 11. zn u mit 7 Dezimalen für $u = 0{,}01 \ldots 3{,}00$ und $k^2 = 0{,}1 \ldots 1{,}0$.

Formelsammlungen: | **Collections of Formulae:**

Außer den bei den ell. Integralen genannten Büchern von Hoüel und Laska: J. Thomae, Sammlung von Formeln und Sätzen (Leipzig 1905 bei Teubner).

Lehrbücher: | **Text-books:**

Außer den bei den ell. Integralen genannten Büchern von Schlömilch und von Enneper:

a) M. Krause und E. Naetsch, Theorie der ell. Funktionen (Leipzig 1912 bei Teubner). 186 S.

b) E. T. Whittaker and G. N. Watson, Modern Analysis (4. ed., Cambridge 1927, University press), p. 429—535.

c) R. de Montessus de Ballore, Fonc. ell. (Paris 1917 bei Gauthier-Villars). 251 S.

d) P. Appell und E. Lacour, Fonc. ell. (Paris 1922 bei Gauthier-Villars). 491 S.

e) A. G. Greenhill, Applications of ell. functions (London 1892 bei Macmillan). 352 S.

f) F. Klein und A. Sommerfeld, Kreisel (Leipzig 1897—1910 bei Teubner), S. 406 bis 475.

VII. Die Kugelfunktionen.

VII. Legendre functions.

1. Definitionen.

1. Definitions.

a) Legendresche Polynome (Kugelfunktionen erster Art).

a) Legendre's polynomials (Spherical harmonics of the first kind).

Das Legendresche Polynom 1. Art, $n$ter Ordnung $P_n(x)$ (zonale harmonische Kugelfunktion 1. Art) läßt sich definieren durch

Legendre's polynomial of the first kind, of the nth degree $P_n(x)$ (zonal surface harmonic of the first kind) may be defined by

$$P_n(x) = \frac{1}{2^n \cdot n!} \frac{d^n}{dx^n} (x^2 - 1)^n.$$

Für $r < 1$ und $x = \cos\vartheta$ läßt sich entwickeln

When $r < 1$ and $x = \cos\vartheta$ we may expand

$$(1 - 2r\cos\vartheta + r^2)^{-\frac{1}{2}} = P_0(\cos\vartheta) + rP_1(\cos\vartheta) + r^2 P_2(\cos\vartheta) + \cdots,$$

für $r > 1$:

when $r > 1$:

$$(1 - 2r\cos\vartheta + r^2)^{-\frac{1}{2}} = \frac{1}{r} P_0(\cos\vartheta) + \frac{1}{r^2} P_1(\cos\vartheta) + \frac{1}{r^3} P_2(\cos\vartheta) + \cdots$$

$$P_n(\cos\vartheta) = 2 \cdot \frac{1\cdot 3\cdot 5\cdots(2n-1)}{2^n \cdot n!}\Big[\cos n\vartheta + \frac{1}{1}\frac{n}{2n-1}\cos(n-2)\vartheta$$
$$+ \frac{1\cdot 3}{1\cdot 2}\frac{n(n-1)}{(2n-1)(2n-3)}\cos(n-4)\vartheta$$
$$+ \frac{1\cdot 3\cdot 5}{1\cdot 2\cdot 3}\frac{n(n-1)(n-2)}{(2n-1)(2n-3)(2n-5)}\cos(n-6)\vartheta + \cdots\Big]$$

Für ungerade n geht diese Reihe bis $\cos\vartheta$, für gerade n bis $\cos(0\cdot\vartheta)$, und dem Koeffizienten von $\cos(0\cdot\vartheta)$ ist der Faktor $\frac{1}{2}$ beizufügen.

If n is an odd integer the series terminates at $\cos\vartheta$, if n is an even integer at $\cos(0\cdot\vartheta)$ and the coefficient of $\cos(0\cdot\vartheta)$ will be multiplied by the factor $\frac{1}{2}$.

$$P_n(x) = \frac{1\cdot 3\cdot 5\cdots(2n-1)}{n!}\Big[x^n - \frac{n(n-1)}{2(2n-1)}x^{n-2}$$
$$+ \frac{n(n-1)(n-2)(n-3)}{2\cdot 4\cdot(2n-1)(2n-3)}x^{n-4} - \cdots\Big].$$

$$P_0(x) = 1$$

$$P_1(x) = \cos\vartheta = x$$

$$P_2(x) = \tfrac{1}{4}(3\cos 2\vartheta + 1) = \tfrac{1}{2}(3x^2 - 1)$$

$$P_3(x) = \tfrac{1}{8}(5\cos 3\vartheta + 3\cos\vartheta) = \tfrac{1}{2}(5x^3 - 3x)$$

$$P_4(x) = \tfrac{1}{64}(35\cos 4\vartheta + 20\cos 2\vartheta + 9) = \tfrac{1}{8}(35x^4 - 30x^2 + 3)$$

$$P_5(x) = \tfrac{1}{128}(63\cos 5\vartheta + 35\cos 3\vartheta + 30\cos\vartheta) = \tfrac{1}{8}(63x^5 - 70x^3 + 15x)$$

$$P_6(x) = \tfrac{1}{512}(231\cos 6\vartheta + 126\cos 4\vartheta + 105\cos 2\vartheta + 50)$$

$$= \tfrac{1}{16}(231x^6 - 315x^4 + 105x^2 - 5)$$

. . . .

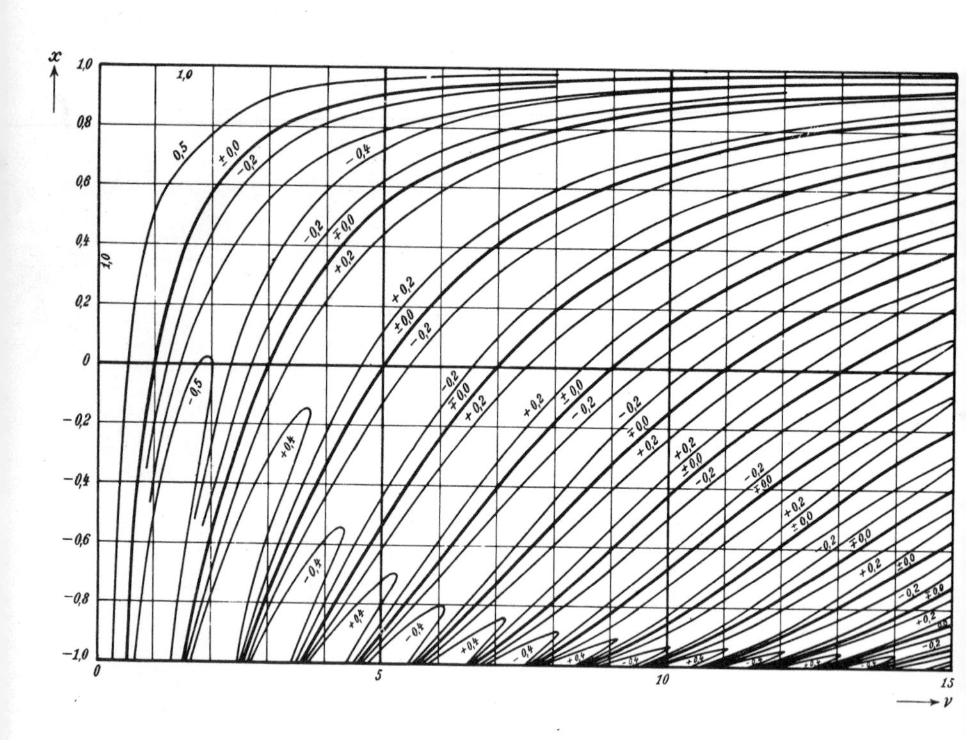

Fig. 58. Kurven $P_\nu(x) = \text{const.}$ in der ν, x-Ebene.
Fig. 58. Curves $P_\nu(x) = \text{const.}$ in the ν, x-plane.

b) Kugelfunktionen zweiter Art.
b) Spherical harmonics of the second kind.

Im folgenden sei z ein beliebiger Punkt in der Ebene der komplexen Zahlen mit Ausnahme der Punkte x auf der reellen Achse zwischen -1 und $+1$. $x = \cos\vartheta$ (ϑ reell). (Verzweigungsschnitt auf der reellen Achse zwischen -1 und $+1$!) Dann ist das Legendresche Polynom 2. Art, $n$ter Ordnung für die Punkte z definiert durch

In the following let z be any arbitrary point in the plane of the complex numbers, excepting the points x on the real axis between -1 and $+1$. $x = \cos\vartheta$ (ϑ real). (Branch line on the real axis between -1 and $+1$!) Then Legendre's polynomial of the 2nd kind of the n-th order is defined for the points z by

$$\mathfrak{Q}_n(z) = P_n(z)\,\mathfrak{Ar}\,\mathfrak{Cotg}\,z - W_{n-1}(z)$$

und für die Punkte x durch

and for the points x by

$$Q_n(x) = P_n(x)\,\mathfrak{Ar}\,\mathfrak{Tg}\,x - W_{n-1}(x),$$

dabei ist

where

$$W_{n-1}(u) = \sum_{m=1}^{n} \frac{1}{m} P_{m-1}(u)\,P_{n-m}(u)$$

$$= \frac{1\cdot 3\cdot 5\ldots(2n-1)}{1\cdot 2\cdot 3\ldots n}\left\{u^{n-1} + u^{n-3}\left(\frac{1}{3} - \frac{n(n-1)}{2(2n-1)}\right)\right.$$

$$\left. + u^{n-5}\left(\frac{1}{5} - \frac{1}{3}\,\frac{n(n-1)}{2(2n-1)} + \frac{n(n-1)(n-2)(n-3)}{2\cdot 4\cdot(2n-1)(2n-3)}\right) + \cdots\right\}.$$

Für gerade n bricht die Reihe mit dem Glied u^1 ab, für ungerade n mit dem Glied u^0.

If n is even, the series ends with the term u^1, if n is odd it ends with the term u^0.

$$\mathfrak{Q}_n(z) = \frac{n!}{1\cdot 3\cdot 5\ldots(2n+1)}\left\{\frac{1}{z^{n+1}} + \frac{(n+1)(n+2)}{2(2n+3)}\cdot\frac{1}{z^{n+3}}\right.$$

$$\left. + \frac{(n+1)(n+2)(n+3)(n+4)}{2\cdot 4(2n+3)(2n+5)}\cdot\frac{1}{z^{n+5}} + \cdots\right\} \quad |z| > 1$$

$$Q_n(x) = 2\,\frac{2\cdot 4\ldots 2n}{3\cdot 5\ldots(2n+1)}\left\{\cos(n+1)\vartheta + \frac{1(n+1)}{1(2n+3)}\cos(n+3)\vartheta\right.$$

$$\left. + \frac{1\cdot 3(n+1)(n+2)}{1\cdot 2(2n+3)(2n+5)}\cos(n+5)\vartheta + \cdots\right\}$$

$$Q_n(x) = \tfrac{1}{2}\{\mathfrak{Q}_n(x + 0\cdot i) + \mathfrak{Q}_n(x - 0\cdot i)\}$$

$$\mathfrak{Q}_n(x \pm 0\cdot i) = Q_n(x) \mp \tfrac{1}{2}\pi i\,P_n(x)$$

$$Q_0(x) = \mathfrak{Ar}\,\mathfrak{Tg}\,x \equiv \tanh^{-1} x = \frac{1}{2}\ln\frac{1+x}{1-x}, \quad x = \mathfrak{Tg}\,Q_0$$

$$Q_1(x) = x\,Q_0(x) - 1 \qquad\qquad Q_4(x) = P_4(x)\,Q_0(x) - \tfrac{35}{8}x^3 + \tfrac{55}{24}x$$

$$Q_2(x) = P_2(x)\,Q_0(x) - \tfrac{3}{2}x \qquad\qquad Q_5(x) = P_5(x)\,Q_0(x) - \tfrac{63}{8}x^4 + \tfrac{49}{8}x^2 - \tfrac{8}{15}$$

$$Q_3(x) = P_3(x)\,Q_0(x) - \tfrac{5}{2}x^2 + \tfrac{2}{3} \qquad \ldots\ldots\ldots\ldots$$

Die entsprechenden Ausdrücke für $\mathfrak{Q}_n(z)$ erhält man, indem man $\mathfrak{Ar}\,\mathfrak{Tg}\,x = \frac{1}{2}\ln\frac{1+x}{1-x}$ durch $\mathfrak{Ar}\,\mathfrak{Cotg}\,z = \frac{1}{2}\ln\frac{z+1}{z-1}$ ersetzt. $z = \mathfrak{Ctg}\,\mathfrak{Q}_0$.

The corresponding expressions for $\mathfrak{Q}_n(z)$ are obtained on replacing $\tanh^{-1}x = \frac{1}{2}\ln\frac{1+x}{1-x}$ by $\operatorname{cotanh}^{-1} z = \frac{1}{2}\ln\frac{z+1}{z-1}$. $z = \operatorname{cotanh}\mathfrak{Q}_0$.

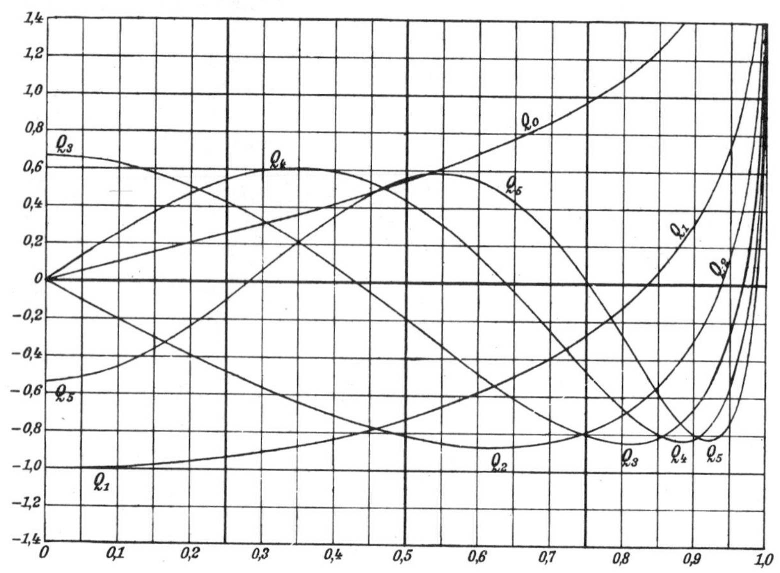

Fig. 59. Die Kugelfunktionen 2. Art $Q_n(x)$.
Fig. 59. Legendre functions of the 2nd kind $Q_n(x)$.

c) Zugeordnete Kugelfunktionen erster Art.
c) Legendre's associated functions of the first kind.

Im folgenden seien n und m ganze Zahlen und $n \geqq m \geqq 0$.

In the following let n and m be integers and $n \geqq m \geqq 0$.

$$P_n^m(x) = \sin^m\vartheta\,\frac{d^m P_n(\cos\vartheta)}{d(\cos\vartheta)^m} = (1-x^2)^{\frac{m}{2}}\frac{d^m P_n(x)}{d x^m} = \frac{(1-x^2)^{\frac{m}{2}}}{2^n\cdot n!}\,\frac{d^{n+m}}{d x^{n+m}}(x^2-1)^n$$

$$P_n^m(x) = \frac{(2n)!}{2^n\cdot n!\,(n-m)!}(1-x^2)^{\frac{m}{2}}\left\{x^{n-m} - \frac{(n-m)(n-m-1)}{2(2n-1)}x^{n-m-2} + \frac{(n-m)(n-m-1)(n-m-2)(n-m-3)}{2\cdot 4(2n-1)(2n-3)}x^{n-m-4} - + \cdots\right\} \tag{1}$$

$$P_n^m(x) = \frac{(n+m)!}{2^m m!(n-m)!}(1-x^2)^{\frac{m}{2}}\left\{1 - \frac{(n-m)(n+m+1)}{1(m+1)}\frac{1-x}{2}\right.$$
$$\left. + \frac{(n-m)(n-m-1)(n+m+1)(n+m+2)}{1\cdot 2(m+1)(m+2)}\left(\frac{1-x}{2}\right)^2 - + \cdots\right\} \quad (2)$$

$$\begin{aligned}
P_1^1(x) &= \sin\vartheta = (1-x^2)^{\frac{1}{2}}\\
P_2^1(x) &= \tfrac{3}{2}\sin 2\vartheta = 3(1-x^2)^{\frac{1}{2}}x\\
P_2^2(x) &= \tfrac{3}{2}(1-\cos 2\vartheta) = 3(1-x^2)\\
P_3^1(x) &= \tfrac{3}{8}(\sin\vartheta + 5\sin 3\vartheta) = \tfrac{3}{2}(1-x^2)^{\frac{1}{2}}(5x^2-1)\\
P_3^2(x) &= \tfrac{15}{4}(\cos\vartheta - \cos 3\vartheta) = 15(1-x^2)x\\
P_3^3(x) &= \tfrac{15}{4}(3\sin\vartheta - \sin 3\vartheta) = 15(1-x^2)^{\frac{3}{2}}\\
P_4^1(x) &= \tfrac{5}{16}(2\sin 2\vartheta + 7\sin 4\vartheta) = \tfrac{5}{2}(1-x^2)^{\frac{1}{2}}(7x^3-3x)\\
P_4^2(x) &= \tfrac{15}{16}(3+4\cos 2\vartheta - 7\cos 4\vartheta) = \tfrac{15}{2}(1-x^2)(7x^2-1)\\
P_4^3(x) &= \tfrac{105}{8}(2\sin 2\vartheta - \sin 4\vartheta) = 105(1-x^2)^{\frac{3}{2}}x\\
P_4^4(x) &= \tfrac{105}{8}(3-4\cos 2\vartheta + \cos 4\vartheta) = 105(1-x^2)^2
\end{aligned} \quad (3)$$

In der komplexen Ebene wird die zugeordnete Kugelfunktion 1. Art definiert durch

In the complex plane Legendre's associated function of the 1st kind is defined by

$$\mathfrak{P}_n^m(z) = (z^2-1)^{\frac{m}{2}}\frac{d^m P_n(z)}{dz^m}.$$

Die den Gleichungen (1), (2) und (3) entsprechenden Ausdrücke für $\mathfrak{P}_n^m(z)$ erhält man, wenn man in diesen Gleichungen $(1-x^2)^{\frac{m}{2}}$ durch $(z^2-1)^{\frac{m}{2}}$ ersetzt.

The expressions for $\mathfrak{P}_n^m(z)$ corresponding to the equations (1), (2) and (3) are obtained on replacing in these equations $(1-x^2)^{\frac{m}{2}}$ by $(z^2-1)^{\frac{m}{2}}$.

$$\mathfrak{P}_n^m(\cos\vartheta \pm 0\cdot i) = i^{\pm m} P_n^m(\cos\vartheta).$$

d) Zugeordnete Kugelfunktionen zweiter Art.
d) Legendre's associated functions of the second kind.

$$Q_n^m(\cos\vartheta) = \sin^m\vartheta\,\frac{d^m Q_n(\cos\vartheta)}{d(\cos\vartheta)^m} = (1-x^2)^{\frac{m}{2}}\frac{d^m Q_n(x)}{dx^m}$$

$$\mathfrak{Q}_n^m(z) = (z^2-1)^{\frac{m}{2}}\frac{d^m \mathfrak{Q}_n(z)}{dz^m}$$

$$\mathfrak{Q}_n^m(z) = (-1)^m\frac{2^n\cdot n!(n+m)!}{(2n+1)!}(z^2-1)^{\frac{m}{2}}\left\{\frac{1}{z^{n+m+1}}\right.$$
$$\left. + \frac{(n+m+1)(n+m+2)}{2(2n+3)}\frac{1}{z^{n+m+3}} + \cdots\right\} \quad |z|>1$$

$$Q_n^m(\cos\vartheta) = \tfrac{1}{2}\{i^{-m}\mathfrak{Q}_n^m(\cos\vartheta + 0\cdot i) + i^{+m}\mathfrak{Q}_n^m(\cos\vartheta - 0\cdot i)\}$$

$$\mathfrak{Q}_n^m(x \pm 0\cdot i) = i^{\pm m}\left\{Q_n^m(x) \mp i\frac{\pi}{2}P_n^m(x)\right\}.$$

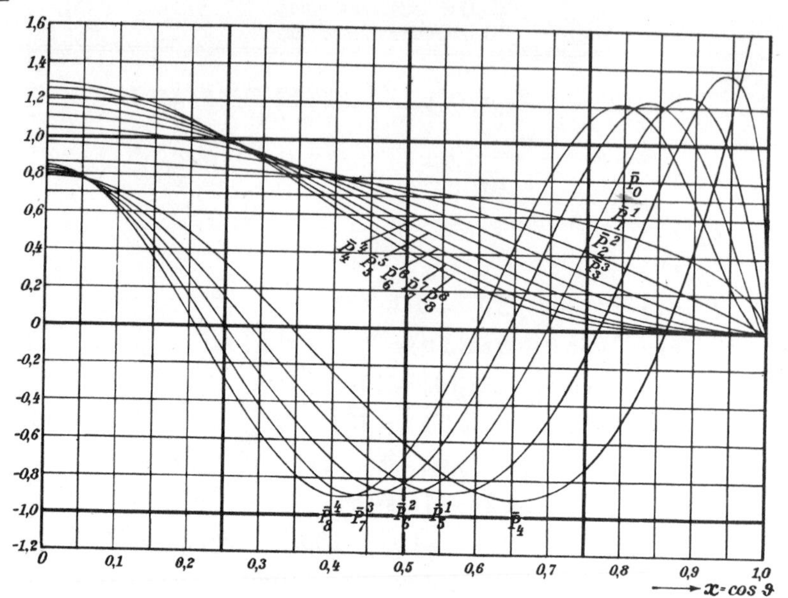

Fig. 60. Die zugeordneten normierten Kugelfunktionen 1. Art $\overline{P_n^n}(x)$ und $\overline{P_{n+4}^n}(x)$.

Fig. 60. The associated normalized Legendre functions of the 1st kind $\overline{P_n^n}(x)$ and $\overline{P_{n+4}^n}(x)$.

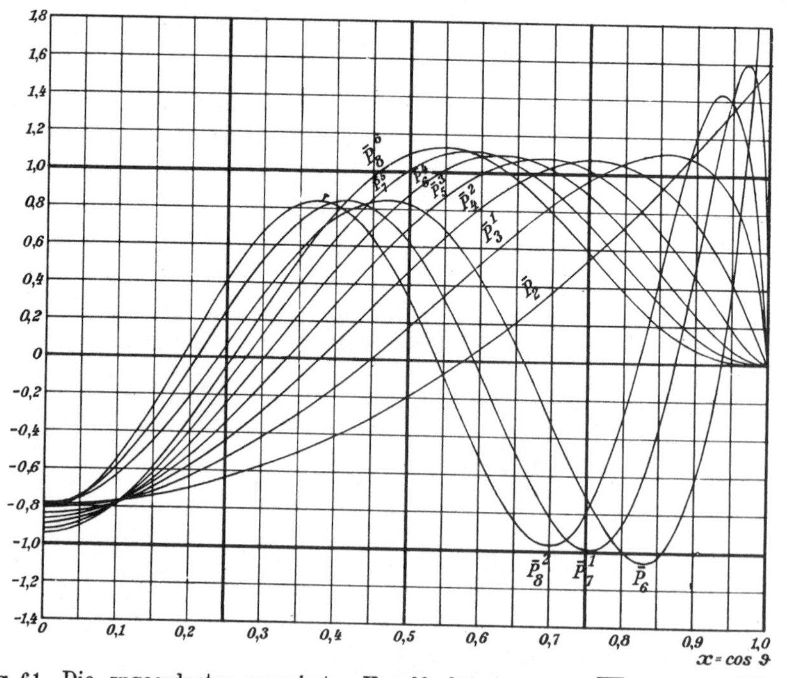

Fig. 61. Die zugeordneten normierten Kugelfunktionen 1. Art $\overline{P_{n+2}^n}(x)$ und $\overline{P_{n+6}^n}(x)$.

Fig. 61. The associated normalized Legendre functions of the 1st kind $\overline{P_{n+2}^n}(x)$ and $\overline{P_{n+6}^n}(x)$.

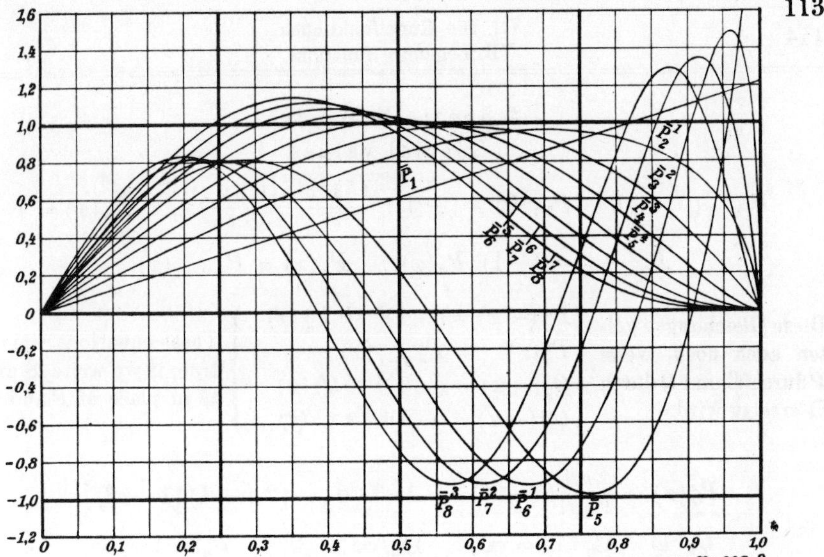

Fig. 62. Die zugeordneten normierten Kugelfunktionen 1. Art $\overline{P_{n+1}^n}(x)$ und $\overline{P_{n+5}^n}(x)$.

Fig. 62. The associated normalized Legendre functions of the 1st kind $\overline{P_{n+1}^n}(x)$ and $\overline{P_{n+5}^n}(x)$.

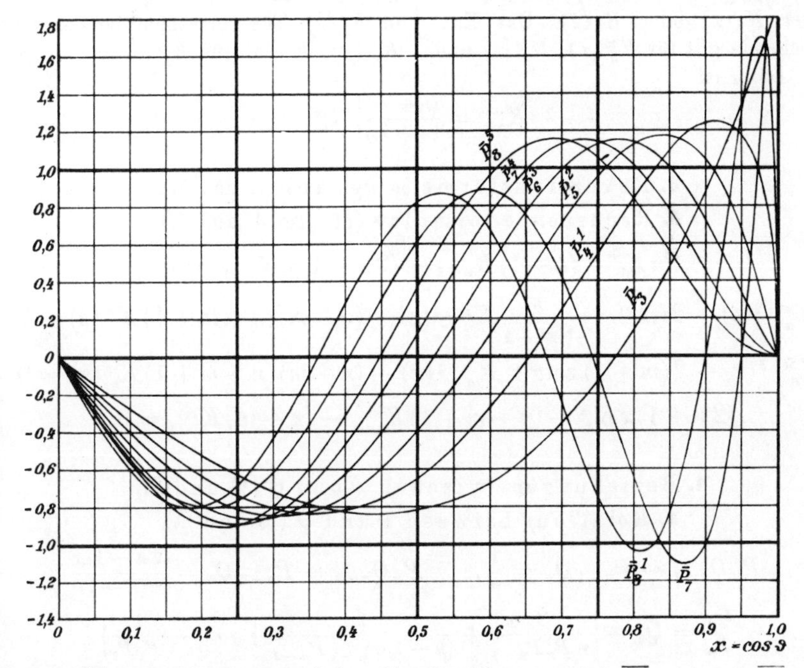

Fig. 63. Die zugeordneten normierten Kugelfunktionen 1. Art $\overline{P_{n+3}^n}(x)$ und $\overline{P_{n+7}^n}(x)$.

Fig. 63. The associated normalized Legendre functions of the 1st kind $\overline{P_{n+3}^n}(x)$ and $\overline{P_{n+7}^n}(x)$.

2. Spezielle Werte.
2. Special values.

$$P_{2n+1}(0) = 0, \quad P_{2n}(0) = (-1)^n \frac{1 \cdot 3 \cdot 5 \cdots (2n-1)}{2 \cdot 4 \cdot 6 \cdots 2n}, \quad P_n(1) = 1$$

$$P_n(-x) = (-1)^n P_n(x), \quad P_n(x) = P_{-n-1}(x).$$

Diese Gleichungen gelten auch noch, wenn P durch $\mathfrak{P}$ und Q durch $\mathfrak{Q}$ ersetzt wird.

$$\left.\begin{aligned} P_n^m(-x) &= (-1)^{n-m} P_n^m(x) \\ P_n^m(x) &= P_{-n-1}^m(x) \\ Q_n(-x) &= (-1)^{n+1} Q_n(x) \\ Q_n^m(-x) &= (-1)^{n+m+1} Q_n^m(x) \end{aligned}\right\}$$

These equations remain true, if we write $\mathfrak{P}$ and $\mathfrak{Q}$ in place of P and Q.

$$P_n^n(x) = \frac{(2n)!}{2^n \cdot n!}(1-x^2)^{\frac{n}{2}} = 1 \cdot 3 \cdot 5 \ldots (2n-1)(1-x^2)^{\frac{n}{2}}$$

$$Q_n(1) = \mathfrak{Q}_n(1) = \infty, \quad \mathfrak{Q}_n(\infty) = 0, \quad P_n(\infty) = \infty.$$

Es bedeute im folgenden K eine beliebige Kugelfunktion, und zwar $K_n(x)$ entweder $P_n(x)$ oder $Q_n(x)$, $K_n(z)$ entweder $\mathfrak{P}_n(z)$ oder $\mathfrak{Q}_n(z)$ und K_n entweder $K_n(x)$ oder $K_n(z)$. Das Entsprechende gilt für $K_n^m(x)$, $K_n^m(z)$ und K_n^m. Dann ist

In the following let K denote an arbitrary Legendre function, viz. $K_n(x)$ either $P_n(x)$ or $Q_n(x)$, $K_n(z)$ either $\mathfrak{P}_n(z)$ or $\mathfrak{Q}_n(z)$ and K_n either $K_n(x)$ or $K_n(z)$. The corresponding holds for $K_n^m(x)$, $K_n^m(z)$ and K_n^m. Then we have

$$K_n^{-m} = \frac{(n-m)!}{(n+m)!} K_n^m.$$

3. Rekursionsformeln (vgl. auch 4. und 5.).
3. Recurrence formulae (cf. also 4. and 5.).

$$n K_n + (n-1) K_{n-2} - (2n-1) x K_{n-1} = 0$$

$$K_n^{m+2}(z) + 2(m+1)\frac{z}{\sqrt{z^2-1}} K_n^{m+1}(z) - (n-m)(n+m+1) K_n^m(z) = 0$$

$$K_n^{m+2}(x) - 2(m+1) \operatorname{cotg} \vartheta\, K_n^{m+1}(x) + (n-m)(n+m+1) K_n^m(x) = 0$$

$$(2n+1) x K_n^m - (n-m+1) K_{n+1}^m - (n+m) K_{n-1}^m = 0.$$

4. Beziehungen zwischen P und Q ($\mathfrak{P}$ und $\mathfrak{Q}$).
4. Relations between P and Q ($\mathfrak{P}$ and $\mathfrak{Q}$).

$$P_n Q_{n-1} - P_{n-1} Q_n = \frac{1}{n}, \quad P_n Q_{n-2} - P_{n-2} Q_n = \frac{(2n-1)x}{n(n-1)}$$

$$\frac{Q_n}{P_n} = Q_0 - \left\{\frac{1}{n P_n P_{n-1}} + \frac{1}{(n-1) P_{n-1} P_{n-2}} + \cdots + \frac{1}{P_1 P_0}\right\}$$

$$(1-x^2)[P_n Q_n' - Q_n P_n'] = 1$$

$$P_{n-1}^m Q_n^m - Q_{n-1}^m P_n^m = P_{n-2}^m Q_{n-1}^m - Q_{n-2}^m P_{n-1}^m.$$

Dabei bedeutet z. B. | Here e. g.

$$P_n = P_n(x), \qquad Q_n' = \frac{d\,Q_n(x)}{d\,x}.$$

Sämtliche Gleichungen unter 4. gelten auch noch, wenn P durch $\mathfrak{P}$ und Q durch $\mathfrak{Q}$ ersetzt wird.

All equations in 4. remain true if we replace P by $\mathfrak{P}$ and Q by $\mathfrak{Q}$.

5. Differentialbeziehungen.
5. Differential equations.

$$(x^2-1)\,K_n'' + 2\,x\,K_n' - n\,(n+1)\,K_n = 0$$ (Legendresche Differentialgleichung) (Legendre's differential equation)

$$(x^2-1)\,K_n' = n\,(x\,K_n - K_{n-1}) = -(n+1)\,(x\,K_n - K_{n+1})$$

$$n\,K_n = x\,K_n' - K_{n-1}'$$

$$(n+1)\,K_n = -x\,K_n' + K_{n+1}'$$

$$(2\,n+1)\,K_n = K_{n+1}' - K_{n-1}'$$

$$(x^2-1)\,K_n^{m\,\prime\prime} + 2\,x\,K_n^{m\,\prime} - \left\{n\,(n+1) - \frac{m^2}{1-x^2}\right\} K_n^m = 0.$$

$$(x^2-1)\,K_n^{m\,\prime} - (n-m+1)\,K_{n+1}^m + (n+1)\,x\,K_n^m = 0.$$

Dabei bedeutet z. B. | Here e. g.

$$K_{n+1}' = \frac{d\,K_{n+1}(x)}{d\,x} \quad \text{oder / or} \quad = \frac{d\,K_{n+1}(z)}{d\,z}.$$

6. Additionstheorem.
6. Addition theorem.

Ist α der Abstand zweier Punkte auf der Einheitskugel mit den Koordinaten (ϑ, φ) und (ϑ', φ'), ist also

Let α be the distance between two points on the unit sphere with the coordinates (ϑ, φ) and (ϑ', φ'), then we have

$$\cos\alpha = \cos\vartheta\cos\vartheta' + \sin\vartheta\sin\vartheta'\cos(\varphi-\varphi'),$$

so wird | and obtain

$$P_n(\cos\alpha) = P_n(\cos\vartheta)\,P_n(\cos\vartheta') + 2\sum_{m=1}^{n}\frac{(n-m)!}{(n+m)!}\,P_n^m(\cos\vartheta)\,P_n^m(\cos\vartheta')\cos m\,(\varphi-\varphi')$$

oder / or

$$\frac{2\,n+1}{2}\,P_n(\cos\alpha) = \sum_{m=-n}^{+n}\overline{P_n^m}\,(\cos\vartheta)\cdot\overline{P_n^m}\,(\cos\vartheta')\,e^{i\,m\,(\varphi-\varphi')},$$

wo die $\overline{P_n^m}$ die normierten Funktionen bedeuten (vgl. 7.).

where $\overline{P_n^m}$ denotes the normalized functions (cf. 7.).

7. Integraleigenschaften.
7. Integral properties.

$$\int_{-1}^{+1} P_m(x)\, P_n(x)\, dx = 0 \quad \text{für / for} \quad m \neq n, \qquad \int_{-1}^{+1} P_n^2(x)\, dx = \frac{2}{2n+1}.$$

$$\int_{-1}^{+1} P_n^m(x)\, P_l^m(x)\, dx = 0 \quad \text{für / for} \quad n \neq l, \qquad \int_{-1}^{+1} [P_n^m(x)]^2\, dx = \frac{2}{2n+1} \frac{(n+m)!}{(n-m)!}.$$

Daraus die normierten Funktionen 1. Art:

From this we obtain the normalized functions of the first kind:

$$\overline{P}_n(x) = \sqrt{\frac{2n+1}{2}}\, P_n(x) \quad \text{und / and} \quad \overline{P_n^m}(x) = \sqrt{\frac{2n+1}{2} \frac{(n-m)!}{(n+m)!}}\, P_n^m(x).$$

$$\int_{-1}^{+1} P_n^m P_n^l \frac{dx}{1-x^2} = 0 \quad \text{für / for} \quad m \neq l, \qquad \int_{-1}^{+1} P_n'^2\, dx = n(n+1)$$

$$(2n+1)\int_1^\infty \mathfrak{Q}_n^2(z)\, dz = \frac{1}{(n+1)^2} + \frac{1}{(n+2)^2} + \cdots$$

$$(2n+1)\int_0^1 Q_n^2(x)\, dx = \frac{\pi^2}{4} - \frac{1}{(n+1)^2} - \frac{1}{(n+2)^2} - \cdots$$

$$P_n(x) = \frac{1}{\pi}\int_0^\pi \frac{d\varphi}{(x \pm \sqrt{x^2-1}\cos\varphi)^{n+1}} = \frac{1}{\pi}\int_0^\pi (x \pm \sqrt{x^2-1}\cos\varphi)^n\, d\varphi \quad \text{(Laplace)}$$

$$P_n(\cos\vartheta) = \frac{2}{\pi}\int_0^\vartheta \frac{\cos(n+\frac{1}{2})\psi}{\sqrt{2(\cos\psi - \cos\vartheta)}}\, d\psi = \frac{2}{\pi}\int_\vartheta^\pi \frac{\sin(n+\frac{1}{2})\psi}{\sqrt{2(\cos\vartheta - \cos\psi)}}\, d\psi \quad \text{(Mehler)}$$

$$\mathfrak{P}_n^m(z) = (\pm 1)^m \frac{(n+m)!}{\pi\, n!}\int_0^\pi (z \pm \sqrt{z^2-1}\cos\varphi)^n \cos m\varphi\, d\varphi$$

$$\mathfrak{Q}_n(z) = \frac{1}{2}\int_{-1}^{+1} \frac{P_n(t)}{z-t}\, dt \quad \text{(Neumann)}$$

$$\mathfrak{Q}_n(z) = \int_0^\infty \frac{d\psi}{(z + \sqrt{z^2-1}\,\mathrm{Cos}\,\psi)^{n+1}} = \int_0^{\psi_0} (z - \sqrt{z^2-1}\,\mathrm{Cos}\,\psi)^n\, d\psi, \quad \psi_0 = \tfrac{1}{2}\ln\frac{z+1}{z-1},$$

$$\mathrm{Ctg}\,\psi_0 = z$$

$$\mathfrak{Q}_n^m(z) = (-1)^m \frac{n!}{(n-m)!}\int_0^\infty \frac{\mathrm{Cos}\, m\psi}{(z + \sqrt{z^2-1}\,\mathrm{Cos}\,\psi)^{n+1}}\, d\psi.$$

8. Asymptotisches Verhalten.
8. Asymptotic behaviour.

Für
When $n >> 1, \quad \varepsilon < \vartheta < \pi - \varepsilon, \quad 0 < \varepsilon << \frac{\pi}{6},$

$$\left(n+\frac{1}{2}\right)\vartheta + \frac{\pi}{4} = \varphi$$

wird | we have

$$P_n(\cos\vartheta) = \sqrt{\frac{2}{\pi n \sin\vartheta}}\left[\left(1-\frac{1}{4n}\right)\sin\varphi - \frac{1}{8n}\operatorname{cotg}\vartheta\cos\varphi\right]\cdots$$

$$Q_n(\cos\vartheta) = \sqrt{\frac{\pi}{2n\sin\vartheta}}\left[\left(1-\frac{1}{4n}\right)\cos\varphi + \frac{1}{8n}\operatorname{cotg}\vartheta\sin\varphi\right]\cdots$$

$$\left.\begin{aligned} P_n^m(\cos\vartheta) &= (-n)^m\sqrt{\frac{2}{n\pi\sin\vartheta}}\sin\left(\varphi+\frac{m\pi}{2}\right)\cdots \\ Q_n^m(\cos\vartheta) &= (-n)^m\sqrt{\frac{\pi}{2n\sin\vartheta}}\cos\left(\varphi+\frac{m\pi}{2}\right)\cdots \end{aligned}\right\} n >> m$$

$$\left.\begin{aligned} \frac{(n-m)!}{n!}\mathfrak{P}_n^m(z) &= \frac{(2z)^n}{\sqrt{n\pi}} \\ \frac{n!}{(n+m)!}\mathfrak{Q}_n^m(z) &= (-1)^m\frac{\sqrt{\pi}}{\sqrt{n}\,(2z)^{n+1}} \end{aligned}\right\} z >> 1$$

9. Die Ableitungen der Kugelfunktionen erster Art nach ϑ.
9. The derivatives by ϑ of the Legendre functions of the first kind.

$$\frac{dP_0}{d\vartheta} = 0, \quad \frac{dP_1}{d\vartheta} = -\sin\vartheta, \quad \frac{dP_2}{d\vartheta} = -\frac{3}{2}\sin 2\vartheta, \quad \frac{dP_3}{d\vartheta} = -6\sin\vartheta + \frac{15}{2}\sin^3\vartheta$$

$$\frac{dP_4}{d\vartheta} = -5\sin 2\vartheta + \frac{35}{4}\sin^2\vartheta\sin 2\vartheta$$

$$\frac{dP_5}{d\vartheta} = -15\sin\vartheta + \frac{105}{2}\sin^3\vartheta - \frac{315}{8}\sin^5\vartheta$$

$$\frac{dP_6}{d\vartheta} = -\frac{21}{2}\sin 2\vartheta + \frac{189}{4}\sin^2\vartheta\sin 2\vartheta - \frac{693}{16}\sin^4\vartheta\sin 2\vartheta$$

$$\frac{dP_7}{d\vartheta} = -28\sin\vartheta + 189\sin^3\vartheta - \frac{693}{2}\sin^5\vartheta + \frac{3\,003}{16}\sin^7\vartheta$$

$$\frac{dP_{n+1}}{d\vartheta} = \frac{dP_{n-1}}{d\vartheta} - (2n+1)P_n\sin\vartheta.$$

Genauere Tafeln: | **More-figure tables:**

Siehe Verzeichnis berechneter Funktionentafeln. Erster Teil: Besselsche Kugel- und elliptische Funktionen (Berlin 1928, VDI-Verlag). Ferner:

a) **G. Prévost, Tables des Fonctions sphériques et de leurs intégrales (Paris u. Bordeaux 1933 bei Gauthier-Villars), gibt $P_n^m(x)$ und $\int_0^x P_n^m(\mu)\, d\mu$ mit 5 bis 7 geltenden Stellen für $x = 0{,}01 \ldots 1{,}00$ und $n = 0, 1, 2, \ldots 8$ und $m = 0, 1, 2, \ldots n$.**

b) **A. Schmidt, Normierte Kugelfunktionen (Gotha 1935 bei Engelhard-Reyher), gibt $\frac{2}{\sqrt{2n+1}}\overline{P_n^m}$ (cos u) und Ableitungen (nat. Werte und Log.), 6stellig, für $u = 5^0 \ldots 90^0$, $\cos u = 0{,}9, \ldots 0{,}0$; $n = 1, 2, \ldots 6$; $m = 0, 1, \ldots n$.**

Lehrbücher: | **Text-books:**

a) E. W. Hobson, Spherical and Ellipsoidal Harmonics (Cambridge at the University Press 1931). 500 Seiten.

b) Ganesh Prasad, Spherical Harmonics and the Functions of Bessel and Lamé (Benares City [India] 1930—1932). 159 + 248 Seiten.

c) E. Heine, Kugelfunktionen (Berlin 1878—1881 bei Reimer). 484 + 380 Seiten.

d) W. E. Byerly, Fourier's series and spherical, cylindrical, and ellipsoidal harmonics (Boston 1893, Ginn & Co.). 287 Seiten.

e) Whittaker and Watson, Modern Analysis, 4. ed. (Cambridge 1927), p. 302—336 (Legendre functions).

f) E. Pascal, Repertorium der höheren Mathematik, Analysis 1_3 (Leipzig 1929 bei Teubner) S. 1397—1416 (Verfasser: E. Hilb).

g) J. C. Maxwell, Electricity and Magnetism (Oxford 1904), art. 128—146, 391, 431.

h) F. Ollendorff, Potentialfelder der Elektrotechnik (Berlin 1932 bei Springer). S. 262, 272, 315.

i) **T. M. MacRobert, Spherical Harmonics (London 1928 bei Methuen). 302 Seiten.**

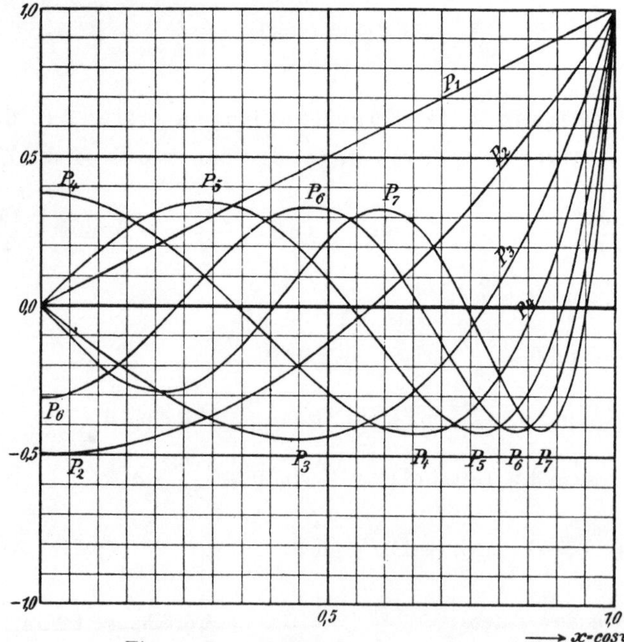

Fig. 64. Die Kugelfunktionen 1. Art $P_n(x)$.

Fig. 64. Legendre's functions of the 1st kind $P_n(x)$.

x	$P_1(x)$	$P_2(x)$	$P_3(x)$	$P_4(x)$	$P_5(x)$	$P_6(x)$	$P_7(x)$
0,00	0,0000	−0,5000	0,0000	0,3750	0,0000	−0,3125	0,0000
0,01	0,0100	−0,4998	−0,0150	0,3746	0,0187	−0,3118	−0,0219
0,02	0,0200	−0,4994	−0,0300	0,3735	0,0374	−0,3099	−0,0436
0,03	0,0300	−0,4986	−0,0449	0,3716	0,0560	−0,3066	−0,0651
0,04	0,0400	−0,4976	−0,0598	0,3690	0,0744	−0,3021	−0,0862
0,05	0,0500	−0,4962	−0,0747	0,3657	0,0927	−0,2962	−0,1069
0,06	0,0600	−0,4946	−0,0895	0,3616	0,1106	−0,2891	−0,1270
0,07	0,0700	−0,4926	−0,1041	0,3567	0,1283	−0,2808	−0,1464
0,08	0,0800	−0,4904	−0,1187	0,3512	0,1455	−0,2713	−0,1651
0,09	0,0900	−0,4878	−0,1332	0,3449	0,1624	−0,2606	−0,1828
0,10	0,1000	−0,4850	−0,1475	0,3379	0,1788	−0,2488	−0,1995
0,11	0,1100	−0,4818	−0,1617	0,3303	0,1947	−0,2360	−0,2151
0,12	0,1200	−0,4784	−0,1757	0,3219	0,2101	−0,2220	−0,2295
0,13	0,1300	−0,4746	−0,1895	0,3129	0,2248	−0,2071	−0,2427
0,14	0,1400	−0,4706	−0,2031	0,3032	0,2389	−0,1913	−0,2545
0,15	0,1500	−0,4662	−0,2166	0,2928	0,2523	−0,1746	−0,2649
0,16	0,1600	−0,4616	−0,2298	0,2819	0,2650	−0,1572	−0,2738
0,17	0,1700	−0,4566	−0,2427	0,2703	0,2769	−0,1389	−0,2812
0,18	0,1800	−0,4514	−0,2554	0,2581	0,2880	−0,1201	−0,2870
0,19	0,1900	−0,4458	−0,2679	0,2453	0,2982	−0,1006	−0,2911
0,20	0,2000	−0,4400	−0,2800	0,2320	0,3075	−0,0806	−0,2935
0,21	0,2100	−0,4338	−0,2918	0,2181	0,3159	−0,0601	−0,2943
0,22	0,2200	−0,4274	−,0 3034	0,2037	0,3234	−0,0394	−0,2933
0,23	0,2300	−0,4206	−0,3146	0,1889	0,3299	−0,0183	−0,2906
0,24	0,2400	−0,4136	−0,3254	0,1735	0,3353	0,0029	−0,2861
0,25	0,2500	−0,4062	−0,3359	0,1577	0,3397	0,0243	−0,2799
0,26	0,2600	−0,3986	−0,3461	0,1415	0,3431	0,0456	−0,2720
0,27	0,2700	−0,3906	−0,3558	0,1249	0,3453	0,0669	−0,2625
0,28	0,2800	−0,3824	−0,3651	0,1079	0,3465	0,0879	−0,2512
0,29	0,2900	−0,3738	−0,3740	0,0906	0,3465	0,1087	−0,2384
0,30	0,3000	−0,3650	−0,3825	0,0729	0,3454	0,1292	−0,2241
0,31	0,3100	−0,3558	−0,3905	0,0550	0,3431	0,1492	−0,2082
0,32	0,3200	−0,3464	−0,3981	0,0369	0,3397	0,1686	−0,1910
0,33	0,3300	−0,3366	−0,4052	0,0185	0,3351	0,1873	−0,1724
0,34	0,3400	−0,3266	−0,4117	−0,0000	0,3294	0,2053	−0,1527
0,35	0,3500	−0,3162	−0,4178	−0,0187	0,3225	0,2225	−0,1318
0,36	0,3600	−0,3056	−0,4234	−0,0375	0,3144	0,2388	−0,1098
0,37	0,3700	−0,2946	−0,4284	−0,0564	0,3051	0,2540	−0,0870
0,38	0,3800	−0,2834	−0,4328	−0,0753	0,2948	0,2681	−0,0635
0,39	0,3900	−0,2718	−0,4367	−0,0942	0,2833	0,2810	−0,0393
0,40	0,4000	−0,2600	−0,4400	−0,1130	0,2706	0,2926	−0,0146
0,41	0,4100	−0,2478	−0,4427	−0,1317	0,2569	0,3029	+0,0104
0,42	0,4200	−0,2354	−0,4448	−0,1504	0,2421	0,3118	0,0356
0,43	0,4300	−0,2226	−0,4462	−0,1688	0,2263	0,3191	0,0608
0,44	0,4400	−0,2096	−0,4470	−0,1870	0,2095	0,3249	0,0859
0,45	0,4500	−0,1962	−0,4472	−0,2050	0,1917	0,3290	0,1106
0,46	0,4600	−0,1826	−0,4467	−0,2226	0,1730	0,3314	0,1348
0,47	0,4700	−0,1686	−0,4454	−0,2399	0,1534	0,3321	0,1584
0,48	0,4800	−0,1544	−0,4435	−0,2568	0,1330	0,3310	0,1811
0,49	0,4900	−0,1398	−0,4409	−0,2732	0,1118	0,3280	0,2027

x	$P_1(x)$	$P_2(x)$	$P_3(x)$	$P_4(x)$	$P_5(x)$	$P_6(x)$	$P_7(x)$
0,50	0,5000	−0,1250	−0,4375	−0,2891	0,0898	0,3232	0,2231
0,51	0,5100	−0,1098	−0,4334	−0,3044	0,0673	0,3166	0,2422
0,52	0,5200	−0,0944	−0,4285	−0,3191	0,0441	0,3080	0,2596
0,53	0,5300	−0,0786	−0,4228	−0,3332	0,0204	0,2975	0,2753
0,54	0,5400	−0,0626	−0,4163	−0,3465	−0,0037	0,2851	0,2891
0,55	0,5500	−0,0462	−0,4091	−0,3590	−0,0282	0,2708	0,3007
0,56	0,5600	−0,0296	−0,4010	−0,3707	−0,0529	0,2546	0,3102
0,57	0,5700	−0,0126	−0,3920	−0,3815	−0,0779	0,2366	0,3172
0,58	0,5800	0,0046	−0,3822	−0,3914	−0,1028	0,2168	0,3217
0,59	0,5900	0,0222	−0,3716	−0,4002	−0,1278	0,1953	0,3235
0,60	0,6000	0,0400	−0,3600	−0,4080	−0,1526	0,1721	0,3226
0,61	0,6100	0,0582	−0,3475	−0,4146	−0,1772	0,1473	0,3188
0,62	0,6200	0,0766	−0,3342	−0,4200	−0,2014	0,1211	0,3121
0,63	0,6300	0,0954	−0,3199	−0,4242	−0,2251	0,0935	0,3023
0,64	0,6400	0,1144	−0,3046	−0,4270	−0,2482	0,0646	0,2895
0,65	0,6500	0,1338	−0,2884	−0,4284	−0,2705	0,0347	0,2737
0,66	0,6600	0,1534	−0,2713	−0,4284	−0,2919	0,0038	0,2548
0,67	0,6700	0,1734	−0,2531	−0,4268	−0,3122	−0,0278	0,2329
0,68	0,6800	0,1936	−0,2339	−0,4236	−0,3313	−0,0601	0,2081
0,69	0,6900	0,2142	−0,2137	−0,4187	−0,3490	−0,0926	0,1805
0,70	0,7000	0,2350	−0,1925	−0,4121	−0,3652	−0,1253	0,1502
0,71	0,7100	0,2562	−0,1702	−0,4036	−0,3796	−0,1578	0,1173
0,72	0,7200	0,2776	−0,1469	−0,3933	−0,3922	−0,1899	0,0822
0,73	0,7300	0,2994	−0,1225	−0,3810	−0,4026	−0,2214	0,0450
0,74	0,7400	0,3214	−0,0969	−0,3666	−0,4107	−0,2518	0,0061
0,75	0,7500	0,3438	−0,0703	−0,3501	−0,4164	−0,2808	−0,0342
0,76	0,7600	0,3664	−0,0426	−0,3314	−0,4193	−0,3081	−0,0754
0,77	0,7700	0,3894	−0,0137	−0,3104	−0,4193	−0,3333	−0,1171
0,78	0,7800	0,4126	0,0164	−0,2871	−0,4162	−0,3559	−0,1588
0,79	0,7900	0,4362	0,0476	−0,2613	−0,4097	−0,3756	−0,1999
0,80	0,8000	0,4600	0,0800	−0,2330	−0,3995	−0,3918	−0,2397
0,81	0,8100	0,4842	0,1136	−0,2021	−0,3855	−0,4041	−0,2774
0,82	0,8200	0,5086	0,1484	−0,1685	−0,3674	−0,4119	−0,3124
0,83	0,8300	0,5334	0,1845	−0,1321	−0,3449	−0,4147	−0,3437
0,84	0,8400	0,5584	0,2218	−0,0928	−0,3177	−0,4120	−0,3703
0,85	0,8500	0,5838	0,2603	−0,0506	−0,2857	−0,4030	−0,3913
0,86	0,8600	0,6094	0,3001	−0,0053	−0,2484	−0,3872	−0,4055
0,87	0,8700	0,6354	0,3413	0,0431	−0,2056	−0,3638	−0,4116
0,88	0,8800	0,6616	0,3837	0,0947	−0,1570	−0,3322	−0,4083
0,89	0,8900	0,6882	0,4274	0,1496	−0,1023	−0,2916	−0,3942
0,90	0,9000	0,7150	0,4725	0,2079	−0,0411	−0,2412	−0,3678
0,91	0,9100	0,7422	0,5189	0,2698	0,0268	−0,1802	−0,3274
0,92	0,9200	0,7696	0,5667	0,3352	0,1017	−0,1077	−0,2713
0,93	0,9300	0,7974	0,6159	0,4044	0,1842	−0,0229	−0,1975
0,94	0,9400	0,8254	0,6665	0,4773	0,2744	0,0751	−0,1040
0,95	0,9500	0,8538	0,7184	0,5541	0,3727	0,1875	0,0112
0,96	0,9600	0,8824	0,7718	0,6349	0,4796	0,3151	0,1506
0,97	0,9700	0,9114	0,8267	0,7198	0,5954	0,4590	0,3165
0,98	0,9800	0,9406	0,8830	0,8089	0,7204	0,6204	0,5115
0,99	0,9900	0,9702	0,9407	0,9022	0,8552	0,8003	0,7384
1,00	1,0000	1,0000	1,0000	1,0000	1,0000	1,0000	1,0000

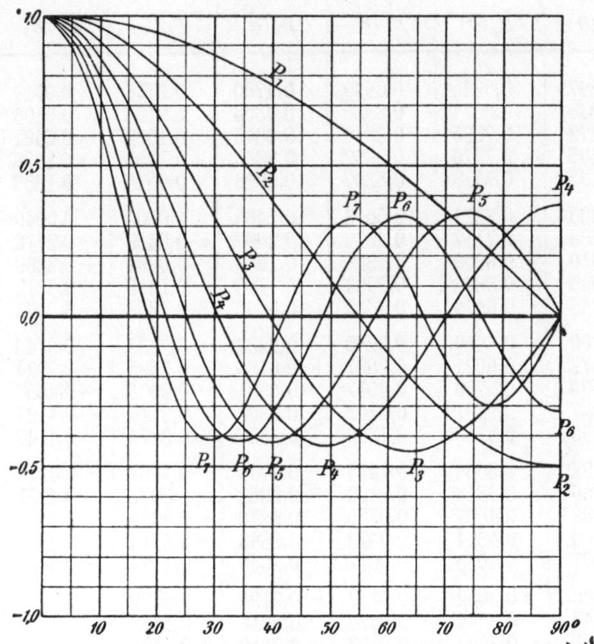

Fig. 65. Die Kugelfunktionen 1. Art $P_n(\vartheta)$.
Fig. 65. Legendre's functions of the 1st kind $P_n(\vartheta)$.

ϑ	$P_1(\vartheta)$	$P_2(\vartheta)$	$P_3(\vartheta)$	$P_4(\vartheta)$	$P_5(\vartheta)$	$P_6(\vartheta)$	$P_7(\vartheta)$
0°	1,0000	1,0000	1,0000	1,0000	1,0000	1,0000	1,0000
1°	0,9998	0,9995	0,9991	0,9985	0,9977	0,9968	0,9957
2°	0,9994	0,9982	0,9963	0,9939	0,9909	0,9872	0,9830
3°	0,9986	0,9959	0,9918	0,9863	0,9795	0,9714	0,9620
4°	0,9976	0,9927	0,9854	0,9758	0,9638	0,9495	0,9329
5°	0,9962	0,9886	0,9773	0,9623	0,9437	0,9216	0,8962
6°	0,9945	0,9836	0,9674	0,9459	0,9194	0,8881	0,8522
7°	0,9925	0,9777	0,9557	0,9267	0,8911	0,8492	0,8016
8°	0,9903	0,9709	0,9423	0,9048	0,8589	0,8054	0,7449
9°	0,9877	0,9633	0,9273	0,8803	0,8232	0,7570	0,6830
10°	0,9848	0,9548	0,9106	0,8532	0,7840	0,7045	0,6164
11°	0,9816	0,9454	0,8923	0,8238	0,7417	0,6483	0,5462
12°	0,9781	0,9352	0,8724	0,7920	0,6966	0,5891	0,4731
13°	0,9744	0,9241	0,8511	0,7582	0,6489	0,5273	0,3980
14°	0,9703	0,9122	0,8283	0,7224	0,5990	0,4635	0,3218
15°	0,9659	0,8995	0,8042	0,6847	0,5471	0,3983	0,2455
16°	0,9613	0,8860	0,7787	0,6454	0,4937	0,3323	0,1700
17°	0,9563	0,8718	0,7519	0,6046	0,4391	0,2661	0,0961
18°	0,9511	0,8568	0,7240	0,5624	0,3836	0,2002	0,0248
19°	0,9455	0,8410	0,6950	0,5192	0,3276	0,1353	0,0433

ϑ	$P_1(\vartheta)$	$P_2(\vartheta)$	$P_3(\vartheta)$	$P_4(\vartheta)$	$P_5(\vartheta)$	$P_6(\vartheta)$	$P_7(\vartheta)$
20°	0,9397	0,8245	0,6649	0,4750	0,2715	0,0719	−0,1072
21°	0,9336	0,8074	0,6338	0,4300	0,2156	0,0106	−0,1664
22°	0,9272	0,7895	0,6019	0,3845	0,1602	−0,0481	−0,2202
23°	0,9205	0,7710	0,5692	0,3386	0,1057	−0,1038	−0,2680
24°	0,9135	0,7518	0,5357	0,2926	0,0525	−0,1558	−0,3094
25°	0,9063	0,7321	0,5016	0,2465	0,0009	−0,2040	−0,3441
26°	0,8988	0,7117	0,4670	0,2007	−0,0489	−0,2478	−0,3717
27°	0,8910	0,6908	0,4319	0,1553	−0,0964	−0,2869	−0,3922
28°	0,8829	0,6694	0,3964	0,1105	−0,1415	−0,3212	−0,4053
29°	0,8746	0,6474	0,3607	0,0665	−0,1839	−0,3502	−0,4113
30°	0,8660	0,6250	0,3248	0,0234	−0,2233	−0,3740	−0,4102
31°	0,8572	0,6021	0,2887	−0,0185	−0,2595	−0,3924	−0,4022
32°	0,8480	0,5788	0,2527	−0,0591	−0,2923	−0,4053	−0,3877
33°	0,8387	0,5551	0,2167	−0,0982	−0,3216	−0,4127	−0,3671
34°	0,8290	0,5310	0,1809	−0,1357	−0,3473	−0,4147	−0,3409
35°	0,8192	0,5065	0,1454	−0,1714	−0,3691	−0,4114	−0,3096
36°	0,8090	0,4818	0,1102	−0,2052	−0,3871	−0,4031	−0,2738
37°	0,7986	0,4567	0,0755	−0,2370	−0,4011	−0,3898	−0,2343
38°	0,7880	0,4314	0,0413	−0,2666	−0,4112	−0,3719	−0,1918
39°	0,7771	0,4059	0,0077	−0,2940	−0,4174	−0,3497	−0,1470
40°	0,7660	0,3802	−0,0252	−0,3190	−0,4197	−0,3236	−0,1006
41°	0,7547	0,3544	−0,0574	−0,3416	−0,4181	−0,2939	−0,0535
42°	0,7431	0,3284	−0,0887	−0,3616	−0,4128	−0,2610	−0,0064
43°	0,7314	0,3023	−0,1191	−0,3791	−0,4038	−0,2255	0,0398
44°	0,7193	0,2762	−0,1485	−0,3940	−0,3914	−0,1878	0,0846
45°	0,7071	0,2500	−0,1768	−0,4062	−0,3757	−0,1484	0,1271
46°	0,6947	0,2238	−0,2040	−0,4158	−0,3568	−0,1078	0,1667
47°	0,6820	0,1977	−0,2300	−0,4227	−0,3350	−0,0665	0,2028
48°	0,6691	0,1716	−0,2547	−0,4270	−0,3105	−0,0251	0,2350
49°	0,6561	0,1456	−0,2781	−0,4286	−0,2836	0,0161	0,2626
50°	0,6428	0,1198	−0,3002	−0,4275	−0,2545	0,0564	0,2854
51°	0,6293	0,0941	−0,3209	−0,4239	−0,2235	0,0954	0,3031
52°	0,6157	0,0686	−0,3401	−0,4178	−0,1910	0,1326	0,3154
53°	0,6018	0,0433	−0,3578	−0,4093	−0,1571	0,1677	0,3221
54°	0,5878	0,0182	−0,3740	−0,3984	−0,1223	0,2002	0,3234
55°	0,5736	−0,0065	−0,3886	−0,3852	−0,0868	0,2297	0,3191
56°	0,5592	−0,0310	−0,4016	−0,3698	−0,0509	0,2560	0,3095
57°	0,5446	−0,0551	−0,4131	−0,3524	−0,0150	0,2787	0,2947
58°	0,5299	−0,0788	−0,4229	−0,3331	0,0206	0,2976	0,2752
59°	0,5150	−0,1021	−0,4310	−0,3119	0,0557	0,3125	0,2512
60°	0,5000	−0,1250	−0,4375	−0,2891	0,0898	0,3232	0,2231
61°	0,4848	−0,1474	−0,4423	−0,2647	0,1229	0,3298	0,1916
62°	0,4695	−0,1694	−0,4455	−0,2390	0,1545	0,3321	0,1572
63°	0,4540	−0,1908	−0,4471	−0,2121	0,1844	0,3302	0,1203
64°	0,4384	−0,2117	−0,4470	−0,1841	0,2123	0,3240	0,0818
65°	0,4226	−0,2321	−0,4452	−0,1552	0,2381	0,3138	0,0422
66°	0,4067	−0,2518	−0,4419	−0,1256	0,2615	0,2997	0,0022
67°	0,3907	−0,2710	−0,4370	−0,0955	0,2824	0,2819	−0,0375
68°	0,3746	−0,2895	−0,4305	−0,0651	0,3005	0,2606	−0,0763
69°	0,3584	−0,3074	−0,4225	−0,0344	0,3158	0,2362	−0,1135

ϑ	$P_1(\vartheta)$	$P_2(\vartheta)$	$P_3(\vartheta)$	$P_4(\vartheta)$	$P_5(\vartheta)$	$P_6(\vartheta)$	$P_7(\vartheta)$
70°	0,3420	−0,3245	−0,4130	−0,0038	0,3281	0,2089	−0,1485
71°	0,3256	−0,3410	−0,4021	0,0267	0,3373	0,1791	−0,1808
72°	0,3090	−0,3568	−0,3898	0,0568	0,3434	0,1472	−0,2099
73°	0,2924	−0,3718	−0,3761	0,0864	0,3463	0,1136	−0,2352
74°	0,2756	−0,3860	−0,3611	0,1153	0,3461	0,0788	−0,2563
75°	0,2588	−0,3995	−0,3449	0,1434	0,3427	0,0431	−0,2730
76°	0,2419	−0,4122	−0,3275	0,1705	0,3362	0,0070	−0,2850
77°	0,2250	−0,4241	−0,3090	0,1964	0,3267	−0,0290	−0,2921
78°	0,2079	−0,4352	−0,2894	0,2211	0,3143	−0,0644	−0,2942
79°	0,1908	−0,4454	−0,2688	0,2443	0,2990	−0,0990	−0,2913
80°	0,1736	−0,4548	−0,2474	0.2659	0,2810	−0,1321	−0,2835
81°	0,1564	−0,4633	−0,2251	0,2859	0,2606	−0,1635	−0,2708
82°	0,1392	−0,4709	−0,2020	0,3040	0,2378	−0,1927	−0,2536
83°	0,1219	−0,4777	−0,1783	0,3203	0,2129	−0,2193	−0,2321
84°	0,1045	−0,4836	−0,1539	0,3345	0,1861	−0,2431	−0,2067
85°	0,0872	−0,4886	−0,1291	0,3468	0,1577	−0,2638	−0,1778
86°	0,0698	−0,4927	−0,1038	0,3569	0,1278	−0,2810	−0,1460
87°	0,0523	−0,4959	−0,0781	0,3648	0,0969	−0,2947	−0,1117
88°	0,0349	−0,4982	−0,0522	0,3704	0,0651	−0,3045	−0,0755
89°	0,0175	−0,4995	−0,0262	0,3739	0,0327	−0,3105	−0,0381
90°	0,0000	−0,5000	0,0000	0,3750	0,0000	−0,3125	0,0000

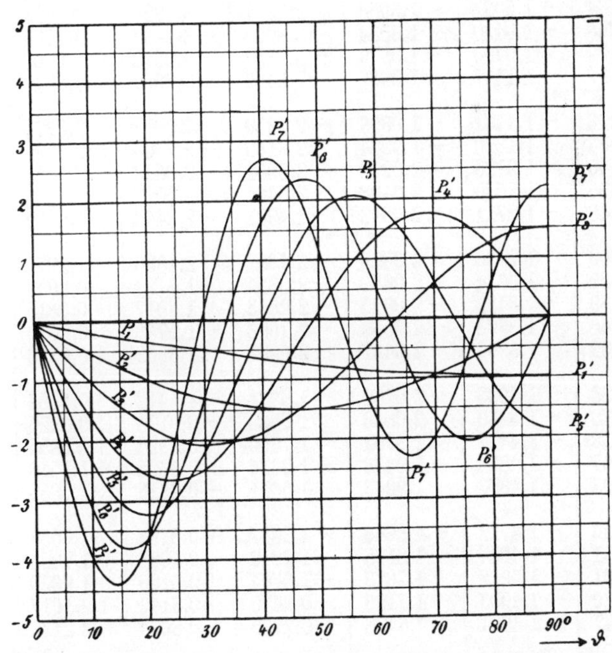

Fig. 66. Die Ableitungen der Kugelfunktionen 1. Art nach ϑ.
Fig. 66. The derivatives by ϑ of Legendre's functions of the 1st kind.

ϑ	$\frac{dP_1}{d\vartheta}$	$\frac{dP_2}{d\vartheta}$	$\frac{dP_3}{d\vartheta}$	$\frac{dP_4}{d\vartheta}$	$\frac{dP_5}{d\vartheta}$	$\frac{dP_6}{d\vartheta}$	$\frac{dP_7}{d\vartheta}$
0°	0,0000	0,0000	0,0000	0,0000	0,0000	0,0000	0,000
1°	−0,0175	−0,0523	−0,1047	−0,1744	−0,2615	−0,3659	−0,488
2°	−0,0349	−0,1046	−0,2091	−0,3480	−0,5213	−0,7284	−0,969
3°	−0,0523	−0,1568	−0,3129	−0,5201	−0,7775	−1,0841	−1,438
4°	−0,0698	−0,2088	−0,4160	−0,6899	−1,0286	−1,4295	−1,890
5°	−0,0872	−0,2605	−0,5180	−0,8567	−1,2728	−1,7614	−2,317
6°	−0,1045	−0,3119	−0,6186	−1,0197	−1,5085	−2,0768	−2,715
7°	−0,1219	−0,3629	−0,7176	−1,1782	−1,7341	−2,3727	−3,079
8°	−0,1392	−0,4135	−0,8148	−1,3315	−1,9481	−2,6464	−3,405
9°	−0,1564	−0,4635	−0,9099	−1,4789	−2,1492	−2,8954	−3,689
10°	−0,1736	−0,5130	−1,0026	−1,6199	−2,3360	−3,1174	−3,926
11°	−0,1908	−0,5619	−1,0928	−1,7537	−2,5074	−3,3104	−4,116
12°	−0,2079	−0,6101	−1,1801	−1,8798	−2,6621	−3,4729	−4,254
13°	−0,2250	−0,6576	−1,2643	−1,9978	−2,7993	−3,6034	−4,341
14°	−0,2419	−0,7042	−1,3453	−2,1069	−2,9181	−3,7008	−4,376
15°	−0,2588	−0,7500	−1,4229	−2,2069	−3,0178	−3,7646	−4,358
16°	−0,2756	−0,7949	−1,4968	−2,2973	−3,0978	−3,7943	−4,288
17°	−0,2924	−0,8388	−1,5668	−2,3777	−3,1576	−3,7899	−4,169
18°	−0,3090	−0,8817	−1,6328	−2,4478	−3,1970	−3,7518	−4,001
19°	−0,3256	−0,9235	−1,6946	−2,5073	−3,2158	−3,6806	−3,788
20°	−0,3420	−0,9642	−1,7520	−2,5560	−3,2141	−3,5774	−3,534
21°	−0,3584	−1,0037	−1,8050	−2,5937	−3,1920	−3,4435	−3,241
22°	−0,3746	−1,0420	−1,8534	−2,6203	−3,1497	−3,2804	−2,915
23°	−0,3907	−1,0790	−1,8970	−2,6357	−3,0878	−3,0902	−2,561
24°	−0,4067	−1,1147	−1,9358	−2,6400	−3,0067	−2,8749	−2,183
25°	−0,4226	−1,1491	−1,9696	−2,6330	−2,9073	−2,6371	−1,787
26°	−0,4384	−1,1820	−1,9984	−2,6150	−2,7903	−2,3794	−1,378
27°	−0,4540	−1,2135	−2,0222	−2,5861	−2,6568	−2,1045	−0,963
28°	−0,4695	−1,2436	−2,0408	−2,5464	−2,5077	−1,8156	−0,548
29°	−0,4848	−1,2721	−2,0542	−2,4961	−2,3443	−1,5155	−0,137
30°	−0,5000	−1,2990	−2,0625	−2,4357	−2,1680	−1,2077	+0,263
31°	−0,5150	−1,3244	−2,0656	−2,3654	−1,9799	−0,8953	+0,647
32°	−0,5299	−1,3482	−2,0635	−2,2855	−1,7817	−0,5815	+1,010
33°	−0,5446	−1,3703	−2,0562	−2,1966	−1,5748	−0,2697	+1,347
34°	−0,5592	−1,3908	−2,0437	−2,0991	−1,3608	+0,0370	+1,654
35°	−0,5736	−1,4095	−2,0262	−1,9934	−1,1413	+0,3354	+1,927
36°	−0,5878	−1,4266	−2,0036	−1,8802	−0,9179	+0,6225	+2,162
37°	−0,6018	−1,4419	−1,9761	−1,7600	−0,6924	+0,8955	+2,357
38°	−0,6157	−1,4554	−1,9438	−1,6334	−0,4664	+1,1516	+2,510
39°	−0,6293	−1,4672	−1,9066	−1,5011	−0,2415	+1,3885	+2,620
40°	−0,6428	−1,4772	−1,8648	−1,3637	−0,0194	+1,6038	+2,684
41°	−0,6561	−1,4854	−1,8185	−1,2219	+0,1983	+1,7955	+2,705
42°	−0,6691	−1,4918	−1,7678	−1,0764	+0,4100	+1,9620	+2,681
43°	−0,6820	−1,4963	−1,7129	−0,9279	+0,6142	+2,1017	+2,614
44°	−0,6947	−1,4991	−1,6539	−0,7772	+0,8094	+2,2136	+2,506

ϑ	$\frac{dP_1}{d\vartheta}$	$\frac{dP_2}{d\vartheta}$	$\frac{dP_3}{d\vartheta}$	$\frac{dP_4}{d\vartheta}$	$\frac{dP_5}{d\vartheta}$	$\frac{dP_6}{d\vartheta}$	$\frac{dP_7}{d\vartheta}$
45°	−0,7071	−1,5000	−1,5910	−0,6250	+0,9944	+2,2969	+2,359
46°	−0,7193	−1,4991	−1,5244	−0,4720	+1,1677	+2,3510	+2,176
47°	−0,7314	−1,4963	−1,4542	−0,3190	+1,3282	+2,3757	+1,961
48°	−0,7431	−1,4918	−1,3808	−0,1668	+1,4749	+2,3713	+1,717
49°	−0,7547	−1,4854	−1,3042	−0,0160	+1,6067	+2,3382	+1,449
50°	−0,7660	−1,4772	−1,2248	+0,1327	+1,7228	+2,2771	+1,161
51°	−0,7771	−1,4672	−1,1427	+0,2784	+1,8225	+2,1892	+0,859
52°	−0,7880	−1,4554	−1,0581	+0,4205	+1,9052	+2,0759	+0,546
53°	−0,7986	−1,4419	−0,9714	+0,5584	+1,9704	+1,9387	+0,229
54°	−0,8090	−1,4266	−0,8828	+0,6914	+2,0178	+1,7797	−0,088
55°	−0,8192	−1,4095	−0,7925	+0,8188	+2,0473	+1,6008	−0,399
56°	−0,8290	−1,3908	−0,7007	+0,9401	+2,0587	+1,4046	−0,700
57°	−0,8387	−1,3703	−0,6078	+1,0547	+2,0522	+1,1934	−0,986
58°	−0,8480	−1,3482	−0,5140	+1,1620	+2,0280	+0,9699	−1,252
59°	−0,8572	−1,3244	−0,4196	+1,2617	+1,9865	+0,7369	−1,495
60°	−0,8660	−1,2990	−0,3248	+1,3532	+1,9283	+0,4973	−1,711
61°	−0,8746	−1,2721	−0,2299	+1,4361	+1,8538	+0,2540	−1,896
62°	−0,8829	−1,2436	−0,1351	+1,5101	+1,7640	+0,0098	−2,048
63°	−0,8910	−1,2135	−0,0408	+1,5748	+1,6596	−0,2321	−2,165
64°	−0,8988	−1,1820	+0,0528	+1,6300	+1,5418	−0,4691	−2,244
65°	−0,9063	−1,1491	+0,1454	+1,6755	+1,4114	−0,6983	−2,286
66°	−0,9135	−1,1147	+0,2368	+1,7111	+1,2698	−0,9170	−2,290
67°	−0,9205	−1,0790	+0,3268	+1,7366	+1,1183	−1,1226	−2,255
68°	−0,9272	−1,0420	+0,4149	+1,7520	+0,9580	−1,3129	−2,183
69°	−0,9336	−1,0037	+0,5011	+1,7573	+0,7905	−1,4855	−2,076
70°	−0,9397	−0,9642	+0,5851	+1,7525	+0,6173	−1,6386	−1,934
71°	−0,9455	−0,9235	+0,6666	+1,7376	+0,4397	−1,7704	−1,762
72°	−0,9511	−0,8817	+0,7455	+1,7131	+0,2593	−1,8794	−1,561
73°	−0,9563	−0,8388	+0,8214	+1,6787	+0,0776	−1,9645	−1,335
74°	−0,9613	−0,7949	+0,8941	+1,6349	−0,1037	−2,0248	−1,088
75°	−0,9659	−0,7500	+0,9636	+1,5819	−0,2833	−2,0596	−0,824
76°	−0,9703	−0,7042	+1,0295	+1,5201	−0,4595	−2,0687	−0,548
77°	−0,9744	−0,6576	+1,0918	+1,4498	−0,6309	−2,0520	−0,264
78°	−0,9781	−0,6101	+1,1501	+1,3714	−0,7961	−2,0098	+0,023
79°	−0,9816	−0,5619	+1,2044	+1,2854	−0,9536	−1,9428	+0,309
80°	−0,9848	−0,5130	+1,2545	+1,1923	−1,1023	−1,8519	+0,589
81°	−0,9877	−0,4635	+1,3003	+1,0926	−1,2407	−1,7382	+0,858
82°	−0,9903	−0,4135	+1,3416	+0,9869	−1,3679	−1,6031	+1,112
83°	−0,9925	−0,3629	+1,3783	+0,8758	−1,4827	−1,4484	+1,347
84°	−0,9945	−0,3119	+1,4103	+0,7598	−1,5842	−1,2760	+1,559
85°	−0,9962	−0,2605	+1,4375	+0,6396	−1,6715	−1,0881	+1,745
86°	−0,9976	−0,2088	+1,4599	+0,5160	−1,7439	−0,8868	+1,901
87°	−0,9986	−0,1568	+1,4774	+0,3895	−1,8009	−0,6747	+2,025
88°	−0,9994	−0,1046	+1,4900	+0,2608	−1,8420	−0,4544	+2,115
89°	−0,9998	−0,0523	+1,4975	+0,1308	−1,8667	−0,2286	+2,169
90°	−1,0000	0,0000	+1,5000	0,0000	−1,8750	0,0000	+2,187

VIII. Zylinderfunktionen.
VIII. Bessel functions.

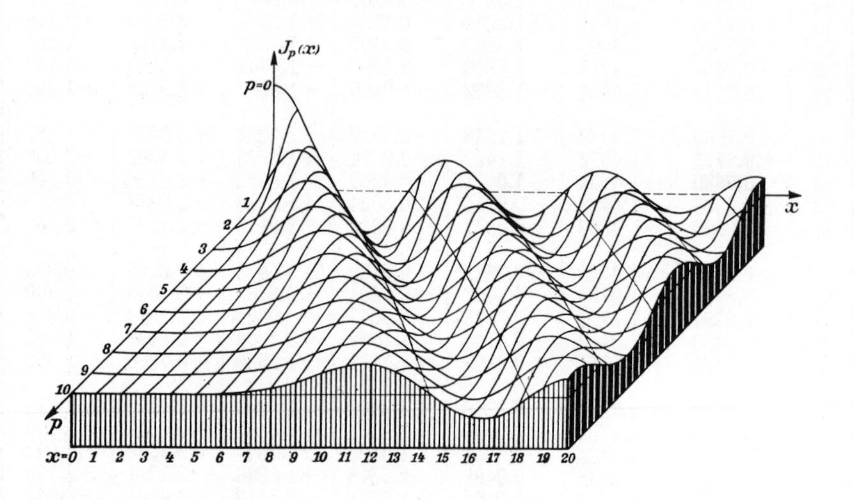

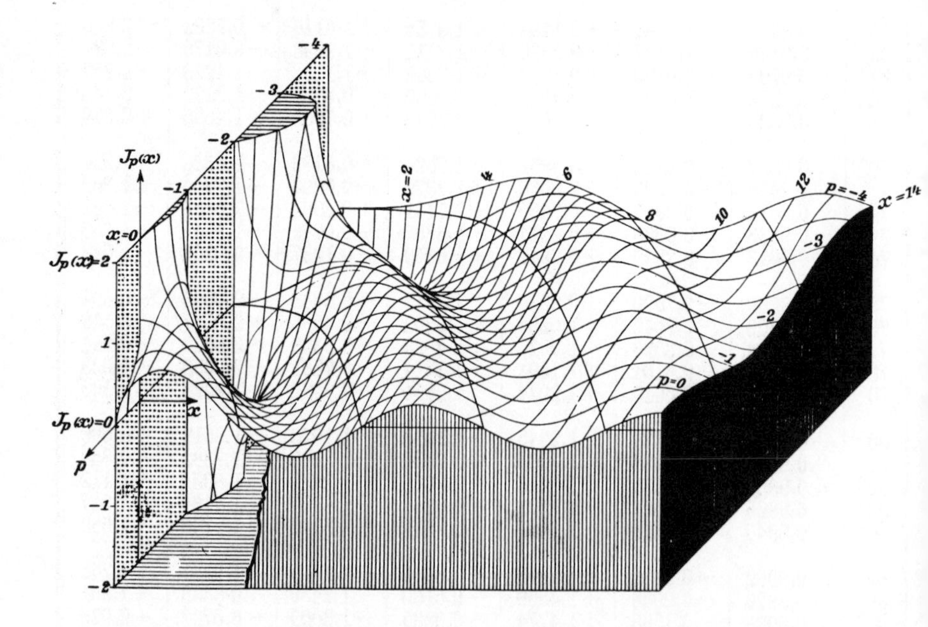

Fig. 67 und 68. Die Besselsche Funktion $J_p(x)$ der beiden reellen Veränderlichen x und p.
Fig. 67 and 68. The Bessel function $J_p(x)$ of the two real variables x and p.
$-4 < p < 10$ (cf. fig. 84, p. 152).

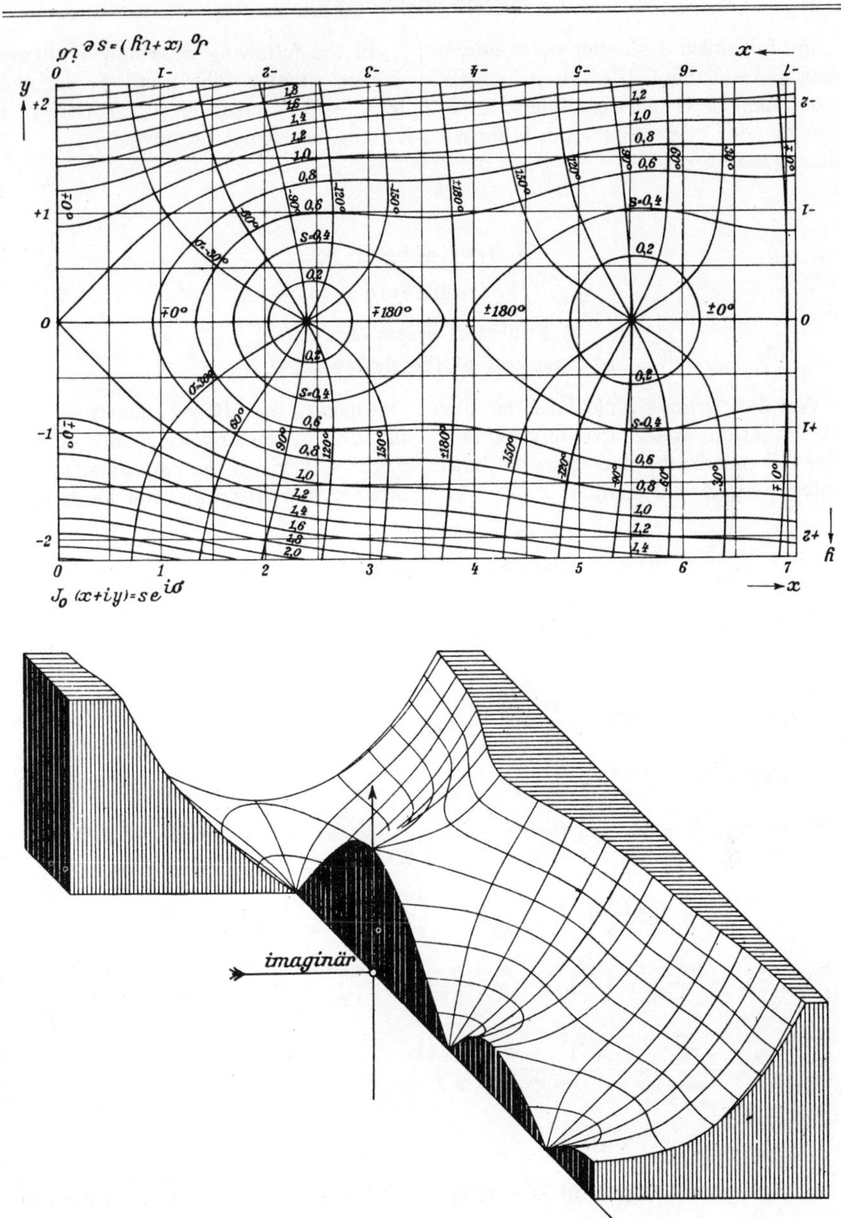

Fig. 69 und 70. Höhenkarte und Relief der Besselschen Funktion $J_0(x+iy)$.

Fig. 69 and 70. Altitude chart and relief of the Bessel function $J_0(x+iy)$.

Im folgenden bedeuten ν, m und n stets ganze Zahlen. Die mit p bezeichneten Zahlen, Ordnung oder Parameter oder Index genannt, brauchen nicht ganz zu sein.

In the following ν, m and n always denote integers. The numbers denoted by p, called order or parameter or index, need not be integers.

1. Definitionen.
1. Definitions.

a) Funktion erster Art $J_p(z)$.
a) Function of the first kind $J_p(z)$.

Von den Zylinderfunktionen ist nur die Funktion erster Art mit ganzem oder mit positivem, nicht ganzem Parameter p für $x = 0$ endlich.

Among the Bessel functions the function of the first kind only is finite for $x = 0$, viz. if the parameter p is an integer or positive and not an integer.

$$J_p(z) = \frac{(\frac{1}{2}z)^p}{0!\,p!} - \frac{(\frac{1}{2}z)^{p+2}}{1!(p+1)!} + \frac{(\frac{1}{2}z)^{p+4}}{2!(p+2)!} - \frac{(\frac{1}{2}z)^{p+6}}{3!(p+3)!} + - \cdots$$

$$J_p(x) = \frac{(\frac{1}{2}x)^p}{p!}\Lambda_p(x), \qquad \Lambda_p(x) = \sum_{k=0}^{\infty} \frac{1}{k!}\frac{p!}{(p+k)!}\left(\frac{ix}{2}\right)^{2k}$$

$$J_p(2i\sqrt{t}) = (i\sqrt{t})^p\left(\frac{1}{p!} + \frac{t}{1!(p+1)!} + \frac{t^2}{2!(p+2)!} + \frac{t^3}{3!(p+3)!} + \cdots\right)$$

$$J_p(z\,i^{2m}) = i^{2mp}J_p(z).$$

Es sei $n > 0$ ganz und $0 < \eta < 1$. Dann ist

Let $n > 0$ be an integer and $0 < \eta < 1$. Then we have

$$(-1)^n\left(\frac{z}{2}\right)^\eta J_{-n-\eta}(z) = \frac{2}{z}E_{n-1}\frac{\sin\pi\eta}{\pi} + \left(\frac{z}{2}\right)^n F_n$$

mit / with

$$E_m = \frac{(m+\eta)!}{0!}\left(\frac{2}{z}\right)^m + \frac{(m+\eta-1)!}{1!}\left(\frac{2}{z}\right)^{m-2} + \cdots + \frac{\eta!}{m!}\left(\frac{z}{2}\right)^m,$$

$$F_n = \sum_{k=0}^{\infty}\frac{1}{(k-\eta)!(n+k)!}\left(\frac{iz}{2}\right)^{2k}.$$

$$J_{-n}(z) = (-1)^n J_n(z).$$

Mit $p = n+\eta > 0$ gilt für $|z| << 1$:

With $p = n + \eta > 0$ we obtain for $|z| << 1$:

$$J_p(z) \approx \frac{z^p}{p!\,2^p}, \qquad J_{-p}(z) \approx (-1)^n(p-1)!\,\frac{\sin\pi\eta}{\pi}\left(\frac{2}{z}\right)^p.$$

$$\frac{J_0'(z)}{J_0(z)} \approx -\frac{z}{2}, \qquad \frac{J_p'(z)}{J_p(z)} \approx \frac{p}{z} \quad (p \neq 0), \qquad \Lambda_p(z) \approx 1 - \frac{z^2}{4(p+1)}.$$

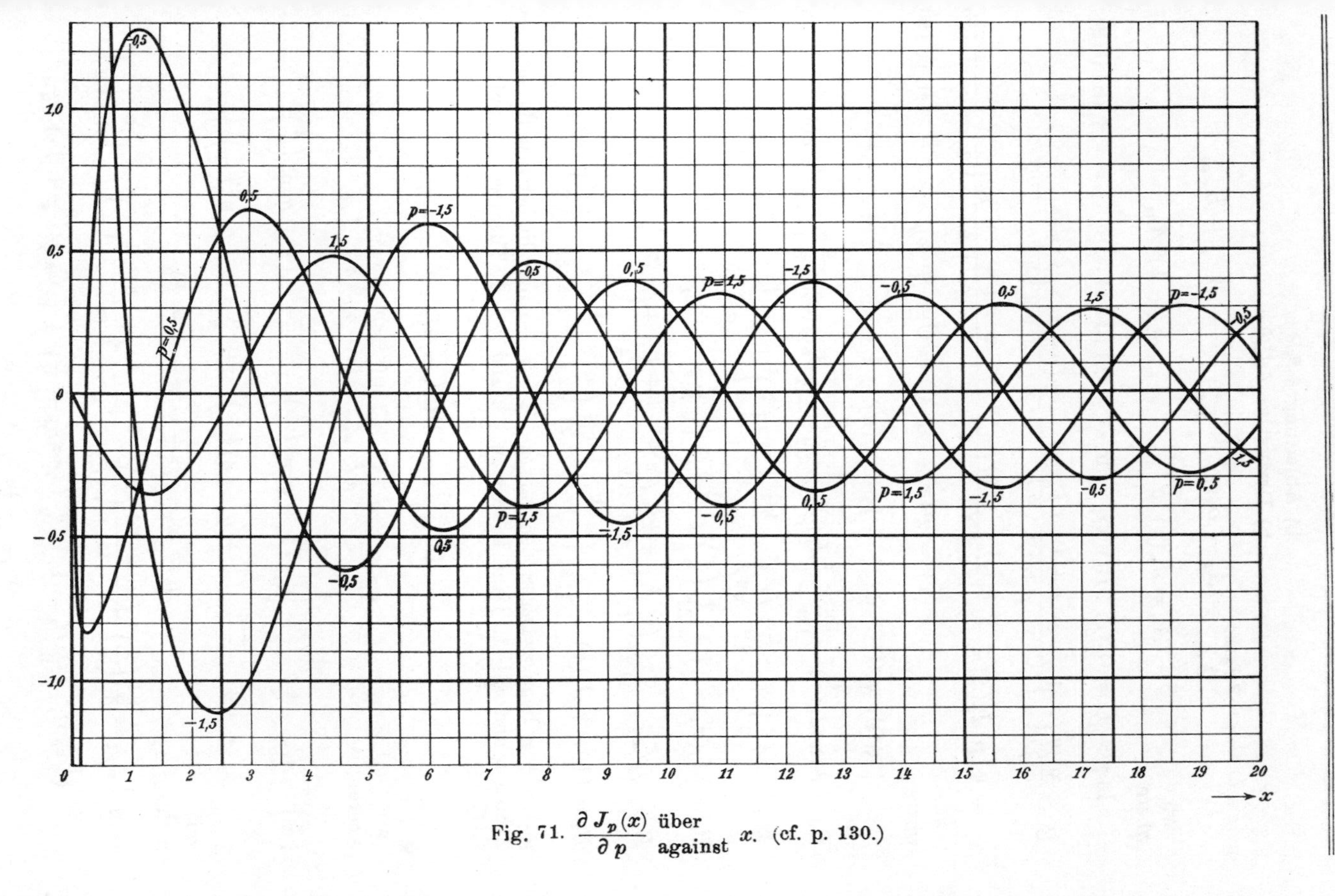

Fig. 71. $\dfrac{\partial J_p(x)}{\partial p}$ über / against x. (cf. p. 130.)

b) Ableitung $\partial J_p/\partial p$.
b) Derivative $\partial J_p/\partial p$.

$$\frac{\partial J_p(x)}{\partial p} = A_p - B_p, \qquad \frac{\partial J_{-p}(x)}{\partial p} = -A_{-p} + B_{-p},$$

wo
where
$$A_p = J_p(x)\ln\frac{\gamma x}{2}, \qquad A_{-n} = (-1)^n A_n,$$

$$\ln\gamma = C = 0{,}577\,215\,665, \qquad \ln\frac{2}{\gamma} = 0{,}115\,931\,516, \qquad \gamma = 1{,}781\,072;$$

$$B_p = \frac{\psi(p)}{0!\,p!}\left(\frac{x}{2}\right)^p - \frac{\psi(p+1)}{1!\,(p+1)!}\left(\frac{x}{2}\right)^{p+2} + \frac{\psi(p+2)}{2!\,(p+2)!}\left(\frac{x}{2}\right)^{p+4} - + \cdots$$

$$= \psi(p)J_p(x) - \frac{\psi(p+1)-\psi(p)}{1!\,(p+1)!}\left(\frac{x}{2}\right)^{p+2} + \frac{\psi(p+2)-\psi(p)}{2!\,(p+2)!}\left(\frac{x}{2}\right)^{p+4} - + \cdots,$$

wo
where
$$\psi(x) = \Psi(x) - \Psi(0) = C + \Psi(x),$$ (cf. p. 19)

$$\psi(0) = 0, \qquad \psi(1) = 1, \qquad \psi(n) = 1 + \frac{1}{2} + \frac{1}{3} + \cdots + \frac{1}{n}.$$

$$B_n = \psi(n)J_n(x) - \frac{1}{1}\frac{n+2}{n+1}J_{n+2}(x) + \frac{1}{2}\frac{n+4}{n+2}J_{n+4}(x) - \frac{1}{3}\frac{n+6}{n+3}J_{n+6}(x) + - \cdots,$$

$$B_0 = -\left(\frac{x}{2}\right)^2 + \frac{1+\frac{1}{2}}{2!^2}\left(\frac{x}{2}\right)^4 - \frac{1+\frac{1}{2}+\frac{1}{3}}{3!^2}\left(\frac{x}{2}\right)^6 + - \cdots,$$

$$B_0 = [J_0(x) - 1] + \frac{\frac{1}{2}}{2!^2}\left(\frac{x}{2}\right)^4 - \frac{\frac{1}{2}+\frac{1}{3}}{3!^2}\left(\frac{x}{2}\right)^6 + - \cdots,$$

$$B_1 = J_1(x) - \frac{\frac{1}{2}}{1!\,2!}\left(\frac{x}{2}\right)^3 + \frac{\frac{1}{2}+\frac{1}{3}}{2!\,3!}\left(\frac{x}{2}\right)^5 - \frac{\frac{1}{2}+\frac{1}{3}+\frac{1}{4}}{3!\,4!}\left(\frac{x}{2}\right)^7 + - \cdots,$$

$$B_2 = (1+\tfrac{1}{2})J_2(x) - \frac{\frac{1}{3}}{1!\,3!}\left(\frac{x}{2}\right)^4 + \frac{\frac{1}{3}+\frac{1}{4}}{2!\,4!}\left(\frac{x}{2}\right)^6 - \frac{\frac{1}{3}+\frac{1}{4}+\frac{1}{5}}{3!\,5!}\left(\frac{x}{2}\right)^8 + - \cdots$$

$p = n + \eta$ liege zwischen den ganzen Zahlen n und $n+1$. Dann kann man zerlegen:

$p = n + \eta$ may lie between the integers n and $n+1$. Then we can put:

$$B_{-p} = (-1)^n (C_p - D_p),$$

wo
where
$$(-1)^n C_p = \left(\frac{2}{x}\right)^p \sum_{k=0}^{n-1} \frac{\psi(k-p)}{k!\,(k-p)!}\left(\frac{ix}{2}\right)^{2k},$$

$$\left(\frac{x}{2}\right)^{1+\eta} C_{p+1} = \frac{\sin\pi\eta}{\pi\eta}\left[\frac{p!}{0!}(1+q_0\eta)\left(\frac{2}{x}\right)^n + \frac{(p-1)!}{1!}(1+q_1\eta)\left(\frac{2}{x}\right)^{n-2} + \cdots\right.$$
$$\left.\cdots + \frac{(1+\eta)!}{(n-1)!}(1+q_{n-1}\eta)\left(\frac{x}{2}\right)^{n-2} + \frac{\eta!}{n!}(1+q_n\eta)\left(\frac{x}{2}\right)^n\right]$$

mit
with
$$q_k = \psi(-\eta) + \psi(n-\eta+k).$$

$$\frac{x}{2}C_{n+1} = \frac{n!}{0!}\left(\frac{2}{x}\right)^n + \frac{(n-1)!}{1!}\left(\frac{2}{x}\right)^{n-2} + \cdots + \frac{1!}{(n-1)!}\left(\frac{x}{2}\right)^{n-2} + \frac{0!}{n!}\left(\frac{x}{2}\right)^n.$$

$$C_0 = 0, \qquad \frac{x}{2}C_1 = 1, \qquad \frac{x}{2}C_2 = \frac{2}{x} + \frac{x}{2}, \qquad \frac{x}{2}C_3 = \frac{8}{x^2} + 1 + \frac{x^2}{8},$$

$$\frac{x}{2}C_4 = \frac{48}{x^3} + \frac{4}{x} + \frac{x}{4} + \frac{x^3}{48}.$$

Für $|x| << 1$ gilt | For $|x| << 1$ we get

$$C_n \approx \frac{(n-1)!\, 2^n}{x^n}.$$

Ferner ist | Further we have

$$-(-1)^n D_p = \left(\frac{2}{x}\right)^p \sum_{k=n}^{\infty} \frac{\psi(k-p)}{k!\,(k-p)!} \left(\frac{ix}{2}\right)^{2k}$$

$$\left(\frac{x}{2}\right)^\eta D_p = \frac{-\psi(-\eta)}{(-\eta)!\,n!}\left(\frac{x}{2}\right)^n + \frac{\psi(1-\eta)}{(1-\eta)!\,(n+1)!}\left(\frac{x}{2}\right)^{n+2} - \frac{\psi(2-\eta)}{(2-\eta)!\,(n+2)!}\left(\frac{x}{2}\right)^{n+4} + - \cdots$$

$$D_n = \frac{1}{1!\,(n+1)!}\left(\frac{x}{2}\right)^{n+2} - \frac{1+\frac{1}{2}}{2!\,(n+2)!}\left(\frac{x}{2}\right)^{n+4} + \frac{1+\frac{1}{2}+\frac{1}{3}}{3!\,(n+3)!}\left(\frac{x}{2}\right)^{n+6} - + \cdots$$

$$D_n = \left[\frac{1}{n!}\left(\frac{x}{2}\right)^n - J_n(x)\right] - \frac{\frac{1}{2}}{2!\,(n+2)!}\left(\frac{x}{2}\right)^{n+4} + \frac{\frac{1}{2}+\frac{1}{3}}{3!\,(n+3)!}\left(\frac{x}{2}\right)^{n+6} - + \cdots$$

$$D_0 = -B_0$$

$$D_1 = \left[\frac{x}{2} - J_1(x)\right] - \frac{\frac{1}{2}}{2!\,3!}\left(\frac{x}{2}\right)^5 + \frac{\frac{1}{2}+\frac{1}{3}}{3!\,4!}\left(\frac{x}{2}\right)^7 - \frac{\frac{1}{2}+\frac{1}{3}+\frac{1}{4}}{4!\,5!}\left(\frac{x}{2}\right)^9 + - \cdots$$

$$D_2 = \left[\frac{x^2}{8} - J_2(x)\right] - \frac{\frac{1}{2}}{2!\,4!}\left(\frac{x}{2}\right)^6 + \frac{\frac{1}{2}+\frac{1}{3}}{3!\,5!}\left(\frac{x}{2}\right)^8 - \frac{\frac{1}{2}+\frac{1}{3}+\frac{1}{4}}{4!\,6!}\left(\frac{x}{2}\right)^{10} + - \cdots$$

Hiermit ergibt sich $(n < p < n+1)$ | From this we obtain $(n < p < n+1)$

$$(-1)^n \frac{\partial J_{-p}(x)}{\partial p} = C_p - (-1)^n A_{-p} - D_p$$

$$(-1)^n \left[\frac{\partial J_{-p}(x)}{\partial p}\right]_{p=n} = C_n - A_n - D_n.$$

c) Funktionen zweiter Art $N_p(x)$.
c) Functions of the second kind $N_p(x)$.

Mit $J_p(x)$ hat $N_p(x)$ die beiden folgenden Eigenschaften gemein: 1. Bei reellem, positivem x ist $N_p(x)$ reell. 2. Wenn x unbegrenzt wächst und dabei reell bleibt, so verschwindet $N_p(x)$.

$N_p(x)$ has in common with $J_p(x)$ the two following properties: 1. $N_p(x)$ is real for real positive x. 2. $N_p(x)$ vanishes if x increases without limit but remains real.

$$N_p(x)\sin p\pi = J_p(x)\cos p\pi - J_{-p}(x)$$

$$J_{-p}(x) = J_p(x)\cos p\pi - N_p(x)\sin p\pi$$

$$N_{-p}(x) = J_p(x)\sin p\pi + N_p(x)\cos p\pi$$

Mit den Bezeichnungen unter b) ist | With the notation of b) we have

$$\pi N_p(x) = -C_p + A_p + (-1)^n A_{-p} - (B_p - D_p),$$

$$\pi N_n(x) = -C_n + 2A_n - (B_n - D_n),$$

$$\frac{\pi}{2} N_0(x) = A_0 - B_0, \quad N_{-n}(x) = (-1)^n N_n(x),$$

$$N_{n+0,5}(x) = (-1)^{n-1} J_{-n-0,5}(x),$$

$$N_{-n-0,5}(x) = (-1)^n J_{n+0,5}(x),$$

$$N_p(z i^{2m}) = i^{-2mp} N_p(z) + 2i \sin(mp2^{\llcorner}) \operatorname{ctg}(p2^{\llcorner}) J_p(z),$$

$$N_{-p}(z i^{2m}) = i^{-2mp} N_{-p}(z) + 2i \frac{\sin(mp2^{\llcorner})}{\sin(p2^{\llcorner})} J_p(z).$$

Für $|x| << 1$ gilt | When $|x| << 1$, we have

$$N_0(x) \approx -\frac{2}{\pi} \ln \frac{2}{\gamma x},$$

$$N_n(x) \approx -\frac{(n-1)!}{\pi} \left(\frac{2}{x}\right)^n.$$

$$N_p(x) \approx -\frac{(p-1)! \sin \pi\eta}{\pi^2 \eta} \left(\frac{2}{x}\right)^p (1 + \varepsilon),$$

wo / where $\varepsilon = \eta[\psi(-\eta) + \psi(n-\eta)]$.

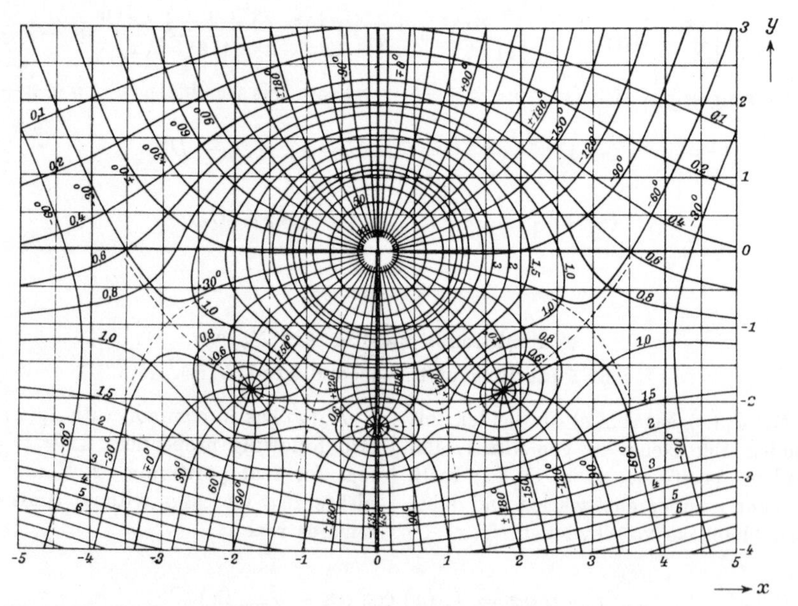

Fig. 72. Höhenkarte der Hankelschen Funktion $H_{3,5}^{(1)}(z)$. | Fig. 72. Altitude chart of the Hankel function $H_{3,5}^{(1)}(z)$.

$z = x + iy = re^{i\varrho}$, $\quad -90^0 < \varrho < 270^0$. (cf. fig. 129, p. 243)

d) Funktionen dritter Art $H_p^{(1)}(x)$ und $H_p^{(2)}(x)$.
d) Functions of the third kind $H_p^{(1)}(x)$ and $H_p^{(2)}(x)$.

Für reelles Argument haben diese von Hankel eingeführten Funktionen komplexe Werte. Dagegen sind die Ausdrücke

$$i^{p+1} H_p^{(1)}(iy) \quad \text{und} \quad i^{-(p+1)} H_p^{(2)}(-iy)$$

reell für positives y. Die Bedeutung der H-Funktionen für die Anwendungen liegt vor allem darin, daß unter den Zylinderfunktionen sie allein für unendliches komplexes Argument verschwinden, und zwar $H^{(1)}$, wenn der imaginäre Teil des Arguments positiv, $H^{(2)}$, wenn er negativ ist:

These functions introduced by Hankel have complex values for a real argument. But the expressions

$$i^{p+1} H_p^{(1)}(iy) \quad \text{and} \quad i^{-(p+1)} H_p^{(2)}(-iy)$$

are real when y is positive. The H-functions owe their importance for applications to the fact, that among the Bessel functions they alone vanish for an infinite complex argument, viz. $H^{(1)}$ if the imaginary part of the argument is positive, $H^{(2)}$ if it is negative:

$$\lim_{r=\infty} H_p^{(1)}(re^{i\vartheta}) = 0, \qquad \lim_{r=\infty} H_p^{(2)}(re^{-i\vartheta}) = 0, \qquad \text{wenn (if)} \quad 0 \leqq \vartheta \leqq \pi \quad \text{ist.}$$

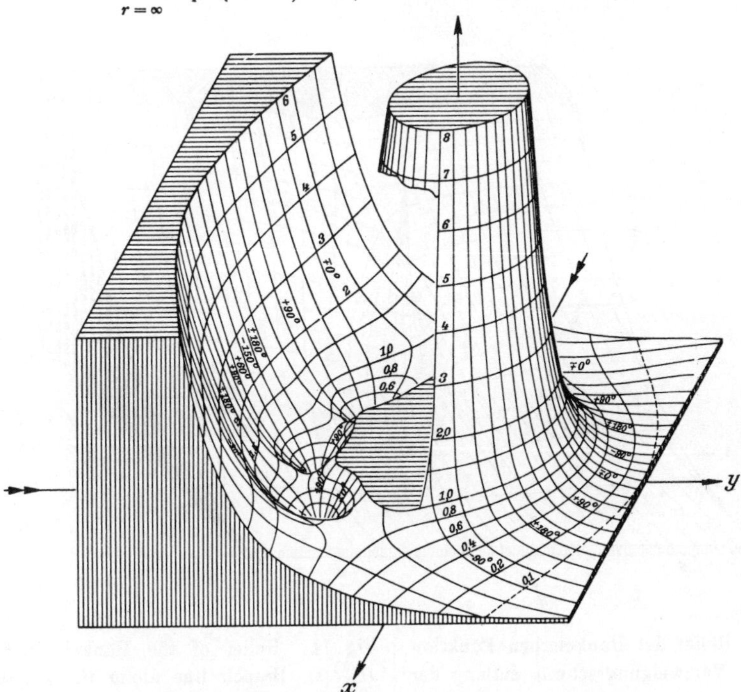

Fig. 73. Relief der Hankelschen Funktion $H_{3,5}^{(1)}(z)$.

Fig. 73. Relief of the Hankel function $H_{3,5}^{(1)}(z)$.

Zu $H_p^{(1)}(r e^{i\vartheta})$ ist $H_p^{(2)}(r e^{-i\vartheta})$ konjugiert komplex [nicht etwa $H_p^{(1)}(r e^{-i\vartheta})$]. In den hier folgenden Zahlentafeln finden sich deshalb nur Werte für $H^{(1)}$. Aus diesen erhält man auch $H_p^{(2)}(r e^{i\vartheta})$ nach der Formel $H_p^{(2)}(x) = 2 J_p(x) - H_p^{(1)}(x)$ und das dazu konjugiert komplexe $H_p^{(1)}(r e^{-i\vartheta})$.

Conjugate complex to $H_p^{(1)}(r e^{i\vartheta})$ is $H_p^{(2)}(r e^{-i\vartheta})$ [and not $H_p^{(1)}(r e^{-i\vartheta})$]. Therefore in the following tables only values for $H^{(1)}$ are to be found. From these we also obtain $H_p^{(2)}(r e^{i\vartheta})$ by the formula $H_p^{(2)}(x) = 2 J_p(x) - H_p^{(1)}(x)$ and $H_p^{(1)}(r e^{-i\vartheta})$ which is conjugate complex to it.

$$H_p^{(1)}(x) = J_p(x) + i N_p(x) = \frac{i}{\sin p\pi}\left[e^{-p\pi i} J_p(x) - J_{-p}(x)\right]$$

$$H_p^{(2)}(x) = J_p(x) - i N_p(x) = \frac{-i}{\sin p\pi}\left[e^{p\pi i} J_p(x) - J_{-p}(x)\right]$$

$$J_p(x) = H_p^{(1)}(x) - i N_p(x) = H_p^{(2)}(x) + i N_p(x) = \frac{1}{2}\left[H_p^{(2)}(x) + H_p^{(1)}(x)\right]$$

$$N_p(x) = i J_p(x) - i H_p^{(1)}(x) = i H_0^{(2)}(x) - i J_p(x) = \frac{i}{2}\left[H_p^{(2)}(x) - H_p^{(1)}(x)\right]$$

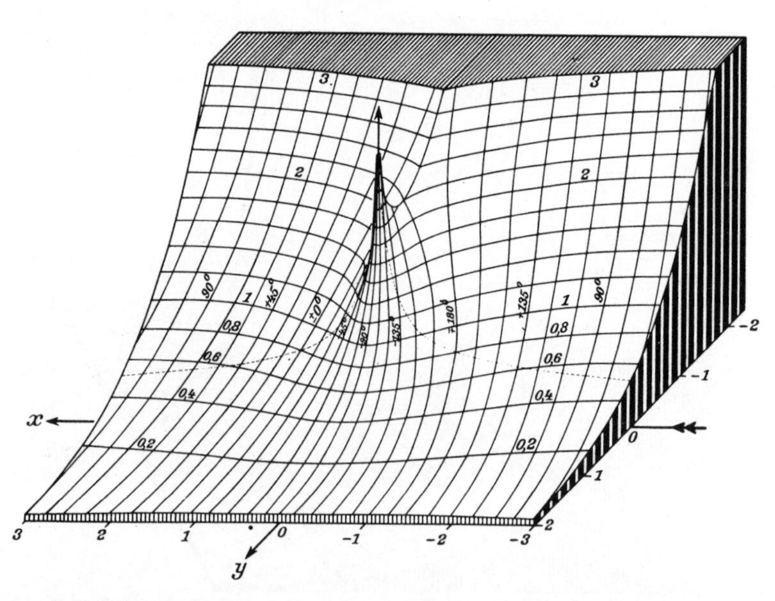

Fig. 74. Relief der Hankelschen Funktion $H_0^{(1)}(z)$. Verzweigungsschnitt entlang der negativen imaginären Achse.

Fig. 74. Relief of the Hankel function $H_0^{(1)}(z)$. Branch line along the negative imaginary axis.

$$z = x + i y = r e^{i\varrho}, \quad -90^0 < \varrho < 270^0.$$

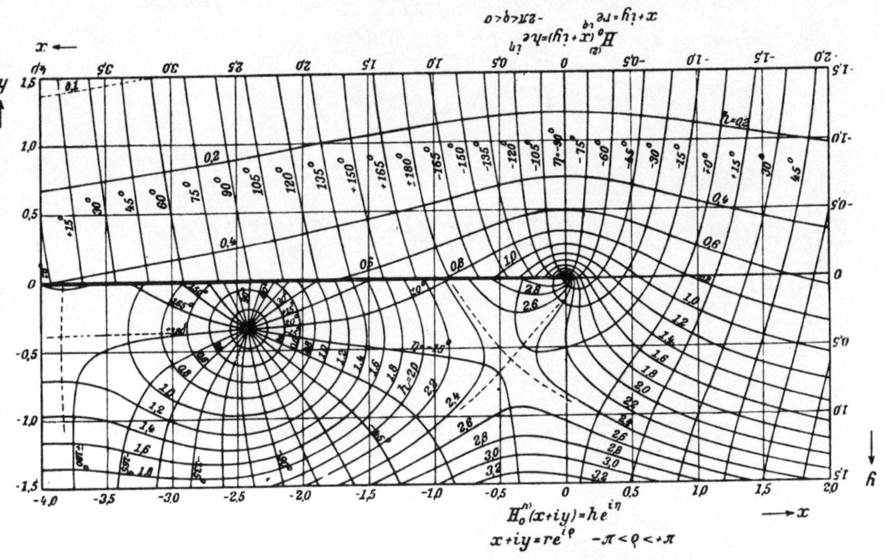

Fig. 75. Höhenkarte der Hankelschen Zylinderfunktion $H_0(z)$.

Fig. 75 Altitude chart of the Hankel function $H_0(z)$.

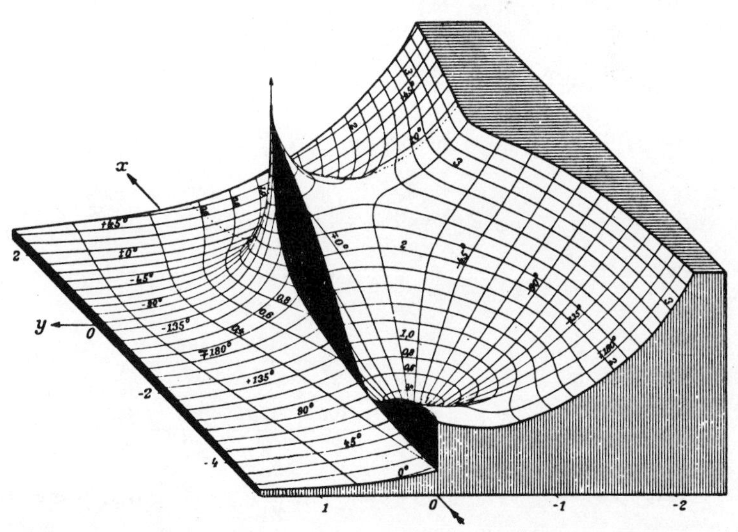

Fig. 76. Relief der Hankelschen Zylinderfunktion $H_0^{(1)}(z)$.

Fig. 76. Relief of the Hankel function $H_0^{(1)}(z)$.

$$H_{-p}^{(1)}(x) = e^{p\pi i} H_p^{(1)}(x), \qquad H_{-p}^{(2)}(x) = e^{-p\pi i} H_p^{(2)}(x)$$

$$H_p^{(1)}(xe^{i\pi}) = -H_{-p}^{(2)}(x) = e^{-i(p+1)\pi} H_p^{(2)}(x)$$

$$H_p^{(2)}(xe^{-i\pi}) = -H_{-p}^{(1)}(x) = e^{i(p+1)\pi} H_p^{(1)}(x)$$

$$H_p^{(1)}(z i^{2m}) = -\frac{\sin(m-1)p\pi}{\sin p\pi} H_p^{(1)}(z) - i^{-2p} \frac{\sin mp\pi}{\sin p\pi} H_p^{(2)}(z)$$

$$H_p^{(2)}(z i^{2m}) = i^{2p} \frac{\sin mp\pi}{\sin p\pi} H_p^{(1)}(z) + \frac{\sin(m+1)p\pi}{\sin p\pi} H_p^{(2)}(z).$$

Mit $n < p = n + \eta < n+1$, n ganz, ist

With $n < p = n + \eta < n+1$, n an integer, we have

$$(-1)^{mn} H_p^{\substack{1\\2}}(z i^{2m}) = H_p^{\substack{1\\2}}(z) \cos(m\eta 2\llcorner)$$
$$+ [i H_p^{\substack{2\\1}}(z) \mp 2 J_p(z) \operatorname{ctg}(\eta 2\llcorner)] \sin(m\eta 2\llcorner)$$

$$(-1)^{mn} H_n^{\substack{1\\2}}(z i^{2m}) = H_n^{\substack{1\\2}}(z) \mp 2m J_n(z)$$

$$(-1)^{mn} H_{n+0,5}^{\substack{1\\2}}(z i^{2m}) = H_{n+0,5}^{\substack{1\\2}}(z) \cos m\llcorner + i H_{n+0,5}^{\substack{2\\1}}(z) \sin m\llcorner$$
$$= i^m J_{n+0,5}(z) + i^{\pm 1 - m} N_{n+0,5}(z)$$

$$H_{1/2}^{(1)}(x) \sqrt{\frac{\pi}{2} x} = -i e^{ix}, \qquad H_{1/2}^{(2)}(x) \sqrt{\frac{\pi}{2} x} = i e^{-ix}$$

$$H_{-1/2}^{(1)}(x) \sqrt{\frac{\pi}{2} x} = e^{ix}, \qquad H_{-1/2}^{(2)}(x) \sqrt{\frac{\pi}{2} x} = e^{-ix}.$$

$$i^{n+1} H_{n+0,5}^{(1)}(x) = i^{-n} H_{-n-0,5}^{(1)}(x) = \frac{e^{ix}}{\sqrt{\frac{1}{2}\pi x}} S_{n+0,5}\left(\frac{2x}{i}\right)$$

$$i^{n+1,5} H_{n+0,5}^{(1)}(iy) = i^{-(n-0,5)} H_{-n-0,5}^{(1)}(iy) = \frac{e^{-y}}{\sqrt{\frac{1}{2}\pi y}} S_{n+0,5}(2y)$$

$$S_{0,5}(2y) = 1, \qquad S_{1,5}(2y) = 1 + \frac{1}{y}, \qquad S_{2,5}(2y) = 1 + \frac{3}{y} + \frac{3}{y^2},$$

$$S_{3,5}(2y) = 1 + \frac{6}{y} + \frac{15}{y^2} + \frac{15}{y^3}$$

$$S_{4,5}(2y) = 1 + \frac{10}{y} + \frac{45}{y^2} + \frac{105}{y^3} + \frac{105}{y^4}$$

$$S_{5,5}(2y) = 1 + \frac{15}{y} + \frac{105}{y^2} + \frac{420}{y^3} + \frac{945}{y^4} + \frac{945}{y^5}$$

$$i H_0^{(1)}(iy) = -i H_0^{(2)}(-iy) \approx \frac{2}{\pi} \ln \frac{2}{\gamma y} \qquad \Big| \quad 0 < y << 1$$

$$i^{n+1} H_n^{(1)}(iy) = i^{-n-1} H_n^{(2)}(-iy) \approx \frac{(n-1)!}{\pi} \left(\frac{2}{y}\right)^n \qquad \Big| \quad n \neq 0$$

$$i^{n+1}\pi H_n^{(1)}(2yi) = \mathfrak{C}_n + (-1)^n \mathfrak{F}_n,$$

wo / where $\mathfrak{C}_0 = 0,\quad y\mathfrak{C}_1 = 1,\quad y\mathfrak{C}_2 = \frac{1}{y} - y,\quad y\mathfrak{C}_3 = \frac{2}{y^2} - 1 + \frac{y^2}{2},$

$$y\mathfrak{C}_4 = \frac{6}{y^3} - \frac{2}{y} + \frac{y}{2} - \frac{y^3}{6},$$

$$y\mathfrak{C}_{m+1} = \frac{m!}{0!}\frac{1}{y^m} - \frac{(m-1)!}{1!}\frac{1}{y^{m-2}} + - \cdots$$
$$\cdots + (-1)^{m-1}\frac{1!}{(m-1)!}y^{m-2} + (-1)^m \frac{0!}{m!}y^m$$

und (vgl. S. 19 und 130) | and (cf. p. 19 and 130)

$$\mathfrak{F}_n = y^n \sum_{\nu=0}^{\infty} \frac{\Psi(\nu) + \Psi(n+\nu) - 2\ln y}{\nu!(n+\nu)!} y^{2\nu}$$

2. Asymptotische Darstellungen.
2. Asymptotic representations.

a) Halbkonvergente Reihen von Hankel.
a) Semiconvergent series of Hankel.

Voraussetzung: / Supposition: $|x| \gg 1$ und / and $|x| \gg |p|$.

$$S_p(x) = 1 + \frac{4p^2-1}{1!\,4x} + \frac{(4p^2-1)(4p^2-9)}{2!\,(4x)^2} + \frac{(4p^2-1)(4p^2-9)(4p^2-25)}{3!\,(4x)^3} + \cdots$$
$$= 1 + \sum_{\nu=1,2,\ldots} \frac{(4p^2-1^2)(4p^2-3^2)\cdots(4p^2-[2\nu-1]^2)}{\nu!\,(4x)^\nu}$$

$$S_p(\pm ix) = P_p\left(\frac{x}{2}\right) \mp i\,Q_p\left(\frac{x}{2}\right),\quad \text{wo}$$

$$P_p(x) = 1 - \frac{(4p^2-1)(4p^2-9)}{2!\,(8x)^2} + \frac{(4p^2-1)(4p^2-9)(4p^2-25)(4p^2-49)}{4!\,(8x)^4} - \cdots$$

$$Q_p(x) = \frac{4p^2-1}{8x} - \frac{(4p^2-1)(4p^2-9)(4p^2-25)}{3!\,(8x)^3} + \cdots$$

Bricht man mit dem k-ten Gliede ab und ist bei $P_p(x)$ die Gliederzahl $k > \frac{1}{4}(2p-5)$, bei $Q_p(x)$ die Gliederzahl $k > \frac{1}{4}(2p-7)$, so ist der Fehler kleiner als der absolute Betrag des folgenden Gliedes. Man gehe also in der Reihe nur so weit, wie die Glieder abnehmen.

If we stop at the k-th term and if for $P_p(x)$ the number of terms is $k > \frac{1}{4}(2p-5)$, for $Q_p(x)$ the number of terms $k > \frac{1}{4}(2p-7)$, the error becomes smaller than the modulus of the following term. We therefore have to continue the series only so far as the terms decrease.

$$S_0(2x) = 1 - \frac{0{,}125}{x} + \frac{0{,}070\,312\,5}{x^2} - \frac{0{,}073\,242\,19}{x^3} + \frac{0{,}112\,152\,1}{x^4} - \frac{0{,}227\,108\,0}{x^5} + \cdots$$

$$S_1(2x) = 1 + \frac{0{,}375}{x} - \frac{0{,}117\,187\,5}{x^2} + \frac{0{,}102\,539\,06}{x^3} - \frac{0{,}144\,195\,6}{x^4} + \frac{0{,}277\,576\,4}{x^5} - \cdots$$

$$i^{p+0,5}\sqrt{\tfrac{1}{2}\pi z}\,H_p^{(1)}(z) = e^{iz}S_p(-i2z)$$

$$i^{-p-0,5}\sqrt{\tfrac{1}{2}\pi z}\,H_p^{(2)}(z) = e^{-iz}S_p(i2z)$$

oder mit / or with

$$z = r i^{\varrho} = x + iy, \quad -2 < \varrho < 2,$$

$$H_p^{(1)}(r i^{\varrho}) = s_1 i^{\sigma_1} S_p(2 r i^{\varrho-1})$$

$$H_p^{(2)}(r i^{\varrho}) = s_2 i^{\sigma_2} S_p(2 r i^{\varrho+1})$$

mit / with

$$s_{1,2} = \frac{e^{\mp v}}{\sqrt{\tfrac{1}{2}\pi r}}, \quad \sigma_{1,2} = \pm\left(\frac{2}{\pi}x - p - \frac{1}{2}\right) - \frac{\varrho}{2}.$$

Mit / With $\varphi = x - (p + 0{,}5)\pi/2$ ist / we have

$$J_p(x)\sqrt{\tfrac{1}{2}\pi x} = P_p(x)\cos\varphi - Q_p(x)\sin\varphi$$

$$N_p(x)\sqrt{\tfrac{1}{2}\pi x} = P_p(x)\sin\varphi + Q_p(x)\cos\varphi.$$

Für / For $x \to \infty, \quad y = 0$ gilt / holds

$$J_p(x) \approx \frac{\cos\varphi}{\sqrt{\tfrac{1}{2}\pi x}}, \quad N_p(x) \approx \frac{\sin\varphi}{\sqrt{\tfrac{1}{2}\pi x}}, \quad \Lambda_p(x) \approx \frac{p!}{\sqrt{\pi}}\left(\frac{2}{x}\right)^{p+0,5}\cos\varphi.$$

Es sei / Let

$$r i^{\pm\varrho} = \frac{\pi}{2}\xi \pm iy, \quad 0 < \varrho < 2, \quad y > 0. \quad y >> 1.$$

Dann ist | Then we have

$$H_p^{\frac{1}{2}}(r i^{\pm\varrho}) \approx \frac{e^{-v}}{\sqrt{\frac{\pi}{2}r}}\, i^{\mp\left(p+\frac{1+\varrho}{2}-\xi\right)} S_p(2 r i^{\mp(1-\varrho)})$$

$$\tfrac{1}{2}H_p^{\frac{2}{1}}(r i^{\pm\varrho}) \approx J_p(r i^{\pm\varrho}) \approx i^{\mp 1}N_p(r i^{\pm\varrho}) \approx \frac{e^{v}}{\sqrt{2\pi r}}\, i^{\pm\left(p+\frac{1-\varrho}{2}-\xi\right)} S_p(2 r i^{\pm(1+\varrho)}).$$

Um die Genauigkeit zu steigern, kann man das kleinste Glied der Reihe mit einem Faktor $f = \frac{1}{2} + \varepsilon$ multiplizieren (ε klein).

Faktoren f nach Burnett.[1])

In order to increase the accuracy, we can multiply the smallest term of the series with a factor $f = \frac{1}{2} + \varepsilon$ (ε small).

The factors f, given by Burnett.[1])

1) $z = r e^{i\varrho}$, $m - 1 < r < m + 1$, m ganz, integer, $r = m + v$, $-30^0 < \varrho < +30^0$,

$$f = \frac{1 + i\,\mathrm{tg}\,\varrho}{2} + \frac{\pm 1 + 4v - i\,2\,\mathrm{tg}\,\varrho}{8 r \cos^2\varrho} \quad \text{für / for} \quad \begin{matrix} P_p(z) \\ Q_p(z) \end{matrix}$$

2) $z = iy$, $m - 1 < 2y < m + 1$, m ganz, integer, $2y = m + t$,

$$f = \frac{1}{2} + \frac{1 + 2t}{16y} + \frac{p^2 - \frac{3}{8} + \frac{t}{4} + \frac{t^2}{2}}{(4y)^2} + \cdots \quad \text{für / for} \quad S_p(2y)$$

1) Proc. Cambr. Phil. Soc. **26** (1930), S. 145.

Faktoren f nach Airey[1]. | The factors f, given by Airey[1].

$$x, y \ \text{ganz, integers}, \qquad u = 1/4x, \qquad v = 1/8y.$$

$$f = 0{,}5 + 0{,}5u - 2u^2 + 7{,}5u^3 - 25{,}75u^4 \cdots \quad \text{für/for} \quad P_0(x)$$

$$f = 0{,}5 - 0{,}5u + 4{,}5u^3 - 39{,}75u^4 \cdots \quad \text{für/for} \quad Q_0(x)$$

$$f = 0{,}5 + 0{,}5u + 3{,}5u^3 - 37{,}75u^4 \cdots \quad \text{für/for} \quad P_1(x)$$

$$f = 0{,}5 - 0{,}5u + 2u^2 - 7{,}5u^3 + 12{,}25u^4 \cdots \quad \text{für/for} \quad Q_1(x)$$

$$f = 0{,}5 + 0{,}5v - 1{,}5v^2 + 0{,}5v^3 + 21{,}5v^4 - 40{,}5v^5 \cdots \quad \text{für/for} \quad S_0(2y)$$

$$f = 0{,}5 + 0{,}5v + 2{,}5v^2 - 3{,}5v^3 - 14{,}5v^4 \cdots \quad \text{für/for} \quad S_1(2y).$$

Für nicht ganze x, y werden die f hieraus durch Interpolation erhalten.

If x, y are not integers, we obtain the factors f thereof by interpolation.

b) Anfangskonvergente Reihen von Debye.
b) Convergently beginning series of Debye.

Es sei | Let

$$\mathfrak{S}(w) = 1 + \frac{1}{8}\left(\frac{1}{w} - \frac{5p^2}{3w^3}\right) + \frac{1\cdot 3}{8^2}\left(\frac{3}{2w^2} - \frac{77p^2}{9w^4} + \frac{385p^4}{54w^6}\right)$$
$$+ \frac{1\cdot 3\cdot 5}{8^3}\left(\frac{5}{2w^3} - \frac{1521p^2}{50w^5} + \frac{17\,017p^4}{270w^7} - \frac{17\,017p^6}{486w^9}\right) + \cdots$$

Die Reihe ist abzubrechen spätestens, wenn die Glieder nicht mehr abnehmen.

Rekursionsformel: Schreibt man das m-te Glied in der Form

The series must be stopped when the terms no longer decrease.

Recurrence formula: If we write the m'th term in the form

$$\frac{(2m-1)!!}{(8w)^m}\sum_{n=0}^{m} C_{m,n}\left(\frac{ip}{w}\right)^{2n},$$

so gilt mit $k = m + 2n + 2$ | we obtain with $k = m + 2n + 2$

$$C_{m+1,n+1} = \frac{2k+1}{(2m+1)(k+1)}\left[(2k-3)C_{m,n} + (2k+1)C_{m,n+1}\right],$$

$$C_{0,0} = 1, \qquad C_{m,-1} = C_{m,m+1} = 0.$$

Im folgenden seien p und s reell und positiv, und es sei $s > 2{,}5\,p^{2/3}$ und mindestens $s > 6$. Dann können die Zylinderfunktionen durch $\mathfrak{S}$ asymptotisch dargestellt werden, wie folgt:

In the following let p and s be real and positive and let $s > 2{,}5\,p^{2/3}$ and at least $s > 6$. In this case the Bessel functions can be represented asymptotically by $\mathfrak{S}$ as follows:

---

1) Arch. Math. u. Phys. **22** (1914), S. 30.

1) $$\sqrt{\frac{\pi}{2}s}\cdot\begin{Bmatrix}2J_p(x)\\-N_p(x)\end{Bmatrix}\sim e^{\mp pu}\mathfrak{S}(\pm s)$$

mit / with $$x^2=p^2-s^2,\qquad u=-\frac{s}{p}+\mathfrak{Ar}\,\mathfrak{Tg}\,\frac{s}{p}=\frac{s^3}{3p^3}+\frac{s^5}{5p^5}+\cdots$$

2) $$\sqrt{\frac{\pi}{2}s}\cdot J_p(x)\sim\mathfrak{S}_1\cos\varphi+\mathfrak{S}_2\sin\varphi,$$

$$\sqrt{\frac{\pi}{2}s}\cdot N_p(x)\sim\mathfrak{S}_1\sin\varphi-\mathfrak{S}_2\cos\varphi$$

mit / with $$x^2=p^2+s^2,\qquad\varphi=s-p\operatorname{arc\,tg}\frac{s}{p}-\frac{\pi}{4},\qquad\mathfrak{S}(is)=\mathfrak{S}_1-i\mathfrak{S}_2.$$

3) $$\sqrt{\frac{\pi}{2}s}\cdot\begin{Bmatrix}i^{-p}2J_p(iy)\\i^{p+1}H_p^{(1)}(iy)\end{Bmatrix}\sim e^{\pm pu}\mathfrak{S}(\pm s)$$

mit / with $$y^2=s^2-p^2,\qquad u=\frac{s}{p}-\mathfrak{Ar}\,\mathfrak{Tg}\,\frac{p}{s}.$$

4) $$\sqrt{\frac{\pi}{2}s}\cdot\begin{Bmatrix}Z_p(r\sqrt{i})\\iH_p^{(1)}(r\sqrt{i})\end{Bmatrix}\sim e^{\pm pu+i\left(\frac{\sigma}{2}\mp pv\right)}\mathfrak{S}(\pm se^{-i\sigma})$$

mit / with $$r^4=s^4-p^4,\qquad\cos 2\sigma=\frac{p^2}{s^2},\qquad r^2=p^2\operatorname{tg}2\sigma=s^2\sin 2\sigma,$$

$$\operatorname{tg}\sigma=\frac{1}{\mathfrak{Cos}\,2\alpha}=\cos 2\beta=\sqrt{\frac{s^2-p^2}{s^2+p^2}},\qquad 2\beta=\mathfrak{Amp}\,2\alpha,$$

$$u=\mathfrak{Ctg}\,2\alpha-\alpha,\qquad v=\operatorname{ctg}2\beta+\beta-\frac{\pi}{2}.$$

Für / For $r<2p$ ist / we have $Z=2J$, für / for $r>2p$ ist / we have $Z=H^{(2)}\approx 2J$.

Es wird / We obtain $u=0$ für / for $\alpha=1{,}0327$ und / and $v=0$ für / for $\beta=0{,}3415$ rad.

Für $z=p$ ist | We have for $z=p$

$$H_p^{\frac{1}{2}}(p)=i^{\mp\frac{2}{3}}\frac{0{,}894\,614\,636\,8}{\sqrt[3]{p}}\left(1-\frac{1}{225p^2}\right)+i^{\mp\frac{4}{3}}\frac{0{,}011\,738\,577\,0}{p\sqrt[3]{p^2}}\left(1-\frac{1213}{14\,625\,p^2}\right)$$

und die Ableitung nach z | and the derivative by z

$$H_p^{\frac{1}{2}\prime}(p)=i^{\pm\frac{2}{3}}\frac{0{,}821\,700\,387\,8}{\sqrt[3]{p^2}}\left(1+\frac{23}{3150p^2}\right)+i^{\pm\frac{4}{3}}\frac{0{,}178\,922\,927\,4}{p\sqrt[3]{p}}\left(1-\frac{947}{69\,300\,p^2}\right).$$

c) Formeln von Nicholson.
c) Formulae of Nicholson.

Zur Abkürzung werde gesetzt | Put for brevity

$$J_{-1/3}(x) \pm J_{1/3}(x) = \begin{cases} \mathfrak{S}(x) \\ \mathfrak{D}(x)/\sqrt{3} \end{cases} \qquad \text{(cf. fig. 78, p. 142)},$$

$$i^{4/3} H_{1/3}^{(1)}(ix) = \mathfrak{H}(x) \qquad \text{(cf. fig. 127, p. 235)}.$$

Dann ist bei großem (ganzem) n und kleinem $\mathfrak{q}/n$ | Then we have for large n (integer) and small $\mathfrak{q}/n$

$$J_n(n - \mathfrak{q}) \approx \frac{\sqrt{3}}{2} \varepsilon \cdot \mathfrak{H}(2\mathfrak{q}\varepsilon), \qquad \varepsilon = \frac{1}{3}\sqrt{\frac{2\mathfrak{q}}{n-\mathfrak{q}}};$$

$$J_n(n + \mathfrak{q}) \approx \varepsilon \cdot \mathfrak{S}(2\mathfrak{q}\varepsilon),$$
$$-N_n(n + \mathfrak{q}) \approx \varepsilon \cdot \mathfrak{D}(2\mathfrak{q}\varepsilon), \qquad \varepsilon = \frac{1}{3}\sqrt{\frac{2\mathfrak{q}}{n+\mathfrak{q}}}.$$

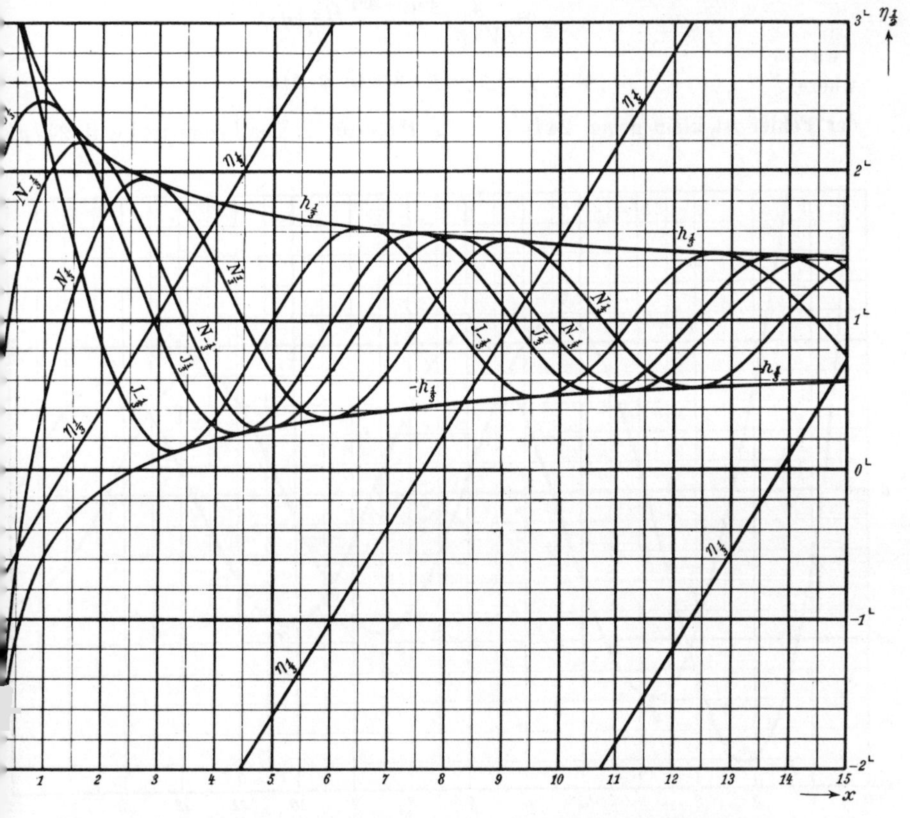

Fig. 77. Zylinderfunktionen der Ordnung $p = \pm \frac{1}{3}$. Dabei $H^{(1)}(x) = h\, i^{\eta}$.
Fig. 77. Bessel functions of the order $p = \pm \frac{1}{3}$. Here $H^{(1)}(x) = h\, i^{\eta}$.

d) Formeln von Watson.
d) Formulae of Watson.

Es sei p groß und $y = q^3/(3p^2)$ beliebig. Dann ist

Let p be large and $y = q^3/(3p^2)$ arbitrary. Then we have

$$J_\nu(\sqrt{p^2 - q^2}) \approx \frac{q}{2\sqrt{3}\,p}\, e^{\psi + y}\,\mathfrak{H}(y), \quad \text{wo / where} \quad \psi = q - p \cdot \mathfrak{Ar}\,\mathfrak{Tg}(q/p),$$

mit einem Fehler $< \frac{3}{p} e^{\psi}$.

with an error $< \frac{3}{p} e^{\psi}$.

$$J_\nu(\sqrt{p^2 + q^2}) \approx \frac{q}{3p}[\mathfrak{S}(y)\cos\varphi + \mathfrak{D}(y)\sin\varphi],$$

$$N_p(\sqrt{p^2 + q^2}) \approx \frac{q}{3p}[\mathfrak{S}(y)\sin\varphi - \mathfrak{D}(y)\cos\varphi],$$

$$H_p^{\frac{1}{2}}(\sqrt{p^2 + q^2}) \approx \frac{q}{3p}[\mathfrak{S}(y) \mp i\,\mathfrak{D}(y)]\, e^{\pm i\varphi}$$

$$\approx \frac{q}{\sqrt{3}\,p}\, e^{\pm i(\varphi + 30^0)}\, H_{1/3}^{\frac{1}{2}}(y),$$

wo / where

$$\varphi = q - y - p \cdot \operatorname{arc\,tg}(q/p);$$

der Fehler ist klein gegen $24/p$.

the error is small compared with $24/p$.

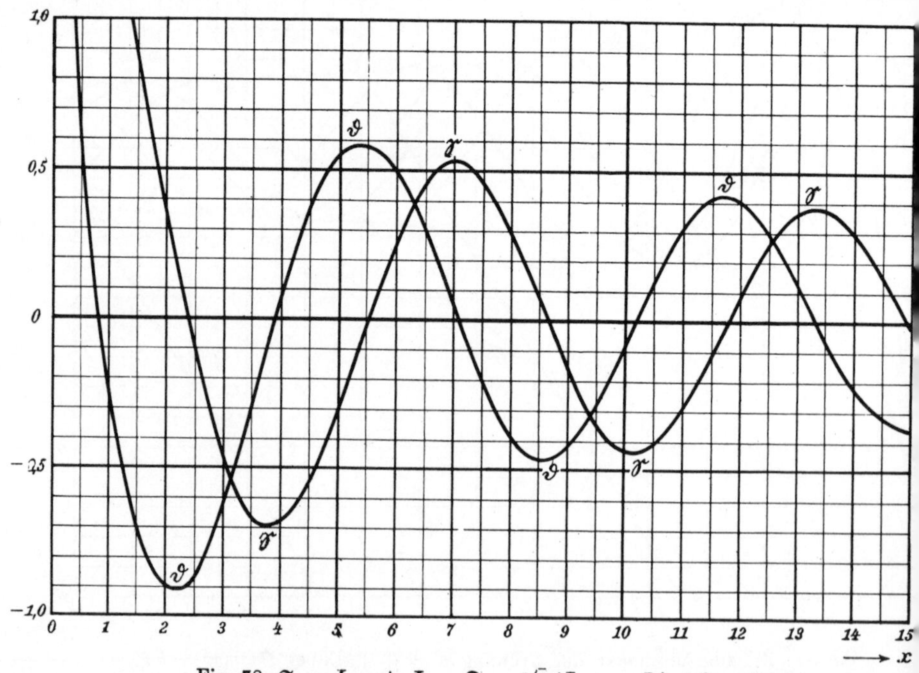

Fig. 78. $\mathfrak{S} = J_{-\frac{1}{3}} + J_{\frac{1}{3}}$, $\mathfrak{D} = \sqrt{3}\,(J_{-\frac{1}{3}} - J_{\frac{1}{3}})$. (cf. p. 141.)

3. Nullstellen.
3. Zeros.

Es sei
Let

$$Z_p(x) = J_p(x)\cos\alpha - N_p(x)\sin\alpha\,.$$

1. $Z_p(x_n) = 0, \quad n = 1, 2, 3, \ldots$

$$x_n = \beta - \frac{q-1}{8\beta}\left(1 + \frac{Q_1}{3(4\beta)^2} + \frac{2Q_2}{15(4\beta)^4} + \frac{Q_3}{105(4\beta)^6} + \cdots\right)$$

mit
with

$$q = 4p^2, \qquad \beta = (p - 0{,}5 + 2n)\frac{\pi}{2} - \alpha,$$

$$Q_1 = 7q - 31, \qquad Q_2 = 83q^2 - 982q + 3\,779,$$

$$Q_3 = 6\,949q^3 - 153\,855q^2 + 1\,585\,743q - 6\,277\,237.$$

Im besondern | Especially

$$J_0(x_n) = 0, \quad \frac{x_n}{\pi} = n - \frac{1}{4} + \frac{0{,}050\,661}{4n-1} - \frac{0{,}053\,041}{(4n-1)^3} + \frac{0{,}262\,051}{(4n-1)^5} - \cdots$$

$$J_1(x_n) = 0, \quad \frac{x_n}{\pi} = n + \frac{1}{4} - \frac{0{,}151\,982}{4n+1} + \frac{0{,}015\,399}{(4n+1)^3} - \frac{0{,}245\,270}{(4n+1)^5} + \cdots$$

2. $Z_p'(x_n) = 0, \quad n = 1, 2, 3, \cdots$

$$x_n = \gamma - \frac{q+3}{8\gamma} - \frac{Q_1}{6(4\gamma)^3} - \frac{Q_2}{15(4\gamma)^5} - \cdots$$

mit
with

$$q = 4p^2, \quad \gamma = (p + 0{,}5 + 2n)\frac{\pi}{2} - \alpha,$$

$$Q_1 = 7q^2 + 82q - 9,$$

$$Q_2 = 83q^3 + 2\,075q^2 - 3\,039q + 3\,537.$$

3. $$J_{-m+\frac{\varepsilon}{6}}\left(m - \frac{\varepsilon}{6}\right) = 0, \qquad m = 1, 2, \ldots, \quad 0 < \varepsilon < 1$$

$$\varepsilon \approx 1 - 6\cdot\frac{0{,}039\,44}{(6m-1)^{4/3}}.$$

Die folgenden Formeln gelten nur für großes p. | The following formulae are true only if p is large.

4. $J_p'(x_1) = 0, \quad J_p(x_1) = \max., \quad x_1 \approx p + 0{,}808\,618\sqrt[3]{p} + \cdots$

5. $N_p(x_1) = 0, \quad x_1 \approx p + 0{,}931\,577\sqrt[3]{p} + \cdots$

6. $J_p(x_n) = 0,$

$$x_1 \approx p + 1{,}855\,757\sqrt[3]{p} + \frac{1{,}033\,15}{\sqrt[3]{p}} - \frac{0{,}004\,03}{p} - \frac{0{,}090\,83}{p\sqrt[3]{p^2}} + \frac{0{,}044\,8}{p^2\sqrt[3]{p}} \cdots$$

$$x_2 \approx p + 3{,}244\,7\sqrt[3]{p} + \frac{3{,}158\,4}{\sqrt[3]{p}} \cdots$$

$$x_3 \approx p + 4{,}381\,7\sqrt[3]{p} + \frac{5{,}759\,8}{\sqrt[3]{p}} \cdots$$

7. $J_{-m-0,5}(x_n) = 0, \quad m = 0, 1, 2, \ldots, \quad m + 0,5 = p:$

$$x_1 \approx p + 0,951\sqrt[3]{p} + \frac{0,271}{\sqrt[3]{p}} \cdots$$

$$x_2 \approx p + 2,596\sqrt[3]{p} + \frac{2,022}{\sqrt[3]{p}} \cdots$$

$$x_3 \approx p + 3,834\sqrt[3]{p} + \frac{4,410}{\sqrt[3]{p}} \cdots$$

4. Elementare Funktionalgleichungen.
4. Elementary functional equations.

Im folgenden bedeutet $Z_p(x)$ oder kurz Z_p eine Abkürzung für $c_1 J_p(x) + c_2 N_p(x)$, wo c_1, c_2 willkürliche (reelle oder komplexe) Konstanten bezeichnen. Ebenso $\bar{Z} = \bar{c}_1 J + \bar{c}_2 N$ zur Unterscheidung zweier solcher Funktionen. Dabei sind die $c_1, c_2, \bar{c}_1, \bar{c}_2$ als vom Index p unabhängig vorausgesetzt.

In the following $Z_p(x)$ or shortly Z_p is an abbreviation for $c_1 J_p(x) + c_2 N_p(x)$, where c_1, c_2 denote arbitrary (real or complex) constants. Likewise $\bar{Z} = \bar{c}_1 J + \bar{c}_2 N$ to distinguish between two such functions. $c_1, c_2, \bar{c}_1, \bar{c}_2$ are assumed to be independent of the index p.

$$Z_{p-1} + Z_{p+1} = \frac{2p}{x} Z_p$$

$$J_p J_{-p+1} + J_{p-1} J_{-p} = \frac{2 \sin p\pi}{\pi x}$$

$$N_{p-1} J_p - N_p J_{p-1} = \frac{2}{\pi x}$$

$$J_{p-1} H_p^{(1)} - J_p H_{p-1}^{(1)} = \frac{2}{\pi i x}, \quad H_{p-1}^{(2)} J_p - H_p^{(2)} J_{p-1} = \frac{2}{\pi i x}$$

$$J_p(x+y) = \left(1 + \frac{y}{x}\right)^p \sum_{\nu=0}^{\infty} \frac{(-1)^\nu y^\nu}{\nu!} \left(1 + \frac{y}{2x}\right)^\nu J_{p+\nu}(x).$$

Es seien a, b, c die Seiten und α, β, γ die Winkel eines Dreiecks; oder auch komplexe Größen, in die jene 6 reellen Größen stetig übergeführt werden können. Dann ist

Let a, b, c be the sides and α, β, γ the angles of a triangle; or also complex magnitudes into which those 6 real magnitudes may be transferred continuously. Then we have

$$c e^{i\beta} = a - b e^{-i\gamma}$$

und
and

$$Z_p(c) e^{ip\beta} = \sum_{m=-\infty}^{+\infty} Z_{p+m}(a) J_m(b) e^{im\gamma}.$$

Im besondern mit $\beta = 0,\ \gamma = \pi$ | Especially with $\beta = 0,\ \gamma = \pi$

$$Z_p(a+b) = \sum_{m=-\infty}^{+\infty} Z_{p-m}(a) J_m(b),$$

und mit / and with

$$\sqrt{a^2+b^2} = a/\cos\beta = b/\sin\beta, \quad \gamma = 90^\circ,$$

$$Z_p(\sqrt{a^2+b^2}) \cos p\beta = \sum_{m=-\infty}^{+\infty} (-1)^m Z_{p+2m}(a) J_{2m}(b),$$

$$Z_p(\sqrt{a^2+b^2}) \sin p\beta = \sum_{m=-\infty}^{+\infty} (-1)^m Z_{p+2m+1}(a) J_{2m+1}(b).$$

$$Z_p(\lambda z) = \lambda^p \sum_{m=0}^{\infty} \frac{Z_{p+m}(z)}{m!} \left(\frac{1-\lambda^2}{2} z\right)^m.$$

Im Sonderfall $Z_p = J_p$ kann λ beliebig sein. Sonst muß $|1-\lambda^2| < 1$ sein. | In the special case when $Z_p = J_p$, λ may be arbitrary; otherwise we must take $|1-\lambda^2| < 1$.

5. Differentialformeln.
5. Differential formulae.

$$\frac{dZ_p}{dx} = -\frac{p}{x} Z_p + Z_{p-1} = \frac{p}{x} Z_p - Z_{p+1} = \frac{1}{2} Z_{p-1} - \frac{1}{2} Z_{p+1}$$

$$\frac{d}{dx}\left[x^p Z_p(\alpha x)\right] = \alpha x^p Z_{p-1}(\alpha x)$$

$$\frac{d}{dx}\left[x^{-p} Z_p(\alpha x)\right] = -\alpha x^{-p} Z_{p+1}(\alpha x)$$

$$\frac{d}{dx}\left[x^{\frac{p}{2}} Z_p(\sqrt{\alpha x})\right] = \frac{\sqrt{\alpha}}{2} x^{\frac{p-1}{2}} Z_{p-1}(\sqrt{\alpha x})$$

$$\frac{d}{dx}\left[x^{-\frac{p}{2}} Z_p(\sqrt{\alpha x})\right] = -\frac{\sqrt{\alpha}}{2} x^{-\frac{p+1}{2}} Z_{p+1}(\sqrt{\alpha x})$$

$$\frac{d^2 Z_p}{dx^2} = \left(\frac{p(p-1)}{x^2} - 1\right) Z_p + \frac{1}{x} Z_{p+1}$$

$$Z_0' = -Z_1, \qquad Z_1' = Z_0 - \frac{1}{x} Z_1.$$

6. Integralformeln (unbestimmte Integrale).
6. Integral formulae (undetermined integrals).

$$\int J_p(x)\,dx = 2\sum_{\nu=0}^{\infty} J_{p+2\nu+1}(x)$$

$$\int x^{p+1} Z_p(x)\,dx = x^{p+1} Z_{p+1}(x)$$

$$\int x^{-p+1} Z_p(x)\,dx = -x^{-p+1} Z_{p-1}(x)$$

$$\int\left[(\alpha^2-\beta^2)x-\frac{p^2-q^2}{x}\right]Z_p(\alpha x)\,\overline{Z}_q(\beta x)\,dx$$
$$=\beta x\,Z_p(\alpha x)\,\overline{Z}_{q-1}(\beta x)-\alpha x\,Z_{p-1}(\alpha x)\overline{Z}_q(\beta x)+(p-q)Z_p(\alpha x)\overline{Z}_q(\beta x)$$

$$\int x\,Z_p(\alpha x)\,\overline{Z}_p(\beta x)\,dx=\frac{\beta x\,Z_p(\alpha x)\,\overline{Z}_{p-1}(\beta x)-\alpha x\,Z_{p-1}(\alpha x)\,\overline{Z}_p(\beta x)}{\alpha^2-\beta^2}$$

$$\int x\,[Z_p(\alpha x)]^2\,dx=\frac{x^2}{2}\{[Z_p(\alpha x)]^2-Z_{p-1}(\alpha x)\,Z_{p+1}(\alpha x)\}$$

$$\int\frac{1}{x}\,Z_p(\alpha x)\,\overline{Z}_q(\alpha x)\,dx=\alpha x\,\frac{Z_{p-1}(\alpha x)\,\overline{Z}_q(\alpha x)-Z_p(\alpha x)\,\overline{Z}_{q-1}(\alpha x)}{p^2-q^2}$$
$$-\frac{Z_p(\alpha x)\,\overline{Z}_q(\alpha x)}{p+q}$$

$$\int Z_1(x)\,dx=-Z_0(x),\quad \int x\,Z_0(x)\,dx=x\,Z_1(x).$$

7. Differentialgleichungen, die auf Besselsche Funktionen führen.
7. Differential equations that give Bessel functions.

$$y''+\frac{1-2\alpha}{x}y'+\left[(\beta\gamma x^{\gamma-1})^2+\frac{\alpha^2-p^2\gamma^2}{x^2}\right]y=0,\quad y=x^\alpha Z_p(\beta x^\gamma)$$

$$y''+\left[(\beta\gamma x^{\gamma-1})^2-\frac{4p^2\gamma^2-1}{4x^2}\right]y=0,\quad y=\sqrt{x}\,Z_p(\beta x^\gamma)$$

$$y''+\left(\beta^2-\frac{4p^2-1}{4x^2}\right)y=0,\quad y=\sqrt{x}\,Z_p(\beta x)$$

$$y''+\frac{1-2\alpha}{x}y'+\left(\beta^2+\frac{\alpha^2-p^2}{x^2}\right)y=0,\quad y=x^\alpha Z_p(\beta x)$$

$$\frac{1}{x}\frac{d}{dx}(xy')+\left[(\beta\gamma x^{\gamma-1})^2-\left(\frac{p\gamma}{x}\right)^2\right]y=0,\quad y=Z_p(\beta x^\gamma)$$

$$\frac{1}{x}\frac{d}{dx}(xy')+\left(\beta^2-\frac{p^2}{x^2}\right)y=0,\quad y=Z_p(\beta x)$$

$$y''+\frac{1}{x}y'+\left(1-\frac{p^2}{x^2}\right)y=0,\qquad y=Z_p(x)$$

$$y''+\frac{1}{x}y'-\left(1+\frac{p^2}{x^2}\right)y=0,\qquad y=Z_p(ix)$$

$$y''+\frac{1}{x}y'+\left(i-\frac{p^2}{x^2}\right)y=0,\quad y=Z_p(x\sqrt{i})$$

$$y''+\frac{1}{x}y'-\left(i+\frac{p^2}{x^2}\right)y=0,\quad y=Z_p(x\sqrt{-i})$$

$$y''+\frac{1}{x}y'-\left[\frac{1}{x}+\left(\frac{p}{2x}\right)^2\right]y=0,\quad y=Z_p(2i\sqrt{x})$$

$$y'' + \frac{1}{x} y' + m e^{i\mu} y = 0, \quad y = Z_0\left(\sqrt{m}\, x e^{i\frac{\mu}{2}}\right)$$

$$y'' + \left(m e^{i\mu} + \frac{1}{4x^2}\right) y = 0, \quad y = \sqrt{x}\, Z_0\left(\sqrt{m}\, x e^{i\frac{\mu}{2}}\right)$$

$$y'' + b x^m y = 0, \quad y = \sqrt{x}\, Z_{\frac{1}{m+2}}\left(\frac{2\sqrt{b}}{m+2} x^{\frac{m+2}{2}}\right)$$

$$y'' + bxy = 0, \quad y = \sqrt{x}\, Z_{\frac{1}{3}}\left(\frac{2\sqrt{b}}{3}\sqrt{x^3}\right)$$

$$y'' + bx^2 y = 0, \quad y = \sqrt{x}\, Z_{\frac{1}{4}}\left(\frac{\sqrt{b}}{2} x^2\right)$$

$$y'' + \left(\frac{1-2\alpha}{x} \mp 2\beta\gamma i x^{\gamma-1}\right) y' + \left[\frac{\alpha^2 - p^2\gamma^2}{x^2} \mp \beta\gamma(\gamma - 2\alpha) i x^{\gamma-2}\right] y = 0,$$

$$y = x^{\alpha} e^{\pm i\beta x^{\gamma}} Z_p(\beta x^{\gamma})$$

$$y'' + \left(\frac{1}{x} \mp 2i\right) y' - \left(\frac{p^2}{x^2} \pm \frac{i}{x}\right) y = 0, \quad y = e^{\pm ix} Z_p(x)$$

$$y'' + y' + \frac{\frac{1}{4} - p^2}{x^2} y = 0, \quad y = \sqrt{x}\, e^{-\frac{x}{2}} Z_p\left(\frac{ix}{2}\right)$$

$$y'' + \left(\frac{2p+1}{x} - k\right) y' - \frac{2p+1}{2x} k y = 0, \quad y = \frac{e^{\frac{kx}{2}}}{x^p} Z_p\left(\frac{ikx}{2}\right)$$

$$y'' + \left(\frac{1}{x} - 2\operatorname{tg} x\right) y' - \left(\frac{p^2}{x^2} + \frac{\operatorname{tg} x}{x}\right) y = 0, \quad y = \frac{1}{\cos x} Z_p(x)$$

$$y'' + \left(\frac{1}{x} + 2\cot x\right) y' - \left(\frac{p^2}{x^2} - \frac{\cot x}{x}\right) y = 0, \quad y = \frac{1}{\sin x} Z_p(x)$$

$$y'' + \left(\frac{1}{x} - 2u\right) y' + \left(1 - \frac{p^2}{x^2} + u^2 - u' - \frac{u}{x}\right) y = 0, \quad y = e^{\int u\,dx} Z_p(x).$$

8. Integraldarstellungen.
8. Integral representations.

Im folgenden sei n eine ganze, $p + \frac{1}{2}$ eine beliebige positive reelle Zahl;

In the following let n be an integer, $p + \frac{1}{2}$ any positive real number;

$$w = u + iv, \quad \omega = \varphi + i\psi, \quad z = re^{i\vartheta} = x + iy$$

seien komplexe Veränderliche, und η sei ein beliebiger Winkel zwischen $-\vartheta$ und $\pi - \vartheta$. Zur Abkürzung werde noch der Ausdruck

may be complex variables, and η an arbitrary angle between $-\vartheta$ and $\pi - \vartheta$. For brevity we put

$$\frac{2}{\sqrt{\pi}} \frac{(\frac{1}{2}z)^p}{\Pi(p - \frac{1}{2})} = \Xi$$

gesetzt.

a) Sommerfelds Integral. (Math. Ann. **47**, 335, 1896.)

$$Z_p(z) = \frac{1}{\pi}\int_{\alpha}^{\beta} e^{iz\cos\omega}\, e^{ip\left(\omega-\frac{\pi}{2}\right)}\, d\omega = \frac{1}{\pi}\int_{\alpha-\frac{\pi}{2}}^{\beta-\frac{\pi}{2}} e^{-iz\sin\omega}\, e^{ip\omega}\, d\omega.$$

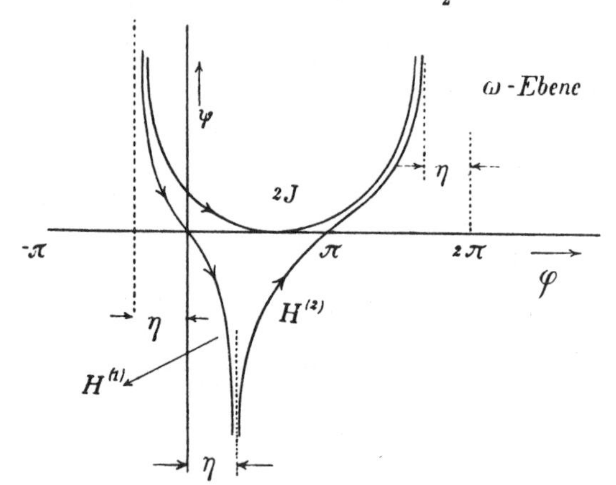

Fig. 79.

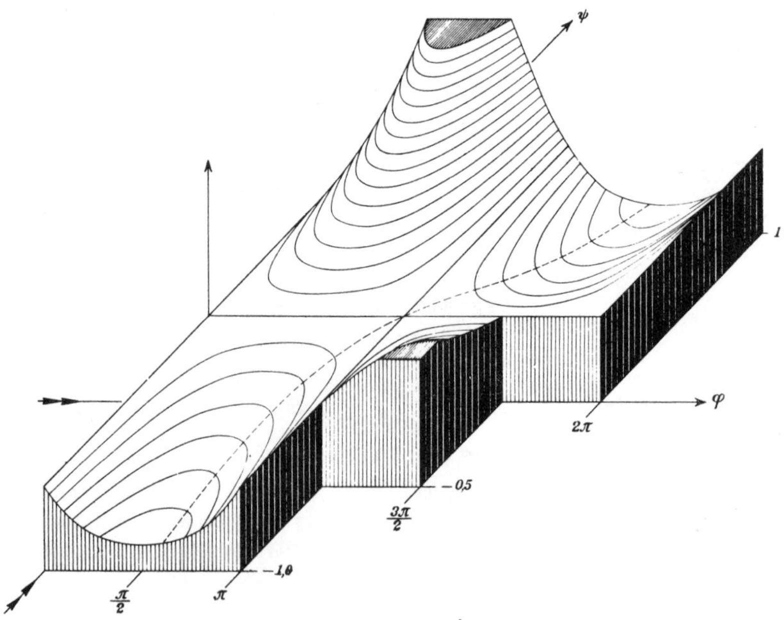

Fig. 80. Relief der Funktion $e^{i\cos\omega}$ $(p = 0,\ z = 1)$.

Höhenstufen 0,1. | Altitude steps 0,1.

Integrationsweg (vgl. Fig. 79) / Path of integration (cf. fig. 79)			
von / from $\alpha =$	$-\eta + i\infty$	$\eta - i\infty$	$-\eta + i\infty$
etwa über / about via	0	π	$\pi - \eta$
nach / to $\beta =$	$\eta - i\infty$	$2\pi - \eta + i\infty$	$2\pi - \eta + i\infty$
ergibt / gives $Z_p(z) =$	$H_p^{(1)}(z)$	$H_p^{(2)}(z)$	$2 J_p(z)$.

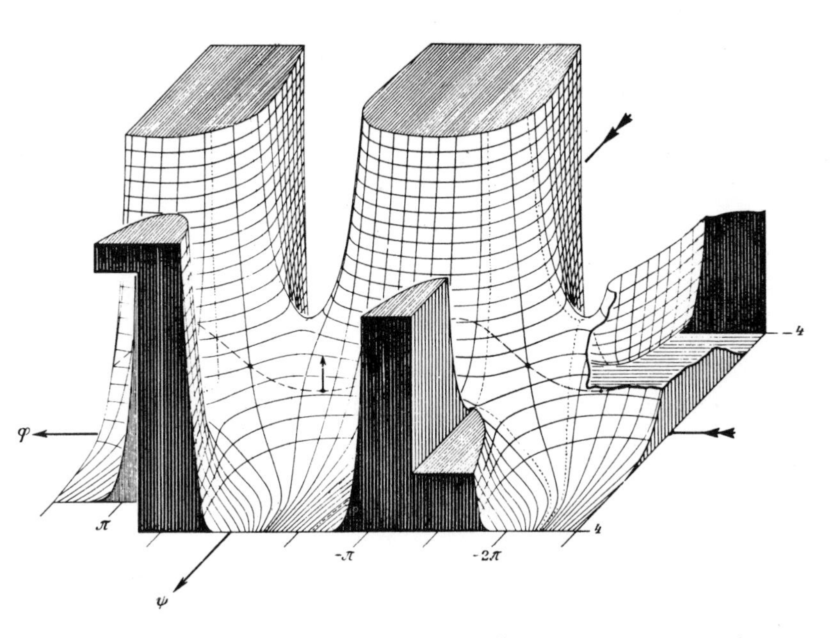

Fig. 81. Relief der Funktion $\exp\left(i e^{i\,30^\circ} \cos\omega + 1{,}5\, i\left(\omega - \frac{1}{2}\pi\right)\right)$.
$p = 1{,}5, \quad z = e^{i\,30^\circ}$

Höhenstufen 0,2
Phasenstufen 24°

Altitude steps 0,2
Phase steps 24°

$$J_n(z) = \frac{i^{-n}}{2\pi} \int_0^{2\pi} e^{iz\cos\varphi}\, e^{in\varphi}\, d\varphi.$$

Hierin sind die folgenden älteren Darstellungen als Spezialfälle enthalten:

The following older representations are contained therein as special cases:

$$J_n(z) = \frac{i^{-n}}{\pi} \int_0^{\pi} e^{iz\cos\varphi} \cos n\varphi \, d\varphi \quad \text{(Hansen)}$$

$$J_n(z) = \frac{1}{\pi}\int_0^{\pi} \cos(z\sin\varphi - n\varphi)\,d\varphi \quad \text{(Bessel)}$$

$$J_{2n}(z) = \frac{2}{\pi}\int_0^{\frac{\pi}{2}} \cos(z\sin\varphi)\cos(2n\varphi)\,d\varphi$$

$$= (-1)^n \frac{2}{\pi}\int_0^{\frac{\pi}{2}} \cos(z\cos\varphi)\cos(2n\varphi)\,d\varphi$$

$$J_{2n+1}(z) = \frac{2}{\pi}\int_0^{\frac{\pi}{2}} \sin(z\sin\varphi)\sin(2n+1)\varphi\,d\varphi$$

$$= (-1)^n \frac{2}{\pi}\int_0^{\frac{\pi}{2}} \sin(z\cos\varphi)\cos(2n+1)\varphi\,d\varphi$$

$$N_0(z) = -\frac{2}{\pi}\int_0^{\infty} \cos(z\,\mathfrak{Cos}\,\psi)\,d\psi, \quad y > 0$$

$$H_p^{(2)}(z) = i^{p+1}\frac{2}{\pi}\int_0^{\infty} e^{-iz\,\mathfrak{Cos}\,\psi}\,\mathfrak{Cos}\,p\psi\,d\psi, \quad y < 0 \quad \text{(Heine)}.$$

b) Poissonsche Integraldarstellung.
b) Poisson's integral representation.

α) Unterscheidung der Funktionen durch die Integrationswege.

α) Distinction between the functions by the paths of integration.

$$Z_p(z) = \Xi\int_a^b e^{izw}(1-w^2)^{p-\frac{1}{2}}\,dw.$$

Integrationsweg bei positivem x (vgl. Fig. 82)

Path of integration for positive x (cf. fig. 82)

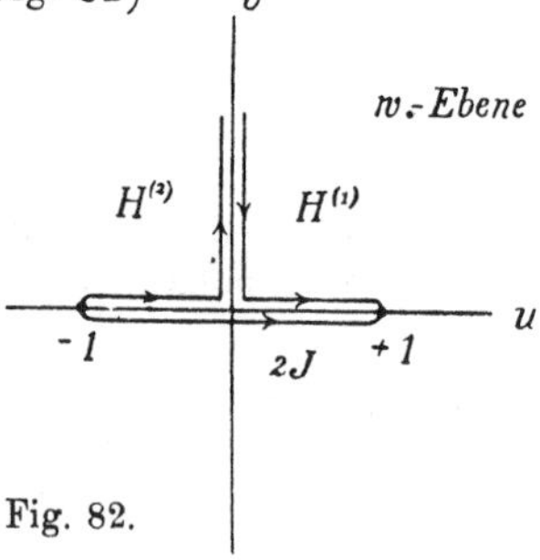

Fig. 82.

von / from	$a =$	-1	$+i\infty$	-1
etwa über / about via		0	0	0
nach / to	$b =$	$+i\infty$	$+1$	$+1$
ergibt / gives	$Z_p(z) =$	$H_p^{(2)}(z)$	$H_p^{(1)}(z)$	$2J_p(z)$

$$J_p(z) = \Xi \int_0^1 \cos zu\,(1-u^2)^{p-\frac{1}{2}}\,du.$$

Die Substitution $w = \cos\omega$ liefert

The substitution $w = \cos\omega$ gives

$$Z_p(z) = \Xi \int_\alpha^\beta e^{iz\cos\omega} \sin^{2p}\omega\, d\omega.$$

Integrationsweg (vgl. Fig. 83)

Path of integration (cf. fig. 83)

von / from $\alpha =$	0	$\eta - i\infty$	0
etwa über / about via	η	η	$\pi - \eta$
nach / to $\beta =$	$\eta - i\infty$	π	π
ergibt / gives $Z_p(z) =$	$H_p^{(1)}(z)$	$H_p^{(2)}(z)$	$2J_p(z)$

Fig. 83.

$$J_p(z) = \Xi \int_0^{\frac{\pi}{2}} \cos(z\cos\varphi)\sin^{2p}\varphi\, d\varphi$$

$$N_p(z) = \Xi \left\{ \int_0^{\frac{\pi}{2}} \sin(z\sin\varphi)\cos^{2p}\varphi\, d\varphi - \int_0^\infty e^{-z\,\mathfrak{Sin}\,\psi}\, \mathfrak{Cof}^{2p}\psi\, d\psi \right\}$$

β) Unterscheidung der Funktionen durch die Integranden.

β) Distinction between the functions by the integrands.

Die Substitutionen $w = ikt + 1$ in dem Integral für $H^{(1)}$ und $w = ikt - 1$ in dem Integral für $H^{(2)}$ liefern die Hankelschen Integrale

The substitutions $w = ikt + 1$ in the integral for $H^{(1)}$ and $w = ikt - 1$ in the integral for $H^{(2)}$ give Hankel's integrals

$$H_p(z) = k^{2p}\, \Xi\, e^{\pm i\left(z - \frac{2p+1}{4}\pi\right)} \int_0^\infty e^{-kzt} \left(\frac{2}{k}t \pm it^2\right)^{p-\frac{1}{2}} dt,$$

wo die oberen Vorzeichen für $H^{(1)}$, die unteren für $H^{(2)}$ gelten. Am einfachsten setzt man $k = 1$.

where the upper signs hold for $H^{(1)}$, the lower signs for $H^{(2)}$. We obtain the simplest case, if we put $k = 1$.

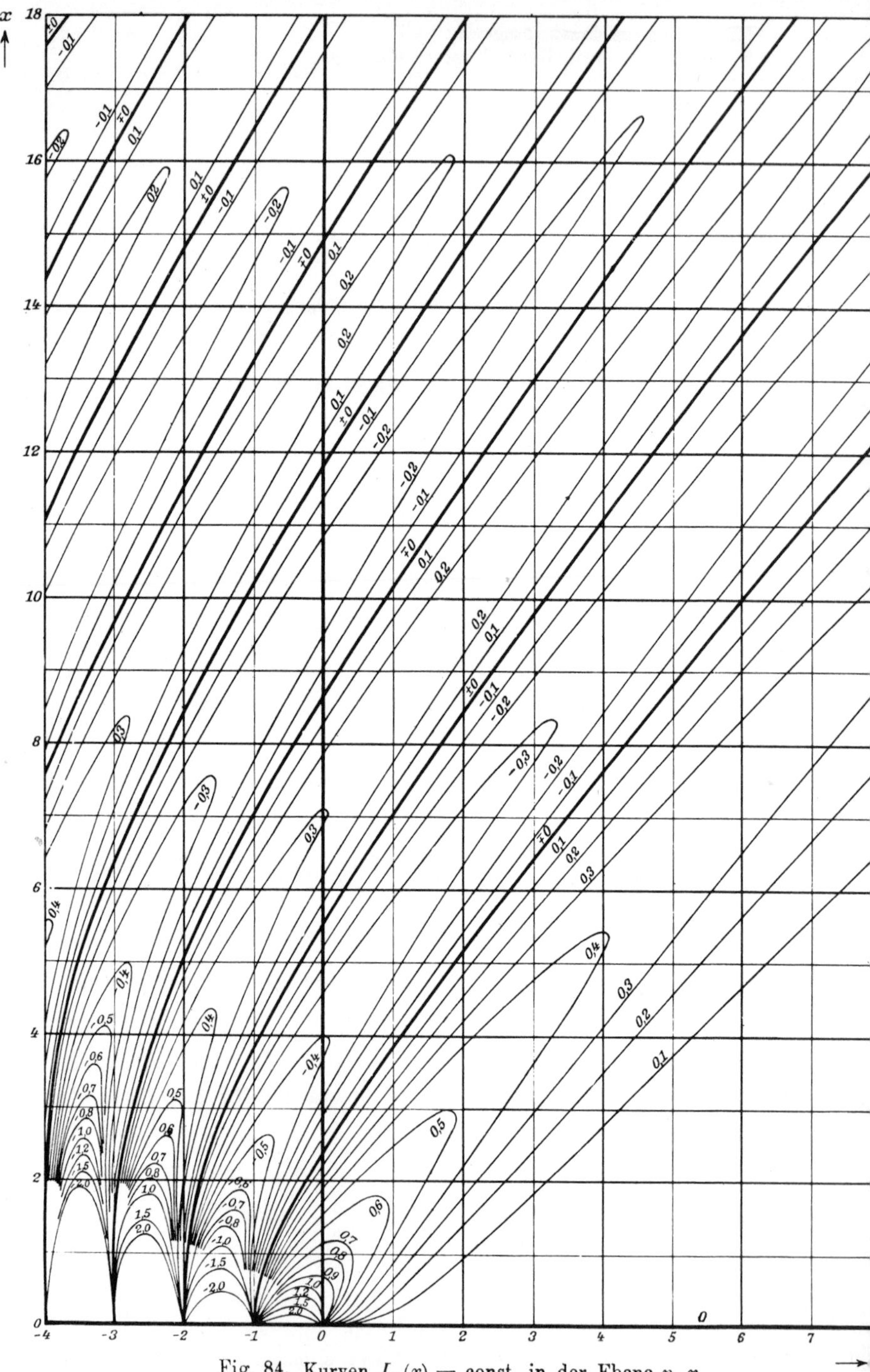

Fig. 84. Kurven $J_p(x) = \text{const.}$ in der Ebene p, x.
Fig. 84. Curves $J_p(x) = \text{const.}$ in the plane p, x.

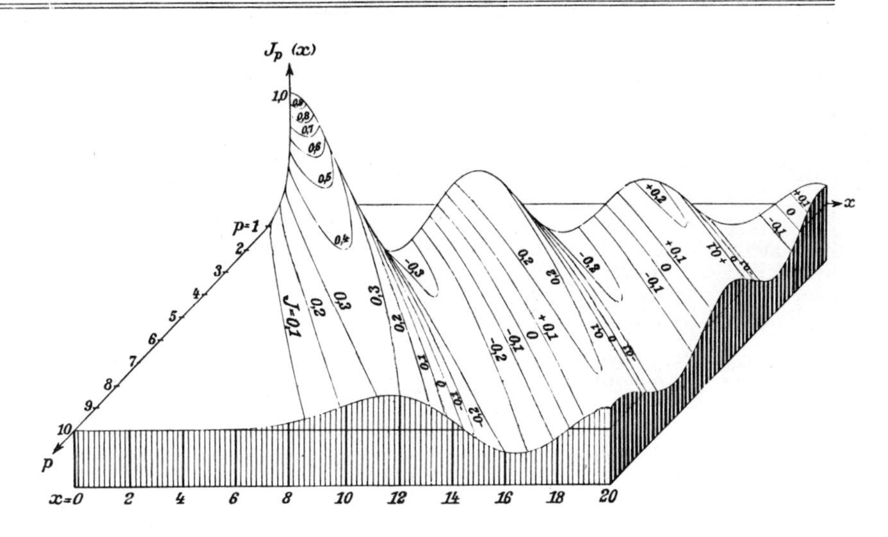

Fig. 85. $J_p(x)$ über der Ebene p, x.
Fig. 85. $J_p(x)$ against the plane p, x.

(cf. fig. 68, p. 126.)

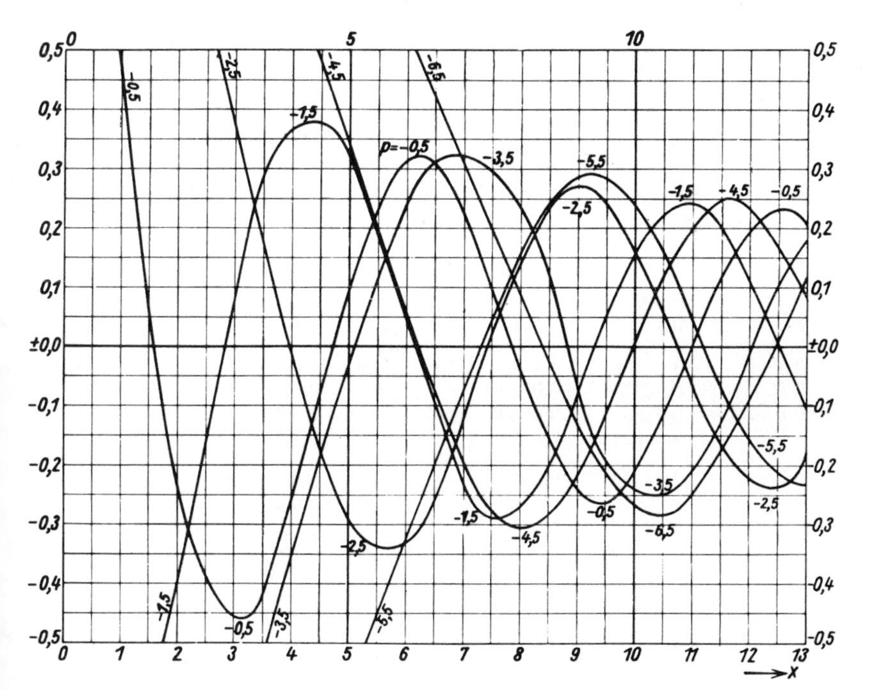

Fig. 86. $J_{-n-0,5}(x)$.

x	$J_{\frac{1}{2}}$	$J_{\frac{3}{2}}$	$J_{\frac{5}{2}}$	$J_{\frac{7}{2}}$	$J_{\frac{9}{2}}$	$J_{\frac{11}{2}}$	$J_{\frac{13}{2}}$
0	0	0	0	0	0	0	0
1	+0,6714	+0,2403	+0,04950	$+0,0^{2}7186$	$+0,0^{3}807$	$+0,0^{4}74$	$+0,0^{5}6$
2	+0,5130	+0,4913	+0,2239	+0,06852	+0,01589	$+0,0^{2}2973$	$+0,0^{3}467$
3	+0,06501	+0,4777	+0,4127	+0,2101	+0,07760	+0,02266	$+0,0^{2}549$[illegible]
4	−0,3019	+0,1853	+0,4409	+0,3658	+0,1993	+0,08261	+0,02787
5	−0,3422	−0,1697	+0,2404	+0,4100	+0,3337	+0,1906	+0,08558
6	−0,09102	−0,3279	−0,07295	+0,2671	+0,3846	+0,3098	+0,1833
7	+0,1981	−0,1991	−0,2834	$-0,0^{2}3403$	+0,2800	+0,3634	+0,2911
8	+0,2791	+0,07593	−0,2506	−0,2326	+0,04712	+0,2856	+0,3456
9	+0,1096	+0,2545	−0,02477	−0,2683	−0,1839	+0,08439	+0,2870
10	−0,1373	+0,1980	+0,1967	−0,09965	−0,2664	−0,1401	+0,1123
11	−0,2406	−0,02293	+0,2343	+0,1294	−0,1519	−0,2538	−0,1018
12	−0,1236	−0,2047	+0,07242	+0,2348	+0,06457	−0,1864	−0,2354
13	+0,09298	−0,1937	−0,1377	+0,1407	+0,2134	$+0,0^{2}7055$	−0,2075
14	+0,2112	−0,01407	−0,2143	−0,06245	+0,1830	+0,1801	−0,04151
15	+0,1340	+0,1654	−0,1009	−0,1991	$+0,0^{2}7984$	+0,2039	+0,1415
16	−0,05743	+0,1874	+0,09257	−0,1585	−0,1619	+0,06743	+0,2083
17	−0,1860	+0,04231	+0,1935	+0,01461	−0,1875	−0,1139	+0,1138
18	−0,1412	−0,1320	+0,1192	+0,1651	−0,05501	−0,1926	−0,06273
19	+0,02744	−0,1795	−0,05578	+0,1649	+0,1165	−0,1097	−0,1800
20	+0,1629	−0,06466	−0,1726	+0,02152	+0,1801	+0,05953	−0,1474
21	+0,1457	+0,1023	−0,1311	−0,1335	+0,08656	+0,1706	$+0,0^{2}280$[illegible]
22	$-0,0^{2}1506$	+0,1700	+0,02469	−0,1644	−0,07701	+0,1329	+0,1435
23	−0,1408	+0,08253	+0,1516	−0,04958	−0,1666	−0,01563	+0,1592
24	−0,1475	−0,07523	+0,1381	+0,1040	−0,1078	−0,1444	+0,04157
25	−0,02112	−0,1590	$+0,0^{2}2038$	+0,1594	+0,04260	−0,1441	−0,1060
26	+0,1193	−0,09664	−0,1305	+0,07155	+0,1497	−0,01972	−0,1581
27	+0,1469	+0,05030	−0,1413	−0,07646	+0,1214	+0,1169	−0,07380
28	+0,04085	+0,1466	−0,02514	−0,1511	−0,01263	+0,1470	+0,07040
29	−0,09833	+0,1074	+0,1094	−0,08858	−0,1308	+0,04798	+0,1490
30	−0,1439	−0,02727	+0,1412	+0,05080	−0,1293	−0,08961	+0,09649
31	−0,05790	−0,1330	+0,04503	+0,1402	−0,01337	−0,1441	−0,03776
32	+0,07778	−0,1152	−0,08858	+0,1014	+0,1108	−0,07024	−0,1349
33	+0,1389	$+0,0^{2}6053$	−0,1383	−0,02701	+0,1326	+0,06318	−0,1115
34	+0,07240	+0,1182	−0,06196	−0,1274	+0,03574	+0,1368	$+0,0^{2}852$[illegible]
35	−0,05775	+0,1202	+0,06805	−0,1105	−0,09015	+0,08732	+0,1176
36	−0,1319	+0,01335	+0,1330	$+0,0^{2}5119$	−0,1320	−0,03812	+0,1204
37	−0,08441	−0,1027	+0,07609	+0,1130	−0,05472	−0,1263	+0,01718
38	+0,03836	−0,1226	−0,04804	+0,1163	+0,06946	−0,09984	−0,09836
39	+0,1231	−0,03091	−0,1255	+0,01482	+0,1282	+0,01476	−0,1240
40	+0,09400	+0,08649	−0,08751	−0,09743	+0,07046	+0,1133	−0,03931
41	−0,01977	+0,1225	+0,02873	−0,1190	−0,04906	+0,1083	+0,07811
42	−0,1128	+0,04656	+0,1162	−0,03273	−0,1216	+0,006668	+0,1234
43	−0,1012	−0,06990	+0,09633	+0,08110	−0,08313	−0,09850	+0,05793
44	$+0,0^{2}2129$	−0,1202	−0,01033	+0,1190	+0,02927	−0,1131	−0,05753
45	+0,1012	−0,06023	−0,1052	+0,04854	+0,1128	−0,02599	−0,1191
46	+0,1061	+0,05315	−0,1026	−0,06430	+0,09284	−0,08247	−0,07312
47	+0,01438	+0,1158	$-0,0^{2}6991$	−0,1165	−0,01037	+0,1146	+0,03718
48	−0,08848	+0,07188	+0,09297	−0,06220	−0,1020	+0,04306	+0,1119
49	−0,1087	−0,03648	+0,1065	+0,04735	−0,09972	−0,06566	+0,08497
50	−0,02961	−0,1095	+0,02304	+0,1118	$-0,0^{2}7388$	−0,1131	−0,01750

x	$J_{-\frac{1}{2}}$	$J_{-\frac{3}{2}}$	$J_{-\frac{5}{2}}$	$J_{-\frac{7}{2}}$	$J_{-\frac{9}{2}}$	$J_{-\frac{11}{2}}$	$J_{-\frac{13}{2}}$
0	$+\infty$	$-\infty$	$+\infty$	$-\infty$	$+\infty$	$-\infty$	$+\infty$
1	+0,4311	−1,1025	+2,8764	−13,279	+90,0797	−797,44	+8681,7
2	−0,2348	−0,3956	+0,8282	−1,6749	+5,0340	−20,978	+110,35
3	−0,4560	+0,08701	+0,3690	−0,7021	+1,2691	−3,1053	+10,117
4	−0,2608	+0,3671	−0,01457	−0,3489	+0,6251	−1,0577	+2,2834
5	+0,1012	+0,3219	−0,2944	−0,02755	+0,3329	−0,5718	+0,9249
6	+0,3128	+0,03889	−0,3322	+0,2379	+0,05460	−0,3198	+0,5318
7	+0,2274	−0,2306	−0,1285	+0,3224	−0,1939	−0,07313	+0,3088
8	−0,04105	−0,2740	+0,1438	+0,1841	−0,3049	+0,1589	+0,08641
9	−0,2423	−0,08268	+0,2699	−0,06725	−0,2176	+0,2848	−0,1306
10	−0,2117	+0,1584	+0,1642	−0,2405	$+0,0^{2}4188$	+0,2368	−0,2646
11	$+0,0^{2}1064$	+0,2405	−0,06665	−0,2102	+0,2004	+0,04622	−0,2466
12	+0,1944	+0,1074	−0,2212	−0,01522	+0,2301	−0,1573	−0,08586
13	+0,2008	−0,1084	−0,1758	+0,1760	+0,08100	−0,2321	+0,1154
14	+0,02916	−0,2133	+0,01655	+0,2074	−0,1203	−0,1301	+0,2225
15	−0,1565	−0,1235	+0,1812	+0,06313	−0,2107	+0,06327	+0,1643
16	−0,1910	+0,06937	+0,1780	−0,1250	−0,1233	+0,1944	−0,01031
17	−0,05325	+0,1892	+0,01986	−0,1950	+0,06044	+0,1630	−0,1659
18	+0,1242	+0,1343	−0,1466	−0,09362	+0,1830	$+0,0^{2}2131$	−0,1843
19	+0,1810	−0,03696	−0,1751	+0,08305	+0,1445	−0,1515	−0,05682
20	+0,07281	−0,1665	−0,04783	+0,1785	−0,01464	−0,1719	+0,1092
21	−0,09537	−0,1411	+0,1155	+0,1136	−0,1534	−0,04788	+0,1785
22	−0,1701	$+0,0^{2}9238$	+0,1688	−0,04761	−0,1537	+0,1105	+0,09845
23	−0,08865	+0,1446	+0,06978	−0,1598	−0,02114	+0,1681	−0,05924
24	+0,06909	+0,1446	−0,08716	−0,1265	+0,1240	+0,07994	−0,1607
25	+0,1582	+0,01479	−0,1599	+0,01720	+0,1551	−0,07304	−0,1230
26	+0,1012	−0,1232	−0,08701	+0,1399	+0,04933	−0,1570	+0,01710
27	−0,04486	−0,1452	+0,06099	+0,1339	−0,09571	−0,1020	+0,1373
28	−0,1451	−0,03567	+0,1490	$+0,0^{2}9064$	−0,1512	+0,03955	+0,1357
29	−0,1108	+0,1021	+0,1003	−0,1194	−0,07144	+0,1416	+0,01773
30	+0,02247	+0,1432	−0,03679	−0,1370	+0,06877	+0,1164	−0,1115
31	+0,1311	+0,05367	−0,1363	−0,03169	+0,1434	$-0,0^{2}9951$	−0,1399
32	+0,1177	−0,08145	−0,1100	+0,09865	+0,08845	−0,1235	−0,04599
33	$-0,0^{2}1844$	−0,1388	+0,01447	+0,1366	−0,04345	−0,1248	+0,08504
34	−0,1161	−0,06898	+0,1222	+0,05101	−0,1327	−0,01588	+0,1378
35	−0,1219	+0,06123	+0,1166	−0,07789	−0,1011	+0,1039	+0,06841
36	−0,01702	+0,1324	$+0,0^{2}5987$	−0,1332	+0,01991	+0,1282	−0,05909
37	+0,1004	+0,08170	−0,1070	−0,06724	+0,1197	+0,03811	−0,1311
38	+0,1236	−0,04161	−0,1203	+0,05745	+0,1098	−0,08344	−0,08560
39	+0,03407	−0,1240	−0,02453	+0,1272	$+0,0^{2}1705$	−0,1276	+0,03427
40	−0,08414	−0,09190	+0,09103	+0,08052	−0,1051	−0,05687	+0,1208
41	−0,1230	+0,02277	+0,1214	−0,03757	−0,1150	+0,06280	+0,09810
42	−0,04925	+0,1140	+0,04110	−0,1189	−0,02128	+0,1204	−0,01026
43	+0,06754	+0,09964	−0,07450	−0,09097	+0,08931	+0,07228	−0,1078
44	+0,1203	$-0,0^{2}4863$	−0,1200	+0,01849	+0,1170	−0,04243	−0,1064
45	+0,06248	−0,1026	−0,05564	+0,1088	+0,03874	−0,1165	−0,01026
46	−0,05084	−0,1050	+0,05769	+0,09871	−0,07271	−0,08449	+0,09291
47	−0,1155	−0,01193	+0,1163	$-0,0^{3}443$	−0,1162	+0,02269	+0,1109
48	−0,07372	+0,09001	+0,06810	−0,08292	−0,05600	+0,09342	+0,03460
49	+0,03426	+0,1080	−0,04088	−0,1038	+0,05571	+0,09361	−0,07673
50	+0,1089	+0,02743	−0,1105	−0,01638	+0,1128	$-0,0^{2}3933$	−0,1120

(cf. fig. 86, p. 153.)

x		0	1	2	3	4	5	6	7	8	9	d
0,0	+1,0	000	000	*999	*998	*996	*994	*991	*988	*984	*980	− 2
1	+0,9	975	970	964	958	951	944	936	928	919	910	− 7
2		900	890	879	868	857	844	832	819	805	791	−13
3		776	761	746	730	713	696	679	661	642	623	−17
4		604	584	564	543	522	500	478	455	432	409	−22
5		385	360	335	310	284	258	231	204	177	149	−26
6		120	091	062	032	002	*971	*940	*909	*877	*845	−31
7	+0,8	812	779	745	711	677	642	607	572	536	500	−35
8		463	426	388	350	312	274	235	195	156	116	−38
9		075	034	*993	*952	*910	*868	*825	*783	*739	*696	−42
1,0	+0,7	652	608	563	519	473	428	382	336	290	243	−45
1		196	149	101	054	006	*957	*909	*860	*810	*761	−49
2	+0,6	711	661	611	561	510	459	408	356	305	253	−51
3		201	149	096	043	*990	*937	*884	*830	*777	*723	−53
4	+0,5	669	614	560	505	450	395	340	285	230	174	−55
5		118	062	006	*950	*894	*838	*781	*725	*668	*611	−56
6	+0,4	554	497	440	383	325	268	210	153	095	038	−57
7	+0,3	980	922	864	806	748	690	632	574	516	458	−58
8		400	342	284	225	167	109	051	*993	*934	*876	−58
9	+0,2	818	760	702	644	586	528	470	412	354	297	−58
2,0		239	181	124	066	009	*951	*894	*837	*780	*723	−58
1	+0,1	666	609	553	496	440	383	327	271	215	159	−57
2		104	048	*993	*937	*882	*828	*773	*718	*664	*610	−54
3	+0,0	555	502	448	394	341	288	235	182	130	077	−53
4		+025	−027	−079	−130	−181	−232	−283	−334	−384	−434	−51
5	−0,0	484	533	583	632	681	729	778	826	873	921	−48
6		968	*015	*062	*108	*154	*200	*245	*291	*336	*380	−46
7	−0,1	424	469	512	556	599	641	684	726	768	809	−42
8		850	891	932	972	*012	*051	*090	*129	*167	*205	−39
9	−0,2	243	280	317	354	390	426	462	497	532	566	−36
3,0		601	634	668	701	733	765	797	829	860	890	−32
1		921	951	980	*009	*038	*066	*094	*122	*149	*176	−28
2	−0,3	202	228	253	278	303	328	351	375	398	421	−25
3		443	465	486	507	528	548	568	587	606	625	−20
4		643	661	678	695	711	727	743	758	773	787	−16
5		801	815	828	841	853	865	876	887	898	908	−12
6		918	927	936	944	953	960	967	974	981	987	− 7
7		992	997	*002	*007	*011	*014	*017	*020	*022	*024	− 3
8	−0,4	026	027	027	028	027	027	026	025	023	021	∓ 0
9		018	015	012	008	004	000	*995	*990	*984	*978	+ 4
4,0	−0,3	971	965	958	950	942	934	925	916	907	897	+ 8
1		887	876	865	854	842	831	818	806	793	779	+11
2		766	752	737	722	707	692	676	660	644	627	+15
3		610	593	575	557	539	520	501	482	463	443	+19
4		423	402	381	360	339	318	296	274	251	228	+21
5		205	182	159	135	111	087	062	037	012	*987	+24
6	−0,2	961	936	910	883	857	830	803	776	749	721	+27
7		693	665	637	609	580	551	522	493	464	434	+29
8		404	374	344	314	283	253	222	191	160	129	+30
9		097	066	034	002	*970	*938	*906	*874	*841	*809	+32

x		0	1	2	3	4	5	6	7	8	9	d
0,0	+0,0	000	050	100	150	200	250	300	350	400	450	+50
1		499	549	599	649	698	748	797	847	896	946	+50
2		995	*044	*093	*142	*191	*240	*289	*338	*386	*435	+49
3	+0,1	483	531	580	628	676	723	771	819	866	913	+48
4		960	*007	*054	*101	*147	*194	*240	*286	*332	*377	+47
5	+0,2	423	468	513	558	603	647	692	736	780	823	+44
6		867	910	953	996	*039	*081	*124	*166	*207	*249	+42
7	+0,3	290	331	372	412	452	492	532	572	611	650	+40
8		688	727	765	803	840	878	915	951	988	*024	+38
9	+0,4	059	095	130	165	200	234	268	302	335	368	+34
1,0		401	433	465	497	528	559	590	620	650	680	+31
1		709	738	767	795	823	850	878	904	931	957	+27
2		983	*008	*033	*058	*082	*106	*130	*153	*176	*198	+24
3	+0,5	220	242	263	284	305	325	344	364	383	401	+20
4		419	437	455	472	488	504	520	536	551	565	+16
5		579	593	607	620	632	644	656	667	678	689	+12
6		699	709	718	727	735	743	751	758	765	772	+ 8
7		778	783	788	793	798	802	805	808	811	813	+ 4
8		815	817	818	818	819	818	818	817	816	814	− 1
9		812	809	806	803	799	794	790	785	779	773	− 5
2,0		767	761	754	746	738	730	721	712	703	693	− 8
1		683	672	661	650	638	626	614	601	587	574	−12
2		560	545	530	515	500	484	468	451	434	416	−16
3		399	381	362	343	324	305	285	265	244	223	−19
4		202	180	158	136	113	091	067	044	020	*996	−22
5	+0,4	971	946	921	895	870	843	817	790	763	736	−27
6		708	680	652	624	595	566	536	507	477	446	−30
7		416	385	354	323	291	260	228	195	163	130	−31
8		097	064	030	*997	*963	*928	*894	*859	*825	*790	−34
9	+0,3	754	719	683	647	611	575	538	502	465	428	−36
3,0		391	353	316	278	240	202	164	125	087	048	−38
1		009	*970	*931	*892	*852	*813	*773	*733	*694	*654	−39
2	+0,2	613	573	533	492	452	411	370	330	289	248	−41
3		207	165	124	083	042	000	*959	*917	*876	*834	−42
4	+0,1	792	751	709	667	625	583	541	500	458	416	−42
5		374	332	290	248	206	164	122	080	038	*996	−42
6	+0,0	955	913	871	829	788	746	704	663	621	580	−42
7		538	497	456	414	373	332	291	250	210	169	−41
8		128	088	047	+007	−033	−074	−114	−153	−193	−233	−41
9	−0,0	272	312	351	390	429	468	507	546	584	622	−39
4,0		660	698	736	774	811	849	886	923	960	996	−38
1	−0,1	033	069	105	141	177	212	247	282	317	352	−35
2		386	421	455	489	522	556	589	622	654	687	−34
3		719	751	783	814	845	876	907	938	968	998	−31
4	−0,2	028	057	086	115	144	173	201	229	256	284	−29
5		311	337	364	390	416	442	467	492	517	541	−26
6		566	589	613	636	659	682	704	726	748	770	−23
7		791	812	832	852	872	892	911	930	949	967	−20
8		985	*003	*020	*037	*054	*070	*086	*102	*117	*132	−16
9	−0,3	147	161	175	189	202	216	228	241	253	264	−14

x		0	1	2	3	4	5	6	7	8	9	d
5,0	−0,1	776	743	710	677	644	611	578	544	511	477	+33
1		443	410	376	342	308	274	240	206	171	137	+34
2		103	069	034	000	*965	*931	*896	*862	*827	*793	+34
3	−0,0	758	723	689	654	620	585	550	516	481	447	+35
4		412	378	343	309	274	240	205	171	137	103	+34
5		068	-034	000	+034	+068	+102	+135	+169	+203	+236	+34
6	+0,0	270	303	336	370	403	436	469	501	534	567	+33
7		599	632	664	696	728	760	791	823	855	886	+32
8		917	948	979	*010	*040	*071	*101	*131	*161	*191	+31
9	+0,1	220	250	279	308	337	366	394	423	451	479	+29
6,0		506	534	561	589	616	642	669	695	721	747	+26
1		773	798	824	849	873	898	922	947	970	994	+25
2	+0,2	017	041	064	086	109	131	153	175	196	217	+22
3		238	259	279	299	319	339	358	377	396	415	+20
4		433	451	469	486	504	521	537	554	570	585	+17
5		601	616	631	646	660	674	688	702	715	728	+14
6		740	753	765	777	788	799	810	821	831	841	+11
7		851	860	869	878	886	895	902	910	917	924	+ 9
8		931	937	943	949	955	960	965	969	973	977	+ 5
9		981	984	987	990	993	995	997	998	999	*000	+ 2
7.0	+0.3	001	001	001	001	000	*999	*998	*997	*995	*993	− 1
1	+0.2	991	988	985	982	978	974	970	966	961	956	− 4
2		951	945	939	933	927	920	913	906	898	890	− 7
3		882	874	865	856	847	837	828	818	807	797	−10
4		786	775	764	752	740	728	715	703	690	677	−12
5		663	650	636	622	607	593	578	563	547	532	−14
6		516	500	484	467	451	434	416	399	381	364	−17
7		346	327	309	290	271	252	233	214	194	174	−19
8		154	134	113	093	072	051	030	009	*987	*965	−21
9	+0,1	944	922	899	877	855	832	809	786	763	740	−23
8,0		717	693	669	645	622	597	573	549	524	500	−25
1		475	450	425	400	375	350	325	299	274	248	−25
2		222	196	170	144	118	092	066	039	013	*987	−26
3	+0.0	960	933	907	880	853	826	800	773	746	719	−27
4		692	664	637	610	583	556	529	501	474	447	−27
5		419	392	365	337	310	283	255	228	201	174	−27
6		146	119	092	064	037	+010	-017	-044	-071	098	−27
7	−0,0	125	152	179	206	233	259	286	313	339	366	−26
8		392	419	445	471	497	523	549	575	601	627	−26
9		653	678	704	729	754	779	804	829	854	879	−25
9,0		903	928	952	976	*000	*024	*048	*072	*096	*119	−24
1	−0,1	142	166	189	211	234	257	279	302	324	346	−23
2		367	389	411	432	453	474	495	516	536	556	−21
3		577	597	616	636	655	674	694	712	731	749	−19
4		768	786	804	821	839	856	873	890	907	923	−17
5		939	955	971	987	*002	*017	*032	*047	*061	*076	−15
6	−0,2	090	104	117	131	144	157	169	182	194	206	−13
7		218	230	241	252	263	273	284	294	304	313	−10
8		323	332	341	350	358	366	374	382	389	396	− 8
9		403	410	417	423	429	434	440	445	450	455	− 5

x		0	1	2	3	4	5	6	7	8	9	d
5,0	−0,3	276	287	298	308	318	328	337	346	355	363	−10
1		371	379	386	393	400	406	412	417	423	428	− 6
2		432	436	440	444	447	450	453	455	457	458	− 3
3		460	460	461	461	461	461	460	459	457	456	∓ 0
4		453	451	448	445	442	438	434	430	425	420	+ 4
5		414	409	403	396	390	383	376	368	360	352	+ 7
6		343	335	325	316	306	296	286	275	264	253	+10
7		241	230	218	205	192	179	166	153	139	125	+13
8		110	096	081	065	050	034	018	002	*985	*969	+16
9	−0,2	951	934	917	899	881	862	844	825	806	786	+19
6,0		767	747	727	707	686	666	645	623	602	580	+20
1		559	537	514	492	469	446	423	400	377	353	+23
2		329	305	281	257	232	207	182	157	132	106	+25
3		081	055	029	003	*977	*950	*924	*897	*870	*843	+27
4	−0,1	816	789	762	734	707	679	651	623	595	567	+28
5		538	510	481	453	424	395	366	337	308	279	+29
6		250	220	191	162	132	102	073	043	013	*983	+30
7	−0,0	953	923	893	863	833	803	773	743	713	682	+30
8		652	622	592	561	531	501	470	440	410	379	+30
9		349	319	288	258	228	198	167	137	107	077	+30
7,0		047	$^{-}$017	$^{+}$013	$^{+}$043	$^{+}$073	$^{+}$103	$^{+}$133	$^{+}$163	$^{+}$192	$^{+}$222	+30
1	+0,0	252	281	310	340	369	398	428	457	486	514	+29
2		543	572	601	629	658	686	714	742	770	798	+28
3		826	853	881	908	935	963	990	*016	*043	*070	+28
4	+0,1	096	123	149	175	201	226	252	277	•302	328	+25
5		352	377	402	426	450	475	498	522	546	569	+25
6		592	615	638	660	683	705	727	749	771	792	+22
7		813	834	855	875	896	916	936	956	975	994	+20
8	+0,2	014	032	051	069	088	106	123	140	158	175	+18
9		192	208	225	241	257	272	287	303	317	332	+15
8,0		346	360	374	388	401	414	427	440	452	464	+13
1		476	488	499	510	521	531	542	552	561	571	+10
2		580	589	598	606	614	622	630	637	644	651	+ 8
3		657	664	670	675	681	686	691	696	700	704	+ 5
4		708	711	715	718	720	723	725	727	729	730	+ 3
5		731	732	733	733	733	733	732	731	730	729	± 0
6		728	726	724	721	719	716	713	709	705	701	− 3
7		697	693	688	683	678	672	666	660	654	648	− 6
8		641	634	626	619	611	603	595	586	577	568	− 8
9		559	550	540	530	519	509	498	487	476	465	−10
9,0		453	441	429	417	404	391	378	365	352	338	−13
1		324	310	296	281	267	252	237	221	206	190	−15
2		174	158	142	125	108	091	074	057	040	022	−17
3		004	*986	*968	*950	*931	*912	*893	*874	*855	*836	−19
4	+0,1	816	797	777	757	737	716	696	675	655	634	−21
5		613	591	570	549	527	506	484	462	440	418	−21
6		395	373	350	328	305	282	259	236	213	190	−23
7		166	143	119	096	072	048	025	001	*977	*953	−24
8	+0,0	928	904	880	856	831	807	782	758	733	708	−24
9		684	659	634	609	584	560	535	510	485	460	−24

x		0	1	2	3	4	5	6	7	8	9	d
10,0	−0,2	459	464	468	471	475	478	481	484	486	488	− 3
1		490	492	493	495	496	496	497	497	497	497	∓ 0
2		496	495	494	493	492	490	488	485	483	480	+ 2
3		477	474	470	467	463	458	454	449	444	439	+ 5
4		434	428	422	416	410	403	396	389	382	374	+ 7
5		366	358	350	342	333	324	315	306	296	286	+ 9
6		276	266	256	245	234	223	212	200	188	177	+11
7		164	152	140	127	114	101	087	074	060	046	+13
8		032	018	003	*989	*974	*959	*943	*928	*912	*897	+15
9	−0,1	881	865	848	832	815	798	781	764	747	730	+17
11,0		712	694	676	658	640	622	603	584	566	547	+18
1		528	508	489	470	450	430	411	391	370	350	+20
2		330	309	289	268	247	227	206	185	163	142	+20
3		121	099	078	056	034	012	*991	*969	*946	*924	+22
4	−0,0	902	880	858	835	813	790	767	745	722	699	+23
5		677	654	631	608	585	562	539	516	493	469	+23
6		446	423	400	376	353	330	307	283	260	237	+23
7		213	190	167	143	120	097	073	050	027	004	+23
8	+0,0	020	043	066	089	112	135	159	182	205	228	+23
9		250	273	296	319	342	364	387	410	432	455	+22
12,0		477	499	521	544	566	588	610	632	653	675	+22
1		697	718	740	761	782	803	824	845	866	887	+21
2		908	928	949	969	989	*009	*029	*049	*069	*088	+20
3	+0,1	108	127	147	166	185	203	222	241	259	277	+18
4		296	314	331	349	367	384	401	418	435	452	+17
5		469	485	502	518	534	550	565	581	596	611	+16
6		626	641	655	670	684	698	712	726	739	753	+14
7		766	779	792	804	817	829	841	853	864	876	+12
8		887	898	909	920	930	940	950	960	970	979	+10
9		988	997	*006	*015	*023	*031	*039	*047	*055	*062	+ 8
13,0	+0,2	069	076	083	089	096	102	108	113	119	124	+ 6
1		129	134	138	143	147	151	154	158	161	164	+ 4
2		167	169	172	174	176	178	179	180	182	182	+ 2
3		183	183	184	184	183	183	182	181	180	179	± 0
4		177	175	173	171	169	166	163	160	157	154	− 3
5		150	146	142	138	133	128	123	118	113	107	− 5
6		101	095	089	083	076	069	062	055	048	040	− 7
7		032	024	016	008	*999	*990	*981	*972	*963	*953	− 9
8	+0,1	943	933	923	913	903	892	881	870	859	847	−11
9		836	824	812	800	788	775	763	750	737	724	−13
14,0		711	697	684	670	656	642	628	613	599	584	−14
1		570	555	539	524	509	493	478	462	446	430	−16
2		414	397	381	364	348	331	314	297	280	262	−17
3		245	227	210	192	174	156	138	120	102	083	−18
4		065	046	028	009	*990	*971	*952	*933	*914	*895	−19
5	+0,0	875	856	837	817	798	778	758	738	719	699	−20
6		679	659	639	618	598	578	558	538	517	497	−20
7		476	456	436	415	394	374	353	333	312	291	−20
8		271	250	229	209	188	167	147	126	105	085	−21
9		064	043	023	+002	019	039	060	081	−101	122	−20

x		0	1	2	3	4	5	6	7	8	9	d
10,0	+0,0	435	410	385	360	334	309	284	259	234	209	−25
1		184	159	134	109	084	059	034	+009	−016	−041	−25
2	−0,0	066	091	116	141	165	190	215	240	264	289	−25
3		313	338	362	386	411	435	459	483	507	531	−24
4		555	578	602	626	649	673	696	719	742	766	−24
5		789	811	834	857	879	902	924	946	968	990	−23
6	−0,1	012	034	056	077	099	120	141	162	183	203	−21
7		224	244	265	285	305	325	344	364	383	403	−20
8		422	441	459	478	496	515	533	551	568	586	−19
9		603	621	638	655	671	688	704	720	736	752	−17
11,0		768	783	798	814	828	843	857	872	886	900	−15
1		913	927	940	953	966	979	991	*003	*015	*027	−13
2	−0,2	039	050	061	072	083	093	104	114	123	133	−10
3		143	152	161	169	178	186	194	202	210	217	− 8
4		225	231	238	245	251	257	263	268	274	279	− 6
5		284	288	293	297	301	305	308	312	315	317	− 4
6		320	322	324	326	328	329	331	332	332	333	− 1
7		333	333	333	332	332	331	330	328	327	325	+ 1
8		323	321	318	315	312	309	306	302	298	294	+ 3
9		290	285	281	276	270	265	259	253	247	241	+ 5
12,0		234	228	221	214	206	199	191	183	175	166	+ 7
1		157	149	140	130	121	111	101	091	081	070	+10
2		060	049	038	027	015	004	*992	*980	*968	*955	+11
3	−0,1	943	930	917	904	891	877	863	850	836	821	+14
4		807	793	778	763	748	733	718	702	687	671	+15
5		655	639	623	606	590	573	556	539	522	505	+17
6		487	470	452	435	417	399	380	362	344	325	+18
7		307	288	269	250	231	212	192	173	154	134	+19
8		114	095	075	055	035	014	*994	*974	*954	*933	+21
9	−0,0	912	892	871	850	830	809	788	767	746	724	+21
13,0		703	682	661	639	618	596	575	553	532	510	+22
1		489	467	445	423	402	380	358	336	314	293	+22
2		271	249	227	205	183	161	139	117	096	074	+22
3		052	030	−008	+014	+036	+057	+079	+101	+123	+144	+21
4	+0,0	166	188	209	231	252	274	295	317	338	359	+21
5		380	402	423	444	465	486	507	528	548	569	+21
6		590	610	631	651	671	692	712	732	752	772	+20
7		791	811	831	850	870	889	908	927	946	965	+19
8		984	*003	*021	*040	*058	*076	*094	*112	*130	*148	+18
9	+0,1	165	183	200	217	234	251	268	285	301	318	+17
14,0		334	350	366	382	397	413	428	443	458	473	+16
1		488	502	517	531	545	559	573	586	600	613	+14
2		626	639	652	664	677	689	701	713	724	736	+12
3		747	758	769	780	791	801	811	821	831	841	+10
4		850	860	869	878	886	895	903	911	919	927	+ 9
5		934	942	949	956	962	969	975	981	987	993	+ 7
6		999	*004	*009	*014	*019	*023	*027	*031	*035	*039	+ 4
7	+0,2	043	046	049	052	054	057	059	061	063	065	+ 3
8		066	067	068	069	070	070	070	070	070	069	± 0
9		069	068	067	066	064	062	061	058	056	054	− 2

x		0	1	2	3	4	5	6	7	8	9	d
15,0	—0,0	142	163	183	204	224	244	265	285	305	325	—20
1		346	366	386	406	426	446	465	485	505	525	—20
2		544	564	583	603	622	641	660	679	698	717	—19
3		736	755	773	792	811	829	847	865	883	901	—18
4		919	937	955	972	990	*007	*024	*042	*059	*076	—17
5	—0,1	092										

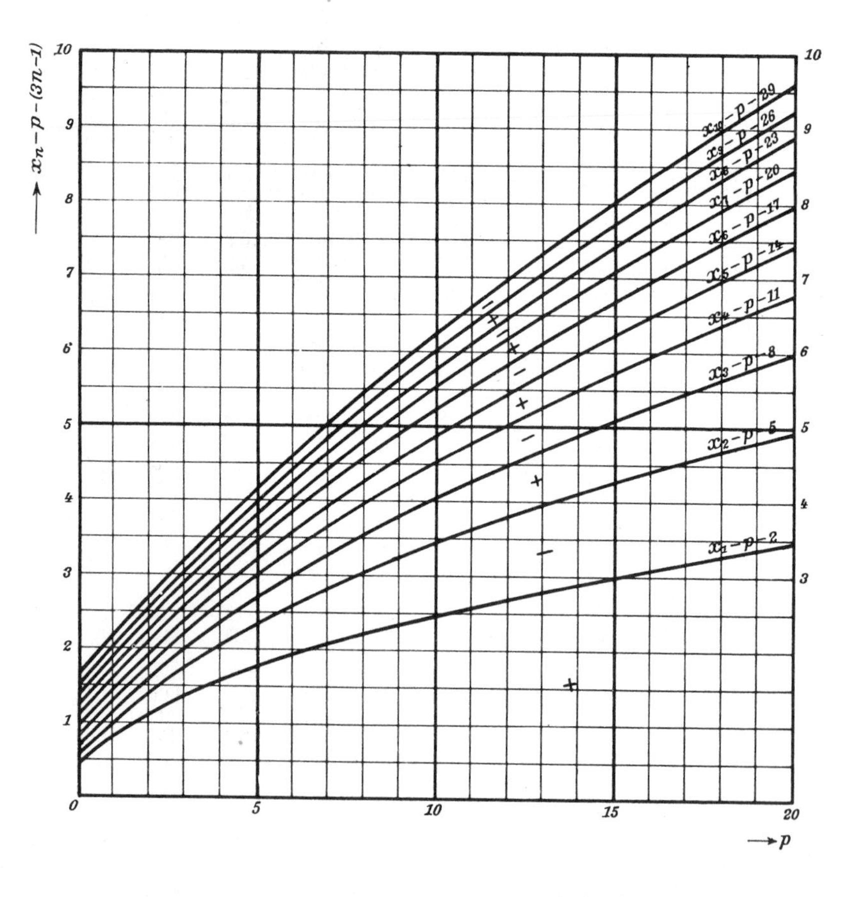

Fig. 87. $J_p(x_n) = 0$; $x_n - p$ als Funktion von / as function of p.

x		0	1	2	3	4	5	6	7	8	9	d
15,0	+0,2	051	048	045	042	038	035	031	027	022	018	− 3
1		013	008	003	*998	*992	*987	*981	*975	*969	*962	− 5
2	+0,1	955	949	942	934	927	919	912	904	896	887	− 7
3		879	870	861	852	843	834	824	814	804	794	− 9
4		784	774	763	752	741	730	719	707	696	684	−11
5		672										

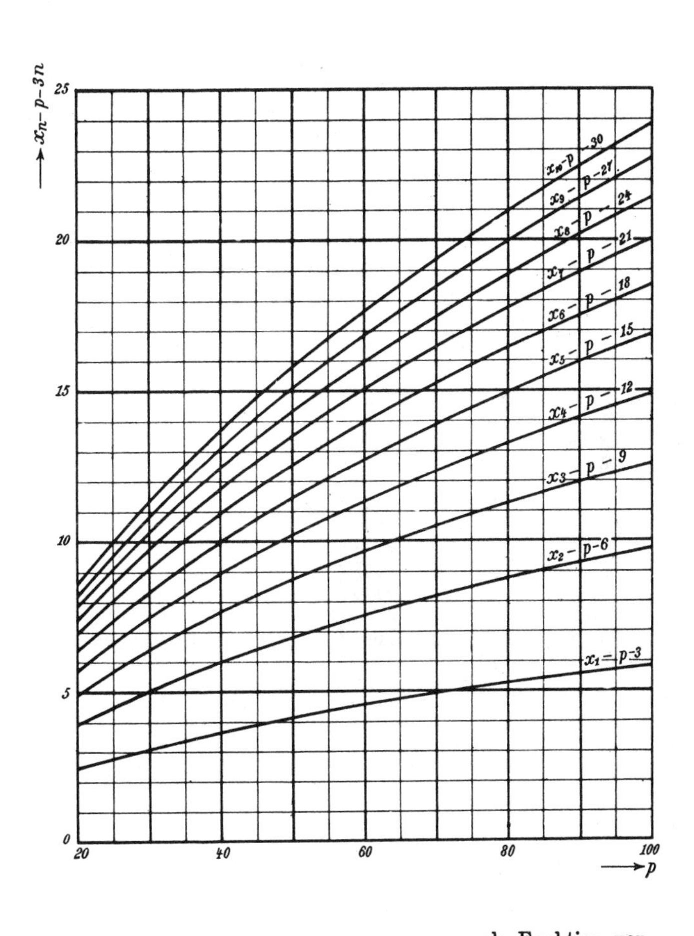

Fig. 88. $J_p(x_n) = 0$; $x_n - p$ als Funktion von / as function of p.

Tafeln: | **Tables:**

Siehe Verzeichnis berechneter Funktionentafeln, 1. Teil (Berlin 1928 beim VDI); ferner

a) Rep. Brit. Ass., Sect. A, Leeds 1927. Nullstellen von $J_p(x)$ mit 5 Dezimalen für $p = -1{,}00;\ -0{,}99;\ \cdots +1{,}00$.

b) Rep. Brit. Ass., Sect. A, Glasgow 1928. $\partial J_p(x)/\partial p$ mit 6 Dezimalen für $p = \pm 0{,}5;\ \pm 1{,}5$ und $x = 0{,}1;\ 0{,}2;\ \ldots 20{,}0$.

c) K. Hayashi, Fünfstellige Funktionentafeln (Berlin 1930 bei Springer). Gibt die von A. Dinnik berechneten Werte $U + iV$ von $J_0(re^{i\vartheta})$ und $J_1(re^{i\vartheta})$ mit 4 Dezimalen für $r = 0{,}2;\ 0{,}4;\ \ldots 8{,}0$ und für $\vartheta = \frac{\nu^{\llcorner}}{8}$, $\nu = 1, 2, \ldots 7$, sowie $\vartheta = \left(\frac{\pi}{2} - 0{,}001\right)$ rad.

d) Siebenstellige Tafeln der Funktionen $\Lambda_p(x)$ sind handschriftlich im Math. Institut der Techn. Hochschule Darmstadt vorhanden.

e) F. Tölke, Zylinderfunktionen (Stuttgart 1936 bei Wittwer), 92 Seiten; $J_p(r\sqrt{i})$ und $\frac{i\pi}{2} H_p^{(1)}(r\sqrt{i})$ für $p = 0, 1, 2, 3$ und $r = 0{,}01 \ldots 21{,}00$ mit 4 geltenden Stellen.

Lehrbücher: | **Text-books:**

a) N. Nielsen, Zylinderfunktionen (Leipzig 1904 bei Teubner). 408 Seiten.

b) P. Schafheitlin, Besselsche Funktionen (Leipzig 1908 bei Teubner). 129 Seiten.

c) A. Gray, G. B. Mathews and T. M. MacRobert, Bessel functions and their applications to physics, 2. ed. (London 1922 bei Macmillan). 327 Seiten.

d) G. N. Watson, Bessel functions (Cambridge 1922, University press). 804 Seiten.

e) E. Pascal, Repertorium der höheren Mathematik, 2. Aufl., I, 3 (Leipzig 1929 bei Teubner) S. 1420 . . . 1448 (Verfasser: E. Hilb).

f) N. W. McLachlan, Bessel Functions for engineers (Oxford 1934, Clarendon Press). 192 Seiten.

g) R. Weyrich, Zylinderfunktionen und ihre Anwendungen (Leipzig 1937 bei Teubner). 137 Seiten.

x	$J_{\frac{1}{4}}(x)$	$J_{\frac{3}{4}}(x)$	$J_{-\frac{1}{4}}(x)$	$J_{-\frac{3}{4}}(x)$	x	$J_{\frac{1}{4}}(x)$	$J_{\frac{3}{4}}(x)$	$J_{-\frac{1}{4}}(x)$	$J_{-\frac{3}{4}}(x)$
0,0	0,0000	0,0000	∞	∞	4,0	−0,3748	−0,1935	−0,3595	−0,111
2	0,6155	0,1924	1,4319	1,4892	2	−0,3845	−0,2525	−0,3106	−0,032
4	0,7144	0,3180	1,1559	0,7770	4	−0,3788	−0,2992	−0,2519	+0,043
6	0,7589	0,4187	0,9737	0,4442	6	−0,3587	−0,3325	−0,1861	0,115
8	0,7690	0,4987	0,8170	0,2193	8	−0,3255	−0,3518	−0,1158	0.179
1,0	0,7522	0,5587	0,6694	+0,0447	5,0	−0,2810	−0,3569	−0,0439	0,233
2	0,7129	0,5989	0,5260	−0,0985	2	−0,2272	−0,3481	+0,0269	0,277
4	0,6545	0,6194	0,3862	−0,2172	4	−0,1666	−0,3264	0,0940	0,308
6	0,5804	0,6208	0,2512	−0,3143	6	−0,1017	−0,2929	0,1550	0,326
8	0,4937	0,6038	0,1229	−0,3906	8	−0,0351	−0,2493	0,2078	0,331
2,0	0,3978	0,5698	+0,0036	−0,4467	6,0	+0,0306	−0,1976	0,2506	0,323
2	0,2962	0,5204	−0,1045	−0,4829	2	0,0929	−0,1399	0,2823	0,303
4	0,1923	0,4578	−0,1992	−0,4996	4	0,1497	−0,0787	0,3019	0,272
6	+0,0895	0,3844	−0,2788	−0,4977	6	0,1988	−0,0163	0,3090	0,231
8	−0,0092	0,3029	−0,3418	−0,4784	8	0,2387	+0,0449	0,3038	0,182
3,0	−0,1006	0,2162	−0,3875	−0,4434	7,0	0,2680	0,1025	0,2869	0,128
2	−0,1824	0,1273	−0,4154	−0,3945	2	0,2860	0,1545	0,2591	0,070
4	−0,2521	+0,0391	−0,4256	−0,3343	4	0,2923	0,1991	0,2220	+0,011
6	−0,3081	−0,0455	−0,4188	−0,2651	6	0,2869	0,2348	0,1771	−0,045
8	−0,3493	−0,1238	−0,3962	−0,1899	8	0,2704	0,2604	0,1264	−0,100
4,0	−0,3748	−0,1935	−0,3595	−0,1114	8,0	0,2436	0,2762	0,0720	−0,149

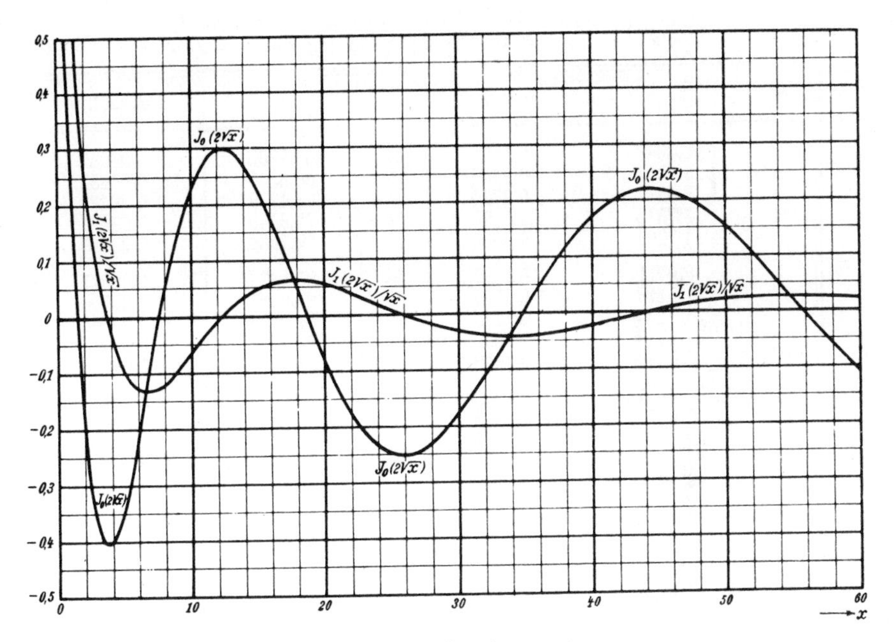

Fig. 89. Λ_p über dem Quadrat des halben Arguments.
Fig. 89. Λ_p against the square of the half argument.
(cf. p. 128; fig. 99, p. 189.)

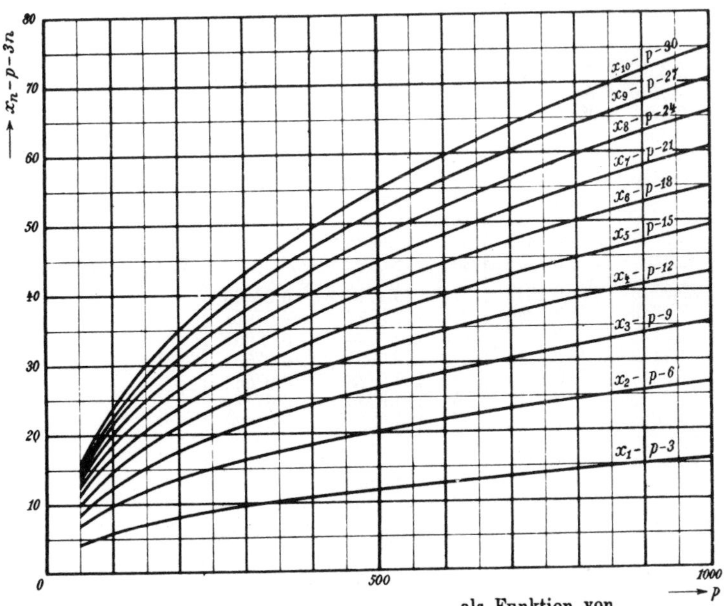

Fig. 90. $J_p(x_n) = 0$; $x_n - p$ als Funktion von / as function of p.

Wurzeln von $J_0(x) = 0$ und die zugehörigen Werte von $J_1(x)$.
Roots of $J_0(x) = 0$ and the corresponding values of $J_1(x)$.

n	x_n	$J_1(x_n)$	n	x_n	$J_1(x_n)$
1	2,4048	+0,5191	21	65,1900	+0,09882
2	5,5201	−0,3403	22	68,3315	−0,09652
3	8,6537	+0,2715	23	71,4730	+0,09438
4	11,7915	−0,2325	24	74,6145	−0,09237
5	14,9309	+0,2065	25	77,7560	+0,09049
6	18,0711	−0,1877	26	80,8976	−0,08871
7	21,2116	+0,1733	27	84,0391	+0,08704
8	24,3525	−0,1617	28	87,1806	−0,08545
9	27,4935	+0,1522	29	90,3222	+0,08395
10	30,6346	−0,1442	30	93,4637	−0,08253
11	33,7758	+0,1373	31	96,6053	+0,08118
12	36,9171	−0,1313	32	99,7468	−0,07989
13	40,0584	+0,1261	33	102,8884	+0,07866
14	43,1998	−0,1214	34	106,0299	−0,07749
15	46,3412	+0,1172	35	109,1715	+0,07636
16	49,4826	−0,1134	36	112,3131	−0,07529
17	52,6241	+0,1100	37	115,4546	+0,07426
18	55,7655	−0,1068	38	118,5962	−0,07327
19	58,9070	+0,1040	39	121,7377	+0,07232
20	62,0485	−0,1013	40	124,8793	−0,07140

Wurzeln x_n von $J_1(x) = 0$ und **Maxima und Minima** von $J_0(x)$.
Roots x_n of $J_1(x) = 0$ and **maxima and minima** of $J_0(x)$.

n	x_n	$J_0(x_n) = \frac{\text{Min}}{\text{Max}}$	n	x_n	$J_0(x_n) = \frac{\text{Min.}}{\text{Max}}$	n	x_n	$J_0(x_n) = \frac{\text{Min.}}{\text{Max.}}$
1	3,8317	−0,4028	21	66,7532	−0,09765	41	129,5878	−0,07009
2	7,0156	+0,3001	22	69,8951	+0,09543	42	132,7295	+0,06926
3	10,1735	−0,2497	23	73,0369	−0,09336	43	135,8711	−0,06845
4	13,3237	+0,2184	24	76,1787	+0,09141	44	139,0128	+0,06767
5	16,4706	−0,1965	25	79,3205	−0,08958	45	142,1544	−0,06692
6	19,6159	+0,1801	26	82,4623	+0,08786	46	145,2961	+0,06619
7	22,7601	−0,1672	27	85,6040	−0,08623	47	148,4377	−0,06549
8	25,9037	+0,1567	28	88,7458	+0,08469	48	151,5794	+0,06481
9	29,0468	−0,1480	29	91,8875	−0,08323	49	154,7210	−0,06414
10	32,1897	+0,1406	30	95,0292	+0,08185	50	157,8627	+0,06350
11	35,3323	−0,1342	31	98,1710	−0,08053			
12	38,4748	+0,1286	32	101,3127	+0,07927			
13	41,6171	−0,1237	33	104,4544	−0,07807			
14	44,7593	+0,1192	34	107,5961	+0,07692			
15	47,9015	−0,1153	35	110,7378	−0,07582			
16	51,0435	+0,1117	36	113,8794	+0,07477			
17	54,1856	−0,1084	37	117,0211	−0,07376			
18	57,3275	+0,1054	38	120,1628	+0,07279			
19	60,4695	−0,1026	39	123,3045	−0,07185			
20	63,6114	+0,1000	40	126,4461	+0,07095			

Für diese Wurzeln x_n von $J_1(x) = 0$ ist

For these roots x_n of $J_1(x) = 0$ we have

$$\sum_{n=1}^{\infty} \frac{1}{x_n J_0(x_n)} = -0{,}38479$$

$J_p(x) = 0$. Die erste Nullstelle x_1 als Funktion von p.
$J_p(x) = 0$. The first zero x_1 as function of p. (cf. fig. 84, p. 152.)

p		0	1	2	3	4	5	6	7	8	9	d
−0,4	1,	7509	7333	7157	6979	6800	6620	6439	6258	6076	5892	180
−0,3		9228	9059	8890	8720	8549	8378	8206	8033	7859	7684	171
−0,2		*0883	*0720	*0557	*0393	*0228	*0063	9897	9731	9563	9396	165
−0,1	2,	2486	2328	2169	2010	1851	1690	1530	1369	1207	1045	161
−0,0		4048	3893	3739	3583	3428	3272	3115	2959	2801	2644	156
+0,0		4048	4202	4356	4510	4663	4815	4968	5120	5272	5423	152
+0,1		5574	5725	5876	6026	6176	6326	6475	6625	6773	6922	150
0,2		7070	7218	7366	7514	7662	7809	7955	8102	8248	8395	147
0,3		8541	8687	8832	8978	9122	9267	9412	9556	9700	9844	145
0,4		9988	*0132	*0275	*0418	*0561	*0704	*0847	*0990	*1132	*1274	143
0,5	3,	1416	1558	1699	1841	1982	2123	2263	2404	2544	2684	141
0,6		2825	2965	3105	3245	3385	3524	3663	3802	3941	4080	139
0,7		4219	4358	4496	4634	4772	4910	5048	5185	5323	5460	138
0,8		5597	5734	5871	6008	6145	6282	6419	6555	6691	6827	137
0,9		6963	7099	7234	7370	7505	7641	7776	7911	8047	8181	136
1,0		8317	8452	8587	8721	8856	8990	9124	9258	9392	9526	134
1,1		9660	9794	9927	*0061	*0194	*0327	*0460	*0593	*0726	*0859	133
1,2	4,	0992	1125	1257	1390	1522	1655	1787	1919	2051	2183	132
1,3		2315	2446	2578	2710	2841	2972	3104	3235	3366	3497	131
1,4		3628	3759	3890	4021	4152	4282	4413	4543	4673	4804	130

$J_p(x) = 0$. Die zweite Nullstelle x_2 als Funktion von p.
$J_p(x) = 0$. The second zero x_2 as function of p. (cf. fig. 84, p. 152.)

p		0	1	2	3	4	5	6	7	8	9	d
−0,4	4,	8785	8620	8455	8289	8124	7958	7791	7624	7458	7291	166
−0,3		*0421	*0258	*0095	9932	9769	9606	9442	9278	9114	8949	163
−0,2	5,	2034	1874	1713	1552	1391	1230	1068	0907	0747	0583	161
−0,1		3627	3469	3310	3151	2992	2833	2673	2514	2354	2194	159
−0,0		5200	5044	4887	4730	4573	4416	4258	4101	3943	3785	157
+0,0		5200	5356	5513	5669	5825	5981	6136	6291	6447	6602	156
+0,1		6757	6911	7066	7220	7375	7529	7683	7836	7990	8143	154
0,2		8297	8450	8603	8755	8908	9061	9213	9366	9518	9670	153
0,3		9822	9974	*0125	*0277	*0428	*0579	*0730	*0881	*1032	*1183	151
0,4	6,	1333	1483	1634	1784	1934	2084	2234	2383	2533	2682	150
0,5		2832	2981	3130	3278	3427	3576	3724	3873	4021	4170	149
0,6		4318	4466	4614	4762	4909	5057	5204	5351	5497	5646	148
0,7		5793	5940	6087	6233	6380	6526	6672	6819	6965	7111	146
0,8		7257	7403	7548	7694	7839	7985	8130	8275	8421	8566	146
0,9		8711	8856	9001	9145	9290	9435	9579	9723	9867	*0011	145

$J_p(x_n) = 0.$ (cf. fig. 84, p. 152.)

n	$p=0$	$p=1$	$p=2$	$p=3$	$p=4$	$p=5$
1	2,405	3,832	5,136	6,380	7,588	8,772
2	5,520	7,016	8,417	9,761	11,065	12,339
3	8,654	10,173	11,620	13,015	14,372	15,700
4	11,792	13,324	14,796	16,223	17,616	18,980
5	14,931	16,471	17,960	19,409	20,827	22,218
6	18,071	19,616	21,117	22,583	24,019	25,430
7	21,212	22,760	24,270	25,748	27,199	28,627
8	24,352	25,904	27,421	28,908	30,371	31,812
9	27,494	29,047	30,569	32,065	33,537	34,989

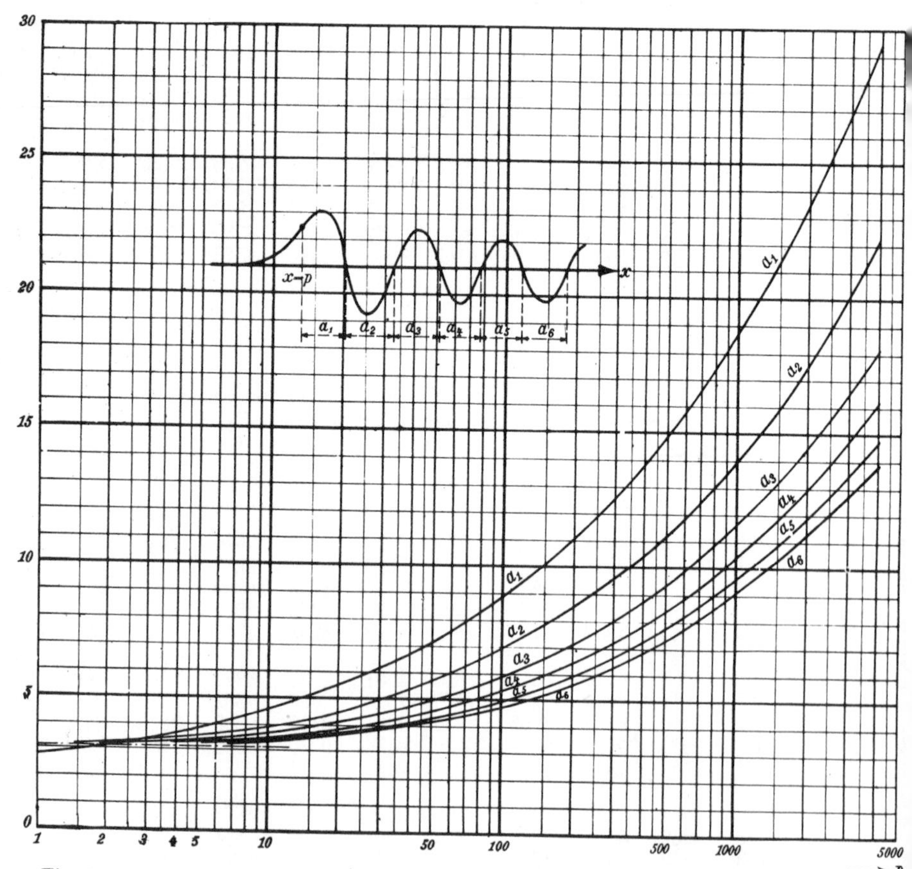

Fig. 91. Zur **Bestimmung der Nullstellen** von Besselschen Funktionen hoher Ordnung.
Fig. 91. For the determination of the zeros of Bessel functions of large order.

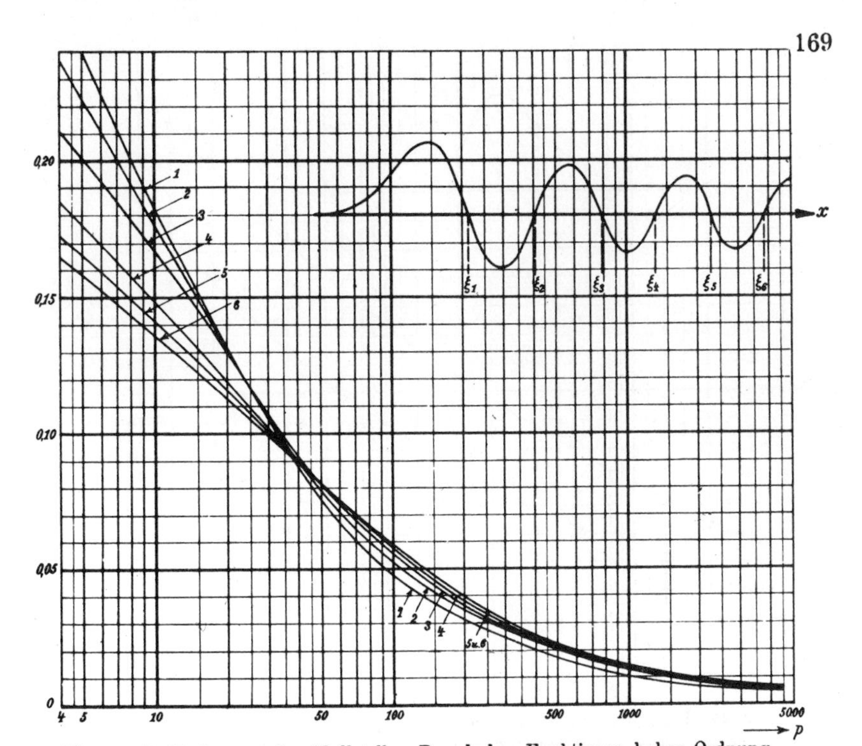

Fig. 92. Steilheiten an den Nullstellen Besselscher Funktionen hoher Ordnung.
Fig. 92. Steepness at the zeros of Bessel functions of large order.

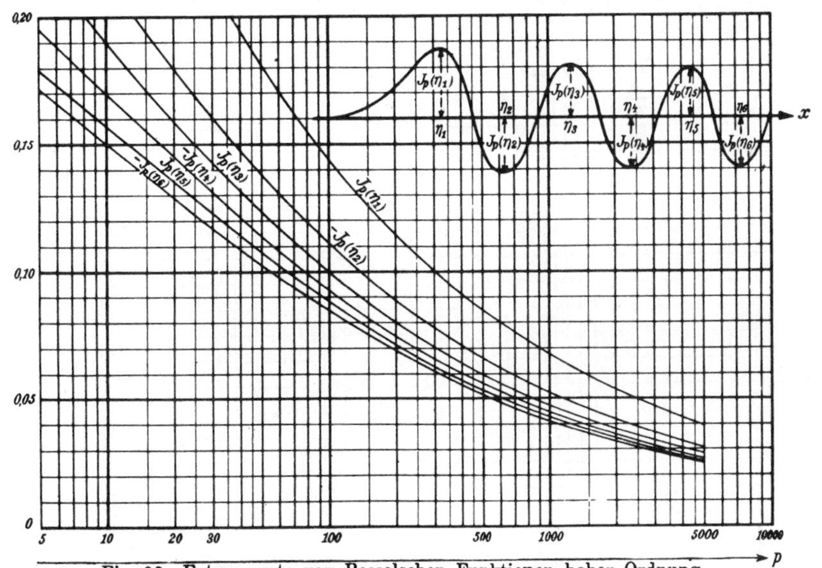

Fig. 93. Extremwerte von Besselschen Funktionen hoher Ordnung.
Fig. 93. Extreme values of Bessel functions of large order.

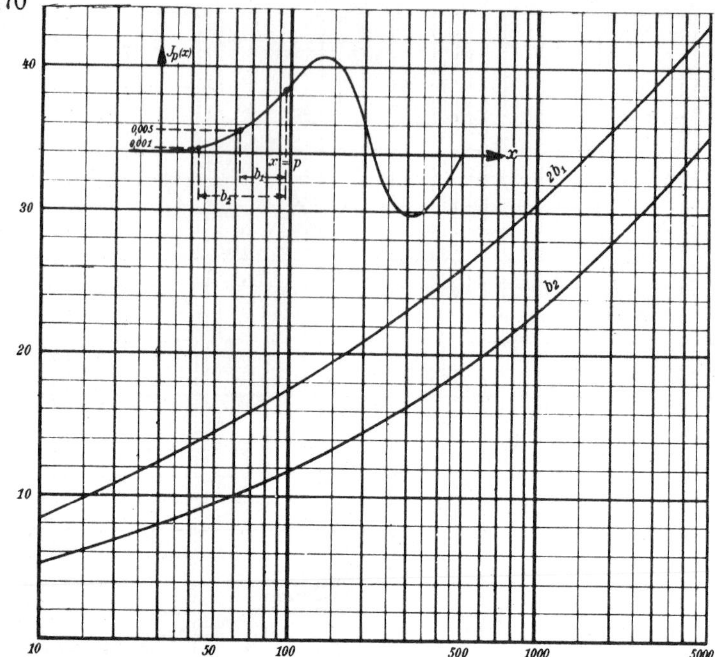

Fig. 94. Lage der ersten Funktionswerte $J_p(x) = 0{,}001$ und $= 0{,}005$.
Fig. 94. Position of the first function values $J_p(x) = 0{,}001$ and $= 0{,}005$.

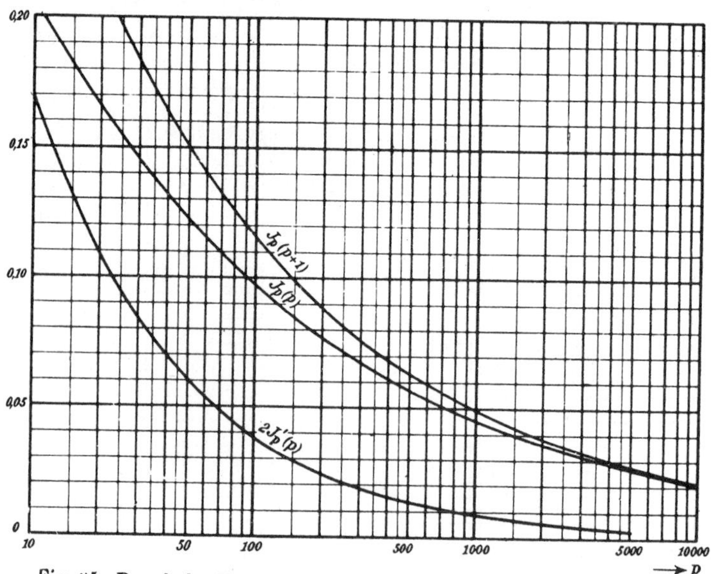

Fig. 95. Besselsche Funktion für $x = p$ und $x = p + 1$ bei großem p.
Fig. 95. Bessel function for $x = p$ and $x = p + 1$ for large p.

p	$J_p(1)$	$J_p(2)$	$J_p(3)$	$J_p(4)$	$J_p(5)$
0	$+0{,}7652$	$+0{,}2239$	$-0{,}2601$	$-0{,}3971$	$-0{,}1776$
0,5	$+0{,}6714$	$+0{,}5130$	$+0{,}06501$	$-0{,}3019$	$-0{,}3422$
1,0	$+0{,}4401$	$+0{,}5767$	$+0{,}3391$	$-0{,}06604$	$-0{,}3276$
1,5	$+0{,}2403$	$+0{,}4913$	$+0{,}4777$	$+0{,}1853$	$-0{,}1697$
2,0	$+0{,}1149$	$+0{,}3528$	$+0{,}4861$	$+0{,}3641$	$+0{,}04657$
2,5	$+0{,}04950$	$+0{,}2239$	$+0{,}4127$	$+0{,}4409$	$+0{,}2404$
3,0	$+0{,}01956$	$+0{,}1289$	$+0{,}3091$	$+0{,}4302$	$+0{,}3648$
3,5	$+0{,}0^{2}7186$	$+0{,}06852$	$+0{,}2101$	$+0{,}3658$	$+0{,}4100$
4,0	$+0{,}0^{2}2477$	$+0{,}03400$	$+0{,}1320$	$+0{,}2811$	$+0{,}3912$
4,5	$+0{,}0^{3}807$	$+0{,}01589$	$+0{,}07760$	$+0{,}1993$	$+0{,}3337$
5,0	$+0{,}0^{3}2498$	$+0{,}0^{2}7040$	$+0{,}04303$	$+0{,}1321$	$+0{,}2611$
5,5	$+0{,}0^{4}74$	$+0{,}0^{2}2973$	$+0{,}02266$	$+0{,}08261$	$+0{,}1906$
6,0	$+0{,}0^{4}2094$	$+0{,}0^{2}1202$	$+0{,}01139$	$+0{,}04909$	$+0{,}1310$
6,5	$+0{,}0^{5}6$	$+0{,}0^{3}467$	$+0{,}0^{2}5493$	$+0{,}02787$	$+0{,}08558$
7,0	$+0{,}0^{5}1502$	$+0{,}0^{3}1749$	$+0{,}0^{2}2547$	$+0{,}01518$	$+0{,}05338$
8	$+0{,}0^{7}9422$	$+0{,}0^{4}2218$	$+0{,}0^{3}4934$	$+0{,}0^{2}4029$	$+0{,}01841$
9	$+0{,}0^{8}5249$	$+0{,}0^{5}2492$	$+0{,}0^{4}8440$	$+0{,}0^{3}9386$	$+0{,}0^{2}5520$
10	$+0{,}0^{9}2631$	$+0{,}0^{6}2515$	$+0{,}0^{4}1293$	$+0{,}0^{3}1950$	$+0{,}0^{2}1468$
11	$+0{,}0^{10}1198$	$+0{,}0^{7}2304$	$+0{,}0^{5}1794$	$+0{,}0^{4}3660$	$+0{,}0^{3}3509$
12	$+0{,}0^{12}5000$	$+0{,}0^{8}1933$	$+0{,}0^{6}2276$	$+0{,}0^{5}6264$	$+0{,}0^{4}7628$
13	$+0{,}0^{13}1926$	$+0{,}0^{9}1495$	$+0{,}0^{7}2659$	$+0{,}0^{6}9859$	$+0{,}0^{4}1521$
14	$+0{,}0^{15}689$	$+0{,}0^{10}1073$	$+0{,}0^{8}2880$	$+0{,}0^{6}1436$	$+0{,}0^{5}2801$
15	$+0{,}0^{16}23$	$+0{,}0^{12}7183$	$+0{,}0^{9}2908$	$+0{,}0^{7}1948$	$+0{,}0^{6}4797$
16	$+0{,}0^{17}1$	$+0{,}0^{13}4506$	$+0{,}0^{10}2749$	$+0{,}0^{8}2472$	$+0{,}0^{7}7675$
17		$+0{,}0^{14}2659$	$+0{,}0^{11}2444$	$+0{,}0^{9}2947$	$+0{,}0^{7}1153$
18		$+0{,}0^{15}148$	$+0{,}0^{12}2050$	$+0{,}0^{10}3313$	$+0{,}0^{8}1631$
19		$+0{,}0^{17}8$	$+0{,}0^{13}1628$	$+0{,}0^{11}3525$	$+0{,}0^{9}2183$
20			$+0{,}0^{14}1228$	$+0{,}0^{12}3560$	$+0{,}0^{10}2770$
21			$+0{,}0^{16}88$	$+0{,}0^{13}3420$	$+0{,}0^{11}3344$
22			$+0{,}0^{17}6$	$+0{,}0^{14}3134$	$+0{,}0^{12}3848$
23				$+0{,}0^{15}275$	$+0{,}0^{13}4231$
24				$+0{,}0^{16}23$	$+0{,}0^{14}4454$
25				$+0{,}0^{17}2$	$+0{,}0^{15}450$
26					$+0{,}0^{16}44$
27					$+0{,}0^{17}4$

cf. fig. 96, p. 174; fig. 97, p. 176; fig. 98, p. 178.

p	$J_p(6)$	$J_p(7)$	$J_p(8)$	$J_p(9)$	$J_p(10)$
0	+0,1506	+0,3001	+0,1717	−0,09033	−0,2459
0,5	−0,09102	+0,1981	+0,2791	+0,1096	−0,1373
1,0	−0,2767	$-0{,}0^{2}4683$	+0,2346	+0,2453	+0,04347
1,5	−0,3279	−0,1991	+0,07593	+0,2545	+0,1980
2,0	−0,2429	−0,3014	−0,1130	+0,1448	+0,2546
2,5	−0,07295	−0,2834	−0,2506	−0,02477	+0,1967
3,0	+0,1148	−0,1676	−0,2911	−0,1809	+0,05838
3,5	+0,2671	$-0{,}0^{2}3403$	−0,2326	−0,2683	−0,09965
4,0	+0,3576	+0,1578	−0,1054	−0,2655	−0,2196
4,5	+0,3846	+0,2800	+0,04712	−0,1839	−0,2664
5,0	+0,3621	+0,3479	+0,1858	−0,05504	−0,2341
5,5	+0,3098	+0,3634	+0,2856	+0,08439	−0,1401
6,0	+0,2458	+0,3392	+0,3376	+0,2043	−0,01446
6,5	+0,1833	+0,2911	+0,3456	+0,2870	+0,1123
7,0	+0,1296	+0,2336	+0,3206	+0,3275	+0,2167
7,5	+0,08741	+0,1772	+0,2759	+0,3302	+0,2861
8,0	+0,05653	+0,1280	+0,2235	+0,3051	+0,3179
8,5	+0,03520	+0,08854	+0,1718	+0,2633	+0,3169
9,0	+0,02117	+0,05892	+0,1263	+0,2149	+0,2919
9,5	+0,01232	+0,03785	+0,08921	+0,1672	+0,2526
10,0	$+0{,}0^{2}6964$	+0,02354	+0,06077	+0,1247	+0,2075
10,5	$+0{,}0^{2}3827$	+0,01421	+0,04005	+0,08959	+0,1630
11,0	$+0{,}0^{2}2048$	$+0{,}0^{2}8335$	+0,02560	+0,06222	+0,1231
11,5	$+0{,}0^{2}1069$	$+0{,}0^{2}4763$	+0,01590	+0,04188	+0,08976
12,0	$+0{,}0^{3}5452$	$+0{,}0^{2}2656$	$+0{,}0^{2}9624$	+0,02739	+0,06337
12,5	$+0{,}0^{3}272$	$+0{,}0^{2}1446$	$+0{,}0^{2}5680$	+0,01744	+0,04344
13,0	$+0{,}0^{3}1327$	$+0{,}0^{3}7702$	$+0{,}0^{2}3275$	+0,01083	+0,02897
13,5	$+0{,}0^{4}63$	$+0{,}0^{3}402$	$+0{,}0^{2}1846$	$+0{,}0^{2}6568$	+0,01884
14,0	$+0{,}0^{4}2976$	$+0{,}0^{3}2052$	$+0{,}0^{2}1019$	$+0{,}0^{2}3895$	+0,01196
15	$+0{,}0^{5}6192$	$+0{,}0^{4}5059$	$+0{,}0^{3}2926$	$+0{,}0^{2}1286$	$+0{,}0^{2}4508$
16	$+0{,}0^{5}1202$	$+0{,}0^{4}1161$	$+0{,}0^{4}7801$	$+0{,}0^{3}3933$	$+0{,}0^{2}1567$
17	$+0{,}0^{6}2187$	$+0{,}0^{5}2494$	$+0{,}0^{4}1942$	$+0{,}0^{3}1120$	$+0{,}0^{3}5056$
18	$+0{,}0^{7}3746$	$+0{,}0^{6}5037$	$+0{,}0^{5}4538$	$+0{,}0^{4}2988$	$+0{,}0^{3}1524$
19	$+0{,}0^{8}6062$	$+0{,}0^{7}9598$	$+0{,}0^{6}9992$	$+0{,}0^{5}7497$	$+0{,}0^{4}4315$
20	$+0{,}0^{9}9296$	$+0{,}0^{7}1731$	$+0{,}0^{6}2081$	$+0{,}0^{5}1777$	$+0{,}0^{4}1151$
21	$+0{,}0^{9}1355$	$+0{,}0^{8}2966$	$+0{,}0^{7}4110$	$+0{,}0^{6}3990$	$+0{,}0^{5}2907$
22	$+0{,}0^{10}1882$	$+0{,}0^{9}4839$	$+0{,}0^{8}7725$	$+0{,}0^{7}8515$	$+0{,}0^{6}6969$
23	$+0{,}0^{11}2497$	$+0{,}0^{10}7535$	$+0{,}0^{8}1385$	$+0{,}0^{7}1732$	$+0{,}0^{6}1590$
24	$+0{,}0^{12}3168$	$+0{,}0^{10}1122$	$+0{,}0^{9}2373$	$+0{,}0^{8}3364$	$+0{,}0^{7}3463$
25	$+0{,}0^{13}3855$	$+0{,}0^{11}1602$	$+0{,}0^{10}3895$	$+0{,}0^{9}6257$	$+0{,}0^{8}7215$
26	$+0{,}0^{14}4415$	$+0{,}0^{12}2195$	$+0{,}0^{11}6135$	$+0{,}0^{9}1116$	$+0{,}0^{8}1441$
27	$+0{,}0^{15}507$	$+0{,}0^{13}2893$	$+0{,}0^{12}9289$	$+0{,}0^{10}1913$	$+0{,}0^{9}2762$
28	$+0{,}0^{16}55$	$+0{,}0^{14}3673$	$+0{,}0^{12}1354$	$+0{,}0^{11}3154$	$+0{,}0^{10}5094$
29	$+0{,}0^{17}6$	$+0{,}0^{15}450$	$+0{,}0^{13}1903$	$+0{,}0^{12}5014$	$+0{,}0^{11}9050$
30	$+0{,}0^{17}1$	$+0{,}0^{16}53$	$+0{,}0^{14}2583$	$+0{,}0^{13}7692$	$+0{,}0^{11}1551$
31		$+0{,}0^{17}6$	$+0{,}0^{15}339$	$+0{,}0^{13}1140$	$+0{,}0^{12}2568$
32		$+0{,}0^{17}1$	$+0{,}0^{16}43$	$+0{,}0^{14}1636$	$+0{,}0^{13}4112$
33			$+0{,}0^{17}5$	$+0{,}0^{15}227$	$+0{,}0^{14}6376$
34			$+0{,}0^{17}1$	$+0{,}0^{16}31$	$+0{,}0^{15}958$
35				$+0{,}0^{17}4$	$+0{,}0^{15}140$
36					$+0{,}0^{16}20$
37					$+0{,}0^{17}3$

p	$J_p(11)$	$J_p(12)$	$J_p(13)$	$J_p(14)$	$J_p(15)$
0	−0,1712	+0,04769	+0,2069	+0,1711	−0,01422
0,5	−0,2406	−0,1236	+0,09298	+0,2112	+0,1340
1,0	−0,1768	−0,2234	−0,07032	+0,1334	+0,2051
1,5	−0,02293	−0,2047	−0,1937	−0,01407	+0,1654
2,0	+0,1390	−0,08493	−0,2177	−0,1520	+0,04157
2,5	+0,2343	+0,07242	−0,1377	−0,2143	−0,1009
3,0	+0,2273	+0,1951	$+0{,}0^{2}3320$	−0,1768	−0,1940
3,5	+0,1294	+0,2348	+0,1407	−0,06245	−0,1991
4,0	−0,01504	+0,1825	+0,2193	+0,07624	−0,1192
4,5	−0,1519	+0,06457	+0,2134	+0,1830	$+0{,}0^{2}7984$
5,0	−0,2383	−0,07347	+0,1316	+0,2204	+0,1305
5,5	−0,2538	−0,1864	$+0{,}0^{2}7055$	+0,1801	+0,2039
6,0	−0,2016	−0,2437	−0,1180	+0,08117	+0,2061
6,5	−0,1018	−0,2354	−0,2075	−0,04151	+0,1415
7,0	+0,01838	−0,1703	−0,2406	−0,1508	+0,03446
7,5	+0,1334	−0,06865	−0,2145	−0,2187	−0,08121
8,0	+0,2250	+0,04510	−0,1410	−0,2320	−0,1740
8,5	+0,2838	+0,1496	−0,04006	−0,1928	−0,2227
9,0	+0,3089	+0,2304	+0,06698	−0,1143	−0,2200
9,5	+0,3051	+0,2806	+0,1621	−0,01541	−0,1712
10,0	+0,2804	+0,3005	+0,2338	+0,08501	−0,09007
10,5	+0,2433	+0,2947	+0,2770	+0,1718	$+0{,}0^{2}5862$
11,0	+0,2010	+0,2704	+0,2927	+0,2357	+0,09995
11,5	+0,1593	+0,2351	+0,2854	+0,2732	+0,1794
12,0	+0,1216	+0,1953	+0,2615	+0,2855	+0,2367
12,5	+0,08978	+0,1559	+0,2279	+0,2770	+0,2692
13,0	+0,06429	+0,1201	+0,1901	+0,2536	+0,2787
13,5	+0,04477	+0,08970	+0,1528	+0,2214	+0,2693
14,0	+0,03037	+0,06504	+0,1188	+0,1855	+0,2464
14,5	+0,02011	+0,04591	+0,08953	+0,1500	+0,2155
15,0	+0,01301	+0,03161	+0,06564	+0,1174	+0,1813
15,5	$+0{,}0^{2}8237$	+0,02126	+0,04691	+0,08931	+0,1474
16,0	$+0{,}0^{2}5110$	+0,01399	+0,03272	+0,06613	+0,1162
16,5	$+0{,}0^{2}3108$	$+0{,}0^{2}9017$	+0,02232	+0,04777	+0,08905
17,0	$+0{,}0^{2}1856$	$+0{,}0^{2}5698$	+0,01491	+0,03372	+0,06653
17,5	$+0{,}0^{2}1086$	$+0{,}0^{2}3532$	$+0{,}0^{2}9760$	+0,02330	+0,04853
18,0	$+0{,}0^{3}6280$	$+0{,}0^{2}2152$	$+0{,}0^{2}6269$	+0,01577	+0,03463
18,5	$+0{,}0^{3}355$	$+0{,}0^{2}1288$	$+0{,}0^{2}3955$	+0,01047	+0,02419
19,0	$+0{,}0^{3}1990$	$+0{,}0^{3}7590$	$+0{,}0^{2}2452$	$+0{,}0^{2}6824$	+0,01657
20	$+0{,}0^{4}5931$	$+0{,}0^{3}2512$	$+0{,}0^{3}8971$	$+0{,}0^{2}2753$	$+0{,}0^{2}7360$
21	$+0{,}0^{4}1670$	$+0{,}0^{4}7839$	$+0{,}0^{3}3087$	$+0{,}0^{2}1041$	$+0{,}0^{2}3054$
22	$+0{,}0^{5}4458$	$+0{,}0^{4}2315$	$+0{,}0^{3}1004$	$+0{,}0^{3}3711$	$+0{,}0^{2}1190$
23	$+0{,}0^{5}1132$	$+0{,}0^{5}6491$	$+0{,}0^{4}3092$	$+0{,}0^{3}1251$	$+0{,}0^{3}4379$
24	$+0{,}0^{6}2738$	$+0{,}0^{5}1733$	$+0{,}0^{5}9060$	$+0{,}0^{4}4006$	$+0{,}0^{3}1527$
25	$+0{,}0^{7}6333$	$+0{,}0^{6}4418$	$+0{,}0^{5}2532$	$+0{,}0^{4}1221$	$+0{,}0^{4}5060$
26	$+0{,}0^{7}1403$	$+0{,}0^{6}1078$	$+0{,}0^{6}6761$	$+0{,}0^{5}3555$	$+0{,}0^{4}1599$
27	$+0{,}0^{8}2981$	$+0{,}0^{7}2521$	$+0{,}0^{6}1730$	$+0{,}0^{6}9902$	$+0{,}0^{5}4829$
28	$+0{,}0^{9}6092$	$+0{,}0^{8}5665$	$+0{,}0^{7}4249$	$+0{,}0^{6}2645$	$+0{,}0^{5}1398$
29	$+0{,}0^{9}1198$	$+0{,}0^{8}1225$	$+0{,}0^{7}1004$	$+0{,}0^{7}6790$	$+0{,}0^{6}3883$

p	$J_p(11)$	$J_p(12)$	$J_p(13)$	$J_p(14)$	$J_p(15)$
30	$+0{,}0^{10}2274$	$+0{,}0^{9}2552$	$+0{,}0^{8}2283$	$+0{,}0^{7}1678$	$+0{,}0^{6}1037$
31	$+0{,}0^{11}4165$	$+0{,}0^{10}5133$	$+0{,}0^{9}5009$	$+0{,}0^{8}3995$	$+0{,}0^{7}2670$
32	$+0{,}0^{12}7375$	$+0{,}0^{11}9976$	$+0{,}0^{9}1062$	$+0{,}0^{9}9187$	$+0{,}0^{8}6632$
33	$+0{,}0^{12}1264$	$+0{,}0^{11}1876$	$+0{,}0^{10}2176$	$+0{,}0^{9}2042$	$+0{,}0^{8}1591$
34	$+0{,}0^{13}2100$	$+0{,}0^{12}3417$	$+0{,}0^{11}4320$	$+0{,}0^{10}4392$	$+0{,}0^{9}3693$
35	$+0{,}0^{14}3383$	$+0{,}0^{13}6035$	$+0{,}0^{12}8310$	$+0{,}0^{11}9155$	$+0{,}0^{10}8301$
36	$+0{,}0^{15}529$	$+0{,}0^{13}1035$	$+0{,}0^{12}1551$	$+0{,}0^{11}1851$	$+0{,}0^{10}1809$
37	$+0{,}0^{16}80$	$+0{,}0^{14}1723$	$+0{,}0^{13}2812$	$+0{,}0^{12}3632$	$+0{,}0^{11}3827$
38	$+0{,}0^{16}12$	$+0{,}0^{15}279$	$+0{,}0^{14}4956$	$+0{,}0^{13}6928$	$+0{,}0^{12}7863$
39	$+0{,}0^{17}2$	$+0{,}0^{16}44$	$+0{,}0^{15}850$	$+0{,}0^{13}1285$	$+0{,}0^{12}1571$
40		$+0{,}0^{17}7$	$+0{,}0^{15}142$	$+0{,}0^{14}2320$	$+0{,}0^{13}3054$
41		$+0{,}0^{17}1$	$+0{,}0^{16}23$	$+0{,}0^{15}408$	$+0{,}0^{14}5781$
42			$+0{,}0^{17}4$	$+0{,}0^{16}70$	$+0{,}0^{14}1067$
43			$+0{,}0^{17}1$	$+0{,}0^{16}12$	$+0{,}0^{15}192$
44				$+0{,}0^{17}2$	$+0{,}0^{16}34$
45					$+0{,}0^{17}6$
46					$+0{,}0^{17}1$

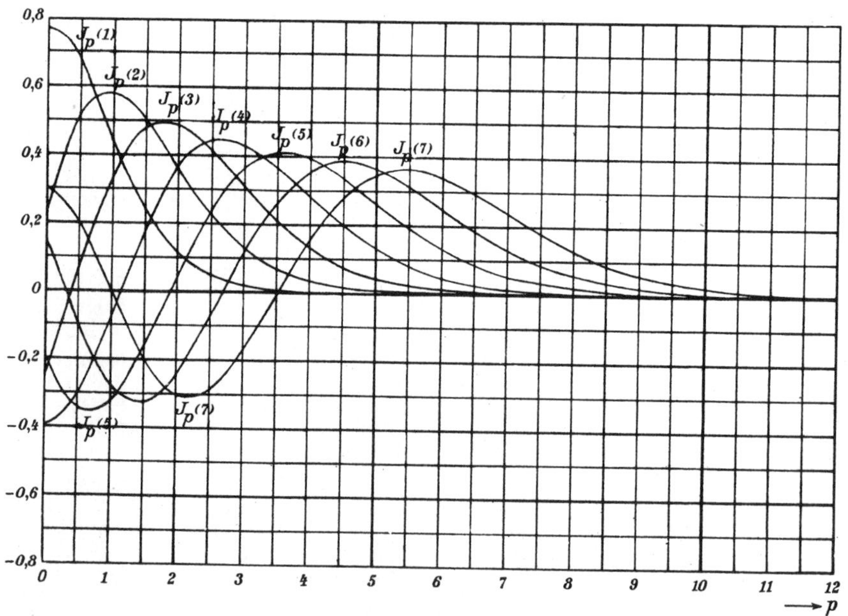

Fig. 96. Besselsche Funktionen bei konstantem Argument und variabler Ordnung.
Fig. 96. Bessel functions of constant argument and variable order.

p	J_p (16)	J_p (17)	J_p (18)	J_p (19)	J_p (20)
0	−0,1749	−0,1699	−0,01336	+0,1466	+0,1670
0,5	−0,05743	−0,1860	−0,1412	+0,02744	+0,1629
1,0	+0,09040	−0,09767	−0,1880	−0,1057	+0,06683
1,5	+0,1874	+0,04231	−0,1320	−0,1795	−0,06466
2,0	+0,1862	+0,1584	$-0{,}0^{2}7533$	−0,1578	−0,1603
2,5	+0,09257	+0,1935	+0,1192	−0,05578	−0,1726
3,0	−0,04385	+0,1349	+0,1863	+0,07249	−0,09890
3,5	−0,1585	+0,01461	+0,1651	+0,1649	+0,02152
4,0	−0,2026	−0,1107	+0,06964	+0,1806	+0,1307
4,5	−0,1619	−0,1875	−0,05501	+0,1165	+0,1801
5,0	−0,05747	−0,1870	−0,1554	$+0{,}0^{2}3572$	+0,1512
5,5	+0,06743	−0,1139	−0,1926	−0,1097	+0,05953
6,0	+0,1667	$+0{,}0^{3}7153$	−0,1560	−0,1788	−0,05509
6,5	+0,2083	+0,1138	−0,06273	−0,1800	−0,1474
7,0	+0,1825	+0,1875	+0,05140	−0,1165	−0,1842
7,5	+0,1018	+0,2009	+0,1473	−0,01350	−0,1553
8,0	$-0{,}0^{2}7021$	+0,1537	+0,1959	+0,09294	−0,07387
8,5	−0,1128	+0,06346	+0,1855	+0,1694	+0,03088
9,0	−0,1895	−0,04286	+0,1228	+0,1947	+0,1251
9,5	−0,2217	−0,1374	+0,02786	+0,1650	+0,1816
10,0	−0,2062	−0,1991	−0,07317	+0,09155	+0,1865
10,5	−0,1504	−0,2171	−0,1561	$-0{,}0^{2}4326$	+0,1416
11,0	−0,06822	−0,1914	−0,2041	−0,09837	+0,06136
11,5	+0,02427	−0,1307	−0,2100	−0,1698	−0,03288
12,0	+0,1124	−0,04857	−0,1762	−0,2055	−0,1190
12,5	+0,1853	+0,04024	−0,1122	−0,2012	−0,1794
13,0	+0,2368	+0,1228	−0,03092	−0,1612	−0,2041
13,5	+0,2653	+0,1899	+0,05414	−0,09497	−0,1914
14,0	+0,2724	+0,2364	+0,1316	−0,01507	−0,1464
14,5	+0,2623	+0,2613	+0,1934	+0,06627	−0,07897
15,0	+0,2399	+0,2666	+0,2356	+0,1389	$-0{,}0^{3}8121$
15,5	+0,2102	+0,2559	+0,2575	+0,1961	+0,07689
16,0	+0,1775	+0,2340	+0,2611	+0,2345	+0,1452
16,5	+0,1450	+0,2054	+0,2500	+0,2537	+0,1982
17,0	+0,1150	+0,1739	+0,2286	+0,2559	+0,2331
17,5	+0,08876	+0,1427	+0,2009	+0,2445	+0,2501
18,0	+0,06685	+0,1138	+0,1706	+0,2235	+0,2511
18,5	+0,04920	+0,08844	+0,1406	+0,1968	+0,2395
19,0	+0,03544	+0,06710	+0,1127	+0,1676	+0,2189
20	+0,01733	+0,03619	+0,06731	+0,1116	+0,1647
21	$+0{,}0^{2}7879$	+0,01804	+0,03686	+0,06746	+0,1106
22	$+0{,}0^{2}3354$	$+0{,}0^{2}8380$	+0,01871	+0,03748	+0,06758
23	$+0{,}0^{2}1343$	$+0{,}0^{2}3651$	$+0{,}0^{2}8864$	+0,01934	+0,03805
24	$+0{,}0^{3}5087$	$+0{,}0^{2}1500$	$+0{,}0^{2}3946$	$+0{,}0^{2}9331$	+0,01993
25	$+0{,}0^{3}1828$	$+0{,}0^{3}5831$	$+0{,}0^{2}1658$	$+0{,}0^{2}4237$	$+0{,}0^{2}9781$
26	$+0{,}0^{4}6253$	$+0{,}0^{3}2154$	$+0{,}0^{3}6607$	$+0{,}0^{2}1819$	$+0{,}0^{2}4524$
27	$+0{,}0^{4}2042$	$+0{,}0^{4}7586$	$+0{,}0^{3}2504$	$+0{,}0^{3}7412$	$+0{,}0^{2}1981$
28	$+0{,}0^{5}6380$	$+0{,}0^{4}2553$	$+0{,}0^{4}9057$	$+0{,}0^{3}2877$	$+0{,}0^{3}8242$
29	$+0{,}0^{5}1912$	$+0{,}0^{5}8228$	$+0{,}0^{4}3133$	$+0{,}0^{3}1066$	$+0{,}0^{3}3270$

p	$J_p(16)$	$J_p(17)$	$J_p(18)$	$J_p(19)$	$J_p(20)$
30	$+0{,}0^{6}5505$	$+0{,}0^{5}2546$	$+0{,}0^{4}1039$	$+0{,}0^{4}3785$	$+0{,}0^{3}1240$
31	$+0{,}0^{6}1525$	$+0{,}0^{6}7577$	$+\mathrm{C}{,}0^{5}3313$	$+0{,}0^{4}1289$	$+0{,}0^{4}4508$
32	$+0{,}0^{7}4078$	$+0{,}0^{6}2172$	$+0{,}0^{5}1016$	$+0{,}0^{5}4223$	$+0{,}0^{4}1574$
33	$+0{,}0^{7}1052$	$+0{,}0^{7}6009$	$+0{,}0^{6}3005$	$+0{,}0^{5}1333$	$+0{,}0^{5}5289$
34	$+0{,}0^{8}2625$	$+0{,}0^{7}1606$	$+0{,}0^{7}8583$	$+0{,}0^{6}4057$	$+0{,}0^{5}1713$
35	$+0{,}0^{9}6339$	$+0{,}0^{8}4153$	$+0{,}0^{7}2370$	$+0{,}0^{6}1193$	$+0{,}0^{6}5358$
36	$+0{,}0^{9}1484$	$+0{,}0^{8}1040$	$+0{,}0^{8}6335$	$+0{,}0^{7}3396$	$+0{,}0^{6}1620$
37	$+0{,}0^{10}3368$	$+0{,}0^{9}2526$	$+0{,}0^{8}1641$	$+0{,}0^{8}9362$	$+0{,}0^{7}4742$
38	$+0{,}0^{11}7426$	$+0{,}0^{10}5956$	$+0{,}0^{9}4126$	$+0{,}0^{8}2503$	$+0{,}0^{7}1345$
39	$+0{,}0^{11}1591$	$+0{,}0^{10}1364$	$+0{,}0^{9}1007$	$+0{,}0^{9}6496$	$+0{,}0^{8}3704$
40	$+0{,}0^{12}3317$	$+0{,}0^{11}3039$	$+0{,}0^{10}2391$	$+0{,}0^{9}1638$	$+0{,}0^{9}9902$
41	$+0{,}0^{13}6733$	$+0{,}0^{12}6590$	$+0{,}0^{11}5520$	$+0{,}0^{10}4018$	$+0{,}0^{9}2574$
42	$+0{,}0^{13}1331$	$+0{,}0^{12}1392$	$+0{,}0^{11}1241$	$+0{,}0^{11}9594$	$+0{,}0^{10}6510$
43	$+0{,}0^{14}2567$	$+0{,}0^{13}2865$	$+0{,}0^{12}2719$	$+0{,}0^{11}2231$	$+0{,}0^{10}1604$
44	$+0{,}0^{15}483$	$+0{,}0^{14}5752$	$+0{,}0^{13}5810$	$+0{,}0^{12}5059$	$+0{,}0^{11}3849$
45	$+0{,}0^{16}89$	$+0{,}0^{14}1127$	$+0{,}0^{13}1211$	$+0{,}0^{12}1119$	$+0{,}0^{12}9011$
46	$+0{,}0^{16}16$	$+0{,}0^{15}216$	$+0{,}0^{14}2466$	$+0{,}0^{13}2416$	$+0{,}0^{12}2059$
47	$+0{,}0^{17}3$	$+0{,}0^{16}40$	$+0{,}0^{15}490$	$+0{,}0^{14}5096$	$+0{,}0^{13}4594$
48		$+0{,}0^{17}7$	$+0{,}0^{16}95$	$+0{,}0^{14}1051$	$+0{,}0^{13}1002$
49		$+0{,}0^{17}1$	$+0{,}0^{16}18$	$+0{,}0^{15}212$	$+0{,}0^{14}2135$
50			$+0{,}0^{17}3$	$+0{,}0^{16}42$	$+0{,}0^{15}445$
51				$+0{,}0^{17}8$	$+0{,}0^{16}91$
52				$+0{,}0^{17}2$	$+0{,}0^{16}18$
53					$+0{,}0^{17}4$
54					$+0{,}0^{17}1$

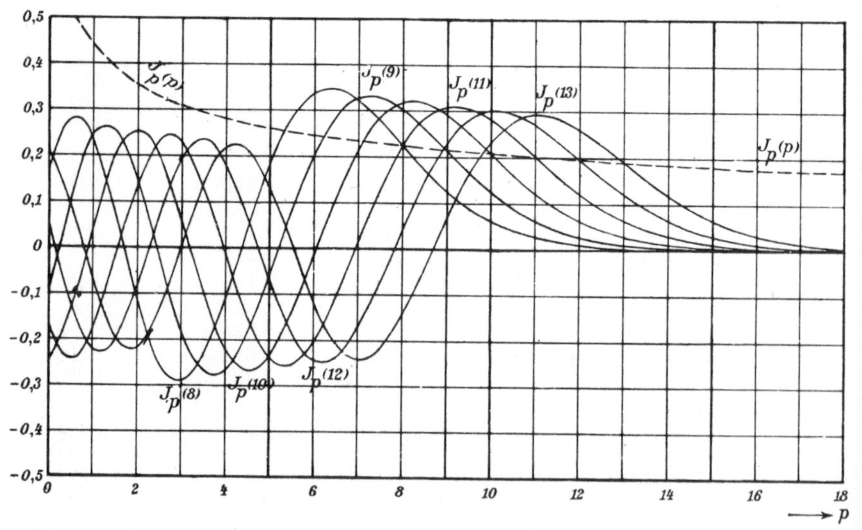

Fig. 97. Besselsche Funktionen bei konstantem Argument und variabler Ordnung.
Fig. 97. Bessel functions of constant argument and variable order.

p	$J_p(21)$	$J_p(22)$	$J_p(23)$	$J_p(24)$
0	+0,03658	−0,1207	−0,1624	−0,05623
0,5	+0,1457	−0,0^{2}1506	−0,1408	−0,1475
1,0	+0,1711	+0,1172	−0,03952	−0,1540
1,5	+0,1023	+0,1700	+0,08253	−0,07523
2,0	−0,02028	+0,1313	+0,1590	+0,04339
2,5	−0,1311	+0,02469	+0,1516	+0,1381
3,0	−0,1750	−0,09330	+0,06717	+0,1613
3,5	−0,1335	−0,1644	−0,04958	+0,1040
4,0	−0,02971	−0,1568	−0,1415	−0,0^{2}3076
4,5	+0,08656	−0,07701	−0,1666	−0,1078
5,0	+0,1637	+0,03630	−0,1164	−0,1623
5,5	+0,1706	+0,1329	−0,01563	−0,1444
6,0	+0,1076	+0,1733	+0,09086	−0,06455
6,5	+0,0^{2}2808	+0,1435	+0,1592	+0,04157
7,0	−0,1022	+0,05820	+0,1638	+0,1300
8	−0,1757	−0,1362	+0,0^{2}8829	+0,1404
9	−0,03175	−0,1573	−0,1576	−0,03643
10	+0,1485	+0,0^{2}7547	−0,1322	−0,1677
11	+0,1732	+0,1641	+0,04268	−0,1033
12	+0,03293	+0,1566	+0,1730	+0,07299
13	−0,1356	+0,0^{2}6688	+0,1379	+0,1763
14	−0,2008	−0,1487	−0,01718	+0,1180
15	−0,1321	−0,1959	−0,1588	−0,03863
16	+0,01202	−0,1185	−0,1899	−0,1663
17	+0,1505	+0,02358	−0,1055	−0,1831
18	+0,2316	+0,1549	+0,03402	−0,09311
19	+0,2465	+0,2299	+0,1587	+0,04345
20	+0,2145	+0,2422	+0,2282	+0,1619
21	+0,1621	+0,2105	+0,2381	+0,2264
22	+0,1097	+0,1596	+0,2067	+0,2343
23	+0,06767	+0,1087	+0,1573	+0,2031
24	+0,03857	+0,06773	+0,1078	+0,1550
25	+0,02049	+0,03905	+0,06777	+0,1070
26	+0,01022	+0,02102	+0,03949	+0,06778
27	+0,0^{2}4806	+0,01064	+0,02152	+0,03990
28	+0,0^{2}2143	+0,0^{2}5084	+0,01104	+0,02200
29	+0,0^{3}9094	+0,0^{2}2307	+0,0^{2}5357	+0,01143
30	+0,0^{3}3682	+0,0^{3}9965	+0,0^{2}2470	+0,0^{2}5626
31	+0,0^{3}1427	+0,0^{3}4113	+0,0^{2}1085	+0,0^{2}2633
32	+0,0^{4}5304	+0,0^{3}1626	+0,0^{3}4561	+0,0^{2}1176
33	+0,0^{4}1895	+0,0^{4}6171	+0,0^{3}1837	+0,0^{3}5024
34	+0,0^{5}6521	+0,0^{4}2253	+0,0^{4}7110	+0,0^{3}2060
35	+0,0^{5}2164	+0,0^{5}7927	+0,0^{4}2649	+0,0^{4}8119
36	+0,0^{6}6941	+0,0^{5}2692	+0,0^{5}9516	+0,0^{4}3083
37	+0,0^{6}2153	+0,0^{6}8839	+0,0^{5}3302	+0,0^{4}1130
38	+0,0^{7}6471	+0,0^{6}2809	+0,0^{5}1108	+0,0^{5}4000
39	+0,0^{7}1886	+0,0^{7}8652	+0,0^{6}3603	+0,0^{5}1371
40	+0,0^{8}5336	+0,0^{7}2586	+0,0^{6}1136	+0,0^{6}4553
41	+0,0^{8}1467	+0,0^{8}7506	+0,0^{7}3476	+0,0^{6}1467
42	+0,0^{9}3922	+0,0^{8}2118	+0,0^{7}1034	+0,0^{7}4590
43	+0,0^{9}1021	+0,0^{9}5816	+0,0^{8}2989	+0,0^{7}1396
44	+0,0^{10}2589	+0,0^{9}1555	+0,0^{9}8417	+0,0^{8}4133

p	$J_p\,(21)$	$J_p\,(22)$	$J_p\,(23)$	$J_p\,(24)$
45	$+0{,}0^{11}6402$	$+0{,}0^{10}4054$	$+0{,}0^{9}2309$	$+0{,}0^{8}1191$
46	$+0{,}0^{11}1544$	$+0{,}0^{10}1031$	$+0{,}0^{10}6175$	$+0{,}0^{9}3347$
47	$+0{,}0^{12}3637$	$+0{,}0^{11}2557$	$+0{,}0^{10}1611$	$+0{,}0^{10}9172$
48	$+0{,}0^{13}8368$	$+0{,}0^{12}6196$	$+0{,}0^{11}4105$	$+0{,}0^{10}2453$
49	$+0{,}0^{13}1882$	$+0{,}0^{12}1467$	$+0{,}0^{11}1022$	$+0{,}0^{11}6409$
50	$+0{,}0^{14}4139$	$+0{,}0^{13}3397$	$+0{,}0^{12}2486$	$+0{,}0^{11}1636$
51	$+0{,}0^{15}891$	$+0{,}0^{14}7696$	$+0{,}0^{13}5917$	$+0{,}0^{12}4085$
52	$+0{,}0^{15}188$	$+0{,}0^{14}1706$	$+0{,}0^{13}1378$	$+0{,}0^{13}9976$
53	$+0{,}0^{16}39$	$+0{,}0^{15}370$	$+0{,}0^{14}3142$	$+0{,}0^{13}2385$
54	$+0{,}0^{17}8$	$+0{,}0^{16}79$	$+0{,}0^{15}702$	$+0{,}0^{14}5585$
55	$+0{,}0^{17}2$	$+0{,}0^{16}16$	$+0{,}0^{15}154$	$+0{,}0^{14}1281$
56		$+0{,}0^{17}3$	$+0{,}0^{16}34$	$+0{,}0^{15}288$
57		$+0{,}0^{17}1$	$+0{,}0^{17}7$	$+0{,}0^{16}64$
58			$+0{,}0^{17}1$	$+0{,}0^{16}14$
59				$+0{,}0^{17}3$
60				$+0{,}0^{17}1$

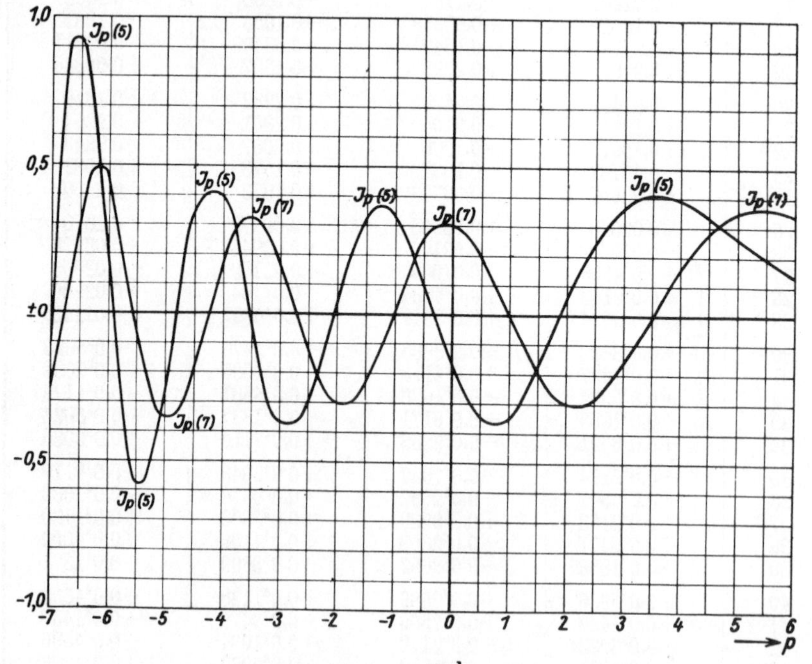

Fig. 98. $J_p\,(5)$ und / and $J_p\,(7)$.

p	$J_p(25)$	$J_p(26)$	$J_p(27)$	$J_p(28)$	$J_p(29)$
0	+ 0,0963	+ 0,1560	+ 0,0727	− 0,0732	− 0,1478
1	− 0,1254	+ 0,0150	+ 0,1366	+ 0,1306	+ 0,0069
2	− 0,1063	− 0,1548	− 0,0626	+ 0,0825	+ 0,1483
3	+ 0,1083	− 0,0389	− 0,1459	− 0,1188	+ 0,0135
4	+ 0,1323	+ 0,1459	+ 0,0302	− 0,1079	− 0,1455
5	− 0,0660	+ 0,0838	+ 0,1548	+ 0,0879	− 0,0537
6	− 0,1587	− 0,1137	+ 0,0271	+ 0,1393	+ 0,1270
7	− 0,0102	− 0,1362	− 0,1428	− 0,0282	+ 0,1062
8	+ 0,1530	+ 0,0403	− 0,1012	− 0,1534	− 0,0757
9	+ 0,1081	+ 0,1610	+ 0,0828	− 0,0595	− 0,1480
10	− 0,0752	+ 0,0712	+ 0,1564	+ 0,1152	− 0,0161
11	− 0,1682	− 0,1063	+ 0,0330	+ 0,1418	+ 0,1369
12	− 0,0729	− 0,1611	− 0,1295	− 0,0038	+ 0,1200
13	+ 0,0983	− 0,0424	− 0,1481	− 0,1450	− 0,0376
14	+ 0,1751	+ 0,1187	− 0,0131	− 0,1309	− 0,1537
15	+ 0,0978	+ 0,1702	+ 0,1345	+ 0,0142	− 0,1108
16	− 0,0577	+ 0,0777	+ 0,1625	+ 0,1461	+ 0,0391
17	− 0,1717	− 0,0745	+ 0,0582	+ 0,1527	+ 0,1539
18	− 0,1758	− 0,1752	− 0,0893	+ 0,0394	+ 0,1414
19	− 0,0814	− 0,1681	− 0,1772	− 0,1021	+ 0,0216
20	+ 0,0520	− 0,0704	− 0,1601	− 0,1779	− 0,1131
21	+ 0,1646	+ 0,0597	− 0,0600	− 0,1521	− 0,1776
22	+ 0,2246	+ 0,1669	+ 0,0668	− 0,0502	− 0,1441
23	+ 0,2306	+ 0,2227	+ 0,1688	+ 0,0732	− 0,0410
24	+ 0,1998	+ 0,2271	+ 0,2209	+ 0,1704	+ 0,0790
25	+ 0,1529	+ 0,1966	+ 0,2238	+ 0,2190	+ 0,1718
26	+ 0,1061	+ 0,1510	+ 0,1936	+ 0,2207	+ 0,2172
27	+ 0,06778	+ 0,1053	+ 0,1491	+ 0,1908	+ 0,2176
28	+ 0,04028	+ 0,06776	+ 0,1045	+ 0,1473	+ 0,1881
29	+ 0,02245	+ 0,04063	+ 0,06773	+ 0,1038	+ 0,1456
30	+ 0,01181	+ 0,02288	+ 0,04096	+ 0,06769	+ 0,1030
31	$+0{,}0^{2}5889$	+ 0,01217	+ 0,02329	+ 0,04126	+ 0,06763
32	$+0{,}0^{2}2795$	$+0{,}0^{2}6147$	+ 0,01253	+ 0,02368	+ 0,04155
33	$+0{,}0^{2}1267$	$+0{,}0^{2}2957$	$+0{,}0^{2}6400$	+ 0,01287	+ 0,02405
34	$+0{,}0^{3}550$	$+0{,}0^{2}1360$	$+0{,}0^{2}3118$	$+0{,}0^{2}6648$	+ 0,01320
35	$+0{,}0^{3}229$	$+0{,}0^{3}599$	$+0{,}0^{2}1453$	$+0{,}0^{2}3278$	$+0{,}0^{2}6891$
36	$+0{,}0^{4}92$	$+0{,}0^{3}254$	$+0{,}0^{3}650$	$+0{,}0^{2}1548$	$+0{,}0^{2}3437$
37	$+0{,}0^{4}36$	$+0{,}0^{3}103$	$+0{,}0^{3}279$	$+0{,}0^{3}701$	$+0{,}0^{2}1642$
38	$+0{,}0^{4}13$	$+0{,}0^{4}41$	$+0{,}0^{3}116$	$+0{,}0^{3}306$	$+0{,}0^{3}754$
39	$+0{,}0^{5}5$	$+0{,}0^{4}15$	$+0{,}0^{4}46$	$+0{,}0^{3}128$	$+0{,}0^{3}333$
40	$+0{,}0^{5}2$	$+0{,}0^{5}6$	$+0{,}0^{4}18$	$+0{,}0^{4}52$	$+0{,}0^{3}142$
41	$+0{,}0^{5}1$	$+0{,}0^{5}2$	$+0{,}0^{5}7$	$+0{,}0^{4}20$	$+0{,}0^{4}58$
42		$+0{,}0^{5}1$	$+0{,}0^{5}2$	$+0{,}0^{5}8$	$+0{,}0^{4}23$
43			$+0{,}0^{5}1$	$+0{,}0^{5}3$	$+0{,}0^{5}9$
44				$+0{,}0^{5}1$	$+0{,}0^{5}3$

$A_0(x)$ (cf. p. 12

x		0	2	4	6	8	d	x		0	2	4	6	8	d
0,0	+1,0	000	*999	*996	*991	*984	−4	5,0	−0,1	776	710	644	577	511	66
1	+0,9	975	964	951	936	919	14	1		443	376	308	240	171	68
2		900	879	857	832	805	24	2		103	034	*965	*896	*827	69
3		776	746	713	679	642	34	3	−0,0	758	689	620	550	481	70
4		604	564	522	478	432	43	4		412	343	274	205	137	69
5		385	335	284	231	177	52	5		068	000	+068	+135	+203	68
6		120	062	002	*940	*877	61	6	+0,0	270	336	403	469	534	66
7	+0,8	812	745	677	607	536	69	7		599	664	728	791	855	64
8		463	388	312	235	156	76	8		917	979	*040	*101	*161	61
9		075	*993	*910	*825	*739	84	9	+0,1	220	279	337	394	451	58
1,0	+0,7	652	563	473	382	290	90	6,0		506	561	616	669	721	54
1		196	102	006	*909	*811	96	1		773	824	874	922	970	49
2	+0,6	711	611	510	408	305	102	2	+0,2	018	064	109	153	196	44
3		201	096	*990	*884	*777	106	3		238	279	319	358	396	40
4	+0,5	669	560	450	340	230	110	4		433	469	504	537	570	34
5		118	006	*894	*781	*668	112	5		601	631	660	688	715	28
6	+0,4	554	440	325	210	095	115	6		740	765	788	810	831	22
7	+0,3	980	864	748	632	516	116	7		851	869	886	902	917	16
8		400	283	167	051	*935	116	8		931	943	955	965	973	11
9	+0,2	818	702	586	470	354	116	9		981	987	993	997	999	+5
2,0		239	124	009	*894	*780	115	7,0	+0,3	001	001	000	*998	*995	−1
1	+0,1	666	553	440	327	215	113	1	+0,2	991	985	978	970	961	7
2		104	*993	*882	*773	*664	110	2		951	939	927	913	898	13
3	+0,0	555	448	341	235	130	106	3		882	865	847	828	807	18
4		025	−078	−181	−283	−384	102	4		786	764	740	716	690	24
5	−0,0	484	583	681	777	873	97	5		663	636	607	578	547	29
6		968	*062	*154	*245	*336	92	6		516	484	450	416	381	34
7	−0,1	425	512	599	684	768	86	7		346	309	271	233	194	38
8		850	932	*012	*090	*167	79	8		154	113	072	030	*987	42
9	−0,2	243	318	390	462	532	72	9	+0,1	944	900	855	809	763	46
3,0		600	668	733	797	860	64	8,0		716	669	622	573	525	48
1		921	980	*038	*094	*149	57	1		475	425	375	325	274	50
2	−0,3	202	253	303	351	398	49	2		222	170	118	066	013	52
3		443	486	528	568	606	41	3	+0,0	960	907	853	800	746	53
4		643	678	711	743	773	32	4		692	637	583	529	474	54
5		801	828	853	876	898	24	5		419	365	310	255	201	55
6		918	936	952	968	981	16	6		146	092	+037	−017	−071	55
7		992	*002	*010	*017	*022	−8	7	−0,0	125	179	233	286	339	54
8	−0,4	026	027	028	026	023	∓0	8		392	445	497	549	601	52
9		018	012	004	*995	*984	+8	9		653	704	754	804	854	50
4,0	−0,3	972	958	942	925	907	16	9,0		903	952	*000	*048	*096	48
1		887	865	843	818	793	24	1	−0,1	142	189	234	279	324	45
2		766	737	707	676	644	30	2		368	411	453	495	536	42
3		610	575	539	501	463	37	3		577	616	655	694	731	39
4		423	381	339	296	251	42	4		768	804	839	873	907	34
5		205	159	111	062	012	48	5		939	971	*002	*032	*061	30
6	−0,2	961	910	857	803	749	54	6	−0,2	090	117	144	169	194	26
7		693	637	580	522	464	58	7		218	241	263	284	304	22
8		404	344	284	222	160	61	8		323	341	358	374	389	17
9		097	034	*970	*906	*841	64	9		403	417	429	440	450	12

$\Lambda_1(x)$ (cf. fig. 99, p. 189.)

x		0	2	4	6	8	d	x		0	2	4	6	8	d
0,0	+1,0	000	*999	*998	*996	*992	−1	5,0	−0,13	103	138	166	190	207	−26
1	+0,9	988	982	976	968	960	7	1		219	226	228	224	215	∓ 0
2		950	940	928	916	902	12	2		201	182	157	128	094	+27
3		888	873	856	839	821	17	3		055	011	*963	*910	*853	50
4		801	781	760	738	715	22	4	−0,12	791	724	653	578	499	73
5		691	666	640	613	585	26	5		416	329	237	142	043	93
6		557	527	497	465	433	31	6	−0,11	940	834	724	611	494	112
7		400	366	331	295	258	36	7		374	250	123	*994	*861	128
8		221	183	144	104	063	40	8	−0,10	725	586	445	301	154	142
9		021	*979	*935	*891	*847	44	9		005	*853	*699	*542	*384	155
1,0	+0,8	801	755	708	660	611	48	6,0	−0,09	223	060	*895	*728	*559	166
1		562	512	461	410	358	51	1	−0,08	389	217	043	*868	*691	174
2		305	251	197	143	087	54	2	−0,07	513	334	154	*972	*790	181
3		031	*975	*917	*860	*801	57	3	−0,06	606	421	236	050	*863	185
4	+0,7	742	683	623	562	501	60	4	−0,05	676	488	300	112	*923	188
5		439	377	314	251	188	63	5	−0,04	734	544	355	166	*976	189
6		124	059	*994	*929	*863	65	6	−0,03	787	598	410	221	033	188
7	+0,6	797	731	664	597	529	67	7	−0,02	846	659	473	287	102	186
8		461	393	325	256	187	69	8	−0,01	918	735	553	371	191	182
9		117	048	*978	*908	*838	70	9		012	*834	*657	*481	*307	177
2,0	+0,5	767	697	626	555	484	71	7,0	−0,00	134	+038	+208	+376	+543	169
1		412	341	269	198	126	71	1	+0,00	709	872	*034	*194	*353	161
2		054	*982	*910	*839	*767	72	2	+0,01	509	664	816	967	*116	152
3	+0,4	695	623	551	479	407	72	3	+0,02	262	407	549	689	827	141
4		335	263	191	120	048	72	4		963	*096	*227	*356	*483	130
5	+0,3	977	905	834	763	692	71	5	+0,03	607	728	847	964	*078	118
6		622	551	481	411	341	70	6	+0,04	190	299	405	509	611	105
7		271	202	133	064	*995	69	7		709	805	899	990	*078	92
8	+0,2	926	858	791	723	656	68	8	+0,05	163	246	326	403	477	78
9		589	523	457	391	325	66	9		549	618	684	747	808	65
3,0		260	196	132	068	004	64	8,0		866	921	973	*023	*070	51
1	+0,1	941	879	817	755	694	62	1	+0,06	114	155	194	229	262	37
2		633	573	514	454	396	60	2		293	320	345	367	387	23
3		337	280	222	166	110	57	3		403	417	429	438	444	+10
4		054	*999	*945	*891	*838	54	4		447	448	447	442	436	−3
5	+0,0	785	733	681	630	580	52	5		426	415	400	384	365	15
6		530	481	433	385	338	48	6		343	319	293	264	234	27
7	+0,02	910	450	*997	*550	*109	450	7		200	165	127	088	046	38
8	+0,00	675	+247	−174	−588	−996	420	8		002	*956	*907	*857	*805	50
9	−0,01	397	792	*179	*560	*935	385	9	+0,05	751	694	636	577	515	58
4,0	−0,03	302	663	*017	*364	*704	350	9,0		451	386	319	251	180	68
1	−0,05	038	364	684	997	*303	315	1		108	035	*960	*883	*806	76
2	−0,06	602	895	*180	*459	*730	282	2	+0,04	726	646	564	480	396	83
3	−0,07	995	*253	*504	*749	*986	250	3		310	223	135	046	*956	88
4	−0,09	217	441	658	869	*072	215	4	+0,03	865	772	679	585	491	94
5	−0,10	269	460	643	820	991	180	5		395	299	202	104	006	98
6	−0,11	154	312	462	607	744	148	6	+0,02	907	807	707	607	506	100
7		876	*001	*119	*232	*338	115	7		405	303	202	099	*997	102
8	−0,12	437	531	619	700	775	85	8	+0,01	895	792	689	587	484	103
9		845	908	966	*017	*063	50	9		381	279	176	074	*971	103

$\Lambda_2(x)$

x		0	2	4	6	8	d
0,0	+1,0	000	000	*999	*997	*995	—1
1	+0,9	992	988	984	979	973	4
2		967	960	952	944	935	8
3		925	915	904	892	880	12
4		867	854	840	825	809	15
5		793	777	759	741	723	18
6		703	684	663	642	620	21
7		598	575	551	527	503	24
8		477	451	425	398	370	26
9		342	313	284	254	223	29
1,0		192	161	129	096	063	32
1		029	*995	*960	*925	*889	35
2	+0,8	853	816	779	741	703	38
3		664	625	585	545	505	40
4		464	422	380	338	295	42
5		252	209	165	120	075	44
6		030	*985	*939	*893	*846	46
7	+0,7	799	752	704	656	608	48
8		559	510	461	411	362	50
9		311	261	210	159	108	51
2,0		057	005	*953	*901	*849	52
1	+0,6	796	743	690	637	584	53
2		530	476	422	368	314	54
3		260	205	150	096	041	55
4	+0,5	986	931	876	820	765	56
5		710	654	599	543	487	56
6		432	376	320	265	209	56
7		153	097	041	*986	*930	55
8	+0,4	874	819	763	708	652	55
9		597	541	486	431	376	55
3,0		321	266	211	156	102	55
1		048	*993	*939	*885	*831	54
2	+0,3	778	724	671	618	565	53
3		512	459	407	355	303	52
4		251	199	148	097	046	51
5	+0,2	995	945	895	845	795	50
6		746	697	648	599	551	49
7		503	455	408	361	314	47
8		268	222	176	130	085	46
9		040	*996	*951	*907	*864	44
4,0	+0,1	821	778	735	693	651	42
1		610	569	528	488	448	40
2		408	369	330	292	254	38
3		216	179	142	105	069	37
4		033	*998	*963	*929	*894	35
5	+0,0	861	827	794	762	730	33
6	+0,06	979	666	356	051	*750	312
7	+0,05	453	160	*871	*587	*306	285
8	+0,04	030	*757	*489	*225	**965	266
9	+0,02	709	457	209	*965	*726	246

x		0	2	4	6	8	d
5,0	+0,01	490	259	031	*808	*589	225
1	+0,00	373	+162	—045	—248	—447	205
2	—0,00	643	834	*021	*204	*384	185
3	—0,01	559	731	898	*062	*222	165
4	—0,02	378	531	679	824	965	146
5	—0,03	103	236	366	492	615	128
6		734	850	961	*070	*175	110
7	—0,04	276	374	468	559	647	92
8		731	812	890	965	*036	76
9	—0,05	104	169	230	289	345	60
6,0		397	447	493	537	577	45
1		615	650	682	712	738	31
2		762	784	802	818	832	17
3		843	851	857	861	862	—5
4		861	857	852	844	833	+6
5		821	807	790	772	751	18
6		728	704	678	649	619	28
7		587	554	519	482	443	36
8		403	361	318	273	227	44
9		179	130	080	028	*975	51
7,0	—0,04	921	866	809	752	693	57
1		633	573	511	449	385	62
2		321	255	190	123	055	66
3	—0,03	987	918	849	779	708	70
4		637	566	494	421	348	72
5		275	201	128	053	*979	74
6	—0,02	904	830	755	680	605	75
7		529	454	379	304	229	75
8		154	079	004	*929	*854	75
9	—0,01	780	706	632	559	485	74
8,0		412	340	268	196	124	72
1		053	*983	*913	*843	*774	70
2	—0,00	705	637	570	503	437	67
3		371	306	242	178	115	64
4		053	+008	+069	+129	+189	60
5	+0,00	247	305	362	418	473	56
6		528	582	634	686	737	52
7		788	837	885	933	980	48
8	+0,01	025	070	114	157	199	44
9		240	280	319	357	394	39
9,0		431	466	500	533	566	33
1		597	628	657	685	713	28
2		739	765	789	813	835	24
3		857	878	897	916	934	19
4		950	966	981	995	*008	14
5	+0,02	020	031	041	051	059	10
6		066	073	079	083	087	5
7		090	092	094	094	094	+1
8		093	091	088	084	080	—3
9		075	069	062	054	046	8

$\Lambda_3(x)$

x		0	2	4	6	8	d	x		0	2	4	6	8	d
0,0	+1,00	00	00	*99	*98	*96	−1	5,0	+0,14	010	*710	*414	*121	**830	295
1	+0,99	94	91	88	84	80	4	1	+0,12	542	258	*975	*696	*420	280
2		75	70	64	58	51	6	2	+0,11	146	*876	*608	*343	*081	266
3		44	36	28	19	10	8	3	+0,09	822	566	312	062	*814	252
4		00	*90	*80	*68	*57	11	4	+0,08	570	328	089	*853	*619	238
5	0,98	45	32	19	06	*92	13	5	+0,07	389	162	*937	*715	*496	224
6	0,97	77	62	47	31	14	16	6	+0,06	280	067	*857	*649	*445	209
7	0,96	98	80	62	44	26	18	7	+0,05	243	044	*848	*654	*464	195
8		06	*87	*67	*46	*25	20	8	+0,04	276	091	*909	*730	*553	180
9	0,95	04	*82	*60	*37	*14	22	9	+0,03	379	208	039	*874	*711	167
1,0	+0,9	390	366	342	317	292	24	6,0	+0,02	550	393	238	086	*936	153
1		266	240	214	187	160	27	1	+0,01	789	645	503	364	227	140
2		132	104	075	046	017	29	2		093	*962	*833	*707	*583	128
3	+0,8	987	957	927	896	865	31	3	+0,00	462	343	226	112	001	115
4		833	802	769	737	704	32	4	−0,00	108	215	319	421	521	103
5		670	637	603	569	534	34	5		618	713	805	896	984	92
6		499	464	428	392	356	36	6	−0,01	070	153	235	314	391	80
7		319	282	245	208	170	37	7		466	538	609	678	744	70
8		132	094	055	016	*977	39	8		809	871	931	990	*046	60
9	+0,7	938	898	858	818	777	40	9	−0,02	101	153	204	253	300	50
2,0		737	696	655	613	572	41	7,0		345	388	430	469	507	40
1		530	488	445	403	360	42	1		543	578	611	642	671	32
2		318	274	231	188	144	43	2		699	725	750	773	794	24
3		100	056	012	*968	*924	44	3		815	833	850	866	880	16
4	+0,6	879	834	789	744	699	45	4		893	904	914	923	930	10
5		654	609	563	517	472	46	5		936	941	944	947	948	−3
6		426	380	334	288	242	46	6		948	947	944	941	936	+3
7		195	149	103	056	009	46	7		930	923	916	907	897	8
8	+0,5	963	916	869	823	776	47	8		886	874	862	848	834	13
9		729	682	635	588	541	47	9		818	802	785	767	749	18
3,0		494	448	400	354	307	47	8,0		729	709	688	667	645	21
1		260	213	166	119	072	47	1		622	598	574	549	524	24
2		025	*979	*932	*885	*839	47	2		498	471	444	417	389	27
3	+0,4	792	745	699	653	606	46	3		360	331	302	272	242	30
4		560	514	468	422	376	46	4		211	180	149	117	085	32
5		330	284	239	193	148	45	5		053	020	*987	*954	*921	33
6		103	057	012	*967	*923	45	6	−0,01	887	853	819	785	751	34
7	+0,3	878	833	789	745	701	44	7		716	682	647	612	577	35
8		657	613	569	526	483	43	8		542	507	472	437	402	35
9		439	396	354	311	269	42	9		367	332	296	261	226	35
4,0		226	184	142	101	059	41	9,0		191	156	122	087	052	34
1		018	*977	*936	*895	*855	41	1		018	*983	*949	*915	*881	34
2	+0,2	814	774	734	695	655	39	2	−0,00	847	813	780	747	714	33
3		616	577	538	500	462	37	3		681	648	616	584	552	32
4		424	386	348	311	274	37	4		520	489	457	427	396	32
5		237	201	164	128	092	36	5		366	336	306	277	248	30
6		057	021	*986	*952	*917	35	6		219	190	162	135	107	28
7	+0,1	883	849	815	782	748	34	7		080	054	027	−001	+024	26
8		715	683	650	618	586	32	8	+0,00	049	074	099	123	146	24
9		555	523	492	462	431	30	9		170	193	215	237	259	22

$\Lambda_4(x)$

x		0	2	4	6	8	d
0,0	+1,00	00	00	*99	*98	*97	−1
1	+0,99	95	93	90	87	84	3
2		80	76	71	66	61	5
3		55	49	42	35	28	7
4		20	12	04	*95	*85	9
5	0,98	76	66	55	44	33	11
6		21	09	*97	*84	*71	13
7	0,97	58	44	29	15	00	14
8	0,96	84	69	52	36	19	16
9		02	*84	*66	*48	*29	18
1,0	+0,9	510	491	471	451	431	20
1		410	389	368	346	324	22
2		301	279	255	232	208	24
3		184	160	135	110	085	25
4		059	033	007	*980	*954	26
5	+0,8	926	899	871	843	815	28
6		786	757	728	699	669	29
7		639	609	578	548	516	30
8		485	454	422	390	358	32
9		325	292	259	226	193	33
2,0		159	125	091	057	022	34
1	+0,7	987	952	917	882	846	35
2		811	775	738	702	666	36
3		629	592	555	518	480	37
4		443	404	367	330	291	37
5		253	215	176	137	099	39
6		060	021	*981	*942	*903	40
7	+0,6	863	824	784	744	704	40
8		664	624	584	543	503	40
9		463	422	382	341	300	41
3,0		259	219	178	137	096	41
1		055	014	*973	*931	*890	41
2	+0,5	849	808	767	726	684	41
3		643	602	560	519	478	41
4		437	395	354	313	272	41
5		231	189	148	107	066	41
6		025	*984	*943	*902	*862	41
7	+0,4	821	780	739	699	658	41
8		618	577	537	497	456	40
9		416	376	336	296	257	40
4,0		217	177	138	099	059	40
1		020	*981	*942	*903	*865	39
2	+0,3	826	787	749	711	673	38
3		635	597	559	522	484	38
4		447	410	373	336	299	37
5		263	226	190	154	118	36
6		082	047	011	*976	*941	35
7	+0,2	906	871	837	802	768	34
8		734	700	666	633	600	33
9		567	534	501	468	436	33

x		0	2	4	6	8	d
5,0	+0,2	404	372	340	308	277	32
1		246	215	184	153	123	31
2		093	063	033	003	*974	30
3	+0,1	945	916	887	859	830	29
4		802	774	747	719	692	27
5	+0,16	648	380	114	*850	*588	265
6	+0,15	328	071	*816	*563	*312	254
7	+0,14	063	*817	*572	*330	*090	243
8	+0,12	853	617	384	153	*924	232
9	+0,11	697	473	250	030	*812	221
6,0	+0,10	597	383	172	*963	*756	210
1	+0,09	551	349	149	*950	*754	200
2	+0,08	561	369	180	*992	*807	189
3	+0,07	624	443	265	088	*914	178
4	+0,06	741	571	403	237	073	167
5	+0,05	912	752	594	439	285	157
6		134	*984	*837	*692	*549	146
7	+0,04	407	268	131	*996	*862	136
8	+0,03	731	602	474	349	225	127
9		104	*984	*866	*750	*636	117
7,0	+0,02	524	413	305	198	093	108
1	+0,01	990	889	789	692	596	98
2		502	409	318	229	142	90
3		056	*972	*890	*809	*730	82
4	+0,00	653	577	503	430	359	74
5		289	221	155	090	026	66
6	−0,00	036	097	156	213	270	58
7		324	378	430	481	530	52
8		578	625	670	714	757	45
9		799	839	878	916	952	39
8,0		988	*022	*055	*087	*118	33
1	−0,01	147	176	204	230	255	27
2		280	303	325	346	367	22
3		386	404	421	438	453	17
4		468	482	495	506	518	12
5		528	537	546	554	561	8
6		567	573	578	582	585	4
7		588	590	591	592	592	−1
8		591	590	588	586	583	+2
9		580	575	571	566	560	4
9,0		554	547	540	532	524	7
1		516	507	497	487	477	10
2		467	456	444	433	421	12
3		408	396	383	369	356	13
4		342	328	313	299	284	14
5		269	254	238	222	206	16
6		190	174	158	141	124	17
7		107	090	073	056	039	17
8		021	004	*986	*968	*951	18
9	−0,00	933	915	897	879	861	18

$A_5(x)$

x		0	2	4	6	8	d	x		0	2	4	6	8	d
0,0	+1,00	00	00	*99	*99	*97	— 1	5,0	+0,3	209	177	145	113	081	32
1	+0,99	96	94	92	89	87	2	1		050	018	*987	*956	*925	31
2		83	80	76	72	67	4	2	+0,2	894	863	832	802	772	30
3		63	57	52	46	40	6	3		742	712	682	652	623	30
4		34	27	20	12	04	8	4		593	564	535	506	477	29
5	0,98	96	88	79	70	61	9	5		449	420	392	364	336	28
6		51	41	31	20	09	10	6		308	281	253	226	199	27
7	0,97	98	86	74	62	49	12	7		172	145	118	092	066	27
8		36	23	10	*96	*82	14	8		040	014	*988	*962	*937	26
9	0,96	67	53	38	22	07	16	9	+0,1	912	887	862	837	813	25
1,0	0,95	91	75	58	41	24	17	6,0	+0,17	881	639	399	160	* 24	240
1		07	*89	*71	*53	*34	18	1	+0,16	689	456	224	*995	*767	230
2	0,94	15	*96	*77	*57	*37	20	2	+0,15	541	317	094	*873	*654	222
3	0,93	17	*96	*75	*54	*33	21	3	+0,14	437	222	008	*796	*586	213
4	0,92	11	*90	*67	*45	*22	22	4	+0,13	378	171	*967	*764	*563	204
5	+0,9	099	076	053	029	005	23	5	+0,12	363	166	*970	*776	*583	195
6	+0,8	981	956	932	907	882	25	6	+0,11	393	204	017	*832	*648	186
7		856	831	805	779	752	26	7	+0,10	466	286	108	*932	*757	177
8		726	699	672	644	617	27	8	+0,09	584	413	243	075	*909	169
9		589	561	533	505	476	28	9	+0,08	745	582	421	262	104	160
2,0		448	419	389	360	331	29	7,0	+0,07	949	794	642	491	342	151
1		301	271	241	210	180	30	1		195	049	*905	*762	*622	144
2		149	118	087	056	025	31	2	+0,06	482	345	209	075	*942	135
3	+0,7	993	961	929	897	865	32	3	+0,05	811	681	554	427	303	127
4		833	800	767	735	702	33	4		179	058	*938	*819	*702	120
5		668	635	602	568	534	34	5	+0,04	587	473	361	250	141	112
6		501	466	432	398	364	34	6		033	*927	*822	*718	*616	105
7		329	295	260	225	190	35	7	+0,03	516	417	319	223	128	97
8		155	120	085	050	014	35	8		035	*943	*853	*763	*676	90
9	+0,6	979	943	907	871	836	36	9	+0,02	589	504	420	338	257	82
3,0		800	764	727	691	655	36	8,0		177	099	021	*946	*871	76
1		619	582	546	509	473	37	1	+0,01	798	725	655	585	517	70
2		436	399	363	326	289	37	2		449	384	319	255	193	64
3		252	215	178	141	104	37	3		132	071	013	*955	*898	58
4		067	030	*993	*956	*919	37	4	+0,00	842	788	735	682	631	53
5	+0,5	881	844	807	770	733	37	5		581	532	484	437	391	47
6		695	658	621	584	546	37	6		346	302	259	217	176	43
7		509	472	435	398	360	37	7		136	096	058	$^{+}$021	015	38
8		323	286	249	212	175	37	8	—0,00	051	085	119	152	184	33
9		138	101	064	027	*990	37	9		215	245	275	303	331	29
4,0	+0,4	953	917	880	843	806	37	9,0		358	384	409	434	458	25
1		770	733	697	660	624	36	1		481	503	525	546	566	21
2		588	551	515	479	443	36	2		586	605	623	640	657	17
3		407	371	335	300	264	36	3		673	689	703	718	731	14
4		229	193	158	122	087	36	4		744	757	768	780	790	11
5		052	017	*982	*947	*912	35	5		801	810	819	827	836	9
6	+0,3	878	843	809	775	740	34	6		843	850	857	863	868	6
7		706	672	638	605	571	34	7		873	878	882	886	889	4
8		537	504	471	438	405	33	8		892	894	896	898	899	2
9		372	339	306	274	241	33	9		900	900	901	900	900	∓0

$A_6(x)$

x		0	2	4	6	8	d	x		0	2	4	6	8	d
0,0	+1,00	00	00	*99	*99	*98	−1	5,0	+0,3	865	833	802	771	740	31
1	+0,99	96	95	93	91	88	2	1		709	678	647	616	585	31
2		86	83	79	76	72	3	2		555	524	494	464	434	30
3		68	64	59	54	49	5	3		404	374	344	314	285	30
4		43	37	31	25	18	6	4		255	226	196	167	138	29
5		11	04	*96	*89	*81	8	5		109	081	052	023	*995	29
6	0,98	72	64	55	46	36	9	6	+0,2	967	939	911	883	855	28
7		26	16	06	*96	*85	10	7		827	800	772	745	718	27
8	0,97	74	60	51	39	27	11	8		691	664	637	611	584	27
9		14	02	*89	*76	*62	13	9		558	532	505	480	454	26
1,0	0,96	48	34	20	06	*91	14	6,0		428	403	377	352	327	25
1	0,95	76	61	45	29	13	16	1		302	277	252	228	203	25
2	0,94	97	81	64	47	30	17	2		179	155	131	107	083	24
3		12	*94	*76	*58	*40	18	3		060	037	013	*990	*967	23
4	0,93	21	02	*83	*64	*44	19	4	+0,1	944	922	899	877	855	22
5	+0,9	224	204	184	163	142	20	5		832	811	789	767	746	21
6		121	100	079	057	035	21	6	+0,17	242	030	*820	*611	*403	209
7		013	*991	*969	*946	*923	22	7	+0,16	197	*993	*790	*588	*388	202
8	+0,8	900	876	853	829	805	24	8	+0,15	189	*992	*797	*603	*410	194
9		781	757	732	708	683	25	9	+0,14	219	029	*841	*654	*469	188
2,0		658	632	607	581	555	26	7,0	+0,13	285	103	*922	*743	*565	180
1		529	503	477	450	423	27	1	+0,12	389	214	041	*869	*698	172
2		397	369	342	315	287	27	2	+0,11	530	362	196	031	*868	165
3		260	232	204	175	147	28	3	+0,10	707	546	388	230	074	158
4		119	090	061	032	003	29	4	+0,09	920	767	615	465	316	151
5	+0,7	974	944	915	885	855	30	5		169	023	*879	*735	*594	144
6		825	795	765	735	704	30	6	+0,08	453	315	177	041	*906	137
7		674	643	612	582	550	31	7	+0,07	773	641	510	381	253	130
8		519	488	457	425	394	31	8		126	002	*877	*755	*634	124
9		362	330	298	266	234	32	9	+0,06	514	395	278	162	047	116
3,0		202	170	138	105	073	32	8,0	+0,05	934	822	711	602	493	110
1		040	007	*975	*942	*909	33	1		386	281	176	073	*971	104
2	+0,6	876	843	810	777	743	33	2	+0,04	870	771	673	575	480	98
3		710	677	643	610	576	34	3		385	291	199	108	018	92
4		543	509	476	442	408	34	4	+0,03	929	842	755	670	586	86
5		374	341	307	273	239	34	5		503	421	340	260	182	80
6		205	171	137	103	069	34	6		104	028	*952	*878	*805	75
7		035	001	*966	*932	*898	34	7	+0,02	733	661	591	522	454	70
8	+0,5	864	830	796	762	727	34	8		387	321	256	192	129	64
9		693	659	625	591	557	34	9		067	006	*946	*887	*829	60
4,0		522	488	454	420	386	34	9,0	+0,01	772	715	660	605	552	55
1		352	318	284	250	216	34	1		499	447	396	346	297	50
2		182	148	114	080	046	34	2		249	202	155	109	064	46
3		012	*979	*945	*911	*878	34	3		020	*977	*934	*893	*852	42
4	+0,4	844	810	777	744	710	33	4	+0,00	812	772	734	696	659	38
5		677	643	610	577	544	33	5		623	587	552	518	485	34
6		511	478	445	412	379	33	6		452	420	388	358	328	31
7		347	314	281	249	216	33	7		299	270	242	214	188	28
8		184	152	120	087	055	32	8		162	136	111	087	063	24
9		023	*991	*960	*928	*896	32	9		040	+018	−004	−026	−046	22

$\Lambda_7(x)$

x		0	2	4	6	8	d	x		0	2	4	6	8	d
0,0	+1,00	00	00	00	*99	*98	−1	5,0	+0,4	408	377	347	317	287	30
1	+0,99	97	95	93	91	90	2	1		256	226	196	166	137	30
2		88	85	82	79	76	3	2		107	077	048	018	*989	30
3		72	68	64	60	55	4	3	+0,3	959	930	901	871	842	29
4		50	45	40	34	28	5	4		813	784	756	727	698	29
5		22	16	09	02	*95	7	5		670	641	613	585	556	28
6	0,98	88	81	73	65	56	8	6		528	500	472	444	417	28
7		48	39	30	21	12	9	7		389	361	334	307	279	27
8		02	*92	*82	*71	*61	10	8		252	225	198	171	145	27
9	0,97	50	39	27	16	04	12	9		118	091	065	039	013	26
1,0	0,96	92	80	67	54	41	13	6,0	+0,2	986	960	935	909	883	26
1		28	15	01	*87	*73	14	1		857	832	807	781	756	26
2	0,95	59	44	30	15	00	15	2		731	706	682	657	633	25
3	0,94	84	69	53	37	20	16	3		608	584	560	536	512	24
4		04	*87	*70	*53	*36	17	4		488	464	440	417	394	23
5	+0,9	318	301	283	265	246	18	5		370	347	324	301	279	23
6		228	209	190	171	152	19	6		256	234	211	189	167	22
7		132	113	093	073	052	20	7		145	123	101	080	058	22
8		032	011	*990	*969	*948	21	8		037	015	*994	*973	*952	21
9	+0,8	927	905	884	862	840	22	9	+0,1	932	911	891	870	850	20
2,0		817	795	772	749	726	23	7,0		830	810	790	770	751	20
1		703	680	657	633	609	24	1	+0,17	311	118	*926	*735	*545	192
2		585	561	537	512	488	24	2	+0,16	357	170	*984	*799	*616	185
3		463	438	413	388	363	25	3	+0,15	434	253	074	*896	*719	178
4		337	312	286	260	234	26	4	+0,14	543	369	196	024	*854	172
5		208	182	155	129	102	26	5	+0,13	685	517	350	184	020	166
6		075	048	021	*994	*966	27	6	+0,12	857	696	535	376	219	160
7	+0,7	939	912	884	856	828	28	7		062	*907	*752	*600	*448	153
8		800	772	744	715	687	28	8	+0,11	298	149	001	*854	*709	148
9		658	630	601	572	543	29	9	+0,10	564	421	280	139	000	141
3,0		514	485	456	426	397	29	8,0	+0,09	862	725	589	455	322	135
1		367	338	308	278	248	30	1		190	059	*929	*801	*673	129
2		218	188	158	128	098	30	2	+0,08	547	422	298	176	054	123
3		068	037	007	*976	*946	30	3	+0,07	934	815	697	580	464	118
4	+0,6	915	884	854	823	792	31	4		350	236	124	013	*903	112
5		761	730	699	668	637	31	5	+0,06	794	686	579	473	369	106
6		606	575	543	512	481	31	6		265	163	062	*961	*862	101
7		449	418	387	355	324	31	7	+0,05	764	667	571	476	382	96
8		292	260	229	197	166	31	8		289	198	107	017	*928	90
9		134	102	071	039	007	32	9	+0,04	841	754	668	583	500	85
4,0	+0,5	976	944	912	880	849	32	9,0		417	335	254	174	095	80
1		817	785	753	722	690	32	1		017	*940	*864	*789	*715	75
2		658	626	595	563	531	32	2	+0,03	642	569	498	427	358	71
3		499	468	436	404	373	32	3		289	221	154	088	023	66
4		341	309	278	246	215	32	4	+0,02	958	895	832	770	709	62
5		183	152	120	089	057	32	5		649	590	531	474	417	58
6		026	*995	*963	*932	*901	31	6		361	305	251	197	144	54
7	+0,4	870	839	807	776	745	31	7		092	041	*990	*940	*891	50
8		714	684	653	622	591	31	8	+0,01	843	795	748	702	656	46
9		560	530	499	469	438	31	9		612	568	524	481	439	43

$\Lambda_8(x)$

x		0	2	4	6	8	d
0,0	+1,00	00	00	00	*99	*98	− 1
1	+0,99	97	96	95	93	91	2
2		89	87	84	81	78	3
3		75	72	68	64	60	4
4		56	51	46	41	36	5
5		31	25	19	13	07	6
6		00	*94	*87	*80	*72	7
7	0,98	65	57	49	41	32	8
8		24	15	06	*96	*87	9
9	0,97	77	67	57	47	36	10
1,0		26	15	04	*92	*81	11
1	0,96	69	57	45	32	20	12
2		07	*94	*81	*68	*54	13
3	0,95	40	26	12	*98	*83	14
4	0,94	69	54	39	23	08	15
5	+0,9	392	376	360	344	328	16
6		311	294	278	260	243	17
7		226	208	190	172	154	18
8		136	117	098	080	061	19
9		041	022	002	*983	*963	20
2,0	+0,8	943	923	902	882	861	21
1		840	819	798	777	756	21
2		734	712	690	668	646	22
3		624	602	579	556	533	23
4		510	487	464	441	417	23
5		393	370	346	322	297	24
6		273	249	224	199	175	25
7		150	125	100	074	049	25
8		024	*998	*972	*946	*921	26
9	+0,7	895	868	842	816	789	26
3,0		763	736	710	683	656	27
1		629	602	575	548	520	27
2		493	465	438	410	382	28
3		355	327	299	271	243	28
4		215	186	158	130	101	28
5		073	044	016	*987	*958	29
6	+0,6	930	901	872	843	814	29
7		785	756	727	698	669	29
8		639	610	581	551	522	29
9		493	463	434	404	375	30
4,0		345	316	286	256	227	30
1		197	167	137	108	078	30
2		049	019	*989	*959	*929	30
3	+0,5	900	870	840	810	781	30
4		751	721	691	661	631	30
5		602	572	542	512	483	30
6		453	423	394	364	334	30
7		305	275	246	216	186	30
8		157	127	098	069	039	29
9		010	*980	*951	*922	*893	29

x		0	2	4	6	8	d
5,0	+0,4	863	834	805	776	747	29
1		718	689	660	631	603	29
2		574	545	516	488	459	29
3		431	402	374	346	317	28
4		289	261	233	205	177	28
5		149	121	093	066	038	28
6		010	*983	*955	*928	*901	27
7	+0,3	873	846	819	792	765	27
8		738	712	685	658	632	27
9		605	579	553	526	500	26
6,0		474	448	422	397	371	26
1		345	320	294	269	244	25
2		218	193	168	143	119	25
3		094	069	045	020	*996	25
4	+0,2	972	948	923	900	876	24
5		852	828	805	781	758	23
6		735	711	688	665	643	23
7		620	597	575	552	530	22
8		508	486	464	442	420	22
9		398	377	355	334	313	21
7,0		291	270	249	229	208	21
1		187	167	146	126	106	20
2		086	066	046	026	007	20
3	+0,1	987	968	949	929	910	19
4		891	872	854	835	817	18
5	+0,17	982	799	617	437	257	181
6		079	*902	*726	*551	*377	175
7	+0,16	204	033	*862	*693	*525	170
8	+0,15	358	192	027	*863	*700	165
9	+0,14	539	378	219	061	*904	159
8,0	+0,13	748	593	439	286	135	154
1	+0,12	984	835	687	540	393	148
2		248	105	*962	*820	*679	142
3	+0,11	540	401	264	128	*992	136
4	+0,10	858	725	593	462	332	131
5		203	075	*949	*823	*698	126
6	+0,09	574	452	330	210	090	121
7	+0,08	972	854	738	622	508	116
8		394	282	171	060	*951	111
9	+0,07	842	735	629	523	419	106
9,0		315	212	111	010	*911	101
1	+0,06	812	714	617	521	426	96
2		332	239	147	056	*965	91
3	+0,05	876	787	700	613	527	87
4		442	358	275	192	111	83
5		030	*950	*871	*793	*716	78
6	+0,04	640	564	489	416	343	74
7		270	199	128	058	*989	70
8	+0,03	921	854	787	721	656	66
9		591	528	465	403	341	62

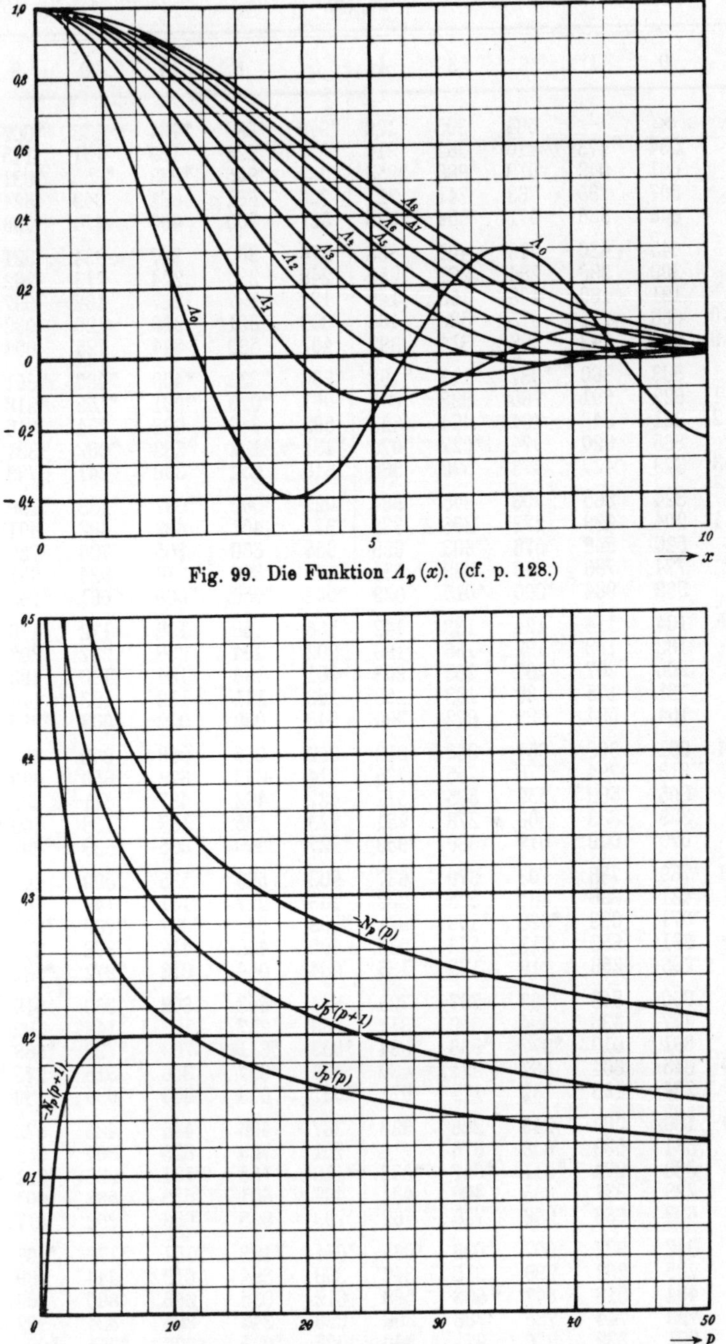

Fig. 99. Die Funktion $\Lambda_p(x)$. (cf. p. 128.)

Fig. 100. Besselsche und Neumannsche Funktion für $x = p$ und $x = p + 1$.
Fig. 100. Bessel and Neumann function for $x = p$ and $x = p + 1$.

x		0	1	2	3	4	5	6	7	8	9	d
0,0	−2,	∞	—	564	305	122	*979	*863	*764	*678	*602	+143
1	−1,	534	473	416	364	316	271	228	189	151	115	+ 45
2		061	049	018	*988	*959	*932	*905	*879	*855	*831	+ 27
3	−0,	807	785	763	741	721	700	681	661	642	624	+ 21
4		606	588	571	554	538	521	505	490	474	459	+ 17
5		445	430	416	401	388	374	360	347	334	321	+ 14
6		309	296	284	271	259	248	236	224	213	202	+ 11
7		191	180	169	158	148	137	127	117	107	097	+ 10
8	−0,0	868	771	675	580	486	393	301	210	120	032	+ 93
9	+0,0	056	143	229	314	398	481	563	644	725	804	+ 83
1,0		883	960	*037	*113	*188	*262	*336	*409	*480	*551	+ 74
1	+0,1	622	691	760	828	895	961	*026	*091	*155	*218	+ 66
2	+0,2	281	343	404	464	523	582	640	698	754	810	+ 59
3		865	920	974	*027	*079	*131	*182	*232	*282	*331	+ 52
4	+0,3	379	427	473	520	565	610	654	698	741	783	+ 45
5		824	865	906	945	984	*022	*060	*097	*133	*169	+ 38
6	+0,4	204	239	273	306	338	370	401	432	462	491	+ 32
7		520	548	576	603	629	655	680	705	728	752	+ 26
8		774	796	818	839	859	879	898	916	934	951	+ 20
9		968	984	*000	*015	*029	*043	*056	*069	*081	*093	+ 14
2,0	+0,5	104	114	124	133	142	150	158	165	172	178	+ 8
1		183	188	192	196	199	202	204	206	207	208	+ 3
2		208	207	207	205	203	201	198	194	190	186	− 2
3		181	175	169	163	156	148	141	132	123	114	− 8
4		104	094	083	072	060	048	036	022	009	*995	− 12
5	+0,4	981	966	951	935	919	902	885	868	850	832	− 17
6		813	794	775	755	735	714	693	672	650	628	− 21
7		605	582	559	535	511	487	462	437	411	385	− 24
8		359	333	306	279	251	223	195	167	138	109	− 28
9		079	049	019	*989	*958	*927	*896	*865	*833	*801	− 31
3,0	+0,3	769	736	703	670	637	603	569	535	500	466	− 34
1		431	396	361	325	289	253	217	181	144	108	− 36
2		071	033	*996	*958	*921	*883	*845	*807	*768	*730	− 38
3	+0,2	691	652	613	574	535	495	456	416	376	336	− 40
4		296	256	216	175	135	094	054	013	*972	*931	− 41
5	+0,1	890	849	808	767	726	684	643	602	560	519	− 42
6		477	436	394	352	311	269	227	186	144	102	− 42
7		061	019	*977	*936	*894	*853	*811	*769	*728	*686	− 41
8	+0,0	645	604	562	521	480	439	397	356	315	275	− 41
9		234	193	152	112	071	+031	−009	−050	−090	−130	− 40
4,0	−0,0	169	209	249	288	328	367	406	445	484	522	− 39
1		561	599	638	676	714	751	789	826	864	901	− 37
2		938	974	*011	*047	*083	*119	*155	*191	*226	*261	− 36
3	−0,1	296	331	365	400	434	467	501	535	568	601	− 33
4		633	666	698	730	762	793	825	856	886	917	− 31
5		947	977	*007	*036	*065	*094	*123	*151	*179	*207	− 29
6	−0,2	235	262	289	315	342	368	394	419	444	469	− 26
7		494	518	542	566	589	612	635	658	680	702	− 23
8		723	744	765	786	806	826	845	865	884	902	− 20
9		921	939	956	973	990	*007	*023	*039	*055	*070	− 17

x		0	1	2	3	4	5	6	7	8	9	d
0,0	—	∞	63,7	31,9	21,3	16,0	12,8	10,7	9,17	8,04	7,16	+ 31
1		6,46	5,89	5,41	5,01	4,66	4,36	4,10	3,87	3,67	3,49	+ 30
2	—3,	324	176	042	*919	*807	*704	*609	*521	*440	*364	+103
3	—2,	293	227	165	107	052	000	*952	*906	*862	*820	+ 52
4	—1,	781	743	708	673	641	610	580	551	523	497	+ 31
5		471	447	423	401	378	357	337	317	297	279	+ 21
6		260	243	226	209	193	177	161	146	132	117	+ 16
7		103	090	076	063	050	038	025	013	001	*990	+ 12
8	—0,	978	967	956	945	934	924	913	903	893	883	+ 10
9	—0,8	731	634	539	444	351	258	167	077	*988	*900	+ 93
1,0	—0,7	812	726	640	555	471	388	305	223	142	061	+ 83
1	—0,6	981	902	823	745	667	590	513	437	361	286	+ 77
2		211	137	063	*990	*916	*844	*771	*699	*628	*556	+ 72
3	—0,5	485	415	344	274	204	135	066	*997	*928	*860	+ 69
4	—0,4	791	724	656	589	521	454	388	321	255	189	+ 67
5		123	057	*992	*927	*862	*797	*732	*668	*604	*540	+ 65
6	—0,3	476	412	349	285	222	159	096	034	*972	*909	+ 63
7	—0,2	847	785	724	662	601	540	479	418	357	297	+ 61
8		237	177	117	057	*997	*938	*879	*820	*761	*702	+ 59
9	—0,1	644	586	528	470	412	355	297	240	184	127	+ 57
2,0		070	014	*958	*902	*846	*791	*736	*681	*626	*571	+ 55
1	—0,0	517	463	409	355	301	248	195	142	090	037	+ 53
2	+0,0	015	067	118	170	221	272	323	373	423	473	+ 51
3		523	572	621	670	719	767	815	863	911	958	+ 48
4	+0,1	005	052	098	144	190	236	281	326	371	415	+ 46
5		459	503	547	590	633	675	718	760	801	843	+ 42
6		884	924	965	*005	*045	*084	*123	*162	*200	*239	+ 39
7	+0,2	276	314	351	388	424	460	496	531	566	601	+ 36
8		635	669	703	736	769	802	834	866	897	929	+ 33
9		959	990	*020	*050	*079	*108	*136	*164	*192	*220	+ 29
3,0	+0,3	247	273	300	326	351	376	401	425	449	473	+ 25
1		496	519	542	564	585	607	627	648	668	688	+ 22
2		707	726	745	763	780	798	815	831	847	863	+ 18
3		879	893	908	922	936	949	962	975	987	999	+ 13
4	+0,4	010	021	032	042	052	061	070	079	087	094	+ 10
5		102	109	115	122	127	133	138	142	147	150	+ 6
6		154	157	160	162	164	165	166	167	167	167	+ 1
7		167	166	165	163	161	159	156	153	149	145	— 2
8		141	137	132	126	120	114	108	101	094	086	— 6
9		078	070	061	052	043	033	023	013	002	*991	— 10
4,0	+0,3	979	967	955	943	930	917	903	889	875	861	— 13
1		846	831	815	800	783	767	750	733	716	698	— 16
2		680	662	643	624	605	586	566	546	525	505	— 19
3		484	463	441	420	397	375	353	330	307	283	— 22
4		260	236	212	187	163	138	113	088	062	036	— 25
5		010	*984	*957	*930	*904	*876	*849	*821	*794	*766	— 28
6	+0,2	737	709	680	652	623	594	564	535	505	475	— 29
7		445	415	384	354	323	292	261	230	199	167	— 31
8		136	104	072	040	008	*976	*943	*911	*878	*845	— 32
9	+0,1	812	780	746	713	680	647	613	580	546	512	— 33

$N_0(x)$

x		0	1	2	3	4	5	6	7	8	9	d
5,0	−0,3	085	100	114	128	142	155	168	180	193	204	− 13
1		216	227	238	249	259	269	278	287	296	304	− 10
2		313	320	328	335	341	348	354	359	365	370	− 7
3		374	379	383	386	389	392	395	397	399	401	− 3
4		402	403	403	403	403	402	402	400	399	397	+ 1
5		395	392	389	386	383	379	375	370	365	360	+ 4
6		354	349	342	336	329	322	315	307	299	290	+ 7
7		282	273	263	254	244	233	223	212	201	189	+ 11
8		177	165	153	140	127	114	101	087	073	058	+ 13
9		044	029	013	*998	*982	*966	*950	*933	*916	*899	+ 16
6,0	−0,2	882	864	846	828	810	791	772	753	734	714	+ 19
1		694	674	654	633	613	592	570	549	527	505	+ 22
2		483	461	438	415	393	369	346	322	299	275	+ 24
3		251	226	202	177	152	127	102	077	051	025	+ 25
4	−0,1	999	973	947	921	894	868	841	814	787	760	+ 26
5		732	705	677	650	622	594	566	538	509	481	+ 28
6		452	424	395	366	337	308	279	250	221	191	+ 29
7		162	132	103	073	044	014	*984	*954	*924	*894	+ 30
8	−0,0	864	834	804	774	744	714	684	653	623	593	+ 30
9		563	532	502	472	441	411	381	350	320	290	+ 30
7,0		259	229	199	169	139	108	078	048	−018	+012	+ 31
1	+0,0	042	072	102	131	161	191	221	250	280	309	+ 30
2		339	368	397	426	455	484	513	542	571	599	+ 29
3		628	656	684	713	741	769	797	824	852	879	+ 28
4		907	934	961	988	*015	*042	*068	*095	*121	*147	+ 27
5	+0,1	173	199	225	250	276	301	326	351	375	400	+ 25
6		424	448	472	496	520	543	567	590	613	635	+ 23
7		658	680	702	724	746	768	789	810	831	852	+ 22
8		872	893	913	932	952	972	991	*010	*028	*047	+ 20
9	+0,2	065	083	101	119	136	153	170	187	203	219	+ 17
8,0		235	251	266	282	296	311	326	340	354	367	+ 15
1		381	394	407	420	432	444	456	468	479	490	+ 12
2		501	512	522	532	542	552	561	570	578	587	+ 10
3		595	603	611	618	625	632	639	645	651	657	+ 7
4		662	667	672	677	681	686	689	693	696	699	+ 5
5		702	705	707	709	710	712	713	714	714	715	+ 2
6		715	714	714	713	712	711	709	707	705	703	− 1
7		700	697	694	690	687	683	678	674	669	664	− 4
8		659	653	647	641	635	628	621	614	607	599	− 7
9		592	583	575	566	558	549	539	530	520	510	− 9
9,0		499	489	478	467	456	444	433	421	408	396	− 12
1		383	370	357	344	331	317	303	289	274	260	− 14
2		245	230	215	199	184	168	152	136	119	103	− 16
3		086	069	052	034	017	*999	*981	*963	*945	*926	− 18
4	+0,1	907	889	870	851	831	812	792	772	752	732	− 19
5		712	692	671	650	630	609	588	566	545	523	− 21
6		502	480	458	436	414	392	369	347	324	302	− 22
7		279	256	233	210	186	163	140	116	093	069	− 23
8		045	021	*998	*974	*949	*925	*901	*877	*853	*828	− 24
9	+0,0	804	779	755	730	705	681	656	631	606	582	− 24

x		0	1	2	3	4	5	6	7	8	9	d
5,0	+0,1	479	445	411	377	343	309	275	240	206	172	− 34
1		137	103	069	034	000	*965	*930	*896	*861	*827	− 35
2	+0,0	792	757	723	688	653	619	584	549	515	480	− 35
3		445	411	376	342	307	273	238	204	170	136	− 34
4		101	067	+033	−001	−035	−069	−103	−137	−170	−204	− 34
5	−0,0	238	271	304	338	371	404	437	470	503	535	− 33
6		568	601	633	665	697	729	761	793	824	856	− 32
7		887	918	949	980	*011	*042	*072	*102	*133	*163	− 31
8	−0,1	192	223	251	281	310	339	368	396	425	453	− 29
9		481	509	536	564	591	618	645	671	698	724	− 27
6,0		750	776	801	827	852	877	902	926	950	974	− 25
1		998	*022	*045	*068	*091	*114	*136	*158	*180	*201	− 23
2	−0,2	223	244	265	285	306	326	346	365	385	404	− 20
3		422	441	459	477	495	512	530	547	563	580	− 17
4		596	611	627	642	657	672	686	700	714	728	− 15
5		741	754	767	779	791	803	814	826	836	847	− 12
6		857	868	877	887	896	905	913	922	930	937	− 9
7		945	952	958	965	971	977	983	988	993	997	− 6
8	−0,3	002	006	010	013	016	019	022	024	026	028	− 3
9		029	030	031	032	032	032	031	031	030	028	∓ 0
7,0		027	025	023	020	017	014	011	007	003	*999	+ 3
1	−0,2	995	990	985	980	974	968	962	955	949	942	+ 6
2		934	927	919	911	902	893	885	875	866	856	+ 9
3		846	836	825	814	803	792	780	768	756	744	+ 11
4		731	718	705	692	678	664	650	636	621	606	+ 14
5		591	576	560	545	529	512	496	479	462	445	+ 17
6		428	410	393	375	357	338	320	301	282	263	+ 19
7		243	224	204	184	164	143	123	102	081	060	+ 21
8		039	017	*996	*974	*952	*930	*908	*885	*863	*840	+ 22
9	−0,1	817	794	771	748	724	701	677	653	629	605	+ 23
8,0		581	556	532	507	482	457	432	407	382	357	+ 25
1		331	306	280	255	229	203	177	151	125	099	+ 26
2		072	046	020	*993	*967	*940	*913	*887	*860	*833	+ 27
3	−0,0	806	779	752	725	698	671	644	617	589	562	+ 27
4		535	508	480	453	426	398	371	344	316	289	+ 28
5		262	234	207	180	152	125	098	071	043	016	+ 27
6	+0,0	011	038	065	092	119	146	173	200	227	253	+ 27
7		280	307	333	360	386	413	439	465	491	518	+ 27
8		544	569	595	621	647	672	698	723	748	774	+ 25
9		799	824	849	873	898	922	947	971	995	*019	+ 24
9,0	+0,1	043	067	091	114	137	161	184	207	229	252	+ 24
1		275	297	319	341	363	385	406	428	449	470	+ 22
2		491	512	532	553	573	593	613	633	652	671	+ 20
3		691	710	728	747	765	783	801	819	837	854	+ 18
4		871	888	905	922	938	954	970	986	*001	*017	+ 16
5	+0,2	032	047	061	076	090	104	118	131	145	158	+ 14
6		171	183	196	208	220	232	243	254	265	276	+ 12
7		287	297	307	317	326	336	345	354	362	371	+ 10
8		379	387	394	402	409	416	423	429	435	441	+ 7
9		447	452	458	463	467	472	476	480	484	487	+ 5

x		0	1	2	3	4	5	6	7	8	9	d
10,0	+0,0	557	532	507	482	457	432	407	382	357	332	− 25
1		307	281	256	231	206	181	156	131	106	081	− 25
2		056	031	+006	−019	−044	−069	−094	−119	−143	−168	− 25
3	−0,0	193	218	242	267	291	316	340	365	389	413	− 25
4		437	462	486	510	534	557	581	605	628	652	− 23
5		675	699	722	745	768	791	814	837	859	882	− 23
6		904	926	949	971	993	*015	*036	*058	*079	*101	− 22
7	−0,1	122	143	164	185	205	226	246	267	287	307	− 21
8		326	346	366	385	404	423	442	461	479	498	− 19
9		516	534	552	569	587	604	622	639	655	672	− 17
11,0		688	705	721	737	752	768	783	798	813	828	− 16
1		843	857	871	885	899	913	926	939	952	965	− 14
2		977	990	*002	*014	*025	*037	*048	*059	*070	*081	− 12
3	−0,2	091	101	111	121	130	140	149	158	166	175	− 10
4		183	191	199	206	213	220	227	234	240	246	− 7
5		252	258	263	269	274	278	283	287	291	295	− 4
6		299	302	305	308	311	313	315	317	319	321	− 2
7		322	323	324	324	325	325	324	324	324	323	∓ 0
8		322	320	319	317	315	313	310	308	305	302	+ 2
9		298	295	291	287	283	278	273	269	263	258	+ 5
12,0		252	247	241	234	228	221	214	207	200	192	+ 7
1		184	176	168	160	151	142	133	124	115	105	+ 9
2		095	085	075	064	054	043	032	021	009	*998	+ 11
3	−0,1	986	974	962	949	937	924	911	898	885	871	+ 13
4		858	844	830	816	802	787	772	758	743	727	+ 15
5		712	697	681	665	649	633	617	601	584	567	+ 16
6		551	534	517	499	482	464	447	429	411	393	+ 18
7		375	357	338	320	301	282	264	245	226	206	+ 19
8		187	168	148	129	109	089	069	049	029	009	+ 20
9	−0,0	989	968	948	927	907	886	866	845	824	803	+ 21
13,0		782	761	740	719	698	676	655	634	612	591	+ 22
1		569	548	526	505	483	461	439	418	396	374	+ 22
2		352	331	309	287	265	243	221	199	177	156	+ 22
3		134	112	090	068	046	024	−002	+019	+041	+063	+ 22
4	+0,0	085	107	128	150	172	193	215	236	258	279	+ 21
5		301	322	343	365	386	407	428	449	470	491	+ 21
6		512	533	554	574	595	615	636	656	677	697	+ 20
7		717	737	757	777	796	816	836	855	875	894	+ 20
8		913	932	951	970	989	*007	*026	*044	*062	*081	+ 19
9	+0,1	099	117	134	152	169	187	204	221	238	255	+ 18
14,0		272	289	305	321	337	353	369	385	401	416	+ 16
1		431	446	461	476	491	505	520	534	548	562	+ 14
2		575	589	602	615	628	641	654	666	679	691	+ 13
3		703	715	726	738	749	760	771	781	792	802	+ 11
4		812	822	832	842	851	860	869	878	886	895	+ 9
5		903	911	919	926	934	941	948	955	962	968	+ 7
6		974	980	986	992	997	*002	*007	*012	*017	*021	+ 5
7	+0,2	025	029	033	036	040	043	046	049	051	054	+ 3
8		056	058	059	061	062	063	064	065	065	065	+ 1
9		065	065	065	064	064	063	061	060	058	057	− 1

$N_1(x)$

x		0	1	2	3	4	5	6	7	8	9	d
10,0	+0,2	490	493	496	498	500	502	504	506	507	508	+ 2
1		508	509	509	509	509	508	507	506	505	504	− 1
2		502	500	498	495	492	489	486	483	479	475	− 3
3		471	466	462	457	451	446	440	435	428	422	− 5
4		416	409	402	394	387	379	371	363	355	346	− 8
5		337	328	319	309	299	289	279	269	258	247	− 10
6		236	225	214	202	190	178	166	153	140	128	− 12
7		114	101	088	074	060	046	032	017	003	*988	− 14
8	+0,1	973	958	942	927	911	895	879	863	846	830	− 16
9		813	796	779	762	745	727	709	692	674	655	− 18
11,0		637	619	600	581	562	543	524	505	486	466	− 19
1		446	427	407	387	366	346	326	305	285	264	− 20
2		243	222	201	180	159	137	116	095	073	051	− 21
3		029	008	*986	*964	*941	*919	*897	*875	*852	*830	− 22
4	+0,0	807	785	762	740	717	694	671	648	625	602	− 23
5		579	556	533	510	487	464	441	417	394	371	− 23
6		348	324	301	278	254	231	208	184	161	138	− 23
7		114	091	068	045	+021	−002	−025	−048	−072	−095	− 23
8	−0,0	118	141	164	187	210	233	256	279	302	324	− 23
9		347	370	392	415	437	460	482	505	527	549	− 23
12,0		571	593	615	637	659	681	702	723	745	766	− 22
1		787	809	830	851	871	892	913	933	954	974	− 21
2		994	*014	*034	*054	*074	*093	*113	*132	*151	*171	− 19
3	−0,1	189	208	227	246	264	282	300	318	336	354	− 18
4		371	389	406	423	440	457	474	490	506	522	− 17
5		538	554	570	585	601	616	631	645	660	675	− 15
6		689	703	717	730	744	757	771	783	796	809	− 13
7		821	834	846	857	869	880	892	903	914	924	− 11
8		935	945	955	965	975	984	993	*002	*011	*020	− 9
9	−0,2	028	036	044	052	060	067	074	081	088	095	− 7
13,0		101	107	113	118	124	129	134	139	144	148	− 5
1		152	156	160	163	167	170	172	175	178	180	− 3
2		182	183	185	186	187	188	189	189	190	190	− 1
3		190	189	188	188	187	185	184	182	180	178	+ 2
4		176	173	170	167	164	161	157	153	149	145	+ 3
5		140	136	131	126	120	115	109	103	097	090	+ 5
6		084	077	070	063	056	048	040	032	024	016	+ 8
7		007	*999	*990	*981	*971	*962	*952	*942	*932	*922	+ 9
8	−0,1	912	901	890	879	868	857	845	834	822	810	+ 11
9		798	785	773	760	747	734	721	707	694	680	+ 13
14,0		666	652	638	624	610	595	580	565	550	535	+ 15
1		520	504	489	473	457	441	425	409	392	376	+ 16
2		359	342	325	308	291	274	257	239	222	204	+ 17
3		186	168	150	132	114	096	077	059	040	021	+ 18
4		003	*984	*965	*946	*927	*907	*888	*869	*849	*830	+ 19
5	−0,0	810	791	771	751	732	712	692	672	652	632	+ 20
6		612	591	571	551	531	510	490	469	449	428	+ 21
7		408	387	367	346	326	305	284	264	243	222	+ 21
8		202	181	160	140	119	098	077	057	036	015	+ 21
9	+0,0	005	026	047	067	088	108	129	149	170	190	+ 20

x		0	1	2	3	4	5	6	7	8	9	d
15,0	+0,2	055	052	050	047	045	042	038	035	031	027	− 3
1		023	019	015	010	005	000	*995	*990	*984	*978	− 5
2	+0,1	972	966	960	953	946	939	932	925	917	910	− 7
3		902	894	885	877	868	860	851	841	832	823	− 8
4		813	803	793	783	772	762	751	740	729	718	− 10
5		706	695	683	671	659	647	635	622	610	597	− 12
6		584	571	557	544	530	517	503	489	475	460	− 13
7		446	431	417	402	387	372	357	341	326	310	− 15
8		295	279	263	247	231	215	198	182	165	148	− 16
9		132	115	098	081	063	046	029	011	*994	*976	− 17

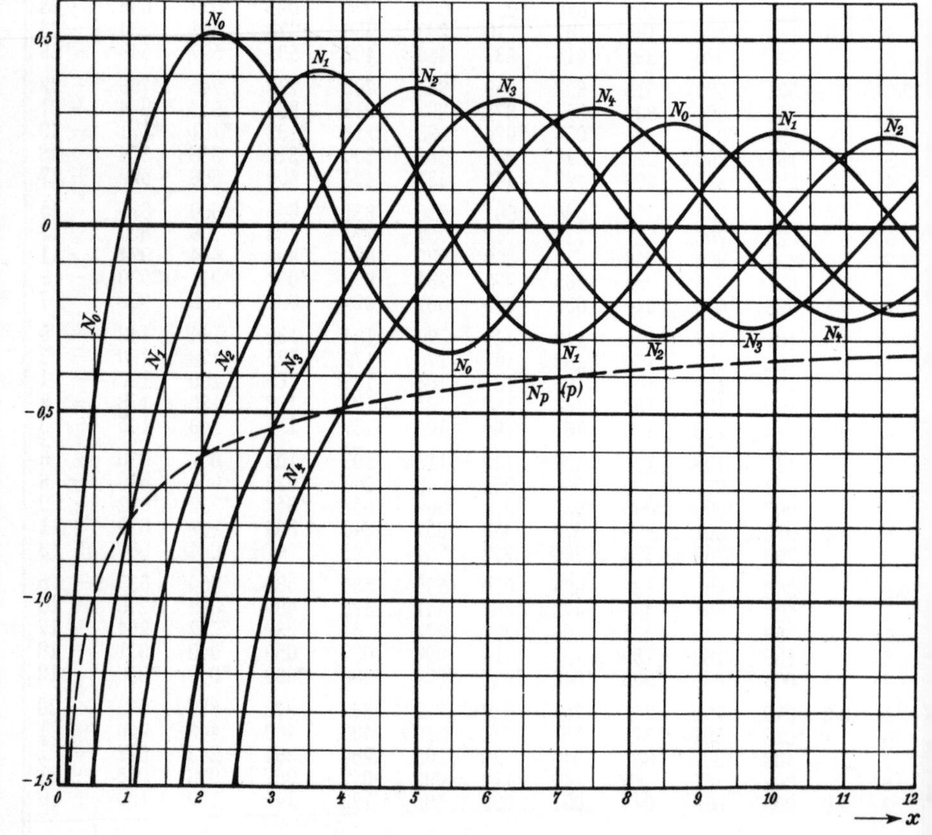

Fig. 101. Die Neumannsche Funktion.

x		0	1	2	3	4	5	6	7	8	9	d
15,0	+0,0	211	231	251	272	292	312	332	353	373	393	+ 20
1		413	433	453	472	492	512	531	551	571	590	+ 20
2		609	629	648	667	686	705	724	743	761	780	+ 19
3		799	817	835	854	872	890	908	926	943	961	+ 18
4		979	996	*013	*031	*048	*065	*082	*098	*115	*131	+ 17
5	+0,1	148	164	180	196	212	228	244	259	274	290	+ 16
6		305	320	334	349	363	378	392	406	420	434	+ 15
7		447	461	474	487	500	513	526	538	551	563	+ 13
8		575	587	599	610	621	633	644	655	665	676	+ 12
9		686	696	706	716	726	735	744	754	762	771	+ 9

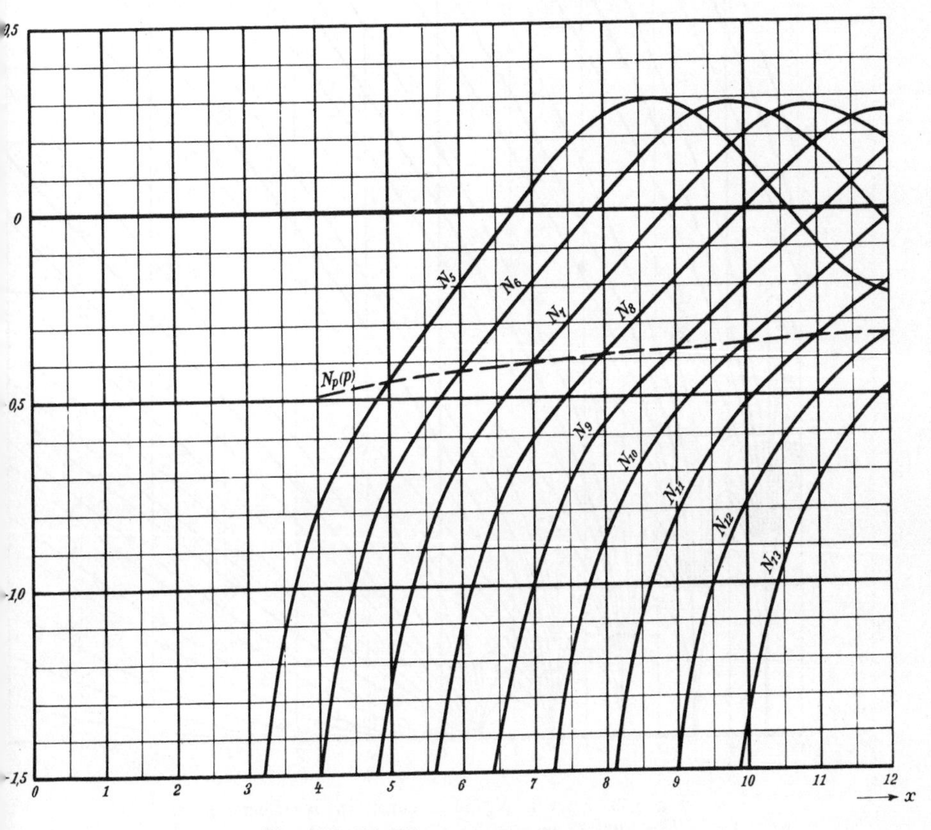

Fig. 102. Die Neumannsche Funktion.

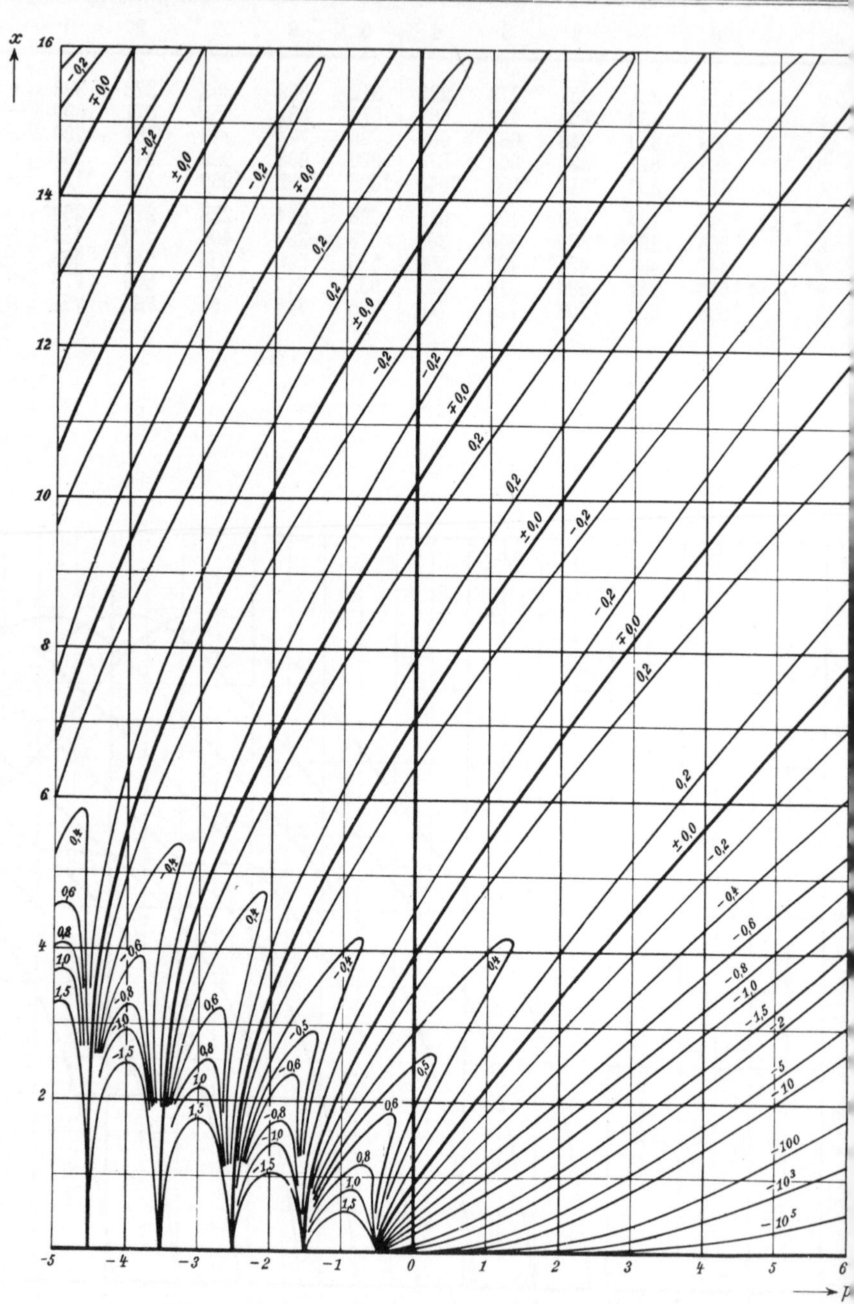

Fig. 103. Kurven $N_p(x) = \text{const.}$ in der Ebene p, x.
Fig. 103. Curves $N_p(x) = \text{const.}$ in the plane p, x.

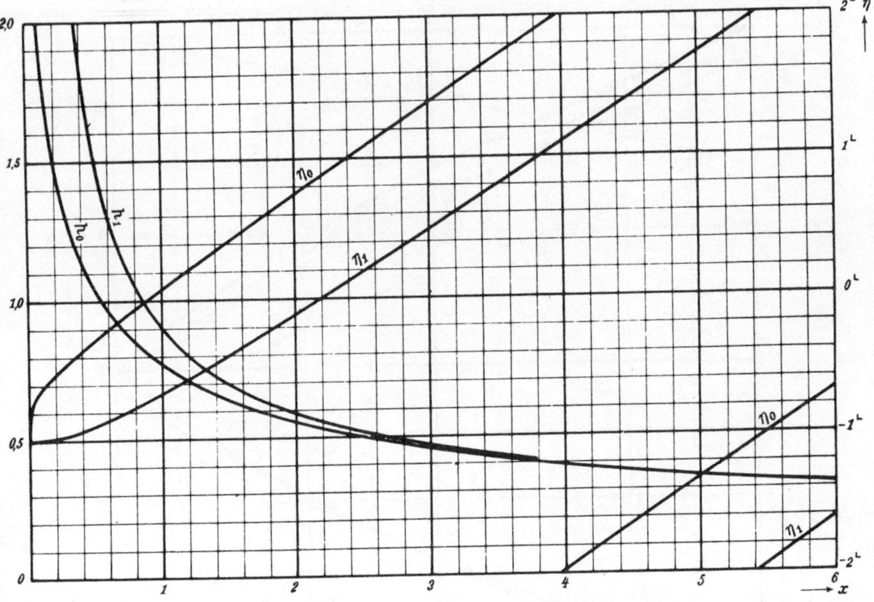

Fig. 104. Hankelsche Funktion $H^{(1)}(x) = h\,i^{\eta}$.

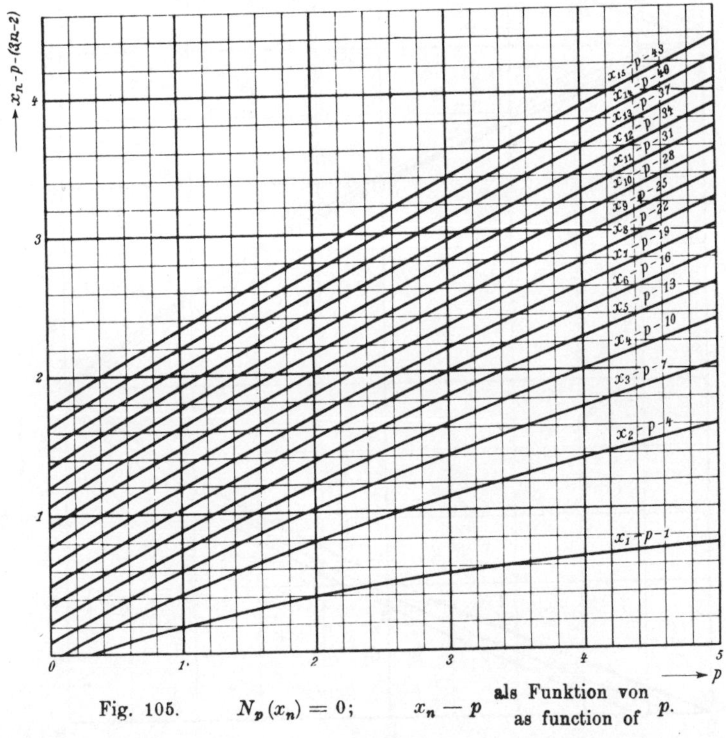

Fig. 105. $N_p(x_n) = 0$; $x_n - p$ als Funktion von / as function of p.

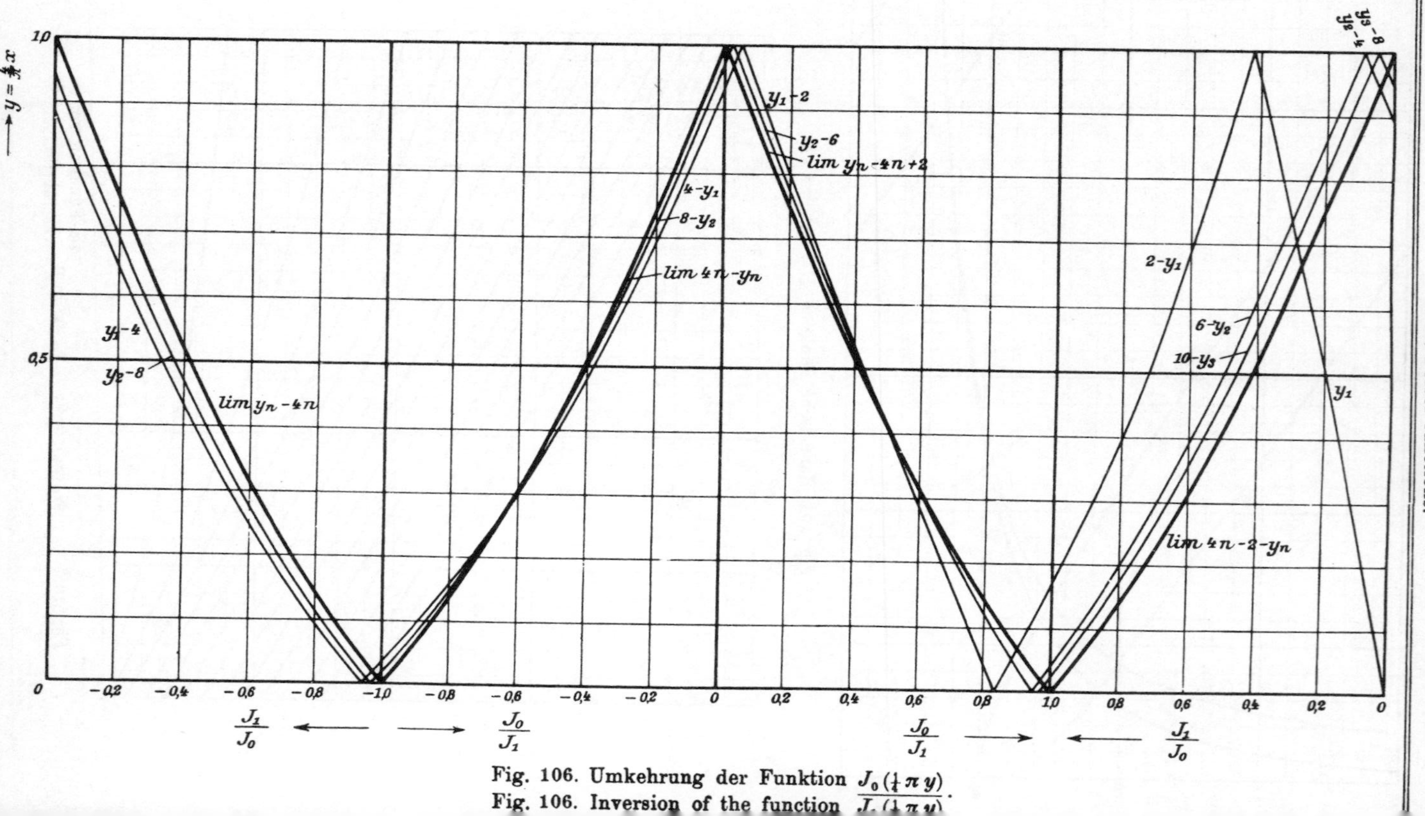

Fig. 106. Umkehrung der Funktion $\frac{J_0(\frac{1}{4}\pi y)}{J_1(\frac{1}{4}\pi y)}$.

Fig. 106. Inversion of the function $\frac{J_0(\frac{1}{4}\pi y)}{J_1(\frac{1}{4}\pi y)}$.

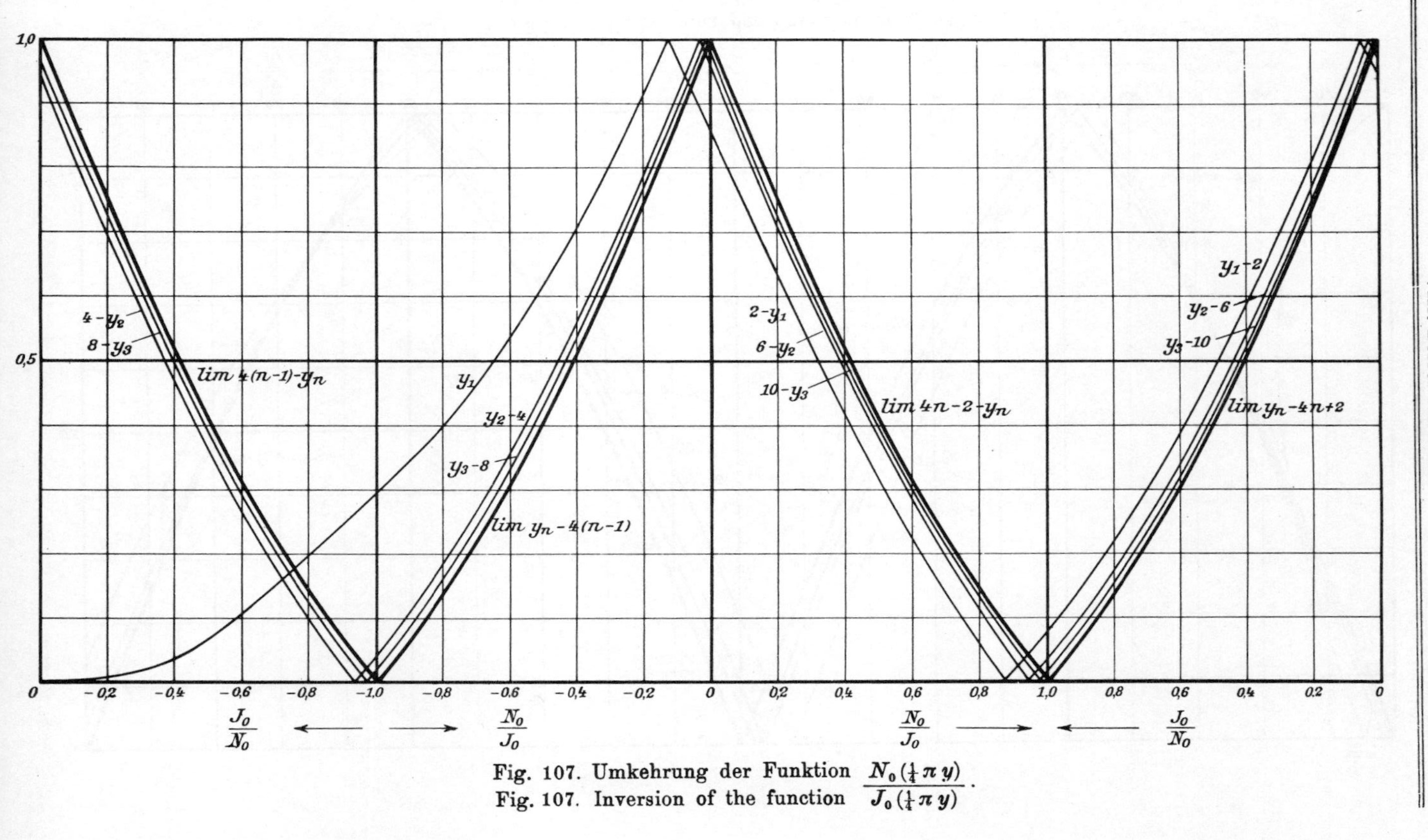

Fig. 107. Umkehrung der Funktion $\frac{N_0(\frac{1}{4}\pi y)}{J_0(\frac{1}{4}\pi y)}$.
Fig. 107. Inversion of the function $\frac{N_0(\frac{1}{4}\pi y)}{J_0(\frac{1}{4}\pi y)}$.

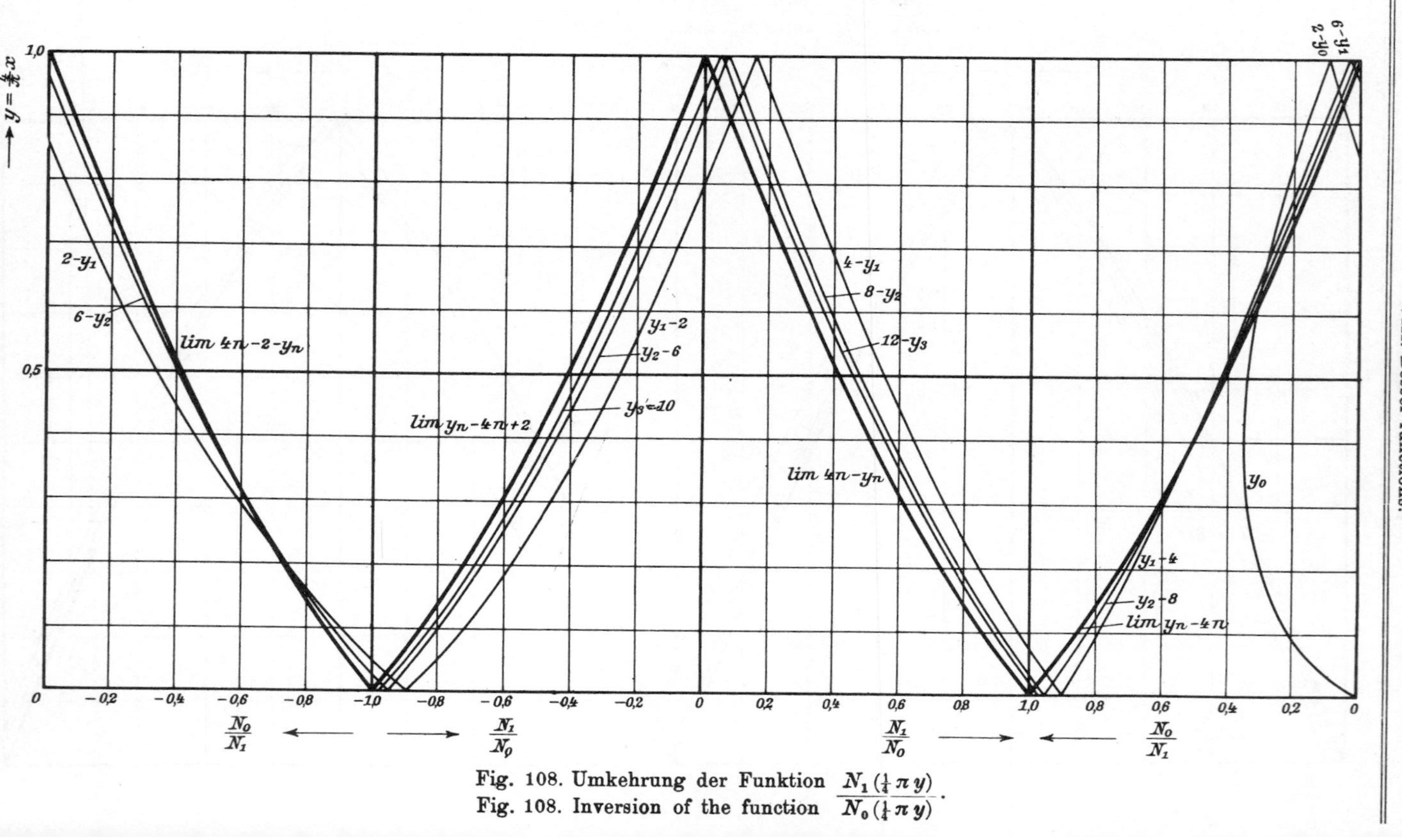

Fig. 108. Umkehrung der Funktion $\frac{N_1(\frac{1}{4}\pi y)}{N_0(\frac{1}{4}\pi y)}$.
Fig. 108. Inversion of the function $\frac{N_1(\frac{1}{4}\pi y)}{N_0(\frac{1}{4}\pi y)}$.

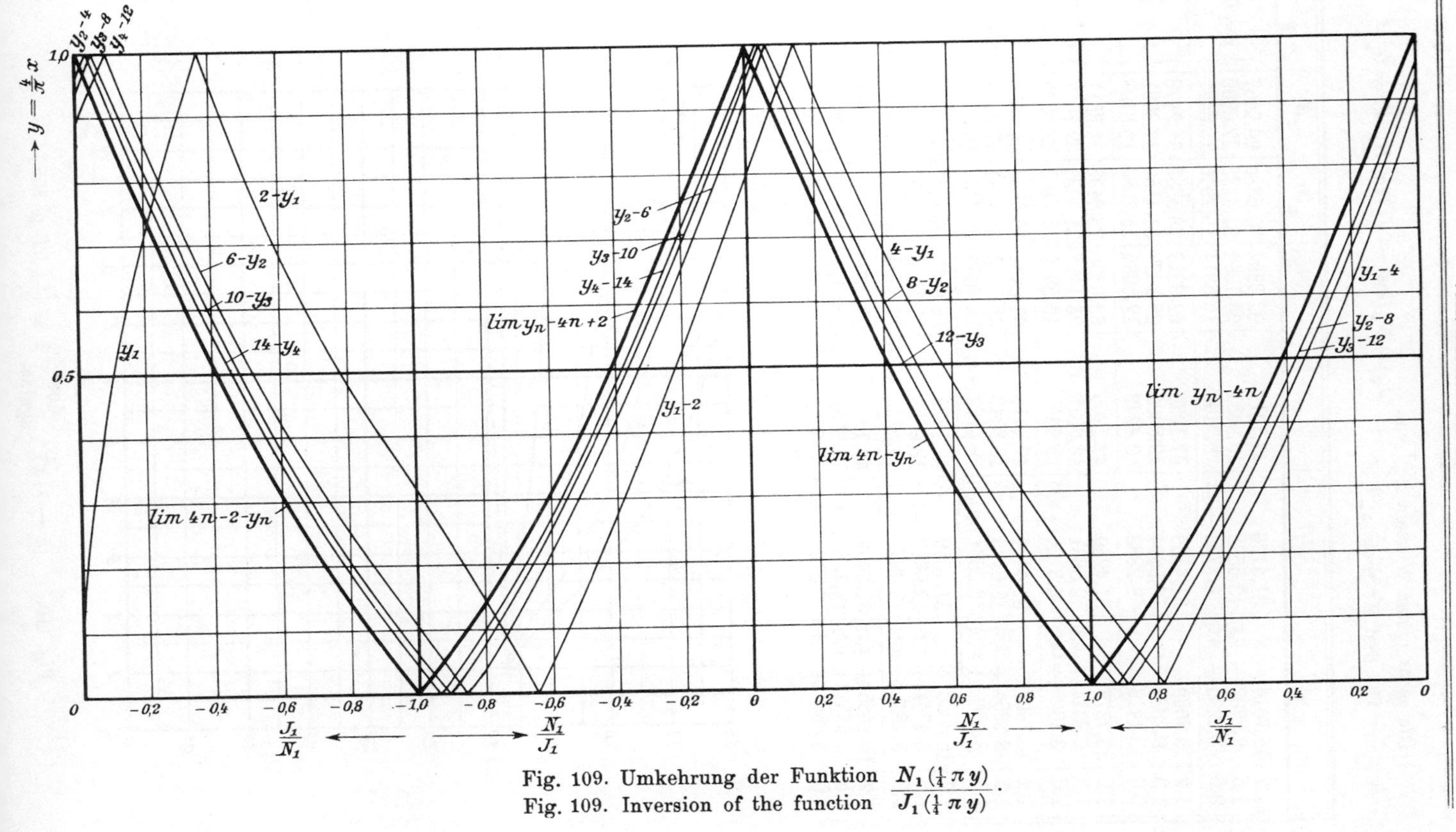

Fig. 109. Umkehrung der Funktion $\dfrac{N_1(\frac{1}{4}\pi y)}{J_1(\frac{1}{4}\pi y)}$.
Fig. 109. Inversion of the function

Die sechs ersten Wurzeln $x_p^{(n)}$ von
The first six roots $x_p^{(n)}$ of $J_p(x)\,N_p(kx) - J_p(kx)\,N_p(x) = 0.$

k	$x^{(1)}$	$x^{(2)}$	$x^{(3)}$	$x^{(4)}$	$x^{(5)}$	$x^{(6)}$	p
1,2	15,7014	31,4126	47,1217	62,8302	78,5385	94,2467	$p=0$
1,5	6,2702 (— 0,3)	12,5598	18,8451	25,1294	31,4133	37,6969	
2,0	3,1230 (— 6,2)	6,2734 (—0,2)	9,4182	12,5614	15,7040	18,8462	
1,2	15,7080	31,4159	47,1239	62,8319	78,5398	94,2478	$p=\frac{1}{2}$
1,5	6,2832	12,5664	18,8496	25,1327	31,4159	37,6991	
2,0	3,1416	6,2832	9,4248	12,5664	15,7080	18,8496	
1,2	15,7277	31,4259	47,1305	62,8368	78,5438	94,2511	$p=1$
1,5	6,3218 (+ 0,9)	12,5861	18,8628	25,1427	31,4239	37,7057	
2,0	3,1966 (+ 15,7)	6,3124 (+0,5)	9,4445	12,5812	15,7199	18,8595	
1,2	15,7607	31,4424	47,1416	62,8451	78,5504	94,2566	$p=\frac{3}{2}$
1,5	6,3858 (+ 2,2)	12,6190	18,8848	25,1592	31,4371	37,7168	
2,0	3,2866 (+ 33,6)	6,3607 (+1,0)	9,4772 (+0,1)	12,6059	15,7397	18,8760	
1,2	15,8066	31,4656	47,1570	62,8567	78,5597	94,2644	$p=2$
1,5	6,4742 (+ 3,9)	12,6648 (+0,1)	18,9156	25,1823	31,4556	37,7322	
2,0	3,4063 (+ 45,6)	6,4277 (+1,4)	9,5228 (+0,2)	12,6404	15,7673	18,8991	
1,2	15,8655 (+ 0,2)	31,4953	47,1769	62,8716	78,5716	94,2743	$p=\frac{5}{2}$
1,5	6,5860 (+ 6,8)	12,7235 (+0,2)	18,9551	25,2121	31,4795	37,7521	
2,0	3,5514 (+ 49,6)	6,5130 (+1,6)	9,5813 (+0,2)	12,6846	15,8029	18,9288	

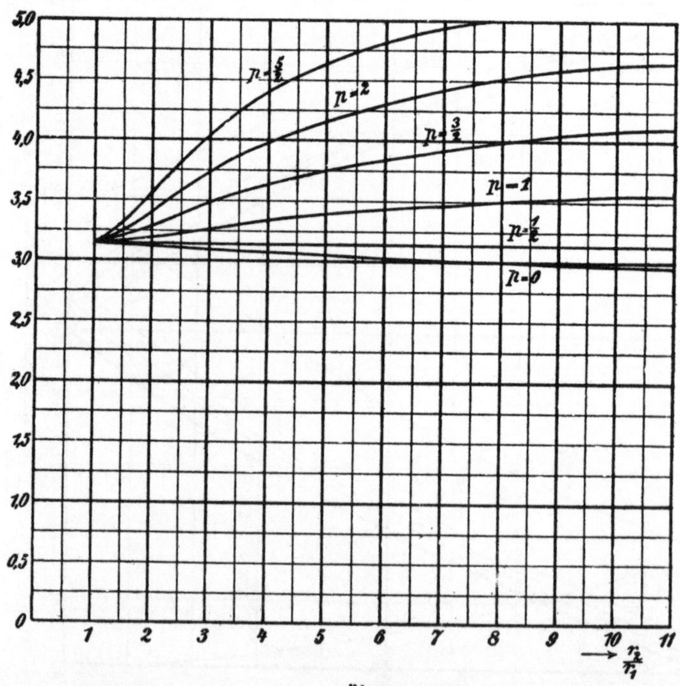

Fig. 110. $(k-1)\,x_p^{(1)}$ über / against $k = \frac{r_2}{r_1}$. (cf. p. 205.)

Die sechs ersten Wurzeln $x_p^{(n)}$ von
The first six roots $x_p^{(n)}$ of

$$J_p(x)\,N_p(kx) - J_p(kx)\,N_p(x) = 0$$

$$(k-1)\,x_p^{(1)}.$$

k	$p=0$	$p=\frac{1}{2}$	$p=1$	$p=\frac{3}{2}$	$p=2$	$p=\frac{5}{2}$
1	3,1416	3,1416	3,1416	3,1416	3,1416	3,1416
1,2	3,1403	3,1416	3,1455	3,1521	3,1613	3,1731
1,5	3,1351	3,1416	3,1609	3,1929	3,2371	3,2930
2	3,1228	3,1416	3,1966	3,2866	3,4063	3,5514
3	3,100	3,1416	3,270	3,4744	3,740	4,105
4	3,076	3,1416	3,334	3,6287	4,005	4,45
5	3,054	3,1416	3,388	3,749	4,180	4,68
6	3,035	3,1416	3,430	3,842	4,307	4,83
7	3,019	3,1416	3,467	3,918	4,408	4,94
8	3,006	3,1416	3,499	3,978	4,488	5,04
9	2,992	3,1416	3,525	4,029	4,550	5,11
10	2,981	3,1416	3,548	4,069	4,605	5,17
11	2,970	3,1416	3,567	4,100	4,650	5,22
19	2,92	3,1416	3,66	4,25	(4,84)	(5,43)
39	2,84	3,1416	3,74	4,37	(4,99)	(5,60)
∞	2,4048	3,1416	3,8317	4,4934	5,1357	5,7636

k	$(k-1)x^{(1)}$	k	$(k-1)x^{(2)}$	k	$(k-1)x^{(3)}$	k	$(k-1)x^{(4)}$	p
1,0000	3,1416	1,0000	6,2832	1,0000	9,4248	1,0000	12,5664	$p=0$
1,3625	3,1378	1,7253	6,2772	2,0882	9,4137	3,2737	12,5510	
1,447	3,136	2,1361	6,2715	2,7048	9,4108	6,2087	12,5361	
1,5677	3,1337	2,612	6,264	4,9033	9,3867	......	....	
1,805	3,128	3,5985	6,2489	12,287	9,323	......	....	
2,2954	3,1152	8,490	6,187	......	......	......	....	
4,703	3,059	.....	......	....	....	......	....	
∞	2,4048	∞	5,5201	∞	8,6537	∞	11,7915	
1,0000	3,1416	1,0000	6,2832	1,0000	9,4248	1,0000	12,5664	$p=1$
1,3096	3,1502	1,6190	6,2972	1,9281	9,4424	2,7960	12,6003	
1,4501	3,1579	1,8992	6,3081	2,3478	9,4550	4,2986	12,6389	
1,591	3,166	2,6551	6,3418	3,4772	9,4920	......	....	
1,8309	3,1839	4,023	6,403	......	......	......	....	
2,528	3,237	......	......	......	......	......	....	
∞	3,8317	∞	7,0156	∞	10,1735	∞	13,3237	

Zu den Tafeln S. 204 ... 206.

Kleine Ziffern bedeuten Unsicherheit um 1 bis 2 Einheiten, Unterstreichung bedeutet Unsicherheit von mehr als 2 Einheiten.

Die in Klammern beigefügten kleinen Zahlen geben die Unsicherheit der betreffenden Werte in Einheiten der vierten Dezimale an.

For the tables p. 204 ... 206.

Small digits denote uncertainty of 1 or 2 units, underlining denotes uncertainty of more than 2 units.

The small numbers in parentheses give the uncertainty of the corresponding values in units of the fourth decimal.

$(k-1)\,x_p^{(n)} \to n\pi$ für / for $k \to 1$; Alle / All $x_p^{(n)} \to 0$ für / for $k \to \infty$.

Die sechs ersten Wurzeln $x_p^{(n)}$ von
The first six roots $x_p^{(n)}$ of

$$J_p(x)\,N_p(kx) - J_p(kx)\,N_p(x) = 0.$$

k	$(k-1)\,x^{(1)}$	$(k-1)\,x^{(2)}$	$(k-1)\,x^{(3)}$	$(k-1)\,x^{(4)}$	$(k-1)\,x^{(5)}$	$(k-1)\,x^{(6)}$	p
1,2	3,1403	6,2825	9,4243	12,5660	15,7077	18,8493	$p=0$
1,5	3,1351	6,2799	9,4226	12,5647	15,7066	18,8485	
2,0	3,1228	6,2734	9,4182	12,5614	15,7040	18,8462	
∞	2,4048	5,5201	8,6537	11,7915	14,9309	18,0711	
1,2	3,1416	6,2832	9,4248	12,5664	15,7080	18,8496	$p=\frac{1}{2}$
1,5	3,1416	6,2832	9,4248	12,5664	15,7080	18,8496	
2,0	3,1416	6,2832	9,4248	12,5664	15,7080	18,8496	
∞	3,1416	6,2832	9,4248	12,5664	15,7080	18,8496	
1,2	3,1455	6,2852	9,4261	12,5674	15,7088	18,8502	$p=1$
1,5	3,1609	6,2931	9,4314	12,5713	15,7119	18,8529	
2,0	3,1966	6,3124	9,4445	12,5812	15,7199	18,8595	
∞	3,8317	7,0156	10,1735	13,3237	16,4706	19,6159	
1,2	3,1521	6,2885	9,4283	12,5690	15,7101	18,8513	$p=\frac{3}{2}$
1,5	3,1929 (+ 1,1)	6,3095	9,4424	12,5796	15,7186	18,8584	
2,0	3,2866 (+33,6)	6,3607 (+1,0)	9,4772 (+0,1)	12,6059	15,7397	18,8760	
∞	4,4934 (− 0,3)	7,7253	10,9041	14,0662	17,2208	20,3713	
1,2	3,1613	6,2931	9,4314	12,5713	15,7119	18,8529	$p=2$
1,5	3,2371 (+ 2,0)	6,3324	9,4578	12,5912	15,7278	18,8661	
2,0	3,4063 (+45,6)	6,4277 (+1,4)	9,5228 (+0,2)	12,6404	15,7673	18,8991	
∞	5,1357 (− 2,3)	8,4172 (−0,1)	11,6198	14,7960	17,9598	21,1170	
1,2	3,1731	6,2991	9,4354	12,5743	15,7143	18,8549	$p=\frac{5}{2}$
1,5	3,2930 (+ 3,4)	6,3617 (+0,1)	9,4775	12,6060	15,7397	18,8760	
2,0	3,5514 (+49,6)	6,5130 (+1,6)	9,5813 (+0,2)	12,6846	15,8029	18,9288	
∞	5,7636 (− 8,3)	9,0950 (−0,5)	12,3229	15,5146	18,6890	21,8539	

Die in den Tafeln S. 205 u. 206 enthaltenen Wurzeln $(k-1)\,x_p^{(n)}$ der Gleichungen

The roots $(k-1)\,x_p^{(n)}$ of the equations

$$J_p(x)\,N_p(kx) - J_p(kx)\,N_p(x) = 0$$

sind identisch mit den Wurzelwerten $(r_2 - r_1)\,\tau_p^{(n)}$ der entsprechenden Gleichungen

contained in the tables p. 205 and 206 are identical with the root values $(r_2 - r_1)\,\tau_p^{(n)}$ of the corresponding equations

$$J_p(r_1\tau)\,N_p(r_2\tau) - J_p(r_2\tau)\,N_p(r_1\tau) = 0,$$

wobei $\frac{r_2}{r_1} = k$ ist.

where $\frac{r_2}{r_1} = k$.

Mit | With

$$T_p(x) \equiv \frac{J_p(x)}{N_p(x)}$$

lautet die Gleichung | the equation assumes the form

$$T_p(x_n) = T_p(k x_n), \quad x_1 = \frac{\pi}{k-1}(1+\alpha), \quad \textbf{Fig. 111.}$$

Die Fig. 112 ... 115 geben Lösungen der Gleichung[1] | The fig. 112 ... 115 give solutions of the equation[1]

$$T_0(x_n) = T_1(k x_n), \quad x_n = \frac{n-0{,}5}{k-1}\pi(1+\alpha).$$

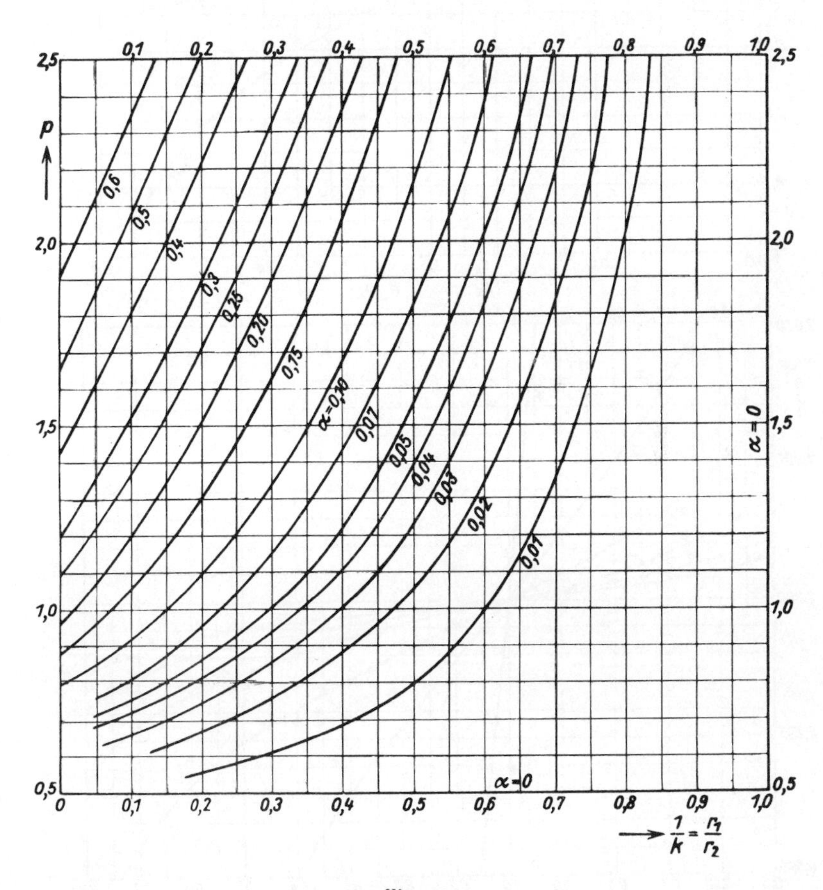

Fig. 111.

1) L. Rendulic, Wasserwirtschaft und Technik, 1935, Heft 23 ... 26.

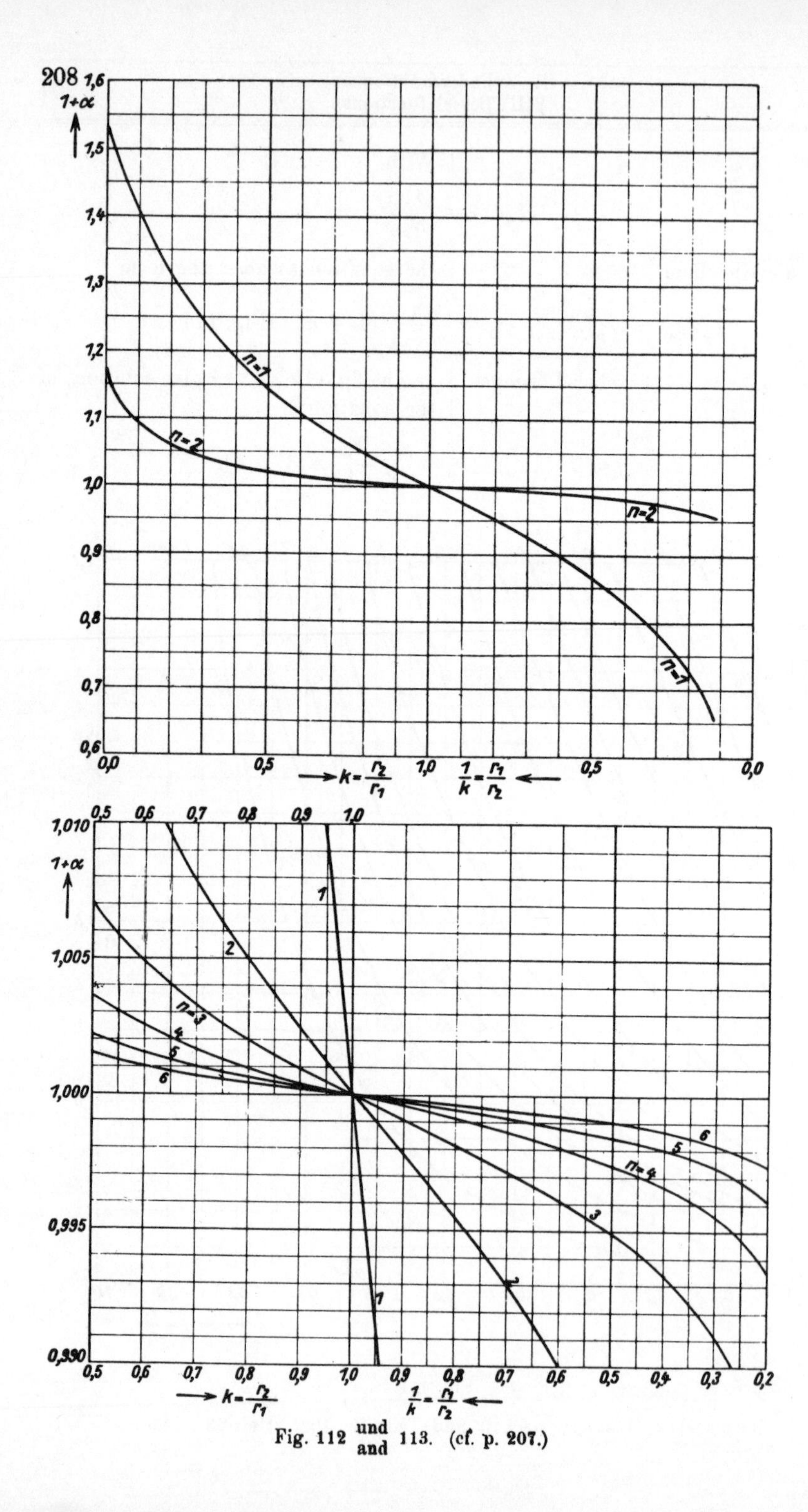

Fig. 112 und/and 113. (cf. p. 207.)

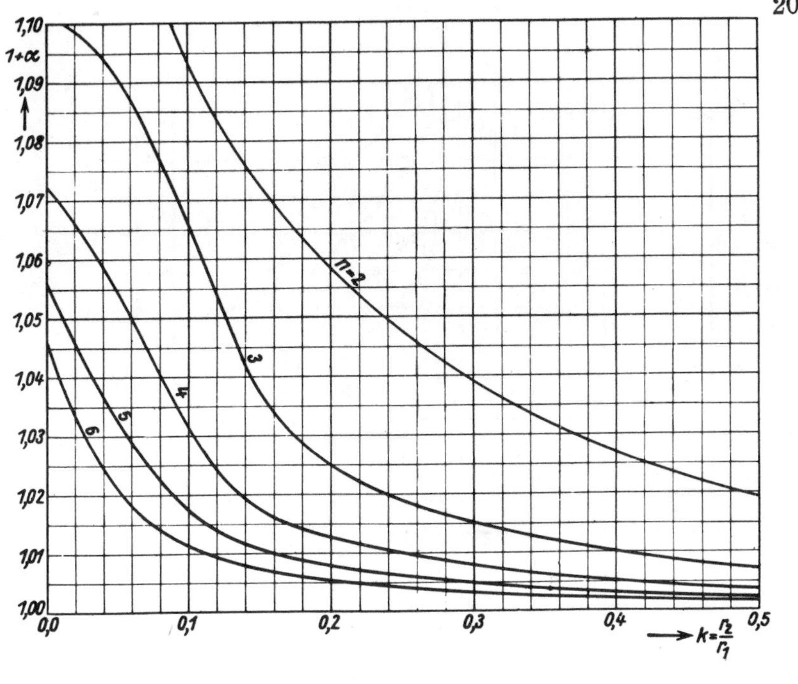

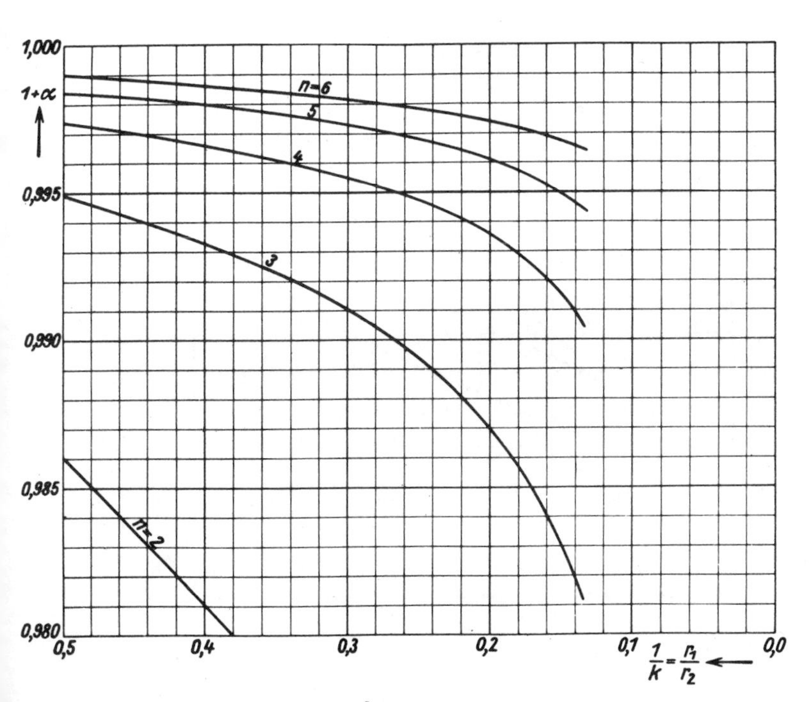

Fig. 114 und/and 115. (cf. p. 207.)

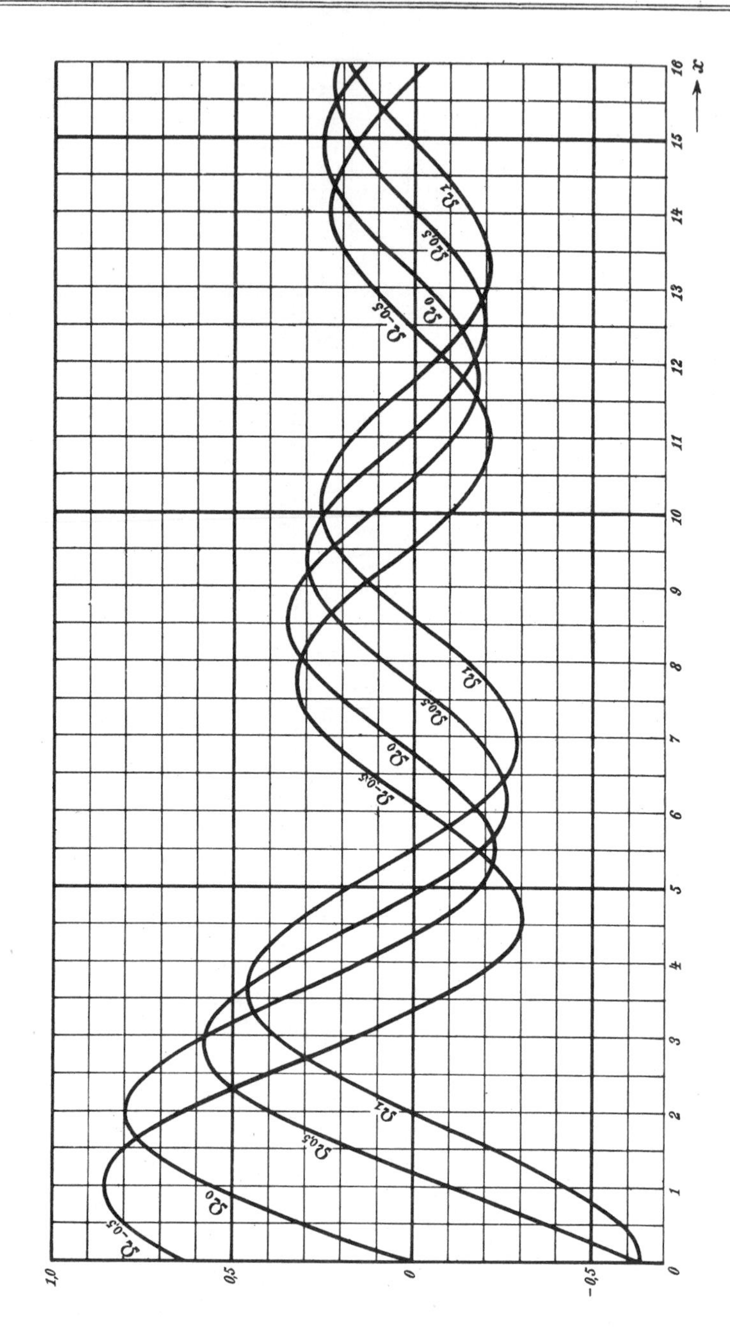

Fig. 116. Die Lommel-Webersche Funktion $\Omega_p(x)$.
Fig. 116. The Lommel-Weber function $\Omega_p(x)$.

9. The function $\Omega_p(z)$ of H. F. Weber and Lommel.

$$\Omega_p(z) = \frac{1}{\pi}\int_0^\pi \sin(z\sin\varphi - p\varphi)\,d\varphi,$$

$$\Omega_p''(z) + \frac{1}{z}\Omega_p'(z) + \left(1 - \frac{p^2}{z^2}\right)\Omega_p(z) = \frac{z + p + (z-p)\cos p\pi}{\pi z^2},$$

$$\frac{\pi}{2}\Omega_p(z) = -\frac{1}{p}\sin^2 p\frac{\pi}{2}\left[1 - \frac{z^2}{2^2 - p^2} + \frac{z^4}{(2^2-p^2)(4^2-p^2)} - \cdots\right]$$
$$+ \cos^2 p\frac{\pi}{2}\left[\frac{z}{1^2-p^2} - \frac{z^3}{(1^2-p^2)(3^2-p^2)} + \cdots\right].$$

$$\Omega_p(z) + N_p(z) \sim -\frac{1+\cos p\pi}{\pi z}\left[1 - \frac{1^2-p^2}{z^2} + \frac{(1^2-p^2)(3^2-p^2)}{z^4} - \cdots\right]$$
$$-\frac{1-\cos p\pi}{\pi z}\left[\frac{p}{z} - \frac{p(2^2-p^2)}{z^3} + \frac{p(2^2-p^2)(4^2-p^2)}{z^5} - \cdots\right].$$

10. Die Struvesche Funktion $\mathcal{S}_p(z)$.

10. The Struve function $\mathcal{S}_p(z)$.

$$\mathcal{S}_p(z) = \frac{2}{\sqrt{\pi}}\frac{\left(\frac{z}{2}\right)^p}{(p-0{,}5)!}\int_0^{\frac{\pi}{2}} \sin(z\cos\varphi)\sin^{2p}\varphi\,d\varphi, \quad \Re p > -0{,}5,$$

$$\mathcal{S}_p''(z) + \frac{1}{z}\mathcal{S}_p'(z) + \left(1 - \frac{p^2}{z^2}\right)\mathcal{S}_p(z) = \frac{\left(\frac{z}{2}\right)^{p-1}}{\sqrt{\pi}(p-0{,}5)!},$$

$$\mathcal{S}_p(2z) = \frac{2}{\sqrt{\pi}}\frac{z^{p+1}}{(p+0{,}5)!}\left[1 - \frac{1}{1{,}5}\frac{z^2}{p+1{,}5} + \frac{1}{1{,}5\cdot 2{,}5}\frac{z^4}{(p+1{,}5)(p+2{,}5)} - \cdots\right],$$

$$\mathcal{S}_p(2z) - N_p(2z) \sim \frac{z^{p-1}}{\sqrt{\pi}(p-0{,}5)!}\left[1 + \frac{0{,}5}{(p+0{,}5)z^2} + \frac{0{,}5\cdot 1{,}5}{(p+0{,}5)(p+1{,}5)z^4} + \cdots\right],$$

$$\sqrt{\frac{\pi}{2}}\,\mathcal{S}_{0,5}(z) = \frac{1-\cos z}{\sqrt{z}}.$$

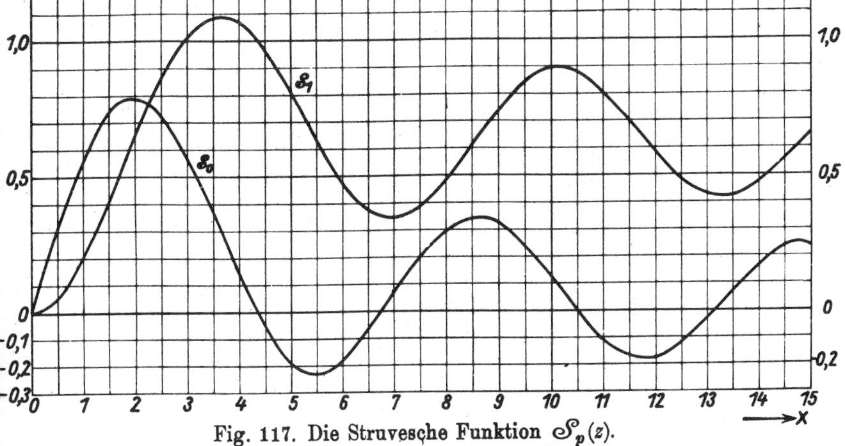

Fig. 117. Die Struvesche Funktion $\mathcal{S}_p(z)$.

Fig. 117. The Struve function $\mathcal{S}_p(z)$.

x		0	1	2	3	4	5	6	7	8	9	d
0,0	0,0	000	064	127	191	255	318	382	445	509	572	63
1		636	699	763	826	889	952	*016	*079	*142	*204	63
2	0,1	268	330	393	455	518	580	643	704	767	829	62
3		891	952	*014	*075	*137	*198	*259	*320	*381	*441	61
4	0,2	501	562	622	681	741	801	860	919	978	*037	60
5	0,3	096	153	212	270	328	385	442	499	556	613	57
6		669	725	781	836	892	947	*002	*056	*111	*164	55
7	0,4	218	271	325	378	431	482	535	586	638	689	51
8		740	790	841	890	940	989	*038	*086	*135	*182	49
9	0,5	230	277	324	370	417	462	508	553	598	642	45
1,0		687	730	773	816	859	901	943	984	*025	*065	42
1	0,6	106	145	185	224	263	300	339	375	413	449	37
2		486	521	557	591	626	660	693	726	759	791	34
3		824	854	886	916	947	976	*005	*034	*062	*090	29
4	0,7	118	144	171	197	223	248	273	297	321	344	25
5		367	389	412	433	454	474	495	514	533	552	20
6		570	588	605	622	638	654	669	684	699	712	16
7		726	739	752	763	775	786	797	807	817	825	11
8		835	842	850	857	865	871	877	882	887	891	6
9		895	898	902	904	906	908	909	909	910	909	2
2,0		909	907	906	903	901	897	894	890	886	880	4
1		875	869	863	856	849	841	833	824	816	806	8
2		796	786	775	763	752	740	727	714	701	687	12
3		673	658	643	627	611	594	578	560	543	525	17
4		506	487	468	448	428	408	387	366	344	322	20
5		300	276	254	230	206	181	157	132	106	080	25
6		054	027	001	*973	*946	*918	*890	*861	*832	*802	28
7	0,6	773	743	713	682	651	620	588	556	524	491	31
8		459	425	392	358	324	290	255	220	185	150	34
9		114	078	042	005	*969	*932	*895	*857	*819	*781	37
3,0	0,5	743	704	666	627	588	548	509	469	429	389	40
1		348	308	267	226	185	143	102	060	018	*976	42
2	0,4	934	891	849	806	763	720	677	634	591	547	43
3		503	459	416	371	327	283	239	194	150	105	44
4		060	015	*970	*925	*880	*835	*790	*744	*699	*654	45
5	0,3	608	563	517	471	426	380	334	289	243	197	46
6		151	106	060	014	*968	*922	*877	*831	*785	*739	46
7	0,2	694	648	602	557	511	465	420	374	329	284	46
8		238	193	148	103	058	013	*968	*923	*878	*834	45
9	0,1	789	745	701	656	612	568	524	481	437	394	44
4,0		350	307	264	221	178	135	093	050	008	*966	43
1	0,0	924	883	841	800	758	717	676	636	595	555	41
2		515	475	435	396	356	317	278	240	201	163	39
3		125	087	049	012	*025	*062	*099	*134	*171	*206	37
4	$^{-}0{,}0$	243	278	313	348	383	417	452	485	519	552	34
5		585	618	651	683	715	747	778	809	840	870	32
6		901	931	960	990	*019	*047	*076	*104	*132	*159	28
7	$^{-}0{,}1$	187	213	240	266	293	318	343	368	393	417	25
8		442	465	489	512	534	557	579	600	622	643	23
9		664	684	704	724	743	762	781	799	817	835	19

x		0	1	2	3	4	5	6	7	8	9	d
,0	‾0,6	366	366	365	364	363	361	359	356	353	349	2
1		345	340	336	330	325	318	312	305	298	290	7
2		282	273	264	254	244	234	223	212	201	189	10
3		176	163	150	137	123	108	094	078	063	046	15
4		030	013	*996	*978	*961	*942	*923	*904	*885	*865	19
5	‾0,5	844	823	803	781	759	737	715	691	668	644	22
6		620	596	571	546	520	494	468	442	415	387	26
7		360	332	304	275	246	216	187	157	127	096	30
8		065	034	002	*970	*938	*905	*872	*839	*806	*772	33
9	‾0,4	738	704	669	634	599	563	528	491	455	418	36
1,0		382	344	307	269	231	193	155	116	077	038	38
1	‾0,3	999	959	919	879	839	798	757	716	675	634	41
2		592	550	508	466	423	381	338	295	252	208	42
3		165	121	077	033	*989	*945	*900	*856	*811	*766	44
4	‾0,2	721	676	630	585	539	494	448	402	356	310	45
5		263	217	170	124	077	030	*984	*937	*890	*843	47
6	‾0,1	796	749	701	654	607	559	512	464	417	369	48
7		322	274	227	179	131	084	036	*988	*941	*893	47
8	‾0,0	845	798	750	702	655	607	559	512	464	417	48
9		370	322	275	228	180	133	086	039	*008	*055	47
2,0	0,0	101	148	195	241	288	334	380	426	472	518	46
1		564	610	655	701	746	791	836	881	926	971	45
2	0,1	015	060	104	148	192	235	279	322	365	408	43
3		451	494	536	579	621	663	704	746	787	828	42
4		869	910	950	990	*030	*070	*110	*149	*188	*227	40
5	0,2	265	304	342	380	417	454	492	528	565	601	37
6		637	673	709	744	779	813	848	882	916	949	34
7		983	*016	*048	*081	*113	*144	*176	*207	*238	*268	31
8	0,3	299	329	358	387	417	445	473	501	529	556	28
9		583	610	636	662	688	713	738	763	787	811	25
3,0		835	858	881	903	926	947	969	990	*011	*031	21
1	0,4	051	071	091	109	128	146	164	182	199	216	18
2		232	248	264	279	294	308	323	336	350	363	14
3		376	388	400	411	423	433	444	454	463	472	10
4		482	490	498	506	513	520	527	533	539	544	7
5		550	554	559	562	566	569	572	574	577	578	3
6		580	580	581	581	581	580	579	578	576	574	1
7		572	569	566	562	558	554	549	544	539	533	4
8		527	521	514	507	499	491	483	474	466	456	8
9		447	436	426	415	404	393	381	369	357	344	11
4,0		331	317	304	289	275	261	246	230	215	198	14
1		182	165	149	131	114	096	078	059	040	021	18
2		002	*982	*962	*942	*921	*901	*880	*858	*836	*814	20
3	0,3	792	770	747	724	701	677	653	629	605	580	24
4		555	530	505	479	453	427	401	374	348	321	26
5		294	266	238	210	183	154	126	097	068	039	29
6		010	*980	*951	*921	*891	*860	*830	*799	*769	*738	31
7	0,2	707	675	644	612	581	549	517	485	452	420	32
8		387	355	322	289	256	222	189	156	122	088	34
9		055	021	*987	*953	*919	*884	*850	*816	*781	*747	35

x		0	1	2	3	4	5	6	7	8	9	d
5,0	$\bar{0}$,1	852	869	886	902	918	933	949	963	978	992	15
1	$\bar{0}$,2	006	019	032	045	058	069	081	092	104	114	11
2		124	134	144	153	162	170	179	186	194	201	8
3		208	214	220	226	231	236	241	245	249	252	5
4		256	258	261	263	265	266	267	268	269	269	1
5		269	268	267	266	264	262	260	257	254	251	2
6		247	243	239	234	230	224	219	213	206	200	6
7		193	186	178	170	162	153	145	136	127	117	9
8		107	096	086	075	064	052	041	028	016	003	12
9	$\bar{0}$,1	990	977	964	950	936	921	907	892	877	861	15
6,0		846	829	813	797	780	763	746	728	711	692	16
1		674	656	637	618	599	579	560	540	520	499	20
2		479	458	437	416	394	372	351	329	307	284	22
3		262	239	216	193	169	146	122	098	074	050	23
4		025	001	*976	*951	*926	*901	*876	*850	*825	*800	25
5	$\bar{0}$,0	773	747	721	694	668	641	615	588	561	534	27
6		507	479	452	425	397	369	342	314	286	258	28
7		230	202	174	145	117	089	060	031	003	*026	28
8	0,0	054	083	112	141	170	198	227	256	285	314	28
9		343	372	401	430	460	489	518	547	576	605	29
7,0		634	663	692	721	750	779	808	837	865	894	29
1		923	952	980	*009	*038	*066	*095	*123	*151	*180	28
2	0,1	208	236	264	292	320	348	375	403	431	458	28
3		485	513	540	567	594	622	648	674	701	727	28
4		753	779	805	831	857	883	908	933	959	984	26
5	0,2	009	033	058	082	107	131	155	179	202	226	24
6		249	272	295	318	341	363	385	407	429	451	22
7		472	494	515	536	556	577	597	617	637	657	21
8		677	696	715	734	752	771	789	807	825	842	19
9		860	877	893	910	926	943	959	974	990	*005	17
8,0	0,3	020	034	049	063	077	091	105	118	131	144	14
1		156	168	180	192	204	215	226	236	247	257	11
2		267	277	286	295	304	313	321	329	337	345	9
3		352	359	366	372	379	385	390	396	401	406	6
4		410	415	419	423	426	429	432	435	438	440	3
5		442	443	445	446	447	447	447	447	447	446	0
6		446	445	443	442	440	438	435	432	430	426	2
7		423	419	415	411	406	401	397	391	386	380	5
8		374	367	361	354	347	339	332	324	316	307	8
9		299	290	281	271	262	252	242	231	221	210	10
9,0		199	187	176	164	152	140	127	115	102	088	12
1		075	062	048	034	019	005	*990	*975	*960	*945	14
2	0,2	929	914	898	881	865	849	832	815	798	780	16
3		763	745	727	709	691	672	654	635	616	597	19
4		578	558	538	519	499	478	458	438	417	396	21
5		375	354	333	312	290	269	247	225	203	181	21
6		158	136	113	091	068	045	022	*999	*975	*952	23
7	0,1	929	905	881	858	834	810	786	762	737	713	24
8		689	664	640	615	590	565	541	516	491	466	25
9		441	416	390	365	340	315	289	264	238	213	25

x		0	1	2	3	4	5	6	7	8	9	d
5,0	0,1	712	677	642	608	573	538	503	468	433	397	35
1		362	327	292	256	221	186	150	115	080	044	35
2		009	*973	*938	*902	*867	*832	*796	*761	*725	*690	35
3	0,0	655	619	584	549	514	479	443	408	373	338	35
4		303	268	234	199	164	130	095	061	026	*008	34
5	⁻0,0	042	076	110	144	178	212	246	279	313	346	34
6		379	412	445	478	511	544	576	608	641	673	33
7		705	736	768	800	831	862	893	924	955	985	31
8	⁻0,1	016	046	076	106	136	165	194	223	252	281	29
9		310	338	366	394	422	450	477	504	531	558	28
6,0		584	611	637	663	688	714	739	764	789	813	26
1		838	862	885	909	932	955	978	*001	*023	*045	23
2	⁻0,2	067	089	110	131	152	172	193	213	233	252	20
3		271	290	309	327	346	364	381	399	416	432	18
4		449	465	481	497	512	527	542	557	571	585	15
5		599	612	625	638	650	662	675	686	697	708	12
6		719	730	740	750	759	768	777	786	794	802	9
7		810	818	825	832	838	844	851	856	862	866	6
8		871	876	880	884	887	890	893	896	898	900	3
9		902	903	905	905	906	906	906	906	905	904	0
7,0		903	901	900	897	895	892	890	886	883	879	3
1		875	870	865	860	855	849	844	837	831	824	6
2		817	810	802	794	786	778	769	760	751	742	8
3		732	722	712	701	690	679	668	656	645	632	11
4		620	607	595	581	568	555	541	527	512	498	13
5		483	468	453	437	422	406	389	373	356	339	16
6		323	305	288	270	252	234	216	197	178	159	18
7		140	121	101	082	062	042	021	001	*980	*959	20
8	⁻0,1	939	917	896	874	853	831	809	787	764	742	22
9		719	696	674	650	627	604	580	557	533	509	23
8,0		485	461	437	412	388	363	338	313	288	263	25
1		238	213	188	162	136	111	085	059	033	007	25
2	⁻0,0	981	955	929	903	876	850	823	797	770	744	26
3		717	690	663	637	610	583	556	529	502	475	27
4		448	421	394	367	340	312	285	258	231	204	28
5		177	150	122	095	068	041	014	*013	*040	*067	27
6	0,0	094	121	148	175	201	228	255	282	308	335	27
7		361	388	414	441	467	493	519	545	571	597	26
8		623	649	674	700	726	751	776	801	826	851	25
9		876	901	926	950	975	999	*024	*048	*072	*095	24
9,0	0,1	119	143	166	190	213	236	259	282	304	327	23
1		349	371	393	415	437	458	480	501	522	543	21
2		564	585	605	625	645	665	685	704	724	743	20
3		762	781	799	818	836	854	872	889	907	924	18
4		941	958	975	991	*007	*023	*039	*055	*070	*085	16
5	0,2	100	115	130	144	158	172	185	199	212	225	14
6		238	250	262	274	286	298	309	320	331	342	12
7		352	362	372	382	392	401	410	418	427	435	9
8		443	451	459	466	473	480	486	493	499	504	7
9		510	515	521	525	530	534	538	542	546	549	4

x		0	1	2	3	4	5	6	7	8	9	d
10,0	0,1	187	162	136	111	085	060	034	008	*983	*957	25
1	0,0	931	906	880	854	828	803	777	751	726	700	25
2		674	649	623	598	572	547	521	496	470	445	25
3		420	394	369	344	319	294	269	244	219	194	25
4		169	145	120	095	071	047	022	*002	*026	*050	24
5	$\bar{}$0,0	074	098	122	145	169	193	216	239	263	286	24
6		309	331	354	377	399	422	444	466	488	510	23
7		532	553	575	596	617	638	659	680	701	721	21
8		742	762	782	802	821	841	860	879	899	918	20
9		936	955	973	991	*009	*027	*045	*063	*080	*097	18
11,0	$\bar{}$0,1	114	131	148	164	180	196	212	228	243	258	16
1		274	288	303	318	332	346	360	373	387	400	14
2		413	426	439	451	463	475	487	498	510	521	12
3		532	542	553	563	573	583	593	602	611	620	10
4		629	637	645	653	661	668	676	683	690	696	7
5		703	709	715	720	726	731	736	741	745	750	5
6		754	757	761	764	768	770	773	775	778	780	2
7		781	783	784	785	786	786	787	787	787	786	0
8		786	785	784	782	781	779	777	775	773	770	2
9		767	764	760	757	753	749	745	740	735	730	4
12,0		725	720	714	708	702	696	690	683	676	669	6
1		662	654	646	638	630	622	613	604	595	586	8
2		577	567	557	547	537	527	516	505	494	483	10
3		472	460	448	436	424	412	399	387	374	361	12
4		348	334	321	307	293	279	265	250	236	221	14
5		206	191	176	160	145	129	113	097	081	065	16
6		048	032	015	*998	*981	*964	*947	*930	*912	*894	17
7	$\bar{}$0,0	877	859	841	823	804	786	768	749	730	711	18
8		693	673	654	635	616	596	577	557	538	518	20
9		498	478	458	438	418	397	377	357	336	316	21
13,0		295	274	254	233	212	191	170	149	128	107	21
1		086	065	044	022	001	*020	*042	*063	*084	*106	21
2	0,0	127	149	170	192	213	235	256	278	299	321	22
3		342	364	386	407	429	450	472	493	515	536	21
4		557	579	600	621	643	664	685	706	728	749	21
5		770	791	812	833	854	875	895	916	937	957	21
6		978	998	*019	*039	*059	*079	*100	*120	*140	*159	20
7	0,1	179	199	219	238	257	277	296	315	334	353	20
8		372	391	409	428	446	465	483	501	519	537	19
9		554	572	589	607	624	641	658	675	691	708	17
14,0		724	741	757	773	789	804	820	835	851	866	15
1		881	895	910	925	939	953	967	981	995	*008	14
2	0,2	021	035	048	061	073	086	098	110	122	134	13
3		146	157	169	180	191	201	212	222	233	242	10
4		252	262	271	281	290	299	307	316	324	332	9
5		340	348	355	362	370	377	383	390	396	402	7
6		408	414	419	425	430	435	440	444	448	452	5
7		456	460	463	467	470	473	475	478	480	482	3
8		484	485	487	488	489	490	491	491	491	491	1
9		491	490	490	489	488	487	485	483	482	479	1

x		0	1	2	3	4	5	6	7	8	9	d
0,0	0,2	552	555	558	560	562	564	565	567	568	569	2
1		569	569	570	569	569	568	568	566	565	563	1
2		561	559	557	554	551	548	545	541	538	533	3
3		529	525	520	515	510	504	498	492	486	479	6
4		473	466	459	451	444	436	428	420	411	402	8
5		393	384	375	365	355	345	335	324	314	303	10
6		292	280	269	257	245	233	220	208	195	182	12
7		169	155	142	128	114	100	085	071	056	041	14
8		026	011	*995	*980	*964	*948	*932	*915	*899	*882	16
9	0,1	866	848	831	814	797	779	761	743	725	707	18
1,0		688	670	651	632	613	594	575	556	536	517	19
1		497	477	457	437	417	396	376	355	335	314	21
2		293	272	251	229	208	187	165	144	122	100	21
3		078	056	034	012	*990	*968	*945	*923	*901	*878	22
4	0,0	855	833	810	787	764	742	719	696	673	650	22
5		627	603	580	557	534	511	487	464	441	417	23
6		394	371	347	324	300	277	254	230	207	183	23
7		160	137	113	090	067	043	020	*003	*027	*050	24
8	⁻0,0	073	096	119	142	166	189	212	234	257	280	23
9		303	326	348	371	394	416	439	461	483	505	22
2,0		528	550	572	594	615	637	659	680	702	723	22
1		745	766	787	808	829	850	870	891	912	932	21
2		952	972	992	*012	*032	*052	*071	*091	*110	*129	20
3	⁻0,1	148	167	186	204	223	241	259	277	295	313	18
4		331	348	366	383	400	416	433	450	466	482	16
5		498	514	530	545	561	576	591	606	621	635	15
6		649	663	677	691	705	718	731	744	757	770	13
7		782	795	807	819	830	842	853	864	875	886	12
8		897	907	917	927	937	946	955	964	973	982	9
9		991	999	*007	*015	*022	*030	*037	*044	*051	*057	8
3,0	⁻0,2	064	070	076	081	087	092	097	102	107	111	5
1		116	120	123	127	130	133	136	139	141	144	3
2		146	147	149	150	152	153	153	154	154	154	1
3		154	154	153	152	151	150	149	147	145	143	1
4		141	138	135	132	129	126	122	118	115	110	3
5		106	101	096	091	086	080	075	069	063	056	6
6		050	043	036	029	022	014	007	*999	*991	*982	8
7	⁻0,1	974	965	956	947	938	929	919	909	899	889	9
8		879	868	857	846	835	824	813	801	789	777	11
9		765	753	740	727	715	702	689	675	662	648	13
14,0		634	620	606	592	578	563	548	534	519	503	15
1		488	473	457	442	426	410	394	377	361	345	16
2		328	311	294	277	260	243	226	208	191	173	17
3		155	138	120	101	083	065	047	028	010	*991	18
4	⁻0,0	972	953	935	916	897	877	858	839	820	800	20
5		781	761	741	722	702	682	662	642	622	602	20
6		582	562	542	521	501	481	461	440	420	399	20
7		379	358	338	317	297	276	255	235	214	194	21
8		173	152	132	111	090	070	049	028	008	*013	20
9	0,0	034	054	075	095	116	136	157	177	198	218	20

x		0	1	2	3	4	5	6	7	8	9	d
0,0	0,0	000	064	127	191	255	318	382	445	509	572	63
1		636	699	763	826	889	953	*016	*079	*142	*205	64
2	0,1	268	330	393	456	518	580	643	705	767	829	62
3		891	952	*014	*075	*137	*198	*259	*320	*381	*441	61
4	0,2	501	562	622	682	741	801	860	919	978	*037	60
5	0,3	096	154	212	270	328	385	442	499	556	613	57
6		669	725	781	836	892	947	*002	*056	*111	*165	55
7	0,4	218	272	325	378	431	483	535	586	638	689	52
8		740	790	841	890	940	989	*038	*087	*135	*183	49
9	0,5	230	277	324	371	417	463	508	553	598	642	46
1,0		687	730	773	816	859	901	943	984	*025	*065	42
1	0,6	106	145	185	224	262	301	339	376	413	449	39
2		486	522	557	592	626	660	693	726	759	791	34
3		824	855	886	916	947	976	*005	*034	*063	*090	29
4	0,7	117	145	171	197	223	248	273	297	321	344	25
5		367	389	412	433	454	474	495	514	533	552	20
6		570	588	605	622	638	654	669	684	699	712	16
7		726	739	752	763	775	786	797	807	817	826	11
8		835	842	850	857	865	871	877	882	887	891	6
9		895	898	902	904	906	908	909	909	910	909	2
2,0		909	907	906	903	901	897	894	890	886	880	4
1		875	869	863	856	849	841	833	824	816	806	8
2		796	786	775	763	752	740	727	714	701	687	12
3		673	658	643	627	611	595	578	561	543	525	16
4		506	487	468	448	428	408	387	366	344	322	20
5		300	277	254	230	206	181	157	132	106	080	25
6		054	027	001	*973	*946	*918	*890	*861	*832	*802	28
7	0,6	773	743	713	682	651	620	588	556	524	491	31
8		459	425	392	358	324	290	255	220	185	150	34
9		114	078	042	005	*969	*932	*895	*857	*819	*781	37
3,0	0,5	743	704	666	627	588	548	509	469	429	389	40
1		348	308	267	226	185	143	102	060	018	*976	42
2	0,4	934	891	849	806	763	720	677	634	591	547	43
3		503	459	415	371	327	283	239	194	150	105	44
4		060	015	*970	*925	*880	*835	*790	*744	*699	*654	45
5	0,3	608	563	517	472	426	380	334	289	243	197	46
6		151	106	060	014	*968	*922	*877	*831	*785	*739	46
7	0,2	694	648	602	557	511	465	420	374	329	284	46
8		238	193	148	103	058	013	*968	*923	*878	*834	45
9	0,1	789	745	701	656	612	568	524	481	437	394	44
4,0		350	307	264	221	178	135	093	050	008	*966	43
1	0,0	924	883	841	800	758	717	676	636	595	555	41
2		515	475	435	396	356	317	278	240	201	163	39
3		125	087	049	012	*025	*062	*099	*135	*171	*207	37
4	$^{-}$0,0	243	278	313	348	383	417	452	485	519	552	34
5		585	618	651	683	715	747	778	809	840	870	32
6		901	931	960	990	*019	*047	*076	*104	*132	*159	28
7	$^{-}$0,1	187	213	240	266	293	318	343	368	393	417	25
8		442	465	489	512	534	557	579	600	622	643	23
9		664	684	704	724	743	762	781	799	817	835	19

x		0	1	2	3	4	5	6	7	8	9	d
0,0	0,0	000	000	001	002	003	006	008	011	014	017	3
1		021	026	031	036	042	048	054	061	069	077	6
2		085	094	102	112	122	132	143	154	166	178	10
3		190	203	216	230	243	258	273	288	303	320	15
4		336	353	370	388	406	424	443	462	481	502	18
5		522	543	564	585	607	629	652	675	698	722	22
6		746	770	795	820	846	872	898	925	951	979	26
7	0.1	006	034	063	091	120	150	179	209	240	270	30
8		301	333	364	396	428	461	494	527	560	594	33
9		628	663	697	732	767	803	839	875	911	948	36
1,0		985	*022	*059	*097	*135	*173	*211	*250	*289	*328	38
1	0.2	368	407	447	487	528	568	609	650	691	733	40
2		774	816	858	900	943	985	*028	*071	*114	*158	42
3	0,3	201	245	289	333	377	421	466	511	555	600	44
4		645	691	736	781	827	873	918	964	*010	*057	46
5	0,4	103	149	196	242	289	336	382	429	476	523	47
6		570	618	665	712	759	807	854	902	949	997	48
7	0,5	044	092	140	187	235	283	330	378	426	474	48
8		521	569	616	664	712	759	807	854	902	949	47
9		997	*044	*091	*139	*186	*233	*280	*327	*374	*421	47
2,0	0,6	468	514	561	607	654	700	747	793	839	885	46
1		930	976	*022	*067	*112	*158	*203	*248	*292	*337	46
2	0,7	381	426	470	514	558	602	645	688	732	775	44
3		817	860	903	945	987	*029	*071	*112	*153	*194	42
4	0,8	235	276	316	356	396	436	476	515	554	593	40
5		632	670	708	746	783	821	858	895	931	967	38
6	0,9	004	039	075	110	145	180	214	248	282	316	35
7		349	382	415	447	479	511	542	573	604	635	33
8		665	695	725	754	783	811	840	868	895	922	28
9		950	976	*003	*028	*054	*079	*105	*129	*154	*177	25
3,0	1,0	201	224	247	270	292	314	335	356	377	399	22
1		418	437	457	476	494	512	530	548	565	582	18
2		598	614	630	645	660	675	689	703	716	729	15
3		742	754	766	777	789	799	810	820	830	839	10
4		848	856	864	872	880	886	893	899	905	910	6
5		916	920	925	929	932	935	938	941	943	944	3
6		946	946	947	947	947	946	946	944	943	940	1
7		938	935	932	928	925	920	916	910	905	899	5
8		893	887	880	873	865	857	849	841	832	822	8
9		813	803	792	782	771	759	748	735	723	710	12
4,0		697	684	670	656	642	627	612	596	581	565	15
1		548	532	515	497	480	462	444	425	407	387	18
2		368	348	329	308	288	267	246	224	203	181	21
3		158	136	113	090	067	043	019	*995	*971	*946	24
4	0,9	921	896	871	845	820	793	767	741	714	687	27
5		660	632	605	577	549	520	492	463	434	405	29
6		376	346	317	287	257	227	196	166	135	104	30
7		073	042	010	*979	*947	*915	*883	*851	*819	*786	32
8	0,8	754	721	688	655	622	589	555	522	488	455	33
9		421	387	353	319	285	251	216	182	147	113	34

x		0	1	2	3	4	5	6	7	8	9	d
5,0	$-0{,}1$	852	869	886	902	918	933	949	963	978	992	15
1	$-0{,}2$	006	019	032	045	058	069	081	092	104	114	11
2		124	134	144	153	162	170	179	186	194	201	8
3		208	214	220	226	231	236	241	245	249	252	5
4		256	258	261	263	265	266	267	268	269	268	1
5		268	268	267	266	264	262	260	257	254	251	2
6		247	243	239	234	230	224	219	213	206	200	6
7		193	186	178	170	162	154	145	136	127	117	8
8		107	096	086	075	064	052	041	028	016	003	12
9	$-0{,}1$	990	977	964	950	936	921	907	892	877	861	15
6,0		846	829	813	797	780	763	746	728	711	692	17
1		674	656	637	618	599	579	560	540	520	499	20
2		479	458	437	416	394	373	351	329	307	284	21
3		262	239	216	193	169	146	122	098	074	050	23
4		025	001	*976	*951	*926	*901	*876	*850	*825	*799	25
5	$-0{,}0$	773	747	721	694	668	641	615	588	561	534	27
6		507	478	452	424	397	369	342	314	286	258	28
7		230	202	174	145	117	089	060	032	003	*026	28
8	0,0	054	083	112	141	170	198	227	256	285	314	28
9		343	372	401	430	459	489	518	547	576	605	29
7,0		634	663	692	721	750	779	808	837	865	894	29
1		923	952	980	*009	*038	*066	*095	*123	*151	*180	28
2	0,1	208	236	264	292	320	348	375	403	431	458	28
3		485	513	540	567	594	621	648	674	701	727	27
4		753	779	805	831	857	883	908	933	959	984	26
5	0,2	009	033	058	082	107	131	155	179	202	226	24
6		249	272	295	318	341	363	385	407	429	451	22
7		472	494	515	536	556	577	597	617	637	657	21
8		677	696	715	734	752	771	789	807	825	842	19
9		860	877	893	910	926	943	959	974	990	*005	17
8,0	0,3	020	034	049	063	077	091	105	118	131	144	14
1		156	168	180	192	204	215	226	236	247	257	11
2		267	277	286	295	304	313	321	329	337	345	9
3		352	359	366	372	379	385	390	396	401	406	6
4		410	415	419	423	426	429	432	435	438	440	3
5		442	443	445	446	447	447	447	447	447	446	0
6		446	445	443	442	440	438	435	432	430	426	2
7		423	419	415	411	406	401	397	391	386	380	5
8		374	367	361	354	347	339	332	324	316	307	8
9		299	290	281	271	262	252	242	231	221	210	10
9,0		199	187	176	164	152	140	127	115	102	088	12
1		075	062	048	034	019	005	*990	*975	*960	*945	14
2	0,2	929	914	898	881	865	849	832	815	798	780	16
3		763	745	727	709	691	672	654	635	616	597	19
4		578	558	538	519	499	478	458	438	417	396	21
5		375	354	333	312	290	269	247	225	203	181	21
6		158	136	113	091	068	045	022	*999	*975	*952	23
7	0,1	929	905	881	858	834	810	786	762	737	713	24
8		689	664	640	615	590	566	541	516	491	466	24
9		441	416	390	365	340	315	289	264	238	213	25

x		0	1	2	3	4	5	6	7	8	9	d
5,0	0,8	078	043	009	*974	*939	*904	*869	*834	*799	*764	35
1	0,7	728	693	658	623	587	552	517	481	446	410	35
2		375	340	304	269	233	198	162	127	092	056	35
3		021	*986	*950	*915	*880	*845	*810	*774	*739	*704	35
4	0,6	670	635	600	565	530	496	461	427	392	358	34
5		324	290	256	222	188	154	120	087	053	020	34
6	0,5	987	954	921	888	855	823	790	758	725	693	32
7		661	630	598	567	535	504	473	442	411	381	31
8		350	320	290	260	231	201	172	143	114	085	30
9		056	028	000	*972	*944	*917	*889	*862	*835	*808	27
6,0	0,4	782	756	729	704	678	652	627	602	577	553	26
1		529	505	481	457	434	411	388	365	343	321	23
2		299	278	256	235	214	194	173	153	133	114	20
3		095	076	057	039	020	003	*985	*968	*950	*934	17
4	0,3	917	901	885	869	854	839	824	810	795	781	15
5		768	754	741	728	716	704	692	680	669	658	12
6		647	637	626	617	607	598	589	580	572	564	9
7		556	549	541	535	528	522	516	510	505	500	6
8		495	491	486	483	479	476	473	470	468	466	3
9		464	463	461	461	460	460	460	460	461	462	0
7,0		463	465	466	469	471	474	477	480	484	488	3
1		492	496	501	506	511	517	523	529	535	542	6
2		549	556	564	572	580	588	597	606	615	625	8
3		634	644	655	665	676	687	698	710	722	734	11
4		746	759	772	785	798	812	825	840	854	868	14
5		883	898	913	929	945	961	977	993	*010	*027	16
6	0,4	044	061	078	096	114	132	151	169	188	207	18
7		226	245	265	285	304	325	345	365	386	407	19
8		428	449	470	492	513	535	557	580	602	624	22
9		647	670	693	716	739	762	786	810	833	857	23
8,0		881	905	930	954	979	*003	*028	*053	*078	*103	24
1	0,5	128	153	179	204	230	255	281	307	333	359	25
2		385	411	437	464	490	516	543	569	596	623	26
3		649	676	703	729	756	783	810	837	864	891	27
4		918	945	972	*000	*027	*054	*081	*108	*135	*162	27
5	0,6	190	218	244	271	298	325	352	379	406	433	27
6		460	487	514	541	568	594	621	648	674	701	26
7		728	754	780	807	833	859	885	911	937	963	26
8		989	*015	*041	*066	*092	*117	*142	*168	*193	*218	25
9	0,7	243	267	292	317	341	365	390	414	438	462	24
9,0		485	509	533	556	579	602	625	648	670	693	23
1		715	737	760	781	803	825	846	867	889	909	22
2		930	951	971	991	*012	*031	*051	*071	*090	*109	19
3	0,8	128	147	166	184	202	220	238	256	273	290	18
4		307	324	341	357	374	389	405	421	436	451	15
5		466	481	496	510	524	538	552	565	578	591	14
6		604	616	629	641	653	664	675	686	697	708	11
7		719	729	739	748	758	767	776	785	793	801	9
8		810	817	825	832	839	846	853	859	865	871	7
9		876	882	887	891	896	900	905	908	912	915	4

x		0	1	2	3	4	5	6	7	8	9	d
10,0	0,1	187	162	136	111	085	060	034	008	*983	*957	25
1	0,0	931	905	880	854	828	803	777	751	726	700	25
2		674	649	623	598	572	547	521	496	470	445	25
3		420	394	369	344	319	294	269	244	219	194	25
4		169	145	120	096	071	047	022	*002	*026	*050	25
5	$-0,0$	074	098	122	145	169	193	216	239	262	286	24
6		309	331	354	377	399	422	444	466	488	510	23
7		532	553	575	596	617	638	659	680	701	721	21
8		742	762	782	802	821	841	860	880	899	918	20
9		936	955	973	991	*010	*027	*045	*063	*080	*097	17
11,0	$-0,1$	114	131	148	164	180	196	212	228	243	258	16
1		274	288	303	318	332	346	360	373	387	400	14
2		413	426	439	451	463	475	487	498	510	521	12
3		532	542	553	563	573	583	593	602	611	620	10
4		629	637	645	653	661	668	676	683	690	696	7
5		703	709	715	720	726	731	736	741	745	750	5
6		754	757	761	764	768	770	773	775	778	780	2
7		781	783	784	785	786	786	787	787	787	786	0
8		786	785	784	782	781	779	777	775	773	770	2
9		767	764	760	757	753	749	745	740	735	730	4
12,0		725	720	714	708	702	696	690	683	676	669	6
1		662	654	646	638	630	622	613	604	595	586	8
2		577	567	557	547	537	527	516	505	494	483	10
3		472	460	448	436	424	412	399	387	374	361	12
4		348	335	321	307	293	279	265	250	236	221	14
5		206	191	176	160	145	129	113	097	081	065	16
6		048	032	015	*998	*981	*964	*947	*930	*912	*894	17
7	$-0,0$	877	859	841	823	804	786	768	749	730	711	18
8		693	673	654	635	616	596	577	557	538	518	20
9		498	478	458	438	418	397	377	357	336	316	21
13,0		295	274	254	233	212	191	170	149	128	107	21
1		086	065	044	022	001	*020	*042	*063	*084	*106	21
2	0,0	127	149	170	192	213	235	256	278	299	321	22
3		342	364	386	407	429	450	472	493	515	536	21
4		557	579	600	621	643	664	685	706	728	749	21
5		770	791	812	833	854	875	895	916	937	957	21
6		978	998	*019	*039	*059	*079	*100	*120	*140	*159	20
7	0,1	179	199	219	238	257	277	296	315	334	353	20
8		372	391	409	428	446	465	483	501	519	537	19
9		554	572	589	607	624	641	658	675	691	708	17
14,0		724	741	757	773	789	804	820	835	851	866	15
1		881	895	910	925	939	953	967	981	995	*008	14
2	0,2	022	035	048	061	073	086	098	110	122	134	13
3		146	157	169	180	191	201	212	222	233	242	10
4		252	262	271	281	290	299	307	316	324	332	9
5		340	348	355	362	370	377	383	390	396	402	7
6		408	414	419	425	430	435	440	444	448	452	5
7		456	460	463	467	470	473	475	478	480	482	3
8		484	485	487	488	489	490	491	491	491	491	1
9		491	490	490	489	488	487	485	483	482	479	1

x		0	1	2	3	4	5	6	7	8	9	d
10,0	0,8	918	921	924	926	928	930	932	933	934	935	2
1		935	936	936	936	935	935	934	932	931	929	0
2		928	925	923	920	918	914	911	908	904	900	4
3		895	891	886	881	876	870	864	858	852	846	6
4		839	832	825	818	810	802	794	786	777	768	8
5		760	750	741	731	721	711	701	690	680	669	10
6		658	646	635	623	611	599	587	574	561	548	12
7		535	521	508	494	480	466	452	437	422	407	14
8		392	377	362	346	330	314	298	282	265	249	16
9		232	215	198	180	163	145	127	109	091	073	18
11,0		055	036	017	*999	*980	*961	*941	*922	*902	*883	19
1	0,7	863	843	823	803	783	762	742	721	701	680	21
2		659	638	617	596	574	553	531	510	488	466	21
3		444	422	400	378	356	334	312	289	267	244	22
4		222	199	176	153	131	108	085	062	039	016	23
5	0,6	993	970	946	923	900	877	854	830	807	784	23
6		760	737	713	690	667	643	620	596	573	550	24
7		526	503	479	456	433	409	386	363	340	316	24
8		293	270	247	224	201	178	155	132	109	086	23
9		063	040	018	*995	*973	*950	*928	*905	*883	*861	23
12,0	0,5	839	817	794	773	751	729	707	686	664	643	22
1		621	600	579	558	537	516	496	475	455	434	21
2		414	394	374	354	334	315	295	276	256	237	19
3		218	199	180	162	143	125	107	089	071	053	18
4		035	018	001	*984	*966	*950	*933	*917	*900	*884	16
5	0,4	868	852	836	821	805	790	775	760	746	731	15
6		717	703	689	675	661	648	635	622	609	596	13
7		584	572	559	548	536	524	513	502	491	480	12
8		470	459	449	439	430	420	411	402	393	384	10
9		376	367	359	352	344	337	329	322	315	309	7
13,0		302	296	290	285	279	274	269	264	259	255	5
1		251	247	243	239	236	233	230	227	225	223	3
2		220	219	217	216	214	214	213	212	212	212	0
3		212	213	213	214	214	216	218	219	221	223	2
4		226	228	231	234	237	240	244	248	252	256	3
5		260	265	270	275	280	286	291	297	303	310	6
6		316	323	330	337	344	352	359	367	375	384	8
7		392	401	410	419	428	438	447	457	467	477	10
8		488	498	509	520	531	542	554	565	577	589	11
9		601	614	626	639	651	665	678	691	704	718	14
14,0		732	746	760	774	788	803	818	833	848	863	14
1		878	893	909	925	940	956	973	989	*005	*022	16
2	0,5	038	055	072	089	106	123	140	158	175	193	17
3		211	229	247	265	283	301	319	338	356	375	18
4		394	413	432	451	470	489	508	527	547	566	19
5		586	605	625	645	664	684	704	724	744	764	20
6		784	804	824	845	865	885	906	926	946	967	20
7		987	*008	*028	*049	*070	*090	*111	*131	*152	*173	20
8	0,6	193	214	235	255	276	297	317	338	359	379	21
9		400	420	441	462	482	503	523	544	564	584	21

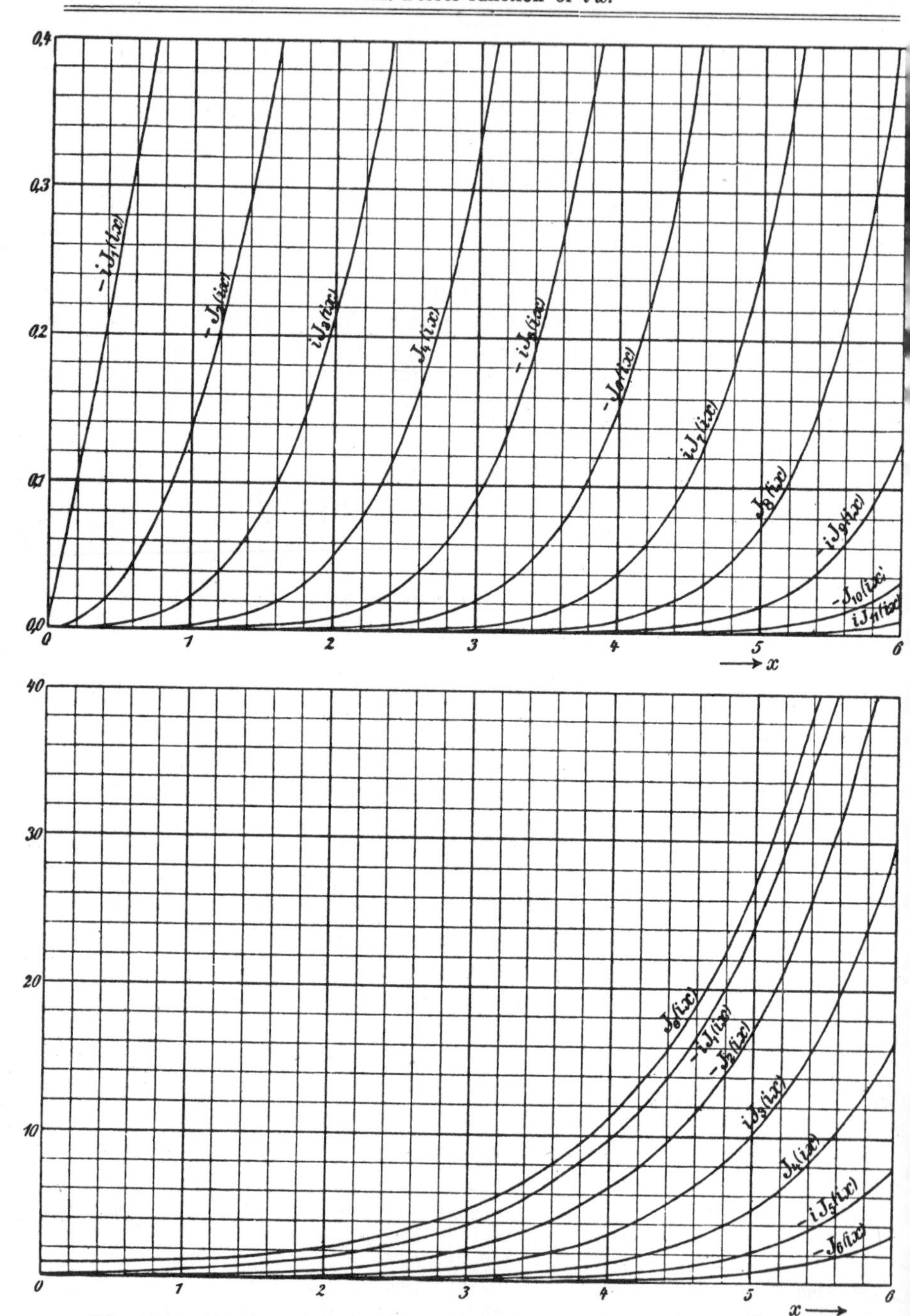

Fig. 118 u. 119. Besselsche Zylinderfunktionen bei rein imaginärem Argument. (Vgl. S. 232, 233.)

Fig. 118 and 119. Bessel function for pure imaginary argument. (cf. p. 232, 233.)

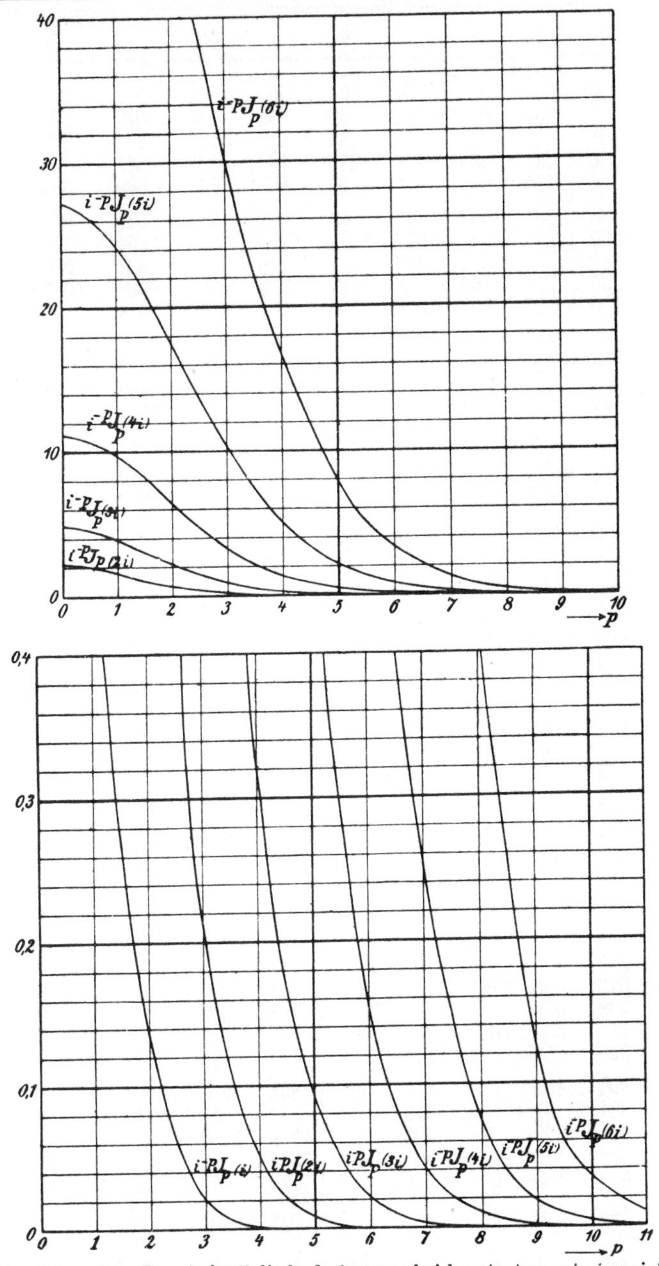

Fig. 120 u. 121. Besselsche Zylinderfunktionen bei konstantem rein imaginärem Argument über p. (Vgl. S. 232, 233.)

Fig. 120 and 121. Bessel functions for constant pure imaginary argument against p. (cf. p. 232, 233.)

x		0	1	2	3	4	5	6	7	8	9	d
0,0	1,0	000	000	001	002	004	006	009	012	016	020	2
1		025	030	036	042	049	056	064	072	081	090	7
2		100	111	121	133	145	157	170	183	197	211	12
3		226	242	258	274	291	309	327	345	364	384	18
4		404	425	446	468	490	513	536	560	584	609	23
5		635	661	688	715	742	771	800	829	859	889	29
6		920	952	984	*017	*051	*084	*119	*154	*190	*226	33
7	1,1	263	301	339	377	417	456	497	538	580	622	39
8		665	709	753	798	843	889	936	984	*032	*080	46
9	1,2	130	180	231	282	334	387	440	494	549	604	53
1,0		661	718	775	833	892	952	*013	*074	*136	*198	60
1	1,3	262	326	391	456	523	590	658	726	796	866	67
2		937	*009	*082	*155	*230	*305	*381	*457	*535	*613	75
3	1,4	693	773	854	936	*019	*102	*187	*272	*359	*446	83
4	1,5	534	623	713	804	896	989	*082	*177	*273	*370	93
5	1,6	467	566	666	766	868	971	*074	*179	*285	*392	113
6	1,7	500	609	719	830	942	*056	*170	*286	*403	*521	114
7	1,	864	876	888	900	913	925	938	951	963	976	12
8		990	*003	*016	*030	*043	*057	*071	*085	*099	*113	14
9	2,	128	142	157	172	187	202	217	233	248	264	15
2,0		280	296	312	328	344	361	378	395	412	429	17
1		446	464	482	499	517	536	554	573	591	610	19
2		629	648	668	687	707	727	747	768	788	809	20
3		830	851	872	893	915	937	959	981	*004	*026	22
4	3,	049	072	096	119	143	167	191	215	240	265	24
5		290	315	341	366	392	419	445	472	499	526	27
6		553	581	609	637	666	694	723	752	782	812	28
7		842	872	903	933	965	996	*028	*060	*092	*124	31
8	4,	157	190	224	258	292	326	361	396	431	467	34
9		503	539	576	613	650	688	725	764	802	841	38
3,0		881	921	961	*001	*042	*083	*125	*166	*209	*251	41
1	5,	294	338	382	426	471	516	561	607	653	700	45
2		747	795	843	891	940	989	*039	*089	*140	*191	49
3	6,	243	295	347	400	454	508	562	617	672	728	54
4		785	842	899	957	*016	*075	*134	*195	*255	*316	59
5	7,	378	441	503	567	631	696	761	827	893	960	65
6	8,	028	096	165	234	304	375	447	519	591	665	71
7		739	813	889	965	*041	*119	*197	*276	*356	*436	78
8	9,	517	599	681	764	848	933	*019	*105	*192	*280	85
9	10,	369	458	549	640	732	825	919	*013	*108	*205	93
4,0	11,	302	400	499	599	699	801	904	*007	*112	*217	102
1	12,	324	431	539	649	759	870	983	*096	*210	*326	111
2	13,	442	560	679	798	919	*041	*164	*289	*414	*540	122
3	14,	668	797	927	*058	*190	*324	*459	*595	*732	*871	134
4	16,	010	152	294	438	583	729	877	*026	*176	*328	146
5	10× 1,	748	764	779	795	811	827	843	859	876	892	16
6		909	926	943	961	978	996	*013	*031	*049	*067	18
7	10× 2,	086	104	123	142	161	180	200	219	239	259	19
8		279	300	320	341	362	383	404	426	447	469	21
9		491	514	536	559	582	605	628	652	676	700	23

x		0	1	2	3	4	5	6	7	8	9	d
0,0	0,0	000	050	100	150	200	250	300	350	400	450	50
1		501	551	601	651	702	752	803	853	904	954	50
2	0,1	005	056	107	158	209	260	311	362	414	465	51
3		517	569	621	673	725	777	829	882	935	987	52
4	0,2	040	093	147	200	254	307	361	415	470	524	53
5		579	634	689	744	800	855	911	967	*024	*080	55
6	0,3	137	194	251	309	367	425	483	542	600	659	58
7		719	778	838	899	959	*020	*081	*142	*204	*266	61
8	0,4	329	391	454	518	581	646	710	775	840	905	65
9		971	*038	*104	*171	*239	*306	*375	*443	*512	*582	67
1,0	0,5	652	722	793	864	935	*008	*080	*153	*227	*300	73
1	0,6	375	450	525	601	677	754	832	910	988	*067	77
2	0,7	147	227	308	389	470	553	636	719	803	888	83
3		973	*059	*146	*233	*321	*409	*498	*588	*678	*769	88
4	0,8	861	953	*046	*140	*235	*330	*426	*522	*620	*718	95
5	0,9	817	916	*017	*118	*220	*322	*426	*530	*635	*741	102
6	1,0	848	956	*064	*174	*284	*395	*507	*620	*733	*848	111
7	1,1	963	*080	*197	*316	*435	*555	*677	*799	*922	**046	120
8	1,3	172	298	425	554	683	814	945	*078	*212	*346	131
9	1,4	482	620	758	897	*038	*180	*323	*467	*612	*759	142
2,0	1,5	906	*055	*206	*357	*510	*664	*820	*977	**135	**294	154
1	1,	745	762	778	795	811	828	845	862	879	897	17
2		914	932	950	968	986	*004	*022	*041	*060	*079	18
3	2,	098	117	136	156	176	196	216	236	257	277	20
4		298	319	340	362	383	405	427	449	471	494	22
5		517	540	563	586	610	633	657	682	706	731	23
6		755	780	806	831	857	883	909	935	962	989	26
7	3,	016	043	071	099	127	155	184	213	242	271	28
8		301	331	361	392	422	453	485	516	548	580	31
9		613	645	678	712	745	779	813	848	883	918	34
3,0		953	989	*025	*062	*098	*136	*173	*211	*249	*287	38
1	4,	326	365	405	445	485	526	567	608	650	692	41
2		734	777	820	864	908	953	997	*043	*088	*134	44
3	5,	181	228	275	323	371	420	469	519	569	619	49
4		670	722	773	826	879	932	986	*040	*095	*150	53
5	6,	206	262	319	376	434	493	552	611	671	732	59
6		793	854	917	979	*043	*107	*171	*237	*302	*369	64
7	7,	436	503	572	640	710	780	851	922	994	*067	70
8	8,	140	215	289	365	441	518	595	674	753	832	77
9		913	994	*076	*159	*242	*326	*411	*497	*584	*671	84
4,0	9,	759	848	938	*029	*121	*213	*306	*400	*495	*591	92
1	10,	688	785	884	983	*084	*185	*287	*390	*494	*600	101
2	11,	706	813	921	*030	*140	*251	*363	*476	*590	*706	111
3	12,	822	939	*058	*177	*298	*420	*543	*667	*792	*919	122
4	14,	046	175	305	436	569	702	837	973	*111	*249	133
5	15,	389	530	673	817	962	*109	*257	*406	*557	*709	147
6	10× 1,	686	702	717	733	749	765	781	798	814	831	16
7		848	865	882	899	917	935	952	970	988	*007	17
8	10× 2,	025	044	063	082	101	120	140	160	180	200	19
9		220	240	261	282	303	324	346	367	389	411	21

$J_0(ix)$

x		0	1	2	3	4	5	6	7	8	9	d
5,0	10× 2,	724	748	773	798	823	849	874	900	926	952	26
1		979	*006	*033	*060	*088	*115	*143	*172	*200	*229	27
2	10× 3,	258	288	317	347	378	408	439	470	501	533	30
3		565	597	630	662	696	729	763	797	831	866	34
4		901	936	972	*008	*044	*081	*118	*155	*193	*231	37
5	10× 4,	269	308	347	387	427	467	508	549	590	632	40
6		674	716	759	803	846	890	935	980	*025	*071	44
7	10× 5,	117	164	211	259	306	355	404	453	503	553	48
8		604	655	707	759	811	865	918	972	*027	*082	54
9	10× 6,	138	194	25[illegible]	308	365	424	483	542	602	662	58
6,0		723	785	847	910	973	*037	*102	*167	*233	*299	64
1	10× 7,	366	434	502	571	641	711	782	853	925	998	70
2	10× 8,	072	146	221	297	373	450	528	606	685	765	77
3		846	928	*010	*093	*177	*261	*347	*433	*520	*608	84
4	10× 9,	696	786	876	967	*059	*152	*246	*340	*436	*532	93
5	10× 10,	629	727	827	927	*028	*130	*232	*336	*441	*547	102
6	100× 1,1	654	762	870	980	*091	*203	*316	*430	*545	*661	112
7	100× 1,2	779	897	*016	*137	*259	*382	*506	*631	*757	*885	123
8	100× 1,4	014	144	275	407	541	676	812	950	*088	*228	135
9	100× 1,5	370	513	657	802	949	*097	*247	*398	*550	*704	148
7,0	100× 1,	686	702	717	733	750	766	782	799	816	832	16
1		850	867	884	902	919	937	955	974	992	*010	18
2	100× 2,	029	048	067	086	106	126	145	165	186	206	20
3		227	247	268	290	311	332	354	376	398	421	21
4		443	466	489	513	536	560	584	608	632	657	24
5		682	707	732	758	783	809	836	862	889	916	26
6		943	971	999	*027	*055	*084	*113	*142	*171	*201	29
7	100× 3,	231	261	292	323	354	385	417	449	481	514	31
8		547	580	614	648	682	716	751	786	822	858	34
9		894	931	968	*005	*042	*080	*119	*157	*196	*236	38
8,0	100× 4,	276	316	356	397	439	480	522	565	608	651	41
1		695	739	784	829	874	920	966	*013	*060	*108	46
2	100× 5,	156	204	253	303	353	403	454	506	557	610	50
3		663	716	770	824	879	934	990	*047	*104	*161	55
4	100× 6,	219	278	337	397	457	518	580	642	705	768	61
5		832	896	961	*027	*093	*160	*228	*296	*365	*434	67
6	100× 7,	505	575	647	719	792	866	940	*015	*091	*167	74
7	100× 8,	244	322	401	480	561	642	723	806	889	973	81
8	100× 9,	058	144	230	317	406	495	584	675	767	859	89
9		952	*047	*142	*238	*335	*432	*531	*631	*732	*833	97
9,0	100× 10,	936	*039	*144	*250	*356	*464	*572	*682	*793	*905	108
1	10^3× 1,2	017	131	246	362	480	598	717	838	960	*083	119
2	10^3× 1,3	207	332	458	586	715	845	976	*109	*243	*378	130
3	10^3× 1,4	514	652	791	932	*073	*217	*361	*507	*654	*803	143
4	10^3× 1,5	953	*104	*257	*412	*568	*725	*884	**044	**206	**370	157
5	10^3× 1,	753	770	787	804	821	838	856	874	891	909	17
6		927	946	964	983	*002	*021	*040	*060	*079	*099	19
7	10^3× 2,	119	139	159	180	201	222	243	264	286	307	21
8		329	352	374	397	419	442	466	489	513	537	23
9		561	585	610	635	660	685	711	737	763	789	25

$-iJ_1(ix)$

x		0	1	2	3	4	5	6	7	8	9	d
5,0	10× 2,	434	456	479	502	525	548	572	595	619	644	23
1		668	693	718	743	768	794	820	846	872	899	26
2		925	953	980	*007	*035	*063	*092	*120	*149	*179	28
3	10× 3,	208	238	268	298	329	359	391	422	454	486	30
4		518	551	584	617	651	685	719	753	788	823	34
5		859	895	931	967	*004	*041	*079	*117	*155	*194	37
6	10× 4,	233	272	312	352	393	433	475	516	558	601	40
7		644	687	730	774	819	864	909	955	*001	*048	45
8	10× 5,	095	142	190	238	287	337	386	436	487	538	50
9		590	642	695	748	802	856	910	966	*021	*077	54
6,0	10× 6,	134	191	249	308	367	426	486	547	608	670	59
1		732	795	858	922	987	*053	*118	*185	*252	*320	66
2	10× 7,	389	458	527	598	669	741	813	886	960	*035	72
3	10× 8,	110	186	263	340	418	497	577	657	738	820	81
4		903	986	*070	*155	*241	*328	*415	*504	*593	*683	87
5	10× 9,	774	865	958	*051	*145	*241	*337	*434	*532	*631	96
6	10× 10,	730	831	933	*036	*139	*244	*349	*456	*564	*672	105
7	100× 1,1	782	893	*005	*117	*231	*346	*462	*580	*698	*817	115
8	100× 1,2	938	*059	*182	*306	*431	*558	*685	*814	*944	**075	127
9	100× 1,4	208	342	477	613	751	889	*030	*171	*314	*458	138
7,0	100× 1,5	604	751	899	*049	*200	*353	*507	*663	*820	*978	153
1	100× 1,	714	730	746	763	779	796	813	830	847	865	17
2		883	900	918	936	955	973	992	*010	*029	*049	18
3	100× 2,	068	087	107	127	147	167	188	209	229	250	20
4		272	293	315	337	359	381	404	426	449	472	22
5		496	519	543	567	592	616	641	666	691	717	24
6		742	768	794	821	848	874	902	929	957	985	27
7	100× 3,	013	042	070	100	129	159	188	219	249	280	30
8		311	342	374	406	438	471	504	537	571	604	33
9		639	673	708	743	779	814	851	887	924	961	35
8,0		999	*037	*075	*114	*153	*192	*232	*272	*313	*354	39
1	100× 4,	395	437	479	521	564	607	651	695	740	785	43
2		830	876	923	969	*017	*064	*112	*161	*210	*260	47
3	100× 5,	310	360	411	462	514	567	620	673	727	782	53
4		837	892	948	*005	*062	*119	*178	*236	*296	*356	58
5	100× 6,	416	477	539	601	664	727	791	856	921	987	63
6	100× 7,	054	121	189	257	326	396	467	538	609	682	70
7		755	829	904	979	*055	*132	*209	*287	*366	*446	77
8	100× 8,	527	608	690	773	856	941	*026	*112	*199	*287	85
9	100× 9,	375	465	555	646	738	831	925	*020	*115	*212	93
9,0	100× 10,	309	408	507	607	708	811	914	*018	*123	*229	103
1	10^3× 1,1	336	445	554	664	776	888	*002	*116	*232	*349	112
2	10^3× 1,2	467	586	706	827	950	*074	*199	*325	*452	*581	124
3	10^3× 1,3	710	841	974	*107	*242	*378	*516	*654	*795	*936	136
4	10^3× 1,5	079	223	369	515	664	814	965	*118	*272	*427	150
5	10^3× 1,	658	674	690	707	723	739	756	773	790	807	16
6		824	842	859	877	895	913	931	950	969	987	18
7	10^3× 2,	006	026	045	065	084	104	125	145	165	186	20
8		207	228	250	271	293	315	337	359	382	405	22
9		428	451	475	498	522	547	571	596	621	646	25

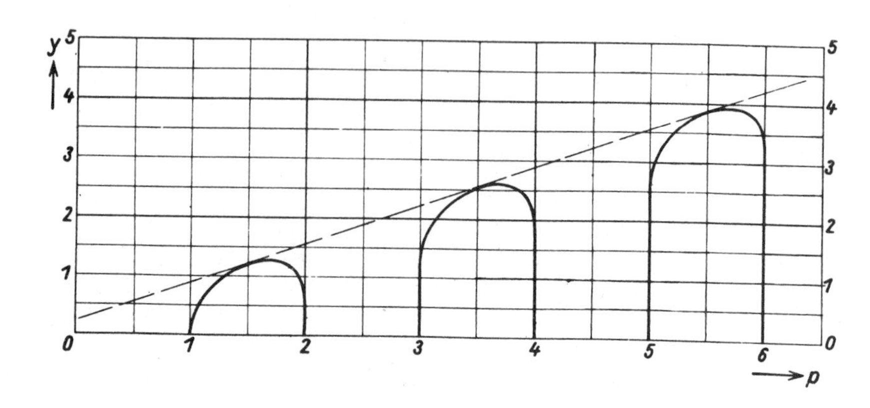

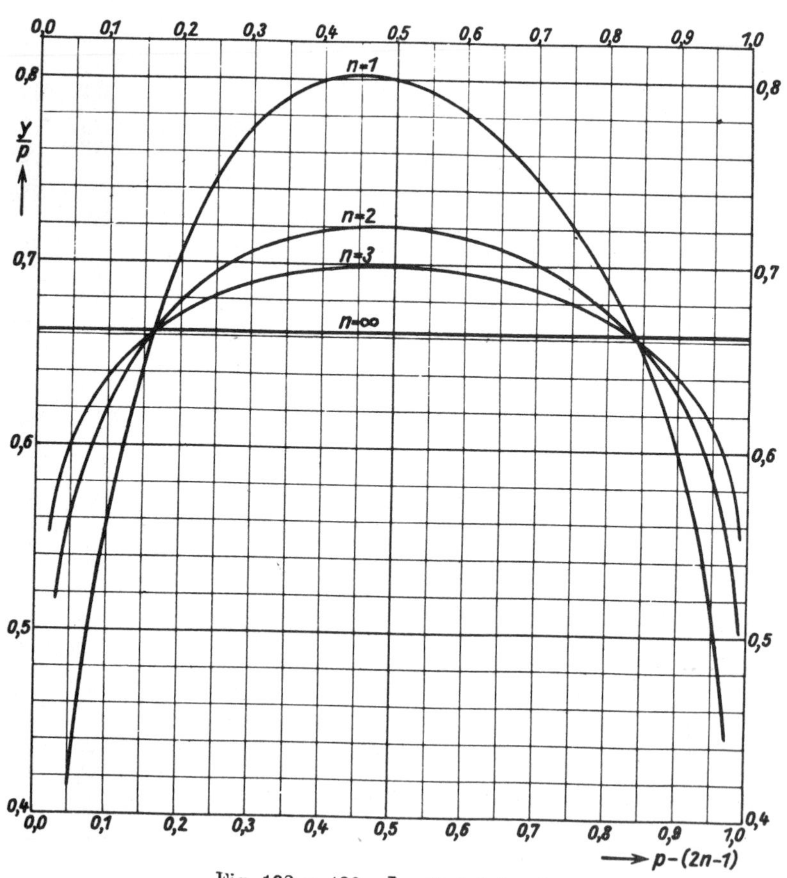

Fig. 122 u. 123. $J_{-p}(0+iy)=0$.

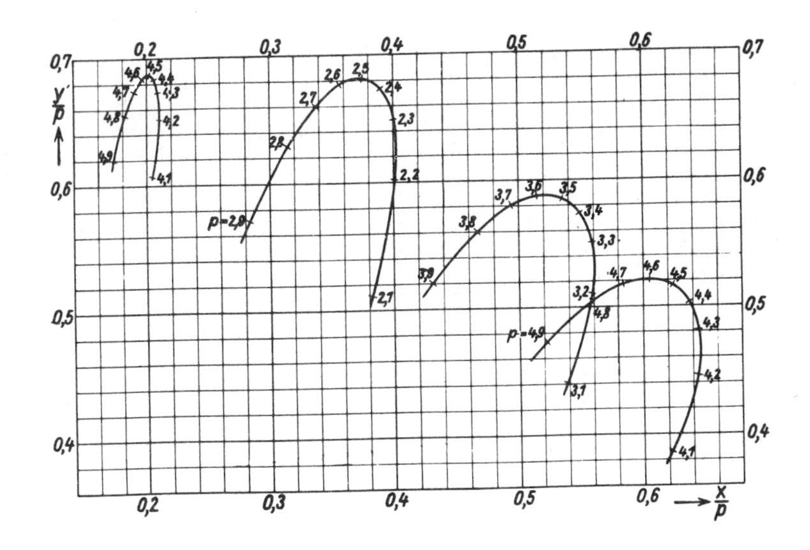

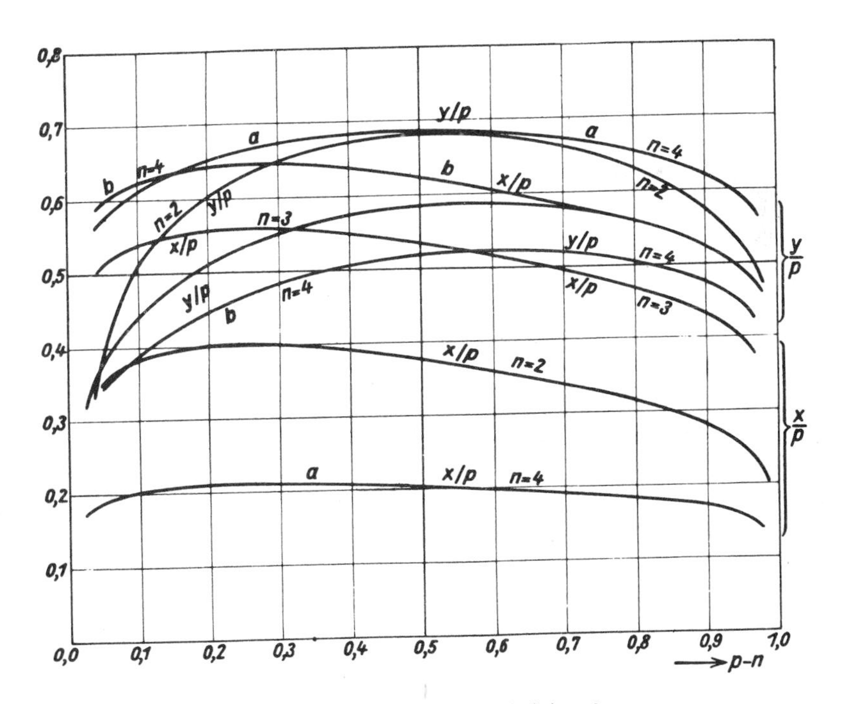

Fig. 124 u. 125. $J_{-p}(x+iy)=0$.

 (cf. fig. 118, 119, p. 224.)

x	$J_0(ix)$	$-iJ_1(ix)$	$-J_2(ix)$	x	$iJ_3(ix)$	$J_4(ix)$	$-iJ_5(ix)$
0,0	1,0000	0,0000	0,0000	0,0	0,0000	0,0000	0,0000
0,2	1,01003	0,1005	$0,0^{2}5017$	0,2	$0,0^{3}1671$	$0,0^{5}4175$	$0,0^{7}8347$
0,4	1,04040	0,2040	0,02027	0,4	$0,0^{2}1347$	$0,0^{4}6720$	$0,0^{5}2684$
0,6	1,09205	0,3137	0,04637	0,6	$0,0^{2}4602$	$0,0^{3}3436$	$0,0^{4}2056$
0,8	1,1665	0,4329	0,08435	0,8	0,01110	$0,0^{2}1101$	$0,0^{4}8764$
1,0	1,2661	0,5652	0,1357	1,0	0,02217	$0,0^{2}2737$	$0,0^{3}2715$
1,2	1,3937	0,7147	0,2026	1,2	0,03936	$0,0^{2}5801$	$0,0^{3}6879$
1,4	1,5534	0,8861	0,2875	1,4	0,06452	0,01103	$0,0^{2}1519$
1,6	1,7500	1,0848	0,3940	1,6	0,09989	0,01937	$0,0^{2}3036$
1,8	1,9896	1,3172	0,5260	1,8	0,1482	0,03208	$0,0^{2}5625$
2,0	2,2796	1,5906	0,6889	2,0	0,2127	0,05073	$0,0^{2}9826$
2,2	2,6291	1,9141	0,8891	2,2	0,2976	0,07734	0,01637
2,4	3,0493	2,2981	1,1342	2,4	0,4079	0,1145	0,02626
2,6	3,5533	2,7554	1,4337	2,6	0,5496	0,1654	0,04079
2,8	4,1573	3,3011	1,7994	2,8	0,7305	0,2341	0,06169
3,0	4,8808	3,9534	2,2452	3,0	0,9598	0,3257	0,09121
3,2	5,7472	4,7343	2,7883	3,2	1,2489	0,4466	0,1323
3,4	6,7848	5,6701	3,4495	3,4	1,6119	0,6049	0,1886
3,6	8,0277	6,7927	4,2540	3,6	2,0661	0,8105	0,2651
3,8	9,5169	8,1404	5,2325	3,8	2,6326	1,0758	0,3678
4,0	11,3019	9,7595	6,4222	4,0	3,3373	1,4163	0,5047
4,2	13,4425	11,7056	7,8684	4,2	4,2120	1,8513	0,6857
4,4	16,0104	14,0462	9,6258	4,4	5,2955	2,4046	0,9234
4,6	19,0926	16,8626	11,7611	4,6	6,6355	3,1060	1,2338
4,8	22,7937	20,2528	14,3550	4,8	8,2903	3,9921	1,6369
5,0	27,2399	24,3356	17,5056	5,0	10,3312	5,1082	2,1580
5,2	32,5836	29,2543	21,3319	5,2	12,8451	6,5106	2,8288
5,4	39,0088	35,1821	25,9784	5,4	15,9388	8,2686	3,6890
5,6	46,7376	42,3283	31,6203	5,6	19,7424	10,4678	4,7884
5,8	56,0381	50,9462	38,4704	5,8	24,4148	13,2137	6,1890
6,0	67,2344	61,3419	46,7871	6,0	30,1505	16,6366	7,9685

x	$-J_6(ix)$	$iJ_7(ix)$	$J_8(ix)$	x	$-iJ_9(ix)$	$-J_{10}(ix)$	$iJ_{11}(ix)$
0,0	0,0000	0,0000	0,0000	0,0	0,0000	0,0000	0,0000
0,2	$0{,}0^{8}1391$	$0{,}0^{10}1987$	$0{,}0^{12}2483$	0,2	$0{,}0^{14}2758$	$0{,}0^{16}2758$	$0{,}0^{18}2507$
0,4	$0{,}0^{7}8940$	$0{,}0^{8}2552$	$0{,}0^{10}6377$	0,4	$0{,}0^{11}1417$	$0{,}0^{13}2832$	$0{,}0^{15}5148$
0,6	$0{,}0^{5}1026$	$0{,}0^{7}4388$	$0{,}0^{8}1644$	0,6	$0{,}0^{10}5473$	$0{,}0^{11}1641$	$0{,}0^{13}4471$
0,8	$0{,}0^{5}5820$	$0{,}0^{6}3316$	$0{,}0^{7}1655$	0,8	$0{,}0^{9}7340$	$0{,}0^{10}2932$	$0{,}0^{11}1065$
1,0	$0{,}0^{4}2249$	$0{,}0^{5}1599$	$0{,}0^{7}9961$	1,0	$0{,}0^{8}5518$	$0{,}0^{9}2753$	$0{,}0^{10}1249$
1,2	$0{,}0^{4}6821$	$0{,}0^{5}5809$	$0{,}0^{6}4335$	1,2	$0{,}0^{7}2879$	$0{,}0^{8}1722$	$0{,}0^{10}9365$
1,4	$0{,}0^{3}1752$	$0{,}0^{4}1737$	$0{,}0^{5}1510$	1,4	$0{,}0^{6}1168$	$0{,}0^{8}8138$	$0{,}0^{9}5160$
1,6	$0{,}0^{3}3987$	$0{,}0^{4}4506$	$0{,}0^{5}4467$	1,6	$0{,}0^{6}3942$	$0{,}0^{7}3136$	$0{,}0^{8}2270$
1,8	$0{,}0^{3}8280$	$0{,}0^{3}1050$	$0{,}0^{4}1168$	1,8	$0{,}0^{5}1157$	$0{,}0^{6}1034$	$0{,}0^{8}8409$
2,0	$0{,}0^{2}1600$	$0{,}0^{3}2246$	$0{,}0^{4}2770$	2,0	$0{,}0^{5}3044$	$0{,}0^{6}3017$	$0{,}0^{7}2722$
2,2	$0{,}0^{2}2919$	$0{,}0^{3}4492$	$0{,}0^{4}6076$	2,2	$0{,}0^{5}7329$	$0{,}0^{6}7975$	$0{,}0^{7}7903$
2,4	$0{,}0^{2}5081$	$0{,}0^{3}8497$	$0{,}0^{3}1250$	2,4	$0{,}0^{4}1641$	$0{,}0^{5}1944$	$0{,}0^{6}2098$
2,6	$0{,}0^{2}8505$	$0{,}0^{2}1534$	$0{,}0^{3}2437$	2,6	$0{,}0^{4}3456$	$0{,}0^{5}4426$	$0{,}0^{6}5165$
2,8	0,01377	$0{,}0^{2}2664$	$0{,}0^{3}4540$	2,8	$0{,}0^{4}6915$	$0{,}0^{5}9513$	$0{,}0^{5}1193$
3,0	0,02168	$0{,}0^{2}4472$	$0{,}0^{3}8137$	3,0	$0{,}0^{3}1324$	$0{,}0^{4}1946$	$0{,}0^{5}2610$
3,2	0,03332	$0{,}0^{2}7295$	$0{,}0^{2}1410$	3,2	$0{,}0^{3}2439$	$0{,}0^{4}3816$	$0{,}0^{5}5446$
3,4	0,05015	0,01160	$0{,}0^{2}2373$	3,4	$0{,}0^{3}4347$	$0{,}0^{4}7205$	$0{,}0^{4}1090$
3,6	0,07411	0,01806	$0{,}0^{2}3893$	3,6	$0{,}0^{3}7523$	$0{,}0^{3}1316$	$0{,}0^{4}2103$
3,8	0,1078	0,02755	$0{,}0^{2}6243$	3,8	$0{,}0^{2}1269$	$0{,}0^{3}2336$	$0{,}0^{4}3929$
4,0	0,1545	0,04133	$0{,}0^{2}9810$	4,0	$0{,}0^{2}2090$	$0{,}0^{3}4038$	$0{,}0^{4}7131$
4,2	0,2186	0,06105	0,01514	4,2	$0{,}0^{2}3373$	$0{,}0^{3}6819$	$0{,}0^{3}1261$
4,4	0,3060	0,08894	0,02299	4,4	$0{,}0^{2}5344$	$0{,}0^{2}1128$	$0{,}0^{3}2178$
4,6	0,4239	0,1280	0,03440	4,6	$0{,}0^{2}8324$	$0{,}0^{2}1830$	$0{,}0^{3}3683$
4,8	0,5819	0,1821	0,05080	4,8	0,01277	$0{,}0^{2}2918$	$0{,}0^{3}6109$
5,0	0,7923	0,2565	0,07412	5,0	0,01932	$0{,}0^{2}4580$	$0{,}0^{3}9955$
5,2	1,0707	0,3580	0,1070	5,2	0,02885	$0{,}0^{2}7086$	$0{,}0^{2}1596$
5,4	1,4371	0,4954	0,1528	5,4	0,04260	0,01082	$0{,}0^{2}2523$
5,6	1,9171	0,6803	0,2163	5,6	0,06222	0,01632	$0{,}0^{2}3932$
5,8	2,5430	0,9277	0,3037	5,8	0,09000	0,02435	$0{,}0^{2}6052$
6,0	3,3558	1,2569	0,4230	6,0	0,1290	0,03594	$0{,}0^{2}9207$

$$J_n(ix)\,J_n'(x) - i\,J_n(x)\,J_n'(ix) = 0.$$

	$n=0$	$n=1$	$n=2$
x_1	3,20	4,611	5,906
x_2	6,306	7,80	9,20
x_3	9,440	10,96	
x_4	12,58		
x_5	15,72		

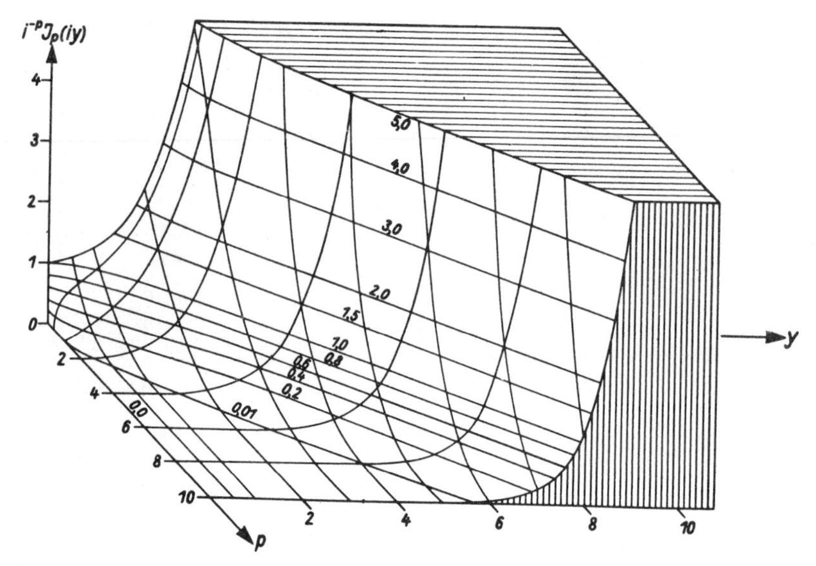

Fig. 126. $i^{-p}J_p(iy)$ über der Ebene p, y.
against the plane p, y.

x	$i^{-\frac{1}{3}}J_{\frac{1}{3}}(ix)$	$i^{\frac{1}{3}}J_{-\frac{1}{3}}(ix)$	$i^{-\frac{2}{3}}J_{\frac{2}{3}}(ix)$	$i^{\frac{2}{3}}J_{-\frac{2}{3}}(ix)$	x	$i^{-\frac{1}{3}}J_{\frac{1}{3}}(ix)$	$i^{\frac{1}{3}}J_{-\frac{1}{3}}(ix)$	$i^{-\frac{2}{3}}J_{\frac{2}{3}}(ix)$	$i^{\frac{2}{3}}J_{-\frac{2}{3}}(ix)$
0.0	0,0000	∞	0.0000	∞	4.0	11.114	11.120	10.580	10.586
2	0.5237	1.6150	0.2401	1.7848	2	13.233	13.238	12.633	12.638
4	0.6747	1.3395	0.3880	1.2244	4	15.775	15.779	15.098	15.103
6	0.8012	1.2561	0.5237	1.0655	6	18.827	18.830	18.060	18.064
8	0.9276	1.2546	0.6609	1.0379	8	22.493	22.495	21.621	21.623
1.0	1.0646	1.3064	0.8075	1.0801	5.0	26.90	26.90	25.90	25.90
2	1.2199	1.4018	0.9701	1.1720	2	32.19	32.19	31.05	31.06
4	1.4000	1.5386	1.1547	1.3067	4	38.56	38.56	37.25	37.25
6	1.6115	1.7181	1.3678	1.4836	6	46.22	46.22	44.72	44.72
8	1.8617	1.9442	1.6165	1.7055	8	55.45	55.45	53.71	53.71
2.0	2.1588	2.2230	1.9089	1.9778	6.0	66.55	66.55	64.54	64.54
2	2.5124	2.5627	2.2546	2.3082	2	79.93	79.93	77.60	77.60
4	2.9339	2.9734	2.6648	2.7067	4	96.04	96.04	93.34	93.34
6	3.4370	3.4681	3.1528	3.1856	6	115.47	115.47	112.33	112.33
8	4.0378	4.0624	3.7345	3.7603	8	138.89	138.89	135.24	135.24
3.0	4.7560	4.7754	4.4290	4.4494	7.0	167.15	167.15	162.89	162.89
2	5.6148	5.6302	5.2593	5.2755	2	201.23	201.23	196.26	196.26
4	6.6425	6.6548	6.2529	6.2657	4	242.37	242.37	236.55	236.55
6	7.8729	7.8827	7.4429	7.4531	6	292.02	292.02	285.21	285.21
8	9.3470	9.3548	8.8692	8.8773	8	351.98	351.98	343.99	343.99
4.0	11.1138	11.1201	10.5799	10.5864	8.0	424.39	424.39	415.01	415.01

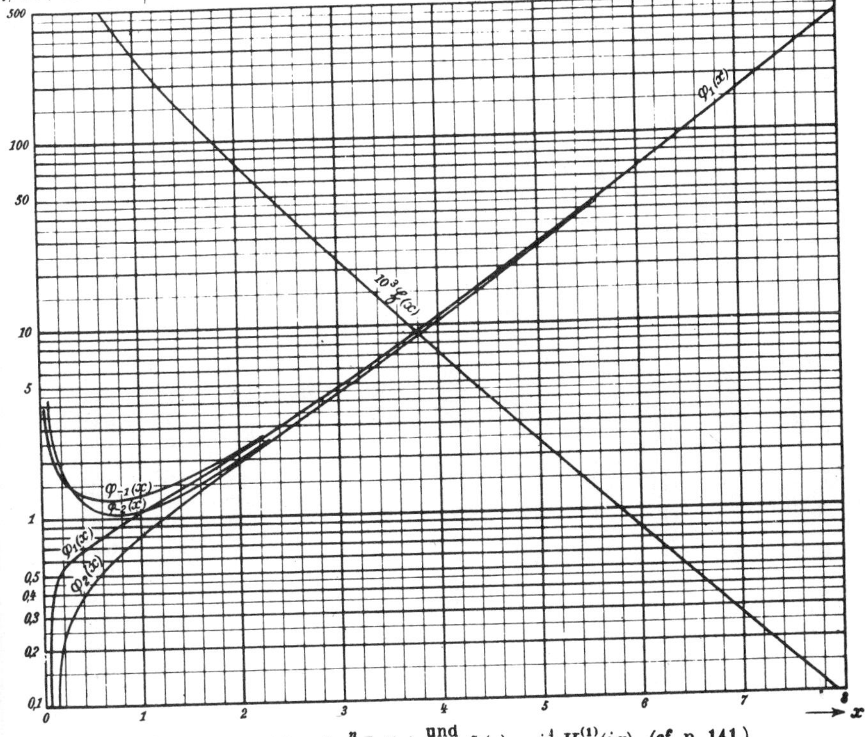

Fig. 127. $\varphi_n(x) = i^{-\frac{n}{3}} J_{\frac{n}{3}}(ix)$ und / and $\mathfrak{H}(x) = i^{\frac{1}{3}} H^{(1)}_{\frac{1}{3}}(ix)$. (cf. p. 141.)

$i H_0^{(1)}(i x) = -i H_0^{(2)}(-i x)$ (cf. fig. 128, p. 2

x		0	1	2	3	4	5	6	7	8	9	d
0,0	2,	∞	—	565	307	124	*983	*867	*770	*685	*611	
1	1,	545	485	431	381	335	292	252	215	180	147	
2		116	086	058	031	006	*981	*958	*936	*914	*894	
3	0,8	737	546	362	185	013	*848	*687	*532	*382	*237	
4	0,7	095	*958	*825	*696	*571	*448	*330	*214	*101	**992	122
5	0,5	885	781	679	580	484	389	297	207	120	034	95
6	0,4	950	868	788	709	632	557	484	412	342	273	75
7		205	139	074	010	*948	*887	*827	*769	*711	*655	61
8	0,3	599	545	491	439	388	337	288	239	192	145	51
9		099	053	009	*965	*922	*880	*839	*798	*758	*719	42
1,0	0,2	680	642	605	568	532	497	462	427	393	360	35
1		327	295	264	232	202	172	142	113	084	056	30
2		028	000	*973	*947	*920	*895	*869	*844	*820	*795	26
3	0,1	771	748	725	702	679	657	635	614	593	572	22
4	0,15	512	309	109	*912	*718	*527	*338	*153	**970	**789	191
5	0,13	611	436	263	093	*925	*759	*596	*435	*276	*120	167
6	0,11	966	813	663	516	370	226	084	*944	*806	*670	144
7	0,10	536	403	273	144	017	*892	*768	*646	*526	*407	125
8	0,09	290	175	061	*948	*838	*728	*620	*514	*409	*305	110
9	0,08	203	102	002	*904	*807	*711	*616	*523	*431	*340	96
2,0	0,07	251	162	075	*989	*904	*820	*737	*655	*574	*495	84
1	0,06	416	338	262	186	111	038	*965	*893	*822	*752	73
2	0,05	683	615	547	481	415	350	286	223	161	099	65
3		038	*978	*919	*860	*802	*745	*689	*633	*578	*524	57
4	0,04	470	417	365	313	262	212	162	113	064	017	50
5	0,03	969	922	876	831	786	741	697	654	611	569	45
6		527	485	445	404	365	325	286	248	210	173	40
7		136	099	063	027	*992	*957	*923	*889	*856	*822	35
8	0,02	790	757	725	694	663	632	601	571	542	512	31
9		483	455	426	398	371	343	316	290	263	237	28
3,0		212	186	161	136	112	088	064	040	017	*993	24
1	0,01	971	948	926	904	882	861	839	818	798	777	21
2	0,017	568	367	169	*974	*781	*590	*401	*214	*030	**848	191
3	0,015	668	490	314	140	*968	*798	*631	*465	*301	*139	169
4	0,013	979	821	664	510	357	206	057	*909	*764	*619	151
5	0,012	477	336	197	060	*924	*789	*657	*525	*396	*267	135
6	0,011	141	015	*891	*769	*648	*528	*410	*293	*178	*064	119
7	$0{,}0^2 9$	951	839	729	620	512	406	300	196	093	*992	106
8	$0{,}0^2 8$	891	792	693	596	500	405	311	219	127	036	95
9	$0{,}0^2 7$	946	858	770	684	598	513	430	347	265	184	85
4,0		104	025	*947	*870	*794	*718	*644	*570	*497	*425	75
1	$0{,}0^2 6$	353	283	213	144	076	009	*942	*876	*811	*747	67
2	$0{,}0^2 5$	683	620	558	497	436	376	316	258	200	142	60
3		085	029	*974	*919	*864	*811	*758	*705	*653	*602	53
4	$0{,}0^2 4$	551	501	452	402	354	306	259	212	165	120	48
5		074	029	*985	*941	*898	*855	*813	*771	*730	*689	43
6	$0{,}0^2 3$	648	608	568	529	491	452	414	377	340	303	38
7		267	231	196	161	126	092	058	025	*992	*959	34
8	$0{,}0^2 2$	927	895	863	832	801	770	740	710	680	651	31
9		622	594	565	537	510	482	455	428	402	376	28

x		0	1	2	3	4	5	6	7	8	9	d
0,0		∞	63,6	31,8	21,2	15,9	12,7	10,5	9,02	7,88	6,99	32
1		6,27	5,69	5,20	4,79	4,43	4,12	3,85	3,61	3,40	3,21	31
2	3,	040	*885	*743	*614	*495	*385	*284	*190	*103	*022	110
3	1,	946	874	807	744	685	.629	576	526	479	434	56
4		391	350	311	274	238	204	172	141	111	082	34
5	1,0	545	281	026	*781	*545	*318	*099	**887	**683	**485	227
6	0,8	294	109	*931	*758	*590	*428	*270	*118	**970	**826	162
7	0,6	686	551	419	291	166	045	*927	*813	*701	*592	121
8	0,5	486	383	282	184	089	*995	*904	*816	*729	*644	94
9	0,4	562	481	402	325	250	176	104	034	*965	*898	74
1,0	0,3	832	767	704	643	582	523	465	409	353	299	59
1		245	193	142	092	042	*994	*947	*901	*855	*810	48
2	0,2	767	724	682	640	600	560	521	483	445	408	40
3		372	336	301	267	233	200	167	135	104	073	33
4		043	013	*983	*955	*926	*898	*871	*844	*818	*792	28
5	0,1	766	741	716	692	668	644	621	598	576	554	24
6	0,15	319	106	*895	*688	*485	*284	*087	**893	**702	**514	201
7	0,13	328	146	*967	*790	*616	*444	*276	*110	**946	**785	172
8	0,11	626	470	316	164	015	*868	*723	*580	*439	*301	147
9	0,10	164	030	*897	*767	*638	*511	*386	*263	*142	*022	127
2,0	0,08	904	788	673	561	449	340	232	125	020	*916	109
1	0,07	814	714	614	517	420	325	231	139	048	*958	95
2	0,06	869	781	695	610	526	444	362	282	202	124	82
3		047	*971	*896	*821	*748	*676	*605	*535	*466	*397	72
4	0,05	330	264	198	133	070	007	*944	*883	*823	*763	63
5	0,04	704	646	589	532	476	421	367	313	260	208	55
6		156	105	055	005	*956	*908	*860	*813	*767	*721	48
7	0,03	676	631	587	543	500	458	416	375	334	294	42
8		254	215	176	138	100	063	026	*989	*953	*918	37
9	0,02	883	848	814	781	747	715	682	650	618	587	32
3,0		556	526	496	466	437	408	379	351	323	296	29
1		269	242	215	189	163	138	112	087	063	038	25
2		014	*991	*967	*944	*921	*899	*876	*854	*833	*811	22
3	0,017	900	690	483	279	077	*877	*680	*485	*293	*103	200
4	0,015	915	729	546	365	186	010	*835	*663	*493	*324	176
5	0,014	158	*994	*832	*671	*513	*356	*202	*049	**898	**749	157
6	0,012	602	456	313	170	030	*891	*754	*619	*485	*353	139
7	0,011	222	093	*966	*840	*715	*592	*471	*350	*232	*114	123
8	$0,0^2 9$	999	884	771	659	549	439	331	225	119	015	110
9	$0,0^2 8$	912	811	710	611	512	415	320	225	131	039	97
4,0	$0,0^2 7$	947	857	768	679	592	506	421	336	253	171	86
1		090	009	*930	*851	*774	*697	*621	*546	*472	*399	77
2	$0,0^2 6$	327	255	185	115	046	*978	*910	*844	*778	*713	68
3	$0,0^2 5$	648	585	522	460	398	337	277	218	159	101	61
4		044	*987	*931	*876	*821	*767	*714	*661	*609	*557	54
5	$0,0^2 4$	506	456	406	356	308	259	212	165	118	072	49
6		027	*982	*937	*893	*850	*807	*764	*722	*681	*640	43
7	$0,0^2 3$	599	559	520	480	442	403	365	328	291	254	39
8		218	182	147	112	078	043	010	*976	*943	*911	35
9	$0,0^2 2$	878	846	815	784	753	722	692	662	633	604	31

$i H_0^{(1)}(i x) = -i H_0^{(2)}(-i x)$

x		0	1	2	3	4	5	6	7	8	9	d
5,0	$0{,}0^{2}2$	350	324	299	274	249	225	200	176	153	129	24
1		106	083	061	038	016	*994	*972	*951	*930	*909	22
2	$0{,}0^{2}1$	888	868	847	827	807	788	768	749	730	711	19
3	$0{,}0^{2}16$	928	745	563	384	206	030	*857	*685	*515	*347	176
4	$0{,}0^{2}15$	181	016	*854	*693	*534	*376	*221	*067	**915	**764	157
5	$0{,}0^{2}13$	615	468	323	179	036	*895	*756	*618	*482	*347	141
6	$0{,}0^{2}12$	214	082	*951	*822	*695	*568	*443	*320	*198	*077	127
7	$0{,}0^{2}10$	958	840	723	607	493	379	268	157	047	*939	113
8	$0{,}0^{3}9$	832	726	622	518	415	314	214	115	017	*920	101
9	$0{,}0^{3}8$	824	729	635	542	450	359	269	180	093	006	91
6,0	$0{,}0^{3}7$	920	834	750	667	585	503	423	343	264	186	82
1		109	033	*957	*883	*809	*736	*663	*592	*521	*451	73
2	$0{,}0^{3}6$	382	314	246	179	113	047	*983	*919	*855	*793	66
3	$0{,}0^{3}5$	730	669	608	548	489	430	372	315	258	202	59
4		146	091	036	*983	*929	*877	*824	*773	*722	*671	52
5	$0{,}0^{3}4$	621	572	523	475	427	380	333	287	241	196	47
6		151	107	063	019	*977	*934	*892	*851	*810	*769	43
7	$0{,}0^{3}3$	729	689	650	611	572	534	496	459	422	386	38
8		350	314	279	244	209	175	141	108	075	042	34
9		010	*978	*946	*915	*884	*853	*823	*792	*763	*733	31
7,0	$0{,}0^{3}2$	704	676	647	619	591	564	536	509	483	456	27
1		430	404	379	354	329	304	279	255	231	208	25
2		184	161	138	115	093	071	049	027	005	*984	22
3	$0{,}0^{3}1$	963	942	922	901	881	861	841	822	803	784	20
4	$0{,}0^{3}17$	646	459	274	091	*910	*731	*553	*378	*205	*033	180
5	$0{,}0^{3}15$	863	695	529	365	202	041	*882	*724	*568	*414	161
6	$0{,}0^{3}14$	262	111	*961	*814	*668	*523	*380	*238	*098	**960	145
7	$0{,}0^{3}12$	823	687	553	420	289	159	031	*903	*778	*653	130
8	$0{,}0^{3}11$	530	408	288	168	050	*934	*818	*704	*591	*479	117
9	$0{,}0^{3}10$	368	259	151	044	*938	*833	*729	*626	*525	*424	105
8,0	$0{,}0^{4}9$	325	226	129	033	*937	*843	*750	*657	*566	*476	95
1	$0{,}0^{4}8$	386	298	211	124	038	*954	*870	*787	*705	*624	85
2	$0{,}0^{4}7$	543	464	385	307	230	154	079	004	*930	*857	76
3	$0{,}0^{4}6$	785	714	643	573	504	436	368	301	234	169	68
4		104	040	*976	*913	*851	*789	*729	*668	*609	*550	61
5	$0{,}0^{4}5$	491	434	376	320	264	209	154	100	046	*993	55
6	$0{,}0^{4}4$	941	889	837	786	736	686	637	588	540	492	50
7		445	399	352	307	261	217	172	129	085	042	45
8		000	*958	*916	*875	*835	*794	*755	*715	*676	*638	41
9	$0{,}0^{4}3$	599	562	524	487	451	415	379	343	308	274	36
9,0		239	205	172	138	105	073	041	009	*977	*946	32
1	$0{,}0^{4}2$	915	885	854	825	795	766	737	708	680	652	29
2		624	596	569	542	516	489	463	437	412	387	26
3		362	337	312	288	264	241	217	194	171	148	23
4		126	104	082	060	038	017	*996	*975	*954	*934	21
5	$0{,}0^{4}1$	914	894	874	854	835	816	797	778	759	741	20
6	$0{,}0^{4}17$	226	046	*868	*692	*517	*345	*174	*005	**838	**672	173
7	$0{,}0^{4}15$	508	346	186	027	*870	*715	*561	*409	*258	*110	155
8	$0{,}0^{4}13$	962	817	672	529	388	248	110	*973	*837	*704	140
9	$0{,}0^{4}12$	571	440	310	182	054	*929	*804	*681	*559	*438	126

x		0	1	2	3	4	5	6	7	8	9	d
5,0	$0{,}0^{2}2$	575	546	518	490	463	436	409	382	356	330	27
1		304	279	253	229	204	180	156	132	108	085	24
2		062	039	017	*995	*973	*951	*930	*908	*887	*867	22
3	$0{,}0^{2}1$	846	826	806	786	766	747	728	709	690	671	19
4	$0{,}0^{2}16$	531	349	170	*993	*817	*644	*472	*303	*135	**969	173
5	$0{,}0^{2}14$	805	643	483	324	167	012	*859	*707	*557	*409	155
6	$0{,}0^{2}13$	262	117	*974	*832	*692	*553	*416	*280	*146	*014	139
7	$0{,}0^{2}11$	882	753	625	498	372	248	126	004	*884	*766	124
8	$0{,}0^{2}10$	648	532	417	304	192	081	*971	*862	*755	*649	111
9	$0{,}0^{3}9$	544	440	337	236	135	036	*938	*841	*745	*650	99
6,0	$0{,}0^{3}8$	556	463	371	280	190	101	013	*926	*840	*755	89
1	$0{,}0^{3}7$	671	588	505	424	344	264	185	107	030	*954	80
2	$0{,}0^{3}6$	879	804	731	658	586	514	444	374	305	237	72
3	$0{,}0^{3}6$	170	103	037	*972	*907	*843	*780	*718	*656	*595	64
4		534	474	415	357	299	242	185	129	074	019	57
5	$0{,}0^{3}4$	965	911	858	806	754	703	652	602	553	503	51
6		455	407	359	313	266	220	175	130	085	041	45
7	$0{,}0^{3}3$	998	955	912	870	829	787	747	706	666	627	42
8		588	550	511	474	436	399	363	327	291	256	37
9		221	186	152	118	085	052	019	*986	*954	*923	33
7,0	$0{,}0^{3}2$	891	860	830	799	769	740	710	681	653	624	29
1		596	568	541	514	487	460	434	408	382	356	27
2		331	306	281	257	233	209	185	162	139	116	24
3		093	071	049	027	005	*984	*963	*942	*921	*901	21
4	$0{,}0^{3}1$	880	860	840	821	801	782	763	744	726	707	19
5	$0{,}0^{3}16$	889	709	531	355	180	008	*837	*668	*501	*336	172
6	$0{,}0^{3}15$	172	011	*851	*692	*536	*381	*228	*076	**926	**778	155
7	$0{,}0^{3}13$	631	486	343	201	060	*921	*784	*647	*513	*380	139
8	$0{,}0^{3}12$	248	118	*989	*861	*735	*610	*487	*365	*244	*124	125
9	$0{,}0^{3}11$	006	*889	*773	*659	*546	*434	*323	*213	*105	**997	113
8,0	$0{,}0^{4}9$	891	786	682	579	478	377	277	179	082	*985	101
1	$0{,}0^{4}8$	890	796	702	610	519	428	339	250	163	076	91
2	$0{,}0^{4}7$	991	906	822	739	657	576	496	416	338	260	81
3		183	107	032	*957	*883	*811	*738	*667	*596	*527	72
4	$0{,}0^{4}6$	458	389	322	255	188	123	058	*994	*931	*868	65
5	$0{,}0^{4}5$	806	744	684	624	564	505	447	389	332	276	59
6		220	165	110	056	003	*950	*898	*846	*795	*744	53
7	$0{,}0^{4}4$	694	645	596	547	499	451	404	358	312	266	48
8		221	177	133	089	046	003	*961	*919	*878	*837	43
9	$0{,}0^{4}3$	797	756	717	678	639	600	563	525	488	451	39
9,0		415	379	343	308	273	238	204	171	137	104	35
1		071	039	007	*975	*944	*913	*882	*852	*822	*792	31
2	$0{,}0^{4}2$	763	734	705	677	648	620	593	566	539	512	28
3		485	459	433	408	383	357	333	308	284	260	26
4		236	213	189	166	144	121	099	077	055	033	23
5		012	*991	*970	*949	*929	*908	*888	*868	*849	*829	21
6	$0{,}0^{4}1$	810	791	772	754	735	717	699	681	664	646	18
7	$0{,}0^{4}16$	289	118	*949	*781	*616	*452	*290	*129	**971	**814	164
8	$0{,}0^{4}14$	658	504	352	202	053	*905	*760	*615	*472	*331	148
9	$0{,}0^{4}13$	191	053	*916	*781	*647	*514	*383	*253	*125	**998	133

$i H_0^{(1)}(ix) = -i H_0^{(2)}(-ix)$

x		0	1	2	3	4	5	6	7	8	9	d
10,0	$0{,}0^4 11$	319	201	084	*968	*854	*741	*629	*518	*408	*299	113
1	$0{,}0^4 10$	192	086	*981	*877	*774	*672	*571	*471	*372	*275	102
2	$0{,}0^5 9$	178	082	*988	*894	*801	*710	*619	*529	*440	*352	91
3	$0{,}0^5 8$	265	179	094	010	*926	*843	*762	*681	*601	*522	83
4	$0{,}0^5 7$	443	366	289	213	138	063	*990	*917	*846	*774	75
5	$0{,}0^5 6$	704	634	565	496	429	362	296	230	165	101	67
6		038	*975	*913	*851	*790	*730	*670	*611	*553	*495	60
7	$0{,}0^5 5$	438	382	326	270	215	161	107	054	002	*950	54
8	$0{,}0^5 4$	898	847	797	747	698	649	601	553	505	458	49
9		412	366	321	276	232	188	144	101	058	016	44
11,0	$0{,}0^5 3$	974	933	892	852	812	772	733	694	656	618	40
1		580	543	506	470	434	398	363	328	293	259	36
2		225	192	159	126	094	061	030	*998	*967	*936	33
3	$0{,}0^5 2$	906	876	846	816	787	758	730	701	673	645	29
4		618	591	564	537	511	485	459	434	408	384	26
5		359	334	310	286	262	239	216	193	170	147	23
6		125	103	081	060	039	017	*996	*976	*955	*935	22
7	$0{,}0^5 1$	915	895	875	856	837	818	799	780	762	744	19
8	$0{,}0^5 17$	254	075	*899	*724	*551	*380	*210	*042	**875	**711	171
9	$0{,}0^5 15$	548	387	228	070	*914	*760	*607	*455	*305	*157	154
12,0	$0{,}0^5 14$	010	*865	*722	*580	*440	*301	*163	*027	**892	**758	139
1	$0{,}0^5 12$	626	495	366	238	112	*986	*862	*739	*618	*497	126
2	$0{,}0^5 11$	378	260	144	029	*915	*802	*690	*579	*470	*362	113
3	$0{,}0^5 10$	255	148	043	*939	*837	*735	*635	*535	*436	*338	102
4	$0{,}0^6 9$	242	147	052	*958	*866	*774	*683	*593	*505	*417	92
5	$0{,}0^6 8$	330	243	158	074	*990	*908	*826	*745	*665	*586	82
6	$0{,}0^6 7$	508	430	353	277	202	128	054	*981	*909	*837	74
7	$0{,}0^6 6$	767	697	628	559	492	425	358	292	227	163	67
8		099	036	*974	*912	*851	*791	*731	*672	*613	*555	60
9	$0{,}0^6 5$	498	441	385	329	274	220	166	113	060	008	54
13,0	$0{,}0^6 4$	956	905	854	804	754	705	657	609	561	514	49
1		467	421	376	330	286	242	198	155	112	069	44
2		027	*986	*945	*904	*864	*824	*784	*745	*706	*668	40
3	$0{,}0^6 3$	630	593	556	519	483	447	412	376	342	307	36
4		273	239	206	173	140	108	076	044	012	*981	32
5	$0{,}0^6 2$	951	920	890	860	831	802	773	744	716	688	29
6		660	633	606	579	552	526	500	474	449	423	26
7		398	374	349	325	301	277	254	231	208	185	24
8		162	140	118	096	075	053	032	011	*990	*970	22
9	$0{,}0^6 1$	950	930	910	890	871	851	832	813	795	776	20
14,0	$0{,}0^6 17$	580	398	219	042	*867	*693	*521	*350	*182	*015	164
1	$0{,}0^6 15$	851	688	527	367	208	052	*897	*744	*592	*442	146
2	$0{,}0^6 14$	293	146	000	*856	*713	*572	*433	*295	*158	*022	141
3	$0{,}0^6 12$	888	755	624	494	366	238	112	*988	*865	*742	128
4	$0{,}0^6 11$	621	502	384	267	151	036	*922	*810	*699	*589	115
5	$0{,}0^6 10$	480	372	265	159	055	*952	*850	*748	*648	*549	103
6	$0{,}0^7 9$	451	353	257	162	068	*975	*883	*791	*701	*611	93
7	$0{,}0^7 8$	523	436	349	263	177	094	011	*928	*846	*766	83
8	$0{,}0^7 7$	686	607	529	451	375	299	224	150	076	003	76
9	$0{,}0^7 6$	932	860	790	720	651	583	515	448	382	316	68

x		0	1	2	3	4	5	6	7	8	9	d
10,0	$0,0^4 11$	872	748	625	503	382	263	145	028	*913	*799	119
1	$0,0^4 10$	686	574	463	353	245	138	031	*926	*822	*720	107
2	$0,0^5 9$	618	517	418	319	221	125	030	*935	*842	*749	96
3	$0,0^5 8$	657	567	477	389	301	214	128	043	*959	*876	87
4	$0,0^5 7$	793	712	631	551	472	394	317	241	165	090	78
5		016	*943	*870	*798	*727	*657	*587	*518	*450	*383	70
6	$0,0^5 6$	316	250	185	120	056	*993	*931	*869	*807	*747	63
7	$0,0^5 5$	687	627	569	510	453	396	340	284	229	174	57
8		120	067	014	*961	*910	*858	*808	*758	*708	*659	52
9	$0,0^5 4$	610	562	515	467	421	375	329	284	239	195	46
11,0		151	108	065	023	*981	*939	*898	*858	*817	*778	42
1	$0,0^5 3$	738	699	661	623	585	547	510	474	438	402	38
2		366	331	297	262	228	195	161	128	096	064	33
3		032	000	*969	*938	*907	*877	*847	*818	*788	*759	30
4	$0,0^5 2$	730	702	674	646	619	591	564	538	511	485	28
5		459	434	408	383	358	334	310	286	262	238	24
6		215	192	169	147	124	102	080	059	037	016	22
7	$0,0^5 1$	995	974	954	934	913	894	874	854	835	816	19
8	$0,0^5 17$	971	785	600	417	236	057	*879	*704	*530	*359	179
9	$0,0^5 16$	189	020	*854	*689	*526	*365	*205	*048	**891	**737	161
12,0	$0,0^5 14$	583	432	282	134	*987	*842	*698	*556	*415	*276	145
1	$0,0^5 13$	138	001	*866	*733	*601	*470	*340	*212	*086	**960	131
2	$0,0^5 11$	836	713	592	471	352	234	118	002	*888	*775	118
3	$0,0^5 10$	664	553	443	335	228	122	017	*913	*810	*708	106
4	$0,0^6 9$	608	508	409	312	215	120	025	*932	*839	*747	95
5	$0,0^6 8$	657	567	478	390	303	217	132	048	*964	*882	86
6	$0,0^6 7$	800	719	639	560	482	404	327	251	176	102	78
7		028	*955	*883	*812	*742	*672	*603	*534	*466	*399	70
8	$0,0^6 6$	333	268	203	138	075	012	*950	*888	*827	*767	63
9	$0,0^6 5$	707	648	589	532	474	418	362	306	251	197	56
13,0		143	090	037	*985	*933	*882	*832	*782	*732	*683	51
1	$0,0^6 4$	635	587	539	492	446	400	354	309	265	221	46
2		177	134	091	049	007	*965	*924	*884	*844	*804	42
3	$0,0^6 3$	765	726	687	649	611	574	537	500	464	428	37
4		393	358	323	289	255	221	188	155	122	090	34
5		058	026	*995	*964	*934	*903	*873	*844	*814	*785	31
6	$0,0^6 2$	756	728	700	672	644	617	590	563	537	510	27
7		484	459	433	408	383	359	334	310	286	263	24
8		239	216	193	171	148	126	104	082	061	040	22
9		019	*998	*977	*957	*937	*917	*897	*877	*858	*839	20
14,0	$0,0^6 1$	820	801	872	764	746	728	710	692	675	657	18
1	$0,0^6 16$	404	234	067	*901	*737	*575	*414	*255	*098	**942	162
2	$0,0^6 14$	788	635	484	335	187	041	*896	*752	*611	*470	146
3	$0,0^6 13$	331	194	058	*923	*790	*658	*527	*398	*270	*144	132
4	$0,0^6 12$	019	*895	*772	*651	*531	*412	*294	*178	*062	**948	119
5	$0,0^6 10$	836	724	613	504	396	289	182	078	*974	*871	107
6	$0,0^7 9$	769	669	569	470	373	276	181	086	*992	*900	97
7	$0,0^7 8$	808	717	627	539	451	364	277	192	108	024	87
8	$0,0^7 7$	942	860	779	699	619	541	463	386	310	235	78
9		161	087	014	*942	*870	*799	*729	*660	*591	*524	71

$$i H_0^{(1)}(i x) = -i H_0^{(2)}(-i x)$$

x		0	1	2	3	4	5	6	7	8	9	
15,0	$0{,}0^7 6$	251	187	123	061	*998	*937	*876	*815	*756	*697	6
1	$0{,}0^7 5$	638	580	523	466	410	354	299	245	191	138	5
2		085	033	*981	*930	*879	*829	*780	*730	*682	*634	5
3	$0{,}0^7 4$	586	539	492	446	401	355	311	266	223	179	4
4		136	094	052	010	*969	*928	*888	*848	*809	*770	4
5	$0{,}0^7 3$	731	693	655	617	580	543	507	471	435	400	3
6		365	331	297	263	229	196	163	131	099	067	3
7		035	004	*973	*943	*913	*883	*853	*824	*795	*766	3
8	$0{,}0^7 2$	738	710	682	655	627	600	574	547	521	495	2
9		470	444	419	395	370	346	322	298	274	251	2

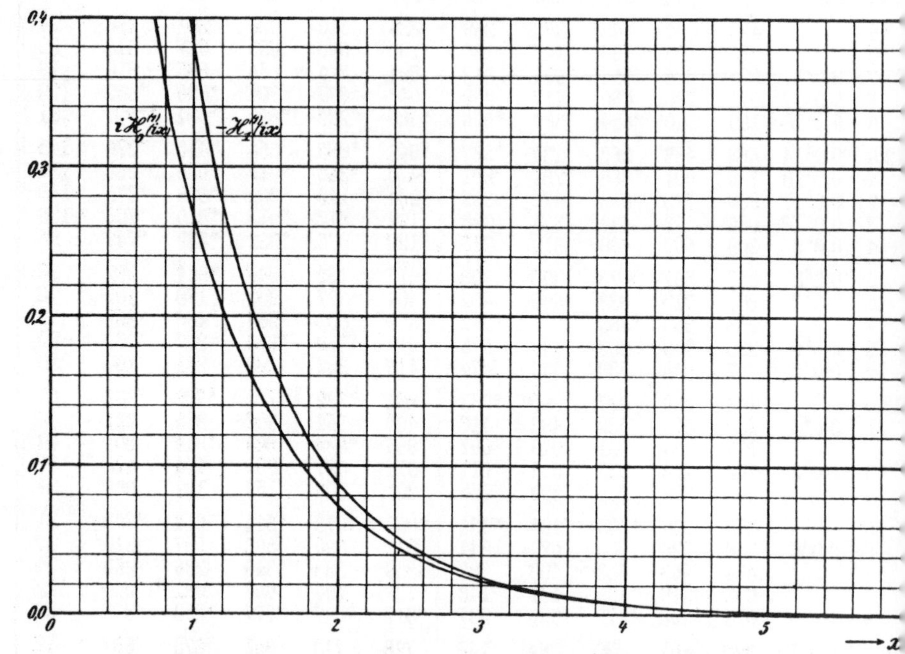

Fig. 128. Hankelsche Zylinderfunktionen der Ordnungen Null und Eins bei rein imaginärem Argument.

Fig. 128. Hankel function of the orders zero and one for pure imaginary argument.

Wurzel von $H_1^{(2)\prime}(r\,i^{\varrho}) = 0$ **oder** $H_1^{(2)}(z) = z\,H_0^{(2)}(z)$

Root of **or**

$$r = 0{,}8156, \quad \varrho = 0{,}5787^{\llcorner} = 52{,}085^{0} = 0{,}9091 \text{ rad}$$

$$z = r\,i^{\varrho} = 0{,}5012 + i\,0{,}6435$$

x		0	1	2	3	4	5	6	7	8	9	d
5,0	$0{,}0^7 6$	456	390	324	259	195	131	068	005	*943	*882	64
1	$0{,}0^7 5$	822	762	703	644	586	528	471	415	359	304	57
2		250	196	142	089	037	*985	*934	*883	*833	*783	52
3	$0{,}0^7 4$	734	685	637	589	542	495	449	403	358	313	47
4		269	225	181	138	096	054	012	*971	*930	*889	42
5	$0{,}0^7 3$	849	810	771	732	694	656	618	581	544	507	38
6		471	436	400	365	331	297	263	229	196	163	34
7		131	098	067	035	004	*973	*942	*912	*882	*853	31
8	$0{,}0^7 2$	823	794	766	737	709	681	654	626	599	573	28
9		546	520	494	469	443	418	393	369	344	320	25

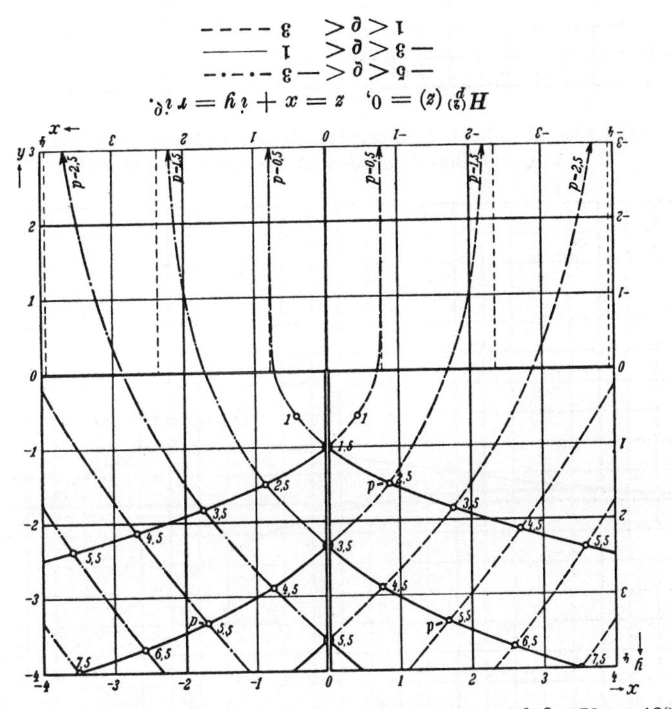

Fig. 129. $H_p^{(1)}(z) = 0, \quad z = x + iy = r\,i^{\varrho}$. (cf. fig. 72, p. 132.)

$-3 < \varrho < -1$ —·—·—

$-1 < \varrho < 3$ ———

$3 < \varrho < 5$ - - - -

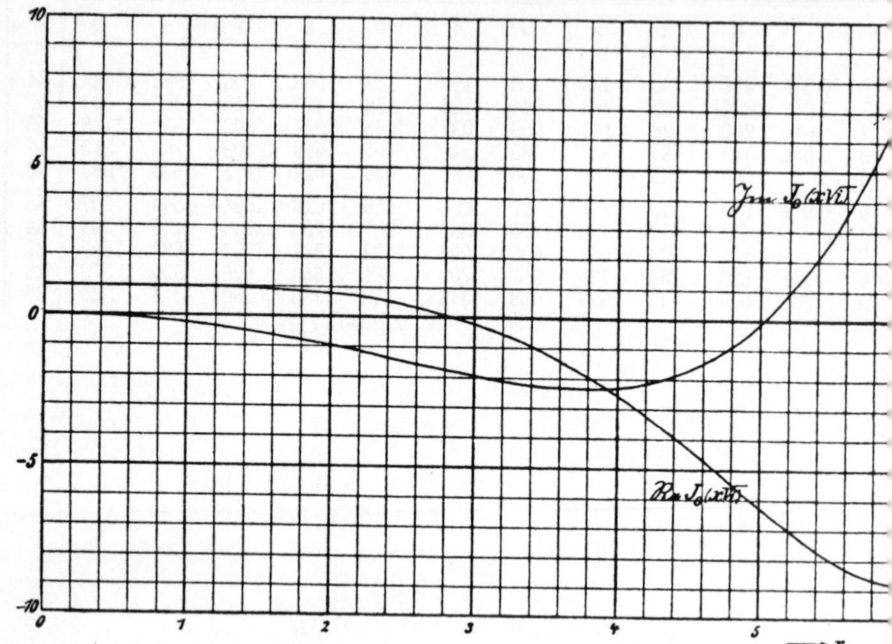

Fig. 130. Besselsche Zylinderfunktion der Ordnung Null von $x\,i^{0,5}$.
Fig. 130. Bessel function of the order zero of $x\,i^{0,5}$.

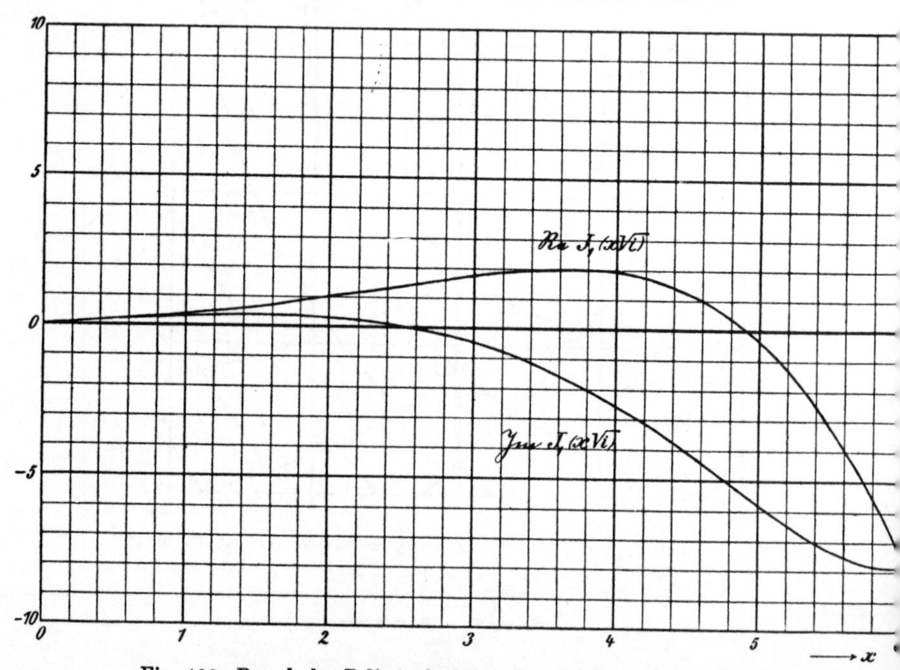

Fig. 132. Besselsche Zylinderfunktion der Ordnung Eins von $x\,i^{0,5}$.
Fig. 132. Bessel function of the order one of $x\,i^{0,5}$.

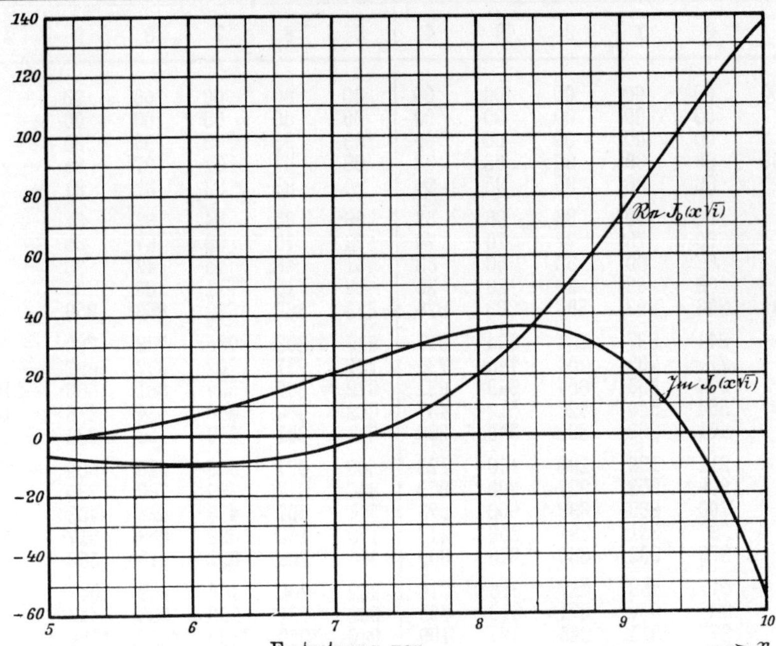

Fig. 131. Fortsetzung von / Continuation of Fig. 130. (cf. p. 258.)

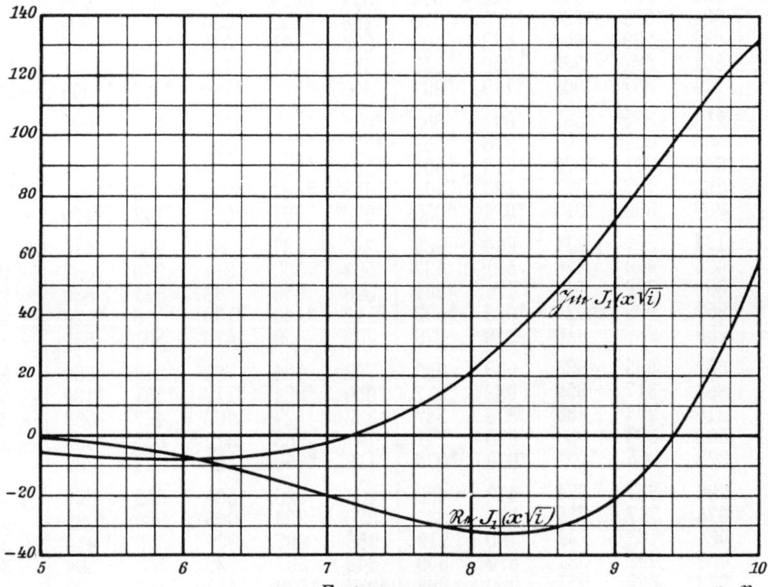

Fig. 133. Fortsetzung von / Continuation of Fig. 132.

 (cf. p. 262.)

x		0	1	2	3	4	5	6	7	8	9	d
0,0	+1,00	00	00	00	00	00	00	00	00	00	00	− 0
1		00	00	00	00	00	00	00	00	00	00	− 0
2		00	00	00	00	*99	*99	*99	*99	*99	*99	− 0
3	+0,99	99	99	98	98	98	98	97	97	97	96	− 0
4		96	96	95	95	94	94	93	92	92	91	− 0
5		90	89	89	88	87	86	85	84	82	81	− 1
6		80	78	77	75	74	72	70	69	67	65	− 2
7		62	60	58	56	53	51	48	45	42	39	− 3
8		36	33	29	26	22	18	15	11	06	02	− 4
9	+0,9	898	893	888	883	878	873	867	862	856	850	− 5
1,0		844	837	831	824	817	810	803	795	788	780	− 7
1		771	763	754	745	736	727	717	707	697	687	− 9
2		676	665	654	643	631	619	607	594	581	568	− 12
3		554	540	526	512	497	482	466	450	434	418	− 15
4		401	383	366	348	329	311	291	272	252	232	− 18
5		211	190	168	146	123	100	077	053	029	004	− 23
6	+0,8	979	953	927	900	873	846	817	789	760	730	− 27
7		700	669	638	606	573	541	507	473	438	403	− 33
8		367	331	294	256	218	179	140	099	059	017	− 39
9	+0,7	975	933	889	845	800	755	709	662	615	566	− 45
2,0		517	468	417	366	314	262	208	154	099	043	− 52
1	+0,6	987	930	871	813	753	692	631	569	506	442	− 61
2		377	311	245	177	109	040	*970	*899	*827	*754	− 69
3	+0,5	680	606	530	454	376	298	218	138	056	*974	− 88
4	+0,4	890	806	721	634	547	458	369	278	186	094	− 99
5		000	*905	*809	*712	*614	*514	*414	*312	*210	*106	−100
6	+0,3	001	*895	*788	*679	*570	*459	*347	*234	*119	*004	−111
7	+0,1	887	769	650	529	408	285	161	035	*908	*780	−123
8	+0,0	651	521	389	256	$^+$121	$^-$015	$^-$152	$^-$290	$^-$430	$^-$571	−136
9	−0,0	714	857	*003	*149	*297	*446	*597	*749	*903	**058	−149
3,0	−0,2	214	371	531	691	853	*017	*181	*348	*515	*685	−164
1	−0,3	855	*027	*201	*376	*553	*731	*910	**091	**274	**458	−178
2	−0,5	644	831	*020	*210	*401	*595	*789	*986	**184	**383	−194
3	−0,7	584	787	991	*196	*404	*613	*823	**035	**248	**464	−209
4	−0,	968	990	*012	*034	*056	*079	*101	*124	*147	*170	− 23
5	−1,	194	217	241	264	288	312	337	361	386	410	− 24
6		435	460	486	511	537	562	588	614	640	667	− 25
7		693	720	747	774	801	828	856	883	911	939	− 27
8		967	996	*024	*053	*082	*111	*140	*169	*198	*228	− 29
9	−2,	258	287	318	348	378	409	439	470	501	532	− 31
4,0		563	595	626	658	690	722	754	786	819	852	− 32
1		884	917	950	983	*017	*050	*084	*117	*151	*185	− 33
2	−3,	219	254	288	323	357	392	427	462	497	533	− 35
3		568	603	639	675	711	747	783	819	855	892	− 36
4		928	965	*002	*039	*075	*113	*150	*187	*224	*262	− 37
5	−4,	299	337	374	412	450	488	526	564	602	640	− 38
6		678	717	755	793	832	870	909	948	986	*025	− 38
7	−5,	064	103	142	180	219	258	297	336	375	414	− 39
8		453	492	531	570	609	648	687	726	765	804	− 39
9		843	882	921	960	998	*037	*076	*114	*153	*192	− 39

x		0	1	2	3	4	5	6	7	8	9	d
0,0	−0,00	000	002	010	022	040	062	090	122	160	202	− 12
1		250	302	360	422	490	562	640	722	810	902	− 72
2	−0,01	000	102	210	322	440	562	690	822	960	*102	−122
3	−0,02	250	402	560	722	890	*062	*240	*422	*610	*802	−172
4	−0,04	000	202	410	622	840	*062	*290	*522	*759	**002	−222
5	−0,0	625	650	676	702	729	756	784	812	841	870	− 27
6		900	930	961	992	*024	*056	*089	*122	*156	*190	− 32
7	−0,1	224	260	295	332	368	405	443	481	520	559	− 37
8		599	639	680	721	762	805	847	890	934	978	− 43
9	−0,2	023	068	113	159	206	253	301	349	397	446	− 47
1,0		496	546	596	647	699	750	803	856	909	963	− 51
1	−0,3	017	072	127	183	239	296	353	411	469	528	− 57
2		587	647	707	767	828	890	952	*014	*077	*140	− 62
3	−0,4	204	268	333	398	464	530	597	664	731	799	− 66
4		867	936	*005	*075	*145	*216	*287	*358	*430	*503	− 71
5	−0,5	576	649	723	797	871	946	*022	*097	*174	*250	− 75
6	−0,6	327	405	483	561	640	719	798	878	959	*039	− 79
7	−0,7	120	202	284	366	449	532	615	699	783	868	− 83
8		953	*038	*124	*210	*296	*383	*470	*557	*645	*733	− 87
9	−0,8	821	910	999	*088	*178	*268	*358	*449	*540	*631	− 90
2,0	−0,9	723	815	907	999	*092	*185	*278	*372	*466	*560	− 93
1	−1,0	654	748	843	938	*033	*129	*225	*321	*417	*513	− 96
2	−1,1	610	706	803	901	998	*095	*193	*291	*389	*487	− 97
3	−1,2	585	684	782	881	980	*079	*178	*277	*376	*475	− 99
4	−1,3	575	674	774	873	973	*073	*173	*272	*372	*472	−100
5	−1,4	572	672	771	871	971	*071	*171	*270	*370	*469	−100
6	−1,5	569	668	767	867	966	*065	*164	*262	*361	*459	− 99
7	−1,6	557	655	753	851	949	*046	*143	*240	*336	*432	− 97
8	−1,7	529	624	720	815	910	*004	*098	*192	*286	*379	− 94
9	−1,8	472	564	656	748	839	929	*020	*109	*199	*288	− 80
3,0	−1,9	376	464	551	638	724	809	894	979	*063	*146	− 85
1	−2,0	228	310	392	472	552	631	710	787	864	940	− 79
2	−2,1	016	090	164	237	309	380	451	520	589	656	− 71
3		723	789	854	917	980	*042	*103	*162	*221	*278	− 62
4	−2,2	334	390	444	497	548	599	648	696	743	788	− 51
5		832	875	917	957	996	*033	*069	*104	*137	*169	− 37
6	−2,3	199	227	254	280	304	326	347	366	383	399	− 22
7		413	425	436	445	452	457	460	461	461	459	− 5
8		454	448	440	430	417	403	387	368	348	325	+ 14
9		300	273	244	212	179	142	104	063	020	*975	+ 37
4,0	−2,2	927	877	824	768	711	650	587	522	454	383	+ 61
1		309	233	154	073	*988	*901	*811	*718	*622	*523	+ 87
2	−2,	142	132	121	110	098	087	075	062	050	037	+ 11
3		024	010	*996	*982	*967	*952	*937	*921	*906	*889	+ 13
4	−1,	873	856	838	820	802	784	765	746	726	706	+ 18
5		686	665	644	623	601	579	556	533	509	485	+ 22
6		461	436	411	386	360	333	306	279	251	223	+ 27
7		195	166	136	106	076	045	014	*982	*950	*917	+ 31
8	−0,	884	850	816	781	746	711	674	638	601	563	+ 35
9		525	487	447	408	368	327	286	244	202	159	+ 41

wenden | to turn

$\Re e\, J_0(x\sqrt{i})$

x		0	1	2	3	4	5	6	7	8	9	d
5,0	−6,	230	269	307	345	383	421	459	497	535	573	− 38
1		611	648	686	723	760	797	834	871	908	944	− 37
2		980	*017	*053	*088	*124	*160	*195	*230	*265	*300	− 36
3	−7,	334	369	403	437	470	504	537	570	603	635	− 34
4		667	699	731	762	793	824	855	885	915	944	− 31
5		974	*002	*031	*059	*087	*115	*142	*169	*195	*221	− 28
6	−8,	247	272	297	321	345	368	392	414	436	458	− 23
7		479	500	520	540	560	578	597	614	632	648	− 18
8		664	680	695	709	723	737	749	761	773	784	− 14
9		794	803	812	820	828	835	841	846	851	855	− 7

Fortsetzung S. 258.

$\Re e\, \sqrt{i}\, J_1(x\sqrt{i}) = -\frac{d}{dx}\, \Re e\, J_0(x\sqrt{i})$

(cf. p. 262.)

x		0	1	2	3	4	5	6	7	8	9	d
0,0	+0,00	000	000	000	000	000	001	001	002	003	005	+ 1
1		006	008	011	014	017	021	026	031	036	043	+ 4
2		050	058	067	076	086	098	110	123	137	152	+ 12
3		169	186	205	225	246	268	292	317	343	371	+ 22
4		400	431	463	497	532	570	608	649	691	735	+ 38
5		781	829	879	930	984	*040	*098	*157	*219	*283	+ 56
6	+0,01	350	418	489	563	638	716	797	879	965	*053	+ 78
7	+0,02	143	236	332	431	532	636	743	852	965	*080	+104
8	+0,03	199	320	445	572	703	837	973	*114	*257	*404	+134
9	+0,04	554	707	864	*024	*188	*355	*526	*701	*878	**059	+167
1,0	+0,0	624	643	663	682	702	723	744	765	786	808	+ 21
1		831	854	877	901	925	949	974	999	*025	*051	+ 24
2	+0,1	078	105	133	161	189	218	247	277	308	338	+ 29
3		370	401	434	466	500	533	567	602	637	673	+ 33
4		709	746	783	821	859	898	937	977	*018	*059	+ 39
5	+0,2	100	142	185	228	272	316	361	406	452	498	+ 44
6		545	593	641	690	740	790	840	891	943	995	+ 50
7	+0,3	048	102	156	211	266	322	379	436	494	553	+ 56
8		612	672	732	793	855	917	980	*044	*108	*173	+ 62
9	+0,4	238	305	372	439	507	576	646	716	787	858	+ 69
2,0		931	*004	*077	*151	*226	*302	*378	*455	*533	*612	+ 76
1	+0,5	691	770	851	932	*014	*097	*180	*264	*348	*434	+ 83
2	+0,6	520	607	694	783	872	961	*052	*143	*234	*327	+ 89
3	+0,7	420	514	609	704	800	897	995	*093	*192	*292	+ 97
4	+0,8	392	493	595	698	801	905	*010	*115	*221	*328	+105
5	+0,9	436	544	653	763	873	985	*097	*209	*323	*437	+112
6	+1,0	551	667	783	900	*017	*136	*255	*374	*495	*616	+119
7	+1,1	738	860	983	*107	*231	*357	*482	*609	*736	*864	+126
8	+1,2	993	*122	*252	*382	*513	*645	*778	*911	**045	**179	+132
9	+1,	431	445	459	472	486	500	514	528	542	556	+ 14
3,0		570	584	598	613	627	641	656	670	685	699	+ 14
1		714	729	744	758	773	788	803	818	833	848	+ 15
2		864	879	894	909	925	940	956	971	987	*002	+ 15
3	+2,	018	033	049	065	080	096	112	128	144	160	+ 16
4		175	191	207	223	239	256	272	288	304	320	+ 16

x		0	1	2	3	4	5	6	7	8	9	d
5,0	−0,	116	072	$^{-}$028	$^{+}$017	$^{+}$062	$^{+}$108	$^{+}$155	$^{+}$202	$^{+}$250	$^{+}$298	+ 46
1	+0,	347	396	446	496	547	599	651	704	757	811	+ 52
2		866	921	977	*033	*090	*147	*206	*264	*324	*384	+ 57
3	+1,	444	505	567	630	693	757	821	886	951	*018	+ 64
4	+2,	085	152	220	289	358	429	499	571	643	716	+ 71
5		789	863	938	*013	*089	*166	*243	*321	*400	*480	+ 77
6	+3,	560	641	722	804	887	971	*055	*140	*225	*312	+ 84
7	+4,	399	486	575	664	753	844	935	*027	*120	*213	+ 91
8	+5,	307	402	497	593	690	787	886	984	*084	*184	+ 97
9	+6,	285	387	490	593	697	801	907	*013	*119	*227	+104

Continued on p. 258.

$$\mathfrak{Im}\, \sqrt{i}\, J_1(x\sqrt{i}) = -\frac{d}{dx}\, \mathfrak{Im}\, J_0(x\sqrt{i})$$

x		0	1	2	3	4	5	6	7	8	9	d
0,0	+0,0	000	050	100	150	200	250	300	350	400	450	+ 50
1		500	550	600	650	700	750	800	850	900	950	+ 50
2	+0,1	000	050	100	150	200	250	300	350	400	450	+ 50
3		500	550	600	650	700	750	800	850	900	950	+ 50
4	+0,2	000	050	100	150	200	250	299	349	399	449	+ 50
5		499	549	599	649	699	749	799	848	898	948	+ 50
6		998	*048	*098	*147	*197	*247	*297	*346	*396	*446	+ 50
7	+0,3	496	545	595	645	694	744	793	843	892	942	+ 50
8		991	*041	*090	*140	*189	*238	*288	*337	*386	*435	+ 49
9	+0,4	485	534	583	632	681	730	779	828	876	925	+ 49
1,0		974	*023	*071	*120	*168	*217	*265	*313	*362	*410	+ 49
1	+0,5	458	506	554	602	650	698	745	793	840	888	+ 48
2		935	982	*030	*077	*124	*171	*217	*264	*311	*357	+ 47
3	+0,6	403	450	496	542	588	633	679	724	770	815	+ 45
4		860	905	950	994	*039	*083	*127	*171	*215	*259	+ 44
5	+0,7	302	346	389	432	475	517	560	602	644	686	+ 42
6		727	769	810	851	892	932	972	*012	*052	*092	+ 40
7	+0,8	131	170	209	247	286	324	361	399	436	473	+ 38
8		509	546	581	617	652	687	722	756	790	824	+ 35
9		857	890	923	955	987	*019	*050	*080	*111	*141	+ 32
2,0	+0,9	170	199	228	256	284	311	338	365	391	417	+ 27
1		442	466	491	514	538	560	582	604	625	646	+ 22
2		666	686	705	723	741	758	775	791	807	822	+ 17
3		836	850	863	875	887	898	909	919	928	936	+ 11
4		944	951	958	964	968	973	976	979	981	982	+ 5
5		983	982	981	979	977	973	969	963	957	950	− 4
6		943	934	924	914	903	890	877	863	848	832	− 13
7		815	797	778	758	737	715	692	668	643	617	− 22
8		590	561	532	502	470	437	403	368	332	295	− 33
9		257	217	176	134	091	046	000	*953	*905	*856	− 45
3,0	+0,8	805	753	699	644	588	531	472	412	350	287	− 57
1		223	157	090	021	*951	*880	*807	*732	*656	*578	− 71
2	+0,7	499	419	336	253	167	080	*992	*902	*810	*716	− 87
3	+0,6	621	525	426	326	224	121	016	*909	*800	*689	−103
4	+0,5	577	463	347	229	110	*988	*865	*740	*613	*484	−122

wenden | to turn

x		0	1	2	3	4	5	6	7	8	9	d
3,5	+2,	336	352	368	385	401	417	433	449	466	482	+ 16
6		498	515	531	547	563	580	596	612	628	645	+ 16
7		661	677	693	709	726	742	758	774	790	806	+ 16
8		822	838	854	870	886	902	918	934	949	965	+ 16
9		981	996	*012	*027	*043	*058	*074	*089	*104	*120	+ 15
4,0	+3,	135	150	165	180	194	209	224	239	253	267	+ 15
1		282	296	310	324	338	352	366	380	393	407	+ 14
2		420	433	446	459	472	485	497	510	522	534	+ 13
3		547	558	570	582	593	605	616	627	638	648	+ 12
4		659	669	679	689	699	709	718	727	736	745	+ 10
5		754	762	770	778	786	794	801	808	815	822	+ 8
6		828	834	840	846	851	856	861	866	870	874	+ 5
7		878	882	885	888	891	893	895	897	899	900	+ 2
8		901	901	901	901	901	900	899	898	896	894	− 1
9		891	888	885	881	877	873	868	863	858	852	− 4
5,0		845	839	831	824	816	808	799	789	780	770	− 8
1		759	748	736	724	712	699	686	672	657	642	− 13
2		627	611	595	578	560	542	524	505	485	465	− 18
3		445	423	402	379	356	333	309	284	259	233	− 23
4		206	179	152	123	094	065	034	004	*972	*940	− 29
5	+2,	907	874	839	804	769	733	696	658	620	581	− 36
6		541	500	459	417	375	331	287	242	196	150	− 44
7		102	054	005	*956	*905	*854	*802	*749	*695	*641	− 51
8	+1,	586	529	472	414	356	296	235	174	112	048	− 60
9	+0,	984	919	854	787	719	650	581	510	439	366	− 69

Fortsetzung S. 258.

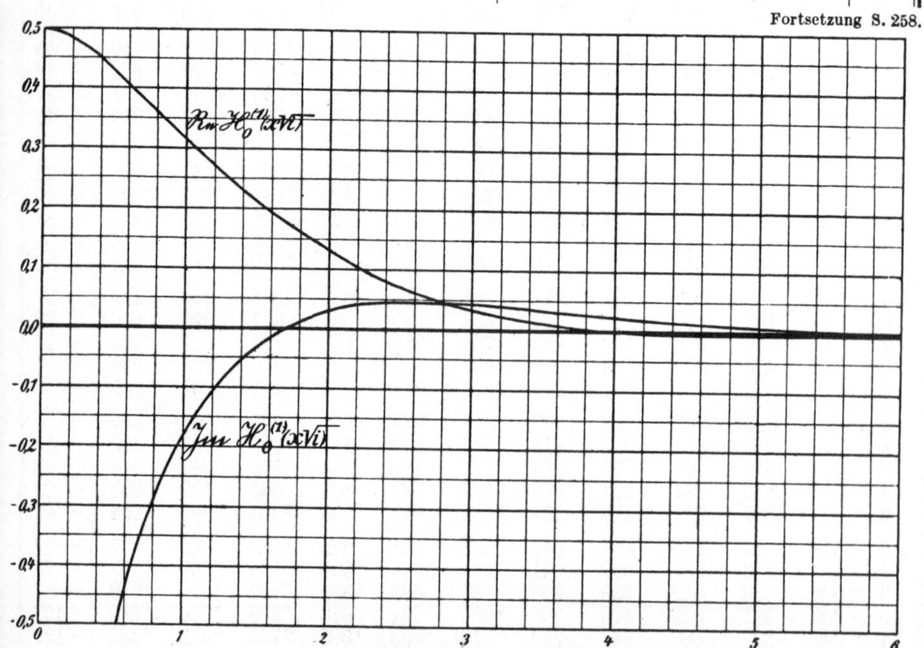

Fig. 134. Hankelsche Zylinderfunktion der Ordnung Null von $x i^{0,5}$.
Fig. 134. Hankel function of the order zero of $x i^{0,5}$.

x		0	1	2	3	4	5	6	7	8	9	d
3,5	+0,4	353	220	085	*949	*810	*670	*527	*382	*236	*087	−140
6	+0,2	937	784	629	472	313	152	*989	*824	*656	*487	−161
7	+0,	131	114	096	079	061	042	024	+005	−014	−033	− 19
8	−0,	053	072	092	112	133	153	174	195	216	238	− 20
9		260	282	304	326	349	372	396	419	443	467	− 23
4,0		491	516	540	566	591	616	642	668	695	721	− 25
1		748	775	803	830	858	887	915	944	973	*002	− 29
2	−1,	032	062	092	122	153	184	215	247	279	311	− 31
3		343	376	409	442	476	510	544	578	613	648	− 34
4		683	719	755	791	827	864	901	939	976	*014	− 37
5	−2,	053	091	130	169	209	249	289	329	370	411	− 40
6		452	494	536	578	620	663	706	750	793	837	− 43
7		882	926	971	*017	*062	*108	*154	*201	*248	*295	− 46
8	−3,	342	390	438	486	535	584	633	683	732	783	− 49
9		833	884	935	986	*038	*090	*142	*195	*248	*301	− 52
5,0	−4,	354	408	462	516	571	626	681	736	792	848	− 55
1		905	961	*018	*075	*133	*191	*249	*307	*366	*424	− 58
2	−5,	484	543	603	662	723	783	844	905	966	*028	− 60
3	−6,	089	151	213	276	339	402	465	528	592	656	− 63
4		720	784	849	914	979	*044	*109	*175	*241	*307	− 65
5	−7,	373	439	506	573	640	707	774	842	909	977	− 67
6	−8,	045	114	182	250	319	388	457	526	595	664	− 69
7		734	803	873	942	*012	*082	*152	*222	*293	*363	− 70
8	−9,	433	504	574	645	715	786	857	927	998	*069	− 71
9	−10,	139	210	281	352	422	493	564	634	705	776	− 71

Continued on p. 258.

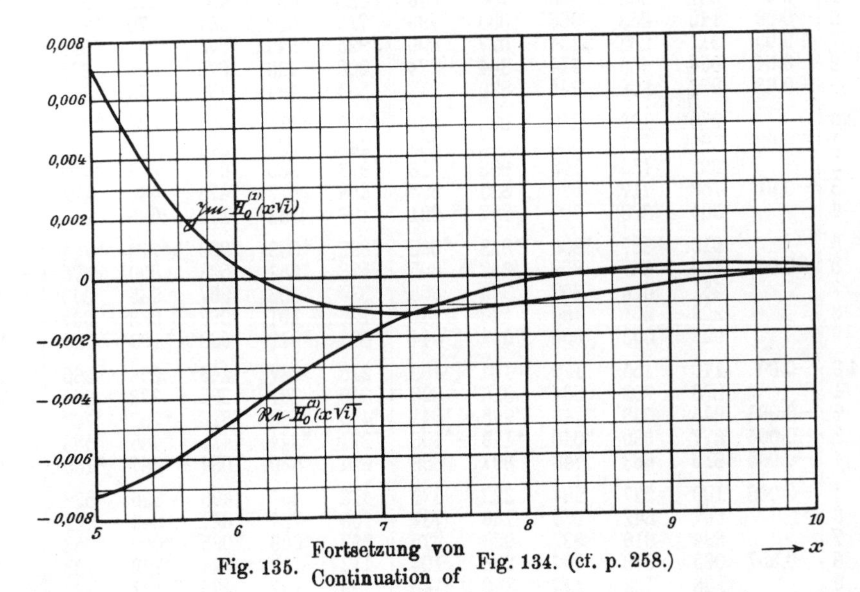

Fig. 135. Fortsetzung von / Continuation of Fig. 134. (cf. p. 258.)

$\Re e\, H_0^{(1)}(x\sqrt{i})$

(cf. p. 262.)

x		0	1	2	3	4	5	6	7	8	9	d
0,0	+0,5	000	*999	*997	*993	*989	*984	*978	*971	*963	*955	− 5
1	+0,4	946	936	926	915	904	892	880	867	854	840	− 12
2		826	812	797	782	767	751	735	718	701	684	− 16
3		667	650	632	613	595	577	558	539	520	500	− 18
4		480	461	441	421	400	380	359	339	318	297	− 20
5		275	254	233	211	190	168	146	124	102	080	− 22
6		058	036	014	*991	*969	*946	*924	*901	*879	*856	− 23
7	+0,3	834	811	788	765	743	720	697	674	651	628	− 23
8		606	583	560	537	514	491	469	446	423	400	− 23
9		377	355	332	309	286	264	241	219	196	174	− 22
1,0		151	129	106	084	062	040	018	*995	*973	*951	− 22
1	+0,2	929	907	885	864	842	820	799	777	756	734	− 22
2		713	692	671	649	628	607	587	566	545	524	− 21
3		504	483	463	442	422	402	382	362	342	322	− 20
4		302	283	263	244	224	205	186	167	148	129	− 19
5		110	091	072	054	035	017	*998	*980	*962	*944	− 18
6	+0,1	926	908	891	873	855	838	821	803	786	769	− 17
7		752	735	718	702	685	669	652	636	620	604	− 16
8		588	572	556	540	525	509	494	479	463	448	− 16
9		433	418	404	389	374	360	345	331	317	303	− 14
2,0		289	275	261	247	233	220	206	193	180	166	− 13
1		153	140	127	115	102	089	077	064	052	040	− 13
2	+0,10	277	156	037	*918	*800	*683	*567	*452	*338	*225	−117
3	+0,09	112	001	*890	*780	*672	*564	*456	*350	*245	*140	−108
4	+0,08	037	*934	*832	*731	*631	*531	*433	*335	*238	*142	−100
5	+0,07	047	*953	*859	*766	*675	*583	*493	*404	*315	*227	− 92
6	+0,06	140	053	*968	*883	*799	*716	*633	*551	*470	*390	− 83
7	+0,05	311	232	154	077	000	*925	*849	*775	*701	*629	− 75
8	+0,04	556	485	414	344	274	206	138	070	004	*938	− 68
9	+0,03	872	808	744	680	617	555	494	433	373	313	− 62
3,0		255	196	139	082	025	*969	*914	*859	*805	*752	− 56
1	+0,02	699	647	595	544	493	443	394	345	297	249	− 50
2		202	155	109	063	018	*973	*929	*886	*843	*800	− 45
3	+0,01	758	717	676	635	595	556	517	478	440	402	− 39
4		365	329	292	257	221	186	152	118	085	051	− 35
5		019	*987	*955	*923	*892	*862	*832	*802	*773	*744	− 30
6	+0,00	715	687	659	632	605	578	552	526	500	475	− 27
7		451	426	402	378	355	332	309	287	265	243	− 23
8		222	201	180	160	140	120	101	082	063	044	− 20
9		026	+008	−009	−027	−044	−060	−077	−093	−109	−125	− 16
4,0	−0,00	140	155	170	184	199	213	227	240	253	266	− 14
1		279	292	304	316	328	340	351	362	373	384	− 12
2	−0,003	943	*046	*146	*245	*341	*436	*528	*618	*707	*793	− 95
3	−0,004	877	960	*040	*119	*196	*271	*344	*415	*485	*553	− 75
4	−0,005	619	683	746	807	866	924	980	*034	*087	*139	− 58
5	−0,006	189	237	284	329	373	416	457	496	535	572	− 43
6		607	642	675	706	737	766	794	821	846	871	− 29
7		894	916	937	956	975	993	*009	*025	*039	*052	− 18
8	−0,007	065	076	087	096	104	112	119	124	129	133	− 8
9		136	138	140	140	140	139	137	135	131	127	+ 1

x		0	1	2	3	4	5	6	7	8	9	d
0,0	−2,	∞	—	564	306	123	*981	*865	*767	*683	*608	+142
1	−1,	541	481	425	375	328	284	244	205	169	136	+ 44
2		103	073	044	016	*989	*964	*940	*916	*894	*872	+ 25
3	−0,	851	831	812	793	775	757	740	723	707	692	+ 18
4	−0,6	765	617	474	334	198	065	*935	*809	*686	*566	+133
5	−0,5	449	334	222	113	006	*902	*800	*700	*602	*506	+104
6	−0,4	413	321	231	143	057	*972	*889	*808	*728	*650	+ 85
7	−0,3	574	499	425	353	282	212	144	077	011	*947	+ 70
8	−0,2	883	821	760	700	641	583	526	470	415	361	+ 58
9		308	256	204	154	105	056	008	*961	*915	*870	+ 49
1,0	−0,1	825	781	738	696	654	613	573	534	495	456	+ 41
1		419	382	345	309	274	240	206	173	140	107	+ 34
2		075	044	014	*983	*954	*925	*896	*868	*840	*813	+ 29
3	−0,0	786	760	734	708	683	659	635	611	587	564	+ 24
4		542	520	498	477	455	435	415	395	375	356	+ 20
5		337	318	300	282	265	247	230	214	198	182	+ 18
6		166	150	135	120	106	091	077	063	050	036	+ 15
7		023	⁻011	⁺002	⁺014	⁺026	⁺038	⁺050	⁺061	⁺072	⁺083	+ 12
8	+0,0	094	104	114	124	134	144	153	162	171	180	+ 10
9	+0,01	888	973	*055	*136	*215	*292	*368	*441	*513	*584	+ 77
2,0	+0,02	652	719	785	849	911	972	*031	*089	*145	*200	+ 61
1	+0,03	254	306	356	405	453	500	545	589	632	674	+ 47
2		714	753	791	828	863	898	931	963	994	*024	+ 35
3	+0,04	053	081	108	134	159	183	206	228	250	270	+ 24
4		289	308	325	342	358	373	387	401	413	425	+ 15
5		436	447	457	466	474	481	488	494	500	505	+ 7
6		509	512	515	518	520	521	521	521	521	520	+ 1
7		518	516	514	510	507	503	498	493	488	482	− 5
8		475	468	461	453	445	437	428	419	409	399	− 8
9		389	378	367	356	344	332	320	307	294	281	− 12
3,0		267	253	239	225	210	195	180	165	149	134	− 15
1		118	101	085	068	051	034	017	*999	*982	*964	− 17
2	+0,03	946	928	910	891	873	854	835	816	797	778	− 19
3		758	739	719	699	679	660	639	619	599	579	− 20
4		558	580	518	497	476	456	435	414	393	372	− 20
5		351	330	309	288	267	246	224	203	182	161	− 21
6		140	118	097	076	054	033	012	*991	*969	*948	− 21
7	+0,02	927	905	884	863	842	821	799	778	757	736	− 21
8		715	694	673	652	631	610	589	569	548	527	− 21
9		507	486	465	445	425	404	384	364	343	323	− 21
4,0		303	283	263	243	224	204	184	165	145	126	− 20
1		106	087	068	049	029	010	*992	*973	*954	*935	− 19
2	+0,01	917	898	880	861	843	825	807	789	771	753	− 18
3		736	718	700	683	666	648	631	614	597	580	− 17
4		563	547	530	514	497	481	465	448	432	416	− 16
5		401	385	369	354	338	323	308	292	277	262	− 15
6		247	233	218	203	189	175	160	146	132	118	− 14
7	+0,011	042	*904	*767	*631	*496	*362	*229	*097	**966	**836	−134
8	+0,009	707	579	452	326	201	077	*953	*831	*710	*590	−124
9	+0,008	470	352	234	118	002	*888	*774	*661	*549	*439	−114

wenden | to turn

$\Re e\, H_0^{(1)}\,(x\sqrt{i})$

x		0	1	2	3	4	5	6	7	8	9	d
5,0	−0,007	122	117	110	103	096	087	078	069	058	047	+
1		036	024	011	*998	*984	*969	*954	*939	*923	*906	+ 1
2	−0,006	889	871	853	835	816	796	776	756	735	714	+ 2
3		692	670	648	625	602	578	554	530	505	480	+ 2
4		455	429	403	377	351	324	297	269	242	214	+ 2
5		186	157	129	100	071	041	012	*982	*952	*922	+ 3
6	−0,005	892	861	831	800	769	738	707	675	644	612	+ 3
7		580	549	517	484	452	420	387	355	322	290	+ 3
8		257	224	191	158	126	092	059	026	*993	*960	+ 3
9	−0,004	927	894	860	827	794	761	727	694	661	627	+ 3

Fortsetzung S. 2

$\Re e\,\sqrt{i}\; H_1^{(1)}\,(x\sqrt{i}) = -\dfrac{d}{dx}\,\Re e\, H_0^{(1)}\,(x\sqrt{i})$ (cf. p. 26

x		0	1	2	3	4	5	6	7	8	9	d
0,0	+0,0	000	166	288	394	488	575	655	730	800	866	+ 8
1		929	989	*046	*100	*152	*201	*248	*294	*337	*379	+ 5
2	+0,1	419	458	495	531	565	598	630	661	690	719	+ 3
3		746	773	798	823	846	869	891	912	932	952	+ 2
4		970	989	*006	*022	*038	*054	*068	*082	*096	*109	+ 1
5	+0,2	121	133	144	155	165	175	184	193	201	209	+ 1
6		216	223	230	236	242	247	252	257	261	265	+
7		268	271	274	277	279	281	282	284	285	285	+
8		286	286	286	285	285	284	283	281	280	278	—
9		276	273	271	268	265	262	259	255	251	247	—
1,0		243	239	234	230	225	220	215	210	204	199	— 5
1		193	187	181	175	169	163	156	150	143	136	— 6
2		129	122	115	108	101	093	086	078	070	062	— 8
3		054	046	038	030	022	014	005	*997	*988	*980	— 8
4	+0,1	971	962	954	945	936	927	918	909	900	891	— 9
5		882	873	863	854	845	835	826	817	807	798	— 10
6		788	779	769	760	750	740	731	721	711	702	— 10
7		692	682	672	663	653	643	633	624	614	604	— 10
8	+0,15	943	845	748	650	552	454	356	258	160	062	— 98
9	+0,14	965	867	770	672	575	478	381	284	187	090	— 97
2,0	+0,13	993	897	801	705	609	513	417	322	227	132	— 96
1		037	*943	*849	*754	*661	*567	*474	*381	*288	*195	— 93
2	+0,12	103	011	*919	*828	*737	*646	*555	*465	*375	*285	— 91
3	+0,11	196	107	018	*930	*842	*754	*666	*579	*493	*406	— 88
4	+0,10	320	234	149	064	*979	*895	*811	*727	*644	*561	— 84
5	+0,09	479	397	315	234	153	072	*992	*912	*833	*754	— 81
6	+0,08	675	597	519	442	364	288	212	136	060	*985	— 76
7	+0,07	910	836	762	689	616	543	471	399	327	256	— 73
8		186	116	046	*976	*907	*839	*771	*703	*636	*569	— 68
9	+0,06	502	436	370	305	240	176	112	048	*985	*922	— 64
3,0	+0,05	860	798	736	675	614	554	494	434	375	316	— 60
1		258	200	143	085	029	*972	*916	*861	*806	*751	— 57
2	+0,04	697	643	589	536	483	431	379	327	276	225	— 52
3		175	125	075	026	*977	*929	*880	*833	*785	*738	— 48
4	+0,03	692	645	600	554	509	464	420	376	332	289	— 45

x		0	1	2	3	4	5	6	7	8	9	d
5,0	+0,007	329	220	112	004	*898	*793	*689	*585	*482	*381	−105
1	+0,006	280	180	081	*983	*886	*790	*694	*600	*506	*413	− 96
2	+0,005	322	231	140	051	*963	*875	*788	*702	*617	*533	− 88
3	+0,004	450	367	285	204	124	045	*966	*888	*811	*735	− 79
4	+0,003	660	585	512	439	366	295	224	154	085	017	− 71
5	+0,002	949	882	816	750	685	621	558	496	434	372	− 64
6		312	252	193	135	077	020	*963	*908	*853	*798	− 57
7	+0,001	745	692	639	587	536	486	436	386	338	290	− 50
8		242	196	149	104	059	014	*971	*927	*885	*842	− 45
9	+0,000	801	760	720	680	640	602	563	526	488	452	− 38

ntinued on p. 258.

$$\Im m \sqrt{i}\, H_1^{(1)}(x\sqrt{i}) = -\frac{d}{dx}\Im m\, H_0^{(1)}(x\sqrt{i})$$

x		0	1	2	3	4	5	6	7	8	9	d
0,0	—	∞	63,7	31,8	21,2	15,9	12,7	10,6	9,08	7,94	7,05	+ 32
1		6,34	5,76	5,28	4,86	4,51	4,21	3,94	3,70	3,49	3,30	+ 30
2	−3,	134	*980	*840	*712	*594	*486	*385	*292	*206	*125	+108
3	−2,	050	*979	*913	*850	*791	*736	*683	*633	*585	*540	+ 55
4	−1,	497	456	417	380	344	310	277	246	216	186	+ 34
5		159	132	106	081	056	033	010	*989	*968	*947	+ 23
6	−0,	927	908	889	871	854	837	820	804	788	773	+ 17
7	−0,7	582	437	296	159	025	*894	*766	*642	*520	*402	+131
8	−0,6	286	172	061	*953	*847	*744	*642	*543	*446	*351	+103
9	−0,5	258	166	077	*989	*903	*819	*737	*656	*576	*498	+ 84
1,0	−0,4	422	347	273	201	130	060	*992	*925	*859	*794	+ 70
1	−0,3	730	667	606	545	486	427	370	313	257	203	+ 59
2		149	096	044	*993	*942	*893	*844	*796	749	702	+ 49
3	−0,2	656	611	567	523	480	438	396	355	314	274	+ 43
4		235	196	158	120	083	047	011	*976	*941	*907	+ 36
5	−0,1	873	839	807	774	742	711	680	649	619	590	+ 31
6		560	532	503	475	448	421	394	367	341	316	+ 28
7		290	265	241	217	193	169	146	123	100	078	+ 24
8		056	035	014	*993	*972	*952	*931	*912	*892	*873	+ 20
9	−0,0	854	835	817	799	781	763	746	729	712	695	+ 18
2,0	−0,06	786	625	466	309	154	002	*852	*704	*558	*414	+152
1	−0,05	273	133	*996	*861	*727	*596	*467	*339	*214	*090	+131
2	−0,03	969	849	731	614	500	387	276	167	059	*953	+113
3	−0,02	849	746	645	545	447	351	256	163	071	*981	+ 96
4	−0,01	892	804	718	633	550	468	387	308	230	153	+ 82
5		078	004	*931	*859	*789	*719	*651	*584	*519	*454	+ 70
6	−0,00	391	328	267	207	148	090	033	+023	+078	+132	+ 58
7	+0,00	185	237	288	338	387	435	482	528	574	618	+ 48
8		662	705	747	788	828	867	906	944	981	*017	+ 39
9	+0,01	053	087	121	155	187	219	250	280	310	339	+ 32
3,0		367	395	422	448	474	499	524	547	571	593	+ 25
1		615	637	658	678	698	717	736	754	772	789	+ 19
2	+0,018	055	216	372	524	670	812	949	*082	*210	*333	+142
3	+0,019	452	567	677	784	886	984	*077	*167	*253	*336	+ 98
4	+0,020	414	489	560	627	691	751	808	861	911	958	+ 60

wenden | to turn

$\Re\mathrm{e}\, \sqrt{i}\; H_1^{(1)}(x\sqrt{i}) = -\frac{d}{dx}\, \Re\mathrm{e}\, H_0^{(1)}(x\sqrt{i})$ (cf. p. 26

x		0	1	2	3	4	5	6	7	8	9	d
3,5	+0,03	246	203	161	119	077	036	*995	*955	*915	*875	− 41
6	+0,02	835	796	758	719	681	643	606	569	532	496	− 38
7		460	424	388	353	319	284	250	216	183	150	− 35
8		117	084	052	020	*988	*957	*926	*895	*865	*835	− 31
9	+0,01	805	775	746	717	688	660	632	604	576	549	− 28
4,0		522	495	469	443	417	391	366	341	316	292	− 26
1		267	243	220	196	173	150	127	105	082	060	− 23
2		039	017	*996	*975	*954	*933	*913	*893	*873	*853	− 21
3	+0,00	834	815	796	777	759	740	722	704	687	669	− 19
4	+0,006	521	351	183	017	*853	*691	*531	*374	*218	*064	−162
5	+0,004	912	762	614	468	323	181	040	*902	*765	*630	−142
6	+0,003	496	365	235	107	*981	*857	*734	*613	*494	*376	−124
7	+0,002	260	145	033	*921	*812	*704	*597	*493	*389	*287	−118
8	+0,001	187	088	*991	*895	*801	*708	*616	*526	*438	*350	− 93
9	+0,000	264	180	097	$^{+}$015	$^{-}$066	$^{-}$145	$^{-}$223	$^{-}$300	$^{-}$375	$^{-}$449	− 79
5,0	−0,000	522	594	664	733	801	868	934	998	*061	*124	− 67
1	−0,001	185	245	303	361	418	473	528	581	634	685	− 55
2		735	785	833	881	927	973	*017	*061	*103	*145	− 46
3	−0,002	186	226	265	303	340	377	412	447	481	514	− 37
4		546	578	608	638	668	696	724	750	777	802	− 28
5		827	851	874	897	919	940	960	980	*000	*018	− 21
6	−0,003	036	054	070	087	102	117	131	145	159	171	− 15
7		183	195	206	217	227	236	245	253	261	269	− 9
8		276	282	289	294	299	304	308	312	316	319	− 5
9		321	323	325	327	328	328	328	328	328	327	− 0

Fortsetzung S. 25

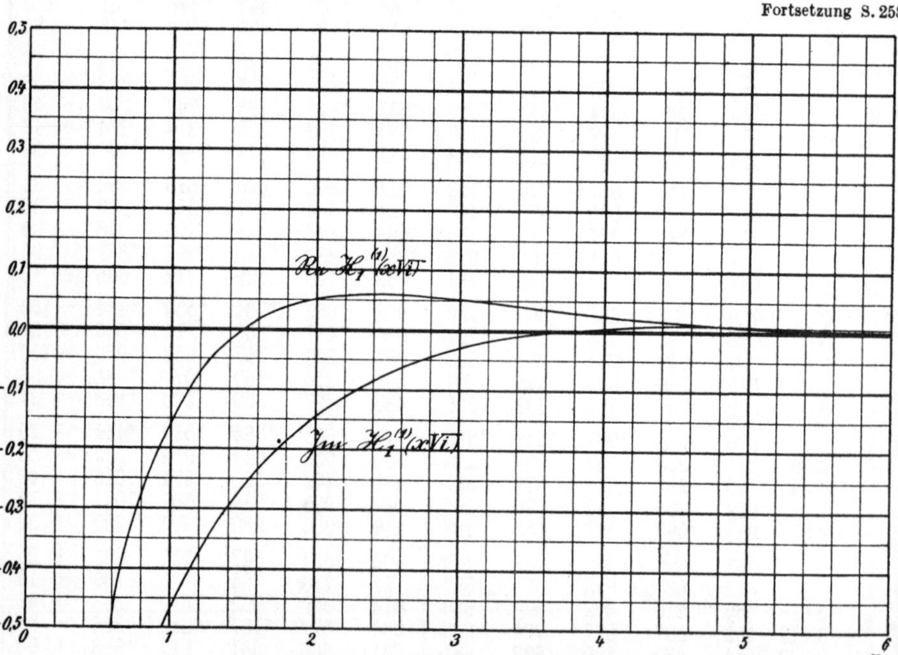

Fig. 136. Hankelsche Zylinderfunktion der Ordnung Eins von $x i^{0,5}$.
Fig. 136. Hankel function of the order one of $x i^{0,5}$.

x		0	1	2	3	4	5	6	7	8	9	d
3,5	+0,021	001	041	079	113	144	172	197	219	238	255	+ 28
6		269	280	288	294	297	298	296	292	285	276	+ 1
7		265	251	236	218	198	175	151	125	096	066	− 23
8		034	000	*964	*926	*887	*845	*802	*758	*711	*663	− 42
9	+0,020	614	563	511	457	401	344	286	226	166	103	− 57
4,0		040	*975	*909	*842	*774	*704	*634	*562	*490	*416	− 70
1	+0,019	342	266	190	112	034	*955	*875	*794	*712	*630	− 79
2	+0,018	546	462	378	292	206	120	032	*944	*856	*767	− 86
3	+0,017	677	587	496	405	314	222	129	036	*943	*849	− 92
4	+0,016	755	661	566	471	375	280	184	087	*991	*894	− 95
5	+0,015	797	700	603	506	408	310	212	114	016	*918	− 98
6	+0,014	820	722	623	525	426	328	229	131	033	*934	− 98
7	+0,013	836	737	639	541	443	345	247	149	051	*953	− 98
8	+0,012	856	758	661	564	467	371	274	178	082	*986	− 96
9	+0,011	890	794	699	604	509	415	320	226	132	039	− 94
5,0	+0,010	946	853	760	668	576	484	392	301	210	120	− 92
1		030	*940	*850	*761	*672	*584	*496	*408	*320	*233	− 88
2	+0,009	147	060	*974	*889	*804	*719	*635	*551	*467	*384	− 85
3	+0,008	301	219	137	055	*974	*893	*813	*733	*654	*574	− 81
4	+0,007	496	418	340	262	186	109	033	*957	*882	*807	− 77
5	+0,006	733	659	586	513	440	368	296	225	154	084	− 72
6		014	*945	*876	*807	*739	*672	*604	*538	*471	*405	− 67
7	+0,005	340	275	211	147	083	020	*957	*895	*833	*772	− 63
8	+0,004	711	650	590	531	472	413	355	297	239	183	− 59
9		126	070	014	*959	*905	*850	*796	*743	*690	*637	− 55

Continued on p. 258.

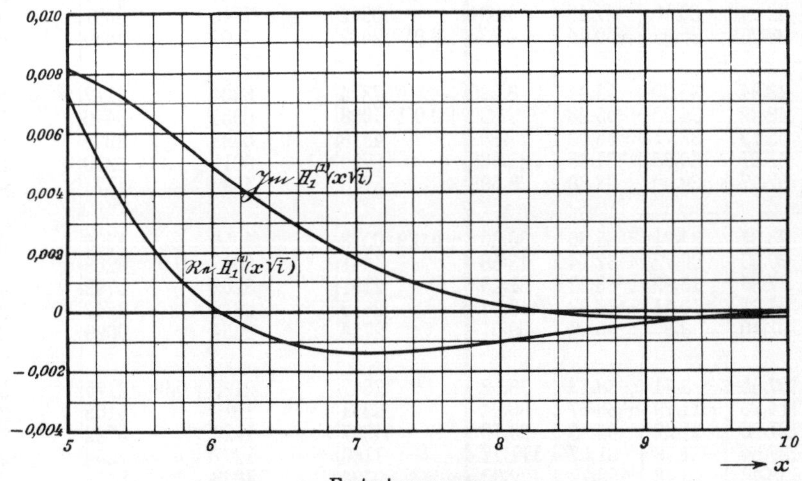

Fig. 137. Fortsetzung von / Continuation of Fig. 136.

$i^{\frac{n}{2}} J_n(x\sqrt{i}) = u_n + i\,v_n$ $\qquad$ $i^{\frac{n}{2}} H_n^{(1)}(x\sqrt{i}) = U_n + i\,V_n$

x	u_0	v_0	u_1	v_1	U_0	V_0	U_1	V_1
6,0	−8,858	+7,335	+0,293	−10,846	−0,00 4594	$+0{,}0^3$ 4157	−0,00 3326	+0,00 3585
1	849	8,454	−0,494	−11,547	4263	0825	3295	3087
2	756	9,644	−1,384	−12,235	3936	$-0{,}0^3$ 2031	3236	2631
3	569	10,901	−2,380	−12,901	3616	4451	3152	2215
4	276	12,223	−3,490	−13,536	3306	6473	3048	1837
5	−7,867	13,607	−4,717	−14,129	3007	8137	2928	1495
6	329	15,047	−6,067	−14,670	2721	9476	2796	1189
7	−6,649	16,538	−7,544	−15,146	2448	−0,001 0525	2655	$+0{,}0^3$ 9145
8	−5,816	18,074	−9,151	−15,543	2190	1315	2508	6710
9	−4,815	19,644	−10,891	−15,847	−0,001 9470	1876	2356	4561
7,0	−3,633	21,239	−12,765	−16,041	7191	2236	2202	2677
1	−2,257	22,848	−14,774	−16,109	5066	2420	2049	1039
2	−0,674	24,456	−16,918	−16,033	3093	2451	−0,001 8968	$-0{,}0^3$ 0372
3	+1,131	26,049	−19,194	−15,792	1271	2352	7475	1575
4	3,169	27,609	−21,600	−15,367	$-0{,}0^3$ 9597	2143	6022	2589
5	5,455	29,116	−24,130	−14,736	8065	1840	4616	3430
6	7,999	30,55	−26,777	−13,875	6672	1462	3266	4116
7	10,814	31,88	−29,532	−12,763	5410	1022	1976	4661
8	13,909	33,09	−32,38	−11,373	4274	0534	0752	5081
9	17,293	34,15	−35,31	−9,681	3257	0009	$-0{,}0^3$ 9595	5390
8,0	20,974	35,02	−38,31	−7,660	2353	$-0{,}0^3$ 9459	8507	5600
1	24,957	35,67	−41,35	−5,285	1554	8892	7490	5725
2	29,245	36,06	−44,42	−2,530	0852	8317	6544	5773
3	33,840	36,16	−47,47	+0,634	0242	7740	5667	5758
4	38,738	35,92	−50,49	+4,232	$+0{,}0^4$ 2832	7167	4859	5686
5	43,94	35,30	−53,44	8,290	7315	6604	4117	5568
6	49,42	34,25	−56,28	12,832	$+0{,}0^3 1$ 1088	6055	3440	5411
7	55,19	32,71	−58,97	17,883	4216	5523	2825	5223
8	61,21	30,65	−61,45	23,465	6759	5011	2270	5009
9	67,47	28,00	−63,68	29,598	8775	4522	1771	4776
9,0	73,94	24,71	−65,60	36,30	$+0{,}0^3 2$ 0318	4056	1325	4528
1	80,58	20,72	−67,14	43,58	1441	3616	$-0{,}0^4$ 9289	4270
2	87,35	15,98	−68,25	51,46	2191	3202	5799	4006
3	94,21	10,41	−68,83	59,94	2615	2815	2747	3740
4	101,10	+3,97	−68,82	69,01	2754	2454	0099	3475
5	107,95	− 3,41	−68,13	78,68	2647	2120	$+0{,}0^4$ 2175	3212
6	114,70	−11,79	−66,67	88,94	2331	1812	4105	2955
7	121,26	−21,22	−64,35	99,76	1837	1529	5722	2704
8	127,54	−31,76	−61,07	111,12	1196	1271	7054	2463
9	133,43	−43,46	−56,72	122,99	0434	1036	8129	2231
10,0	138,84	−56,37	−51,20	135,31	$+0{,}0^3 1$ 9578	0824	8971	2009

cf. fig. 131, p. 245; fig. 135, p. 251.

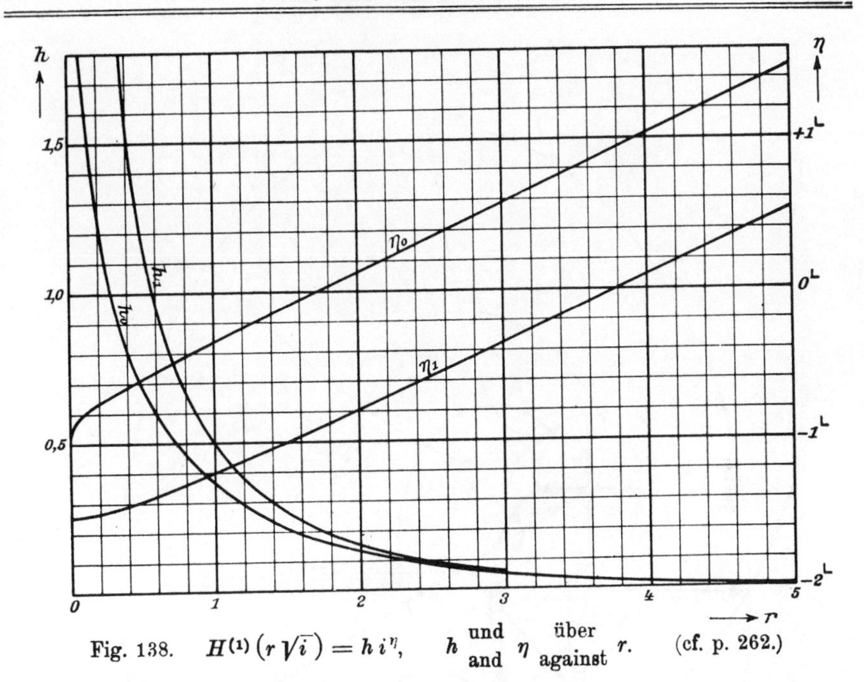

Fig. 138. $H^{(1)}\left(r\sqrt{i}\right) = h\, i^{\eta}$, h und/and η über/against r. (cf. p. 262.)

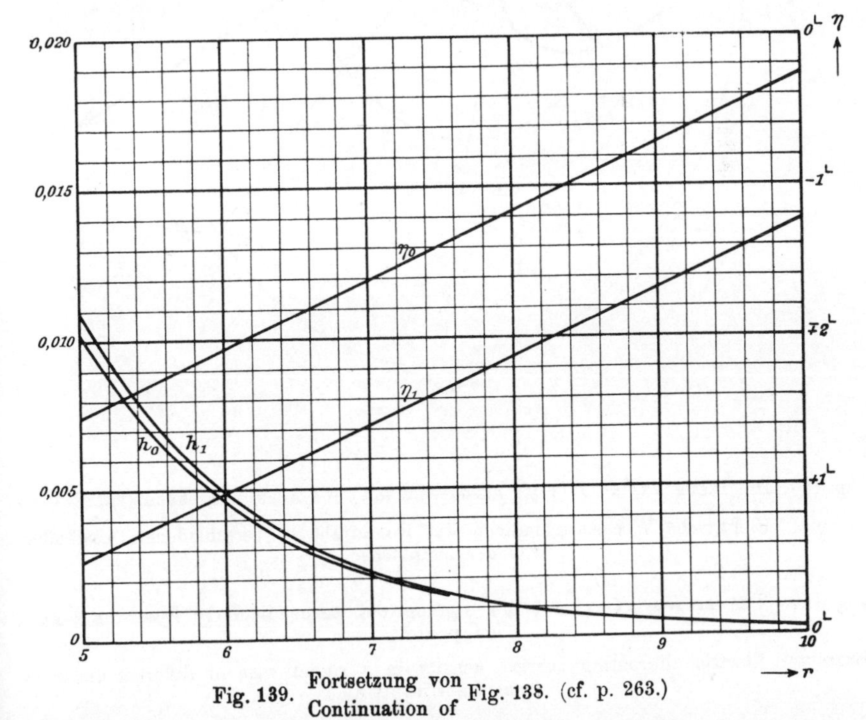

Fig. 139. Fortsetzung von/Continuation of Fig. 138. (cf. p. 263.)

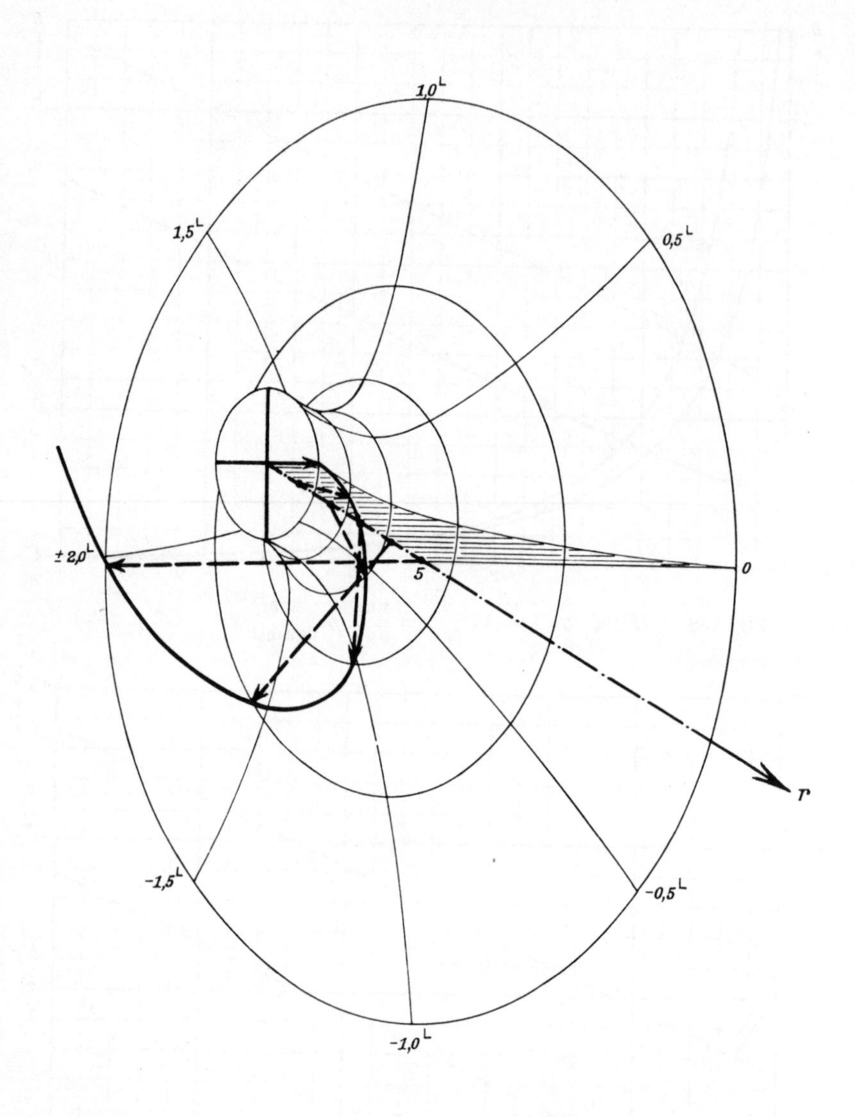

Fig. 140. Die Pfeile $b\,i^{\beta} = J_0(r\sqrt{i})$ senkrecht von der r-Achse ausgehend. (vgl. S. 262.)

Beispiel: Elektrische Wechselstromdichte im Runddraht in verschiedenen Abständen von der Drahtachse.

Fig. 140. The arrows $b\,i^{\beta} = J_0(r\sqrt{i})$ going out perpendicularly from the r-axis. (cf. p. 262.)

Example: Electric alternating current density in a round wire at different distances from the wire axis.

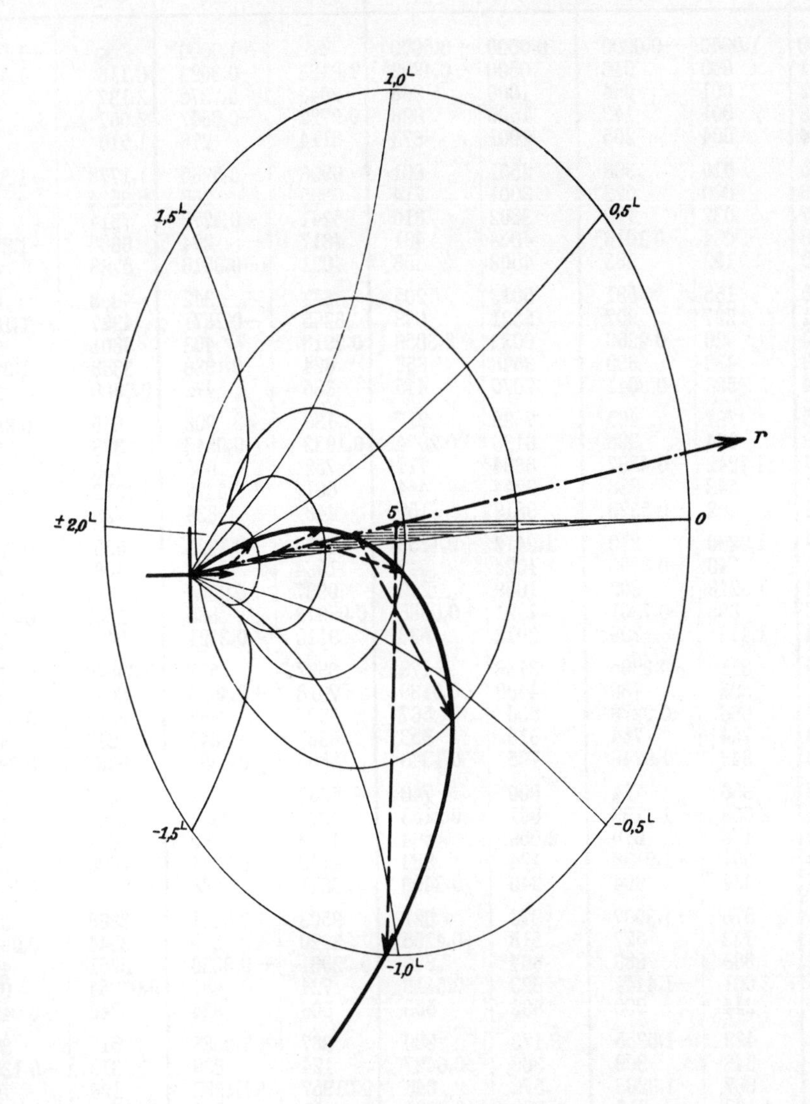

Fig. 141. Die Pfeile $b\,i^{\beta} = J_1(r\sqrt{i})$ senkrecht von der r-Achse ausgehend. (vgl. S. 262.)
Beispiel: Magnetische Wechselfeldstärke im Runddraht in verschiedenen Abständen von der Drahtachse.

Fig. 141. The arrows $b\,i^{\beta} = J_1(r\sqrt{i})$ going out perpendicularly from the r-axis. (cf. p. 262.)
Example: Magnetic alternating field intensity in a round wire at different distances from the wire axis.

$J(r\sqrt{i}) = b i^{\beta}$ und $H^{(1)}(r\sqrt{i}) = h i^{\eta}$

r	b_0	β_0	b_1	β_1	h_0	η_0	h_1	η_1
0,0	1,0000	—0,0000	0,0000	+0,5000	∞	—1,0000	∞	—1,50
1	000	016	0500	+0,4992	1,6183	—0,8023	6,118	—1,49
2	001	064	1000	968	2043	—0,7375	3,137	7
3	001	143	1500	928	0,9722	—0,6807	2,057	4
4	004	255	2001	873	8114	276	1,510	1
5	010	398	2501	801	6926	—0,5765	1,1778	—1,38
6	020	573	3001	714	5995	266	0,9534	5
7	037	779	3502	610	5241	—0,4777	7914	1
8	064	—0,1016	4004	491	4617	294	6688	—1,27
9	102	283	4508	356	4091	—0,3816	5729	4
1,0	155	581	5013	205	3642	342	4958	0
1	227	907	5521	038	3255	—0,2871	4327	—1,16
2	320	—0,2260	6032	+0,3856	0,2918	403	3801	2
3	438	639	6548	658	624	—0,1936	3358	—1,08
4	586	—0,3041	7070	445	365	472	0,2980	3
5	767	465	7599	217	136	008	655	—0,99
6	984	908	8136	+0,2974	0,1933	—0,0546	373	5
7	1,1242	—0,4367	8684	717	752	085	128	14
8	543	838	9244	444	591	+0,0375	0,1913	—0,87
9	892	—0,5320	9819	159	446	834	723	3
2,0	1,2290	810	1,0412	+0,1859	3155	+0,1292	555	—0,78
1	740	—0,6305	1024	547	1984	750	4063	44
2	1,3246	802	1659	222	0927	+0,2208	2737	01
3	808	—0,7301	2321	+0,0885	0,09973	665	1553	—0,658
4	1,443	799	3012	538	9110	+0,3121	0492	15
5	511	—0,8295	3736	179	8327	577	0,09540	—0,572
6	585	788	4498	—0,0189	7618	+0,4033	8684	28
7	666	—0,9278	530	567	6973	488	7913	—0,485
8	754	764	615	953	6387	943	7216	41
9	849	—1,0246	705	—0,1346	5853	+0,5398	6587	—0,397
3,0	950	724	800	746	5367	852	6017	54
1	2,059	—1,1199	901	—0,2153	4923	+0,6306	5501	10
2	176	670	2,009	564	4519	760	5032	—0,266
3	301	—1,2138	124	982	4149	+0,7214	4606	22
4	434	604	246	—0,3403	3811	668	4218	—0,178
5	576	—1,3067	376	827	3503	+0,8121	3866	34
6	728	527	515	—0,4255	3220	575	3544	—0,090
7	889	986	664	686	0,02961	+0,9028	3251	46
8	3,061	—1,4444	823	—0,5118	724	481	0,02984	02
9	244	900	992	553	506	934	740	+0,042
4,0	439	—1,5355	3,173	989	307	+1,0386	517	86
1	646	809	366	—0,6427	124	839	313	+0,130
2	867	—1,6263	572	866	0,01957	+1,1292	126	75
3	4,102	716	792	—0,7305	803	744	0,01955	+0,219
4	352	—1,7168	4,027	745	661	+1,2196	798	63
5	619	621	278	—0,8186	531	649	654	+0,308
6	902	—1,8073	546	627	4116	+1,3101	523	52
7	5,203	525	832	—0,9068	3017	553	402	96
8	524	977	5,137	510	2006	+1,4005	2910	+0,4414
9	866	—1,9429	462	952	1076	457	1893	85
5,0	6,231	881	809	—1,0395	0219	909	0958	+0,530

cf. fig. 142, 143, 140, 141; 138, 139, 146, 147.

	b_0	β_0	b_1	β_1	h_0	η_0	h_1	η_1
0	6,231	−1,9881└	5,809	−1,0395└	0,010219	+1,4909└	0,010958	+0,5303└
1	620	+1,9667	6,179	837	$0,0^2 9431$	+1,5361	0099	748
2	7,034	214	574	−1,1280	8705	813	$0,0^2 9310$	+0,6194
3	475	+1,8762	996	723	8036	+1,6265	8584	639
4	946	310	7,446	−1,2166	7420	716	7917	+0,7085
5	8,448	+1,7858	925	609	6853	+1,7168	7302	530
6	982	406	8,437	−1,3053	6329	620	6738	976
7	9,552	+1,6954	983	496	5847	+1,8071	6217	+0,8422
8	10,160	501	9,566	940	5402	523	5738	868
9	809	049	10,187	−1,4384	4991	974	5297	+0,9315
0	11,501	+1,5597	10,850	828	4613	+1,9426	4890	761
1	12,238	145	11,558	−1,5272	4264	877	4515	+1,0207
2	13,026	+1,4693	12,313	717	3941	−1,9672	4170	654
3	13,865	241	13,119	−1,6162	3644	220	3852	+1,1101
4	14,761	+1,3789	13,979	606	3369	−1,8769	3559	548
5	15,72	337	14,896	−1,7052	3115	318	3288	994
6	16,74	+1,2885	15,88	497	$0,0^2 2881$	−1,7867	3039	+1,2441
7	17,83	434	16,92	942	665	415	$0,0^2 2809$	888
8	18,99	+1,1982	18,04	−1,8387	465	−1,6964	596	+1,3335
9	20,23	530	19,23	833	281	513	400	783
0	21,55	079	20,50	−1,9279	110	062	219	+1,4230
1	22,96	+1,0627	21,86	725	$0,0^2 1952$	−1,5611	051	677
2	24,47	175	23,31	+1,9829	807	160	$0,0^2 1897$	+1,5125
3	26,07	+0,9724	24,86	383	672	−1,4709	755	572
4	27,79	272	26,51	+1,8937	548	258	623	+1,6020
5	29,62	+0,8821	28,27	490	433	−1,3807	501	467
6	31,58	371	30,16	043	3262	356	3890	915
7	33,67	+0,7918	32,17	+1,7597	2278	−1,2905	2852	+1,7363
8	35,90	467	34,32	150	1368	454	1892	811
9	38,28	016	36,62	+1,6703	0527	003	1005	+1,8258
,0	40,82	+0,6564	39,07	256	$0,0^3 9747$	−1,1552	0185	706
1	43,53	113	41,69	+1,5809	9027	101	$0,0^3 9427$	+1,9154
2	46,43	+0,5662	44,49	362	8360	−1,0650	8727	602
3	49,52	211	47,48	+1,4915	7743	199	8079	−1,9950
4	52,83	+0,4760	50,67	468	7173	−0,9749	7479	501
5	56,36	308	54,08	020	6644	298	6925	053
6	60,13	+0,3857	57,72	+1,3573	6155	−0,8847	6412	−1,8605
7	64,15	406	61,62	126	5703	396	5938	157
8	68,46	+0,2955	65,78	+1,2678	5284	−0,7945	5499	−1,7709
9	73,05	504	70,22	231	4896	495	5093	260
,0	77,96	053	74,97	+1,1783	4537	044	4718	−1,6812
1	83,20	+0,1602	80,05	335	4204	−0,6593	4370	364
2	88,80	152	85,47	+1,0887	3896	142	4048	−1,5915
3	94,78	+0,0701	91,27	439	3611	−0,5692	3750	467
4	101,18	250	97,46	+0,9991	3347	241	3475	018
5	108,00	−0,0201	104,08	543	3103	−0,4790	3220	−1,4570
6	115,30	652	111,15	095	$0,0^3 2876$	339	$0,0^3 2983$	121
7	123,10	−0,1103	118,71	+0,8647	666	−0,3889	764	−1,3673
8	131,43	554	126,80	199	471	438	562	224
9	140,33	−0,2004	135,44	+0,7751	291	−0,2987	374	−1,2775
,0	149,85	455	144,67	302	124	537	200	327

p. 266.

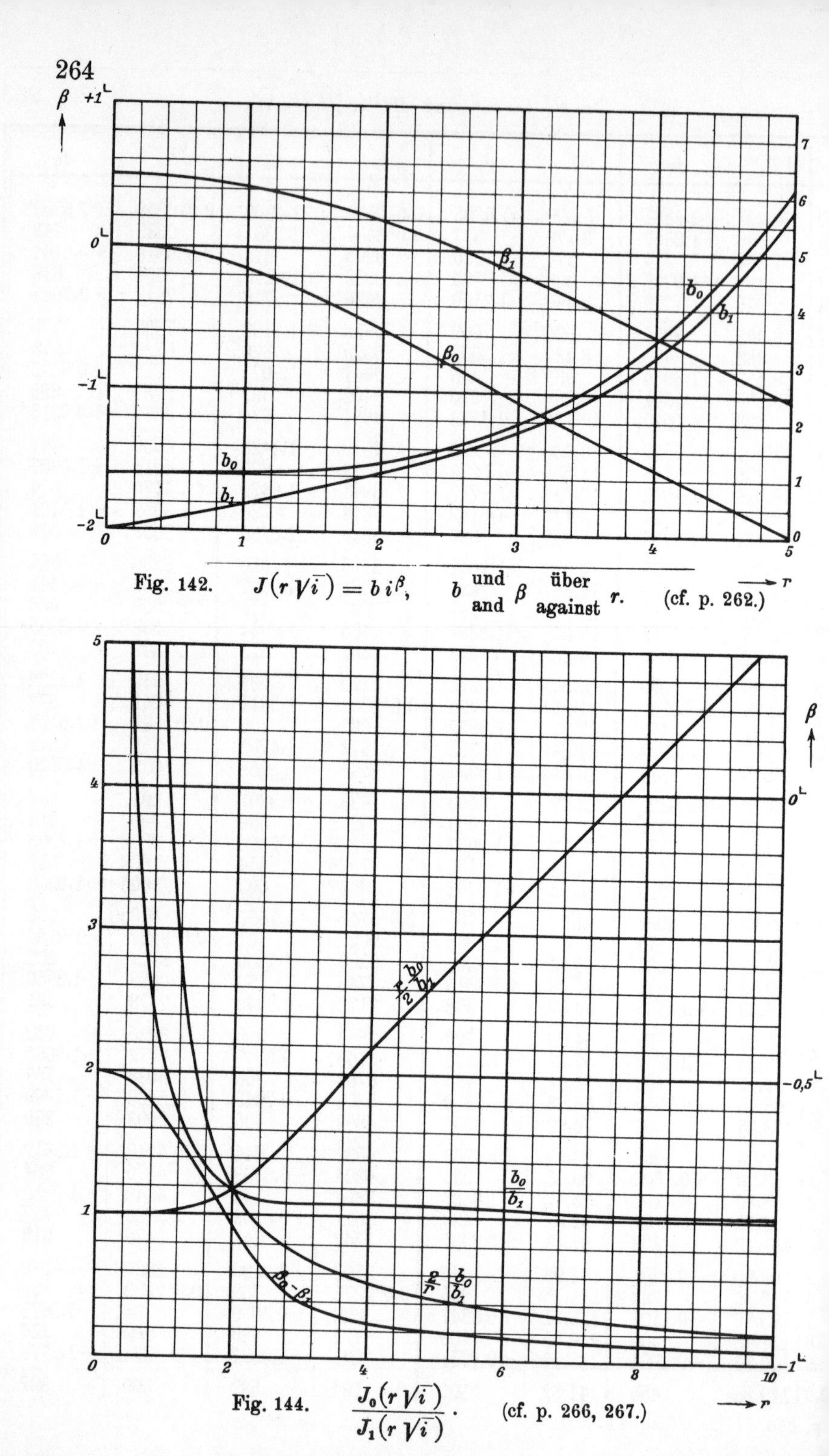

Fig. 142. $J(r\sqrt{i}) = b\, i^{\beta}$, b und/and β über/against r. (cf. p. 262.) $\longrightarrow r$

Fig. 144. $\dfrac{J_0(r\sqrt{i})}{J_1(r\sqrt{i})}$. (cf. p. 266, 267.) $\longrightarrow r$

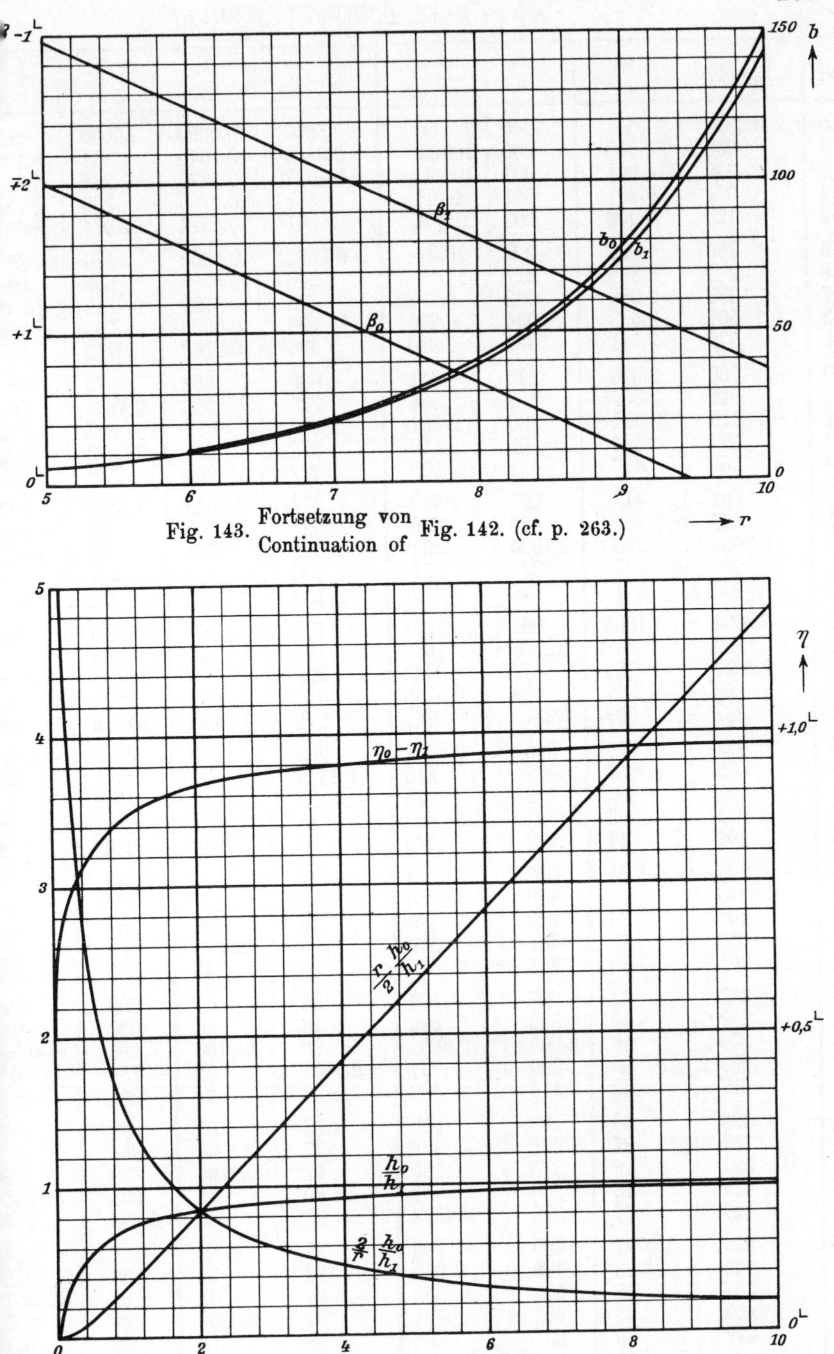

Fig. 143. Fortsetzung von / Continuation of Fig. 142. (cf. p. 263.)

Fig. 145. $\dfrac{H_0^{(1)}(r\sqrt{i})}{H_1^{(1)}(r\sqrt{i})}$. (cf. p. 266, 267.)

$J_0(r\sqrt{i}):J_1(r\sqrt{i})$ und $H_0^{(1)}(r\sqrt{i}):H_1^{(1)}(r\sqrt{i})$

r	$\beta_0-\beta_1$	$\frac{b_0}{b_1}$	$\frac{r}{2}\frac{b_0}{b_1}$	$\frac{2}{r}\frac{b_0}{b_1}$	$\eta_0-\eta_1$	$\frac{h_0}{h_1}$	$\frac{r}{2}\frac{h_0}{h_1}$	$\frac{2}{r}$
0,0	−0,5000	∞	1,0000	∞	+0,5000	0,0000	0,0000	∞
1	008	20,000	000	400,00	+0,6884	0,2645	132	5,29
2	032	10,001	001	100,01	+0,7337	0,3839	384	3,83
3	071	6,667	001	44,45	652	0,4726	709	3,15
4	128	5,002	003	25,01	891	0,5372	0,1074	2,68
5	199	4,002	008	16,01	+0,8082	0,5880	470	35
6	287	3,339	017	11,13	240	0,6288	886	09
7	389	2,866	032	8,188	372	0,6622	0,2318	1,89
8	507	2,513	054	6,284	486	0,6903	761	72
9	639	2,241	084	4,980	584	0,7140	0,3213	58
1,0	786	2,026	128	4,051	669	346	673	46
1	945	1,852	188	3,368	745	523	0,4138	36
2	−0,6116	711	265	2,851	812	677	606	27
3	297	594	361	2,452	873	814	0,5079	20
4	486	497	481	2,139	927	936	555	13
5	682	417	627	1,889	977	0,8045	0,6034	07
6	882	350	800	688	+0,9022	145	516	01
7	−0,7084	295	1,1004	523	063	234	999	0,96
8	282	249	239	387	100	316	0,7484	24
9	479	211	506	275	135	391	971	0,88
2,0	669	1,1804	805	1804	167	459	0,8459	45
1	852	557	1,2135	1007	197	522	948	11
2	−0,8024	361	497	0328	225	579	0,9437	0,779
3	186	207	888	0,9745	251	632	927	50
4	337	089	1,331	241	275	683	1,0419	23
5	474	001	375	0,8801	298	728	0911	0,698
6	599	1,0936	422	413	+0,9319	772	1404	74
7	711	892	470	068	39	812	1896	52
8	811	863	521	0,7759	58	851	2391	32
9	900	844	572	479	76	886	2885	12
3,0	978	1,0835	625	223	93	920	338	0,594
1	−0,9046	32	679	0,6988	+0,9408	949	387	77
2	106	32	733	769	24	980	437	61
3	156	35	787	565	38	0,9008	486	45
4	201	39	842	375	52	35	536	31
5	240	42	897	195	65	61	586	17
6	272	45	952	026	78	86	636	04
7	300	46	2,006	0,5862	90	0,9108	685	0,492
8	326	46	060	707	+0,9501	28	734	80
9	347	43	114	560	12	47	784	69
4,0	366	38	168	419	22	66	833	58
1	382	32	221	284	32	84	883	48
2	397	26	273	155	42	0,9204	933	38
3	411	18	326	031	50	23	983	290
4	423	07	378	0,4912	59	40	2,033	200
5	435	1,0797	429	798	68	56	083	114
6	446	83	480	688	76	70	132	030
7	457	68	530	582	84	85	182	0,3951
8	467	53	581	481	91	0,9300	232	875
9	477	40	631	384	98	13	282	801
5,0	486	27	682	291	+0,9606	26	332	730

cf. fig. 144, 145.

	$\beta_0-\beta_1$	$\frac{b_0}{b_1}$	$\frac{r}{2}\frac{b_0}{b_1}$	$\frac{2}{r}\frac{b_0}{b_1}$	$\eta_0-\eta_1$	$\frac{h_0}{h_1}$	$\frac{r}{2}\frac{h_0}{h_1}$	$\frac{2}{r}\frac{h_0}{h_1}$
0	−0,9486	1,0727	2,682	0,4291	+0,9606	0,9326	2,332	0,3730
1	96	13	732	201	13	39	381	662
2	−0,9506	1,0699	782	115	19	50	431	596
3	15	85	832	032	26	62	481	533
4	24	72	881	0,3952	31	72	530	471
5	33	59	931	876	38	83	580	412
6	41	46	981	802	44	93	630	355
7	50	33	3,030	731	49	0,9405	680	300
8	59	21	080	663	55	14	730	246
9	67	11	130	597	59	23	780	194
0	75	00	180	533	65	33	830	144
1	83	1,0589	230	472	70	43	880	096
2	90	78	279	412	74	51	930	049
3	97	68	329	355	79	60	980	003
4	−0,9605	59	379	300	83	66	3,029	0,2958
5	11	51	429	246	88	74	079	915
6	18	42	479	194	92	80	128	873
7	24	34	529	144	97	87	178	832
8	31	26	579	096	+0,9701	95	228	793
9	37	20	629	050	04	0,9503	278	754
,0	42	13	680	004	08	10	328	717
1	48	05	729	0,2959	12	17	379	681
2	54	1,0497	779	916	15	24	429	646
3	59	90	829	874	19	31	479	611
4	65	83	879	833	22	37	529	578
5	69	77	929	794	26	42	578	545
6	72	71	979	756	29	48	628	513
7	79	65	4,029	718	32	53	678	0,2481
8	83	59	079	0,2682	35	59	728	51
9	87	53	129	46	39	65	778	22
,0	92	47	179	12	42	70	828	0,2393
1	96	41	229	0,2578	45	76	878	64
2	−0,9700	36	279	45	48	80	928	36
3	04	30	329	13	50	84	977	09
4	08	26	379	0,2482	52	89	4,027	0,2283
5	12	21	429	52	55	94	077	57
6	16	16	479	22	58	99	128	32
7	20	11	529	0,2393	61	0,9604	178	08
8	23	07	579	65	63	09	228	0,2184
9	27	03	629	38	65	14	278	60
9,0	30	1,0398	679	11	68	17	328	37
1	33	94	729	0,2284	71	20	377	14
2	35	89	779	58	73	24	427	0,2092
3	38	85	829	33	75	29	477	71
4	41	81	879	09	77	32	527	49
5	44	78	930	0,2185	80	37	578	29
6	47	74	980	61	82	41	628	09
7	50	70	5,029	38	84	44	677	0,1989
8	53	65	079	15	86	47	727	69
9	55	61	129	0,2093	88	51	777	50
0,0	57	58	179	72	90	55	827	31

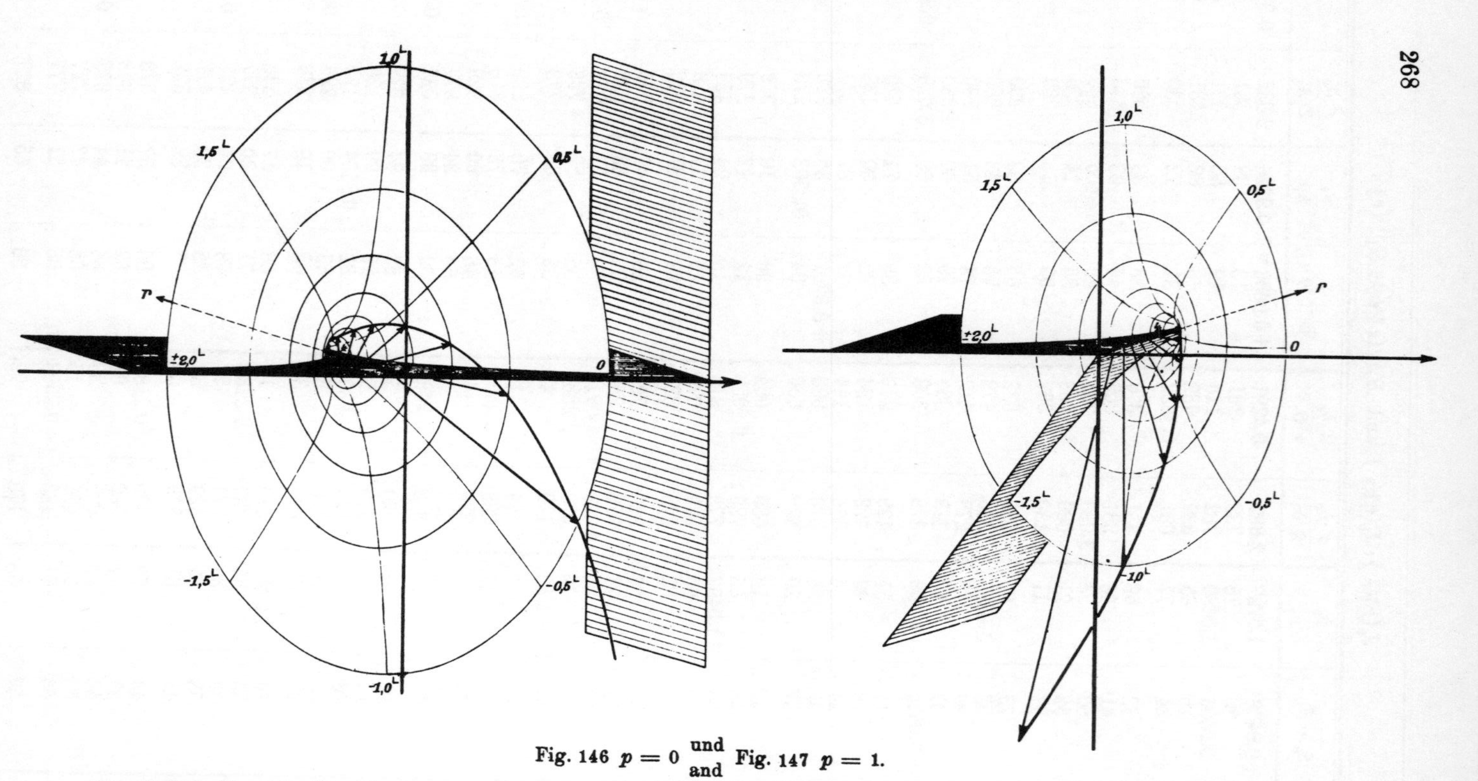

Fig. 146 $p = 0$ und / and Fig. 147 $p = 1$.

Die Pfeile $h\, i^{\eta} = H_p^{(1)}(r\sqrt{i})$ senkrecht von der r-Achse aus- | The arrows $h\, i^{\eta} = H_p^{(1)}(r\sqrt{i})$ going out perpendicularly from

IX. Die Riemannsche Zetafunktion.
IX. The Riemann Zeta-Function.

1. Definitionen.
1. Definitions.

Im folgenden bedeute n eine ganze Zahl, p eine Primzahl.

Setzt man $z = x + iy$, so kann $\zeta(z)$ für $x > 1$ definiert werden durch

In the following let n denote an integer, p a prime number.

Putting $z = x + iy$ we may define $\zeta(z)$ for $x > 1$ by

$$\zeta(z) = \sum_{n=1}^{\infty} \frac{1}{n^z} = \prod (1 - p^{-z})^{-1},$$

wobei das Produkt über sämtliche Primzahlen zu erstrecken ist.

where the product may be extended over all prime numbers.

$$\zeta(z)(1 - 2^{-z}) = \frac{1}{1^z} + \frac{1}{3^z} + \frac{1}{5^z} + \frac{1}{7^z} + \cdots \qquad (x > 1),$$

allgemein ist

generally we have

$$\zeta(z)(1 - 2^{-z})(1 - 3^{-z}) \cdots (1 - p^{-z}) = 1 + \sum_n{}' \frac{1}{n^z} \qquad (x > 1)$$

$\sum'$ bedeutet, daß die Summe nur über die ganzen Zahlen $n (> p)$ zu erstrecken ist, deren sämtliche Primfaktoren $> p$ sind.

Für $x > 0$ gilt die folgende Darstellung:

$\sum'$ denotes that in the summation only those values of $n (> p)$ occur whose prime factors are all $> p$.

When $x > 0$ the following representation holds:

$$(1 - 2^{1-z})\zeta(z) = 1 - \frac{1}{2^z} + \frac{1}{3^z} - \frac{1}{4^z} + - \cdots = \frac{1}{(z-1)!} \int_0^{\infty} \frac{t^{z-1}}{e^t + 1} dt.$$

Für $|z| << 1$ eignet sich zur Berechnung besonders gut die Reihe

For $|z| << 1$ the following series is very well suited for numerical computation

$$\zeta(z) = \sum_{r=1}^{n} \frac{1}{r^z} + \frac{1}{z-1} \frac{1}{n^{z-1}} - \frac{1}{2} \frac{1}{n^z} + \frac{1}{12} \frac{z}{n^{z+1}} - \frac{1}{720} \frac{z(z+1)(z+2)}{n^{z+3}}$$
$$+ \frac{1}{3024} \frac{z(z+1)\cdots(z+4)}{n^{z+5}} - \frac{1}{1\,209\,600} \frac{z(z+1)\cdots(z+6)}{n^{z+7}}$$
$$+ \frac{1}{47\,900\,160} \frac{z(z+1)\cdots(z+8)}{n^{z+9}} - \cdots.$$

Setzt man zur Abkürzung

Putting for brevity

$$z = \tfrac{1}{2} + it = 2u,$$

so wird

the function

$$\Xi(t) = \frac{u!\,(2u-1)}{\pi^u}\,\zeta(2u) = \Xi(-t)$$

eine gerade Funktion in t, die bei Entwicklung nach steigenden Potenzen von t^2 reelle Koeffizienten hat. (Die nichttrivialen Nullstellen der ζ-Funktion auf der Geraden $\frac{1}{2}+it$ liegen bei der Ξ-Funktion auf der reellen Achse.)

is even with respect to t and has real coefficients if it is expanded in ascending powers of t^2. (The non-trivial zeros of the ζ-function on the straight line $\frac{1}{2}+it$ lie on the real axis for the Ξ-function.)

2. Funktionalgleichungen.

2. Functional equations.

$$\zeta(1-z) = \frac{2}{(2\pi)^z}\cos\frac{\pi z}{2}\,(z-1)!\,\zeta(z)$$

$$z(z+1)\frac{\zeta(z+2)\,\zeta(1-z)}{\zeta(z)\,\zeta(-1-z)} = -4\pi^2.$$

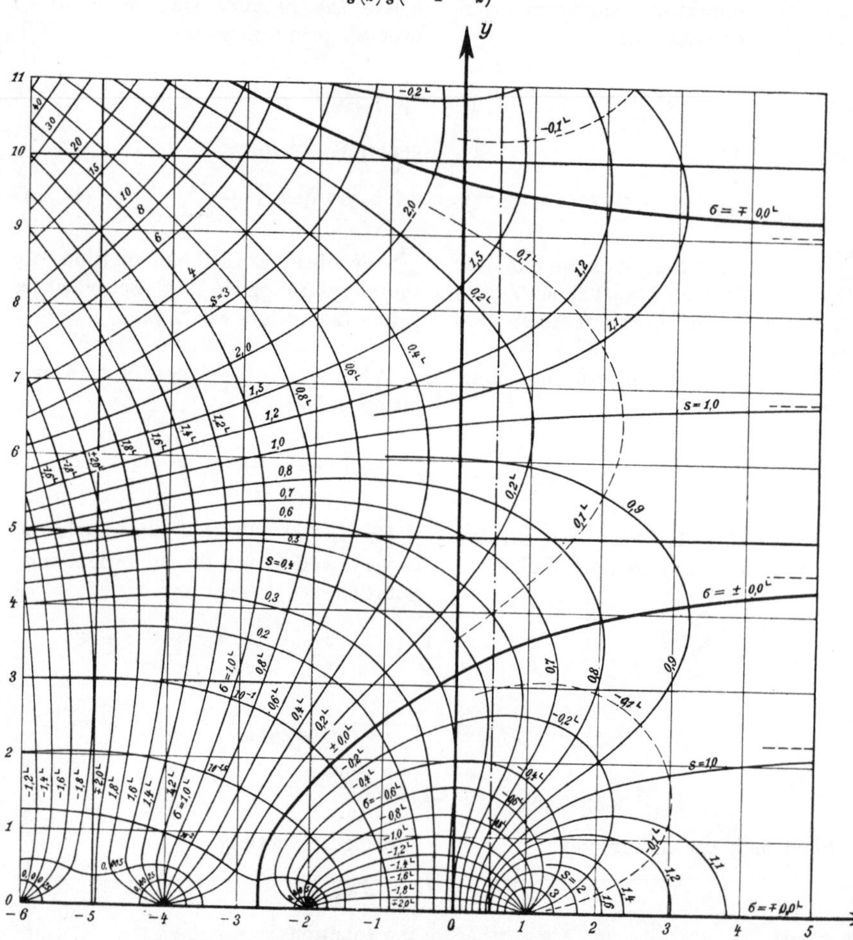

Fig. 148. Höhenkarte der Riemannschen Zetafunktion.
Fig. 148. Altitude chart of the Riemann Zeta-function.

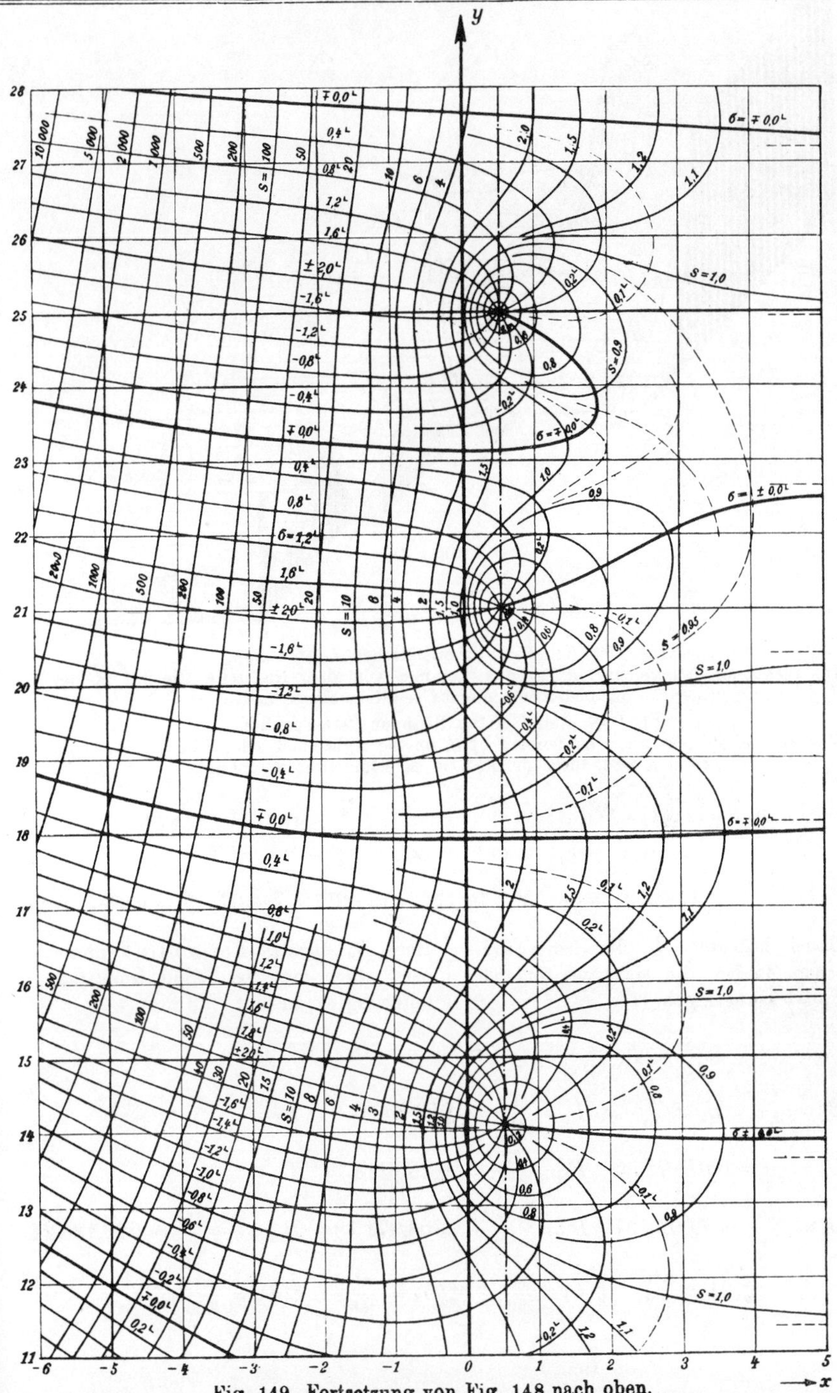

Fig. 149. Fortsetzung von Fig. 148 nach oben.
Fig. 149. Continuation of fig. 148 upwards.

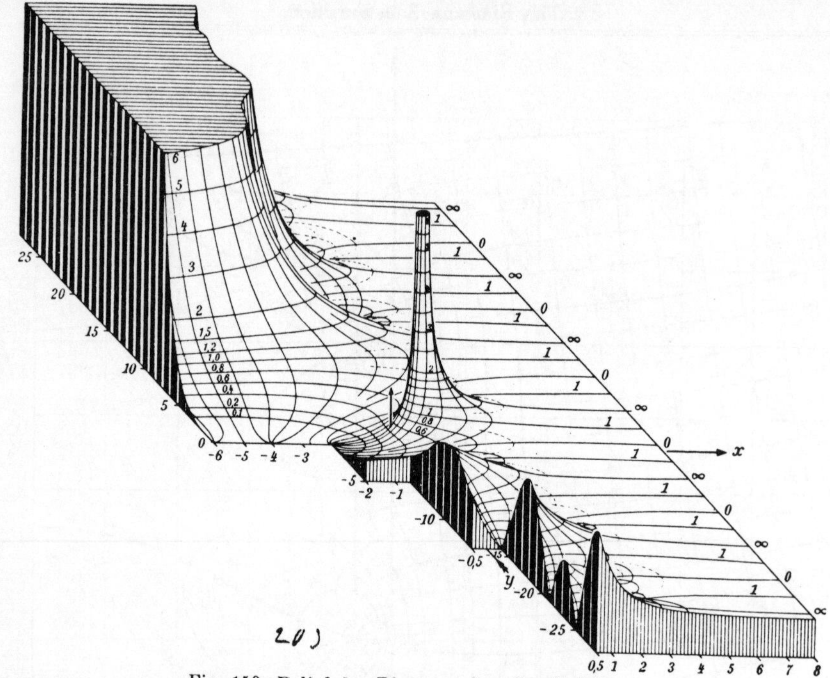

Fig. 150. Relief der Riemannschen Zetafunktion.
Die rechts mit 0 bezeichneten Fallinien kommen von einer Nullstelle, die mit ∞ bezeichneten von einer Unendlichkeitsstelle.

Fig. 150. Relief of the Riemann Zeta-Function.
The lines of steepest gradient denoted by 0, on the right-hand side of the figure, come from a zero, those denoted by ∞ come from an infinity.

3. Spezielle Werte.

3. Special values.

$$\zeta(0) = -\tfrac{1}{2}, \qquad \zeta(1) = \infty, \qquad \zeta(-2n) = 0$$

$$\zeta(1-2n) = (-1)^n \frac{B_n}{2n}, \quad \zeta(2n) = 2^{2n-1}\frac{\pi^{2n}}{(2n)!} B_n \quad (n = 1, 2, 3 \ldots).$$

Dabei bedeutet B_n die Bernoullischen Zahlen, die sich aus folgender Entwicklung ergeben:

Here B_n denotes Bernoulli's numbers which may be found from the following expansion:

$$\frac{z}{e^z - 1} = 1 - \frac{1}{2} z + B_1 \frac{z^2}{2!} - B_2 \frac{z^4}{4!} + - \cdots$$

$$B_1 = \frac{1}{6}, \quad B_2 = \frac{1}{30} \quad B_3 = \frac{1}{42} = 0{,}023\,809\,5 \quad B_4 = \frac{1}{30}$$

$$B_5 = \frac{5}{66} = 0{,}075\,757\,6^{\cdot} \quad B_6 = \frac{691}{2730} = 0{,}253\,114 \quad B_7 = \frac{7}{6}$$

$$B_8 = \frac{3617}{510} = 7{,}092\,157 \quad B_9 = \frac{43\,867}{798} = 54{,}971\,18 \quad B_{10} = \frac{174\,611}{330} = 529{,}124\,24$$

$$\zeta(2) = \frac{\pi^2}{6}, \quad \zeta(4) = \frac{\pi^4}{90}, \quad \zeta(6) = \frac{\pi^6}{945}, \quad \zeta(8) = \frac{\pi^8}{9450} \cdots$$

$\zeta(-x)$

x		0	1	2	3	4	5	6	7	8	9
0,	—0,	5000	4172	3497	2938	2472	2079	1746	1462	1220	1012
1,	—0,0	8333	6798	5479	4346	3376	2549	1845	1251	0752	0339
2,	+0,00	0000	2729	4879	6519	7713	8517	8982	9156	9081	8795
3,		8333	7729	7012	6209	5344	4441	3520	2599	1696	0825
4,	—0,00	0000	0768	1469	2094	2637	3092	3455	3725	3900	3980
5,		3968	3867	3680	3414	3076	2671	2211	1703	1158	0586
6,	+0,00	0000	0590	1171	1732	2261	2747	3178	3545	3837	4047
7,		4167	4191	4115	3936	3654	3269	2785	2208	1544	0804
8,	—0,00	0000	0854	1742	2645	3543	4416	5240	5992	6648	7183
9,		7576	7802	7842	7677	7291	6672	5813	4710	3367	1792
10,	+0,0	0000	0199	0413	0641	0876	1115	1349	1574	1781	1962
11,		2109	2214	2268	2262	2188	2040	1810	1493	1086	0588
12,	—0,0	0000	0675	1431	2256	3137	4057	4994	5922	6811	7627
13,		8333	8888	9249	9371	9209	8718	7854	6579	4861	2672
14,	+0,	0000	0316	0679	1087	1533	2012	2512	3021	3524	4001
15,		4433	4793	5057	5193	5173	4963	4531	3846	2879	1604
16,	—0,001 ×	0000	194,5	423,6	686,5	981,0	1303	1648	2006	2369	2723
17,		3054	3343	3569	3710	3739	3630	3353	2880	2181	1229
18,	+0,01 ×	0000	152,5	335,9	550,5	795,5	1069	1366	1682	2008	2334
19,		2646	2927	3159	3319	3381	3317	3096	2687	2056	1171
20,	—0,1 ×	0000	148,3	330,0	546,3	797,5	1082	1397	1737	2095	2459
21,		2815	3145	3427	3635	3739	3703	3490	3058	2362	1357
22,	+	0000	175,2	393,4	657,3	968,3	1326	1728	2168	2638	3123
23,		3608	4066	4471	4784	4964	4960	4715	4167	3246	1882

$\zeta(x)$

x		0	1	2	3	4	5	6	7	8	9	d
0,	—0,001 ×	500,0	603,0	733,9	904,6	1135	1460	1953	2778	4438	9430	
1,	+0,001 ×	∞	10584	5592	3932	3106	2612	2286	2054	1882	1750	
2,	1,	645	560	491	432	383	341	305	274	247	223	42
3,		202	183	167	152	139	127	116	106	098	090	12
4,	1,0	823	757	698	643	593	547	505	467	431	399	46
5,		369	342	317	293	272	252	234	217	201	187	20
6,	1,01	734	611	496	390	292	201	116	038	*965	*898	91
7,	1,00	835	777	723	673	626	583	542	505	470	438	43
8,		408	380	354	329	307	286	266	248	231	216	21
9,	1,002	008	*872	*744	*626	*515	*413	*317	*227	*144	*067	102
10,	1,000	995	927	865	806	752	701	654	609	568	530	51
11,		494	461	430	401	374	349	325	303	283	264	25
12,	$1{,}0^{3}2$	461	295	141	*997	*863	*738	*621	*512	*410	*316	125
13,	$1{,}0^{3}1$	227	145	068	*996	*929	*867	*809	*754	*704	*657	62
14,	$1{,}0^{4}$	612	571	533	497	464	433	404	377	351	328	31
15,		306	285	266	248	232	216	202	188	176	164	16
16,	$1{,}0^{4}1$	528	426	330	241	158	080	008	*940	*877	*819	78
17,	$1{,}0^{5}$	764	713	665	620	579	540	504	470	439	409	39
18,		382	356	332	310	289	270	252	235	219	205	19
19,	$1{,}0^{5}1$	908	780	661	550	446	349	259	174	096	022	97
20,	$1{,}0^{6}$	954	890	831	775	723	675	629	587	548	511	48
21,		477	445	415	387	361	337	315	294	274	256	24
22,	$1{,}0^{6}2$	385	225	076	*937	*807	*686	*573	*468	*369	*278	121
23,	$1{,}0^{6}1$	192	112	038	*968	*903	*843	*787	*734	*685	*639	60

Nullstellen $0{,}5 + i\alpha_n$ der Riemannschen Zetafunktion.
Zeros $0{,}5 + i\alpha_n$ of the Riemann Zeta-Function.

n	α_n	n	α_n	n	α_n
1	14,134725	11	52,970	21	79,337
2	21,022040	12	56,446	22	82,910
3	25,010856	13	59,347	23	84,734
4	30,424878	14	60,833	24	87,426
5	32,935057	15	65,113	25	88,809
6	37,586176	16	67,080	26	92,494
7	40,918720	17	69,546	27	94,651
8	43,327073	18	72,067	28	95,871
9	48,005150	19	75,705	29	98,831
10	49,773832	20	77,145		

Genauere Tafeln: | **More accurate tables:**

J. P. Gram, D. Kgl. Danske Vidensk. Selsk. Skrifter, Kopenhagen 1925—26, 10. Bd., S. 313—325 gibt $\zeta(s)$ 10- und 11stellig für $s = -24{,}0;\ -23{,}9 \cdots + 24{,}0$, ferner $(s-1)\zeta(s)$ mit 10 und 11 Dezimalen für $s = -2{,}0;\ -1{,}9 \ldots 4{,}0$ und die Differenzen bis zur vierten Ordnung.

Lehrbücher und Abhandlungen: | **Text-books and papers:**

a) F. C. Titchmarsh, The Zeta-Function of Riemann (Cambridge 1930, at the University Press). 103 Seiten.
b) E. Landau, Verteilung der Primzahlen, I und II (Leipzig 1909 bei Teubner).
c) J. P. Gram, Acta Mathematica Bd. 27, 1903, S. 289—304. Note sur les zéros de la fonction $\zeta(s)$ de Riemann.
d) R. J. Backlund, Acta Mathematica Bd. 41, 1918 S. 345—375, Über die Nullstellen der Riemannschen Zetafunktion.
e) J. I. Hutchinson, Transactions of the Americ. Mathem. Society vol. 27, 1925, p. 49—60. On the roots of the Riemann Zeta-Function.
f) E. T. Whittaker and G. N. Watson, Modern Analysis (4. ed., Cambridge 1927, University Press). p. 265—280.

X. Konfluente hypergeometrische Funktionen.
X. Confluent hypergeometric functions.

1. Die Reihe

1. The series

$$y = M(\alpha, \gamma, x) = 1 + \frac{\alpha}{\gamma} x + \frac{\alpha}{\gamma} \frac{\alpha+1}{\gamma+1} \frac{x^2}{2!} + \frac{\alpha}{\gamma} \frac{\alpha+1}{\gamma+1} \frac{\alpha+2}{\gamma+2} \frac{x^3}{3!} + \cdots$$

genügt der Differentialgleichung

satisfies the differential equation

$$x \frac{d^2 y}{dx^2} + (\gamma - x) \frac{dy}{dx} - \alpha y = 0.$$

2. Asymptotische Darstellung:

2. Asymptotic expansion:

$$M(\alpha, \gamma, x) \sim \frac{(\gamma-1)!}{(\gamma-\alpha-1)!}(-x)^{-\alpha}\left\{1 - \alpha\frac{\alpha-\gamma+1}{x} + \alpha\frac{(\alpha+1)(\alpha-\gamma+1)(\alpha-\gamma+2)}{2!\,x^2} - + \cdots\right\}$$
$$+ \frac{(\gamma-1)!}{(\alpha-1)!} e^x x^{\alpha-\gamma}\left\{1 + \frac{(1-\alpha)(\gamma-\alpha)}{x} + \frac{(1-\alpha)(2-\alpha)(\gamma-\alpha)(\gamma-\alpha+1)}{2!\,x^2} + \cdots\right\}.$$

3. Rekursionsformeln:

3. Recurrence formulae:

$$M_{\lambda,\mu} \equiv M(\alpha + \lambda,\ \gamma + \mu,\ x);$$
$$x M_{11} = \gamma M_{10} - \gamma M_{00},$$
$$\alpha M_{11} = (\alpha - \gamma) M_{01} + \gamma M_{00},$$
$$(\alpha + x) M_{11} = (\alpha - \gamma) M_{01} + \gamma M_{10},$$
$$\alpha\gamma M_{10} = \gamma(\alpha + x) M_{00} - x(\gamma - \alpha) M_{01},$$
$$\alpha M_{10} = (x + 2\alpha - \gamma) M_{00} + (\gamma - \alpha) M_{-1,0},$$
$$(\gamma - \alpha) x M_{01} = \gamma(x + \gamma - 1) M_{00} + \gamma(1 - \gamma) M_{0,-1}.$$

4. Whittaker und Watson setzen

4. Whittaker and Watson take

$$\alpha = \frac{1}{2} + m - k, \quad \gamma = 2m + 1$$

und bezeichnen mit M die Funktion

and denote by M the function

$$x^{1-\frac{\gamma}{2}} e^{-\frac{x}{2}} M.$$

Tafeln:

Tables:

a) Brit. Ass., Section A, Oxford 1926, Leeds 1927, gibt 5- bis 6stellig M, entsprechend den folgenden Kurven.

b) R. Gran Olsson, Ingenieur-Archiv 8 (1937), S. 99—103, gibt 4stellig M für $x = \frac{\lambda \varrho^n}{n}$, mit $\varrho = 0{,}1 \ldots 1{,}0$ und $n = 2$ oder $n = 4$ in 11 Tafeln (α zwischen $-0{,}675$ und $1{,}65$; γ zwischen 0,5 und 3). Siehe dort auch S. 376.

Lehrbücher:

Text-books:

Whittaker and Watson, Modern Analysis (Cambridge 1927) p. 337—354.

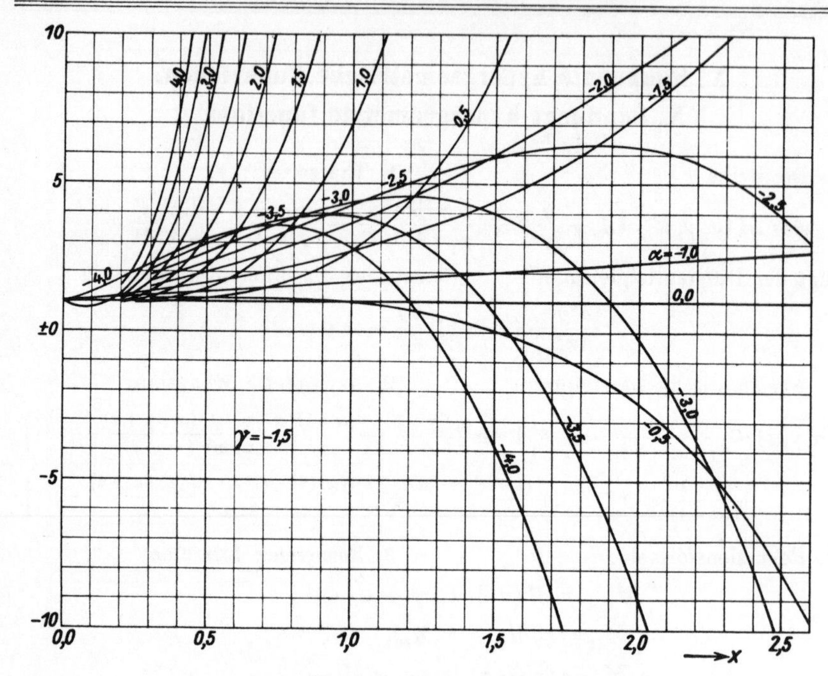

Fig. 151. $M(\alpha, -1{,}5, x)$.

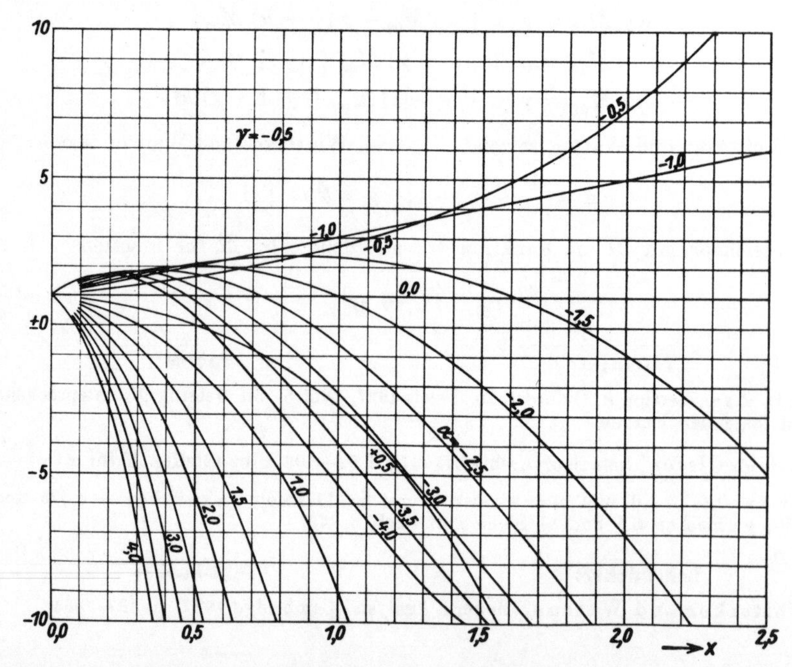

Fig. 152. $M(\alpha, -0{,}5, x)$.

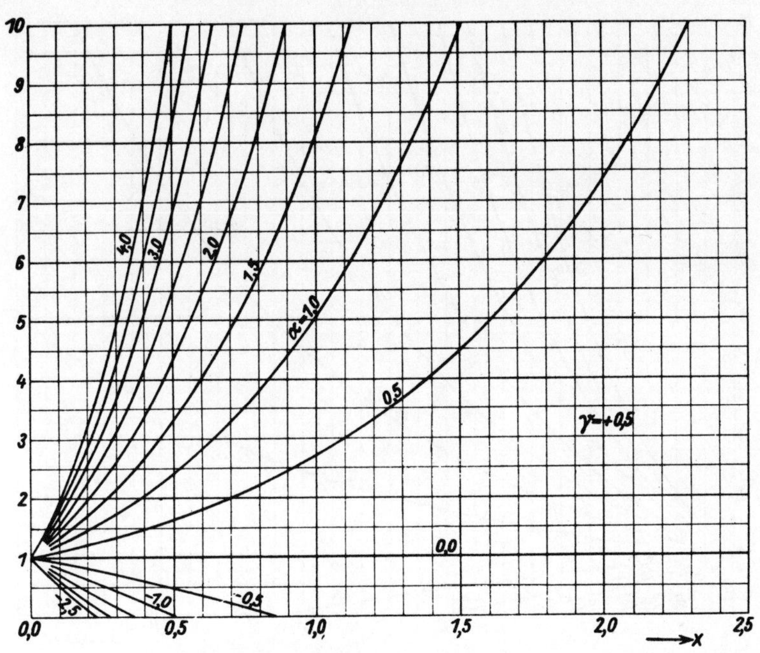

Fig. 153. $M(\alpha, +0{,}5, x)$.

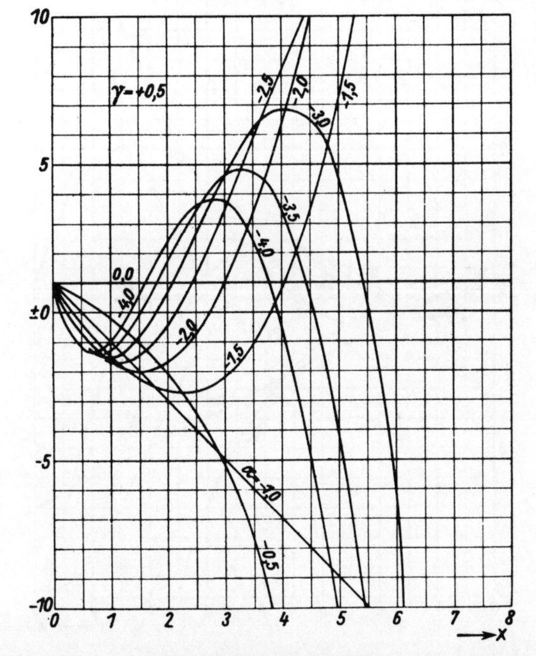

Fig. 154. $M(\alpha, +0{,}5, x)$.

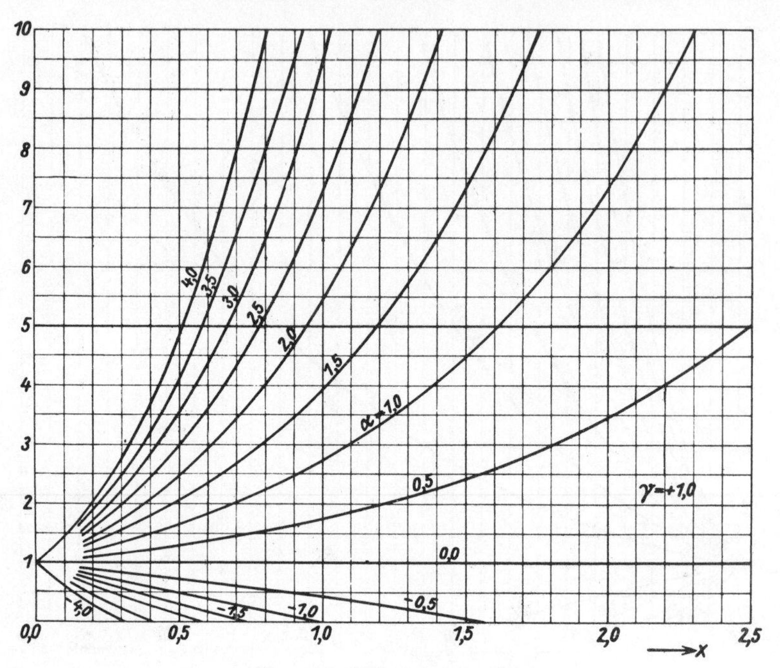

Fig. 155. $M(\alpha, +1{,}0, x)$.

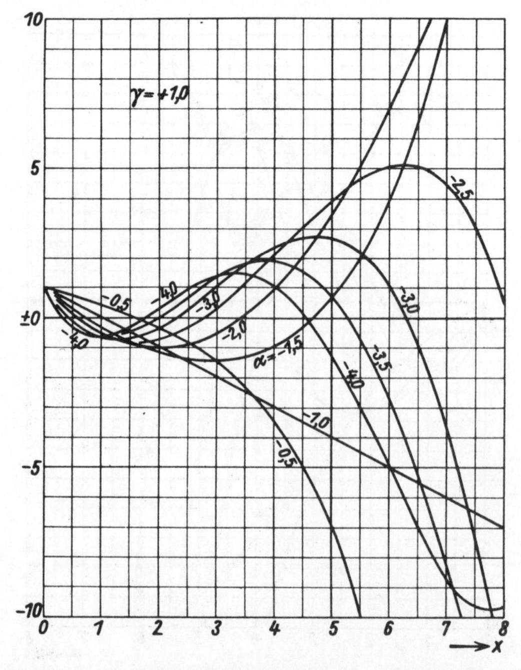

Fig. 156. $M(\alpha, +1{,}0, x)$.

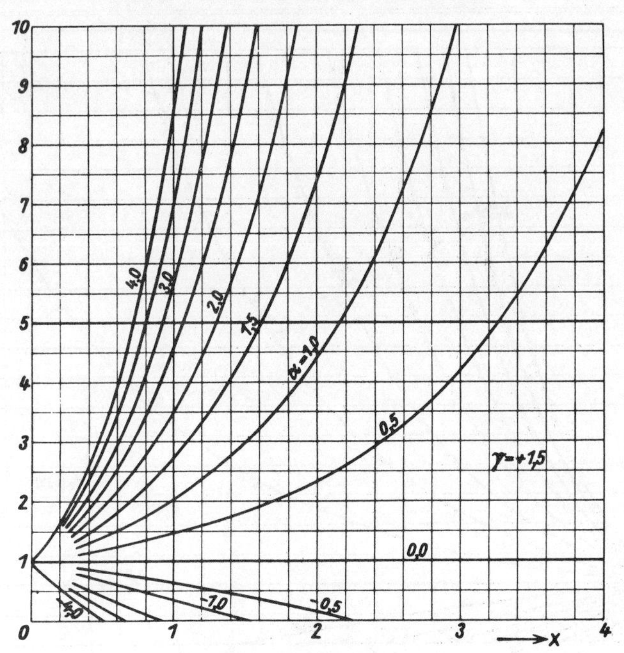

Fig. 157. $M(\alpha, +1{,}5, x)$.

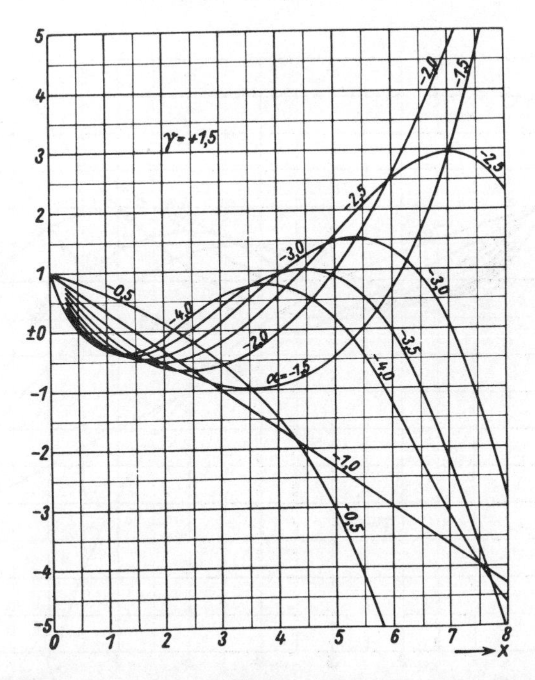

Fig. 158. $M(\alpha, +1{,}5, x)$.

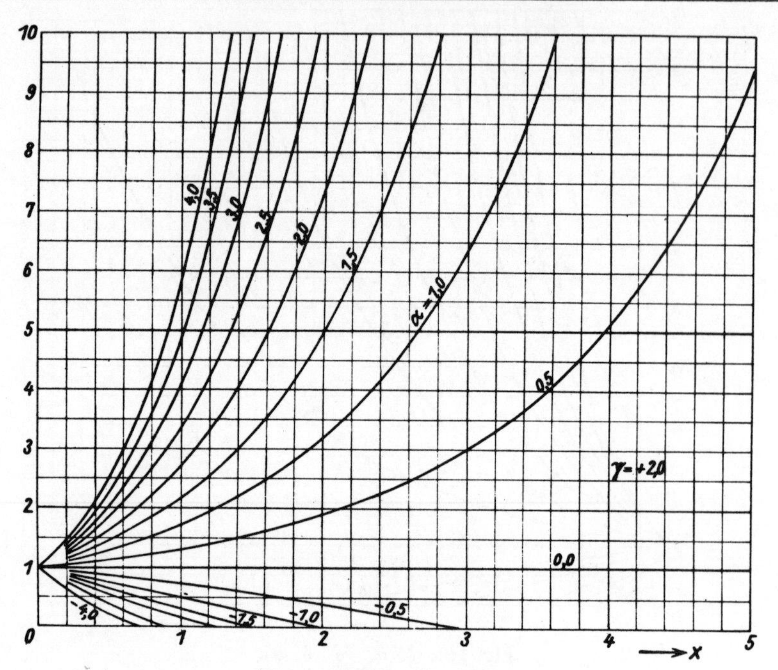

Fig. 159. $M(\alpha, +2{,}0, x)$.

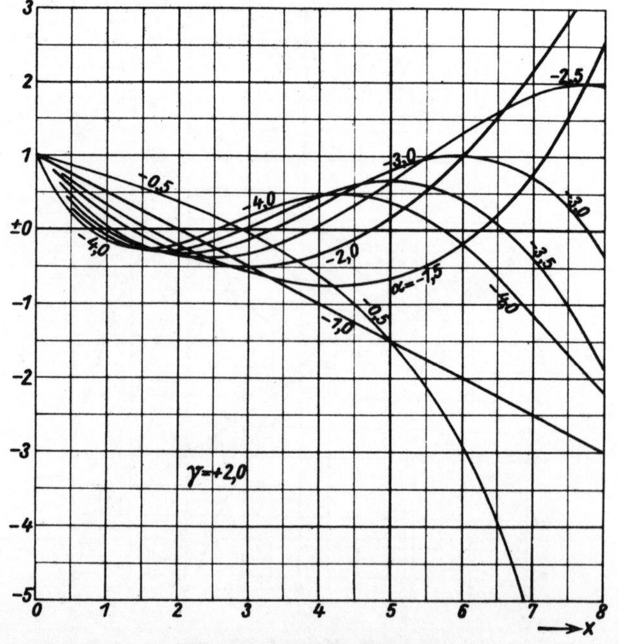

Fig. 160. $M(\alpha, +2{,}0, x)$.

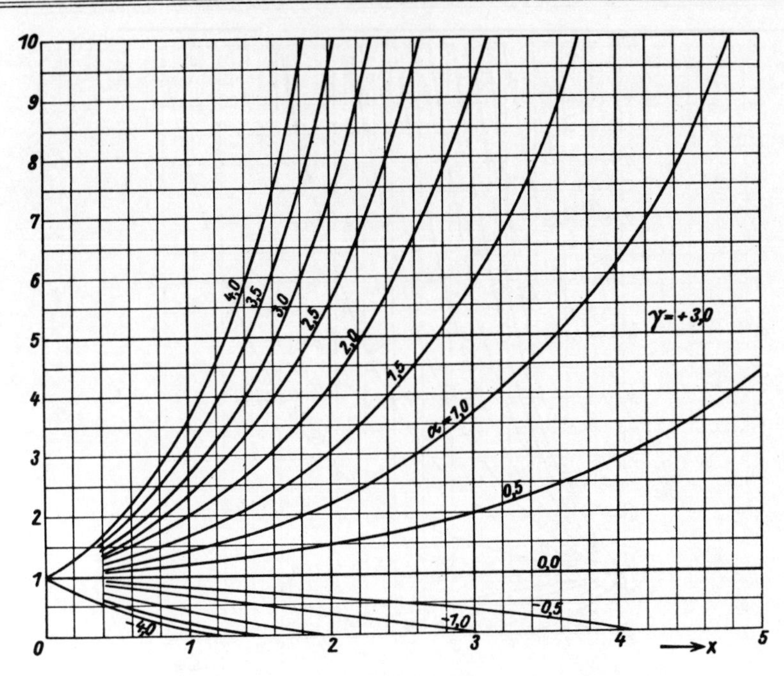

Fig. 161. $M(\alpha, +3{,}0, x)$.

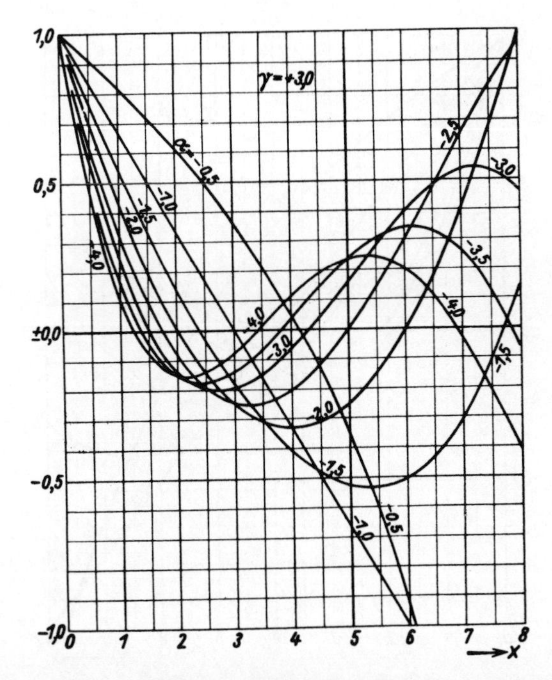

Fig. 162. $M(\alpha, +3{,}0, x)$.

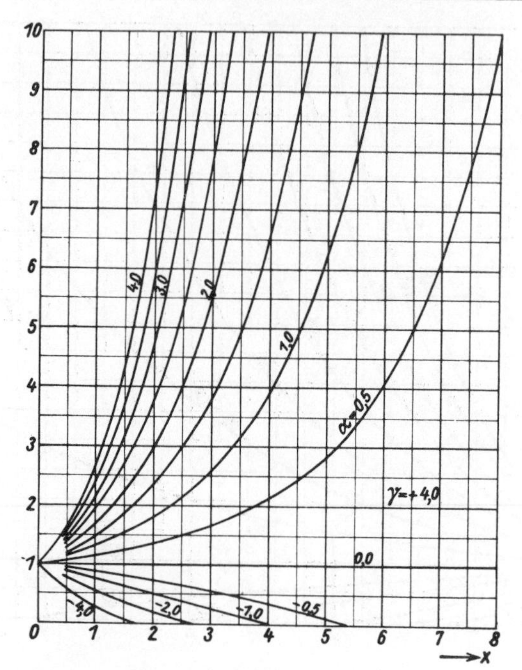

Fig. 163. $M(\alpha, +4,0, x)$.

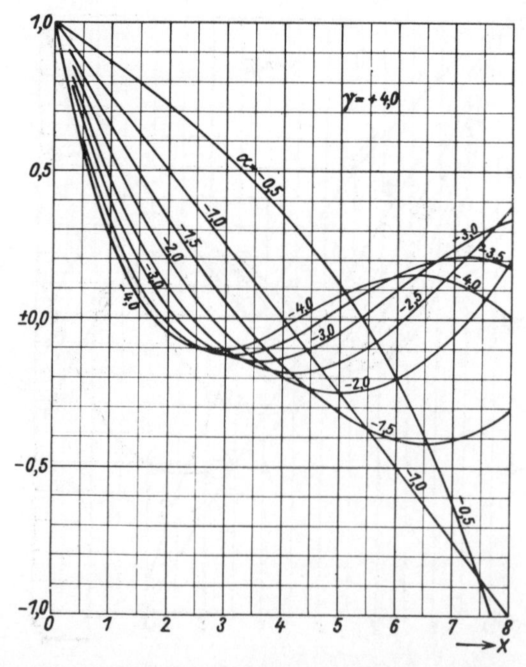

Fig. 164. $M(\alpha, +4,0, x)$.

XI. Mathieusche Funktionen.
XI. Mathieu functions.

1. Die Mathieuschen Funktionen $\varphi_m(x, q)$ des elliptischen Zylinders:

1. The Mathieu functions $\varphi_m(x,q)$ associated with the elliptic cylinder:

$$\mathrm{ce}_0\, x, \quad \mathrm{ce}_1\, x, \quad \mathrm{ce}_2\, x, \quad \ldots$$
$$\mathrm{se}_1\, x, \quad \mathrm{se}_2\, x, \quad \ldots$$

sind entweder gerade oder ungerade periodische Teillösungen der Mathieuschen Differentialgleichung

are either even or odd periodic particular solutions of the Mathieu differential equation

$$\frac{1}{4}\frac{d^2 y}{d x^2} + (\alpha - 4q\cos 2x)\, y = 0.$$

Nicht bei jedem Wertepaar α, q gibt es eine periodische Lösung, sondern für jede Mathieusche Funktion $\mathrm{ce}_m x$ und $\mathrm{se}_m x$ ist q eine bestimmte Funktion von α. Es gelten die folgenden Beziehungen (k ganz):

Not for each pair of values α, q has the d. e. a periodic solution, but for each Mathieu function $\mathrm{ce}_m x$ and $\mathrm{se}_m x$ q is a function of α. The following relations are valid (k integer):

$$\mathrm{ce}(k\pi + x) = +\,\mathrm{ce}(k\pi - x) \qquad \mathrm{se}(k\pi + x) = -\,\mathrm{se}(k\pi - x)$$

$$\mathrm{ce}_m\left(\frac{\pi}{2} + x\right) = (-1)^m\, \mathrm{ce}_m\left(\frac{\pi}{2} - x\right) \qquad \mathrm{se}_m\left(\frac{\pi}{2} + x\right) = (-1)^{m+1}\, \mathrm{se}_m\left(\frac{\pi}{2} - x\right)$$

$$\varphi_m(x + \pi) = (-1)^m\, \varphi_m(x).$$

Es genügt daher, eine Mathieusche Funktion im Bereich $0 < x < \frac{\pi}{2}$ darzustellen. Auf jeder Strecke $x_2 - x_1 = 2\pi$ hat das Produkt zweier verschiedener zum selben q gehöriger Mathieuscher Funktionen den Mittelwert Null.

Hence it suffices to represent a Mathieu function in the domain $0 < x < \frac{\pi}{2}$. In each range $x_2 - x_1 = 2\pi$ the product of two different Mathieu functions associated with the same q has the mean value 0.

2. Nullstellen:

2. Zeros:

$$0 = \mathrm{se}_{2n}\, k\frac{\pi}{2} = \mathrm{se}_{2n+1}\, k\pi = \mathrm{ce}_{2n+1}\left(k + \frac{1}{2}\right)\pi.$$
$$\mathrm{ce}_0\, x > 0.$$

Die vier Funktionen

The four functions

$$\mathrm{ce}_{2n}\, x, \qquad \mathrm{se}_{2n+1}\, x, \qquad \mathrm{ce}_{2n+1}\, x, \qquad \mathrm{se}_{2n+2}\, x$$

haben n Nullstellen zwischen $x = 0$ und $x = \frac{\pi}{2}$, die mit wachsendem q immer näher an $\frac{\pi}{2}$ heranrücken.

have n zeros between $x = 0$ and $x = \frac{\pi}{2}$, which as q increases approach more and more to $\frac{\pi}{2}$.

Bei $x = \frac{\pi}{2}$ sind positiv:

At $x = \frac{\pi}{2}$ the following are positive:

$$(-1)^n\, \mathrm{ce}_{2n}\, x, \qquad (-1)^n\, \mathrm{se}_{2n+1}\, x, \qquad (-1)^n \frac{\mathrm{ce}_{2n+1}\, x}{\cos x}, \qquad (-1)^{n-1} \frac{\mathrm{se}_{2n}\, x}{\cos x}.$$

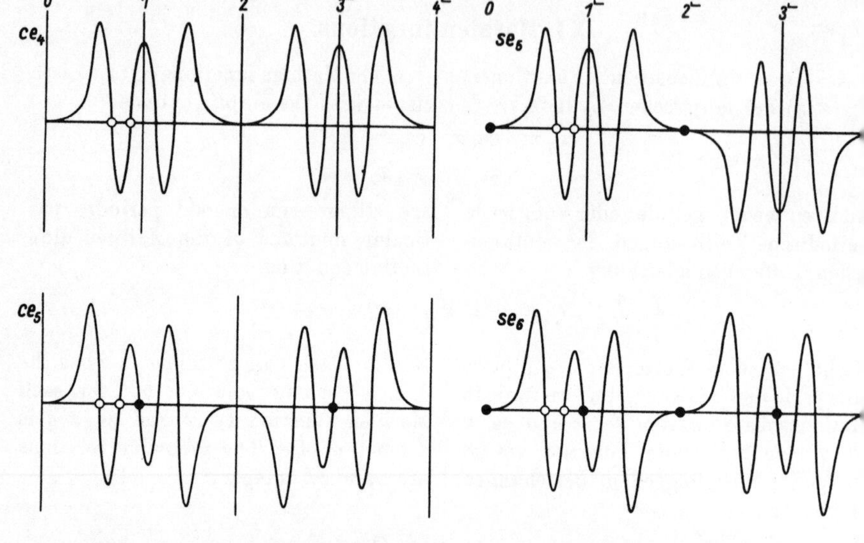

Fig. 165. Symmetrien der Mathieuschen Funktionen (nicht maßstäblich).

3. Bei jeder Mathieuschen Funktion φ_m wird der willkürliche konstante Faktor so bestimmt, daß

3. For each Mathieu funktion φ_m th arbitrary constant factor shall be determined such, that

$$\frac{2}{\pi}\int_0^{\frac{\pi}{2}} \varphi_m{}^2\, dx = \begin{cases} 1 \text{ für/for } m = 0, \\ \frac{1}{2} \quad ,, \quad m \neq 0. \end{cases}$$

Vorzeichen nach 2.

Sign by 2.

Für $q \to 0$ wird dann

Then for $q \to 0$

$$4\alpha = m^2, \qquad \mathrm{ce}_m(x, 0) = \cos m x, \qquad \mathrm{se}_m(x, 0) = \sin m x.$$

4. Ersetzt man x durch $\frac{\pi}{2} - x$ und q durch $-q$, so erhält man die Differentialgleichung

4. If we replace x by $\frac{\pi}{2} - x$ and q by $-q$, the differential equation becomes

$$\frac{1}{4}\frac{d^2 y}{dx^2} + [\alpha(-q) + 4q \cos 2x]\, y = 0$$

mit den Lösungen

with the solutions

$$\mathrm{ce}_{2n}\left(\frac{\pi}{2} - x, -q\right) = (-1)^n\, \mathrm{ce}_{2n}(x, q)$$

$$\mathrm{se}_{2n}\left(\frac{\pi}{2} - x, -q\right) = (-1)^n\, \mathrm{se}_{2n}(x, q)$$

$$\mathrm{ce}_{2n+1}\left(\frac{\pi}{2} - x, -q\right) = (-1)^n\, \mathrm{se}_{2n+1}(x, q)$$

$$\mathrm{se}_{2n+1}\left(\frac{\pi}{2} - x, -q\right) = (-1)^n\, \mathrm{ce}_{2n+1}(x, q)$$

Es genügt also, die Funktionen für positive q zu berechnen.

Thus it suffices to calculate the functions for positive q's.

5. Mit $t = t(x)$ als unabhängiger Veränderlicher lautet die Mathieusche Gleichung

5. With $t = t(x)$ as independent variable the Mathieu equation is

$$\left(\frac{dt}{dx}\right)^2 \frac{d^2 y}{dt^2} + \frac{d^2 t}{dx^2}\frac{dy}{dt} + 4(\alpha - 4q\cos 2x)y = 0,$$

z. B. für | e. g. for

$$t = \cos 2x: \qquad (1 - t^2)\frac{d^2 y}{dt^2} - t\frac{dy}{dt} + (\alpha - 4qt)y = 0;$$

$$t = e^{i2x}: \qquad t^2\frac{d^2 y}{dt^2} + t\frac{dy}{dt} + \left[-\alpha + 2q\left(t + \frac{1}{t}\right)\right]y = 0;$$

$$t = \cos^2 x: \quad t(1-t)\frac{d^2 y}{dt^2} + \left(\frac{1}{2} - t\right)\frac{dy}{dt} + (\alpha - 4q + 8qt)y = 0.$$

6. Die Mathieuschen Funktionen genügen der Integralgleichung

6. The Mathieu functions satisfy the integral equation

$$\varphi(x) = \lambda\int_{-\pi}^{+\pi} e^{4\sqrt{2q}\sin x\sin t}\,\varphi(t)\,dt.$$

7. Näherungswerte für α_n bei kleinem q. Die oberen Vorzeichen gelten für ce_{2k+1}, die unteren für se_{2k+1}.

7. Approximate values of α_n for small q. The upper signs are valid for ce_{2k+1}, the lower for se_{2k+1}.

$$4\alpha_0 = -2^5 q^2 + 2^5\cdot 7q^4 - 2^{10}\frac{29}{9}q^6 + \cdots$$

$$4\alpha_1 = 1 \pm 8q - 8q^2 \mp 8q^3 - \frac{8}{3}q^4 \pm \cdots$$

$$4\alpha_2 = 4 + \frac{80}{3}q^2 - \frac{2^8}{3^3}\cdot 7\cdot 109\,q^4 + \cdots$$

$$4\alpha_3 = 9 + 4q^2 \pm 8q^3 + \cdots$$

$$4\alpha_4 = 16 + \frac{2^5}{15}q^2 + \frac{2^5\cdot 29}{3^3 5^3}q^4 + \frac{20}{7}\cdot 1087\left(\frac{2q}{15}\right)^6 + \cdots$$

$$4\alpha_n = n^2 + \frac{2(4q)^2}{n^2-1} + \frac{5n^2+7}{2(n^2-1)^3(n^2-4)}(4q)^4$$
$$+ \frac{9n^6 + 22n^4 - 203n^2 - 116}{(n^2-1)^5(n^2-4)^3(n^2-9)}(4q)^6 + \cdots$$

8. Näherungswerte für α bei großem q $\left(\text{etwa } q > \frac{n^2}{8}\right)$. Mit der ungeraden Zahl $n = 2\nu - 1$ ergibt sich α für $\mathrm{ce}_{\nu-1}$ und se_ν aus

8. Approximate values of α for large q $\left(\text{about } q > \frac{n^2}{8}\right)$. With the odd number $n = 2\nu - 1$ the values of α for $\mathrm{ce}_{\nu-1}$ and se_ν result from

$$-\alpha \sim 4q - n\sqrt{2q} + \frac{n^2+1}{32} + \frac{n}{2^{10}}\frac{n^2+3}{\sqrt{2q}} + \frac{5n^4 + 34n^2 + 9}{2^{17}q}$$
$$+ n\frac{33n^4 + 410n^2 + 405}{2^{23}q\sqrt{2q}} + \frac{63n^6 + 1260n^4 + 2943n^2 + 486}{2^{28}q^2}$$
$$+ n\frac{2108n^6 + 62468n^4 + 270379n^2 + 149553}{2^{34}\cdot q^2\sqrt{2q}} + \cdots$$

Bei großem positivem q gehört zu den vier Funktionen

If q is large and positive, the four functions

$$\mathrm{ce}_{2n-1}(x, q), \qquad \mathrm{se}_{2n-1}(x, -q), \qquad \mathrm{se}_{2n}(x, q), \qquad \mathrm{se}_{2n}(x, -q)$$

fast derselbe Wert von α, ebenso zu den vier Funktionen

have almost the same value of α, likewise the four functions

$$\mathrm{ce}_{2n}(x, q), \qquad \mathrm{ce}_{2n}(x, -q), \qquad \mathrm{se}_{2n+1}(x, q), \qquad \mathrm{ce}_{2n+1}(x, -q).$$

α verschwindet bei $\mathrm{ce}_n x$ und $\mathrm{se}_{n+1} x$

α vanishes at $\mathrm{ce}_n x$ and $\mathrm{se}_{n+1} x$

	$n = 0$	1	2	groß / large
für / for $q \approx$	$\frac{-}{0{,}11}$	0,94	2,66	$0{,}109\,(2n+1)^2$.

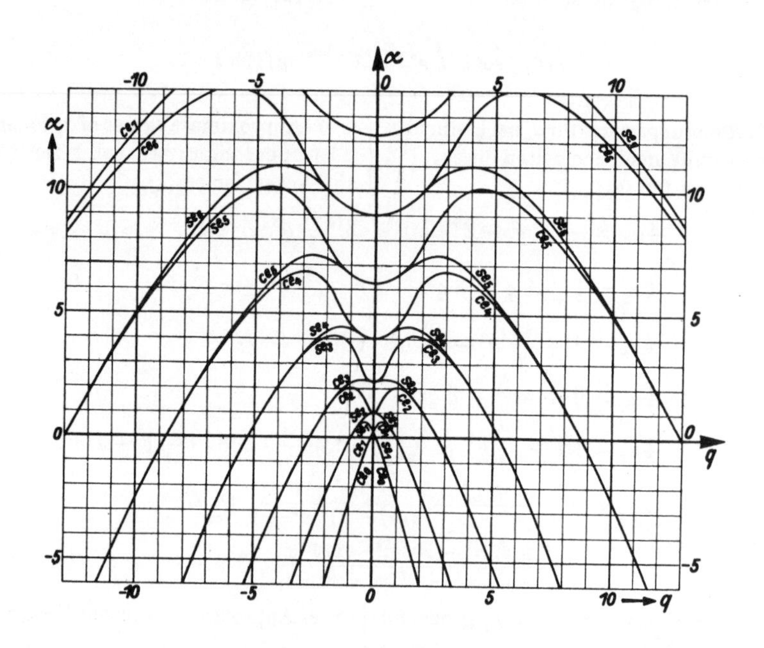

Fig. 166. α als Funktion von q.

9. Darstellung durch Fouriersche Reihen:

9. Representation by Fourier series:

$$\mathrm{ce}_{2n} x = \sum_{r=0}^{\infty} A_{2n,2r} \cos 2rx, \qquad \mathrm{ce}_{2n+1} x = \sum_{r=0}^{\infty} A_{2n+1,2r+1} \cos(2r+1)x,$$

$$\mathrm{se}_{2n} x = \sum_{r=1}^{\infty} B_{2n,2r} \sin 2rx, \qquad \mathrm{se}_{2n+1} x = \sum_{r=0}^{\infty} B_{2n+1,2r+1} \sin(2r+1)x.$$

Für die Koeffizienten A, B ergeben sich die folgenden Rekursionsformeln:

For the coefficients A, B the following recurrence formulae result:

a) für $\mathrm{ce}_{2n}\,x$: | a) for $\mathrm{ce}_{2n}\,x$:

$$-\alpha A_{2n,0} + 2q A_{2n,2} = 0,$$
$$4q A_{2n,0} + (1-\alpha) A_{2n,2} + 2q A_{2n,4} = 0,$$
$$2q A_{2n,2r-2} + (r^2 - \alpha) A_{2n,2r} + 2q A_{2n,2r+2} = 0 \qquad (r > 1);$$

b) für $\mathrm{se}_{2n}\,x$: | b) for $\mathrm{se}_{2n}\,x$:

$$(1-\alpha) B_{2n,2} + 2q B_{2n,4} = 0,$$
$$2q B_{2n,2r-2} + (r^2 - \alpha) B_{2n,2r} + 2q B_{2n,2r+2} = 0 \qquad (r > 1);$$

c) für $\mathrm{ce}_{2n+1}\,x$: | c) for $\mathrm{ce}_{2n+1}\,x$:

$$2q A_{2n+1,1} + \left(\frac{1}{4} - \alpha\right) A_{2n+1,1} + 2q A_{2n+1,3} = 0,$$
$$2q A_{2n+1,2r-1} + \left\{\left(r + \frac{1}{2}\right)^2 - \alpha\right\} A_{2n+1,2r+1} + 2q A_{2n+1,2r+3} = 0 \quad (r > 0);$$

d) für $\mathrm{se}_{2n+1}\,x$: | d) for $\mathrm{se}_{2n+1}\,x$:

$$-2q B_{2n+1,1} + \left(\frac{1}{4} - \alpha\right) B_{2n+1,1} + 2q B_{2n+1,3} = 0,$$
$$2q B_{2n+1,2r-1} + \left\{\left(r + \frac{1}{2}\right)^2 - \alpha\right\} B_{2n+1,2r+1} + 2q B_{2n+1,2r+3} = 0 \quad (r > 0).$$

Nach **3.** ist für $m = 1, 2, 3, \ldots$ und für jedes q

By **3.** we have for $m = 1, 2, 3, \ldots$ and for each q

$$2A_0^2 + A_2^2 + A_4^2 + \cdots = B_2^2 + B_4^2 + \cdots = A_1^2 + A_3^2 + \cdots = B_1^2 + B_3^2 + \cdots = 1,$$

für $\mathrm{ce}_0\,x$ die erste Summe $= 2$.

Die Reihen konvergieren um so schlechter, je größer q ist.

for $\mathrm{ce}_0\,x$ the first sum $= 2$.

The series converges less as q increases.

Tafeln: | **Tables:**

der $A_0 \cdots A_{42}$ für $\mathrm{ce}_0\,x$
„ $A_1 \cdots A_{45}$ „ $\mathrm{ce}_1\,x$
„ $A_0 \cdots A_{48}$ „ $\mathrm{ce}_2\,x$

der $B_1 \cdots B_{43}$ für $\mathrm{se}_1\,x$
„ $B_2 \cdots B_{46}$ „ $\mathrm{se}_2\,x$

mit 5 Dezimalen ($q = 0, 1 \ldots 200$) bei

S. Goldstein, Trans. Camb. Phil. Soc. **23** (1927), p. 303—336. Mit diesen Koeffizienten sind die folgenden Kurven berechnet worden.

H. P. Mulholland und S. Goldstein, Phil. Mag. 8 (1929), p. 834—840, geben α für $\mathrm{ce}_m\,x$ und $\mathrm{se}_{m+1}\,x$ ($m = 0, 1, 2, 3$) und für $\frac{q}{i} = 0{,}2;\ 0{,}4 \ldots 2{,}0$ mit 6 Dezimalen.

Lehrbücher: | **Text-books:**

a) Whittaker and Watson, Modern Analysis, 4. ed., p 404—428.

b) M. J. O. Strutt, Lamésche, Mathieusche und verwandte Funktionen in Physik und Technik (Ergebnisse der Math., 1, 3; Berlin 1932 bei Springer), S. 23—51. Dort Literaturverzeichnis S. 110—116.

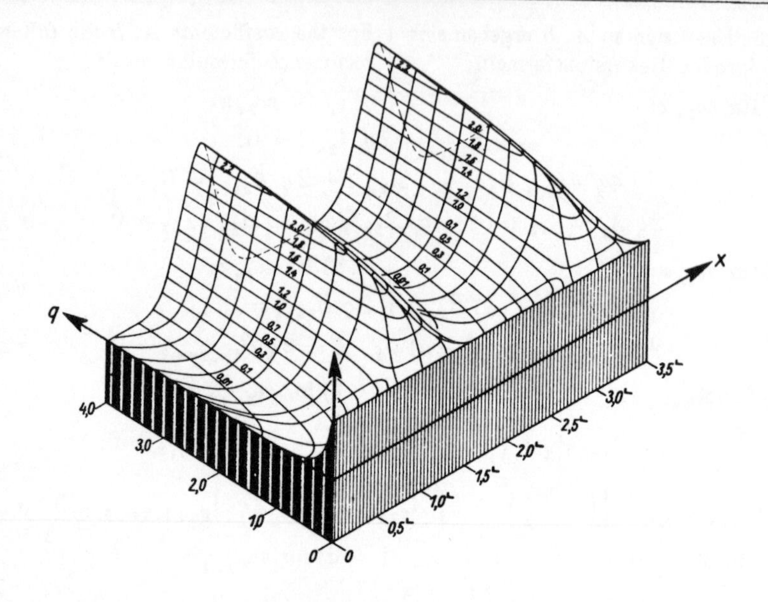

Fig. 167. $\mathrm{ce}_0(x,\ q)$.

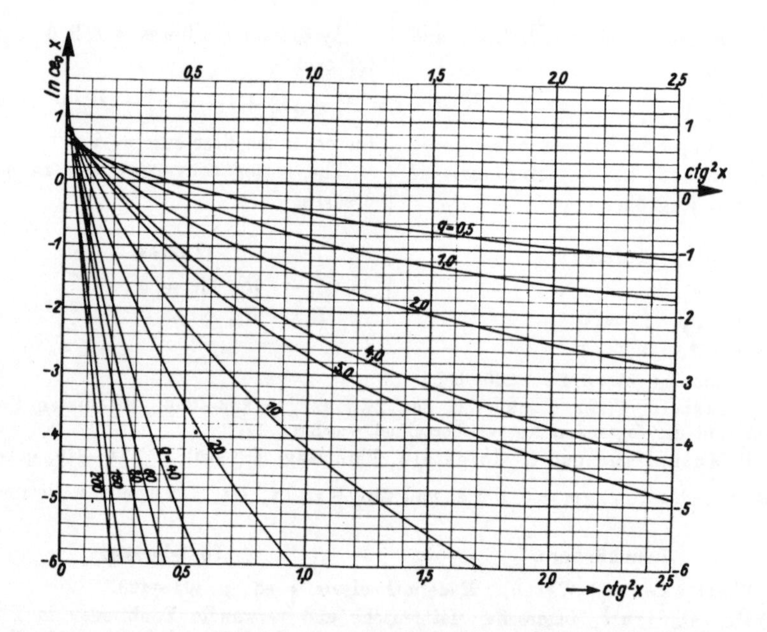

Fig. 168. $\mathrm{ce}_0(x,\ q)$ in der Umgebung von $x = 90^0$.

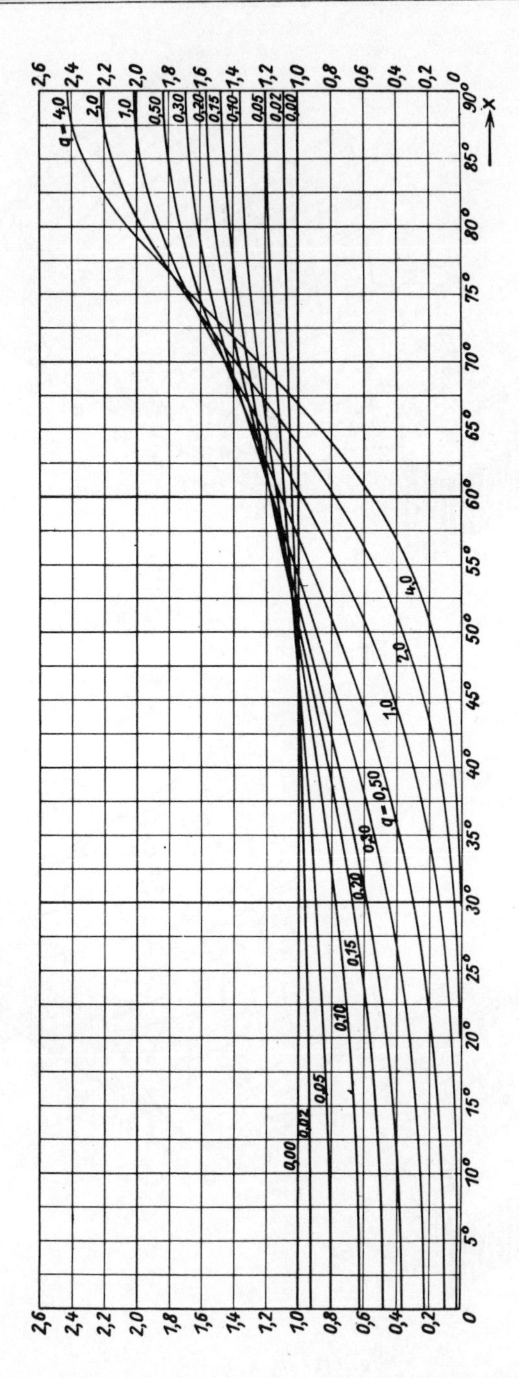

Fig. 169. $ce_0(x, q)$.

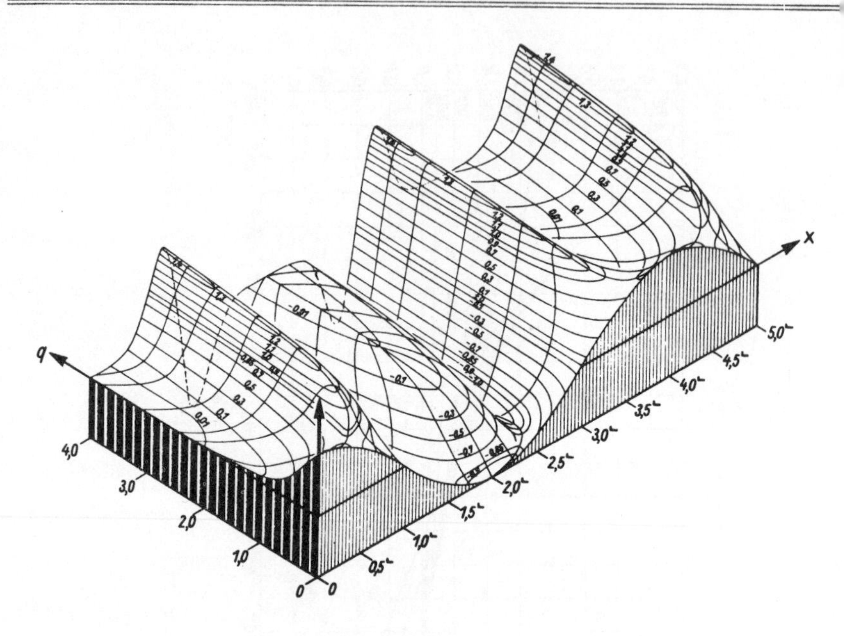

Fig. 170. $ce_1(x, q)$.

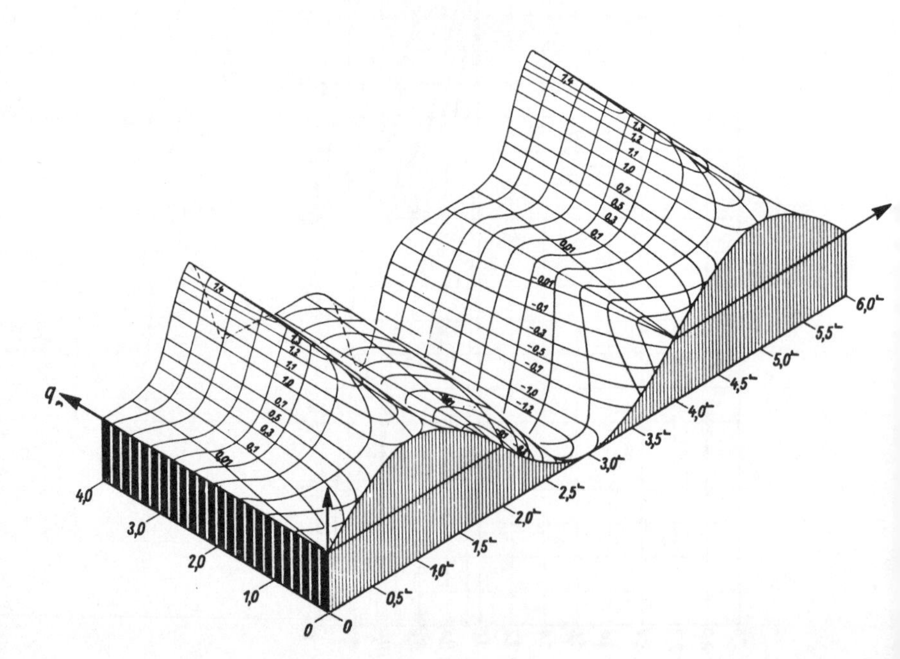

Fig. 171. $se_1(x, q)$.

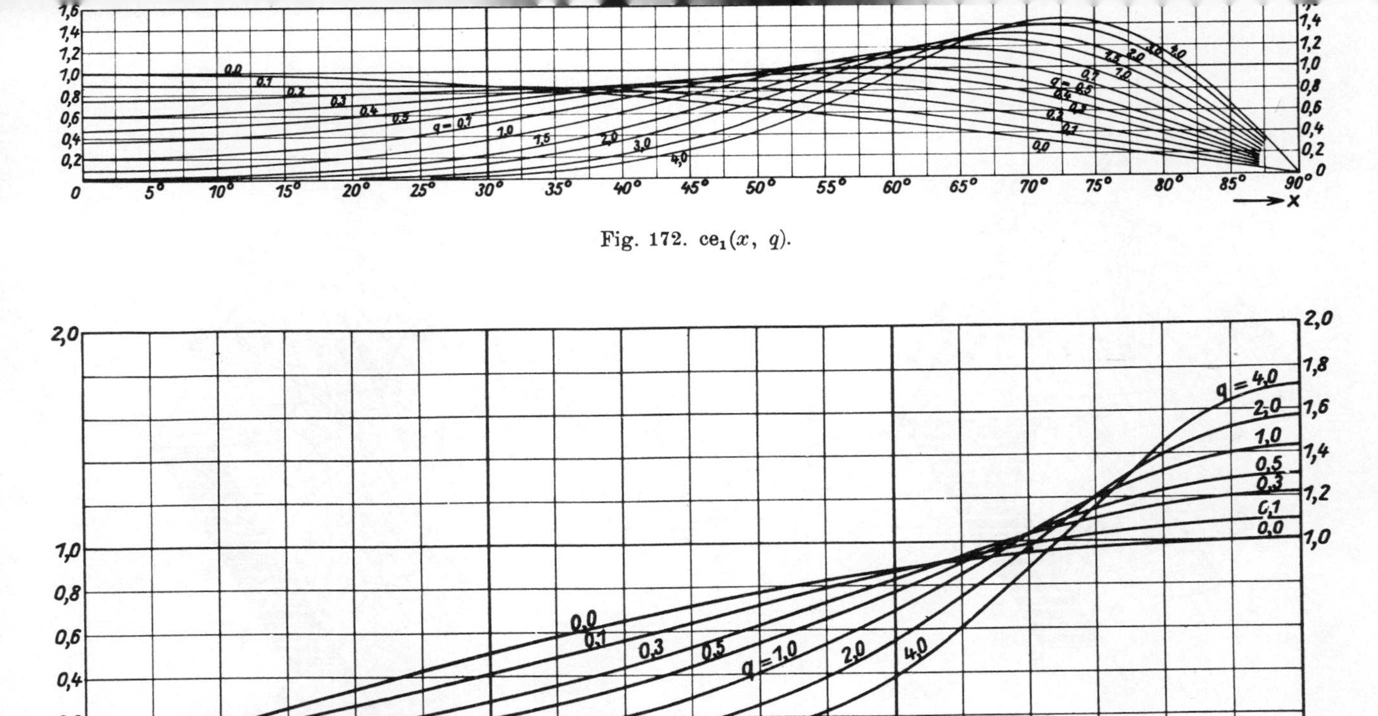

Fig. 172. $\mathrm{ce}_1(x, q)$.

Fig. 173. $\mathrm{se}_1(x, q)$.

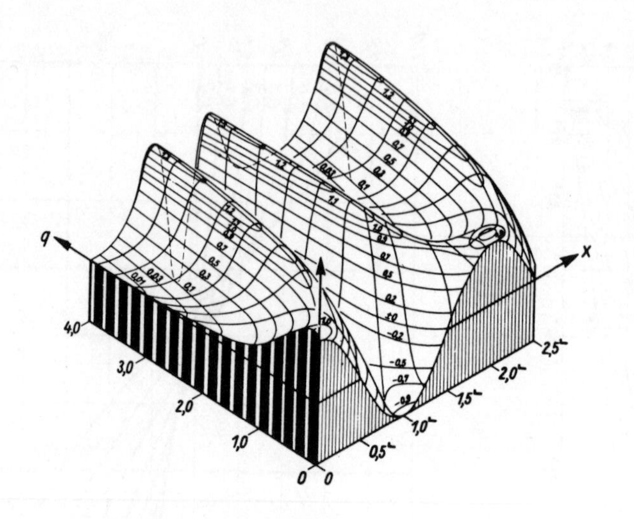

Fig. 174. $\mathrm{ce}_2(x, q)$.

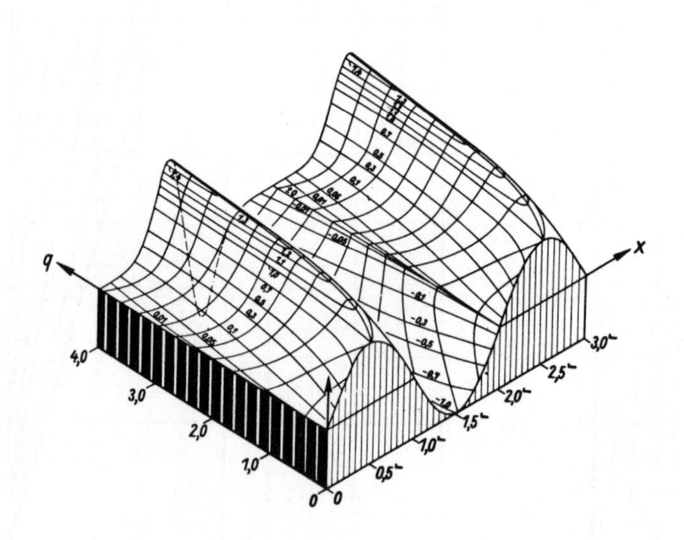

Fig. 175. $\mathrm{se}_2(x, q)$.

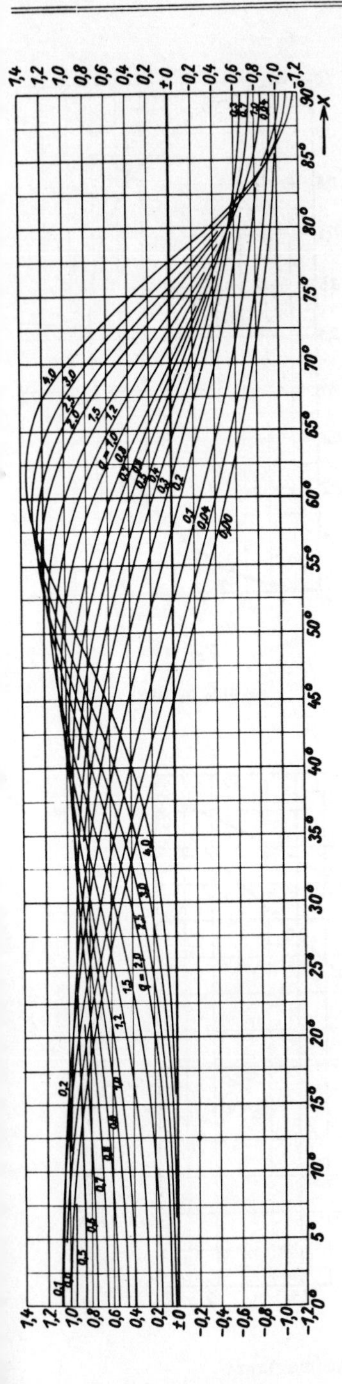

Fig. 176. $ce_2(x, q)$.

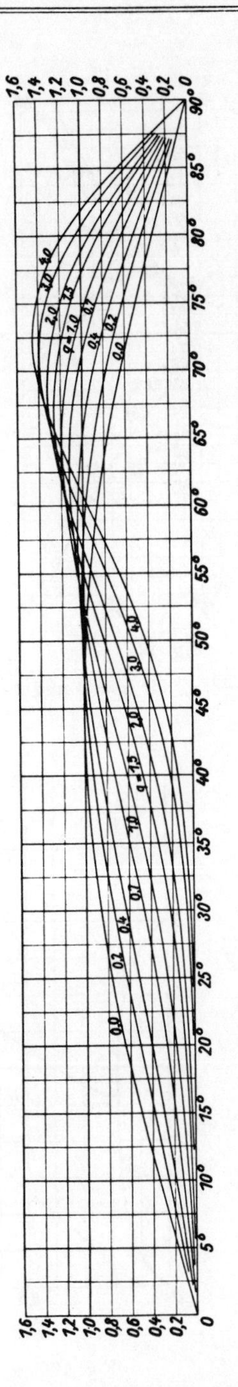

Fig. 177. $se_2(x, q)$.

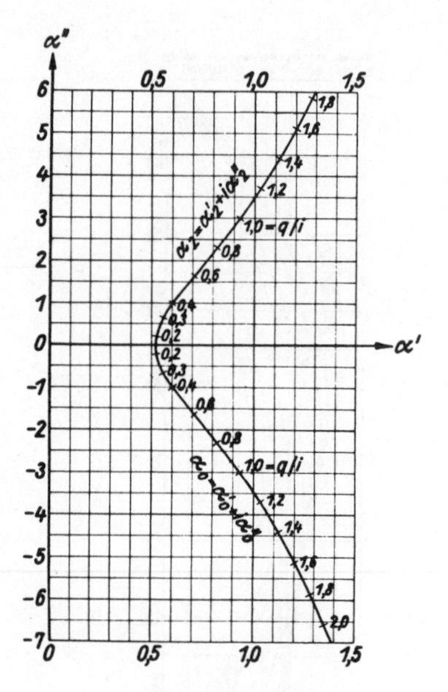

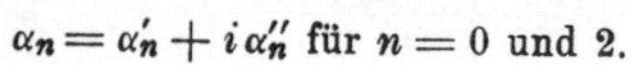

Fig. 178.
$\alpha_n = \alpha'_n + i\,\alpha''_n$ für $n = 0$ und 2.

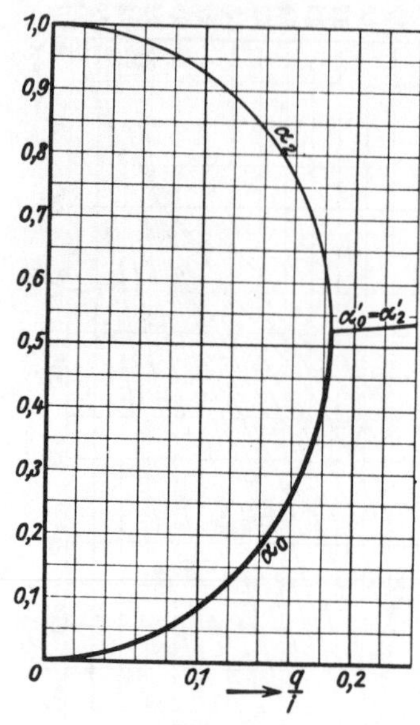

Fig. 179.
α_0 und α_2 über $\frac{q}{i}$.

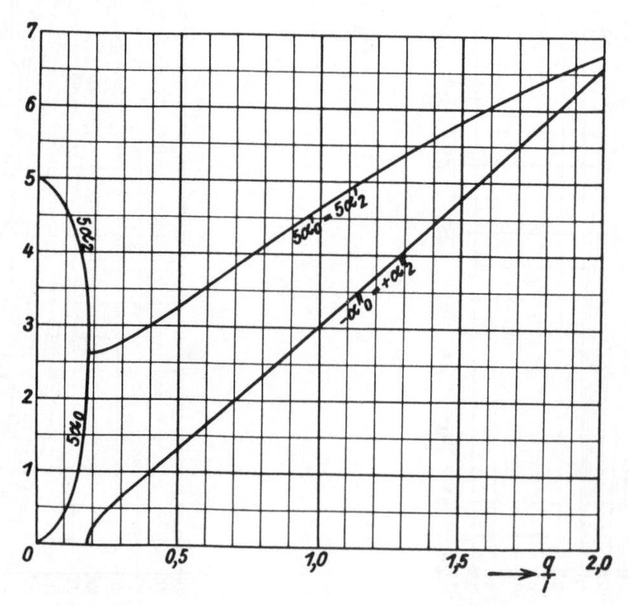

Fig. 180. α_0 und α_2 über $\frac{q}{i}$ (q rein imaginär).

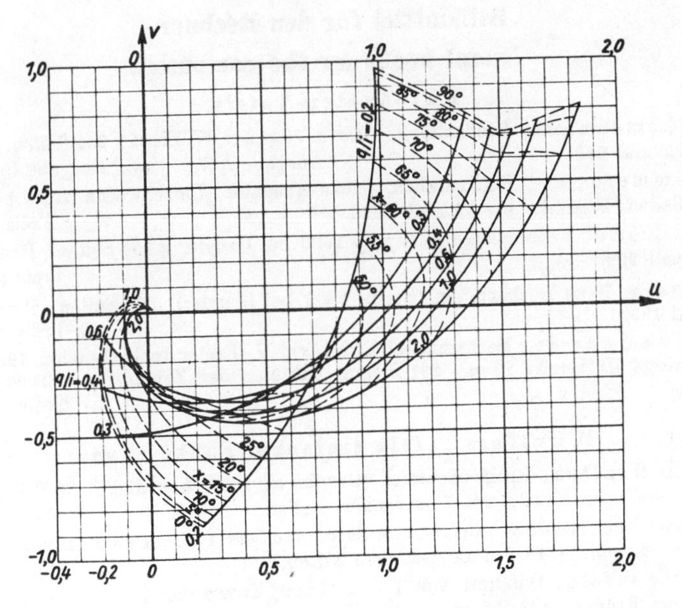

Fig. 181. $\mathrm{ce}_0(x,\ q) = u + i v$ bei rein imaginärem q.

Einige oft gebrauchte Konstanten. **Some often used constants.**

$$\pi/2 = 1{,}570\,796\,327 = 1 : 0{,}636\,619\,772$$

$$\pi^2 = 9{,}869\,604\,401 = 1 : 0{,}101\,321\,184$$

$$\sqrt{\pi} = 1{,}772\,453\,851 = 1 : 0{,}564\,189\,584$$

$$\sqrt{\pi/2} = 1{,}253\,314\,137 = 1 : 0{,}797\,884\,561$$

$$e = 2{,}718\,281\,828 = 1 : 0{,}367\,879\,441$$

$$\pi^3 = 31{,}006\,276\,68 = 1 : 0{,}032\,251\,534\,43$$

$$\pi\sqrt{2} = 4{,}442\,882\,938 = 1 : 0{,}225\,079\,079$$

Hilfsmittel für den Rechner.
Useful books for the computer.

I. Produkten-Tafeln.

a) H. Zimmermann, Rechentafeln. (Berlin 1929 bei W. Ernst.) 204 Seiten. Produkte bis 99 mal 999.
Ausgabe A 6,80 RM, Ausgabe B 8,20 RM

b) L. Zimmermann, Rechentafeln, große Ausgabe. (Liebenwerda 1923 bei Reiss.) 225 Seiten. Produkte bis 99 mal 9999.
Preis 4,80 RM

c) A. L. Crelle, Rechentafeln. (Leipzig 1930 bei Gruyter.) 501 Seiten. Produkte bis 999 mal 999.
Preis 26,00 RM

d) J. Peters, Neue Rechentafeln (Berlin 1909 bei Gruyter). 501 Seiten. Produkte bis 99 mal 9999.
Preis 20,00 RM

e) Brit. Ass. Adv. Sc., Mathematical tables, vol. V, Factor table (London 1935, durch Cambridge University Press), 291 Seiten. Faktoren der Zahlen bis 100000. (Großes Format.)
Preis 17,60 RM

II. Größere Tafeln einfacher Funktionen.

a) M. van Haaften, Reziprokentafel. (Groningen 1926, Noordhoff.) 50 Seiten. Kehrwerte von 1 ... 10000 mit 7 geltenden Stellen.
Preis 5,20 RM

b) W. H. Oakes, Table of the reciprocals of numbers 1 ... 100000 mit 7 geltenden Stellen. (London 1864 bei Leyton.) 205 Seiten.
Preis 21,00 RM

c) P. Timpenfeld, Quadrate von 1 ... 12000, Kuben von 1 ... 1200. (Dortmund 1926 bei Krüger.) 123 Seiten.
Preis 4,00 RM

d) L. Zimmermann, Quadrate von 1 ... 100009. (Liebenwerda 1925 bei Reiss.) 187 Seiten.
Preis 6,40 RM

e) J. Blater, Tafel der Viertel-Quadrate aller ganzen Zahlen von 1 ... 200000. (Mödling 1887 bei J. Thomas.) 205 Seiten.
Preis 12,00 RM

f) J. Plassmann, Tafel der Viertel-Quadrate aller Zahlen von 1 ... 20009 zur Erleichterung des Multiplizierens vierstelliger Zahlen. (Leipzig 1933 bei Jänecke.) 226 Seiten.
Preis 6,40 RM

g) J. Bojko, Viertelquadrate der Zahlen 1 bis 20000. (Zürich 1909 bei E. Speidel.) 23 + 20 Seiten.
Preis 1,50 RM

h) Barlow's Tables of squares, cubes, square roots, cube roots and reciprocals of all integer numbers up to 10000. (London bei Spon, 3. Aufl., 1930.) 208 Seiten.
Preis 6,50 RM

i) L. M. Milne-Thomson, Standard table of square roots. (London 1929 bei G. Bell.) 90 Seiten.
Preis 6,50 RM

III. Rechen-Instrumente und -Maschinen.

a) A. Galle, Math. Instrumente. (Leipzig 1912 bei Teubner.) 187 Seiten.
Preis 5,60 RM

b) K. Lenz, Die Rechen- und Buchungsmaschinen. (1932 bei Teubner.) 122 Seiten.
Preis 5,40 RM

IV. Zahlenrechnen.

a) J. Lüroth, Numerisches Rechnen. (Leipzig 1900 bei Teubner.) 194 Seiten.
Vergriffen.

b) L. Schrutka, Zahlenrechnen. (Leipzig 1923 bei Teubner.) 146 Seiten.
Preis 2,70 RM

c) U. Cassina, Calcolo numerico. (Bologna 1928 bei Zanichelli.) 451 Seiten. Preis 17,60 RM

d) G. Cassinis, Calcoli numerici, grafici e meccanici. (Pisa 1928 bei Mariotti-Pacini.) 672 Seiten. Preis 22,00 RM

e) E. Maccaferri, Calcolo numerico approssimato (Milano 1919 bei U. Hoepli). 200 Seiten. Preis 3,25 RM

V. Graphisches Rechnen.

a) R. Mehmke, Leitfaden zum graphischen Rechnen. (Wien und Leipzig 1924 bei Deuticke.) 183 Seiten. Preis 4 20 RM

b) C. Runge, Graphische Methoden. (Leipzig 1928 bei Teubner.) 142 Seiten. Preis 5,40 RM

VI. Praktische Analysis.

(Interpolation, genäherte Integration und Differentiation Reihen, algebraische, transzendente und Differential-Gleichungen.)

a) O. Biermann, Mathematische Näherungsmethoden. (Braunschweig 1905 bei Vieweg.) 227 Seiten. Preis 8,00 RM

b) H. Bruns, Grundlinien des Wissenschaftlichen Rechnens. (Leipzig 1903 bei Teubner.) 159 Seiten. Vergriffen.

c) H. L. Rice, Theory and practice of Interpolation. (Lynn 1899 bei Nichols.) 234 Seiten. Enthält Tafeln der Vorzahlen für die Interpolation bis zur 5. Ordnung. Preis 24,50 RM

d) T. N. Thiele, Interpolationsrechnung. (Leipzig 1909 bei Teubner.) 175 Seiten. Preis 10,00 RM

e) J. F. Steffensen, Interpolation. (Englisch.) (London 1927 bei Baillière, Tindall u. Cox.) 248 Seiten. Preis 36,80 RM

f) C. Runge und H. König, Numerisches Rechnen. (Berlin 1924 bei Springer.) 371 Seiten. Preis 15,93 RM

g) H. v. Sanden, Praktische Analysis. (Leipzig 1923 bei Teubner.) 195 Seiten. Preis 5,60 RM

h) Fr. A. Willers, Methoden der praktischen Analysis. (Leipzig 1928 bei Gruyter.) 344 Seiten. Preis 21,50 RM

i) E. T. Whittaker and G. Robinson, The calculus of observations. A treatise on numerical mathematics. (London 1924 bei Blackie and Son.) 395 Seiten. Preis 18,50 RM

k) R. Radau, Formules d'interpolation. (Paris 1891 bei Gauthier-Villars.) 96 Seiten. Preis 3,50 RM

l) J. B. Scarborough, Numerical mathematical Analysis. (Baltimore 1930, Johns Hopkins Press.) 416 Seiten. Preis 23,00 RM

m) M. Lindow, Numerische Infinitesimalrechnung. (Berlin u. Bonn 1928 bei F. Dümmler.) 176 Seiten. Preis 18,00 RM

n) K. Hayashi, Tafeln für die Differenzenrechnung sowie ... (Berlin 1933 bei Springer.) 66 Seiten. Preis 12,00 RM

o) L. M. Milne-Thomson, Calculus of finite Differences. (London 1933 bei Macmillan). 558 Seiten. Preis 26,50 RM

VII. Formelsammlungen.

a) E. P. Adams, Smithsonian mathematical formulae and tables of elliptic functions (Theta-Funktionen). (Washington 1922 Smith. Inst.) 314 Seiten. Revised ed.:1939.
b) W. Laska, Sammlung von Formeln der reinen und angewandten Mathematik. (Braunschweig 1888 bis 1894 bei Vieweg.) 1071 Seiten.
c) E. Madelung, Die mathematischen Hilfsmittel des Physikers. (New York 1944 Dover Publications) 400 p. $3.50
d) G. Petit-Bois, Tafeln unbestimmter Integrale. (Leipzig 1906 bei Teubner.) 154 Seiten. Vergriffen.
e) B. O. Peirce, A short table of integrals, 2 ed. (Boston 1910 bei Ginn.) 151 Seiten. Third ed. by W. F. Osgood, 1929, 156 p.
f) J. Thomae, Sammlung von Formeln und Sätzen aus dem Gebiete der elliptischen Funktionen. (Leipzig 1905 bei Teubner.) 44 Seiten. Vergriffen.
g) G. Prévost, Tables des fonctions sphériques. (Paris u. Bordeaux 1933 bei Gauthier-Villars.) S. 136—157. (Großes Format.) Preis 13,20 ℛℳ
h) H. B. Dwight, Tables of integrals and other mathematical data. (New York 1934 bei Macmillan.) 222 Seiten. Preis 6,00 ℛℳ

VIII. Hilfsmittel zur harmonischen Analyse.

a) C. Runge und F. Emde, Rechnungsformular zur Zerlegung einer empirisch gegebenen periodischen Funktion in Sinuswellen. (Braunschweig bei Vieweg.) Text 1,00 ℛℳ (Formulare vergriffen.)
b) L. Zipperer, Tafeln zur harmonischen Analyse. (Berlin 1922 bei Springer.) In Mappe 3,78 ℛℳ
c) P. Terebesi, Rechenschablonen für harmonische Analyse. (Berlin 1930 bei Springer.) In Mappe 16,20 ℛℳ
d) L. W. Pollak, Rechentafeln zur harmonischen Analyse. (Leipzig 1926 bei Barth.) 160 große Seiten. Preis 30,00 ℛℳ
e) L. W. Pollak, Handweiser zur harmonischen Analise, Prague 1928.

IX. Interpolationstafeln.

a) E. Chappell, Table of Coefficients ... (London 1929, Selbstverlag, 41 Westcombe Park Road, S. E. 3). 27 große Seiten. Für die Interpolation nach Gauß, Bessel, Everett. α) 7 bis 10 Dezimalen, Schritt: 0,001; β) genaue Werte (5 bis 16 Dezimalen), Schritt: 0,01. Preis 4,00 ℛℳ
b) A. J. Thompson, Table of the Coefficients of Everett's...; Tracts for computers V. (Cambridge 1921, University press). XVI + 20 Seiten. 10 Dezimalen, Schritt: 0,001. Second ed., 1943, VIII + 32 p.
c) H. T. Davis, Tables of higher math. functions, vol. I (Bloomington 1934, Principia Press). 377 Seiten. Für die Interpolation nach Gregory, Stirling, Bessel, Everett und für die Differentiation nach Gregory, Everett. (S. 101—147.) 6 bis 14 Dezimalen, Schritt: 0,01. V. 2, 1935.
d) L. J. Comrie, Interpolation and allied tables. (Sonderdruck aus Nautical Almanac for 1937, London 1936, H. M. Stationery Office). Für die Interpolation nach Bessel, Everett, sowie für Differentiation. 45 Seiten. 3 bis 10 Dezimalen. Preis 0,90 ℛℳ
e) L. J. Comrie, Interpolation tables (Sonderdruck aus Nautical Almanac for 1931, London 1929, H. M. Stationery Office). Für die Untertafelung (Unterteilung in 5 oder 10 Teile) nach dem Endziffer-Verfahren. 36 Seiten. Preis 0,90 ℛℳ

Verzeichnis von Tafeln der elementaren Transzendenten.

I. Kreisfunktionen von Winkeln mit Dezimalteilung des Grades.

a) C. Bremiker, Log.-trig. Tafeln mit fünf Dezimalstellen. (Berlin 1906, Weidmannsche Buchhandlung.) 191 Seiten. Natürliche Werte der Kreisfunktionen mit vier Dezimalen. Winkel um 0,1 Grad fortschreitend. Preis 2,10 *RM*

b) A. Schülke, Vierst. Log.-Tafel. (Leipzig 1932, Teubner.) 40 Seiten. Wie bei a). Preis 1,80 *RM*

c) Ph. Lötzbeyer, Vierst. Tafeln zum logarithmischen u. natürlichen Rechnen. (Leipzig 1930, Teubner.) 44 Seiten. Wie bei a). Preis 2,00 *RM*

d) Siehe unter III, i). — Wie bei a).

e) O. Lohse, Tafeln für numerisches Rechnen mit Maschinen. (2. Aufl., Leipzig 1935 bei Engelmann.) 113 Seiten. Kreisfunktionen mit fünf Dezimalen. Winkel um 0,01 Grad fortschreitend. Preis 6,00 *RM*

f) J. Peters, Siebenstellige Werte der trigon. Funktionen. (Berlin 1918, Goerz, Teubner.) 384 Seiten. Winkel um 0,001 Grad fortschreitend. English edition, New York, Van Nostrand, 1942.

g) J. Peters, Kreis- und Evolventenfunktionen. (Bonn 1937 bei Dümmler.) 217 Seiten. Sechs Dezimalen. Winkel um 0,01 Grad fortschreitend. Preis 20,00 *RM*

II. Kreisfunktionen von Winkeln in Dezimalen des Rechten. Exponentialfunktionen und Hyperbelfunktionen von πx.

a) H. Gravelius, Fünfstell. log.-trig. Tafeln. (Berlin-Leipzig 1886 bei Georg Reimer.) 203 Seiten. Kreisfunktionen mit vier Dezimalen. Winkel um 0,001 Rechten fortschreitend. Vergriffen.

b) F. G. Gauß, Fünfst. log.-trig. Tafeln für Dezimalteilung des Quadranten. (Stuttgart 1926 bei Wittwer.) 140 Seiten. Wie bei a). Preis 5,85 *RM*

c) J. Hoüel, Recueil de formules et de tables numériques. (Paris 1901 bei Gauthier-Villars.) LXXI + 64 Seiten. Wie bei a). Preis 1,80 *RM*

d) F. Balzer und H. Dettwiler, Fünfst. natürliche Werte der Kreisfunkt. (Stuttgart 1919 bei Wittwer.) 100 Seiten. Winkel um 0,0001 Rechten fortschreitend. Preis 3,60 *RM*

e) G. Steinbrenner, Fünfst. trig. Tafeln neuer Tlg. zum Masch.-Rechnen. (Braunschweig 1914 bei Grimme, Natalis u. Co.) 174 Seiten. Wie bei d). Preis 10,00 *RM*

f) J. Peters, Sechsst. trig Tafel für neue Teilung. (Berlin 1930 bei Wichmann.) 170 Seiten. Gibt auch sec und cosec. Winkel um 0,0001 Rechten fortschreitend. Second ed., 1939.

g) J. Ph. Hobert u. L. Ideler, Nouvelles tables trigonométriques. (Berlin 1799. Librairie de l'École Réelle.) 351 Seiten. Funktionswerte mit 7 Dezimalen. Winkel von 0,00000 bis 0,03000 in Schritten von 0,00001, von 0,0300 bis 0,5000 in Schritten von 0,0001. Vergriffen.

h) Roussilhe und Brandicourt, Tables à 8 décimales des valeurs naturelles des sinus, cosinus et tangentes. (Paris 1925 bei Dorel.) 139 Seiten. Wie bei d). Vergriffen.

i) Brit. Ass. Adv. Sc. Math. Tables, vol. I. (London 1931.) 72 Seiten. $\mathfrak{Sin}\,\pi x$, $\mathfrak{Cos}\,\pi x$ mit 15 Dezimalen für $x = 0{,}0001 \ldots 0{,}0100$, Schritt 0,0001; 15 ... 16 Stellen für $x = 0{,}01 \ldots 4{,}00$, Schritt 0,01; 15 Dezimalen für $x = 0{,}1 \ldots 10{,}0$, Schritt 0,1 (bis 20 Stellen).
Preis 8,80 *RM*

k) K. Hayashi, Tafeln für die Differenzenrechnung. (Berlin 1933 bei Springer.) 66 Seiten. $e^{\pi x}$, $e^{-\pi x}$, $\mathfrak{Sin}\,\pi x$, $\mathfrak{Cos}\,\pi x$ 7- bis 8 stellig für $x = 0{,}01 \ldots 10{,}00$, Schritt 0,01.
Preis 12,00 *RM*

III. Hyperbelfunktionen und Exponentialfunktion einer reellen Veränderlichen und Kreisfunktionen von Winkeln im Bogenmaß.

a) W. Ligowski, Tafeln der Hyperbel- und Kreisfunktionen. (Berlin 1890 bei Ernst u. Korn.) 104 Seiten. Gibt $\mathfrak{Sin}$, $\mathfrak{Cos}$, $\mathfrak{Tg}$, sin, cos von $x = 0{,}00$ bis 2,00 mit sechs Dezimalen und $\mathfrak{Sin}$, $\mathfrak{Cos}$ von $x = 2{,}00$ bis 8,00 sechs- bis achtstellig in Schritten von 0,01.
Preis 6,00 *RM*

b) C. Burrau, Tafeln der Funktionen Cosinus und Sinus mit den natürlichen sowohl reellen als rein imaginären Zahlen als Argument. (Berlin-Leipzig 1907 bei W. de Gruyter.) 63 Seiten. Gibt sin und cos von $x = 0$ bis 1,609 und $\mathfrak{Cos}$ und $\mathfrak{Sin}$ von $x = 0$ bis 8,009 in Schritten von 0,001.
Preis 4,00 *RM*

c) C. F. Becker und C. E. van Orstrand, Hyperbolic functions. (Washington 1909, Smithsonian Institution.) 321 Seiten. Enthält zahlreiche Tafeln in Schritten von 0,0001 und 0,001 (natürliche Zahlen und Logarithmen).
Preis 16,80 *RM*

d) K. Hayashi, Fünfst. Tafeln der Kreis- und Hyperbelfunktionen, sowie der Funktionen e^x und e^{-x} (Berlin und Leipzig 1928 bei Gruyter.) 182 Seiten. Wie bei c (ohne Logarithmen).
Preis 9,00 *RM*

e) U. Meyer und A. Deckert, Tafeln der Hyperbelfunktionen. (Wittenberg 1924 bei Ziemsen.) 78 Seiten. Gibt $\mathfrak{Sin}$, $\mathfrak{Cos}$, $\mathfrak{Tg}$ von $x = 0$ bis 3,009 und sin, cos, tg in Schritten von 0,001, dazu die Logarithmen.
Preis 3,60 *RM*

f) K. Hayashi, Sieben- und mehrstellige Tafeln der Kreis- und Hyperbelfunktionen und deren Produkte sowie der Gammafunktion. (Berlin 1926 bei Springer.) 283 Seiten.
Preis 43,20 *RM*

g) K. Hayashi, Fünfstellige Funktionentafel. (Berlin 1930 bei Springer.) 176 Seiten. Gibt die Kreis-, Exponential- und Hyperbelfunktionen, sowie ihre Umkehrungen für $x = 0{,}00$ bis 10,00 in Schritten von 0,01.
Preis 27,00 *RM*

h) Hütte, des Ingenieurs Taschenbuch, 26. Aufl., Bd. I. (Berlin 1931 bei Ernst u. Sohn.) 1199 Seiten. Funktionswerte mit 5 Dezimalen für $x = 0{,}00$ bis 1,60 in Schritten von 0,01 und für $x = 1{,}6$ bis 6,0 in Schritten von 0,1.
Preis 16,50 *RM*

i) L. M. Milne-Thomson und L. J. Comrie, Standard four-figure mathematical tables. (London 1931 bei Macmillan.) 245 Seiten. Kreisfunktionen für $x = 0{,}0000$ bis 0,0400 in Schritten von 0,0001. Kreis-, Hyperbel- und Exponentialfunktionen für $x = 0{,}000$ bis 1,570 in Schritten von 0,001.
Preis 8,40 *RM*

k) Brit. Ass. Adv. Sc., Math. Tables, vol. I. (London 1931.) 72 Seiten, sin x, cos x mit 15 Dezimalen für $x = 0{,}1 \ldots 50{,}0$, Schritt 0,1; 11 Dezimalen für $x = 0{,}001 \ldots 1{,}600$, Schritt 0,001.
Preis 8,80 *RM*

l) J. W. Campbell, Numerical Tables of hyperbolic and other functions. (Boston 1929 bei Houghton Mifflin.) 76 Seiten. Vierstellig. Schritt 0.001 und 0,01.
Preis 4,50 *RM*

IV. Kreis- und Hyperbelfunktionen einer komplexen Veränderlichen.

a) A. E. Kennelly, Tables of complex hyperbolic and circular functions. (Cambridge 1914, Harvard University Press.) 212 Seiten, dazu ein großer Atlas. Enthält viele Tafeln, z. B. Sin und Cos von $z=0$ bis $3{,}95 + i\,\frac{\pi}{2}\,2{,}00$ in Schritten von $0{,}05$ und $i\,\frac{\pi}{2}\,0{,}05$. Preis 15,60 u. 20,00 *RM*

b) L. Cohen, Formulae and tables for the calculation of alternating current problems. (New York 1913 bei McGraw-Hill.) 282 Seiten. Enthält am Schluß die von W. E. Miller berechnete Tafel des Sin und Cos von $z=0$ bis $0{,}98 + i\,1{,}00$ in Schritten von 0,02 und i 0,02. Preis 14,60 *RM*

c) U. Meyer, Fluchtlinientafeln des Hyperbeltangens einer komplexen Veränderlichen. (Organisation, Verlagsges. m. b. H., S. Hirzel, Berlin, 1921.) Vergriffen.

d) R. Hawelka, Vierstellige Tafeln der Kreis- und Hyperbilfunktionen sowie ihrer Umkehrfunktionen im Komplexen in Schritten von $\frac{\pi}{2}\,0{,}02$ und i 0,02. Gebrauchsanweisung deutsch, englisch, französisch. (Elektrotechnischer Verein in Berlin, 1931.) 109 Seiten. Preis 7,50 *RM*

Die Unterteilung des Grades in Minuten und Sekunden beim Rechnen mit Kreisfunktionen ist nur beim Gebrauch von so geteilten Theodoliten gerechtfertigt, sonst aber eine nutzlose Unbequemlichkeit für den Übergang zu den entsprechenden physikalischen Größen. Welche Haupteinheit man wählt (ob den Radianten oder den 90. oder den 100. Teil des rechten Winkels), ist nebensächlich. Die Unterteilung der Haupteinheit sollte jedenfalls dezimal sein. Wenn man oft zu nicht spitzen Winkeln übergehen muß, ist die dezimale Teilung des rechten Winkels („neue Teilung") am bequemsten, das Bogenmaß (Winkeleinheit der Radiant) am unbequemsten.

For computation with circular functions the subdivision of the degree into minutes and seconds is only justified when using theodolites divided in this manner; in other cases it is a useless inconvenience in the calculation of the corresponding physical magnitudes. What principal unit we choose (whether the radian or the 90th or the 100th part of the right-angle) is a secondary matter. At all events the subdivision of the main unit should be decimal. If one often has to use other than acute angles, the decimal division of the right angle is the most convenient, and circular measure (the radian unit) the most inconvenient.

Siehe auch den Entwurf 45: „Winkeleinheiten und Winkelteilungen" des Ausschusses für Einheiten und Formelgrößen (AEF) in der Elektrotechn. Zeitschr. 1932, S. 853, und 1937, S. 286.

Supplementary Bibliography

In the following list the abbreviation NYMTP stands for Mathematical Tabl[e] Project, New York, and all of its volumes, except those published by the Co[l]umbia University Press, may be purchased from the National Bureau of Stan[d]ards, Washington, D. C. BAASMTC refers to the Mathematical Tables Committe[e] of the British Association for the Advancement of Science. D=decimal places S=significant figures.

NYMTP, *Table of the first Ten Powers of Integers from* 1 *to* 1,000, Washington, D. C., 193[9] 80 p. Out of print.

BAASMTC, *Table of Powers giving Integral Powers of Integers*, initiated by J. W. L. Glaisher, extended by W. G. Bickley, C. E. Gwyther, J. C. P. Miller, and E. J. Termouth, Cambridge, University Press, 1940, xii, 132 p.

NYMTP, *Table of Reciprocals of the Integers from* 100 000 *through* 200 009, New York Columbia Univ. Press, 1943, viii, 201 p.

Barlow's *Tables of Squares, Cubes, Square Roots, Cube Roots, and Reciprocals of al[l] Integer Numbers up to* 12,500, edited by L. J. Comrie, fourth ed., London, Spon, 1941 xii, 258 p.

NYMTP, *Tables of Natural Logarithms*, 4 v., Washington, D. C., 1941-1942, xviii, 501 p + xviii, 501 p. + xviii, 501 p. + xxii, 506 p., $x=[1(1)100\ 000, 0(.0001)10;\ 16D]$. Als[o] $[2(1)10;\ 40D]$.

NYMTP, *Tables of the Exponential Function* e^x, Washington, D. C., 1939, xviii, 535 p. $x=[-2.5(.0001)1;\ 18D)$, $[1.(.0001)2.5(.001)5;\ 15D]$, $[5(.01)10;\ 12D]$ all ascending $[0(.0001)2.5;\ 18D]$ descending; $[0(.000001).0001;\ 18D]$ and $[1(1)100;\ 19D]$ ascendin[g] and descending].

NYMTP, *Table of Arc Tan x*, Washington, D. C., 1942, xxvi, 169 p., $x=[0(.001)7(.01)50(.1)300(1)2000(10)10\ 000;\ 12D]$.

J. Peters, *Sechsstellige Werte d. trig. Funktionen von Tausendstel zu Tausendstel des Neu[]grades*. Berlin, Wichmann, 1938, 520 p. Second ed., 1939. Third ed. with corrections, 1940 All 6 trig. functions.

J. Peters, *Siebenstellige Logarithmentafel. I: Logarithmen der Zahlen, Antilogarithmen Additions- und Subtractionslogarithmen nebst einem Anhang mit Formeln und Kon[]stanten.* II: *Logarithmen d. trig. Funktionen f. jede zehnte Sekunde des Neugrades, lo[g] sin and log tg. von* $0^g.0000$ *bis* $3^g.0000$, *sowie log cos and log ctg von* $97^g.0000$ *bi[s]* $100^g.0000$ *für jede Sekunde* ($1^{cc}=0^g.001$) *des Neugrades*. Berlin, Landesaufnahme, 1940 vii. 493 p. + vi, 666 p.

H. Brandenburg, *Siebenstellige trigon. Tafel alter Kreisteilung für Berechnungen mit de[r] Rechenmaschine*, 2. verb. u. erw. Aufl., Leipzig, Lorentz, 1931, xxviii, 340 p. For sin, tan cot, cos.

H. Brandenburg, *Sechsstellige trigon. Tafel alter Kreisteilung für Berechnungen mit de[r] Rechenmaschine*, Leipzig, Lorentz, 1932, xxii, 304 p. Reprinted, Ann Arbor, Mich. Edwards Bros., 1945.

J. Bauschinger and J. Peters, *Logarithmic-Trigonometrical Tables with eight Decimal place[s] containing the Logarithms of all Numbers from* 1 *to* 200 000 *and the Logarithms of th[e] Trigonometrical Functions for Every Sexagesimal Second of the Quadrant.* I. *Logarithm[s] of all Numbers from* 1 *to* 200 000; II: Trigonom. Functions. 2 v., Leipzig, Engelmann 1910-11. Second ed. 1936, xx, 368 p. + ii, 952 p.

J. Peters, *Achtst. Tafel d. trig. Funktionen für jede Sexagesimal Sekunde des Quadranten* Berlin, Landesaufuahme, 1939. xii, 901 p. English edition: *Eight-place Table of Trigo[]nometric Functions for every sexagesimal second of the Quadrant.* Ann Arbor, Mich. Edwards Bros., 1943. For sin, tan, cot, cos.

. S. COAST AND GEODETIC SURVEY, *Natural Sines and Cosines to Eight Decimal Places*, Washington, D. C., 1942. 541 p.

. BUCKINGHAM, *Manual of Gear Design. Section one: Eight Place Tables of Angular Functions in Degrees and Hundredths of a Degree* . . . New York, Machinery, 1935. p. 7-97. For sin, cos, tan, cot.

YMTP, *Tables of Circular and Hyperbolic Tangents and Cotangents for Radian Arguments*, New York, Columbia Univ. Press, 1943, xxxvii, 410 p. 8S, and 8-13 D.

YMTP, *Tables of Circular and Hyperbolic Sines and Cosines for Radian Arguments*, 1940, xviii, 405 p. 9D.

YMTP, *Table of Sines and Cosines for Radian Argument*, 1940, 275 p. 8-15 D.

. PETERS, *Zehnstellige Logarithmentafel. I: Logarithmen d. Zahlen von 1 bis 100 000, nebst einen Anhang math. Tafeln* von J. Peters, J. Stein, G. Witt. *II: Logarithmen der trigon. Funktionen von 0° bis 90° für jedes Tausendstel des Grades.* Berlin, Landesaufnahme, 1922, 1919. xvi, 608, xxviii, 195 p. + viii, 901 p. For sin, tan, cot, cos. *Hilfstafeln zur Zehnstellige Logarithmentafel*, Berlin, 1919, 71 p.

I. ANDOYER, *Nouvelles Tables Trigonométriques Fondamentales (valeurs naturelles)*, 3 v. Paris, Hermann, 1915-18. xviii, 341 p. + 275 p. + 367 p. The 6 trigon. functions, for each 10″ of the quadrant to 15D. *(Logarithmes)*, Paris, 1911, xxxii, 603 p. For sin, cos, tan, cot, each 10″, to 15D.

. PETERS, *Einundzwanzigstellige Werte der Funktionen Sinus und Cosinus* . . ., Berlin, *Abhandlungen*, Akad. d. Wissen, 1911. 54 p.

F. EMDE, *Tables of Elementary Functions*, Leipzig and Berlin, Teubner, 1940, xii, 181 p. Reprint, Ann Arbor, Mich., Edwards Bros., 1945.

NYMTP, *Table of Sine and Cosine Integrals for Arguments from 10 to 100.* Washington, D. C., 1942. xxxii, 185 p. 10D.

NYMTP, *Tables of Sine, Cosine and Exponential Integrals*, 2 v., Washington, D. C., 1940, xxviii, 444 p. + xxxviii, 225 p. 9-10D.

H. B. DWIGHT, *Mathematical Tables of Elementary and Some Higher Mathematical Functions including Trigonometric Functions of Decimals of Degrees and Logarithms.* Third impression (with additions), New York, McGraw Hill, 1943, viii, 231 p. The tables of higher functions include: surface zonal harmonics; complete elliptic integrals of the first and second kind; ber, bei, ber′, bei′; Riemann zeta function.

D. BIERENS DE HAHN, *Nouvelles Tables d'Intégrales Définies*, edition of 1867 corrected with English transl. of the Preface. New York, Stechert, 1939. xiv, 716 p.

C. F. LINDMAN, *Examen des Nouvelles Tables d'Intégrales Définies de M. Bierens de Haan, Amsterdam* [*sic.*], *1867.* (K. Svenska Vetenskaps-Akad., *Handlingar*, v. 24, no. 5, Stockholm, 1891.) Off-set print: New York, G. E. Stechert & Co., 1944, 231 p.

NYMTP, *Tables of Probability Functions*, 2 v., Washington, D. C., 1941-1942, xxxviii, 302 p. + xxii, 344 p. 15D, and 7-8S.

BAASMTC, *The Probability Integral*, by W. F. SHEPPARD, Cambridge, University Press, 1939. xii, 34 p.

E. C. D. MOLINA, *Poisson's Exponential Binomial Limit. Table I, Individual Terms; Table II, Cumulated Terms*, New York, Van Nostrand, 1942, viii, 46 + ii, 47 p.

NYMTP, *Tables of Lagrangian Interpolation Coefficients*, New York, Columbia Univ. Press, 1944. xxxii, 390 p.

C. HEUMAN, "Tables of complete elliptic integrals," *J. Math. Phys.*, v. 20, 1941, p. 127-206. A title page and a corrigenda sheet were printed at Stockholm in June 1941 for insertion in reprints.

Z. MURSI, *Tables of Legendre Associated Functions* (Fouad I University, Faculty of Science no. 4) Cairo, Schindler, 1941. xii, 286 p. $P_n^m(x)$, $m=1(1)10$, $x=0(.001)1$, about 8 significant figures.

BAASMTC, *Emden Functions, being solutions of Emden's Equation together with Certa* *Associated Functions*, London, Burlington House, 1932. viii, 34 p.

J. A. Stratton, P. M. Morse, L. J. Chu, R. A. Hutner, *Elliptic Cylinder and Spheroid* *Wave Functions*, New York, Wiley, 1941. xii, 127 p.

BAASMTC, *Bessel Functions, Part I Functions of Order Zero and Unity*, 1937. ix, 288 $J_0(x)$, $J_1(x)$, $x=[0(.001)16(.01)25;\ 10D]$; x_s, $J_1(x_s)$, x'_s $J_0(x'_s)$, $s=[1(1)150;\ 10D$ $Y_0(x)$, $Y_1(x)$, $x=[0(.01)25;\ 8D]$; y_s, $Y_1(y_s)$, y'_s, $Y_0(y'_s)$, $s=1(1)50$; $I_0(x)$, $I_1(x$ $K_0(x)$, $K_1(x)$, $x=[0(.001)5;\ 8D]$; $e^{-x}I_0x$, $e^{-x}I_1(x)$, $e^xK_0(x)$, $e^xK_1(x)$, $x=[5(.01)2($ $8D]$.

NYMTP, *Table of the Bessel Functions $J_0(z)$ and $J_1(z)$ for Complex Argument.* Also "Fiv point Lagrangian Interpolation Coefficients," New York, Columbia Univ. Press, 194 xliv, 403 p. 10D.

F. Tölke, *Besselsche und Hankelsche Zylinderfunktionen nullter bis dritter Ordnung von* *Argument* $r\sqrt{i}$, Stuttgart, Wittwer, 1936. iv, 92 p.

A. N. Lowan and A. Hillman, "A short table of the first five zeros of the transcendenta equation $J_0(x)Y_0(kx) - J_0(kx)Y_0(x)=0$," *J. Math. Phys.*, M.I.T., v. 22, 1943 p. 208-209.

NYMTP, "*Table of* $f_n(x)=\frac{n!}{(x/2)^n}J_n(x)$," *J. Math. Phys.*, M.I.T., v. 23, 1944, p. 45-6(Tables for $n=2(1)20$; $x=[0(.1)10;\ 9D]$ mostly.

A. N. Lowan *and* M. Abramowitz, "Table of the integrals $\int_0^x J_0(t)dt$ and $\int_0^x Y_0(t)dt$," *J. Math. Phys.*, M.I.T., v. 22, 1943, p. 2-12. $x=[0(.01)10;\ 10D]$.

A. N. Lowan, G. Blanch, and M. Abramowitz, "Tables of $Ji_0(x)=\int_0^x J(t)dt/t$ and relate(functions," *J. Math. Phys.*, M.I.T., v. 22, 1943, p. 51-57. For $Ji(x)$, $x=[3(.1)10;\ 10D]$.

Mathematical Tables and Other Aids to Computation, quarterly journal publ. by the Nationa Research Council, Washington, D. C., no. 1 +, Jan. 1943 +.

General index.

(Please note: All references in this General Index will be found only in previous section, and do not apply to material in the Addenda.)

The obliquely printed page numbers refer to the tables.

I. Potenzentafel.

I. Table of powers.

In dieser hat z. B. 3405|n die Bedeutung $3{,}405 \cdot 10^n$. Die Zahl n ist also die Kennziffer des gemeinen Logarithmus.

Beispiele für den Gebrauch der Tafel auf S. 8.

E. g. in this table 3405|n signifies $3{,}405 \cdot 10^n$. The integer n is therefore the characteristic of the common logarithm.

For examples of the use of the table see p. 8.

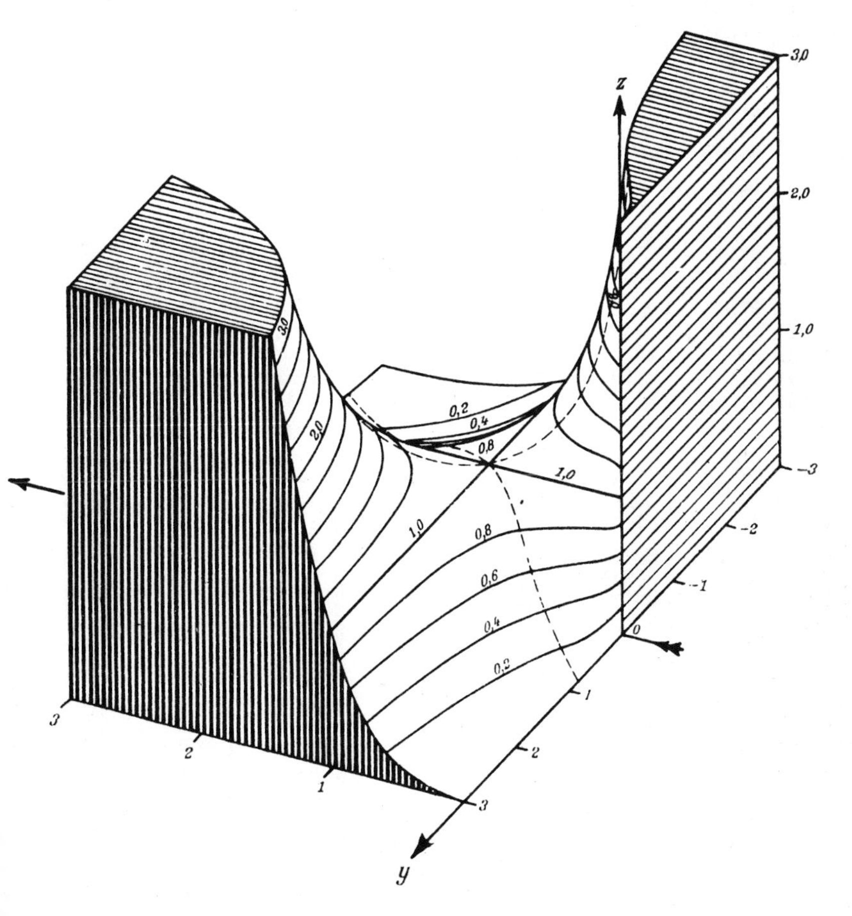

Fig. 1. $z = x^y$, $x > 0$, $\mathfrak{Im}\, y = 0$.

I. Potenzentafel.
I. Table of powers.

x	x^2		x^3		x^4		x^5		x^6		x^7		x^8	
0,50	2500	−1	12500	−1	6250	−2	3125	−2	15625	−2	7813	−3	3906	−3
0,51	2601		13265		6765		3450		17596		8974		4577	
0,52	2704		14061		7312		3802		19771		10281	−2	5346	
0,53	2809		14888		7890		4182		2216		11747		6226	
0,54	2916		15746		8503		4592		2479		13389		7230	
0,55	3025		16638		9151		5033		2768		15224		8373	
0,56	3136		17562		9834		5507		3084		17271		9672	
0,57	3249		18519		10556	−1	6017		3430		19549		11143	−2
0,58	3364		19511		11316		6564		3807		2208		12806	
0,59	3481		2054		12117		7149		4218		2489		14683	
0,60	3600		2160		12960		7776		4666		2799		16796	
0,61	3721		2270		13846		8446		5152		3143		19171	
0,62	3844		2383		14776		9161		5680		3522		2183	
0,63	3969		2500		15753		9924		6252		3939		2482	
0,64	4096		2621		16777		10737	−1	6872		4398		2815	
0,65	4225		2746		17851		11603		7542		4902		3186	
0,66	4356		2875		18975		12523		8265		5455		3600	
0,67	4489		3008		2015		13501		9046		6061		4061	
0,68	4624		3144		2138		14539		9887		6723		4572	
0,69	4761		3285		2267		15640		10792	−1	7446		5138	
0,70	4900		3430		2401		16807		11765		8235		5765	
0,71	5041		3579		2541		18042		12810		9095		6458	
0,72	5184		3732		2687		19349		13931		10031	−1	7222	
0,73	5329		3890		2840		20731		15133		11047		8065	
0,74	5476		4052		2999		22190		16421		12151		8992	
0,75	5625		4219		3164		23730		17798		13348		10011	−1
0,76	5776		4390		3336		2536		19270		14645		11130	
0,77	5929		4565		3515		2707		2084		16049		12357	
0,78	6084		4746		3702		2887		2252		17566		13701	
0,79	6241		4930		3895		3077		2431		19204		15171	
0,80	6400		5120		4096		3277		2621		2097		16777	
0,81	6561		5314		4305		3487		2824		2288		18530	
0,82	6724		5514		4521		3707		3040		2493		2044	
0,83	6889		5718		4746		3939		3269		2714		2252	
0,84	7056		5927		4979		4182		3513		2951		2479	
0,85	7225		6141		5220		4437		3771		3206		2725	
0,86	7396		6361		5470		4704		4046		3479		2992	
0,87	7569		6585		5729		4984		4336		3773		3282	
0,88	7744		6815		5997		5277		4644		4087		3596	
0,89	7921		7050		6274		5584		4970		4423		3937	
0,90	8100		7290		6561		5905		5314		4783		4305	
0,91	8281		7536		6857		6240		5679		5168		4703	
0,92	8464		7787		7164		6591		6064		5578		5132	
0,93	8649		8044		7481		6957		6470		6017		5596	
0,94	8836		8306		7807		7339		6899		6485		6096	
0,95	9025		8574		8145		7738		7351		6983		6634	
0,96	9216		8847		8493		8154		7828		7514		7214	
0,97	9409		9127		8853		8587		8330		8080		7837	
0,98	9604		9412		9224		9039		8858		8681		8508	
0,99	9801		9703		9606		9510		9415		9321		9227	
1,00	10000	0	10000	0	10000	0	10000	0	10000	0	10000	0	10000	0

x^9		x^{10}		x^{11}		x^{12}		x^{13}		x^{14}		x^{15}		x
19531	−3	9766	−4	4883	−4	2441	−4	12207	−4	6104	−5	3052	−5	0,50
2334		11904	−3	6071		3096		15791		8053		4107		0,51
2780		14456		7517		3909		2033		10569	−4	5496		0,52
3300		17489		9269		4913		2604		13799		7314		0,53
3904		2108		11385	−3	6148		3320		17927		9681		0,54
4605		2533		13931		7662		4214		2318		12748	−4	0,55
5416		3033		16985		9512		5327		2983		16704		0,56
6351		3620		2064		11762	−3	6705		3822		2178		0,57
7428		4308		2499		14492		8406		4875		2828		0,58
8663		5111		3016		17792		10497	−3	6193		3654		0,59
10078	−2	6047		3628		2177		13061		7836		4702		0,60
11694		7133		4351		2654		16192		9877		6025		0,61
13537		8393		5204		3226		2000		12402	−3	7689		0,62
15634		9849		6205		3909		2463		15516		9775		0,63
18014		11529	−2	7379		4722		3022		19343		12379	−3	0,64
2071		13463		8751		5688		3697		2403		15621		0,65
2376		15683		10351	−2	6832		4509		2976		19641		0,66
2721		18228		12213		8183		5482		3673		2461		0,67
3109		2114		14375		9775		6647		4520		3074		0,68
3545		2446		16879		11646	−2	8036		5545		3826		0,69
4035		2825		19773		13841		9689		6782		4748		0,70
4585		3255		2311		16410		11651	−2	8272		5873		0,71
5200		3744		2696		19408		13974		10061	−2	7244		0,72
5887		4298		3137		2290		16718		12205		8909		0,73
6654		4924		3644		2696		19953		14765		10926	−2	0,74
7508		5631		4224		3168		2376		17818		13363		0,75
8459		6429		4886		3713		2822		2145		16301		0,76
9515		7327		5642		4344		3345		2576		19832		0,77
10687	−1	8336		6502		5071		3956		3085		2407		0,78
11985		9468		7480		5909		4668		3688		2913		0,79
13422		10737	−1	8590		6872		5498		4398		3518		0,80
15009		12158		9848		7977		6461		5233		4239		0,81
16762		13745		11271	−1	9242		7578		6214		5096		0,82
18694		15516		12878		10689	−1	8872		7364		6112		0,83
2082		17490		14692		12341		10366	−1	8708		7315		0,84
2316		19687		16734		14224		12091		10277	−1	8735		0,85
2573		2213		19032		16367		14076		12105		10411	−1	0,86
2855		2484		2161		18803		16359		14232		12382		0,87
3165		2785		2451		2157		18979		16702		14697		0,88
3504		3118		2775		2470		2198		19564		17412		0,89
3874		3487		3138		2824		2542		2288		2059		0,90
4279		3894		3544		3225		2935		2670		2430		0,91
4722		4344		3996		3677		3383		3112		2863		0,92
5204		4840		4501		4186		3893		3620		3367		0,93
5730		5386		5063		4759		4474		4205		3953		0,94
6302		5987		5688		5404		5133		4877		4633		0,95
6925		6648		6382		6127		5882		5647		5421		0,96
7602		7374		7153		6938		6730		6528		6333		0,97
8337		8171		8007		7847		7690		7536		7386		0,98
9135		9044		8953		8864		8775		8687		8601		0,99
10000	0	10000	0	10000	0	10000	0	10000	0	10000	0	10000	0	1,00

x	x^2		x^3		x^4		x^5		x^6		x^7		x^8	
1,02	10404	0	10612	0	10824	0	11041	0	11262	0	11487	0	11717	0
1,04	10816		11249		11699		12167		12653		13159		13686	
1,06	11236		11910		12625		13382		14185		15036		15938	
1,08	11664		12597		13605		14693		15869		17138		18509	
1,10	12100		13310		14641		16105		17716		19487		2144	
1,12	12544		14049		15735		17623		19738		2211		2476	
1,14	12996		14815		16890		19254		2195		2502		2853	
1,16	13456		15609		18106		2100		2436		2826		3278	
1,18	13924		16430		19388		2288		2700		3185		3759	
1,20	14400		17280		2074		2488		2986		3583		4300	
1,22	14884		18158		2215		2703		3297		4023		4908	
1,24	15376		19066		2364		2932		3635		4508		5590	
1,26	15876		2000		2520		3176		4002		5042		6353	
1,28	16384		2097		2684		3436		4398		5629		7206	
1,30	16900		2197		2856		3713		4827		6275		8157	
1,32	17424		2300		3036		4007		5290		6983		9217	
1,34	17956		2406		3224		4320		5789		7758		10395	1
1,36	18496		2515		3421		4653		6328		8605		11703	
1,38	19044		2628		3627		5005		6907		9531		13153	
1,40	19600		2744		3842		5378		7530		10541	1	14758	
1,42	2016		2863		4066		5774		8198		11642		16531	
1,44	2074		2986		4300		6192		8916		12839		18488	
1,46	2132		3112		4544		6634		9685		14141		2065	
1,48	2190		3242		4798		7101		10509	1	15554		2302	
1,50	2250		3375		5062		7594		11391		17086		2563	
1,52	2310		3512		5338		8114		12333		18746		2849	
1,54	2372		3652		5624		8662		13339		2054		3163	
1,56	2434		3796		5922		9239		14413		2248		3507	
1,58	2496		3944		6232		9847		15558		2458		3884	
1,60	2560		4096		6554		10486	1	16777		2684		4295	
1,62	2624		4252		6887		11158		18075		2928		4744	
1,64	2690		4411		7234		11864		19456		3191		5233	
1,66	2756		4574		7593		12605		2092		3473		5766	
1,68	2822		4742		7966		13383		2248		3777		6346	
1,70	2890		4913		8352		14199		2414		4103		6976	
1,72	2958		5088		8752		15054		2589		4453		7660	
1,74	3028		5268		9166		15949		2775		4829		8402	
1,76	3098		5452		9595		16887		2972		5231		9207	
1,78	3168		5640		10039	1	17869		3181		5662		10078	2
1,80	3240		5832		10498		18896		3401		6122		11020	
1,82	3312		6029		10972		19969		3634		6615		12038	
1,84	3386		6230		11462		2109		3881		7140		13138	
1,86	3460		6435		11969		2226		4141		7702		14325	
1,88	3534		6645		12492		2348		4415		8301		15605	
1,90	3610		6859		13032		2476		4705		8939		16984	
1,92	3686		7078		13590		2609		5010		9619		18468	
1,94	3764		7301		14165		2748		5331		10342	2	2006	
1,96	3842		7530		14758		2893		5669		11112		2178	
1,98	3920		7762		15370		3043		6025		11930		2362	
2,00	4000		8000		16000		3200		6400		12800		2560	

x^9		x^{10}		x^{11}		x^{12}		x^{13}		x^{14}		x^{15}		x
11951	0	12190	0	12434	0	12682	0	12936	0	13195	0	13459	0	1,02
14233		14802		15395		16010		16651		17317		18009		1,04
16895		17908		18983		2012		2133		2261		2397		1,06
19990		2159		2332		2518		2720		2937		3172		1,08
2358		2594		2853		3138		3452		3797		4177		1,10
2773		3106		3479		3896		4363		4887		5474		1,12
3252		3707		4226		4818		5492		6261		7138		1,14
3803		4411		5117		5936		6886		7988		9266		1,16
4435		5234		6176		7288		8599		10147	1	11974	1	1,18
5160		6192		7430		8916		10699	1	12839		15407		1,20
5987		7305		8912		10872	1	13264		16182		19742		1,22
6931		8594		10657	1	13215		16386		2032		2520		1,24
8005		10086	1	12708		16012		2018		2542		3203		1,26
9223		11806		15112		19343		2476		3169		4056		1,28
10604	1	13786		17922		2330		3029		3937		5119		1,30
12166		16060		2120		2798		3694		4876		6436		1,32
13930		18666		2501		3352		4491		6018		8064		1,34
15917		2165		2944		4004		5445		7405		10071	2	1,36
18151		2505		3457		4770		6583		9085		12537		1,38
2066		2893		4050		5669		7937		11112	2	15557		1,40
2347		3333		4733		6721		9544		13553		19245		1,42
2662		3834		5521		7950		11448	2	16484		2374		1,44
3014		4401		6425		9381		13696		19996		2919		1,46
3407		5042		7462		11044	2	16346		2419		3580		1,48
3844		5767		8650		12975		19462		2919		4379		1,50
4331		6583		10006	2	15210		2312		3514		5341		1,52
4872		7503		11554		17793		2740		4220		6498		1,54
5472		8536		13316		2077		3241		5055		7886		1,56
6136		9696		15319		2420		3824		6042		9547		1,58
6872		10995	2	17592		2815		4504		7206		11529	3	1,60
7685		12449		2017		3267		5293		8575		13891		1,62
8582		14075		2308		3786		6208		10182	3	16698		1,64
9571		15888		2637		4378		7268		12065		2003		1,66
10661	2	17910		3009		5055		8392		14067		2397		1,68
11859		2016		3427		5826		9905		16838		2862		1,70
13175		2266		3898		6704		11531	3	19833		3411		1,72
14620		2544		4426		7702		13401		2332		4057		1,74
16204		2852		5019		8834		15548		2736		4816		1,76
17938		3193		5684		10117	3	18008		3205		5706		1,78
19836		3570		6427		11568		2082		3748		6747		1,80
2191		3988		7257		13209		2404		4375		7963		1,82
2417		4448		8185		15060		2771		5099		9381		1,84
2665		4956		9218		17146		3189		5932		11033	4	1,86
2934		5515		10369	3	19494		3665		6890		12953		1,88
3227		6131		11649		2213		4205		7990		15181		1,90
3546		6808		13071		2510		4819		9252		17763		1,92
3892		7551		14649		2842		5513		10696	4	2075		1,94
4269		8367		16399		3214		6300		12348		2420		1,96
4677		9261		18337		3631		7189		14234		2818		1,98
5120		10240	3	2048		4096		8192		16384		3277		2,00

x	x^2		x^3		x^4		x^5		x^6		x^7		x^8	
2,05	4203	0	8615	0	17661	1	3621	1	7422	1	15215	2	3119	2
2,10	4410		9261		19448		4084		8577		18011		3782	
2,15	4623		9938		2137		4594		9877		2124		4566	
2,20	4840		10648	1	2343		5154		11338	2	2494		5488	
2,25	5063		11391		2563		5767		12975		2919		6568	
2,30	5290		12167		2798		6436		14804		3405		7831	
2,35	5523		12978		3050		7167		16843		3958		9301	
2,40	5760		13824		3318		7963		19110		4586		11008	3
2,45	6003		14706		3603		8827		2163		5299		12982	
2,50	6250		15625		3906		9766		2441		6104		15259	
2,55	6503		16581		4228		10782	2	2749		7011		17878	
2,60	6760		17576		4570		11881		3089		8032		2088	
2,65	7023		18610		4932		13069		3463		9177		2432	
2,70	7290		19683		5314		14349		3874		10460	3	2824	
2,75	7563		2080		5719		15728		4325		11894		3271	
2,80	7840		2195		6147		17210		4819		13493		3778	
2,85	8123		2315		6598		18803		5359		15273		4353	
2,90	8410		2439		7073		2051		5948		17250		5002	
2,95	8703		2567		7573		2234		6591		19443		5736	
3,00	9000		2700		8100		2430		7290		2187		6561	
3,05	9303		2837		8654		2639		8050		2455		7489	
3,10	9610		2979		9235		2863		8875		2751		8529	
3,15	9923		3126		9846		3101		9769		3077		9694	
3,20	10240	1	3277		10486	2	3355		10737	3	3436		10995	4
3,25	10563		3433		11157		3626		11784		3830		12447	
3,30	10890		3594		11859		3914		12915		4262		14064	
3,35	11223		3760		12594		4219		14134		4735		15862	
3,40	11560		3930		13363		4544		15448		5252		17858	
3,45	11903		4106		14167		4888		16862		5817		2007	
3,50	12250		4288		15006		5252		18383		6434		2252	
3,55	12603		4474		15882		5638		2002		7106		2522	
3,60	12960		4666		16796		6047		2177		7836		2821	
3,65	13323		4863		17749		6478		2365		8631		3150	
3,70	13690		5065		18742		6934		2566		9493		3512	
3,75	14063		5273		19775		7416		2781		10428	4	3911	
3,80	14440		5487		2085		7924		3011		11442		4348	
3,85	14823		5707		2197		8459		3257		12538		4827	
3,90	15210		5932		2313		9022		3519		13723		5352	
3,95	15603		6163		2434		9616		3798		15003		5926	
4,00	16000		6400		2560		10240	3	4096		16384		6554	
4,05	16403		6643		2690		10896		4413		17872		7238	
4,10	16810		6892		2826		11586		4750		19475		7985	
4,15	17223		7147		2966		12310		5108		2120		8798	
4,20	17640		7409		3112		13069		5489		2305		9683	
4,25	18063		7677		3263		13866		5893		2505		10644	5
4,30	18490		7951		3419		14701		6321		2718		11688	
4,35	18923		8231		3581		15576		6775		2947		12821	
4,40	19360		8518		3748		16492		7256		3193		14048	
4,45	19803		8812		3921		17450		7765		3456		15377	
4,50	2025		9113		4101		18453		8304		3737		16815	

x^9		x^{10}		x^{11}		x^{12}		x^{13}		x^{14}		x^{15}		x
6394	2	13108	3	2687	3	5509	3	11293	4	2315	4	4746	4	2,05
7943		16680		3503		7356		15447		3244		6812		2,10
9816		2110		4538		9756		2097		4510		9696		2,15
12073	3	2656		5843		12855	4	2828		6222		13688	5	2,20
14779		3325		7482		16834		3788		8522		19175		2,25
18012		4143		9528		2191		5040		11593	5	2666		2,30
2186		5137		12071	4	2837		6666		15666		3681		2,35
2642		6340		15217		3652		8765		2104		5049		2,40
3180		7792		19091		4677		11459	5	2808		6878		2,45
3815		9537		2384		5960		14901		3725		9313		2,50
4559		11625	4	2964		7559		19276		4915		12534	6	2,55
5430		14117		3670		9543		2481		6451		16773		2,60
6445		17079		4526		11994	5	3178		8423		2232		2,65
7626		2059		5559		15009		4053		10942	6	2954		2,70
8995		2474		6802		18706		5144		14147		3890		2,75
10578	4	2962		8294		2322		6502		18208		5098		2,80
12405		3535		10076	5	2872		8184		2333		6648		2,85
14507		4207		12201		3538		10261	6	2976		8629		2,90
16920		4991		14725		4344		12814		3780		11151	7	2,95
19683		5905		17715		5314		15943		4783		14349		3,00
2284		6966		2125		6480		19765		6028		18386		3,05
2644		8196		2541		7877		2442		7569		2347		3,10
3053		9618		3030		9544		3006		9470		2983		3,15
3518		11259	5	3603		11529	6	3689		11806	7	3778		3,20
4045		13147		4273		13887		4513		14668		4767		3,25
4641		15316		5054		16679		5504		18163		5994		3,30
5314		17801		5963		19977		6692		2242		7511		3,35
6072		2064		7019		2386		8114		2759		9380		3,40
6924		2389		8242		2843		9810		3384		11676	8	3,45
7882		2759		9655		3379		11827	7	4140		14488		3,50
8955		3179		11285	6	4006		14222		5049		17924		3,55
10156	5	3656		13162		4738		17058		6141		2211		3,60
11498		4197		15319		5591		2041		7449		2719		3,65
12996		4809		17792		6583		2436		9012		3334		3,70
14665		5499		2062		7733		2900		10875	8	4078		3,75
16522		6278		2386		9066		3445		13091		4975		3,80
18584		7155		2755		10605	7	4083		15720		6052		3,85
2087		8140		3175		12382		4829		18832		7345		3,90
2341		9246		3652		14427		5699		2251		8891		3,95
2621		10486	6	4194		16777		6711		2684		10737	9	4,00
2932		11873		4808		19474		7887		3194		12937		4,05
3274		13423		5503		2256		9251		3793		15551		4,10
3651		15152		6288		2610		10830	8	4494		18652		4,15
4067		17080		7174		3013		12654		5315		2232		4,20
4524		19226		8171		3473		14759		6273		2666		4,25
5026		2161		9293		3996		17183		7389		3177		4,30
5577		2426		10553	7	4591		19969		8687		3779		4,35
6181		2720		11967		5265		2317		10194	9	4485		4,40
6843		3045		13551		6030		2683		11941		5314		4,45
7567		3405		15323		6895		3103		13963		6283		4,50

x	x^2		x^3		x^4		x^5		x^6		x^7		x^8	
4,55	2070	1	9420	1	4286	2	19501	3	8873	3	4037	4	18369	5
4,60	2116		9734		4477		2060		9474		4358		2005	
4,65	2162		10054	2	4675		2174		10109	4	4701		2186	
4,70	2209		10382		4880		2293		10779		5066		2381	
4,75	2256		10717		5091		2418		11486		5456		2591	
4,80	2304		11059		5308		2548		12231		5871		2818	
4,85	2352		11408		5533		2684		13015		6312		3061	
4,90	2401		11765		5765		2825		13841		6782		3323	
4,95	2450		12129		6004		2972		14711		7282		3604	
5,00	2500		12500		6250		3125		15625		7813		3906	

x	$x^{0,05}$	$x^{0,10}$	$x^{0,15}$	$x^{0,20}$	$x^{0,25}$	$x^{0,30}$	$x^{0,35}$	$x^{0,40}$	$x^{0,45}$	$x^{0,50}$
0,5	0,9659	0,9330	0,9013	0,8706	0,8409	0,8123	0,7846	0,7579	0,7320	0,7071
0,6	0,9748	0,9502	0,9262	0,9029	0,8801	0,8579	0,8363	0,8152	0,7946	0,7746
0,7	0,9823	0,9650	0,9497	0,9312	0,9147	0,8985	0,8826	0,8670	0,8517	0,8367
0,8	0,9889	0,9779	0,9673	0,9551	0,9457	0,9353	0,9249	0,9146	0,9045	0,8944
0,9	0,9948	0,9895	0,9843	0,9792	0,9740	0,9689	0,9638	0,9587	0,9537	0,9487
1,0	1,0000	1,0000	1,0000	1,0000	1,0000	1,0000	1,0000	1,0000	1,0000	1,0000
1,2	1,0092	1,0184	1,0277	1,0371	1,0466	1,0562	1,0659	1,0756	1,0855	1,0954
1,4	1,0170	1,0342	1,0518	1,0696	1,0878	1,1062	1,1250	1,1441	1,1635	1,1832
1,6	1,0238	1,0481	1,0730	1,0986	1,1247	1,1514	1,1788	1,2068	1,2355	1,2649
1,8	1,0298	1,0605	1,0922	1,1247	1,1583	1,1928	1,2284	1,2650	1,3028	1,3416
2,0	1,0353	1,0718	1,1096	1,1487	1,1892	1,2311	1,2746	1,3195	1,3660	1,4142
2,2	1,0402	1,0820	1,1255	1,1708	1,2179	1,2668	1,3178	1,3708	1,4259	1,4832
2,4	1,0447	1,0915	1,1403	1,1914	1,2447	1,3004	1,3586	1,4193	1,4828	1,5492
2,6	1,0489	1,1003	1,1541	1,2106	1,2698	1,3320	1,3971	1,4655	1,5372	1,6125
2,8	1,0528	1,1084	1,1670	1,2287	1,2936	1,3619	1,4339	1,5096	1,5894	1,6733
3,0	1,0565	1,1161	1,1791	1,2457	1,3161	1,3904	1,4689	1,5518	1,6395	1,7321
3,5	1,0646	1,1335	1,2067	1,2847	1,3678	1,4562	1,5503	1,6505	1,7572	1,8708
4,0	1,0718	1,1487	1,2311	1,3195	1,4142	1,5157	1,6245	1,7411	1,8661	2,000
4,5	1,0781	1,1623	1,2531	1,3510	1,4565	1,5702	1,6929	1,8251	1,9676	2,121
5,0	1,0838	1,1746	1,2731	1,3797	1,4953	1,6207	1,7565	1,9037	2,063	2,236
10,0	1,1220	1,2589	1,4125	1,5849	1,7783	1,9954	2,239	2,512	2,818	3,162
0,1	0,8913	0,7943	0,7080	0,6310	0,5623	0,5012	0,4467	0,3981	0,3548	0,3162

Beispiele zur

Examples of the use

a) $8{,}125^{12} = (10 \cdot 0{,}8125)^{12} = 10^{12}\ (7{,}977 + 0{,}316 - 0{,}017) \cdot 10^{-2}$
$= 10^{10} \cdot 8{,}276 = 10^{11} \cdot 0{,}8276.$

b) $8{,}125^{0,75} = (10 \cdot 0{,}8125)^{0,75} = 5{,}623 \cdot (0{,}8459 + 0.0098) = 5{,}623 \cdot 0{,}8557$
$= 4{,}812.$

c) $10^{0,7543} = 5{,}623 + 0{,}059 - 0{,}003 = 5{,}679.$

x^9		x^{10}		x^{11}		x^{12}		x^{13}		x^{14}		x^{15}		x
8358	5	3803	6	17303	7	7873	7	3582	8	16299	9	7416	9	4,55
9222		4242		19514		8976		4129		18994		8737		4,60
10164	6	4726		2198		10220	8	4752		2210		10275	10	4,65
11191		5260		2472		11619		5461		2567		12063		4,70
12310		5847		2777		13192		6266		2977		14139		4,75
13526		6493		3116		14959		7180		3446		16543		4,80
14848		7201		3493		16940		8216		3985		19325		4,85
16284		7979		3910		19158		9387		4600		2254		4,90
17842		8832		4372		2164		10712	9	5302		2625		4,95
19531		9766		4883		2441		12207		6104		3052		5,00

$x^{0,55}$	$x^{0,60}$	$x^{0,65}$	$x^{0,70}$	$x^{0,75}$	$x^{0,80}$	$x^{0,85}$	$x^{0,90}$	$x^{0,95}$	$x^{1,00}$	x
0,6830	0,6598	0,6373	0,6156	0,5946	0,5744	0,5548	0,5359	0,5176	0,5000	0,5
0,7551	0,7360	0,7175	0,6994	0,6817	0,6645	0,6478	0,6315	0,6155	0,6000	0,6
0,8219	0,8073	0,7931	0,7791	0,7653	0,7518	0,7385	0,7254	0,7126	0,7000	0,7
0,8845	0,8747	0,8650	0,8554	0,8459	0,8365	0,8272	0,8181	0,8090	0,8000	0,8
0,9437	0,9387	0,9338	0,9289	0,9240	0,9192	0,9144	0,9095	0,9048	0,9000	0,9
1,0000	1,0000	1,0000	1,0000	1,0000	1,0000	1,0000	1,0000	1,0000	1,0000	1,0
1,1055	1,1156	1,1258	1,1361	1,1465	1,1570	1,1676	1,1783	1,1891	1,2000	1,2
1,2033	1,2237	1,2445	1,2656	1,2871	1,3089	1,3311	1,3537	1,3767	1,4000	1,4
1,2950	1,3258	1,3573	1,3896	1,4226	1,4564	1,4911	1,5265	1,5628	1,6000	1,6
1,3817	1,4229	1,4653	1,5090	1,5540	1,6004	1,6481	1,6972	1,7479	1,8000	1,8
1,4641	1,5157	1,5692	1,6245	1,6818	1,7411	1,8025	1,8661	1,9319	2,000	2,0
1,5429	1,6049	1,6695	1,7366	1,8064	1,8790	1,9546	2,033	2,115	2,200	2,2
1,6185	1,6909	1,7666	1,8456	1,9282	2,015	2,105	2,199	2,297	2,400	2,4
1,6914	1,7741	1,8609	1,9520	2,048	2,148	2,253	2,363	2,479	2,600	2,6
1,7617	1,8548	1,9528	2,056	2,165	2,279	2,399	2,526	2,660	2,800	2,8
1,8299	1,9332	2,042	2,158	2,280	2,408	2,544	2,688	2,840	3,000	3,0
1,9918	2,121	2,258	2,404	2,559	2,724	2,900	3,088	3,288	3,500	3,5
2,144	2,297	2,462	2,639	2,828	3,031	3,249	3,482	3,732	4,000	4,0
2,287	2,466	2,658	2,866	3,090	3,331	3,591	3,872	4,174	4,500	4,5
2,423	2,627	2,847	3,085	3,344	3,624	3,928	4,257	4,613	5,000	5,0
3,548	3,981	4,467	5,012	5,623	6,310	7,080	7,943	8,913	10,000	10,0
0,2818	0,2512	0,2239	0,1995	0,1778	0,1585	0,1413	0,1259	0,1122	0,1000	0,1

Potenzentafel:

of the table of powers:

d) $0{,}8125^{0{,}7543} = 0{,}8557 - 0{,}0008 = 0{,}8549$.

e) $8{,}125^{0{,}0043} = 1 + 0{,}0043 \cdot \ln 8{,}125 = 1 + 0{,}0043 \cdot 2{,}0950 = 1{,}0090$.

f) $8{,}125^{0{,}7543} = 5{,}679 \cdot 0{,}8549 = 4{,}812 \cdot 1{,}0090 = 4{,}855$.

g) $8{,}125^{12{,}7543} = 10^{11} \cdot 0{,}8276 \cdot 4{,}855 = 10^{12} \cdot 0{,}4018$.

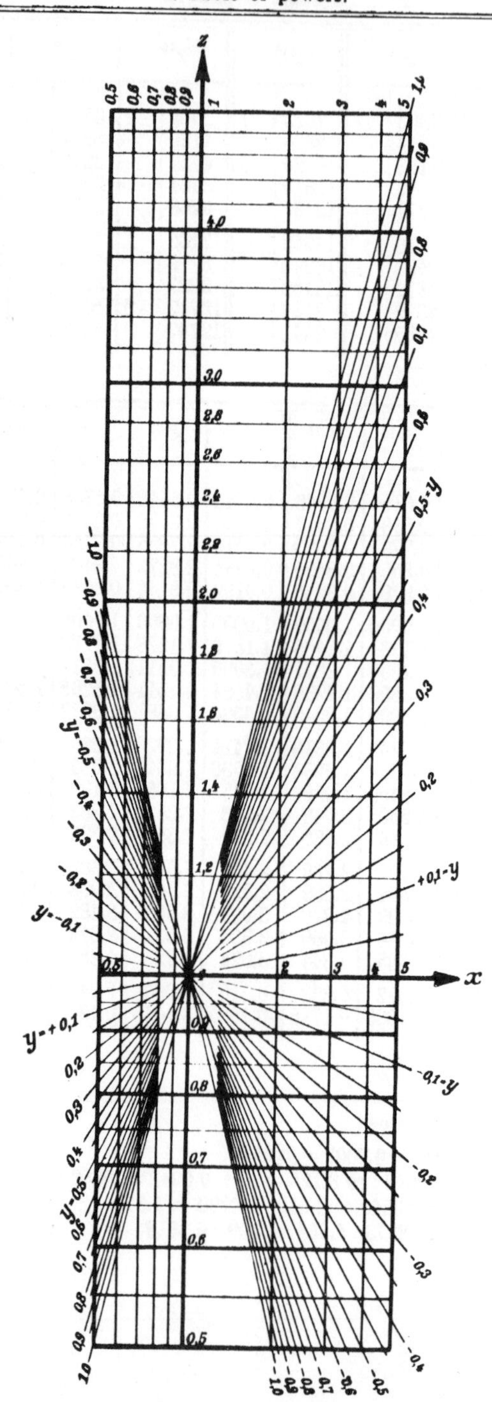

Fig. 2. $z = x^y$ in logarithmischer Darstellung für $-1 < y < +1$.
Fig. 2. $z = x^y$ on logarithmic scale for $-1 < y < +1$.

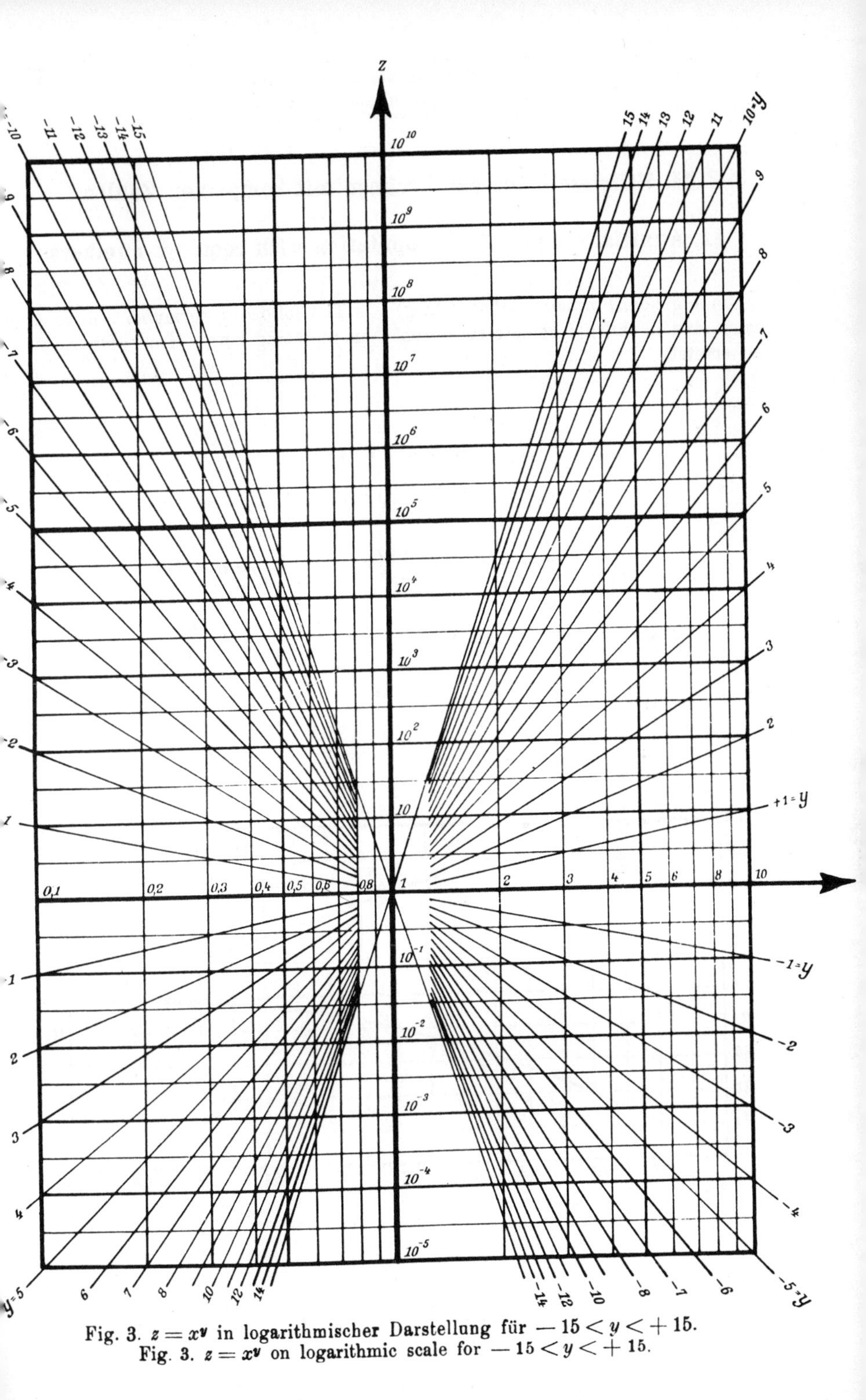

Fig. 3. $z = x^y$ in logarithmischer Darstellung für $-15 < y < +15$.
Fig. 3. $z = x^y$ on logarithmic scale for $-15 < y < +15$.

II. Hilfstafeln für das Rechnen mit komplexen Zahlen.

II. Auxiliary tables for computation with complex numbers.

Die folgenden Formeln bleiben richtig, wenn man in ihnen i beiderseits durch $-i$ ersetzt.

The following formulae remain true on replacing i by $-i$ on both sides.

1. Kehrwerte.

1. Reciprocals.

$$\frac{1}{1+ix} = u - iv = \frac{1-ix}{1+x^2}, \qquad \frac{1}{x+i} = v - iu.$$

$$0 < b < a: \qquad x = \frac{b}{a}, \qquad \frac{1}{\pm a + ib} = \pm \frac{u}{a} - i\frac{v}{a}.$$

$$0 < a < b: \qquad x = \frac{a}{b}, \qquad \frac{1}{\pm a + ib} = \pm \frac{v}{b} - i\frac{u}{b}.$$

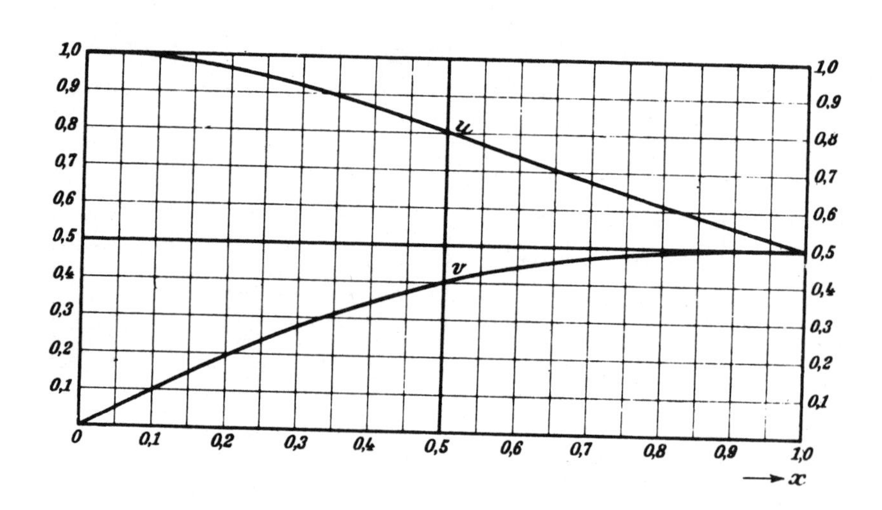

Fig. 4. $\frac{1}{1+ix} = u - iv, \qquad \frac{1}{x+i} = v - iu.$

$1 : (1 + i\,x) = u - i\,v$ $1 : (x + i) = v - i\,u$

x	u	v	x	u	v
0	1	0	0,50	0,8000	0,4000
0,01	0,9999	$0{,}0^2 9999$	0,51	0,7936	0,4047
0,02	0,9996	0,01999	0,52	0,7872	0,4093
0,03	0,9991	0,02997	0,53	0,7807	0,4138
0,04	0,9984	0,03994	0,54	0,7742	0,4181
0,05	0,9975	0,04988	0,55	0,7678	0,4223
0,06	0,9964	0,05978	0,56	0,7613	0,4263
0,07	0,9951	0,06966	0,57	0,7548	0,4302
0,08	0,9936	0,07949	0,58	0,7483	0,4340
0,09	0,9920	0,08928	0,59	0,7418	0,4377
0,10	0,9901	0,09901	0,60	0,7353	0,4412
0,11	0,9880	0,10868	0,61	0,7288	0,4446
0,12	0,9858	0,11830	0,62	0,7223	0,4478
0,13	0,9834	0,12784	0,63	0,7159	0,4510
0,14	0,9808	0,13731	0,64	0,7094	0,4540
0,15	0,9780	0,14670	0,65	0,7030	0,4569
0,16	0,9750	0,15601	0,66	0,6966	0,4597
0,17	0,9719	0,16523	0,67	0,6902	0,4624
0,18	0,9686	0,17435	0,68	0,6838	0,4650
0,19	0,9652	0,1834	0,69	0,6775	0,4674
0,20	0,9615	0,1923	0,70	0,6711	0,4698
0,21	0,9578	0,2011	0,71	0,6648	0,4720
0,22	0,9538	0,2098	0,72	0,6586	0,4742
0,23	0,9498	0,2184	0,73	0,6524	0,4762
0,24	0,9455	0,2269	0,74	0,6462	0,4782
0,25	0,9412	0,2353	0,75	0,6400	0,4800
0,26	0,9367	0,2435	0,76	0,6339	0,4817
0,27	0,9321	0,2517	0,77	0,6278	0,4834
0,28	0,9273	0,2596	0,78	0,6217	0,4850
0,29	0,9224	0,2675	0,79	0,6157	0,4864
0,30	0,9174	0,2752	0,80	0,6098	0,4878
0,31	0,9123	0,2828	0,81	0,6038	0,4891
0,32	0,9071	0,2903	0,82	0,5979	0,4903
0,33	0,9018	0,2976	0,83	0,5921	0,4914
0,34	0,8964	0,3048	0,84	0,5863	0,4925
0,35	0,8909	0,3118	0,85	0,5806	0,4935
0,36	0,8853	0,3187	0,86	0,5748	0,4944
0,37	0,8796	0,3254	0,87	0,5692	0,4952
0,38	0,8738	0,3321	0,88	0,5636	0,4959
0,39	0,8680	0,3385	0,89	0,5580	0,4966
0,40	0,8621	0,3448	0,90	0,5525	0,4972
0,41	0,8561	0,3510	0,91	0,5470	0,4978
0,42	0,8501	0,3570	0,92	0,5416	0,4983
0,43	0,8440	0,3629	0,93	0,5362	0,4987
0,44	0,8378	0,3686	0,94	0,5309	0,4990
0,45	0,8316	0,3742	0,95	0,5256	0,4993
0,46	0,8254	0,3797	0,96	0,5204	0,4996
0,47	0,8191	0,3850	0,97	0,5152	0,4998
0,48	0,8127	0,3901	0,98	0,5101	0,4999
0,49	0,8064	0,3951	0,99	0,5050	0,5000
0,50	0,8000	0,4000	1,00	0,5000	0,5000

2. Quadratwurzeln.
2. Square roots.

$$\sqrt{1+ix} = \pm(u+iv), \qquad \left.\begin{matrix} u^2 \\ v^2 \end{matrix}\right\} = \frac{\sqrt{1+x^2}\pm 1}{2};$$

$$\sqrt{x+i} = \pm(U+iV), \qquad \left.\begin{matrix} U^2 \\ V^2 \end{matrix}\right\} = \frac{\sqrt{1+x^2}\pm x}{2}.$$

Setzt man $x = \mathfrak{Sin}\, 2t$, so wird:

Substituting $x = \sinh 2t = \mathfrak{Sin}\, 2t$, we obtain:

$$u = \mathfrak{Cos}\, t, \qquad v = \mathfrak{Sin}\, t, \qquad U = \sqrt{0{,}5}\, e^t, \qquad V = \sqrt{0{,}5}\, e^{-t}$$

$$0 < b < a: \quad x = \frac{b}{a}, \qquad \sqrt{a+ib} = \pm(u\sqrt{a} + iv\sqrt{a})$$
$$\sqrt{-a+ib} = \pm(v\sqrt{a} + iu\sqrt{a})$$

$$0 < a < b: \quad x = \frac{a}{b}, \qquad \sqrt{a+ib} = \pm(U\sqrt{b} + iV\sqrt{b})$$
$$\sqrt{-a+ib} = \pm(V\sqrt{b} + iU\sqrt{b}).$$

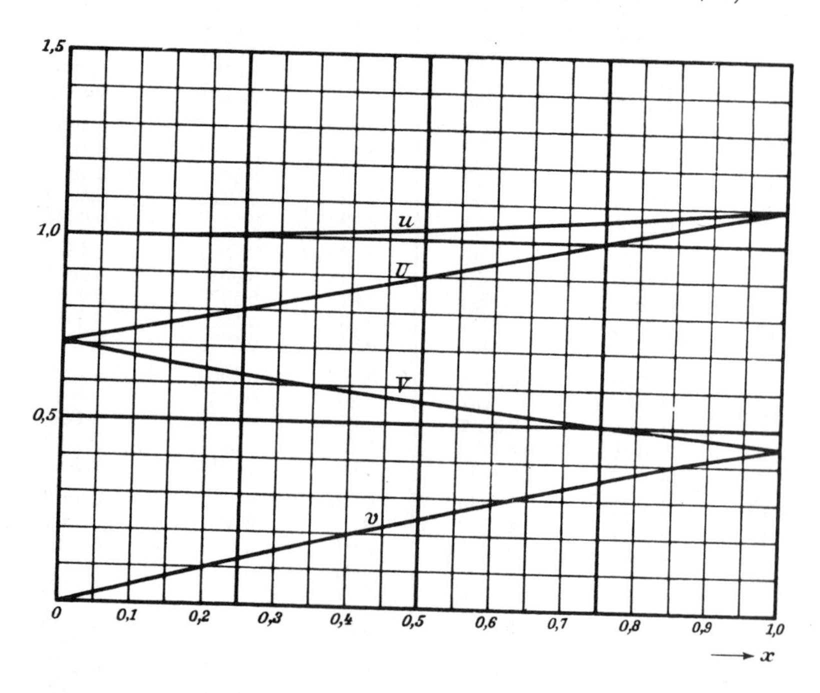

Fig. 5. $\sqrt{1+ix} = \pm(u+iv)$, $\sqrt{x+i} = \pm(U+iV)$.

$\sqrt{1+ix}=u+iv$ $\qquad$ $\sqrt{-1+ix}=v+iu$

x		0	1	2	3	4	5	6	7	8	9	d
0,0	1,00	00	00	00	01	02	03	04	06	08	10	1
	0,0	000	050	100	150	200	250	300	350	400	450	50
0,1	1,00	12	15	18	21	24	28	32	36	40	45	4
	0,0	499	549	599	649	698	748	798	847	896	946	50
0,2	1,00	49	54	60	65	71	77	83	89	96	*02	6
	0,0	995	*044	*093	*142	*192	*240	*289	*338	*387	*435	49
0,3	1,01	09	17	24	32	40	48	56	64	73	82	8
	0,1	484	532	580	629	677	724	772	820	868	915	48
0,4	1,0	191	200	209	219	229	239	249	259	269	280	10
	0,1	963	*010	*057	*104	*151	*198	*244	*291	*337	*383	47
0,5	1,0	291	302	313	324	336	347	359	371	383	395	11
	0,2	429	475	521	567	612	658	703	748	793	838	46
0,6	1,0	407	420	432	445	458	471	484	497	510	524	12
	0,2	883	927	972	*016	*060	*104	*148	*192	*235	*278	44
0,7	1,0	537	551	565	579	593	607	621	635	649	664	14
	0,3	322	365	408	450	493	536	578	620	662	704	43
0,8	1,0	678	693	708	723	738	753	768	783	798	814	15
	0,3	746	787	829	870	911	952	993	*034	*075	*115	42
0,9	1,0	829	844	860	876	891	907	923	939	955	971	16
	0,4	156	196	236	276	315	355	394	434	473	512	40
x		0	1	2	3	4	5	6	7	8	9	d

$\sqrt{x+i}=U+iV$ $\qquad$ $\sqrt{-x+i}=V+iU$

x		0	1	2	3	4	5	6	7	8	9	d
0,0	0,7	071	107	142	178	214	250	286	323	359	396	36
	0,7	071	036	001	*966	*931	*897	*862	*828	*794	*760	35
0,1	0,7	433	470	507	545	582	620	657	695	733	771	37
	0,6	727	693	660	627	595	562	530	497	466	434	33
0,2	0,7	810	848	886	925	964	*002	*041	*080	*119	*158	38
	0,6	402	371	340	309	279	248	218	188	158	129	31
0,3	0,8	198	237	276	316	355	395	435	474	514	554	40
	0,6	099	070	041	013	*984	*956	*928	*900	*873	*845	28
0,4	0,8	594	634	674	714	754	794	834	874	914	954	40
	0,5	818	791	765	738	712	686	660	634	609	584	26
0,5	0,8	995	*035	*075	*115	*156	*196	*236	*276	*317	*357	40
	0,5	559	534	510	485	461	437	414	390	367	344	24
0,6	0,9	397	438	478	518	558	599	639	679	719	759	40
	0,5	321	298	275	253	231	209	187	166	144	123	22
0,7	0,9	800	840	880	920	960	*000	*040	*080	*120	*160	40
	0,5	102	081	061	040	020	000	*980	*960	*941	*921	20
0,8	1,0	200	239	279	319	359	398	438	477	517	556	40
	0,4	902	883	864	845	827	809	790	772	754	737	18
0,9	1,0	596	635	674	714	753	792	831	870	909	948	39
	0,4	719	701	684	667	650	633	616	600	583	567	17
x		0	1	2	3	4	5	6	7	8	9	d

8. Rechtwinklige und Polarkoordinaten.

8. Rectangular and polar co-ordinates.

$$1 + ix = me^{i\mu}, \qquad x + i = me^{i(90^0-\mu)},$$

$$\operatorname{tg}\mu = x, \qquad m = \sqrt{1+x^2} = 1 + x\operatorname{tg}\frac{\mu}{2} = \frac{1}{\cos\mu}.$$

$$\pm a + ib = re^{i\varrho}.$$

A. a, b gegeben; r, ϱ gesucht: | A. given a, b; to find r, ϱ:

$$0 < b < a: \quad x = \frac{b}{a}; \qquad r = am, \qquad \begin{cases}\varrho = \mu \\ \varrho = 180^0 - \mu\end{cases}$$

$$0 < a < b: \quad x = \frac{a}{b}; \qquad r = bm, \qquad \varrho = 90^0 \mp \mu$$

B. r, ϱ gegeben; a, b gesucht: | B. given r, ϱ; to find a, b:

$$\left.\begin{array}{ll} 0 < \varrho < 45^0: & \mu = \varrho \\ 135^0 < \varrho < 180^0: & \mu = 180^0 - \varrho; \end{array}\right\} \quad a = \frac{r}{m}, \quad b = \frac{r}{m}x.$$

$$45^0 < \varrho < 135^0: \quad \mu = |90^0 - \varrho|; \quad a = \frac{r}{m}x, \quad b = \frac{r}{m}.$$

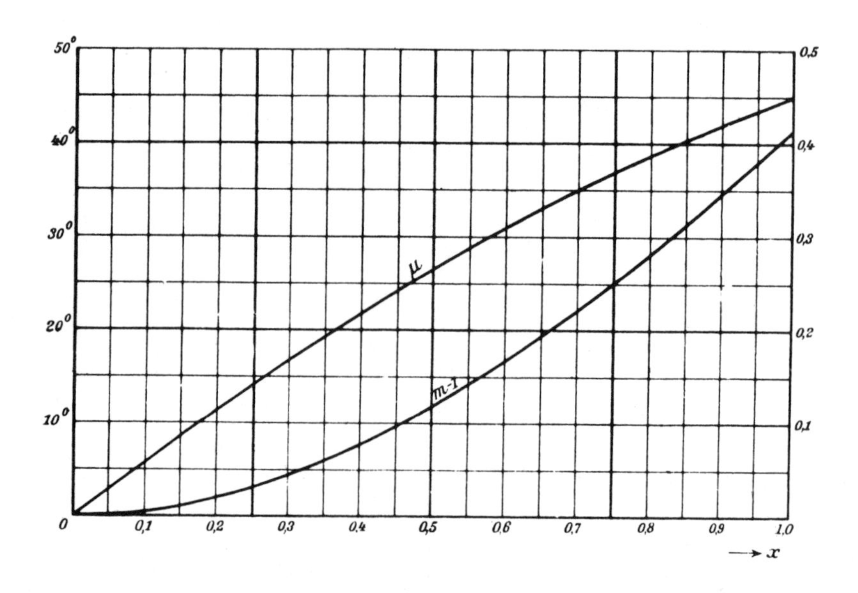

Fig. 6. $1 + ix = me^{i\mu}, \qquad x + i = me^{i(90^0-\mu)}$.

$+ix = me^{i\mu}$ $x + i = me^{i(90° - \mu)}$

x		0	1	2	3	4	5	6	7	8	9	d
0,00	1,0000	000	005	020	045	080	125	180	245	320	405	45
	0,	0000°	0573°	1146°	1719°	2292°	2865°	3438°	4011°	4584°	5157°	573
1	1,000	0500	0605	0720	0845	0980	1125	1280	1445	1620	1805	145
	0,	5729°	6302°	6875°	7448°	8021°	8594°	9167°	9740°	*0312°	*0885°	573
2	1,000	2000	2205	2420	2645	2880	3124	3379	3644	3919	4204	245
	1,	1458°	2030°	2603°	3176°	3748°	4321°	4894°	5466°	6039°	6611°	573
3	1,000	4499	4804	5119	5444	5778	6123	6478	6843	7217	7602	345
	1,	7184°	7756°	8328°	8901°	9473°	*0045°	*0618°	*1190°	*1762°	*2334°	572
4	1,000	7997	8401	8816	9241	9675	*0120	*0573	*1037	*1513	*1998	445
	2,	2906°	3478°	4050°	4622°	5194°	5766°	6337°	6909°	7481°	8052°	572
5	1,001	2492	2997	3511	4035	4569	5114	5668	6232	6806	7390	544
	2,	8624°	9196°	9767°	*0338°	*0910°	*1481°	*2052°	*2623°	*3194°	*3765°	571
6	1,001	7984	8588	9202	9825	*0459	*1103	*1756	*2420	*3093	*3777	644
	3,	4336°	4907°	5478°	6049°	6619°	7190°	7760°	8331°	8901°	9472°	571
7	1,002	4470	5173	5886	6610	7343	8086	8839	9601	*0374	*1156	743
	4,	0042°	0612°	1182°	1752°	2322°	2891°	3461°	4031°	4600°	5170°	570
8	1,003	1948	2751	3564	4386	5218	6060	6912	7774	8645	9527	842
	4,	5739°	6308°	6878°	7447°	8016°	8585°	9153°	9722°	*0291°	*0859°	569
9	1,004	0418	1320	2231	3152	4083	5024	5974	6935	7905	8886	941
	5,	1428°	1996°	2564°	3132°	3700°	4268°	4836°	5404°	5971°	6539°	568
0,1	1,0	0499	0603	0717	0841	0975	1119	1272	1435	1607	1789	144
	—	5,711°	6,277°	6,843°	7,407°	7,970°	8,531°	9,090°	9,648°	10,204°	10,758°	561
2	1,0	1980	2181	2391	2611	2840	3078	3325	3581	3846	4120	238
	10×1,	1310°	1860°	2407°	2953°	3496°	4036°	4574°	5110°	5642°	6172°	540
3	1,0	4403	4695	4995	5304	5622	5948	6283	6626	6977	7336	326
	10×1,	6699°	7223°	7745°	8263°	8778°	9290°	9799°	*0305°	*0807°	*1306°	512
4	1,0	7703	8079	8462	8853	9252	9659	*0073	*0494	*0923	*1360	407
	10×2,	1801°	2294°	2782°	3268°	3750°	4228°	4702°	5174°	5641°	6105°	478
5	1,1	1803	2254	2712	3177	3649	4127	4613	5105	5603	6108	478
	10×2,	6565°	7022°	7474°	7924°	8369°	8811°	9249°	9683°	*0114°	*0541°	442
6	1,1	6619	7137	7661	8190	8727	9269	9817	*0371	*0930	*1495	542
	10×3,	0964°	1383°	1799°	2211°	2619°	3024°	3425°	3822°	4216°	4606°	404
7	1,2	2066	2642	3224	3811	4403	5001	5603	6211	6823	7440	598
	10×3,	4992°	5375°	5754°	6129°	6501°	6870°	7235°	7596°	7954°	8309°	369
8	1,2	8063	8690	9322	9958	*0599	*1245	*1894	*2548	*3207	*3870	646
	10×3,	8660°	9008°	9352°	9693°	*0030°	*0365°	*0696°	*1023°	*1348°	*1669°	335
9	1,3	4537	5208	5882	6562	7242	7932	8623	9316	*0015	*0716	690
	10×4,	1987°	2302°	2614°	2923°	3229°	3531°	3831°	4128°	4421°	4712°	302

s $\qquad$ $1 + r\,i^{\varrho} = s$ …

ϱ	$r = 0,1$	0,2	0,3	0,4	0,5	0,6	0,7	0,8	0,9	1,0
0,00	1,1000	1,2000	1,3000	1,4000	1,5000	1,6000	1,7000	1,8000	1,9000	2,0000
0,05	1,0997	1,1995	1,2993	1,3991	1,4990	1,5988	1,6987	1,7986	1,8985	1,9985
0,10	1,0989	1,1979	1,2972	1,3965	1,4959	1,5954	1,6949	1,7945	1,8942	1,9938
0,15	1,0977	1,1954	1,2936	1,3921	1,4908	1,5896	1,6886	1,7877	1,8869	1,9861
0,20	1,0955	1,1918	1,2887	1,3859	1,4836	1,5815	1,6797	1,7781	1,8767	1,9754
0,25	1,0931	1,1872	1,2823	1,3781	1,4744	1,5712	1,6684	1,7658	1,8636	1,9616
0,30	1,0900	1,1817	1,2746	1,3685	1,4632	1,5586	1,6545	1,7509	1,8477	1,9447
0,35	1,0865	1,1752	1,2655	1,3572	1,4500	1,5438	1,6382	1,7333	1,8289	1,9249
0,40	1,0825	1,1677	1,2552	1,3443	1,4349	1,5267	1,6195	1,7130	1,8073	1,9021
0,45	1,0780	1,1594	1,2435	1,3298	1,4179	1,5075	1,5983	1,6902	1,7829	1,8764
0,50	1,0730	1,1501	1,2306	1,3137	1,3990	1,4861	1,5748	1,6647	1,7558	1,8478
0,55	1,0677	1,1401	1,2164	1,2960	1,3782	1,4626	1,5489	1,6368	1,7260	1,8163
0,60	1,0619	1,1292	1,2011	1,2768	1,3556	1,4371	1,5208	1,6064	1,6935	1,7820
0,65	1,0557	1,1176	1,1847	1,2562	1,3314	1,4096	1,4905	1,5735	1,6585	1,7450
0,70	1,0492	1,1053	1,1672	1,2342	1,3054	1,3801	1,4579	1,5383	1,6209	1,7053
0,75	1,0424	1,0923	1,1487	1,2108	1,2778	1,3488	1,4233	1,5008	1,5808	1,6629
0,80	1,0353	1,0787	1,1293	1,1863	1,2486	1,3156	1,3866	1,4610	1,5383	1,6180
0,85	1,0280	1,0646	1,1091	1,1605	1,2180	1,2807	1,3479	1,4190	1,4934	1,5706
0,90	1,0204	1,0500	1,0881	1,1336	1,1859	1,2441	1,3073	1,3749	1,4462	1,5208
0,95	1,0128	1,0351	1,0663	1,1058	1,1526	1,2059	1,2648	1,3287	1,3969	1,4686
1,00	1,0050	1,0198	1,0440	1,0770	1,1180	1,1662	1,2207	1,2806	1,3454	1,4142
1,05	0,9972	1,0043	1,0212	1,0475	1,0824	1,1251	1,1748	1,2306	1,2918	1,3576
1,10	0,9893	0,9886	0,9981	1,0173	1,0457	1,0827	1,1274	1,1789	1,2363	1,2989
1,15	0,9815	0,9729	0,9746	0,9865	1,0082	1,0392	1,0785	1,1254	1,1789	1,2382
1,20	0,9738	0,9573	0,9511	0,9554	0,9700	0,9946	1,0283	1,0703	1,1197	1,1756
1,25	0,9662	0,9418	0,9276	0,9240	0,9313	0,9491	0,9769	1,0138	1,0589	1,1111
1,30	0,9588	0,9265	0,9042	0,8926	0,8922	0,9029	0,9243	0,9558	0,9964	1,0450
1,35	0,9516	0,9116	0,8812	0,8614	0,8529	0,8562	0,8709	0,8967	0,9325	0,9772
1,40	0,9447	0,8972	0,8587	0,8305	0,8138	0,8091	0,8168	0,8364	0,8672	0,9080
1,45	0,9381	0,8833	0,8369	0,8003	0,7750	0,7620	0,7621	0,7753	0,8006	0,8373
1,50	0,9320	0,8701	0,8159	0,7709	0,7368	0,7151	0,7071	0,7131	0,7329	0,7654
1,55	0,9262	0,8578	0,7961	0,7427	0,6997	0,6690	0,6523	0,6507	0,6643	0,6922
1,60	0,9210	0,8464	0,7776	0,7161	0,6641	0,6238	0,5978	0,5879	0,5948	0,6180
1,65	0,9162	0,8360	0,7605	0,6913	0,6304	0,5804	0,5443	0,5251	0,5246	0,5429
1,70	0,9120	0,8268	0,7452	0,6687	0,5992	0,5393	0,4925	0,4630	0,4541	0,4669
1,75	0,9084	0,8188	0,7319	0,6488	0,5711	0,5013	0,4434	0,4022	0,3834	0,3902
1,80	0,9054	0,8121	0,7207	0,6318	0,5468	0,4677	0,3981	0,3440	0,3132	0,3129
1,85	0,9031	0,8069	0,7117	0,6181	0,5269	0,4395	0,3587	0,2902	0,2444	0,2351
1,90	0,9014	0,8031	0,7053	0,6082	0,5122	0,4181	0,3275	0,2443	0,1793	0,1569
1,95	0,9003	0,8008	0,7013	0,6021	0,5031	0,4046	0,3071	0,2120	0,1247	0,0785
2,00	0,9000	0,8000	0,7000	0,6000	0,5000	0,4000	0,3000	0,2000	0,1000	0,0000

$= s\,i^{\varrho-\sigma}$

σ

$r=0{,}1$	0,2	0,3	0,4	0,5	0,6	0,7	0,8	0,9	1,0
0,00000	0,00000	0,00000	0,00000	0,00000	0,00000	0,00000	0,00000	0,00000	0,00000
0,00454	0,00833	0,01153	0,01428	0,01666	0,01875	0,02059	0,02222	0,02368	0,02500
0,00906	0,01663	0,02304	0,02854	0,03330	0,03745	0,04116	0,04443	0,04738	0,05000
0,01354	0,02487	0,03448	0,04274	0,04990	0,05617	0,06171	0,06663	0,07103	0,07500
0,01796	0,03303	0,04584	0,05685	0,06642	0,07481	0,08221	0,08880	0,09469	0,10000
0,02229	0,04107	0,05707	0,07086	0,08285	0,09337	0,10266	0,11093	0,11834	0,12500
0,02652	0,04897	0,06816	0,08473	0,09916	0,11184	0,12304	0,13302	0,14196	0,15000
0,03063	0,05669	0,07905	0,09842	0,11533	0,13019	0,14334	0,15506	0,16555	0,17500
0,03458	0,06420	0,08974	0,11192	0,13132	0,14840	0,16354	0,17703	0,18911	0,20000
0,03838	0,07147	0,10016	0,12517	0,14710	0,16645	0,18361	0,19892	0,2126	0,2250
0,04198	0,07848	0,11030	0,13815	0,16265	0,18431	0,20355	0,2207	0,2361	0,2500
0,04538	0,08518	0,12010	0,15082	0,17793	0,20195	0,2233	0,2424	0,2596	0,2750
0,04855	0,09154	0,12953	0,16313	0,19290	0,2193	0,2429	0,2640	0,2829	0,3000
0,05147	0,09752	0,13855	0,17504	0,2075	0,2364	0,2623	0,2854	0,3063	0,3250
0,05413	0,10309	0,14710	0,18650	0,2217	0,2532	0,2814	0,3067	0,3295	0,3500
0,05650	0,10821	0,15513	0,19745	0,2355	0,2696	0,3003	0,3278	0,3526	0,3750
0,05857	0,11284	0,16260	0,2078	0,2487	0,2856	0,3188	0,3487	0,3757	0,4000
0,06031	0,11695	0,16944	0,2176	0,2614	0,3011	0,3370	0,3694	0,3986	0,4250
0,06172	0,12048	0,17559	0,2266	0,2734	0,3161	0,3548	0,3898	0,4214	0,4500
0,06276	0,12340	0,18098	0,2349	0,2847	0,3304	0,3721	0,4098	0,4441	0,4750
0,06345	0,12567	0,18555	0,2422	0,2952	0,3440	0,3888	0,4296	0,4665	0,5000
0,06375	0,12723	0,18921	0,2486	0,3047	0,3568	0,4049	0,4488	0,4888	0,5250
0,06366	0,12806	0,19189	0,2539	0,3131	0,3687	0,4203	0,4676	0,5108	0,5500
0,06317	0,12811	0,19351	0,2580	0,3203	0,3795	0,4348	0,4859	0,5326	0,5750
0,06228	0,12734	0,19396	0,2607	0,3262	0,3890	0,4483	0,5034	0,5540	0,6000
0,06097	0,12572	0,19318	0,2619	0,3304	0,3971	0,4606	0,5201	0,5750	0,6250
0,05925	0,12321	0,19105	0,2615	0,3328	0,4034	0,4715	0,5358	0,5955	0,6500
0,05712	0,11980	0,18750	0,2592	0,3332	0,4077	0,4807	0,5503	0,6153	0,6750
0,05459	0,11545	0,18243	0,2548	0,3312	0,4096	0,4877	0,5633	0,6345	0,7000
0,05166	0,11016	0,17576	0,2482	0,3265	0,4087	0,4923	0,5745	0,6526	0,7250
0,04835	0,10393	0,16744	0,2392	0,3186	0,4043	0,4936	0,5832	0,6695	0,7500
0,04467	0,09677	0,15740	0,2275	0,3072	0,3958	0,4910	0,5888	0,6848	0,7750
0,04066	0,08871	0,14564	0,2130	0,2919	0,3825	0,4833	0,5902	0,6978	0,8000
0,03632	0,07978	0,13216	0,19553	0,2720	0,3633	0,4691	0,5861	0,7075	0,8250
0,03170	0,07005	0,11700	0,17508	0,2474	0,3371	0,4465	0,5741	0,7126	0,8500
0,02683	0,05959	0,10027	0,15164	0,2175	0,3029	0,4130	0,5507	0,7103	0,8750
0,02173	0,04849	0,08212	0,12536	0,18239	0,2595	0,3656	0,5105	0,6958	0,9000
0,01646	0,03686	0,06274	0,09654	0,14221	0,2065	0,3011	0,4451	0,6586	0,9250
0,01105	0,02481	0,04239	0,06562	0,09761	0,14416	0,2171	0,3423	0,5747	0,9500
0,00555	0,01248	0,02137	0,03320	0,04963	0,07424	0,11446	0,19138	0,3832	0,9750
0,00000	0,00000	0,00000	0,00000	0,00000	0,00000	0,00000	0,00000	0,00000	—

4. Vektoraddition: $a i^{\alpha} + b i^{\beta} = c i^{\gamma}$. (Tafel S. 18, 19.)
4. Vector addition: $a i^{\alpha} + b i^{\beta} = c i^{\gamma}$. (Table p. 18, 19.)

$$1 + r i^{\varrho} = s i^{\sigma}, \qquad r + i^{\varrho} = s i^{\varrho - \sigma}$$

$$s = \sqrt{1 + r^2 + 2r\cos\varrho}, \qquad \operatorname{ctg}\sigma = \operatorname{ctg}\varrho + \frac{1}{r\sin\varrho}.$$

Gegeben / Given $\alpha, \beta, 0 < b < a$; gesucht / to find c, γ

$$r = \frac{b}{a}, \qquad \varrho = |\alpha - \beta|;$$

$c = a s, \quad \gamma = \alpha \pm \sigma,$ je nachdem / according as $\alpha \lessgtr \beta$.

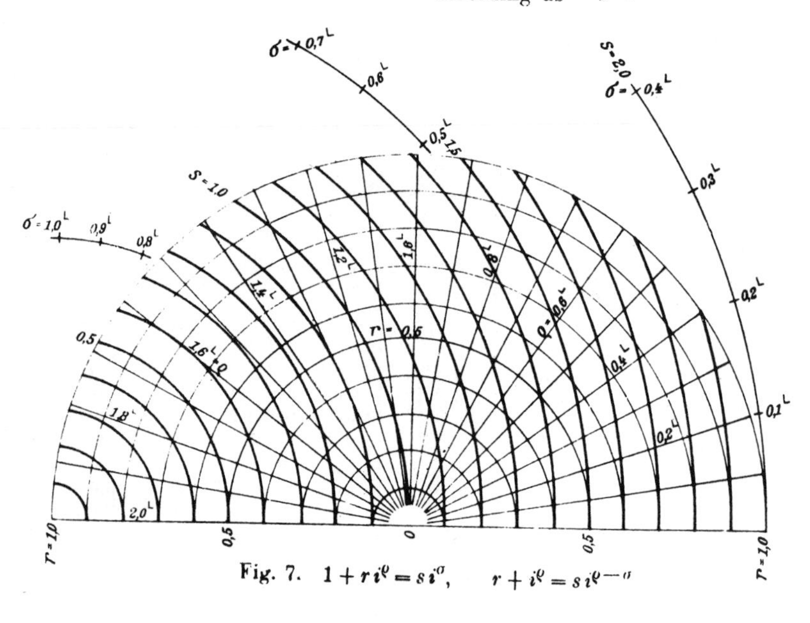

Fig. 7. $1 + r i^{\varrho} = s i^{\sigma}, \quad r + i^{\varrho} = s i^{\varrho - \sigma}$

III. Kubische Gleichungen.
III. Cubic equations.

A. In der kubischen Gleichung | **A.** In the cubic equation

$$x^3 - A x^2 + B x - C = 0$$

mit den Wurzeln x_1, x_2, x_3 ist | with the roots x_1, x_2, x_3 we have

$$A = x_1 + x_2 + x_3, \qquad \frac{B}{C} = \frac{1}{x_1} + \frac{1}{x_2} + \frac{1}{x_3},$$

$$E^3 \equiv C = x_1 x_2 x_3;$$

sei reell. Bei festem C seien A und in der Ebene auf rechtwinkligen hsen abgetragen. In einigem Abstand m Nullpunkt sind dann Näherungs- sungen in der Nähe der

1. A-Achse ($B=0$):

E must be taken as real. C being constant A and B may be plotted in the plane on rectangular axes. We then obtain approximate solutions at some distance from the origin in the proximity of the

1. A-axis ($B=0$):

$$x_1 = -\sqrt{-\frac{C}{A}}, \quad x_2 = +\sqrt{-\frac{C}{B}}, \quad x_3 = A, \quad |A| >> |E|;$$

2. schiefen Achsen $B = \pm EA$:

2. inclined axes $B = \pm EA$:

$$x_1 = \frac{C}{B}, \quad x_2 = \frac{B}{A}, \quad x_3 = A;$$

3. B-Achse ($A=0$):

3. B-axis ($A=0$):

$$x_1 = \frac{C}{B}, \quad x_2 = +\sqrt{-B}, \quad x_3 = -\sqrt{-B}, \quad |B| >> E^2.$$

Für Lösungen, die nicht von der rößenordnung E sind, gelten die wei- ren Näherungen:

For solutions differing considerably from E we obtain the approximations:

$$x = \frac{A \pm \sqrt{A^2 - 4B}}{2}, \qquad |x| >> |E|;$$

$$x = \frac{B \pm \sqrt{B^2 - 4AC}}{2A}, \qquad |x| << |E|.$$

Von einem Näherungswert X gelangt an zu einem besseren X_1 durch

From an approximate value X we get a better value X_1 by

$$X_1 = X + r + \frac{H}{N} r^2 + \left(\frac{2H^2}{N} - X\right)\frac{r^3}{N} + \cdots,$$

o

where

$$Nr = C + X[X(A - X) - B]$$
$$N = B + X(3X - 2A)$$
$$H = A - 3X$$
$$X + r = \frac{C + X^2(2X - A)}{B + X(3X - 2A)},$$

orausgesetzt, daß $|r| << |X|$. Wird X willkürlich angenommen, so zeigt iese Ungleichung, wie A, B, C beschaf- en sein müssen, damit X näherungs- veise eine Lösung ist. Aus $X = A$ er- ibt sich z. B. so als besserer Wert

assuming that $|r| << |X|$. For arbitrary X this inequality shows how A, B, C must be constituted so that X may be an approximate solution. E. g. from $X = A$ we obtain a better value

$$X + r = \frac{A^3 + C}{A^2 + B},$$

venn

if we have

$$|C - AB| << |A^3 + AB|.$$

Zuweilen kommt man durch wiederholtes Einsetzen bequemer zu genaueren Werten X_1:

More accurate values of X_1 are sometimes obtained more simply by iteration:

$$X_1 = A - \frac{B}{X} + \frac{C}{X^2}$$

$$X_1 = \frac{C}{B} + X^2 \frac{A - X}{B}$$

$$X_1 = \frac{B}{A} + \frac{X^2}{A} - \frac{C}{AX}$$

$$X_1 = \sqrt{-B + AX + \frac{C}{X}}$$

$$X_1 = \sqrt{-\frac{C}{A} + \frac{X^3}{A} + \frac{BX}{A}},$$

jedoch nur, wenn die Ableitung des benutzten Ausdrucks für X_1 einen kleineren Betrag als 1 hat. Unter den fünf angegebenen Ausdrücken für X_1 wähle man einen solchen.

B. Es werde gesetzt:

however, only if the derivative by X of the expression used for X_1 is of smaller magnitude than 1. We have therefore to choose an expression of this kind among the five given.

B. Substituting:

$$x = Eu = \frac{E}{v}, \qquad A = Ea, \qquad B = E^2 b.$$

Dann folgt

We get

$$u^3 - a u^2 + b u - 1 = 0, \qquad v^3 - b v^2 + a v - 1 = 0$$

(Zurückführung auf $C = 1$). Da diese Gleichungen in a, b linear sind, stellen in der Ebene (a, b) die Kurven $u = 1/v$ = konst. Geraden dar (Fig. 8). Schräg nach rechts oben hin hat man drei positive Wurzeln, schräg nach links unten hin eine positive und zwei negative. Nach oben und unten hin hat man zwei große und eine kleine Wurzel, nach links und rechts hin eine große und zwei kleine. Große komplexe Wurzeln finden sich in der Nähe der positiven b-Halbachse, kleine in der Nähe der positiven a-Halbachse. In diesen Gebieten seien die drei Wurzeln

(Reduction to $C = 1$). These equations being linear with respect to a, b, the curves $u = 1/v$ = const are straight lines in the (a, b) plane (Fig. 8). Towards the right top corner we have three positive roots, towards the left bottom corner we have one positive and two negative roots. At the top and bottom we find two large and one small root, on the left- and righthand side one large and two small ones. Large complex roots can be found in the proximity of the positive b-half-axis, small ones near the positive a-half-axis. In these regions let the three roots be

$$u_1 > 0, \qquad u_2 = \frac{1}{\sqrt{u_1}} e^{i\eta}, \qquad u_3 = \frac{1}{\sqrt{u_1}} e^{-i\eta}.$$

Dann ist

Then we obtain

$$a = \frac{2}{\sqrt{u_1}} \cos\eta + u_1, \qquad b = 2\sqrt{u_1} \cos\eta + \frac{1}{u_1}.$$

ernach kann man die Kurven η = konst. ichnen. Bei kleinen und bei großen u_1 llen sie annähernd mit Ästen der arabeln

From these equations the curves η=const. can be drawn. For small and large values of u_1 they nearly coincide with the branches of the parabolae:

$$a = 2\sqrt{b}\cos\eta, \qquad b = 2\sqrt{a}\cos\eta$$

sammen. Die Kurven $\eta = 0^0$ und $= 180^0$ enthalten die Fälle der Doppelurzeln und grenzen das Gebiet der komexen Wurzeln ab. Rein imaginäre 'urzeln finden sich auf der Hyperbel $b = 1 (a, b > 0)$ sie bildet die Grenze

The curves $\eta = 0^0$ and $\eta = 180^0$ contain the cases of double roots and mark the boundary of the region of complex roots. Roots without a real part are to be found on the hyperbola $ab = 1\,(a, b > 0)$ which forms the boun-

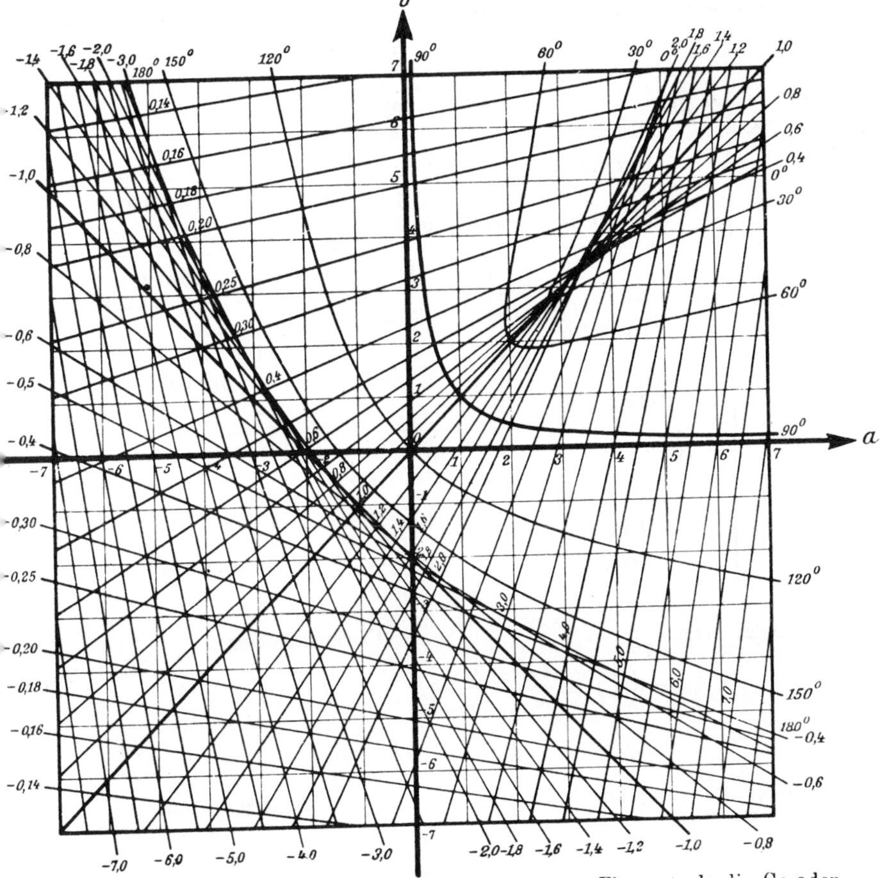

Fig. 8. Die kubische Gleichung $1 + au^2 = u^3 + bu$. In der Ebene (a, b) die Geraden u = konst. und die Kurven σ = konst. $(u = se^{i\sigma})$.

Fig. 8. The cubic equation $1 + au^2 = u^3 + bu$. In the (a, b) plane the straight lines u = const and the curves σ = const $(u = se^{i\sigma})$.

zwischen den Gebieten positiver und negativer reeller Teile. (Zu Gleichungen, die drei Wurzeln mit negativem reellem Teil haben, gelangt man erst durch ein negatives C und E.)

Im Gebiet $-7 < a, b < 7$ kann man aus der Fig. 8 zu gegebenen a, b Näherungswerte für die drei Wurzeln ablesen. Außerhalb der Figur kommt man den Wurzeln durch einfache Ausdrücke um so näher, je weiter man vom Nullpunkt entfernt ist. Einen Anhalt mögen die Beispiele der folgenden Tabelle geben:

dary between the regions of positi and negative real parts. (Equatio which have three roots with negati real part are only obtained when C a E are negative.)

In the region $-7 < a, b < 7$ approx mate values of the three roots can read off from fig. 8 for given values of a, Outside the figure the roots may be th better approximated by simple expre sions the further we are from zer The examples of the following tab may serve as a clue:

	$a = -100$	$a = 0$	$a = +100$
$b = +100$	− 100 + 1,010 3 − 1,020 210 + 0,01 − 0,000 098 06	− 0,005 + 0,000 000 005 $\pm i$ 10,000 002 + 0,01 − 0,000 000 01	+ 100 − 1,010 1 + 1,000 000 + 0,010 102 04
$b = 0$	− 100 + 0,000 1 − 0,100 050 02 + 0,1 − 0,000 049 98	$e^{\pm i\,120^\circ}$ $= -0{,}5 \pm i\,0{,}866$ + 1,000 000	− 0,000 05 + 0,000 000 000 01 $\pm i$ 0,1 $\mp i$ 0,000 000 02 + 100,000 1
$b = -100$	− 100,990 1 − 0,01 + 0,000 098 04 + 1,000 000	− 10 + 0,005 003 − 0,010 000 01 + 10,004 997	− 1 + 0,019 810 − 0,010 102 06 + 100,990 3

C. Setzt man

C. Substituting:

$$-\left(\frac{A}{3}\right)^3 + \frac{AB}{6} - \frac{C}{2} = k^3, \qquad x = ky + \frac{A}{3},$$

$$\frac{1}{3k^2}\left(\frac{A^2}{3} - B\right) = p,$$

so nimmt die kubische Gleichung die Form

the cubic equation assumes the form

$$y^3 + 2 = 3py$$

an, und y wird eine dreiwertige Funktion der einen Veränderlichen $3p$ und läßt sich in einem endlichen Bereich so

and y becomes a trivalent function of the single variable $3p$ and can be tabulated in a finite region as accurately enau, wie man will, tabellarisch darellen (Zahlentafel mit Fig. 9). Für ie drei Lösungen gilt

as required (Table with fig. 9). The following equations hold for the three solutions

$$y_1 + y_2 + y_3 = 0, \qquad \frac{1}{y_1} + \frac{1}{y_2} + \frac{1}{y_3} = \frac{3p}{2}, \qquad y_1 y_2 y_3 = -2$$

ür $3p = 3$ wird $y_1 = y_2 = 1$, $y_3 = -2$, nd für $p < 1$ erhält man zwei komlexe Wurzeln:

When $3p = 3$ we obtain $y_1 = y_2 = 1$, $y_3 = -2$ and when $p < 1$, we have two complex roots:

$$y_1 = y' + i y'' \qquad y_2 = y' - i y'', \qquad y_3 = -2y',$$
$$y_1 = s\, i^{\sigma}, \qquad y_2 = s\, i^{-\sigma}, \qquad y_3 = -2s \cos \sigma.$$

)abei ist

Here we have

$$3p = 4y'^2 - \frac{1}{y'}, \qquad y'' = \sqrt{\frac{1}{y'} - y'^2},$$
$$s = \frac{1}{\sqrt{y'}}, \qquad \cos \sigma = \frac{1}{s^3} = y' \sqrt{y'}.$$

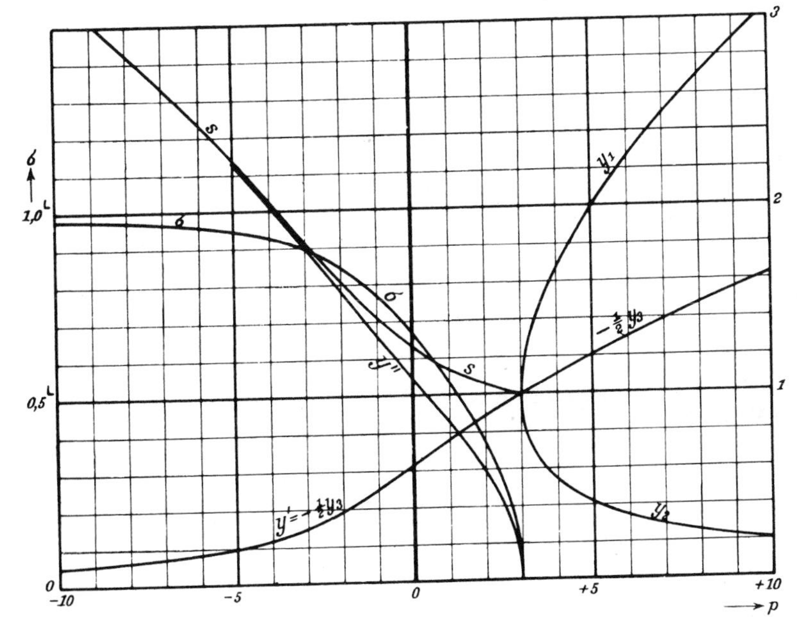

Fig. 9. Die kubische Gleichung $y^3 + 2 = 3py$. Die Lösungen $y_n = y' + iy'' = s i^{\sigma}$ als Funktionen von $3p$.

Fig. 9. The cubic equation $y^3 + 2 = 3py$. The solutions $y_n = y' + iy'' = s i^{\sigma}$ as functions of $3p$.

Für die Lösungen gelten die folgenden Näherungen:

1. $3p = -N$ ist eine große negative Zahl ($N >> 1$):

For the solutions the following approximations hold:

1. $3p = -N$ is a large negative number ($N >> 1$):

$$y' = -\frac{1}{2} y_3 = \frac{1}{N} - \frac{4}{N^4} + \frac{48}{N^7} - \cdots$$

$$y'' = \sqrt{N} + \frac{3}{2N^2\sqrt{N}} - \frac{105}{8N^5\sqrt{N}} + \cdots$$

2. $3p$ ist eine kleine (positive oder negative) Zahl ($|p| << 1$):

2. $3p$ is a small (positive or negative) number ($|p| << 1$):

$$y_n = \sqrt[3]{2}\,\varepsilon^{-2n+3} + \frac{p}{\sqrt[3]{2}}\,\varepsilon^{2n-3} + \frac{\sqrt[3]{2}}{12} p^3 \varepsilon^{-2n} + \cdots,$$

mit | where

$$\varepsilon = e^{i\,60^\circ} = e^{i\frac{\pi}{3}} = \frac{1+i\sqrt{3}}{2}, \qquad n = 1, 2, 3,$$

$$\sqrt[3]{2} = 1{,}2599 = 1/0{,}79370.$$

3. $3p \approx 3, \quad p = 1 - r^2, \quad r^2 = 1 - p << 1, \quad r > 0:$

$$y' = -\frac{1}{2} y_3 = 1 - \frac{r^2}{3} - \frac{r^4}{27} - \frac{r^6}{243} - \frac{r^8}{729} - \cdots$$

$$y'' = r + \frac{r^3}{18} + \frac{5r^5}{216} + \frac{r^7}{1296} + \cdots$$

4. $3p \approx 3, \quad p = 1 + q^2, \quad q^2 = p - 1 << 1, \quad q > 0:$

$$y_{1,2} = 1 \pm q + \frac{q^2}{3} \mp \frac{q^3}{18} - \frac{q^4}{27} \pm \cdots$$

$$-\frac{1}{2} y_3 = 1 + \frac{q^2}{3} - \frac{q^4}{27} + \cdots$$

5. $3p = +N$ ist eine große positive Zahl ($N >> 1$):

5. $3p = +N$ is a large positive number ($N >> 1$):

$$y_{1,3} = \pm\sqrt{N} - \frac{1}{N} \mp \frac{3}{2N^2\sqrt{N}} - \frac{4}{N^4} \mp \frac{105}{8N^5\sqrt{N}} - \frac{48}{N^7} \mp \cdots$$

$$+\frac{1}{2} y_2 = \frac{1}{N} + \frac{4}{N^4} + \frac{48}{N^7} + \cdots$$

Über Gleichungen vierten Grades s. J. Sommer, Ann. Phys. 58 (1919) S. 375 und F. Schilling, Math. Z. 34 (1931) S. 50.

For equations of the fourth degree cf. J. Sommer, Ann. Phys. 58 (1919) p. 375 and F. Schilling, Math. Z. 34 (1931) p. 50.

$3p$	y'	y''	s	σ	$3p$	y'	y''	s	σ
$-N$	$\frac{1}{N}-\frac{4}{N^4}$	$N^{\frac{1}{2}}+\frac{3}{2N^{\frac{5}{2}}}$	$N^{\frac{1}{2}}+\frac{2}{N^{\frac{5}{2}}}$	$1-\frac{2}{\pi N^{\frac{3}{2}}}$	−5,0	0,19414	2,261	2,270	0,9454
−9,9	0,10060	3,151	3,153	0,97968	−4,9	776	40	49	39
8	161	35	37	938	8	0,2015	19	28	23
7	265	20	21	906	7	054	2,197	07	07
6	370	04	05	874	6	094	75	2,185	0,9389
5	478	3,088	3,089	840	5	136	53	64	71
4	588	71	73	806	4	179	31	42	51
3	700	55	57	771	3	223	09	21	31
2	815	39	41	736	2	270	2,087	2,099	10
1	932	23	25	699	1	318	64	77	0,9288
0	0,11051	06	08	661	0	367	42	55	65
−8,9	173	2,990	2,992	622	−3,9	419	19	33	41
8	298	73	75	582	8	472	1,9958	11	15
7	426	56	58	541	7	528	727	1,9889	0,9189
6	556	39	42	498	6	586	495	666	61
5	689	22	25	455	5	645	261	442	31
4	826	05	08	410	4	708	026	218	00
3	966	2,888	2,891	364	3	772	1,8790	1,8993	0,9067
2	0,12109	71	74	317	2	839	552	768	33
1	255	54	57	268	1	908	313	543	0,8997
0	405	37	39	218	0	980	073	318	960
−7,9	558	19	22	166	−2,9	0,3055	1,7833	093	920
8	715	02	04	113	8	132	591	1,7868	878
7	876	2,784	2,787	058	7	212	348	643	834
6	0,13041	66	69	001	6	295	105	420	788
5	210	48	51	0,96942	5	381	1,6861	197	740
4	384	30	33	882	4	470	617	1,6976	689
3	562	12	15	819	3	562	373	756	636
2	745	2,694	2,697	755	2	657	128	537	581
1	932	76	79	688	1	754	1,5883	321	522
0	0,14125	57	61	619	0	855	639	107	461
−6,9	322	38	42	548	−1,9	958	395	1,5895	398
8	526	19	24	474	8	0,4064	151	686	332
7	734	01	05	397	7	173	1,4908	481	262
6	949	2,582	2,586	318	6	284	665	278	190
5	0,15170	63	67	236	5	398	423	079	116
4	397	44	48	152	4	514	182	1,4884	038
3	631	25	29	063	3	633	1,3942	692	0,7958
2	871	05	10	0,95971	2	753	703	504	874
1	0,16119	2,486	2,491	877	1	876	466	321	788
0	374	66	71	779	0	0,5000	229	142	699
−5,9	637	46	52	677	−0,9	126	1,2993	1,3967	608
8	908	26	32	571	8	253	758	797	513
7	0,17187	06	12	460	7	381	525	632	417
6	476	2,386	2,392	345	6	511	292	471	317
5	773	65	72	225	5	641	061	315	215
4	0,18081	45	52	101	4	772	1,1830	163	110
3	398	24	31	0,94971	3	903	598	014	003
2	726	03	11	836	2	0,6035	370	1,2872	0,6893
1	0,19064	2,282	2,290	695	1	167	140	734	781
0	414	61	70	54	0	300	1,0911	599	667

$3p$	y'	y''	ε	σ
∓0,0	0,6300	1,0911	1,2599	0,6667
1	432	683	469	550
2	564	453	343	430
3	696	223	221	309
4	827	0,9993	102	184
5	959	761	1,1988	057
6	0,7090	528	877	0,5928
7	220	294	769	795
8	349	058	665	661
9	478	0,8820	564	523
+1,00	607	579	466	382
05	671	457	418	310
10	734	335	371	238
15	798	211	324	165
20	861	087	278	090
25	924	0,7962	233	015
30	987	836	189	0,4939
35	0,8050	708	145	862
40	113	579	102	784
45	175	449	060	705
50	237	318	018	624
55	299	185	1,0977	543
60	361	050	936	460
65	422	0,6914	896	376
70	483	776	856	290
75	544	635	818	203
80	605	493	780	115
85	666	348	742	025
90	726	201	705	0,3933
95	786	051	668	839
+2,00	846	0,5897	632	743
2	870	835	618	705
4	894	773	603	665
6	918	710	1,0589	625
8	942	646	75	585
+2,10	966	581	61	545
2	989	516	47	504
4	0,9013	451	33	463
6	037	385	19	421
8	060	318	06	379
+2,20	084	250	1,0492	336
2	108	182	78	293
4	131	112	65	249
6	155	042	52	205
8	178	0,4972	38	160
+2,30	202	900	25	115
2	225	827	12	069
4	248	753	1,0398	022
6	272	679	85	0,2975
8	295	603	72	927

$3p$	y'	y''	ε	σ
+2,40	0,9318	0,4526	1,0359	0,2879
2	341	448	46	829
4	365	369	34	779
6	388	288	21	728
8	411	206	08	676
+2,50	434	123	1,0296	623
2	457	038	83	569
4	480	0,3952	71	514
6	503	863	58	458
8	526	772	46	401
+2,60	549	680	33	342
2	572	586	21	282
4	595	489	09	220
6	617	389	1,0197	157
8	640	286	85	092
+2,70	663	181	73	025
2	686	072	61	0,1955
4	708	0,2959	49	883
6	731	842	37	809
8	754	719	25	731
+2,80	776	592	14	650
1	787	526	08	608
2	799	458	02	565
3	810	388	1,0096	520
4	821	316	91	474
5	832	243	85	428
6	844	166	79	380
7	855	087	73	329
8	866	004	68	276
9	877	0,1919	62	221
+2,90	888	829	56	164
1	900	735	51	105
2	911	636	45	042
3	922	530	39	0,0974
4	933	416	34	901
5	944	292	28	823
6	955	156	22	736
7	967	002	17	638
8	978	0,0818	11	521
9	989	579	06	369
$3-\varepsilon$	$1-\frac{\varepsilon}{9}$	$\sqrt{\frac{\varepsilon}{3}}+\frac{\varepsilon}{54}\sqrt{\frac{\varepsilon}{3}}$	$1+\frac{\varepsilon}{18}$	$\frac{2}{\pi}\sqrt{\frac{\varepsilon}{3}}+\frac{\varepsilon}{27\pi}\sqrt{\frac{\varepsilon}{3}}$
3,00	1,0000	0,0000	1,0000	0,0000

$3p$	y_1	y_2	y_3	$3p$	y_1	y_2	y_3
3,00	1,0000	1,0000	−2,000				
$3+\varepsilon$	$1+\sqrt{\frac{\varepsilon}{3}}+\frac{\varepsilon}{9}$	$1-\sqrt{\frac{\varepsilon}{3}}+\frac{\varepsilon}{9}$	$-2-\frac{2\varepsilon}{9}$	3,80	1,5958	0,5768	−2,173
3,01	1,0589	0,9434	−2,002	2	1,6041	728	77
2	837	206	04	4	123	688	81
3	1,1032	034	07	6	204	648	85
4	198	0,8890	09	8	284	610	89
5	344	766	11	3,90	364	572	94
6	479	654	13	2	444	535	98
7	603	552	15	4	521	498	−2,202
8	719	458	18	6	598	462	06
9	828	370	20	8	675	427	10
3,10	933	288	22	4,00	751	392	14
1	1,2032	211	24	05	939	308	25
2	128	137	27	10	1,7123	226	35
3	220	067	29	15	304	148	45
4	309	000	31	20	481	073	55
5	396	0,7936	33	25	656	000	66
6	479	874	35	30	827	0,4930	76
7	561	815	38	35	996	862	86
8	640	757	40	40	1,8163	796	96
9	717	702	42	45	327	733	−2,306
3,20	793	648	44	50	489	671	16
2	940	545	48	55	648	611	26
4	1,3080	448	53	60	806	553	36
6	216	356	57	65	961	497	46
8	348	268	62	70	1,9115	442	56
3,30	475	184	66	75	266	388	65
2	599	104	70	80	416	336	75
4	719	027	75	85	564	286	85
6	837	0,6953	79	90	711	237	95
8	951	881	83	95	856	189	−2,405
3,40	1,4064	812	88	5,0	2,000	142	14
2	174	746	92	1	23	052	33
4	281	681	96	2	56	0,3966	53
6	387	618	−2,101	3	83	884	72
8	491	557	05	4	2,110	806	91
3,50	593	498	09	5	36	731	−2,509
2	693	441	13	6	62	659	28
4	791	385	18	7	88	590	47
6	888	331	22	8	2,213	524	65
8	984	278	26	9	37	460	83
3,60	1,5078	226	30	6,0	62	399	−2,602
2	171	176	35	1	86	340	20
4	263	126	39	2	2,310	283	38
6	354	078	43	3	33	228	56
8	443	031	47	4	56	175	74
3,70	532	0,5985	52	5	79	124	91
2	619	940	56	6	2,401	074	−2,709
4	705	896	60	7	24	027	26
6	791	852	64	8	46	0,2980	44
8	875	810	68	9	68	935	61

$3p$	y_1	y_2	y_3	$3p$	y_1	y_2	y_3
7,0	2,489	0,2892	−2,778	9,0	2,882	0,2235	−3,105
1	2,511	849	96	1	2,900	210	21
2	32	809	−2,813	2	18	185	36
3	53	769	30	3	36	161	52
4	73	730	46	4	53	138	67
5	94	693	63	5	71	115	82
6	2,614	656	80	6	88	093	98
7	35	621	97	7	3,006	071	−3,213
8	54	586	−2,913	8	23	050	28
9	74	553	30	9	40	029	43
8,0	94	520	46	10,0	57	008	58
1	2,713	488	62	5	3,141	0,1911	−3,332
2	33	457	78	11,0	222	824	404
3	52	427	95	5	301	744	475
4	71	397	−3,011	12,0	378	671	545
5	90	369	27	5	453	603	613
6	2,808	340	43	13,0	526	541	680
7	27	313	58	5	598	484	746
8	45	286	74	14,0	668	431	811
9	64	260	90	5	737	381	875
				15,0	804	335	938
				N	$N^{\frac{1}{2}}-\frac{1}{N}$	$\frac{2}{N}+\frac{8}{N^4}$	$-N^{\frac{1}{2}}-\frac{1}{N}$

IV. Elementar-transzendente Gleichungen.
IV. Elementary transcendental equations.

1. $\operatorname{tg} x = x$ oder / or $\operatorname{tg}\xi = \frac{1}{x}$ mit / with $x = \left(n+\frac{1}{2}\right)\pi - \xi = a - \xi$.

Lösung: / Solution: $x = a - \frac{1}{a} - \frac{2}{3a^3} - \frac{13}{15a^5} - \frac{146}{105a^7} - \cdots$

n	x_n	Max. Min. $\left(\frac{\sin x}{x}\right)$	n	x_n	Max. Min. $\left(\frac{\sin x}{x}\right)$
1	0.	1	11	32,9564	+0,0303
2	4,4934	−0,2172	12	36,1006	−0,0277
3	7,7253	+0,1284	13	39,2444	+0,0255
4	10,9041	−0,0913	14	42,3879	−0,0236
5	14,0662	+0,0709	15	45,5311	+0,0220
6	17,2208	−0,0580	16	48,6741	−0,0205
7	20,3713	+0,0490	17	51,8170	+0,0193
8	23,5195	−0,0425			
9	26,6661	+0,0375			
10	29,8116	−0,0335			

2. $x\,\mathfrak{Tg}\,x = 1$ oder / or $\mathfrak{Ctg}\,x = x$; $x = 1{,}199\,678\ldots$

3. $\operatorname{tg} x = \dfrac{2x}{2-x^2}$, $x_1 = 0$, $x_2 = 119{,}26\dfrac{\pi}{180}$, $x_3 = 340{,}35\dfrac{\pi}{180}$.

4. $\operatorname{tg} x = \dfrac{x^3 - 9x}{4x^2 - 9}$, $x_1 = 0$, $x_2 = 3{,}3422$, $\ldots$

5. a) $\mathfrak{Tg}\,x = -\operatorname{ctg} x$ oder / or $\cos(x\sqrt{2i}) = c\sqrt{i}$ $\left(c \text{ reell / real}\right)$ oder / or

$\operatorname{tg}\xi = e^{-2x}$ mit / with $x = \left(n - \frac{1}{4}\right)\pi - \xi$ oder / or $\cos 2x\,\mathfrak{Cof}\,2x = -1$:

$x_1 = 2{,}3470$, $x_2 = 5{,}4978$, $\ldots$

b) $\mathfrak{Tg}\,x = -\operatorname{tg} x$ oder / or $\sin(x\sqrt{2i}) = s\sqrt{-i}$ $\left(s \text{ reell / real}\right)$ oder / or

$\operatorname{tg}\xi = e^{-2x}$ mit / with $x = \left(n - \frac{1}{4}\right)\pi + \xi$ oder / or $\cos 2x\,\mathfrak{Cof}\,2x = +1$:

$x_0 = 0$, $x_1 = 2{,}3650$, $x_2 = 5{,}4978$, $\ldots$

c) $\mathfrak{Tg}\,x = +\operatorname{tg} x$ oder / or $\sin(x\sqrt{2i}) = s\sqrt{i}$ $\left(s \text{ reell / real}\right)$ oder / or

$\operatorname{tg}\xi = e^{-2x}$ mit / with $x = \left(n + \frac{1}{4}\right)\pi - \xi$ oder / or $\cos 2x\,\mathfrak{Cof}\,2x = +1$:

$x_0 = 0$, $x_1 = 3{,}9266$, $x_2 = 7{,}0686$, $\ldots$

d) $\mathfrak{Tg}\,x = +\operatorname{ctg} x$ oder / or $\cos(x\sqrt{2i}) = c\sqrt{-i}$ $\left(c \text{ reell / real}\right)$ oder / or

$\operatorname{tg}\xi = e^{-2x}$ mit / with $x = \left(n + \frac{1}{4}\right)\pi + \xi$ oder / or $\cos 2x\,\mathfrak{Cof}\,2x = -1$:

$x_0 = 0{,}9375$, $x_1 = 3{,}9274$, $x_2 = 7{,}0686$, $\ldots$

e) Zusammenfassung dieser vier Gleichungen: | e) Summary of these four equations:

$\cos 2x\,\mathfrak{Cof}\,2x = \pm 1$:

$x_n = \left(n \pm \frac{1}{2}\right)\frac{\pi}{2} - (-1)^n \xi_n$ mit / with

$\xi_n = \frac{1}{a} \pm (-1)^n \frac{2}{a^2} + \frac{17}{3a^3} \pm (-1)^n \frac{56}{3a^4} + \cdots$, $a = e^{\left(n + \frac{1}{2}\right)\pi}$.

q	$q\pi$	q	$q\pi$	q	$1/a = e^{-q\pi}$
0,75	2,356 195	0,25	0,785 398	0,5	0,207 880
1,75	5,497 787	1,25	3,926 991	1,5	${}^{-2}898\,329$
2,75	8,639 380	2,25	7,068 584	2,5	${}^{-3}388\,203$
3,75	11,780 973	3,25	10,210 176	3,5	$1^{-5}67\,758$
4,75	14,922 565	4,25	13,351 769	4,5	${}^{-6}724\,947$

${}^{n}4 \equiv 0{,}4 \cdot 10^{n}$; $2^{n}9 \equiv 2{,}9 \cdot 10^{n}$.

V. Die Funktionen $x \operatorname{tg} x$, $\frac{\operatorname{tg} x}{x}$ und $\frac{\sin x}{x}$.

V. The functions $x \operatorname{tg} x$, $\frac{\operatorname{tg} x}{x}$ and $\frac{\sin x}{x}$.

$\pm x$	$x \operatorname{tg} x$	$\frac{\operatorname{tg} x}{x}$	$\frac{\sin x}{x}$	$\pm x$	$x \operatorname{tg} x$	$\frac{\operatorname{tg} x}{x}$	$\frac{\sin x}{x}$
0.00	0	1	1	0.40	0.16912	1.0570	0.9735
0.01	$0.0^3 10000$	1.0000	1.0000	0.41	0.1782	1.0601	0.9722
0.02	$0.0^3 4001$	1.0001	0.9999	0.42	0.1876	1.0633	0.9709
0.03	$0.0^3 9003$	1.0003	0.9998	0.43	0.1972	1.0666	0.9695
0.04	$0.0^2 16009$	1.0005	0.9997	0.44	0.2071	1.0700	0.9680
0.05	$0.0^2 2502$	1.0008	0.9996	0.45	0.2174	1.0735	0.9666
0.06	$0.0^2 3604$	1.0012	0.9994	0.46	0.2279	1.0771	0.9651
0.07	$0.0^2 4908$	1.0016	0.9992	0.47	0.2387	1.0808	0.9636
0.08	$0.0^2 6414$	1.0021	0.9989	0.48	0.2499	1.0846	0.9620
0.09	$0.0^2 8122$	1.0027	0.9987	0.49	0.2614	1.0885	0.9605
0.10	0.010033	1.0033	0.9983	0.50	0.2732	1.0926	0.9589
0.11	0.012149	1.0041	0.9980	0.51	0.2853	1.0968	0.9572
0.12	0.014470	1.0048	0.9976	0.52	0.2977	1.1011	0.9555
0.13	0.016996	1.0057	0.9972	0.53	0.3105	1.1055	0.9538
0.14	0.01973	1.0066	0.9967	0.54	0.3237	1.1101	0.9521
0.15	0.02267	1.0076	0.9963	0.55	0.3372	1.1147	0.9503
0.16	0.02582	1.0086	0.9957	0.56	0.3511	1.1196	0.9485
0.17	0.02918	1.0097	0.9952	0.57	0.3654	1.1245	0.9467
0.18	0.03275	1.0109	0.9946	0.58	0.3800	1.1296	0.9449
0.19	0.03654	1.0122	0.9940	0.59	0.3950	1.1348	0.9430
0.20	0.04054	1.0136	0.9933	0.60	0.4105	1.1402	0.9411
0.21	0.04476	1.0150	0.9927	0.61	0.4263	1.1458	0.9391
0.22	0.04920	1.0165	0.9920	0.62	0.4426	1.1515	0.9372
0.23	0.05385	1.0180	0.9912	0.63	0.4593	1.1573	0.9352
0.24	0.05873	1.0197	0.9904	0.64	0.4765	1.1633	0.9331
0.25	0.06384	1.0214	0.9896	0.65	0.4941	1.1695	0.9311
0.26	0.06917	1.0232	0.9888	0.66	0.5122	1.1759	0.9290
0.27	0.07473	1.0250	0.9879	0.67	0.5308	1.1825	0.9268
0.28	0.08051	1.0270	0.9870	0.68	0.5499	1.1892	0.9247
0.29	0.08654	1.0290	0.9860	0.69	0.5695	1.1961	0.9225
0.30	0.09280	1.0311	0.9851	0.70	0.5896	1.2033	0.9203
0.31	0.09930	1.0333	0.9841	0.71	0.6103	1.2106	0.9181
0.32	0.10604	1.0356	0.9830	0.72	0.6315	1.2181	0.9158
0.33	0.11303	1.0380	0.9819	0.73	0.6533	1.2259	0.9135
0.34	0.12027	1.0404	0.9808	0.74	0.6757	1.2339	0.9112
0.35	0.12776	1.0429	0.9797	0.75	0.6987	1.2421	0.9089
0.36	0.13550	1.0456	0.9785	0.76	0.7223	1.2506	0.9065
0.37	0.14351	1.0483	0.9773	0.77	0.7466	1.2593	0.9041
0.38	0.15178	1.0511	0.9761	0.78	0.7716	1.2683	0.9016
0.39	0.16031	1.0540	0.9748	0.79	0.7973	1.2775	0.8992

$\pm x$	$x \operatorname{tg} x$	$\frac{\operatorname{tg} x}{x}$	$\frac{\sin x}{x}$	$\pm x$	$x \operatorname{tg} x$	$\frac{\operatorname{tg} x}{x}$	$\frac{\sin x}{x}$
0,80	0,8237	1,2870	0,8967	1,30	4,683	2,771	0,7412
0,81	0,8509	1,2969	0,8942	1,31	4,909	2,860	0,7375
0,82	0,8788	1,3070	0,8916	1,32	5,152	2,957	0,7339
0,83	0,9075	1,3174	0,8891	1,33	5,416	3,062	0,7302
0,84	0,9371	1,3281	0,8865	1,34	5,703	3,176	0,7265
0,85	0,9676	1,3392	0,8839	1,35	6,015	3,300	0,7228
0,86	0,9989	1,3506	0,8812	1,36	6,356	3,436	0,7190
0,87	1,0312	1,3624	0,8785	1,37	6,731	3,586	0,7153
0,88	1,0645	1,3746	0,8758	1,38	7,145	3,752	0,7115
0,89	1,0988	1,3872	0,8731	1,39	7,604	3,936	0,7077
0,90	1,1341	1,4002	0,8704	1,40	8,117	4,141	0,7039
0,91	1,1706	1,4136	0,8676	1,41	8,693	4,373	0,7001
0,92	1,2082	1,4275	0,8648	1,42	9,345	4,635	0,6962
0,93	1,2470	1,4418	0,8620	1,43	10,089	4,934	0,6924
0,94	1,2871	1,4566	0,8591	1,44	10,947	5,279	0,6885
0,95	1,3285	1,4720	0,8562	1,45	11,945	5,681	0,6846
0,96	1,3712	1,4879	0,8533	1,46	13,123	6,157	0,6807
0,97	1,4154	1,5043	0,8504	1,47	14,534	6,726	0,6768
0,98	1,4611	1,5214	0,8474	1,48	16,255	7,421	0,6729
0,99	1,5084	1,5391	0,8445	1,49	18,40	8,288	0,6690
1,00	1,5574	1,5574	0,8415	1,50	21,15	9,401	0,6650
1,01	1,6081	1,5764	0,8384	1,51	24,81	10,880	0,6610
1,02	1,6607	1,5962	0,8354	1,52	29,90	12,940	0,6570
1,03	1,7152	1,6167	0,8323	1,53	37,48	16,012	0,6531
1,04	1,7718	1,6381	0,8292	1,54	49,99	21,08	0,6490
1,05	1,8305	1,6603	0,8261	1,55	74,52	31,02	0,6450
1,06	1,891	1,6834	0,8230	1,56	144,49	59,37	0,6410
1,07	1,955	1,7075	0,8198	1,57	1971,55	799,85	0,6369
1,08	2,021	1,7326	0,8166	$\frac{\pi}{2}$	∞	∞	*0,6366*
1,09	2,090	1,7588	0,8134	1,58	−171,67	−68,77	0,6329
1,10	2,161	1,7861	0,8102	1,59	−82,79	−32,75	0,6288
1,11	2,236	1,8147	0,8069	1,60	−54,77	−21,40	0,6247
1,12	2,314	1,845	0,8037	1,61	−41,05	−15,835	0,6206
1,13	2,395	1,876	0,8004	1,62	−32,90	−12,535	0,6165
1,14	2,481	1,909	0,7970	1,63	−27,50	−10,350	0,6124
1,15	2,570	1,943	0,7937	1,64	−23,66	−8,797	0,6083
1,16	2,663	1,979	0,7903	1,65	−20,79	−7,636	0,6042
1,17	2,761	2,017	0,7870	1,66	−18,56	−6,735	0,6000
1,18	2,864	2,057	0,7836	1,67	−16,779	−6,016	0,5959
1,19	2,973	2,099	0,7801	1,68	−15,323	−5,429	0,5917
1,20	3,087	2,143	0,7767	1,69	−14,110	−4,940	0,5875
1,21	3,207	2,190	0,7732	1,70	−13,084	−4,527	0,5833
1,22	3,334	2,240	0,7698	1,71	−12,205	−4,174	0,5791
1,23	3,468	2,293	0,7663	1,72	−11,442	−3,868	0,5749
1,24	3,611	2,348	0,7627	1,73	−10,775	−3,600	0,5707
1,25	3,762	2,408	0,7592	1,74	−10,185	−3,364	0,5665
1,26	3,923	2,471	0,7556	1,75	−9,661	−3,155	0,5623
1,27	4,094	2,538	0,7520	1,76	−9,191	−2,967	0,5580
1,28	4,277	2,610	0,7484	1,77	−8,768	−2,799	0,5538
1,29	4,473	2,688	0,7448	1,78	−8,384	−2,646	0,5495
				1,79	−8,035	−2,508	0,5453

$\pm x$	$x \operatorname{tg} x$	$\frac{\operatorname{tg} x}{x}$	$\frac{\sin x}{x}$	$\pm x$	$x \operatorname{tg} x$	$\frac{\operatorname{tg} x}{x}$	$\frac{\sin x}{x}$
1,80	−7,715	−2,381	0,5410	2,30	−2,574	−0,4866	0,3242
1,81	−7,422	−2,265	0,5368	2,31	−2,534	−0,4749	0,3199
1,82	−7,151	−2,159	0,5325	2,32	−2,494	−0,4634	0,3156
1,83	−6,901	−2,061	0,5282	2,33	−2,455	−0,4523	0,3113
1,84	−6,669	−1,970	0,5239	2,34	−2,417	−0,4414	0,3070
1,85	−6,453	−1,885	0,5196	2,35	−2,379	−0,4308	0,3028
1,86	−6,251	−1,807	0,5153	2,36	−2,342	−0,4205	0,2985
1,87	−6,062	−1,7336	0,5110	2,37	−2,305	−0,4104	0,2942
1,88	−5,885	−1,6651	0,5067	2,38	−2,269	−0,4006	0,2899
1,89	−5,719	−1,6009	0,5024	2,39	−2,234	−0,3910	0,2857
1,90	−5,561	−1,5406	0,4981	2,40	−2,198	−0,3817	0,2814
1,91	−5,413	−1,4838	0,4937	2,41	−2,164	−0,3725	0,2772
1,92	−5,273	−1,4304	0,4894	2,42	−2,129	−0,3636	0,2730
1,93	−5,140	−1,3799	0,4851	2,43	−2,095	−0,3549	0,2687
1,94	−5,014	−1,3321	0,4807	2,44	−2,062	−0,3463	0,2645
1,95	−4,893	−1,2869	0,4764	2,45	−2,029	−0,3380	0,2603
1,96	−4,779	−1,2440	0,4720	2,46	−1,996	−0,3298	0,2561
1,97	−4,670	−1,2033	0,4677	2,47	−1,963	−0,3218	0,2519
1,98	−4,566	−1,1646	0,4634	2,48	−1,931	−0,3140	0,2477
1,99	−4,466	−1,1277	0,4590	2,49	−1,899	−0,3063	0,2436
2,00	−4,370	−1,0925	0,4546	2,50	−1,868	−0,2988	0,2394
2,01	−4,278	−1,0590	0,4503	2,51	−1,836	−0,2915	0,2352
2,02	−4,190	−1,0269	0,4459	2,52	−1,8051	−0,2843	0,2311
2,03	−4,106	−0,9963	0,4416	2,53	−1,7743	−0,2772	0,2269
2,04	−4,024	−0,9669	0,4372	2,54	−1,7437	−0,2703	0,2228
2,05	−3,945	−0,9388	0,4329	2,55	−1,7133	−0,2635	0,2187
2,06	−3,870	−0,9118	0,4285	2,56	−1,6831	−0,2568	0,2146
2,07	−3,796	−0,8860	0,4241	2,57	−1,6531	−0,2503	0,2105
2,08	−3,726	−0,8611	0,4198	2,58	−1,6233	−0,2439	0,2064
2,09	−3,657	−0,8372	0,4154	2,59	−1,5936	−0,2376	0,2023
2,10	−3,591	−0,8142	0,4111	2,60	−1,5642	−0,2314	0,1983
2,11	−3,526	−0,7921	0,4067	2,61	−1,5348	−0,2253	0,1942
2,12	−3,464	−0,7707	0,4023	2,62	−1,5057	−0,2193	0,1902
2,13	−3,403	−0,7502	0,3980	2,63	−1,4766	−0,2135	0,1861
2,14	−3,345	−0,7303	0,3936	2,64	−1,4477	−0,2077	0,1821
2,15	−3,287	−0,7112	0,3893	2,65	−1,4189	−2,2021	0,17812
2,16	−3,232	−0,6926	0,3849	2,66	−1,3902	−0,1965	0,17413
2,17	−3,177	−0,6747	0,3805	2,67	−1,3616	−0,1910	0,17015
2,18	−3,124	−0,6574	0,3762	2,68	−1,3331	−0,1856	0,16618
2,19	−3,073	−0,6407	0,3718	2,69	−1,3047	−0,1803	0,16223
2,20	−3,022	−0,6245	0,3675	2,70	−1,2764	−0,17508	0,15829
2,21	−2,973	−0,6088	0,3632	2,71	−1,2481	−0,16994	0,15436
2,22	−2,925	−0,5935	0,3588	2,72	−1,2199	−0,16488	0,15045
2,23	−2,878	−0,5787	0,3545	2,73	−1,1917	−0,15990	0,14655
2,24	−2,832	−0,5644	0,3501	2,74	−1,1636	−0,15499	0,14266
2,25	−2,787	−0,5505	0,3458	2,75	−1,1355	−0,15015	0,13879
2,26	−2,743	−0,5370	0,3415	2,76	−1,1075	−0,14538	0,13493
2,27	−2,699	−0,5239	0,3372	2,77	−1,0795	−0,14069	0,13108
2,28	−2,657	−0,5111	0,3328	2,78	−1,0515	−0,13605	0,12725
2,29	−2,615	−0,4987	0,3285	2,79	−1,0235	−0,13148	0,12344

$\pm x$	$x\,\mathrm{tg}\,x$	$\frac{\mathrm{tg}\,x}{x}$	$\frac{\sin x}{x}$	$\pm x$	$x\,\mathrm{tg}\,x$	$\frac{\mathrm{tg}\,x}{x}$	$\frac{\sin x}{x}$
2,80	−0,9955	−0,12697	0,11964	3,00	−0,4276	−0,04752	0,04704
2,81	−0,9675	−0,12253	0,11585	3,01	−0,3984	−0,04397	0,04359
2,82	−0,9395	−0,11814	0,11208	3,02	−0,3690	−0,04046	0,04016
2,83	−0,9115	−0,11381	0,10833	3,03	−0,3395	−0,03698	0,03675
2,84	−0,8835	−0,10954	0,10459	3,04	−0,3099	−0,03353	0,03336
2,85	−0,8554	−0,10532	0,10087	3,05	−0,2801	−0,03011	0,02999
2,86	−0,8273	−0,10115	0,09716	3,06	−0,2502	−0,02672	0,02663
2,87	−0,7992	−0,09703	0,09347	3,07	−0,2202	−0,02336	0,02330
2,88	−0,7711	−0,09296	0,08980	3,08	−0,1899	−0,02002	0,01998
2,89	−0,7428	−0,08894	0,08614	3,09	−0,15956	−0,016711	0,016689
2,90	−0,7146	−0,08497	0,08250	3,10	−0,12901	−0,013425	0,013413
2,91	−0,6862	−0,08104	0,07888	3,11	−0,09829	−0,010162	0,010157
2,92	−0,6579	−0,07715	0,07527	3,12	−0,06738	−0,006922	0,006920
2,93	−0,6294	−0,07331	0,07168	3,13	−0,03629	−0,003704	0,003704
2,94	−0,6008	−0,06951	0,06811	3,14	$-0{,}0^{2}5001$	$-0{,}0^{3}5072$	$0{,}0^{3}5072$
2,95	−0,5722	−0,06575	0,06455	π	0	0	0
2,96	−0,5435	−0,06203	0,06101				
2,97	−0,5147	−0,05835	0,05749				
2,98	−0,4858	−0,05470	0,05399				
2,99	−0,4568	−0,05109	0,05051				

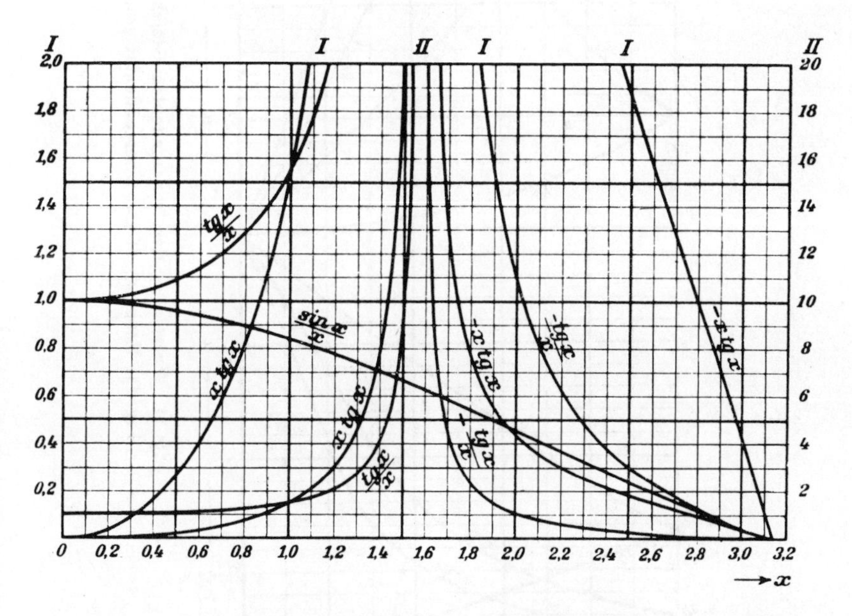

Fig. 10. Die Funktionen $x\,\mathrm{tg}\,x$, $\frac{\mathrm{tg}\,x}{x}$ und $\frac{\sin x}{x}$.

Fig. 10. The functions $x\,\mathrm{tg}\,x$, $\frac{\mathrm{tg}\,x}{x}$ and $\frac{\sin x}{x}$.

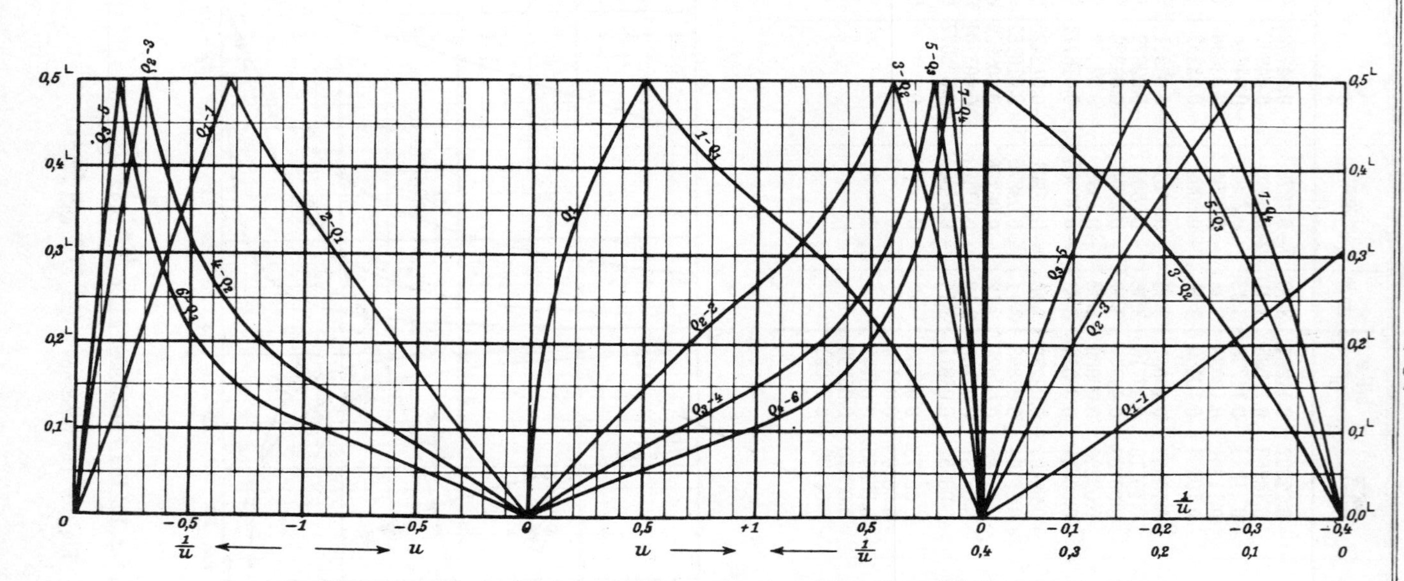

Fig. 11. Wurzeln ϱ_n der transzendenten Gleichung $\varrho \operatorname{tg} \varrho^{\llcorner} = u$ als Funktionen von u.
Fig. 11. Roots ϱ_n of the transcendental equation $\varrho \operatorname{tg} \varrho^{\llcorner} = u$ as functions of u.

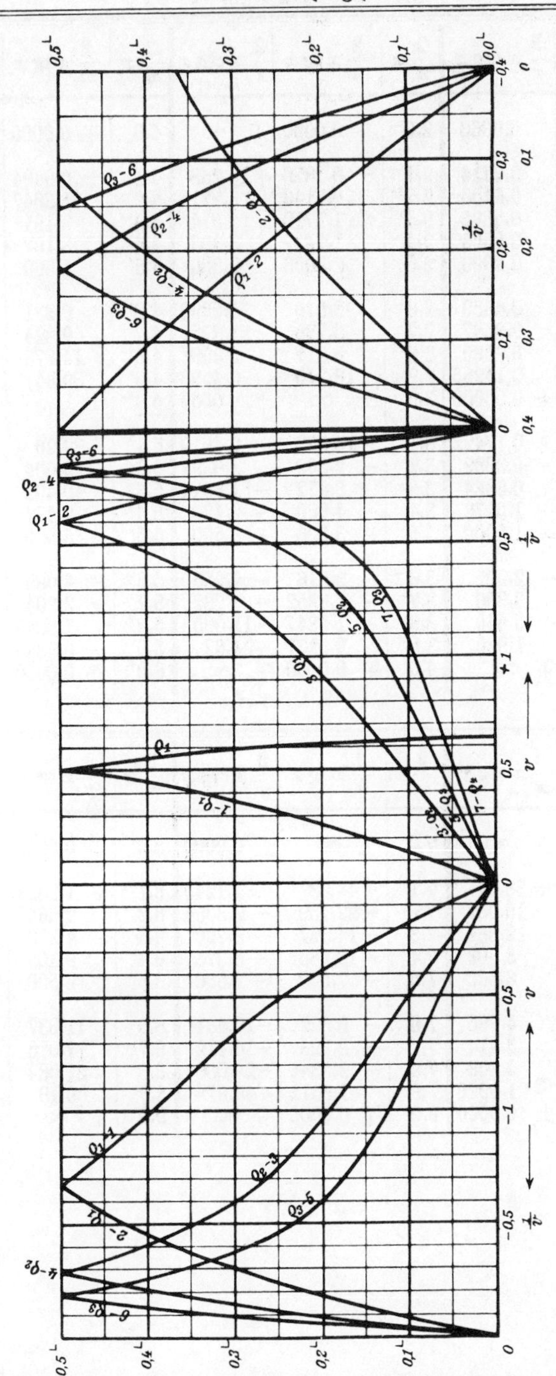

Fig. 12. Wurzeln ϱ_n der transzendenten Gleichung $\varrho \operatorname{ctg} \varrho^{\llcorner} = v$ als Funktionen von v.
Fig. 12. Roots ϱ_n of the transcendental equation $\varrho \operatorname{ctg} \varrho^{\llcorner} = v$ as functions of v.

V. Die Funktionen $\varrho \operatorname{tg} \varrho^{\llcorner}$ und $\varrho \operatorname{ctg} \varrho^{\llcorner}$.
V. The functions $\varrho \operatorname{tg} \varrho^{\llcorner}$ and $\varrho \operatorname{ctg} \varrho^{\llcorner}$.

$\frac{2}{\pi}x$	$\frac{2}{\pi}x \operatorname{tg} x$	$\frac{2}{\pi}x \operatorname{ctg} x$	$\frac{2}{\pi}x$	$\frac{2}{\pi}x \operatorname{tg} x$	$\frac{2}{\pi}x \operatorname{ctg} x$	$\frac{2}{\pi}x$	$\frac{2}{\pi}x \operatorname{tg} x$	$\frac{2}{\pi}x \operatorname{ctg} x$
0,0⌞	0,000000	0,6366	2,0⌞	∓ 0,0000	∓ ∞	4,0⌞	∓ 0,0000	∓ ∞
0,1⌞	0,015838	0,6314	2,1⌞	+ 0,3326	+13,259	4,1⌞	+ 0,6494	+25,89
0,2⌞	0,06498	0,6155	2,2⌞	0,7148	6,771	4,2⌞	1,3647	12,926
0,3⌞	0,15286	0,5888	2,3⌞	1,1719	4,514	4,3⌞	2,191	8,439
0,4⌞	0,2906	0,5506	2,4⌞	1,7437	3,303	4,4⌞	3,197	6,056
0,5⌞	0,5000	0,5000	2,5⌞	2,5000	2,500	4,5⌞	4,500	4,500
0,6⌞	0,8258	0,4359	2,6⌞	3,579	1,8890	4,6⌞	6,331	3,342
0,7⌞	1,3738	0,3567	2,7⌞	5,299	1,3757	4,7⌞	9,224	2,395
0,8⌞	2,462	0,2599	2,8⌞	8,617	0,9098	4,8⌞	14,773	1,5596
0,9⌞	5,682	0,14255	2,9⌞	18,310	0,4593	4,9⌞	30,94	0,7761
1,0⌞	± ∞	± 0,00000	3,0⌞	± ∞	± 0,0000	5,0⌞	± ∞	± 0,0000
1,1⌞	− 6,945	− 0,17422	3,1⌞	−19,573	− 0,4910	5,1⌞	− 32,20	− 0,8078
1,2⌞	− 3,693	− 0,3899	3,2⌞	− 9,849	− 1,0397	5,2⌞	−16,004	− 1,6896
1,3⌞	− 2,551	− 0,6624	3,3⌞	− 6,477	− 1,6814	5,3⌞	−10,402	− 2,700
1,4⌞	− 1,9269	− 1,0172	3,4⌞	− 4,680	− 2,470	5,4⌞	− 7,432	− 3,923
1,5⌞	− 1,5000	− 1,5000	3,5⌞	− 3,500	− 3,500	5,5⌞	− 5,500	− 5,500
1,6⌞	− 1,1625	− 2,202	3,6⌞	− 2,616	− 4,955	5,6⌞	− 4,069	− 7,708
1,7⌞	− 0,8662	− 3,336	3,7⌞	− 1,8852	− 7,262	5,7⌞	− 2,904	−11,187
1,8⌞	− 0,5849	− 5,540	3,8⌞	− 1,2347	−11,695	5,8⌞	− 1,8845	−17,851
1,9⌞	− 0,3009	−11,996	3,9⌞	− 0,6177	−24,62	5,9⌞	− 0,9345	−37,25
2,0⌞	∓0,0000	∓ ∞	4,0⌞	∓ 0,0000	∓ ∞	6,0⌞	∓ 0,0000	∓ ∞

$\frac{2}{\pi}x$	$\frac{2}{\pi}x \operatorname{tg} x$	$\frac{2}{\pi}x \operatorname{ctg} x$	$\frac{2}{\pi}x$	$\frac{2}{\pi}x \operatorname{tg} x$	$\frac{2}{\pi}x \operatorname{ctg} x$	$\frac{2}{\pi}x$	$\frac{2}{\pi}x \operatorname{tg} x$	$\frac{2}{\pi}x \operatorname{ctg} x$
6,0⌞	∓ 0,0000	∓ ∞	7,0⌞	± ∞	± 0,0000	8,0⌞	∓ 0,0000	∓ ∞
6,1⌞	+ 0,9661	+ 38,51	7,1⌞	− 44,83	− 1,1245	8,1⌞	+ 1,2839	+ 51,14
6,2⌞	2,0145	19,082	7,2⌞	− 22,159	− 2,3394	8,2⌞	2,6643	25,237
6,3⌞	3,210	12,364	7,3⌞	− 14,327	− 3,720	8,3⌞	4,229	16,290
6,4⌞	4,650	8,809	7,4⌞	− 10,185	− 5,376	8,4⌞	6,103	11,562
6,5⌞	6,500	6,500	7,5⌞	− 7,500	− 7,500	8,5⌞	8,500	8,500
6,6⌞	9,084	4,795	7,6⌞	− 5,522	−10,461	8,6⌞	11,837	6,248
6,7⌞	13,149	3,414	7,7⌞	− 3,923	−15,112	8,7⌞	17,075	4,433
6,8⌞	20,93	2,209	7,8⌞	− 2,5344	−24,006	8,8⌞	27,084	2,8593
6,9⌞	43,56	1,0928	7,9⌞	− 1,2512	−49,879	8,9⌞	56,19	1,4096
7,0⌞	± ∞	± 0,0000	8,0⌞	∓ 0,0000	∓ ∞	9,0⌞	± ∞	± 0,0000

VI. Die Exponentialfunktion $e^{1/z}$.
VI. The exponential function $e^{1/z}$.

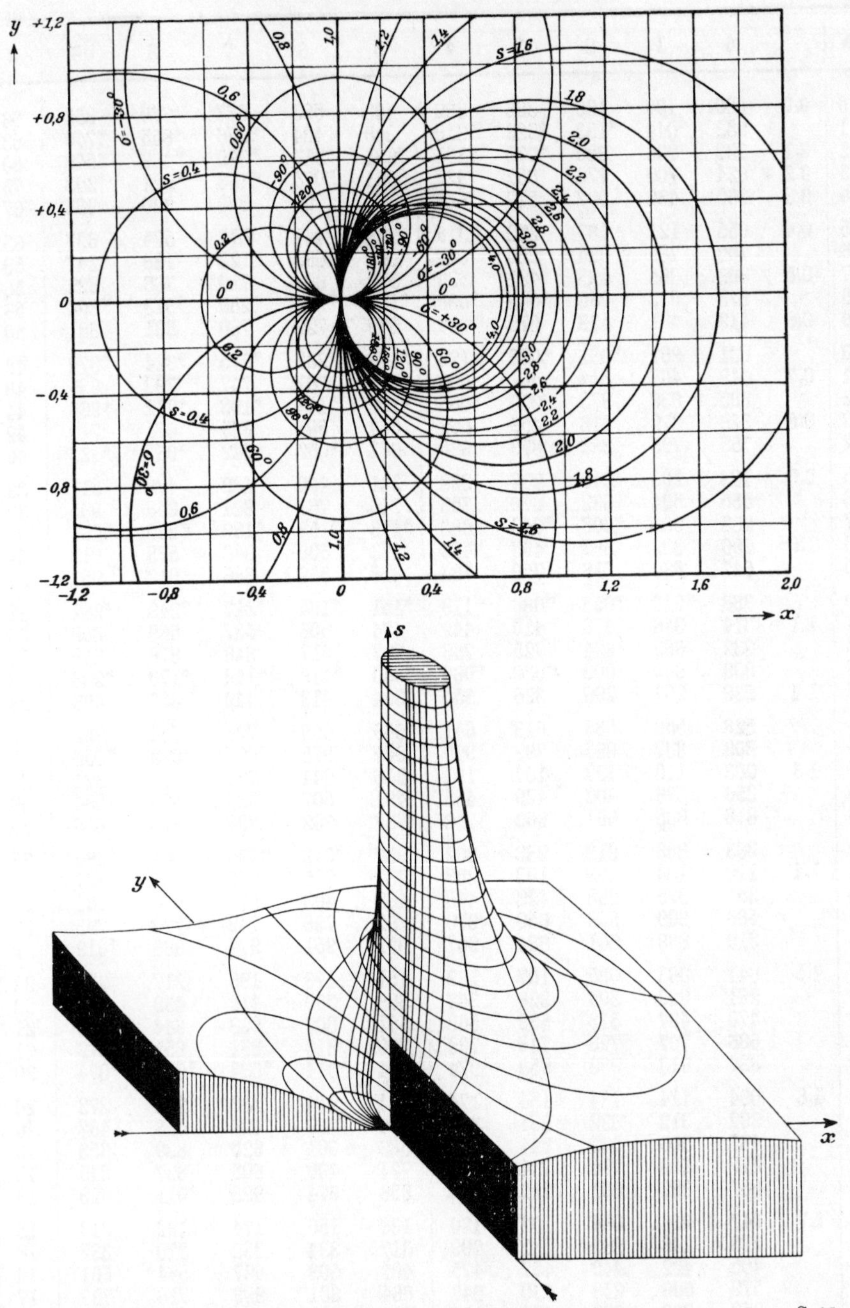

Fig. 13. Höhenkarte und Fig. 14. Relief der Exponentialfunktion $s e^{i\sigma} = e^{\frac{1}{x+iy}}$ (s. S. 43).
Fig. 13. Altitude chart and fig. 14. Relief of the exponential function $s e^{i\sigma} = e^{\frac{1}{x+iy}}$ (s. p. 43).

N		0	1	2	3	4	5	6	7	8	9	d
1,0	0,0	000	100	198	296	392	488	583	677	770	862	96
1		953	*044	*133	*222	*310	*398	484	*570	*655	*740	88
2	0,1	823	906	989	*070	*151	*231	*311	*390	*469	*546	80
3	0,2	624	700	776	852	927	*001	*075	*148	*221	*293	72
4	0,3	365	436	507	577	646	716	784	853	920	988	67
5	0,4	055	121	187	253	318	383	447	511	574	637	63
6		700	762	824	886	947	*008	*068	*128	*188	*247	59
7	0,5	306	365	423	481	539	596	653	710	766	822	56
8		878	933	988	*043	*098	*152	*206	*259	*313	*366	53
9	0,6	419	471	523	575	627	678	729	780	831	881	50
2,0		931	981	*031	*080	*129	*178	*227	*275	*324	*372	48
1	0,7	419	467	514	561	608	655	701	747	793	839	46
2		885	930	975	*020	*065	*109	*154	*198	*242	*286	44
3	0,8	329	372	416	459	502	544	587	629	671	713	42
4		755	796	838	879	920	961	*002	*042	*083	*123	40
5	0,9	163	203	243	282	322	361	400	439	478	517	39
6		555	594	632	670	708	746	783	821	858	895	38
7		933	969	*006	*043	*080	*116	*152	*188	*225	*260	36
8	1,0	296	332	367	403	438	473	508	543	578	613	34
9		647	682	716	750	784	818	852	886	919	953	33
3,0		986	*019	*053	*086	*119	*151	*184	*217	*249	*282	32
1	1,1	314	346	378	410	442	474	506	537	569	600	32
2		632	663	694	725	756	787	817	848	878	909	31
3		939	969	*000	*030	*060	*090	*119	*149	*179	*208	30
4	1,2	238	267	296	326	355	384	413	442	470	499	29
5		528	556	585	613	641	669	698	726	754	782	28
6		809	837	865	892	920	947	975	*002	*029	*056	27
7	1,3	083	110	137	164	191	218	244	271	297	324	26
8		350	376	403	429	455	481	507	533	558	584	26
9		610	635	661	686	712	737	762	788	813	838	25
4,0		863	888	913	938	962	987	*012	*036	*061	*085	25
1	1,4	110	134	159	183	207	231	255	279	303	327	24
2		351	375	398	422	446	469	493	516	540	563	23
3		586	609	633	656	679	702	725	748	770	793	23
4		816	839	861	884	907	929	951	974	996	*019	22
5	1,5	041	063	085	107	129	151	173	195	217	239	22
6		261	282	304	326	347	369	390	412	433	454	22
7		476	497	518	539	560	581	602	623	644	665	21
8		686	707	728	748	769	790	810	831	851	872	21
9		892	913	933	953	974	994	*014	*034	*054	*074	20
5,0	1,6	094	114	134	154	174	194	214	233	253	273	20
1		292	312	332	351	371	390	409	429	448	467	20
2		487	506	525	544	563	582	601	620	639	658	19
3		677	696	715	734	752	771	790	808	827	845	19
4		864	882	901	919	938	956	974	993	*011	*029	18
5	1,7	047	066	084	102	120	138	156	174	192	210	18
6		228	246	263	281	299	317	334	352	370	387	18
7		405	422	440	457	475	492	509	527	544	561	18
8		579	596	613	630	647	664	681	699	716	733	17
9		750	766	783	800	817	834	851	867	884	901	17

N		0	1	2	3	4	5	6	7	8	9	d
6,0	1,7	918	934	951	967	984	*001	*017	*034	*050	*066	17
1	1,8	083	099	116	132	148	165	181	197	213	229	16
2		245	262	278	294	310	326	342	358	374	390	16
3		405	421	437	453	469	485	500	516	532	547	16
4		563	579	594	610	625	641	656	672	687	703	15
5		718	733	749	764	779	795	810	825	840	856	15
6		871	886	901	916	931	946	961	976	991	*006	15
7	1,9	021	036	051	066	081	095	110	125	140	155	14
8		169	184	199	213	228	242	257	272	286	301	14
9		315	330	344	359	373	387	402	416	430	445	14
7,0		459	473	488	502	516	530	544	559	573	587	14
1		601	615	629	643	657	671	685	699	713	727	14
2		741	755	769	782	796	810	824	838	851	865	14
3		879	892	906	920	933	947	961	974	988	*001	14
4	2,0	015	028	042	055	069	082	096	109	122	136	13
5		149	162	176	189	202	215	229	242	255	268	13
6		281	295	308	321	334	347	360	373	386	399	13
7		412	425	438	451	464	477	490	503	516	528	13
8		541	554	567	580	592	605	618	631	643	656	13
9		669	681	694	707	719	732	744	757	769	782	13
8,0		794	807	819	832	844	857	869	882	894	906	13
1		919	931	943	956	968	980	992	*005	*017	*029	12
2	2,1	041	054	066	078	090	102	114	126	138	150	12
3		163	175	187	199	211	223	235	247	258	270	12
4		282	294	306	318	330	342	353	365	377	389	12
5		401	412	424	436	448	459	471	483	494	506	12
6		518	529	541	552	564	576	587	599	610	622	12
7		633	645	656	668	679	691	702	713	725	736	12
8		748	759	770	782	793	804	815	827	838	849	12
9		861	872	883	894	905	917	928	939	950	961	11
9,0		972	983	994	*006	*017	*028	*039	*050	*061	*072	11
1	2,2	083	094	105	116	127	138	148	159	170	181	11
2		192	203	214	225	235	246	257	268	279	289	11
3		300	311	322	332	343	354	364	375	386	396	11
4		407	418	428	439	450	460	471	481	492	502	11
5		513	523	534	544	555	565	576	586	597	607	11
6		618	628	638	649	659	670	680	690	701	711	10
7		721	732	742	752	762	773	783	793	803	814	10
8		824	834	844	854	865	875	885	895	905	915	10
9		925	935	946	956	966	976	986	996	*006	*016	10

Natürliche Logarithmen von $10^{\pm n}$.
Natural logarithms of $10^{\pm n}$

n	+	—	n	+	—	n	+	—
1	2,3026	$\overline{3}$,6974	6	13,8155	$\overline{14}$,1845	11	25,3284	$\overline{26}$,6716
2	4,6052	$\overline{5}$,3948	7	16,1181	$\overline{17}$,8819	12	27,6310	$\overline{28}$,3690
3	6,9078	$\overline{7}$,0922	8	18,4207	$\overline{19}$,5793	13	29,9336	$\overline{30}$,0664
4	9,2103	$\overline{10}$,7897	9	20,7233	$\overline{21}$,2767	14	32,2362	$\overline{33}$,7638
5	11,5129	$\overline{12}$,4871	10	23,0259	$\overline{24}$,9741	15	34,5388	$\overline{35}$,4612

x		0	1	2	3	4	5	6	7	8	9	d
0,0	0,9	—	900	802	704	608	512	418	324	231	139	96
1		048	*958	*869	*781	*694	*607	*521	*437	*353	*270	87
2	0,8	187	106	025	*945	*866	*788	*711	*634	*558	*483	78
3	0,7	408	334	261	189	118	047	*977	*907	*839	*771	71
4	0,6	703	637	570	505	440	376	313	250	188	126	64
5		065	005	*945	*886	*827	*769	*712	*655	*599	*543	58
6	0,5	488	434	379	326	273	220	169	117	066	016	53
7	0,4	966	916	868	819	771	724	677	630	584	538	47
8		493	449	404	360	317	274	232	190	148	107	43
9		066	025	*985	*946	*906	*867	*829	*791	*753	*716	39
1,0	0,3	679	642	606	570	535	499	465	430	396	362	36
1		329	296	263	230	198	166	135	104	073	042	32
2		012	*982	*952	*923	*894	*865	*837	*808	*780	*753	29
3	0,2	725	698	671	645	618	592	567	541	516	491	26
4		466	441	417	393	369	346	322	299	276	254	23
5		231	209	187	165	144	122	101	080	060	039	22
6		019	*999	*979	*959	*940	*920	*901	*882	*864	*845	20
7	0,1	827	809	791	773	755	738	720	703	686	670	17
8		653	637	620	604	588	572	557	541	526	511	16
9	0,14	957	808	661	515	370	227	086	*946	*807	*670	143
2,0	0,13	534	399	266	134	003	*873	*745	*619	*493	*369	130
1	0,12	246	124	003	*884	*765	*648	*533	*418	*304	*192	117
2	0,11	080	*970	*861	*753	*646	*540	*435	*331	*228	*127	106
3	0,10	026	*926	*827	*730	*633	*537	*442	*348	*255	*163	96
4	0,09	072	*982	*892	*804	*716	*629	*544	*458	*374	*291	87
5	0,08	208	127	046	*966	*887	*808	*730	*654	*577	*502	79
6	0,07	427	353	280	208	136	065	*995	*925	*856	*788	71
7	0,06	721	654	587	522	457	393	329	266	204	142	64
8		081	020	*961	*901	*843	*784	*727	*670	*613	*558	59
9	0,05	502	448	393	340	287	234	182	130	079	029	53
3,0	0,04	979	929	880	832	783	736	689	642	596	550	47
1		505	460	416	372	328	285	243	200	159	117	43
2		076	036	*996	*956	*916	*877	*839	*801	*763	*725	39
3	0,03	688	652	615	579	544	508	474	439	405	371	34
4		337	304	271	239	206	175	143	112	081	050	31
5		020	*990	*960	*930	*901	*872	*844	*816	*788	*760	29
6	0,02	732	705	678	652	625	599	573	548	522	497	26
7		472	448	423	399	375	352	328	305	282	260	23
8		237	215	193	171	149	128	107	086	065	045	21
9		024	004	*984	*964	*945	*925	*906	*887	*869	*850	19
4,0	0,01	832	813	795	777	760	742	725	708	691	674	18
1	0,016	573	408	245	083	*923	*764	*608	*452	*299	*146	159
2	0,014	996	846	699	552	408	264	122	*982	*843	*705	144
3	0,013	569	434	300	168	037	*907	*778	*651	*525	*401	130
4	0,012	277	155	034	*914	*796	*679	*562	*447	*333	*221	117
5	0,011	109	*998	*889	*781	*673	*567	*462	*358	*255	*153	106
6	0,010	052	*952	*853	*755	*658	*562	*466	*372	*279	*187	96
7	0,009	095	005	*915	*826	*739	*652	*566	*480	*396	*312	87
8	0,008	230	148	067	*987	*907	*828	*750	*673	*597	*521	79
9	0.007	447	372	299	227	155	083	013	*943	*874	*806	72

x		0	1	2	3	4	5	6	7	8	9	d
5.0	0,006	738	671	605	539	474	409	346	282	220	158	65
1		097	036	*976	*917	*858	*799	*742	*685	*628	*572	59
2	0,005	517	462	407	353	300	248	195	144	092	042	52
3	0,004	992	942	893	844	796	748	701	654	608	562	48
4		517	472	427	383	339	296	254	211	169	128	43
5		087	046	006	*966	*927	*887	*849	*810	*773	*735	40
6	0,003	698	661	625	589	553	518	483	448	414	380	35
7		346	313	280	247	215	183	151	120	089	058	32
8		028	*997	*968	*938	*909	*880	*851	*823	*795	*767	29
9	0.002	739	712	685	658	632	606	580	554	529	504	26
6.0		479	454	430	405	382	358	334	311	288	265	23
1		243	221	198	177	155	133	112	091	070	050	22
2		029	009	*989	*969	*950	*930	*911	*892	*873	*855	20
3	0,001	836	818	800	782	764	747	729	712	695	678	17
4	0,0016	616	450	287	125	*964	*805	*648	*492	*338	*185	159
5	0,0015	034	*885	*737	*590	*445	*301	*159	*018	**878	**740	144
6	0,0013	604	468	334	202	070	*940	*811	*684	*558	*433	130
7	0,0012	309	187	065	*945	*826	*709	*592	*477	*363	*250	117
8	0,0011	138	027	*917	*809	*701	*595	*489	*385	*281	*179	106
9	0.0010	078	*978	*878	*780	*683	*586	*491	*397	*303	*210	97

$x=1$	2	3	4	5	6	7	8	9	
3679 −1	13534 −1	4979 −2	18316 −2	6738 −3	2479 −3	9119 −4	3355 −4	12341 −4	
$x=10$	20	30	40	50	60	70	80	90	100
4540 −5	2061 −9	9358 −14	4248 −18	1929 −22	8757 −27	3975 −31	18049 −35	8194 −40	3720 −44

Beispiel:
Example:

$$e^{-89{,}6932} = e^{-80} \cdot e^{-9} \cdot e^{-0{,}6932} = 1{,}8049 \cdot 10^{-35} \cdot 1{,}2341 \cdot 10^{-4} \cdot 0{,}5000 = 1{,}1137 \cdot 10^{-39}$$

$$= \text{num}\,(-89{,}6932\, M) = \text{num}\,(-38{,}95326) = \text{num}\,(0{,}04674 - 39).$$

Die Figuren auf S. 39 stellen die Exponentialfunktion von $1/z$ dar ($z = x + iy$). Dicht bei der „wesentlich singulären" Stelle $z = 0$ hat man links beliebig kleine, rechts beliebig große Werte des Betrages s der Funktion, im Vordergrund und im Hintergrund Werte von der Größenordnung 1. Die Fall-Linien $\sigma =$ konst. drängen sich bei $z = 0$ immer mehr zusammen. Die die komplexen Funktionswerte darstellenden Pfeile weisen hier also nach allen Richtungen.

The figures on p. 39 represent the exponential function of $1/z$ ($z = x + iy$). Close by the „essentially singular" point $z = 0$ we have on the left very small values, on the right very large values, of the modulus s of the function, in the fore- and background values near unity. The lines of steepest gradient $\sigma =$ const crowd the closer together the nearer we approach zero. The arrows representing the complex values of the function point here in all directions.

x		0	1	2	3	4	5	6	7	8	9	d
0,0	1,0	000	101	202	305	408	513	618	725	833	942	105
1	1,1	052	163	275	388	503	618	735	853	972	*093	115
2	1,2	214	337	461	586	712	840	969	*100	*231	*364	128
3	1,3	499	634	771	910	*049	*191	*333	*477	*623	*770	142
4	1,4	918	*068	*220	*373	*527	*683	*841	**000	**161	**323	156
5	1,6	487	653	820	989	*160	*333	*507	*683	*860	**040	173
6	1,	822	840	859	878	896	916	935	954	974	994	19
7	2,	014	034	054	075	096	117	138	160	181	203	21
8		226	248	271	293	316	340	363	387	411	435	24
9		460	484	509	535	560	586	612	638	664	691	26

$x = 1$	2	3	4	5	6	7	8	9	10
2,718	7,389	20,09	54,60	148,41	403,4	1096,6	2981	8103	22 026

$x = 20$	30	40	50	60	70	80	90	100
4852	10 686	2354	5185	11 420	2515	5541	12 204	2688
8	13	17	21	26	30	34	39	43

$e^x = 10^{Mx}$, $M = 0{,}434\ 294\ 482$

Beispiel:
Example: $e^{37,525} = e^{30} \cdot e^{7} \cdot e^{0,525} = 1{,}0686 \cdot 10^{13} \cdot 1096{,}6 \cdot 1{,}6905$
$= 1{,}981 \cdot 10^{16}$
$= \text{num}\,(37{,}525\,M) = \text{num}\ 16{,}29690.$

VII. Plancksche Strahlungsfunktion.

VII. Planck's radiation function.

Ein Körper von der absoluten Temperatur T sendet elektromagnetische Wellen von allen möglichen Wellenlängen λ aus. Doch verteilt sich die ausgestrahlte Energie sehr ungleichmäßig auf die verschieden langen Wellen. Auf die Wellen, deren Wellenlänge zwischen λ und $\lambda + d\lambda$ liegt, komme die Strahlungsdichte $J d\lambda$ [Watt/cm²]. Dann ist nach Planck

A body of absolute temperature T emits electromagnetic waves of all possible wave-lengths λ. The radiated energy is however very unequally distributed among the waves of different length. If we attribute to waves of wave-length between λ and $\lambda + d\lambda$ the density of radiation $J d\lambda$ [Watt/cm²], we have according to Planck

$$J = c^2 h \lambda^{-5} \left(e^{\frac{ch}{k\lambda T}} - 1\right)^{-1}.$$

Darin bedeutet | Here we have

$$c = 299\,850 \text{ km/sek}$$

die Lichtgeschwindigkeit im Vakuum, | the velocity of light in vacuo,

$$k = 1{,}372 \cdot 10^{-23} \frac{\text{Watt sek}}{\text{Grad}} \qquad \text{Grad} = \text{degree}$$

die Gaskonstante des elementaren Massenteilchens (Boltzmannsche Konstante), | the gas constant for 1 molecule (Boltzmann's constant),

$$h = 0{,}655 \cdot 10^{-33} \text{ Watt} \cdot \text{sek}^2$$

das Plancksche Wirkungsquantum. | Planck's quantum of action.

Wenn man zwei Zahlen x und y einführt, indem man setzt | Introducing two numbers x and y by substituting

$$\frac{\lambda T}{x} = \frac{ch}{k} = 1{,}43 \text{ cm} \cdot \text{Grad} = c_2, \qquad \lambda = \frac{c_2}{T} x,$$

$$\frac{\lambda^5 J}{x^5 y} = c^2 h = 0{,}589 \cdot 10^{-12} \text{ Watt} \cdot \text{cm}^2 = c_1,$$

$$\frac{J}{T^5 y} = \frac{k^5}{c^3 h^4} = 0{,}980 \cdot 10^{-13} \frac{\text{Watt}}{\text{cm}^2 \text{ Grad}^5} = c_3, \qquad J = c_3 T^5 y,$$

so nimmt die Plancksche Gleichung die Form an: | Planck's equation assumes the form:

$$\left(e^{\frac{1}{x}} - 1\right) x^5 y = 1.$$

y als Funktion von x gibt an, wie die Strahlungsdichte bei derselben Temperatur von der Wellenlänge abhängt (Zahlentafel und Fig. 15). | y as a function of x shows how at the same temperature the density of radiation depends on the wave-length (Table and fig. 15).

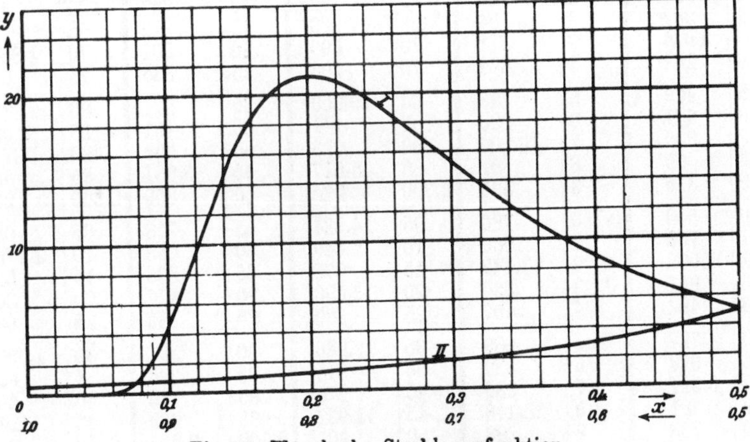

Fig. 15. Plancksche Strahlungsfunktion.
Fig. 15. Planck's radiation function.

x	y	x	y	x	y	x	y	x	y
0,060	0,07430	0,110	6,998	0,160	18,446	0,355	11,279	0,605	2,922
1	8990	1	7,259	1	589	60	10,965	10	852
2	0,10797	2	522	2	73	65	658	15	783
3	2875	3	787	3	86	70	360	20	717
4	5249	4	8,053	4	99	75	069	25	653
5	7946	5	320	5	19,12	80	9,787	30	590
6	0,2099	6	588	6	24	85	512	35	529
7	441	7	856	7	36	90	245	40	470
8	823	8	9,125	8	48	95	8,985	45	412
9	0,3248	9	393	9	59	0,400	733	50	356
0,070	718	0,120	662	0,170	69	05	488	55	302
1	0,4235	1	931	2	89	10	250	60	249
2	802	2	10,198	4	20,08	15	020	65	198
3	0,5422	3	465	6	25	20	7,796	70	148
4	0,6095	4	731	8	40	25	578	75	099
5	825	5	996	0,180	54	30	368	80	052
6	0,7613	6	11,259	5	82	35	163	85	006
7	0,8460	7	521	0,190	21,02	40	6,965	90	1,961
8	0,9368	8	781	5	15	45	773	95	918
9	1,0339	9	12,040	0,200	20	50	586	0,700	875
0,080	1373	0,130	296	05	18	55	406	05	8341
1	2471	1	550	10	11	60	231	10	1,7939
2	3635	2	801	15	20,99	65	061	15	548
3	4864	3	13,050	20	82	70	5,896	20	168
4	6160	4	296	25	61	75	736	25	1,6797
5	7521	5	540	30	36	80	582	30	436
6	8948	6	780	35	08	85	432	35	085
7	2,044	7	14,017	40	19,78	90	286	40	1,5743
8	200	8	251	45	45	95	145	45	409
9	362	9	482	50	10	0,500	009	50	084
0,090	531	0,140	710	55	18,74	05	4,876	55	1,4768
1	706	1	934	60	372	10	748	60	459
2	887	2	15,154	65	17,989	15	623	65	158
3	3,074	3	371	70	600	20	502	70	1,3865
4	267	4	584	75	206	25	385	75	580
5	466	5	793	80	16,809	30	271	80	301
6	671	6	998	85	411	35	161	85	029
7	880	7	16,200	90	013	40	054	90	1,2764
8	4,095	8	397	95	15,617	45	3,951	95	506
9	315	9	591	0,300	224	50	850	0,800	254
0,100	540	0,150	780	05	14,834	55	753	05	009
1	769	1	966	10	449	60	658	10	1,1769
2	5,003	2	17,147	15	070	65	566	15	535
3	241	3	324	20	13,696	70	477	20	307
4	482	4	497	25	329	75	390	25	084
5	727	5	666	30	12,968	80	307	30	1,0867
6	976	6	830	35	615	85	225	35	655
7	6,227	7	990	40	270	90	146	40	448
8	481	8	18,146	45	11,932	95	069	45	246
9	738	9	298	50	601	0,600	2,995	50	048

x	y	x	y	x	y	x	y	x	y
0,855	0,9856	0,980	0,6235	1,21	0,3000	1,46	0,15325	1,71	0,08607
60	667	85	128	2	0,2914	7	0,14951	2	424
65	484	90	023	3	831	8	588	3	246
70	304	95	0,5920	4	751	9	236	4	073
75	129	1,000	820	5	674	1,50	0,13895	5	0,07904
80	0,8958	1	625	6	599	1	564	6	740
85	790	2	438	7	527	2	242	7	580
90	627	3	259	8	458	3	0,12930	8	424
95	467	4	087	9	390	4	627	9	272
0,900	311	5	0,4922	1,30	326	5	333	1,80	124
05	158	6	764	1	263	6	047	1	0,06979
10	009	7	611	2	202	7	0,11770	2	838
15	0,7863	8	465	3	144	8	500	3	701
20	721	9	325	4	087	9	239	4	567
25	581	1,10	190	5	032	1,60	0,10984	5	437
30	445	1	060	6	0,1979	1	737	6	309
35	311	2	0,3935	7	928	2	496	7	185
40	181	3	814	8	878	3	262	8	064
45	054	4	699	9	8298	4	035	9	0,05946
50	0,6929	5	587	1,40	7831	5	0,09814	1,90	830
55	807	6	480	1	7380	6	599	1	718
60	687	7	377	2	6943	7	389	2	608
65	571	8	277	3	6519	8	186	3	501
70	456	9	181	4	6109	9	0,08988	4	396
75	344	1,20	089	5	5711	1,70	795	5	294

VIII. Quellenfunktionen der Wärmeleitung.

VIII. Source functions of heat conduction.

In einem n-dimensionalen unendlich ausgedehnten gleichförmigen Körper sei anfangs eine endliche Wärmemenge im Nullpunkt zusammengedrängt und sonst keine Wärme vorhanden. Das dieser Wärmemenge proportionale und daher von der Zeit unabhängige Raumintegral der Temperatur über den unendlichen n-dimensionalen Raum sei $=1$. Dann ist die Temperatur u zur Zeit $t=y/4a^2$

In an n-dimensional infinitely extended homogeneous body let a finite quantity of heat be initially concentrated at the origin and no heat at any other point. Let the volume-integral of the temperature extended over infinite n-dimensional space which is proportional to this heat quantity and therefore independent of the time, be equal to unity. Then at time $t=y/4a^2$ ($a^2=$ ther-

(a^2 = Temperaturleitfähigkeit) im Abstand x vom Nullpunkt

mal conductivity) the temperature u at distance x from the origin is

$$u = \frac{e^{-\frac{x^2}{y}}}{\sqrt{\pi y}^{\,n}} .$$

Die Figuren 16—21 stellen diese Funktion dar für die Fälle $n = 1$ (erhitzte Ebene, isotherme Ebenen), $n = 2$ (erhitzte Gerade, isotherme Kreiszylinderflächen, $x = r$), $n = 3$ (erhitzter Punkt, isotherme Kugelflächen, $x = R$).

The figures 16—21 represent this function for the cases $n = 1$ (heated plane, isothermal planes), $n = 2$ (heated straight line, isothermal cylindrical surfaces $x = r$), $n = 3$ (heated point, isothermal spherical surfaces, $x = R$).

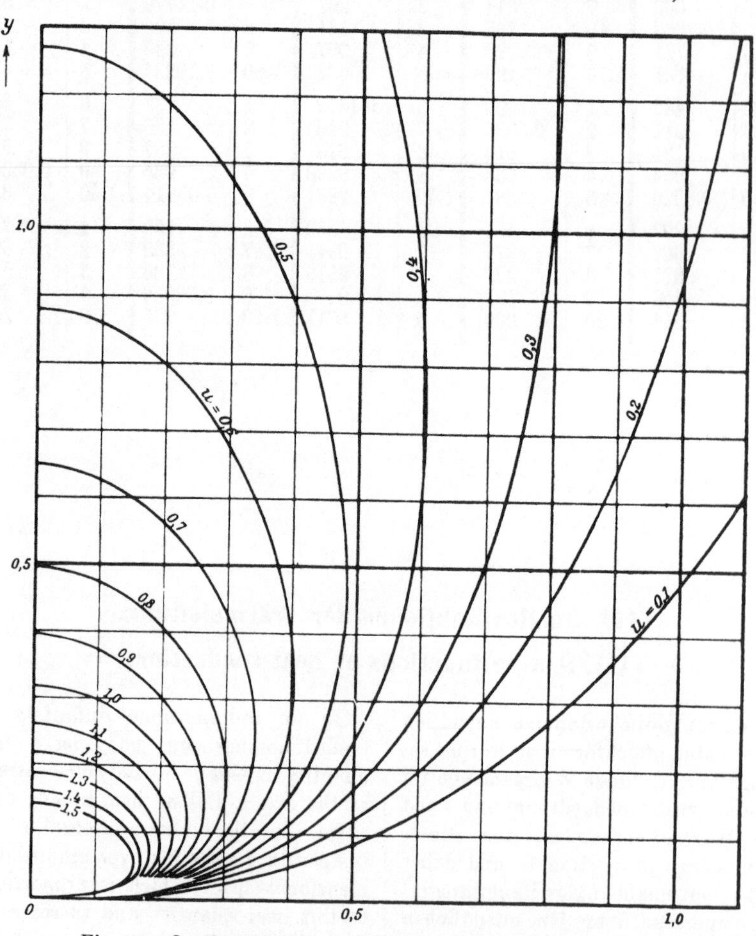

Fig. 19. Quellenfunktion der Wärmeleitung, eindimensional.
Fig. 19. Source function of heat conduction, one dimensional.

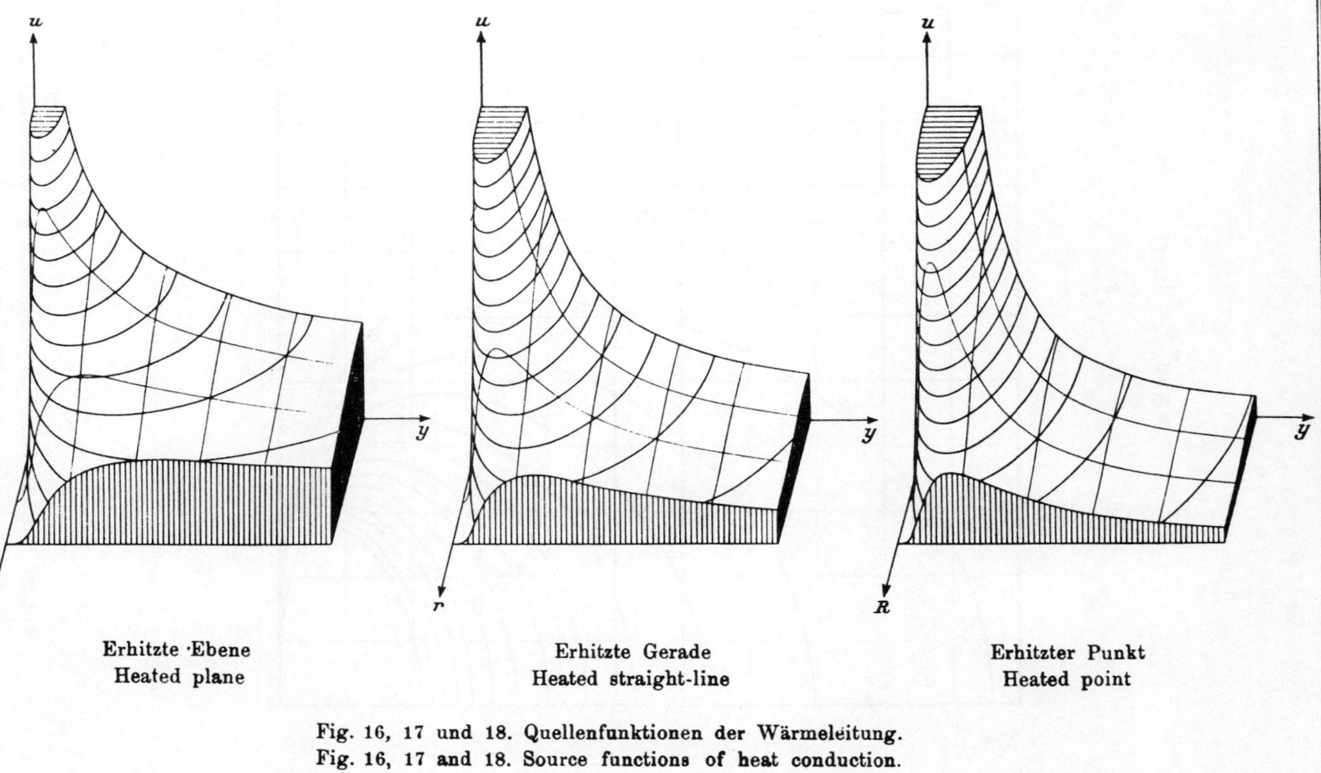

Erhitzte Ebene
Heated plane

Erhitzte Gerade
Heated straight-line

Erhitzter Punkt
Heated point

Fig. 16, 17 und 18. Quellenfunktionen der Wärmeleitung.
Fig. 16, 17 and 18. Source functions of heat conduction.

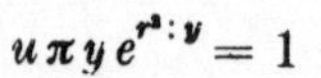

$$u \pi y e^{r^2 : y} = 1$$

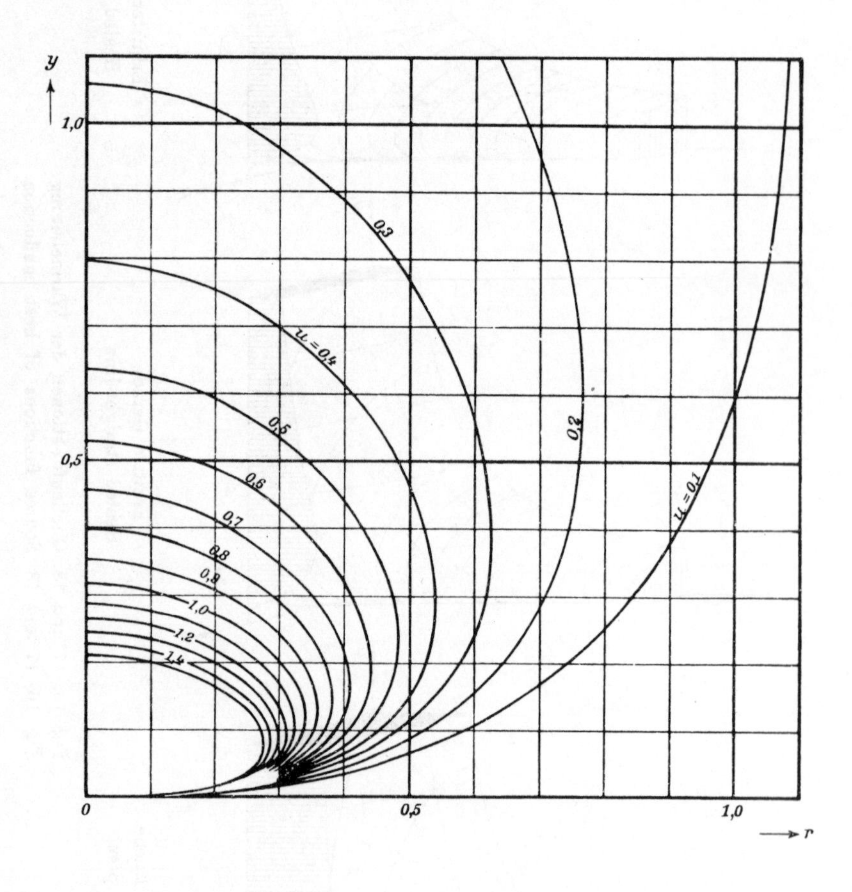

Fig. 20. Quellenfunktion der Wärmeleitung, zweidimensional.
Fig. 20. Source function of heat conduction, two dimensional.

$$u(\pi y)^{\frac{3}{2}} e^{R^2 : y} = 1$$

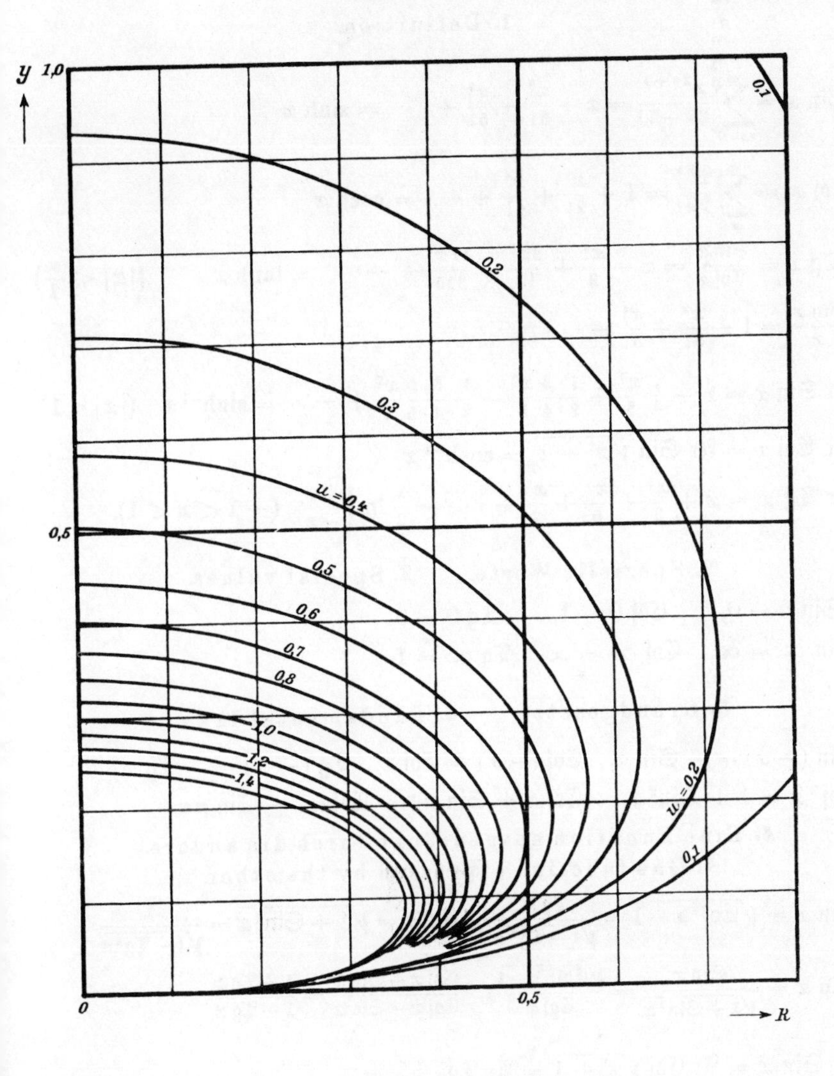

Fig. 21. Quellenfunktion der Wärmeleitung, dreidimensional.
Fig. 21. Source function of heat conduction, three dimensional.

IX. Die Hyperbelfunktionen.
IX. The hyperbolic functions.

1. Definition.

$$\mathfrak{Sin}\, x = \sum_{\nu=0}^{\infty} \frac{x^{2\nu+1}}{2\nu+1!} = x + \frac{x^3}{3!} + \frac{x^5}{5!} + \cdots = \sinh x$$

$$\mathfrak{Cof}\, x = \sum_{\nu=0}^{\infty} \frac{x^{2\nu}}{2\nu!} = 1 + \frac{x^2}{2!} + \frac{x^4}{4!} + \cdots = \cosh x$$

$$\mathfrak{Tg}\, x = \frac{\mathfrak{Sin}\, x}{\mathfrak{Cof}\, x} = x - \frac{x^3}{3} + \frac{2x^5}{15} - \frac{17x^7}{315} + - \cdots = \tanh x \qquad \left(|x| < \frac{\pi}{2}\right)$$

$$\frac{\mathfrak{Sin}\, x}{x} = 1 + \frac{x^2}{3!} + \frac{x^4}{5!} + \cdots$$

$$\mathfrak{Ar\,Sin}\, x = x - \frac{1}{2}\,\frac{x^3}{3} + \frac{1\cdot 3}{2\cdot 4}\,\frac{x^5}{5} - \frac{1\cdot 3\cdot 5}{2\cdot 4\cdot 6}\,\frac{x^7}{7} + - \cdots = \sinh^{-1} x \qquad (|x| < 1)$$

$$\mathfrak{Ar\,Cof}\, x = \mathfrak{Ar\,Sin}\,\sqrt{x^2-1} = \cosh^{-1} x$$

$$\mathfrak{Ar\,Tg}\, x = x + \frac{x^3}{3} + \frac{x^5}{5} + \frac{x^7}{7} + \cdots = \frac{1}{2}\ln\frac{1+x}{1-x} \qquad (-1 < x < 1).$$

2. Spezielle Werte. 2. Special values.

$$\mathfrak{Sin}\, 0 = 0, \qquad \mathfrak{Cof}\, 0 = 1, \qquad \mathfrak{Tg}\, 0 = 0$$

$$\mathfrak{Sin}\, \infty = \infty, \qquad \mathfrak{Cof}\, \infty = \infty, \qquad \mathfrak{Tg}\, \infty = 1.$$

3. Grundgesetze. 3. Fundamental laws.

$$\mathfrak{Sin}\,(-x) = -\,\mathfrak{Sin}\, x, \quad \mathfrak{Cof}\,(-x) = \mathfrak{Cof}\, x, \quad \mathfrak{Tg}\,(-x) = -\,\mathfrak{Tg}\, x$$

$$\mathfrak{Cof}^2 x = 1 + \mathfrak{Sin}^2 x, \quad (\mathfrak{Cof}\, x \pm \mathfrak{Sin}\, x)^n = \mathfrak{Cof}\, nx \pm \mathfrak{Sin}\, nx.$$

4. Eine Funktion ausgedrückt durch die andere.
4. One function expressed by the other.

$$\mathfrak{Sin}\, x = \sqrt{\mathfrak{Cof}^2 x - 1} = \frac{\mathfrak{Tg}\, x}{\sqrt{1-\mathfrak{Tg}^2 x}}, \quad \mathfrak{Cof}\, x = \sqrt{1+\mathfrak{Sin}^2 x} = \frac{1}{\sqrt{1-\mathfrak{Tg}^2 x}}$$

$$\mathfrak{Tg}\, x = \frac{\mathfrak{Sin}\, x}{\sqrt{1+\mathfrak{Sin}^2 x}} = \frac{\sqrt{\mathfrak{Cof}^2 x - 1}}{\mathfrak{Cof}\, x}, \quad \frac{\mathfrak{Cof}\, x + \mathfrak{Sin}\, x}{\mathfrak{Cof}\, x - \mathfrak{Sin}\, x} = \frac{1+\mathfrak{Tg}\, x}{1-\mathfrak{Tg}\, x}$$

$$\mathfrak{Ar\,Sin}\, x = \mathfrak{Ar\,Cof}\,\sqrt{x^2+1} = \mathfrak{Ar\,Tg}\,\frac{x}{\sqrt{x^2+1}}$$

$$\mathfrak{Ar\,Cof}\, x = \mathfrak{Ar\,Sin}\,\sqrt{x^2-1} = \mathfrak{Ar\,Tg}\,\frac{\sqrt{x^2-1}}{x}$$

$$= 2\,\mathfrak{Ar\,Cof}\sqrt{\frac{x+1}{2}} = 2\,\mathfrak{Ar\,Sin}\sqrt{\frac{x-1}{2}}$$

$$\mathfrak{Ar}\,\mathfrak{Tg}\,x = \mathfrak{Ar}\,\mathfrak{Sin}\,\frac{x}{\sqrt{1-x^2}} = \mathfrak{Ar}\,\mathfrak{Cos}\,\frac{1}{\sqrt{1-x^2}}$$

$$= \tfrac{1}{2}\,\mathfrak{Ar}\,\mathfrak{Sin}\,\frac{2x}{1-x^2} = \tfrac{1}{2}\,\mathfrak{Ar}\,\mathfrak{Cos}\,\frac{1+x^2}{1-x^2} = \tfrac{1}{2}\,\mathfrak{Ar}\,\mathfrak{Tg}\,\frac{2x}{1+x^2}$$

5. Verknüpfung der Funktionen zweier Sektoren.

5. Connection of the functions of two sectors.

$$\mathfrak{Sin}(x \pm y) = \mathfrak{Sin}\,x\,\mathfrak{Cos}\,y \pm \mathfrak{Cos}\,x\,\mathfrak{Sin}\,y$$

$$\mathfrak{Cos}(x \pm y) = \mathfrak{Cos}\,x\,\mathfrak{Cos}\,y \pm \mathfrak{Sin}\,x\,\mathfrak{Sin}\,y$$

$$\mathfrak{Tg}(x \pm y) = \frac{\mathfrak{Tg}\,x \pm \mathfrak{Tg}\,y}{1 \pm \mathfrak{Tg}\,x\,\mathfrak{Tg}\,y}$$

$$\mathfrak{Sin}\,x + \mathfrak{Sin}\,y = 2\,\mathfrak{Sin}\,\frac{x+y}{2}\,\mathfrak{Cos}\,\frac{x-y}{2}$$

$$\mathfrak{Cos}\,x + \mathfrak{Cos}\,y = 2\,\mathfrak{Cos}\,\frac{x+y}{2}\,\mathfrak{Cos}\,\frac{x-y}{2}$$

$$\mathfrak{Sin}\,x - \mathfrak{Sin}\,y = 2\,\mathfrak{Cos}\,\frac{x+y}{2}\,\mathfrak{Sin}\,\frac{x-y}{2}$$

$$\mathfrak{Cos}\,x - \mathfrak{Cos}\,y = 2\,\mathfrak{Sin}\,\frac{x+y}{2}\,\mathfrak{Sin}\,\frac{x-y}{2}$$

$$\mathfrak{Tg}\,x \pm \mathfrak{Tg}\,y = \frac{\mathfrak{Sin}(x \pm y)}{\mathfrak{Cos}\,x\,\mathfrak{Cos}\,y}$$

$$\frac{1}{\mathfrak{Tg}\,x} \pm \mathfrak{Tg}\,y = \frac{\mathfrak{Cos}(x \pm y)}{\mathfrak{Sin}\,x\,\mathfrak{Cos}\,y}$$

$$\frac{1}{\mathfrak{Tg}\,x} \pm \frac{1}{\mathfrak{Tg}\,y} = \pm\frac{\mathfrak{Sin}(x \pm y)}{\mathfrak{Sin}\,x\,\mathfrak{Sin}\,y}$$

$$\mathfrak{Sin}^2 x - \mathfrak{Sin}^2 y = \mathfrak{Cos}^2 x - \mathfrak{Cos}^2 y = \mathfrak{Sin}(x+y)\,\mathfrak{Sin}(x-y)$$

$$\mathfrak{Sin}^2 x + \mathfrak{Cos}^2 y = \mathfrak{Cos}^2 x + \mathfrak{Sin}^2 y = \mathfrak{Cos}(x+y)\,\mathfrak{Cos}(x-y)$$

$$\mathfrak{Cos}^2 x - \mathfrak{Sin}^2 y = 1 + \mathfrak{Sin}(x+y)\,\mathfrak{Sin}(x-y)$$

$$\mathfrak{Sin}\,x\,\mathfrak{Sin}\,y = \tfrac{1}{2}\,\mathfrak{Cos}(x+y) - \tfrac{1}{2}\,\mathfrak{Cos}(x-y)$$

$$\mathfrak{Cos}\,x\,\mathfrak{Cos}\,y = \tfrac{1}{2}\,\mathfrak{Cos}(x+y) + \tfrac{1}{2}\,\mathfrak{Cos}(x-y)$$

$$\mathfrak{Sin}\,x\,\mathfrak{Cos}\,y = \tfrac{1}{2}\,\mathfrak{Sin}(x+y) + \tfrac{1}{2}\,\mathfrak{Sin}(x-y)$$

$$\mathfrak{Cos}\,x\,\mathfrak{Sin}\,y = \tfrac{1}{2}\,\mathfrak{Sin}(x+y) - \tfrac{1}{2}\,\mathfrak{Sin}(x-y)$$

$$\frac{\mathfrak{Sin}\,x + \mathfrak{Sin}\,y}{\mathfrak{Sin}\,x - \mathfrak{Sin}\,y} = \frac{\mathfrak{Tg}\,\frac{1}{2}(x+y)}{\mathfrak{Tg}\,\frac{1}{2}(x-y)}, \qquad \frac{\mathfrak{Cos}\,x + \mathfrak{Cos}\,y}{\mathfrak{Cos}\,x - \mathfrak{Cos}\,y} = \frac{1}{\mathfrak{Tg}\,\frac{1}{2}(x+y)\,\mathfrak{Tg}\,\frac{1}{2}(x-y)}$$

$$\frac{\mathfrak{Sin}\,x \pm \mathfrak{Sin}\,y}{\mathfrak{Cos}\,x + \mathfrak{Cos}\,y} = \frac{\mathfrak{Cos}\,x - \mathfrak{Cos}\,y}{\mathfrak{Sin}\,x \mp \mathfrak{Sin}\,y} = \mathfrak{Tg}\,\tfrac{1}{2}(x \pm y)$$

$$\frac{\mathfrak{Tg}\,x + \mathfrak{Tg}\,y}{\mathfrak{Tg}\,x - \mathfrak{Tg}\,y} = \frac{\mathfrak{Sin}(x+y)}{\mathfrak{Sin}(x-y)}$$

$$\mathfrak{Ar}\,\mathfrak{Sin}\,x \pm \mathfrak{Ar}\,\mathfrak{Sin}\,y = \mathfrak{Ar}\,\mathfrak{Sin}\,(x\sqrt{1+y^2} \pm y\sqrt{1+x^2})$$

$$\mathfrak{Ar}\,\mathfrak{Cos}\,x \pm \mathfrak{Ar}\,\mathfrak{Cos}\,y = \mathfrak{Ar}\,\mathfrak{Cos}\,(xy \pm \sqrt{(x^2-1)(y^2-1)})$$

$$\mathfrak{Ar}\,\mathfrak{Tg}\,x \pm \mathfrak{Ar}\,\mathfrak{Tg}\,y = \mathfrak{Ar}\,\mathfrak{Tg}\,\frac{x \pm y}{1 \pm xy}.$$

$$A\,\mathfrak{Cos}\,x + B\,\mathfrak{Sin}\,x = \sqrt{A^2 - B^2}\,\mathfrak{Cos}\left(x + \mathfrak{Ar}\,\mathfrak{Tg}\,\frac{B}{A}\right)$$

$$= \sqrt{B^2 - A^2}\,\mathfrak{Sin}\left(x + \mathfrak{Ar}\,\mathfrak{Tg}\,\frac{A}{B}\right).$$

6. Funktionen der Vielfachen eines Sektors.
6. Functions of the multiples of a sector.

$$\mathfrak{Sin}\,2x = 2\,\mathfrak{Sin}\,x\,\mathfrak{Cos}\,x = \frac{2\,\mathfrak{Tg}\,x}{1 - \mathfrak{Tg}^2\,x}$$

$$\mathfrak{Sin}\,3x = 4\,\mathfrak{Sin}^3\,x + 3\,\mathfrak{Sin}\,x = \mathfrak{Sin}\,x\,(4\,\mathfrak{Cos}^2\,x - 1)$$

$$\mathfrak{Sin}\,(n+1)\,x = 2\,\mathfrak{Cos}\,x\,\mathfrak{Sin}\,nx - \mathfrak{Sin}\,(n-1)\,x$$

$$\mathfrak{Sin}\,nx = n\,\mathfrak{Sin}\,x\,\mathfrak{Cos}^{n-1}x + \binom{n}{3}\mathfrak{Sin}^3 x\,\mathfrak{Cos}^{n-3}x + \binom{n}{5}\mathfrak{Sin}^5 x\,\mathfrak{Cos}^{n-5}x + \cdots$$

$$\mathfrak{Cos}\,2x = \mathfrak{Cos}^2\,x + \mathfrak{Sin}^2\,x = 2\,\mathfrak{Cos}^2\,x - 1 = 1 + 2\,\mathfrak{Sin}^2\,x = \frac{1 + \mathfrak{Tg}^2 x}{1 - \mathfrak{Tg}^2 x}$$

$$\mathfrak{Cos}\,3x = 4\,\mathfrak{Cos}^3\,x - 3\,\mathfrak{Cos}\,x = \mathfrak{Cos}\,x\,(4\,\mathfrak{Sin}^2\,x + 1)$$

$$\mathfrak{Cos}\,(n+1)\,x = 2\,\mathfrak{Cos}\,x\,\mathfrak{Cos}\,nx - \mathfrak{Cos}\,(n-1)\,x$$

$$\mathfrak{Cos}\,nx = \mathfrak{Cos}^n\,x + \binom{n}{2}\mathfrak{Sin}^2 x\,\mathfrak{Cos}^{n-2}x + \binom{n}{4}\mathfrak{Sin}^4 x\,\mathfrak{Cos}^{n-4}x + \cdots$$

$$\mathfrak{Tg}\;2x = \frac{2\,\mathfrak{Tg}\,x}{1 + \mathfrak{Tg}^2\,x}, \qquad \mathfrak{Tg}\;3x = \frac{\mathfrak{Tg}^3\,x + 3\,\mathfrak{Tg}\,x}{3\,\mathfrak{Tg}^2\,x + 1}$$

$$2\,\mathfrak{Ctg}\,2x = \mathfrak{Tg}\,x + \mathfrak{Ctg}\,x$$

$$\mathfrak{Tg}\;\frac{x}{2} = \sqrt{\frac{\mathfrak{Cos}\,x - 1}{\mathfrak{Cos}\,x + 1}} = \frac{\mathfrak{Sin}\,x}{\mathfrak{Cos}\,x + 1} = \frac{\mathfrak{Cos}\,x - 1}{\mathfrak{Sin}\,x}$$

$$\mathfrak{Cos}\,2x + \cos 2y = 2 + 2\,(\mathfrak{Sin}^2\,x - \sin^2 y)$$

$$\mathfrak{Cos}\,2x - \cos 2y = 2\,(\mathfrak{Sin}^2\,x + \sin^2 y).$$

$$(1 + \varepsilon) - \mathfrak{Cos}\,x = \varepsilon - 2\,\mathfrak{Sin}^2\,\frac{x}{2}.$$

7. Potenzen.
7. Powers.

$$2\,\mathfrak{Sin}^2\,x = \mathfrak{Cos}\,2x - 1$$

$$4\,\mathfrak{Sin}^3\,x = \mathfrak{Sin}\,3x - 3\,\mathfrak{Sin}\,x$$

$$8\,\mathfrak{Sin}^4 x = \mathfrak{Cos}\,4x - 4\,\mathfrak{Cos}\,2x + 3$$
$$16\,\mathfrak{Sin}^5 x = \mathfrak{Sin}\,5x - 5\,\mathfrak{Sin}\,3x + 10\,\mathfrak{Sin}\,x$$
$$32\,\mathfrak{Sin}^6 x = \mathfrak{Cos}\,6x - 6\,\mathfrak{Cos}\,4x + 15\,\mathfrak{Cos}\,2x - 10$$
$$64\,\mathfrak{Sin}^7 x = \mathfrak{Sin}\,7x - 7\,\mathfrak{Sin}\,5x + 21\,\mathfrak{Sin}\,3x - 35\,\mathfrak{Sin}\,x$$
$$128\,\mathfrak{Sin}^8 x = \mathfrak{Cos}\,8x - 8\,\mathfrak{Cos}\,6x + 28\,\mathfrak{Cos}\,4x - 56\,\mathfrak{Cos}\,2x + 35$$

$$2\,\mathfrak{Cos}^2 x = \mathfrak{Cos}\,2x + 1$$
$$4\,\mathfrak{Cos}^3 x = \mathfrak{Cos}\,3x + 3\,\mathfrak{Cos}\,x$$
$$8\,\mathfrak{Cos}^4 x = \mathfrak{Cos}\,4x + 4\,\mathfrak{Cos}\,2x + 3$$
$$16\,\mathfrak{Cos}^5 x = \mathfrak{Cos}\,5x + 5\,\mathfrak{Cos}\,3x + 10\,\mathfrak{Cos}\,x$$
$$32\,\mathfrak{Cos}^6 x = \mathfrak{Cos}\,6x + 6\,\mathfrak{Cos}\,4x + 15\,\mathfrak{Cos}\,2x + 10$$
$$64\,\mathfrak{Cos}^7 x = \mathfrak{Cos}\,7x + 7\,\mathfrak{Cos}\,5x + 21\,\mathfrak{Cos}\,3x + 35\,\mathfrak{Cos}\,x$$
$$128\,\mathfrak{Cos}^8 x = \mathfrak{Cos}\,8x + 8\,\mathfrak{Cos}\,6x + 28\,\mathfrak{Cos}\,4x + 56\,\mathfrak{Cos}\,2x + 35$$

$$x = \mathfrak{Tg}\,x + \tfrac{1}{3}\,\mathfrak{Tg}^3 x + \tfrac{1}{5}\,\mathfrak{Tg}^5 x + \tfrac{1}{7}\mathfrak{Tg}^7 x + \cdots$$

8. Beziehungen zu den Exponentialfunktionen und Logarithmen.

8. Relations to the exponential functions and logarithms.

$$\mathfrak{Sin}\,x = \frac{e^x - e^{-x}}{2}, \qquad \mathfrak{Cos}\,x = \frac{e^x + e^{-x}}{2}, \qquad \mathfrak{Tg}\,x = \frac{e^x - e^{-x}}{e^x + e^{-x}} = \frac{1 - e^{-2x}}{1 + e^{-2x}}$$

$$\mathfrak{Tg}\,x = 1 - \frac{e^{-x}}{\mathfrak{Cos}\,x}, \qquad \mathfrak{Ctg}\,x = 1 + \frac{e^{-x}}{\mathfrak{Sin}\,x}$$

$$e^x = \mathfrak{Cos}\,x + \mathfrak{Sin}\,x = \frac{\mathfrak{Cos}\,\frac{x}{2} + \mathfrak{Sin}\,\frac{x}{2}}{\mathfrak{Cos}\,\frac{x}{2} - \mathfrak{Sin}\,\frac{x}{2}} = \frac{1 + \mathfrak{Tg}\,\frac{x}{2}}{1 - \mathfrak{Tg}\,\frac{x}{2}}$$

$$e^{-x} = \mathfrak{Cos}\,x - \mathfrak{Sin}\,x = \frac{\mathfrak{Cos}\,\frac{x}{2} - \mathfrak{Sin}\,\frac{x}{2}}{\mathfrak{Cos}\,\frac{x}{2} + \mathfrak{Sin}\,\frac{x}{2}} = \frac{1 - \mathfrak{Tg}\,\frac{x}{2}}{1 + \mathfrak{Tg}\,\frac{x}{2}}$$

$$\mathfrak{Ar\,Sin}\,x = \ln\left(x + \sqrt{x^2 + 1}\right), \qquad \mathfrak{Ar\,Cos}\,x = \ln\left(x + \sqrt{x^2 - 1}\right)$$
$$= -\ln\left(\sqrt{x^2 + 1} - x\right), \qquad = -\ln\left(x - \sqrt{x^2 - 1}\right)$$

$$\mathfrak{Ar\,Tg}\,x = \tfrac{1}{2}\ln\frac{1 + x}{1 - x}, \qquad \mathfrak{Ar\,Tg}\,\frac{1}{x} = \tfrac{1}{2}\ln\frac{x + 1}{x - 1}$$

$$\ln x = \mathfrak{Ar\,Sin}\,\frac{x^2 - 1}{2x} = \mathfrak{Ar\,Cos}\,\frac{x^2 + 1}{2x} = \mathfrak{Ar\,Tg}\,\frac{x^2 - 1}{x^2 + 1}$$

9. Differentialformeln.
9. Derivatives.

$$d \operatorname{Sin} x = \operatorname{Cof} x\,dx, \quad d \operatorname{Cof} x = \operatorname{Sin} x\,dx, \quad d \operatorname{Tg} x = \frac{dx}{\operatorname{Cof}^2 x}$$

$$d \ln \operatorname{Sin} x = \frac{dx}{\operatorname{Tg} x}, \quad d \ln \operatorname{Cof} x = \operatorname{Tg} x\,dx, \quad d \ln \operatorname{Tg} x = \frac{2dx}{\operatorname{Sin} 2x}$$

$$d \ln \operatorname{Tg} \frac{x}{2} = \frac{dx}{\operatorname{Sin} x}, \quad d\,\frac{1}{\operatorname{Tg} x} = -\frac{dx}{\operatorname{Sin}^2 x}$$

$$d \operatorname{Ar Sin} x = \frac{dx}{\sqrt{x^2+1}}, \quad d \operatorname{Ar Cof} x = \frac{dx}{\sqrt{x^2-1}}$$

$$d \operatorname{Ar Tg} x = \frac{dx}{1-x^2} \quad (-1<x<1), \quad d \operatorname{Ar Ctg} = \frac{-dx}{x^2-1} \quad (x>1,\ x<-1)$$

$$d \operatorname{Sin}^2 x = d \operatorname{Cof}^2 x = 2 \operatorname{Sin} x \operatorname{Cof} x\,dx = \operatorname{Sin} 2x\,dx.$$

$$d \operatorname{Amp} x = d\,\mathrm{gd}\,x = \frac{dx}{\operatorname{Cof} x}.$$

10. Integralformeln.
10. Integrals.

$$\int \operatorname{Sin} x\,dx = \operatorname{Cof} x, \quad \int \operatorname{Cof} x\,dx = \operatorname{Sin} x, \quad \int \operatorname{Tg} x\,dx = \ln \operatorname{Cof} x$$

$$\int \frac{dx}{\operatorname{Sin} x} = \ln \operatorname{Tg} \frac{x}{2}, \quad \int \frac{dx}{\operatorname{Sin} 2x} = \frac{1}{2} \ln \operatorname{Tg} x, \quad \int \frac{dx}{\operatorname{Sin}^2 x} = \frac{-1}{\operatorname{Tg} x}$$

$$\int \frac{dx}{\operatorname{Cof}^2 x} = \operatorname{Tg} x, \quad \int \frac{dx}{\operatorname{Tg} x} = \ln \operatorname{Sin} x, \quad \int \frac{dx}{\operatorname{Cof} x} = \arcsin \operatorname{Tg} x = \operatorname{Amp} x$$

$$\int \frac{dx}{\sqrt{x^2+1}} = \operatorname{Ar Sin} x, \quad \int \frac{dx}{\sqrt{x^2-1}} = \operatorname{Ar Cof} x, \quad \int \frac{dx}{1-x^2} = \operatorname{Ar Ctg} x \quad (x<1)$$

$$\int \frac{dx}{x^2-1} = -\operatorname{Ar Ctg} x \,(x>1), \quad \int \frac{dx}{\sqrt{2x+x^2}} = \operatorname{Ar Cof}(1+x)$$

$$\int \frac{dx}{x\sqrt{1+x^2}} = -\operatorname{Ar Sin} \frac{1}{x}, \quad \int \frac{dx}{x\sqrt{1-x^2}} = -\operatorname{Ar Cof} \frac{1}{x}$$

$$\int \frac{dx}{a+bx+cx^2} = -\frac{2}{\sqrt{b^2-4ac}} \operatorname{Ar Tg} \frac{b+2cx}{\sqrt{b^2-4ac}}$$

$$\int \frac{x\,dx}{a+bx+cx^2} = \frac{1}{2c}\left[\ln(a+bx+cx^2) + \frac{2b}{\sqrt{b^2-4ac}} \operatorname{Ar Tg} \frac{b+2cx}{\sqrt{b^2-4ac}}\right]$$

$$\int \frac{dx}{x(a+bx+cx^2)} = \frac{1}{2a}\left[\ln \frac{x^2}{a+bx+cx^2} + \frac{2b}{\sqrt{b^2-4ac}} \operatorname{Ar Tg} \frac{b+2cx}{\sqrt{b^2-4ac}}\right]$$

$$\int \frac{dx}{\sqrt{a+bx+cx^2}} = \frac{1}{\sqrt{c}} \operatorname{Ar\,Sin} \frac{b+2cx}{\sqrt{4ac-b^2}} = \frac{1}{\sqrt{c}} \operatorname{Ar\,Cos} \frac{b+2cx}{\sqrt{b^2-4ac}}$$

$$\int \frac{x\,dx}{\sqrt{a+bx+cx^2}} = \frac{1}{c}\left[\sqrt{a+bx+cx^2} - \frac{b}{2\sqrt{c}} \operatorname{Ar\,Sin} \frac{b+2cx}{\sqrt{4ac-b^2}}\right]$$

$$\int \frac{dx}{x\sqrt{a+bx+cx^2}} = \frac{-1}{\sqrt{a}} \operatorname{Ar\,Sin} \frac{2a+bx}{x\sqrt{4ac-b^2}} = \frac{-1}{\sqrt{a}} \operatorname{Ar\,Cos} \frac{2a+bx}{x\sqrt{b^2-4ac}}$$

$$\int \operatorname{Sin}^n x\,dx = \frac{\operatorname{Sin}^{n-1} x \operatorname{Cos} x}{n} - \frac{n-1}{n}\int \operatorname{Sin}^{n-2} x\,dx$$

$$\int \operatorname{Cos}^n x\,dx = \frac{\operatorname{Sin} x \operatorname{Cos}^{n-1} x}{n} + \frac{n-1}{n}\int \operatorname{Cos}^{n-2} x\,dx$$

$$\int \operatorname{Tg}^n x\,dx = -\frac{\operatorname{Tg}^{n-1} x}{n-1} + \int \operatorname{Tg}^{n-2} x\,dx$$

$$\int \frac{dx}{\operatorname{Sin}^n x} = -\frac{\operatorname{Cos} x}{(n-1)\operatorname{Sin}^{n-1} x} - \frac{n-2}{n-1}\int \frac{dx}{\operatorname{Sin}^{n-2} x}$$

$$\int \frac{dx}{\operatorname{Cos}^n x} = \frac{\operatorname{Sin} x}{(n-1)\operatorname{Cos}^{n-1} x} + \frac{n-2}{n-1}\int \frac{dx}{\operatorname{Cos}^{n-2} x}$$

$$\int \frac{dx}{\operatorname{Tg}^n x} = -\frac{1}{(n-1)\operatorname{Tg}^{n-1} x} + \int \frac{dx}{\operatorname{Tg}^{n-2} x}.$$

$$\int \operatorname{Ar\,Sin} x\,dx = x \operatorname{Ar\,Sin} x - \sqrt{x^2+1}$$

$$\int \operatorname{Ar\,Cos} x\,dx = x \operatorname{Ar\,Cos} x - \sqrt{x^2-1}$$

$$\int \operatorname{Ar\,Tg} x\,dx = x \operatorname{Ar\,Tg} x + \tfrac{1}{2}\ln(1-x^2).$$

11. Näherungswerte bei kleinen Sektoren.

11. Approximate values for small sectors.

$$\frac{\operatorname{Sin} x}{x} = 1 + \frac{x^2}{6} = \sqrt[3]{\operatorname{Cos} x}, \quad \operatorname{Cos} x = 1 + \frac{x^2}{2}, \quad \frac{\operatorname{Tg} x}{x} = 1 - \frac{x^2}{3} = \frac{1}{\sqrt[3]{\operatorname{Cos}^2 x}}$$

$$\operatorname{Cos} x + \cos y = 2, \quad \operatorname{Sin} x + \sin y = x + y, \quad \frac{\operatorname{Sin} x}{x} - \frac{\sin y}{y} = \frac{x^2+y^2}{6}$$

$$\operatorname{Cos} x - \cos y = \frac{x^2+y^2}{2}, \quad \operatorname{Sin} x - \sin x = \frac{x^3}{3}.$$

$$\frac{\operatorname{Ar\,Sin} x}{x} = 1 - \frac{x^2}{6}, \quad \frac{\operatorname{Ar\,Tg} x}{x} = 1 + \frac{x^2}{3}, \quad \operatorname{Ar\,Cos} x = \sqrt{2(x-1)}$$

$$\operatorname{Ar\,Cos}(1+x) = \sqrt{2x} - \frac{x}{6}\sqrt{\frac{x}{2}} + \frac{3x^2}{80}\sqrt{\frac{x}{2}} - \frac{5x^3}{448}\sqrt{\frac{x}{2}} \ldots$$

12. Näherungswerte bei großen Sektoren.
12. Approximate values for large sectors.

$$\mathfrak{Sin}\, x = \mathfrak{Cos}\, x = \tfrac{1}{2} e^{x}, \qquad \mathfrak{Tg}\, x = 1 \; - 2 e^{-2x}$$

$$\log (2\, \mathfrak{Sin}\, x) = \log (2\, \mathfrak{Cos}\, x) = x \log e = Mx, \; M = 0{,}4342945.$$

$$\mathfrak{Ar}\,\mathfrak{Sin}\, x = \ln (2x) + \frac{1}{(2x)^2}, \quad \mathfrak{Ar}\,\mathfrak{Cos}\, x = \ln (2x) - \frac{1}{(2x)^2}$$

$$\mathfrak{Ar}\,\mathfrak{Tg}\,(1 - x) = \tfrac{1}{2} \ln \left(\frac{2}{x}\right) - \frac{x}{4}.$$

13. Hyperbelamplitude.
13. The gudermannian.

$$\gamma = \int_0^x \frac{dt}{\mathfrak{Cos}\, t} = 2 \operatorname{arctg} e^x - \frac{\pi}{2} \equiv \mathfrak{Amp}\, x \equiv \operatorname{gd} x$$

$$x = \int_0^\gamma \frac{d\varphi}{\cos\varphi} = \ln \operatorname{tg}\left(\frac{\gamma}{2} + \frac{\pi}{4}\right) = 2{,}3026 \log \operatorname{tg}\left(\frac{\gamma}{2} + 45^0\right)$$

$$\mathfrak{Sin}\, x = \operatorname{tg}\gamma, \qquad \mathfrak{Cos}\, x = \frac{1}{\cos\gamma}, \qquad \mathfrak{Tg}\, x = \sin\gamma$$

$$e^x = \frac{1 + \operatorname{tg}\frac{\gamma}{2}}{1 - \operatorname{tg}\frac{\gamma}{2}}, \qquad \operatorname{tg}\frac{\gamma}{2} = \mathfrak{Tg}\,\frac{x}{2}$$

$$\frac{\pi}{2} - \gamma = \frac{1}{\mathfrak{Cos}\, x} + \frac{1}{6\,\mathfrak{Cos}^3 x} + \cdots$$

$$\frac{\gamma}{2} = \mathfrak{Tg}\,\frac{x}{2} - \frac{1}{3}\mathfrak{Tg}^3\frac{x}{2} + \frac{1}{5}\mathfrak{Tg}^5\frac{x}{2} - \cdots$$

$$\frac{x}{2} = \operatorname{tg}\frac{\gamma}{2} + \frac{1}{3}\operatorname{tg}^3\frac{\gamma}{2} + \frac{1}{5}\operatorname{tg}^5\frac{\gamma}{2} + \cdots$$

$$\gamma = x - \frac{x^3}{6} + \frac{x^5}{24} - \frac{61 x^7}{5040} + \cdots$$

$$x = \gamma + \frac{\gamma^3}{6} + \frac{\gamma^5}{24} + \frac{61\gamma^7}{5040} + \cdots \qquad \left(\gamma < \frac{\pi}{2}\right).$$

Wenn / If $\gamma = \mathfrak{Amp}\, x$ ist, so ist / we have $ix = \mathfrak{Amp}\, i\gamma$.

Setzt man dann | Putting

$$\gamma = \gamma_1 + i\gamma_2 \qquad x = x_1 + i x_2,$$

so wird | we obtain

$$\operatorname{tg}\gamma_1 = \frac{\mathfrak{Sin}\, x_1}{\cos x_2} \qquad \mathfrak{Tg}\, x_1 = \frac{\sin\gamma_1}{\mathfrak{Cos}\,\gamma_2}$$

$$\mathfrak{Tg}\,\gamma_2 = \frac{\sin x_2}{\mathfrak{Cos}\, x_1} \qquad \operatorname{tg} x_2 = \frac{\mathfrak{Sin}\,\gamma_2}{\cos\gamma_1}.$$

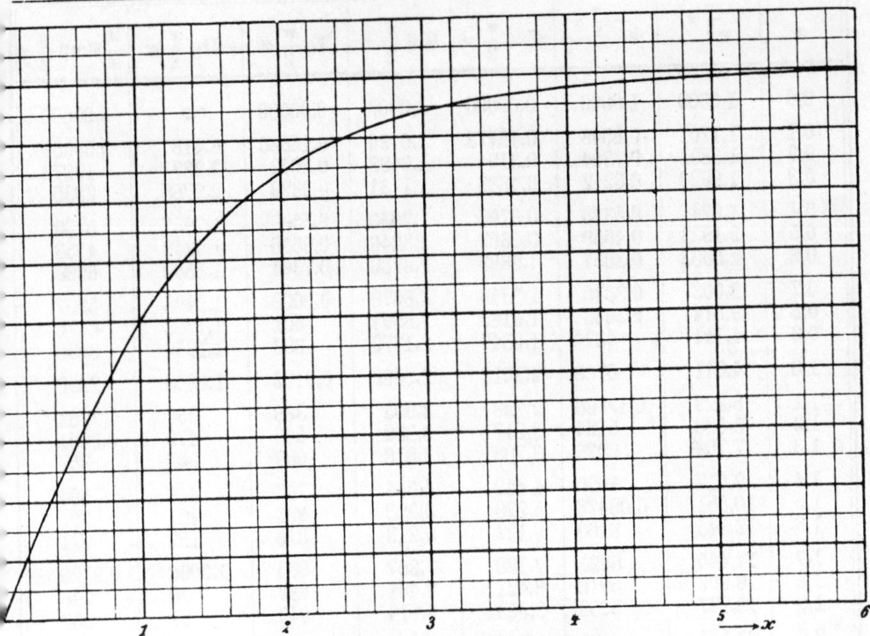

Fig. 22. Die Hyperbelamplitude 𝔄𝔪𝔭 x.
Fig. 22. The gudermannian gd x.

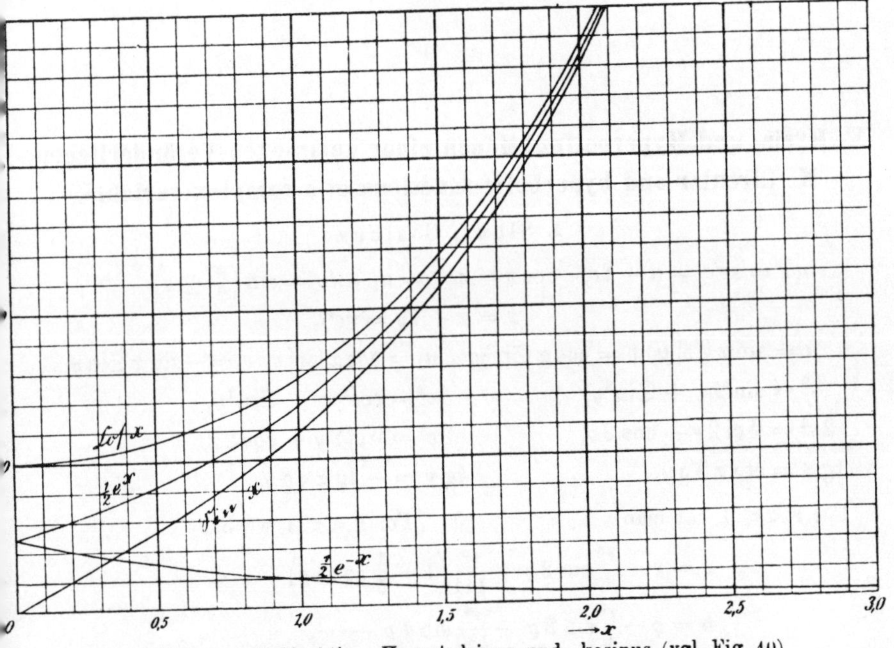

Fig. 23. Exponentialfunktion, Hyperbelsinus und -kosinus (vgl. Fig. 40).
Fig. 23. Exponential function, hyperbolic sine and cosine (cf. fig. 40).

x	$e^{\frac{\pi}{2}x}$	$e^{-\frac{\pi}{2}x}$	$\mathfrak{Sin}\,\frac{\pi}{2}x$	$\mathfrak{Cof}\,\frac{\pi}{2}x$	$\mathfrak{Tg}\,\frac{\pi}{2}x$	$\mathfrak{Ctg}\,\frac{\pi}{2}x$	$\frac{2}{\pi}\,\mathfrak{Amp}\,\frac{\pi}{2}x$
0,0	1,0000	1,0000	0,00000	1,0000	0,00000	∞	0,00000
0,1	1,1701	0,8546	0,15773	1,0124	0,15580	6,418	0,09959
0,2	1,3691	0,7304	0,3194	1,0498	0,3042	3,287	19679
0,3	1,6020	0,6242	0,4889	1,1131	0,4392	2,2769	2895
0,4	1,8745	0,5335	0,6705	1,2040	0,5569	1,7957	3760
0,5	2,1933	0,4559	0,8687	1,3246	0,6558	1,5249	4553
0,6	2,5663	0,3897	1,0883	1,4780	0,7364	1,3580	5269
0,7	3,003	0,3330	1,3349	1,6679	0,8003	1,2495	5907
0,8	3,514	0,2846	1,6145	1,8991	501	1,1763	6470
0,9	4,111	4324	1,9340	2,1772	883	1,1258	6898
1,0	4,811	0788	2,3013	2,5092	0,9172	1,0903	7390
1,1	5,629	0,17766	2,726	2,903	388	652	7761
1,2	6,586	5184	3,217	3,369	549	472	0,8081
1,3	7,706	2976	3,788	3,918	669	343	357
1,4	9,017	1090	4,453	4,564	757	249	594
1,5	10,551	0,09478	5,228	5,323	822	181	797
1,6	12,345	8100	6,132	6,213	870	132	971
1,7	14,445	6923	7,188	7,257	905	1,0096	0,9120
1,8	16,902	5916	8,421	8,481	930	70	248
1,9	19,777	5056	9,863	9,914	949	51	357
2,0	23,141	4321	11,549	11,592	963	37	450

X. Kreis- und Hyperbelfunktionen einer komplexen Veränderlichen.
X. Circular and hyperbolic functions of a complex variable.

1. Sinus, Cosinus.

$$\sin z = s e^{i\sigma} = u + iv, \qquad \cos z = c e^{i\gamma} = u_1 + iv_1 = \sin\left(\frac{\pi}{2} \pm z\right),$$

$$z = x + iy = re^{i\varrho}.$$

$$u = \sin x\,\mathfrak{Cof}\,y,\quad v = \cos x\,\mathfrak{Sin}\,y, \qquad u_1 = \cos x\,\mathfrak{Cof}\,y,\quad v_1 = -\sin x\,\mathfrak{Sin}\,y,$$

$$s^2 = \sin^2 x + \mathfrak{Sin}^2 y, \qquad c^2 = \cos^2 x + \mathfrak{Sin}^2 y,$$

$$2s^2 = \mathfrak{Cof}\,2y - \cos 2x, \qquad 2c^2 = \mathfrak{Cof}\,2y + \cos 2x,$$

$$\operatorname{tg}\sigma = \operatorname{ctg} x\,\mathfrak{Tg}\,y, \qquad \operatorname{tg}\gamma = -\operatorname{tg} x\,\mathfrak{Tg}\,y.$$

Für $r << 1$ hat man | For $r << 1$ we have

$$s = r - \frac{r^3}{6}\cos 2\varrho + \frac{r^5}{144}\left(1 + \frac{1}{5}\cos 4\varrho\right) - \cdots,$$

$$\sigma = \varrho - \frac{r^2}{6}\sin 2\varrho - \frac{r^4}{180}\sin 4\varrho - \cdots,$$

$$c = 1 - \frac{r^2}{2}\cos 2\varrho + \frac{r^4}{16}\left(1 - \frac{1}{3}\cos 4\varrho\right) - \cdots,$$

$$\gamma = 0 - \frac{r^2}{2}\sin 2\varrho - \frac{r^4}{12}\sin 4\varrho - \cdots$$

und für $y >> 1$ | and for $y >> 1$

$$s = \frac{1}{2}e^y - \frac{1}{2}e^{-y}\cos 2x + \frac{1}{8}e^{-3y}(1 - \cos 4x) - \cdots,$$

$$\sigma = \frac{\pi}{2} - x - e^{-2y}\sin 2x - \frac{1}{2}e^{-4y}\sin 4x - \cdots,$$

$$c = \frac{1}{2}e^y + \frac{1}{2}e^{-y}\cos 2x + \frac{1}{8}e^{-3y}(1 - \cos 4x) + \cdots,$$

$$\gamma = 0 - x + e^{-2y}\sin 2x - \frac{1}{2}e^{-4y}\sin 4x + \cdots$$

Zwischen s, σ, c, γ bestehen die Beziehungen | The following relations hold between s, σ, c, γ

$$s^2\cos 2\sigma + c^2\cos 2\gamma = 1,$$

$$\operatorname{ctg} 2\sigma + \operatorname{ctg}(-2\gamma) = \frac{1}{s^2\sin 2\sigma} = \frac{1}{c^2\sin(-2\gamma)}$$

2. Arcus sinus.
2. Inverse sine.

$$\cos 2x = c^2 - s^2, \qquad \operatorname{Cos} 2y = c^2 + s^2,$$

$$2\cos^2 x = c^2 + (1+s)(1-s), \qquad 2\operatorname{Sin}^2 y = c^2 + (s+1)(s-1),$$

wo | where

$$c^2 = \sqrt{1 - 2s^2\cos 2\sigma + s^4}, \qquad s^2 = \sqrt{1 - 2c^2\cos 2\gamma + c^4},$$

$$= \sqrt{(s^2-1)^2 + (2s\sin\sigma)^2}, \qquad = \sqrt{(c^2-1)^2 + (2c\sin\gamma)^2}.$$

Wenn $s << 1$ ist, hat man | If $s << 1$, we have

$$x = s\cos\sigma + \frac{s^3}{6}\cos 3\sigma + \frac{3s^5}{40}\cos 5\sigma + \frac{5s^7}{112}\cos 7\sigma + \cdots,$$

$$y = s\sin\sigma + \frac{s^3}{6}\sin 3\sigma + \frac{3s^5}{40}\sin 5\sigma + \frac{5s^7}{112}\sin 7\sigma + \cdots,$$

und wenn $s >> 1$ ist, | and if $s >> 1$,

$$x = \frac{\pi}{2} - \sigma - \frac{\sin 2\sigma}{(2s)^2} - \frac{3}{2}\frac{\sin 4\sigma}{(2s)^4} - \frac{10}{3}\frac{\sin 6\sigma}{(2s)^6} - \frac{35}{4}\frac{\sin 8\sigma}{(2s)^8} - \cdots,$$

$$y = \ln 2s - \frac{\cos 2\sigma}{(2s)^2} - \frac{3}{2}\frac{\cos 4\sigma}{(2s)^4} - \frac{10}{3}\frac{\cos 6\sigma}{(2s)^6} - \frac{35}{4}\frac{\cos 8\sigma}{(2s)^8} - \cdots$$

Wenn $|s-1| << 1$ und $\sigma << 0{,}5$ ist, so berechnet man zunächst | When $|s-1| << 1$ and $\sigma << 0{,}5$, we first compute

$$\frac{c^2}{2} = \sqrt{\left(\frac{s+1}{2}\right)^2(s-1)^2 + (s\sin\sigma)^2} \approx \sqrt{(s-1)^2 + \sin^2\sigma}$$

und damit | and therefrom

$$\cos x = \sqrt{\frac{c^2}{2} + \frac{1+s}{2}(1-s)} \approx \sqrt{\frac{c^2}{2} + 1 - s},$$

$$\mathfrak{Sin}\, y = \sqrt{\frac{c^2}{2} + \frac{s+1}{2}(s-1)} \approx \sqrt{\frac{c^2}{2} + s - 1}.$$

3. Tangens.

$$\operatorname{tg} z = t e^{i\tau} = U + iV, \qquad \operatorname{ctg} z = \frac{1}{t} e^{-i\tau} = \operatorname{tg}\left(\frac{\pi}{2} - z\right),$$

$$z = x + iy = re^{i\varrho},$$

$$U = \frac{\sin 2x}{\cos 2x + \mathfrak{Cos}\, 2y}, \qquad V = \frac{\mathfrak{Sin}\, 2y}{\cos 2x + \mathfrak{Cos}\, 2y},$$

$$t^2 = \frac{\sin^2 x + \mathfrak{Sin}^2 y}{\cos^2 x + \mathfrak{Sin}^2 y} = \frac{\mathfrak{Cos}\, 2y - \cos 2x}{\mathfrak{Cos}\, 2y + \cos 2x}, \quad \operatorname{tg} \tau = \frac{\mathfrak{Sin}\, 2y}{\sin 2x}.$$

Für / For $x = 45^0$ ist / we get $t = 1, \quad \tau = \mathfrak{Amp}\, 2y,$

$$U = \cos\tau = \frac{1}{\mathfrak{Cos}\, 2y}, \quad V = \sin\tau = \mathfrak{Tg}\, 2y, \quad \operatorname{tg}\tau = \mathfrak{Sin}\, 2y.$$

Wenn $r \ll 1$ ist, hat man | If $r \ll 1$, we have

$$t = r + \frac{r^3}{3}\cos 2\varrho + \frac{r^5}{36}\left(1 + \frac{19}{4}\cos 4\varrho\right) + \cdots,$$

$$\frac{1}{t} = \frac{1}{r} - \frac{r}{3}\cos 2\varrho + \frac{r^3}{36}\left(1 - \frac{9}{5}\cos 4\varrho\right) - \cdots,$$

$$\tau = \varrho + \frac{r^2}{3}\sin 2\varrho + \frac{7r^4}{90}\sin 4\varrho + \cdots$$

Wenn $y \gg 1$ ist, hat man | If $y \gg 1$, we have

$$U = 0 + 2e^{-2y}\sin 2x - 2e^{-4y}\sin 4x + \cdots,$$

$$V = 1 - 2e^{-2y}\cos 2x + 2e^{-4y}\cos 4x - \cdots,$$

$$t = 1 - 2e^{-2y}\cos 2x + e^{-4y}(1 + \cos 4x)\cdots,$$

$$\operatorname{ctg}\tau = 2e^{-2y}\sin 2x \cdot (1 + e^{-4y} + \cdots),$$

ferner mit / further with $p = \dfrac{\cos 2x}{\mathfrak{Cos}\, 2y}$

$$t = \sqrt{\frac{1-p}{1+p}} = 1 - p + \frac{p^2}{2} - \frac{p^3}{2} + \frac{3p^4}{8} - \cdots$$

und mit / and with $q = \dfrac{\sin 2x}{\mathfrak{Sin}\, 2y} = \operatorname{ctg}\tau$

$$\tau = \frac{\pi}{2} - \operatorname{arc\,tg} q = \frac{\pi}{2} - q + \frac{q^3}{3} - \frac{q^5}{5} + \cdots$$

4. Arcus tangens.
4. Inverse tangent.

$$\operatorname{tg} 2x = \frac{2\cos\tau}{\frac{1}{t} - t} = \frac{2U}{1 - U^2 - V^2} = -\frac{\cos\tau}{\operatorname{Sin}\vartheta},$$

$$\operatorname{Tg} 2y = \frac{2\sin\tau}{\frac{1}{t} + t} = \frac{2V}{1 + U^2 + V^2} = \frac{\sin\tau}{\operatorname{Cos}\vartheta},$$

wo / where $\vartheta = \ln t$, also / therefore $\ln \operatorname{tg} z = \vartheta + i\tau$.

Setzt man | Putting

$$N^2 = \operatorname{Sin}^2\vartheta + \cos^2\tau = \operatorname{Cos}^2\vartheta - \sin^2\tau,$$
$$2N^2 = \operatorname{Cos} 2\vartheta + \cos 2\tau,$$

so ist | we obtain

$$N\sin 2x = \cos\tau, \qquad N\cos 2x = -\operatorname{Sin}\vartheta,$$
$$N\operatorname{Sin} 2y = \sin\tau, \qquad N\operatorname{Cos} 2y = \operatorname{Cos}\vartheta.$$

Für / For $t = 1$ und / and $-90^0 < \tau < 90^0$ wird / we obtain

$$x = 45^0, \qquad \operatorname{Tg} y = \operatorname{tg}\frac{\tau}{2}.$$

Für / For $\tau = 90^0$ und / and

	$t < 1$	$t = 1$,	$t > 1$
wird / we get	$x = 0$,	x beliebig, / arbitrary,	$x = \pm 90^0$,
	$y = \operatorname{Ar}\operatorname{Tg} t$.	$y = \infty$,	$y = \operatorname{Ar}\operatorname{Ctg} t$.

Wenn $t << 1$ ist, hat man | If $t << 1$, we have

$$x = t\cos\tau - \frac{t^3}{3}\cos 3\tau + \frac{t^5}{5}\cos 5\tau - \cdots,$$

$$y = t\sin\tau - \frac{t^3}{3}\sin 3\tau + \frac{t^5}{5}\sin 5\tau - \cdots,$$

und wenn $t >> 1$ ist, | and if $t >> 1$,

$$x = \frac{\pi}{2} - \frac{\cos\tau}{t} + \frac{\cos 3\tau}{3t^3} - \frac{\cos 5\tau}{5t^5} + \cdots,$$

$$y = 0 + \frac{\sin\tau}{t} - \frac{\sin 3\tau}{3t^3} + \frac{\sin 5\tau}{5t^5} - \cdots$$

Wenn sich t dem Wert 1 und τ einem rechten Winkel nähert, so setze man | When t approaches unity and τ approaches a right angle, we put

$$-\operatorname{Sin}\vartheta = T = \frac{1-t^2}{2t} = \frac{1 - \frac{1-t}{2}}{\frac{1}{1-t} - 1}, \qquad T^2 + \cos^2\tau = N^2.$$

Dann ist | Then we have

$$\operatorname{tg} 2x = \frac{\cos\tau}{T} = \frac{\cos\tau}{1-t} - \frac{\cos\tau}{2} - \frac{1-t}{4}\,\frac{\cos\tau}{1-\frac{1-t}{2}},$$

$$\mathfrak{Sin}\, 2y = \frac{\sin\tau}{N}, \qquad \mathfrak{Cof}\, 4y = \frac{2+T^2-\cos^2\tau}{N^2},$$

$$y \approx \frac{1}{4}\ln\frac{4}{N^2} + \frac{T^2-\cos^2\tau}{8} - \frac{3T^4+3\cos^4\tau-2T^2\cos^2\tau}{64}.$$

5. Übergang von einer Funktion auf eine andere.
5. Changing from one function to another.

	$\sin z =$	$\cos z =$	$i\cdot\mathfrak{Sin}\, z =$	$\mathfrak{Cof}\, z =$
$= \sin$	$2^{\llcorner} - z$	$1^{\llcorner} \pm z$	iz $2^{\llcorner} - iz$	$1^{\llcorner} \pm iz$
$= \cos$	$\pm(z - 1^{\llcorner})$	$-z$	$\pm(iz - 1^{\llcorner})$	$\pm iz$
$= i\cdot\mathfrak{Sin}$	$-iz$ $i(z \pm 2^{\llcorner})$	$i(\pm z - 1^{\llcorner})$	$i2^{\llcorner} - z$	$\pm z - i1^{\llcorner}$
$= \mathfrak{Cof}$	$\pm i(z - 1^{\llcorner})$	$\pm iz$	$\pm(z + i1^{\llcorner})$	$-z$

	$\operatorname{tg} z =$	$\operatorname{ctg} z =$	$i\cdot\mathfrak{Tg}\, z =$	$i\cdot\mathfrak{Ctg}\, z =$
$= \operatorname{tg}$	z	$-z \pm 1^{\llcorner}$	iz	$iz \pm 1^{\llcorner}$
$= \operatorname{ctg}$	$-z \pm 1^{\llcorner}$	z	$-iz \pm 1^{\llcorner}$	$-iz$
$= i\cdot\mathfrak{Tg}$	$-iz$	$i(z \pm 1^{\llcorner})$	z	$z \pm i1^{\llcorner}$
$= i\cdot\mathfrak{Ctg}$	$i(-z \pm 1^{\llcorner})$	iz	$z \pm i1^{\llcorner}$	z

	$\operatorname{arc}\sin z =$	$\operatorname{arc}\cos z =$ $i\cdot\mathfrak{Ar}\,\mathfrak{Cof}\, z =$	$i\cdot\mathfrak{Ar}\,\mathfrak{Sin}\, z =$
$= \operatorname{arc}\sin$	z	$\sqrt{1-z^2}$	iz
$= \operatorname{arc}\cos$ $= i\cdot\mathfrak{Ar}\,\mathfrak{Cof}$	$\sqrt{1-z^2}$	z	$\sqrt{1+z^2}$
$= i\cdot\mathfrak{Ar}\,\mathfrak{Sin}$	$-iz$	$-\sqrt{z^2-1}$	z

	arc tg $z =$	arc ctg $z =$	$i \cdot \mathfrak{Ar}\,\mathfrak{Tg}\, z =$	$i \cdot \mathfrak{Ar}\,\mathfrak{Ctg}\, z =$
$=$ arc tg	z	$\frac{1}{z}$	iz	$\frac{i}{z}$
$=$ arc ctg	$\frac{1}{z}$	z	$\frac{1}{iz}$	$-iz$
$= i \cdot \mathfrak{Ar}\,\mathfrak{Tg}$	$-iz$	$\frac{1}{iz}$	z	$\frac{1}{z}$
$= i \cdot \mathfrak{Ar}\,\mathfrak{Ctg}$	$\frac{i}{z}$	iz	$\frac{1}{z}$	z

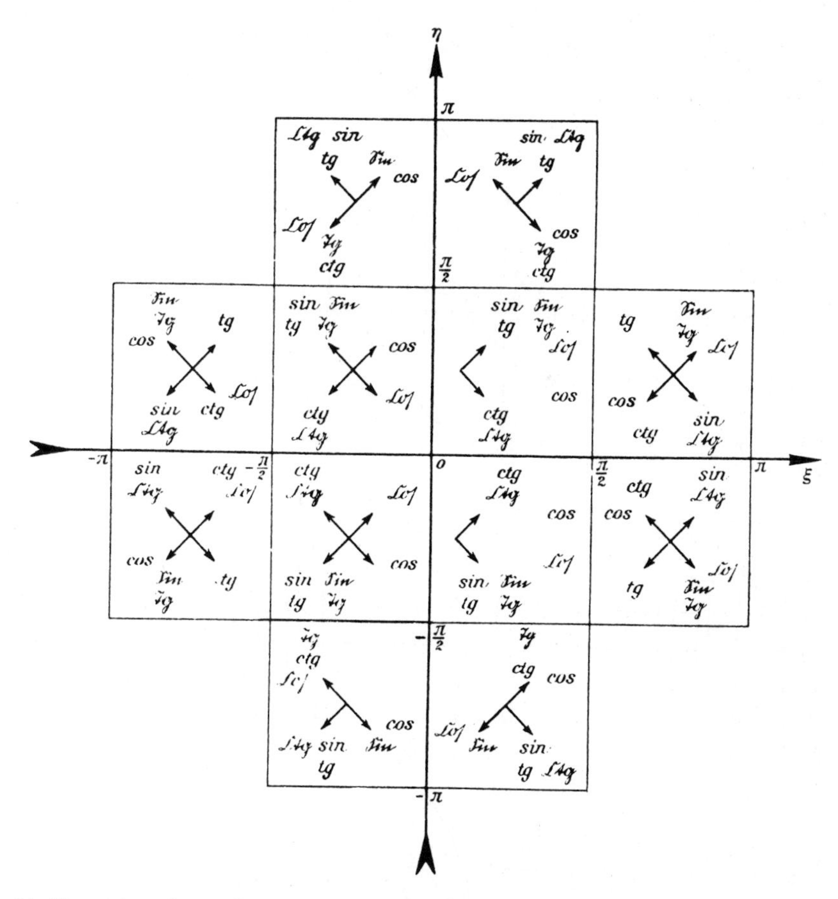

Fig. 24. Vorzeichen des reellen und des imaginären Teils der Funktionen von $\xi + i\eta$.
Fig. 24. Sign of the real and of the imaginary part of the functions of $\xi + i\eta$.

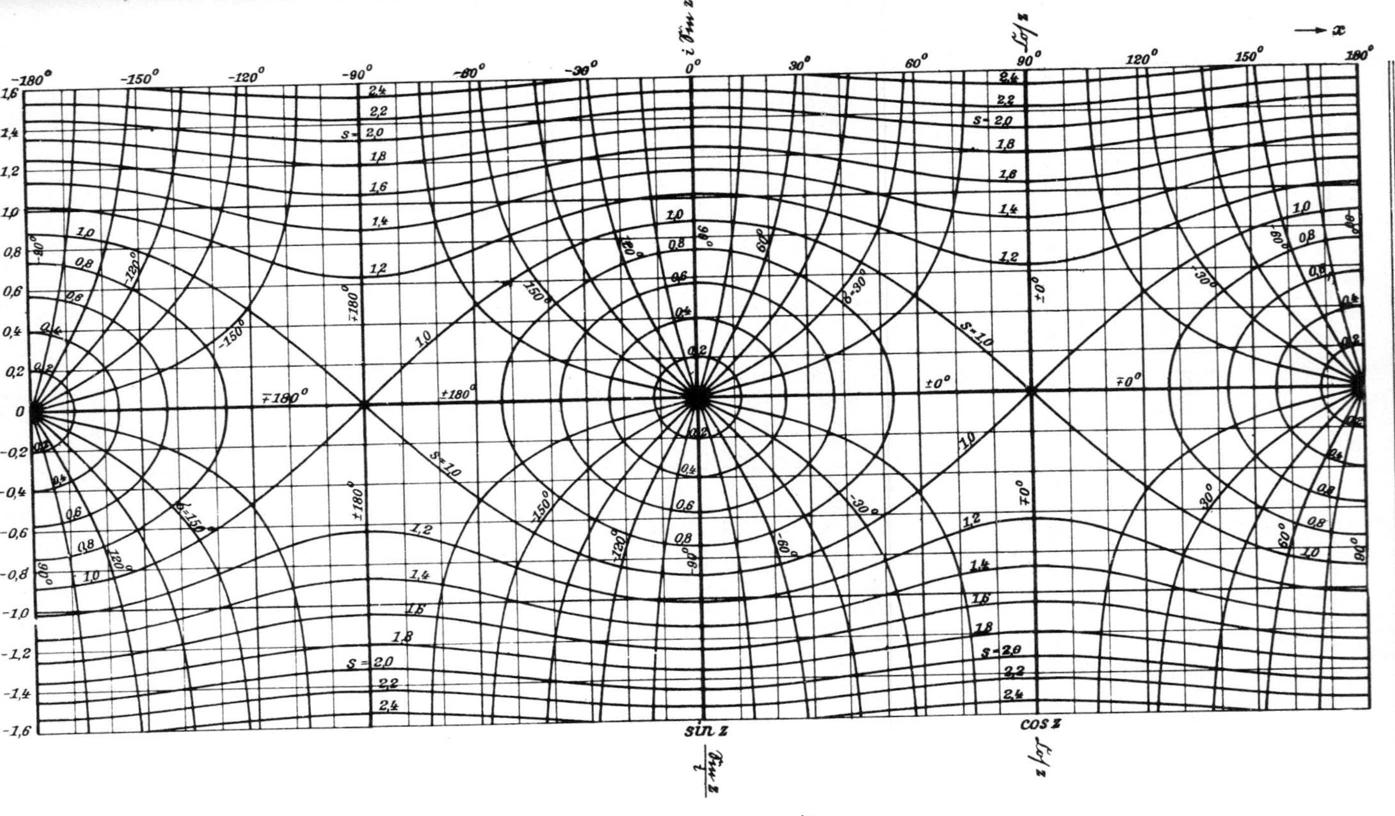

Fig. 25. $\sin(x + iy) = s\,e^{i\sigma}$

Höhenkarte des Sinusreliefs. Betrachtet man die Karte von verschiedenen Seiten, so erhält man, je nach Wahl des Nullpunktes, die Funktionen $\sin z$, $\cos z$, $\mathfrak{Cof}\, z$, $\pm i\, \mathfrak{Sin}\, z$.

Altitude chart of the sine-relief. If we consider the chart from different sides, we obtain the functions $\sin z$, $\cos z$, $\cosh z$, $\pm i \sinh z$, according to the choice of origin.

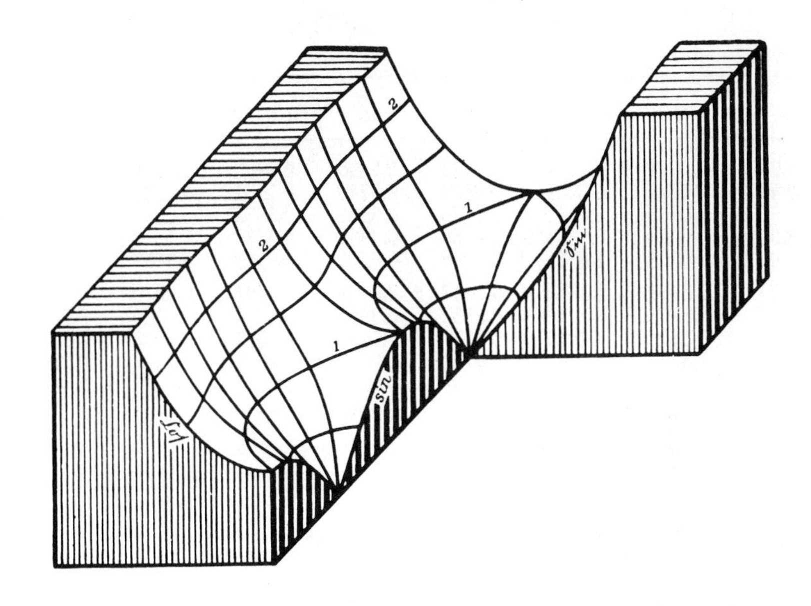

Fig. 26. Sinusrelief mit Höhenlinien und Fallinien.
Fig. 26. Sine relief with contours and lines of steepest gradient.

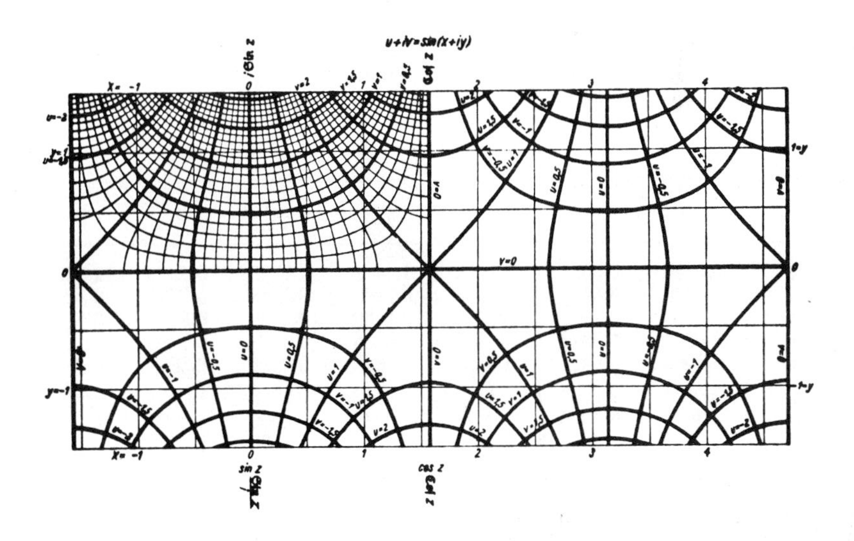

Fig. 27. $\sin z = u + iv$. Kurven $u =$ konst. und $v =$ konst. in der z-Ebene.
Fig. 27. $\sin z = u + iv$. Curves $u =$ const and $v =$ const in the z plane.

$$\sin(x+iy) = s e^{i\sigma}.$$

x in Radianten. — x in radians.

s	$\sigma = 0°$	15°	30°	45°	60°	75°	90°
0,2	0,2014	0,1941	0,1732	0,1405	0,0987	0,0508	0,0000
0,4	0,4115	0,3941	0,3457	0,2748	0,1901	0,0967	0,0000
0,6	0,6435	0,6059	0,5136	0,3957	0,2673	0,1345	0,0000
0,8	0,9273	0,8311	0,6656	0,4959	0,3286	0,1637	0,0000
1,0	1,5708	1,0371	0,7854	0,5719	0,3747	0,1857	0,0000
1,2	1,5708	1,1585	0,8667	0,6261	0,4084	0,2019	0,0000
1,4	1,5708	1,2149	0,9182	0,6640	0,4329	0,2139	0,0000
1,6	1,5708	1,2439	0,9511	0,6906	0,4509	0,2228	0,0000
1,8	1,5708	1,2608	0,9730	0,7097	0,4643	0,2297	0,0000
2,0	1,5708	1,2717	0,9881	0,7237	0,4745	0,2349	0,0000
2,2	1,5708	1,2792	0,9991	0,7342	0,4823	0,2390	0,0000

x in Graden. — x in degrees.

s	$\sigma = 0°$	15°	30°	45°	60°	75°	90°
0,2	11,54	11,12	9,92	8,05	5,65	2,91	0,00
0,4	23,58	22,58	19,81	15,75	10,89	5,54	0,00
0,6	36,87	34,71	29,43	22,67	15,31	7,70	0,00
0,8	53,13	47,62	38,14	28,41	18,83	9,38	0,00
1,0	90,00	59,42	45,00	32,76	21,47	10,64	0,00
1,2	90,00	66,37	49,66	35,87	23,40	11,57	0,00
1,4	90,00	69,61	52,61	38,05	24,80	12,25	0,00
1,6	90,00	71,27	54,49	39,57	25,84	12,77	0,00
1,8	90,00	72,24	55,75	40,66	26,60	13,16	0,00
2,0	90,00	72,86	56,62	41,46	27,18	13,46	0,00
2,2	90,00	73,29	57,24	42,07	27,63	13,70	0,00

y

s	$\sigma = 0°$	15°	30°	45°	60°	75°	90°
0,2	0,0000	0,0527	0,1013	0,1423	0,1732	0,1923	0,1987
0,4	0,0000	0,1119	0,2110	0,2898	0,3458	0,3790	0,3900
0,6	0,0000	0,1878	0,3380	0,4450	0,5156	0,5558	0,5688
0,8	0,0000	0,3026	0,4884	0,6055	0,6787	0,7195	0,7327
1,0	0,0000	0,4890	0,6585	0,7643	0,8314	0,8692	0,8814
1,2	0,6224	0,7130	0,8287	0,9143	0,9719	1,0051	1,0160
1,4	0,8670	0,9093	0,9853	1,0520	1,1000	1,1285	1,1380
1,6	1,0462	1,0721	1,1248	1,1767	1,2165	1,2408	1,2490
1,8	1,1929	1,2099	1,2485	1,2896	1,3226	1,3434	1,3504
2,0	1,3170	1,3293	1,3588	1,3920	1,4197	1,4375	1,4436
2,2	1,4254	1,4349	1,4583	1,4855	1,5090	1,5244	1,5297

Genauer als unsern Figuren entnimmt man die Werte den auf S. **301** genannten Tafeln von H a w e l k a.

More accurate values can be obtained from the tables of H a w e l k a mentioned on p. **301**.

Rückgang auf die positiven spitzen Winkel x, σ und $2x$, τ.
Reduction to the positive acute angles x, σ and $2x$, τ.

(Stets erst einen Näherungswert in der Fig. 25 oder Fig. 28 ablesen!)
a) Gegeben der komplexe Winkel; gesucht die Funktion.
b) Gegeben die Funktion; gesucht der komplexe Winkel.

(First of all read off an approximate value from fig. 25 or from fig. 28!)
a) Given the complex angle; to find the function.
b) Given the function; to find the complex angle.

a)

$se^{i\varphi} =$	$\sin$ $x'+iy$	$\mathfrak{Sin}$ $y+ix'$	$\mathfrak{Sin}$ $-y+ix'$
x'	φ	φ	φ
$-(180°-x)$	$-(180°-\sigma)$	$-(90°+\sigma)$	$-(90°-\sigma)$
$-x$	$180°-\sigma$	$-(90°-\sigma)$	$-(90°+\sigma)$
x	σ	$90°-\sigma$	$90°+\sigma$
$180°-x$	$-\sigma$	$90°+\sigma$	$90°-\sigma$
$se^{-i\varphi} =$	$\sin$ $x'-iy$	$\mathfrak{Sin}$ $y-ix'$	$\mathfrak{Sin}$ $-y-ix'$

$$\sin(x+iy) = se^{i\sigma}$$
$$0 < \frac{x}{\sigma} < 90°$$
$$0 < \frac{y}{s} < \infty$$

a)

$se^{i\varphi} = \cos(x'+iy) = \mathfrak{Cos}(-y+ix')$	
x'	φ
$-(90°+x)$	$180°-\sigma$
$-(90°-x)$	σ
$90°-x$	$-\sigma$
$90°+x$	$-(180°-\sigma)$
$se^{-i\varphi} = \cos(x'-iy) = \mathfrak{Cos}(y+ix')$	

b)

	$\mathfrak{Sin}$
$se^{i\left(\frac{\pi}{2}-\sigma\right)}$	$y+ix$ $-y+i(\pi-x)$
$se^{i\left(\frac{\pi}{2}+\sigma\right)}$	$-y+ix$ $y+i(\pi-x)$

b)

	$\sin$	$\cos$	$\mathfrak{Cos}$
$se^{i\sigma}$	$x+iy$ $(\pi-x)-iy$	$\left(\frac{\pi}{2}-x\right)-iy$ $-\left(\frac{\pi}{2}-x\right)+iy$	$y+i\left(\frac{\pi}{2}-x\right)$ $-y-i\left(\frac{\pi}{2}-x\right)$
$se^{i(\pi-\sigma)}$	$-x+iy$ $-(\pi-x)-iy$	$\left(\frac{\pi}{2}+x\right)-iy$ $-\left(\frac{\pi}{2}+x\right)+iy$	$y+i\left(\frac{\pi}{2}+x\right)$ $-y-i\left(\frac{\pi}{2}+x\right)$

Fortsetzung S. 71 und 73. Continued on p. 71 and 73.

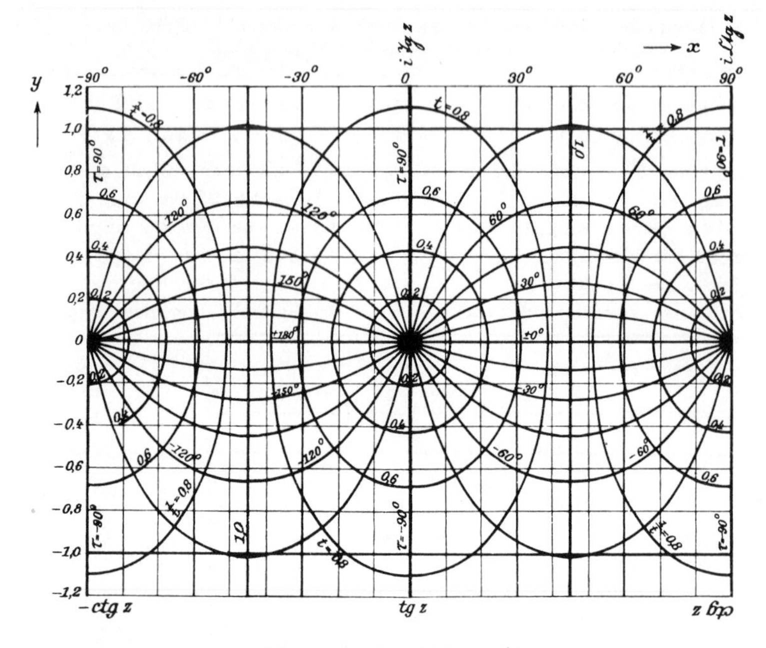

Fig. 28. $\operatorname{tg}(x+iy)=t\,e^{i\tau}$.

Höhenkarte des Tangensreliefs. Betrachtet man die Karte von verschiedenen Seiten, so erhält man, je nach Wahl des Nullpunktes, die Funktionen $\operatorname{tg} z$, $-\operatorname{ctg} z$, $i\,\mathfrak{Tg}\,z$, $i\,\mathfrak{Ctg}\,z$, $+\operatorname{ctg} z$.

Altitude chart of the tangent relief. If we consider the chart from different sides, we obtain the functions $\tan z$, $-\cot z$, $i\tanh z$, $i\coth z$, $+\cot z$, according to the choice of origin.

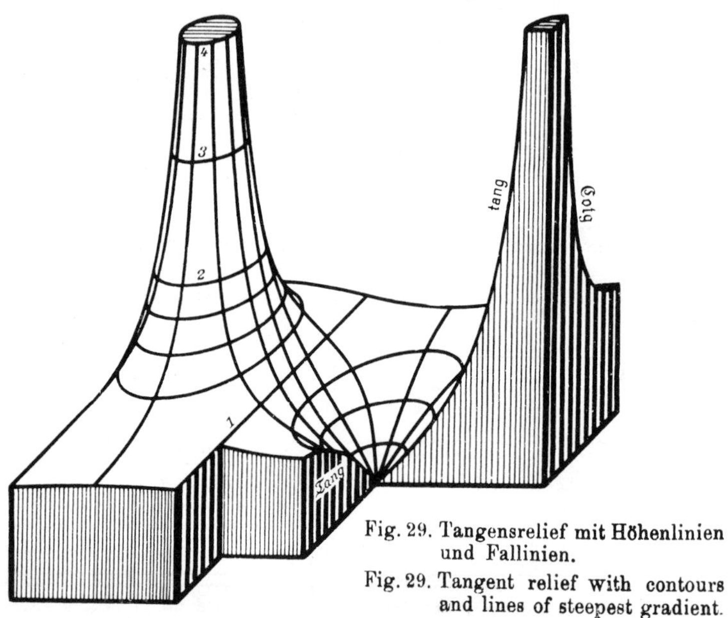

Fig. 29. Tangensrelief mit Höhenlinien und Fallinien.

Fig. 29. Tangent relief with contours and lines of steepest gradient.

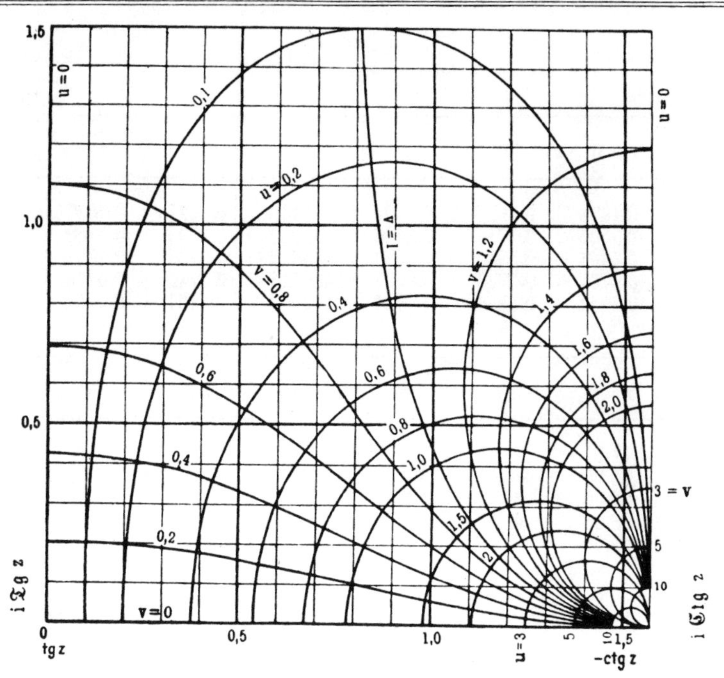

Fig. 30. $\operatorname{tg} z = u + i v$.

a)

$t^{-n} e^{i\varphi} =$		ctg $x' - iy$	$\mathfrak{Ctg}$ $y - ix'$	$\mathfrak{Ctg}$ $-y - ix'$
$t^{n} e^{i\varphi} =$		tg $x' + iy$	$\mathfrak{Tg}$ $y + ix'$	$\mathfrak{Tg}$ $-y + ix'$
x'	n	φ	φ	φ
$90° + x$ $-(90° - x)$	-1	$180° - \tau$	$-(90° - \tau)$	$-(90° + \tau)$
$180° - x$ $-x$	$+1$			
x $-(180° - x)$	$+1$	τ	$90° - \tau$	$90° + \tau$
$90° - x$ $-(90° + x)$	-1			
$t^{-n} e^{-i\varphi} =$		ctg $x' + iy$	$\mathfrak{Ctg}$ $y + ix'$	$\mathfrak{Ctg}$ $-y + ix'$
$t^{n} e^{-i\varphi} =$		tg $x' - iy$	$\mathfrak{Tg}$ $y - ix'$	$\mathfrak{Tg}$ $-y - ix'$

$\operatorname{tg}(x + iy) = t e^{i\tau}$

$0 < x < 45°$

$0 < y < \infty$

$0 < t < 1$

$0 < \tau < 90°$

Fortsetzung S. 73.
Continued on p. 73.

$\operatorname{tg}(x+iy) = te^{i\tau}$.

x in Radianten. x in radians.

t	$\tau=0°$	15°	80°	45°	60°	75°	90°
0,2	0,1974	0,1913	0,1732	0,1433	0,1027	0,0537	0,0000
0,4	0,3805	0,3719	0,3448	0,2963	0,2222	0,1208	0,0000
0,6	0,5404	0,5332	0,5094	0,4623	0,3766	0,2259	0,0000
0,8	0,6747	0,6710	0,6583	0,6314	0,5740	0,4276	0,0000
1,0	0,7854	0,7854	0,7854	0,7854	0,7854	0,7854	x

x in Graden. x in degrees.

t	$\tau=0°$	15°	30°	45°	60°	75°	90°
0,2	11,31	10,96	9,92	8,21	5,88	3,08	0,00
0,4	21,80	21,31	19,76	16,98	12,73	6,92	0,00
0,6	30,96	30,55	29,19	26,49	21,58	12,94	0,00
0,8	38,66	38,44	37,72	36,17	32,89	24,50	0,00
1,0	45,00	45,00	45,00	45,00	45,00	45,00	x

y

t	$\tau=0°$	15°	30°	45°	60°	75°	90°
0,2	0,0000	0,0499	0,0974	0,1395	0,1732	0,1951	0,2027
0,4	0,0000	0,0902	0,1798	0,2665	0,3444	0,4019	0,4237
0,6	0,0000	0,1162	0,2368	0,3657	0,5030	0,6322	0,6931
0.8	0,0000	0,1290	0,2666	0,4239	0,6190	0,8794	1,0987
1,0	0,0000	0,1324	0,2747	0,4407	0,6585	1,0137	∞

$\operatorname{tg}(x+iy) = te^{i\tau}$.

x in Radianten. x in radians.

t	$\tau=75°$	80°	85°	90°
0,80	0,4276	0,3286	0,1848	0,0000
0,82	0,4567	0,3578	0,2057	0,0000
0,84	0.4878	0,3904	0,2308	0,0000
0,86	0,5208	0,4269	0,2612	0,0000
0,88	0,5555	0,4675	0,2986	0,0000
0,90	0,5918	0,5123	0,3451	0,0000
0,92	0,6294	0,5613	0,4035	0,0000
0,94	0,6680	0.6141	0,4766	0,0000
0,96	0,7072	0,6699	0,5663	0,0000
0,98	0,7464	0,7275	0,6715	0,0000
0,990	0,7660	0,7565	0,7280	0,0000
0,999	0,7835	0,7825	0,7797	0,0000
$1-10^{-6}$	0.7854	0,7854	0,7854	0,0000
$1-10^{-9}$	0,7854	0,7854	0,7854	0,0000
1.00	0,7854	0.7854	0,7854	x

x in Graden. x in degrees.

t	$\tau=75°$	80°	85°	90°
9,80	24,50	18,83	10,59	0,00
0,82	26,17	20,50	11,79	0.00
0,84	27,95	22,37	13,22	0,00
0,86	29,84	24,46	14,96	0,00
0,88	31,83	26,78	17,11	0,00
0,90	33,91	29,35	19,77	0,00
0,92	36,06	32,16	23,12	0,00
0,94	38,27	35,19	27,30	0.00
0,96	40,52	38,38	32,45	0,00
0.98	42,77	41,68	38,47	0,00
0,990	43,89	43,34	41,71	0,00
0,999	44,89	44,83	44,67	0.00
$1-10^{-6}$	45,00	45,00	45,00	0,00
$1-10^{-9}$	45,00	45,00	45,00	0,00
1,00	45,00	45,00	45,00	x

$1/y$

t	$\tau=75°$	80°	85°	90°
0,80	1,1371	1,0225	0,9409	0,9102
0,82	1,1087	0,9879	0,8991	0,8644
0,84	1,0830	0,9557	0,8584	0,8189
0,86	1,0603	0,9262	0,8191	0,7732
0,88	1,0405	0,8997	0,7814	0,7269
0,90	1,0238	0,8765	0,7455	0,6792
0,92	1,0102	0,8569	0,7124	0,6293
0,94	0,9996	0,8413	0,6831	0,5754
0,96	0,9922	0,8300	0,6595	0,5139
0,98	0,9878	0,8232	0,6441	0,4352
0,990	0,9867	0,8215	0,6401	0,3778
0,999	0,9864	0,8209	0,6387	0,2631
$1-10^{-6}$	0,9864	0,8209	0,6387	0,1378
$1-10^{-9}$	0,9864	0,8209	0,6387	0,0934
1,00	0,9864	0,8209	0,6387	0,0000

Fortsetzung von S. 71. Continued from p. 71.

b)

	tg	ctg
$te^{i\tau}$	$x+iy$	$\left(\frac{\pi}{2}-x\right)-iy$
$te^{i(\pi-\tau)}$	$-x+iy$	$-\left(\frac{\pi}{2}-x\right)-iy$
$e^{i\tau}/t$	$\left(\frac{\pi}{2}-x\right)+iy$	$x-iy$
$e^{i(\pi-\tau)}/t$	$-\left(\frac{\pi}{2}-x\right)+iy$	$-x-iy$

b)

	$\mathfrak{Tg}$	$\mathfrak{Ctg}$
$te^{i\left(\frac{\pi}{2}-\tau\right)}$	$y+ix$	$y-i\left(\frac{\pi}{2}-x\right)$
$te^{i\left(\frac{\pi}{2}+\tau\right)}$	$-y+ix$	$-y-i\left(\frac{\pi}{2}-x\right)$
$e^{i\left(\frac{\pi}{2}-\tau\right)}/t$	$y+i\left(\frac{\pi}{2}-x\right)$	$y-ix$
$e^{i\left(\frac{\pi}{2}+\tau\right)}/t$	$-y+i\left(\frac{\pi}{2}-x\right)$	$-y-ix$

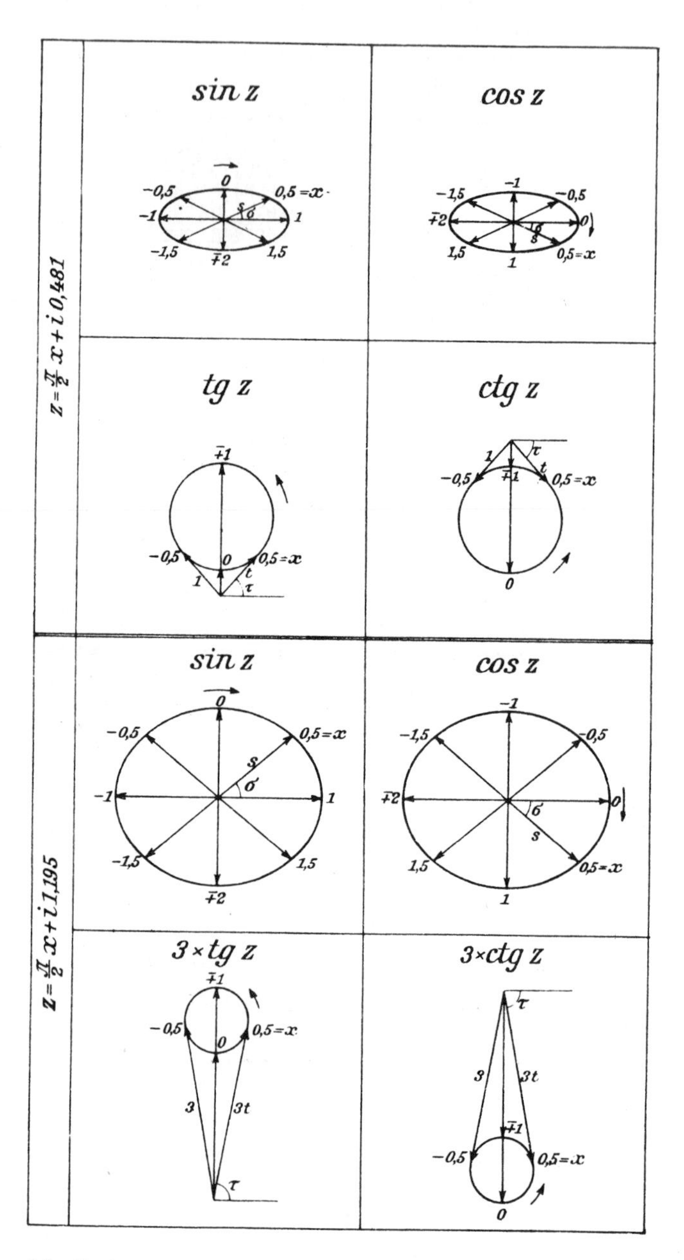

Fig. 31a und b. Verhalten der Funktionen in den vier Quadranten oder Oktanten bei konstantem y, nämlich der Kreisfunktionen von $x^{\llcorner} + iy$ und der Hyperbelfunktionen von $y + ix^{\llcorner}$.

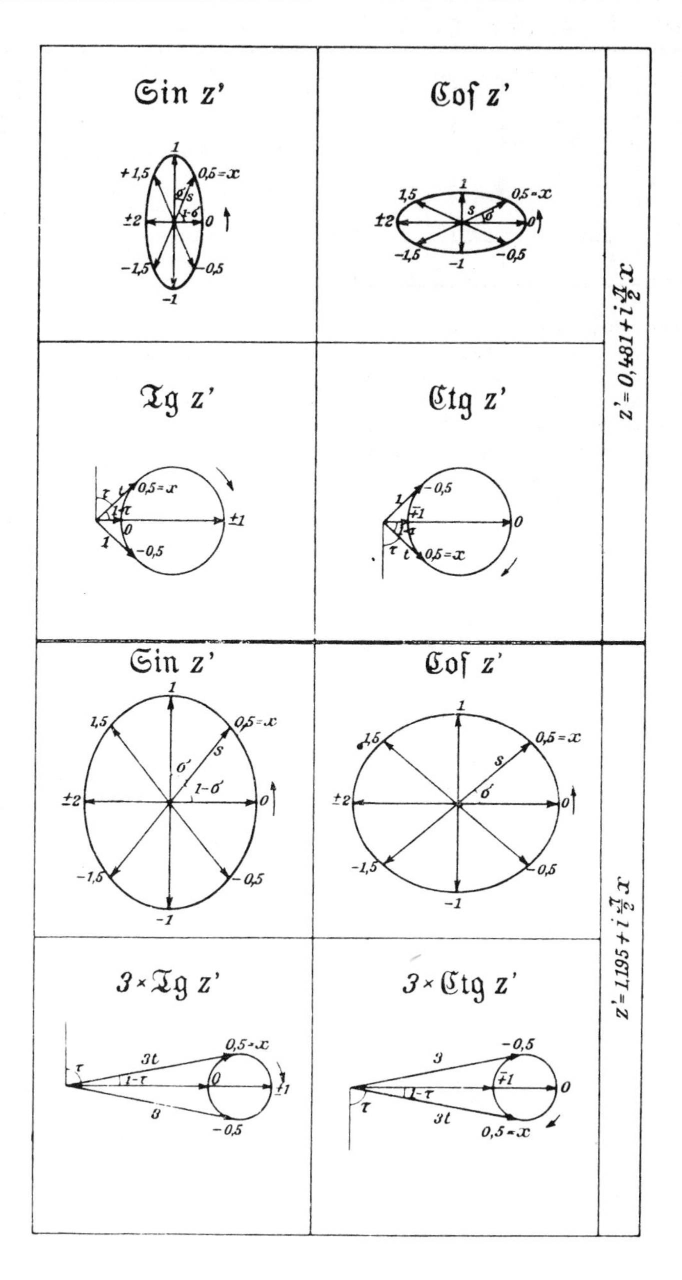

Fig. 31 a and b. Behaviour of the functions in the four quadrants or octants for $y =$ const, viz. of the circular functions of $x + iy$ and of the hyperbolic functions of $y + ix$.

Argument	sin	𝔗𝔤	ℭ𝔱𝔤	ctg	tg	𝔖𝔦𝔫	ℭ𝔬𝔰	cos	Erläuterung	Explanation
┌	┌	┌	┌	┌	┌	┌	┌	┌	Vorz.-Wechsel des imag. Teils	Change of sign of the imag. part
┘	┘	┘	┘	┘	┘	┘	┌	┌	Vorz.-Wechsel des reellen Teils	Change of sign of the real part
$90° - x$		⫯	⫯	⫯	⫯				Übergang zum Kompl.-Winkel	Crossing to the complem. angle
$180° - x$	┌	┌	┌	┘	┘	┘	┘	┘	Übergang zum Suppl.-Winkel	Crossing to the supplem. angle

Das Zeichen ⫯ bedeutet, daß der Betrag der Funktion in seinen reziproken Wert übergeht. Umkehr des waagrechten Schenkels des rechten Winkels └ bedeutet Vorzeichenwechsel des reellen Teils; Umkehr des senkrechten Schenkels bedeutet Vorzeichenwechsel des imaginären Teils.

The sign ⫯ denotes that the absolute value of the function is transformed to the reciprocal value. Reversion of the horizontal side of the right-angle └ signifies change of sign of the real part; reversion of the vertical side signifies change of sign of the imaginary part.

CATALOG OF DOVER BOOKS

MATHEMATICS—INTERMEDIATE TO ADVANCED

General

INTRODUCTION TO APPLIED MATHEMATICS, Francis D. Murnaghan. A practical and thoroughly sound introduction to a number of advanced branches of higher mathematics. Among the selected topics covered in detail are: vector and matrix analysis, partial and differential equations, integral equations, calculus of variations, Laplace transform theory, the vector triple product, linear vector functions, quadratic and bilinear forms, Fourier series, spherical harmonics, Bessel functions, the Heaviside expansion formula, and many others. Extremely useful book for graduate students in physics, engineering, chemistry, and mathematics. Index. 111 study exercises with answers. 41 illustrations. ix + 389pp. 5⅜ x 8½.
S1042 Paperbound **$2.00**

OPERATIONAL METHODS IN APPLIED MATHEMATICS, H. S. Carslaw and J. C. Jaeger. Explanation of the application of the Laplace Transformation to differential equations, a simple and effective substitute for more difficult and obscure operational methods. Of great practical value to engineers and to all workers in applied mathematics. Chapters on: Ordinary Linear Differential Equations with Constant Coefficients;; Electric Circuit Theory; Dynamical Applications; The Inversion Theorem for the Laplace Transformation; Conduction of Heat; Vibrations of Continuous Mechanical Systems; Hydrodynamics; Impulsive Functions; Chains of Differential Equations; and other related matters. 3 appendices. 153 problems, many with answers. 22 figures. xvi + 359pp. 5⅜ x 8½.
S1011 Paperbound **$2.25**

APPLIED MATHEMATICS FOR RADIO AND COMMUNICATIONS ENGINEERS, C. E. Smith. No extraneous material here!—only the theories, equations, and operations essential and immediately useful for radio work. Can be used as refresher, as handbook of applications and tables, or as full home-study course. Ranges from simplest arithmetic through calculus, series, and wave forms, hyperbolic trigonometry, simultaneous equations in mesh circuits, etc. Supplies applications right along with each math topic discussed. 22 useful tables of functions, formulas, logs, etc. Index. 166 exercises, 140 examples, all with answers. 95 diagrams. Bibliography. x + 336pp. 5⅜ x 8.
S141 Paperbound **$1.75**

Algebra, group theory, determinants, sets, matrix theory

ALGEBRAS AND THEIR ARITHMETICS, L. E. Dickson. Provides the foundation and background necessary to any advanced undergraduate or graduate student studying abstract algebra. Begins with elementary introduction to linear transformations, matrices, field of complex numbers; proceeds to order, basal units, modulus, quaternions, etc.; develops calculus of linears sets, describes various examples of algebras including invariant, difference, nilpotent, semi-simple. "Makes the reader marvel at his genius for clear and profound analysis," Amer. Mathematical Monthly. Index. xii + 241pp. 5⅜ x 8.
S616 Paperbound **$1.50**

THE THEORY OF EQUATIONS WITH AN INTRODUCTION TO THE THEORY OF BINARY ALGEBRAIC FORMS, W. S. Burnside and A. W. Panton. Extremely thorough and concrete discussion of the theory of equations, with extensive detailed treatment of many topics curtailed in later texts. Covers theory of algebraic equations, properties of polynomials, symmetric functions, derived functions, Horner's process, complex numbers and the complex variable, determinants and methods of elimination, invariant theory (nearly 100 pages), transformations, introduction to Galois theory, Abelian equations, and much more. Invaluable supplementary work for modern students and teachers. 759 examples and exercises. Index in each volume. Two volume set. Total of xxiv + 604pp. 5⅜ x 8.
S714 Vol I Paperbound **$1.85**
S715 Vol II Paperbound **$1.85**
The set **$3.70**

COMPUTATIONAL METHODS OF LINEAR ALGEBRA, V. N. Faddeeva, translated by **C. D. Benster.** First English translation of a unique and valuable work, the only work in English presenting a systematic exposition of the most important methods of linear algebra—classical and contemporary. Shows in detail how to derive numerical solutions of problems in mathematical physics which are frequently connected with those of linear algebra. Theory as well as individual practice. Part I surveys the mathematical background that is indispensable to what follows. Parts II and III, the conclusion, set forth the most important methods of solution, for both exact and iterative groups. One of the most outstanding and valuable features of this work is the 23 tables, double and triple checked for accuracy. These tables will not be found elsewhere. Author's preface. Translator's note. New bibliography and index. x + 252pp. 5⅜ x 8.
S424 Paperbound **$1.95**

ALGEBRAIC EQUATIONS, E. Dehn. Careful and complete presentation of Galois' theory of algebraic equations; theories of Lagrange and Galois developed in logical rather than historical form, with a more thorough exposition than in most modern books. Many concrete applications and fully-worked-out examples. Discusses basic theory (very clear exposition of the symmetric group); isomorphic, transitive, and Abelian groups; applications of Lagrange's and Galois' theories; and much more. Newly revised by the author. Index. List of Theorems. xi + 208pp. 5⅜ x 8.
S697 Paperbound **$1.45**

THEORY AND APPLICATIONS OF FINITE GROUPS, G. A. Miller, H. F. Blichfeldt, L. E. Dickson. Unusually accurate and authoritative work, each section prepared by a leading specialist: Miller on substitution and abstract groups, Blichfeldt on finite groups of linear homogeneous transformations, Dickson on applications of finite groups. Unlike more modern works, this gives the concrete basis from which abstract group theory arose. Includes Abelian groups, prime-power groups, isomorphisms, matrix forms of linear transformations, Sylow groups, Galois' theory of algebraic equations, duplication of a cube, trisection of an angle, etc. 2 Indexes. 267 problems. xvii + 390pp. 5⅜ x 8. S216 Paperbound **$2.00**

THE THEORY OF DETERMINANTS, MATRICES, AND INVARIANTS, H. W. Turnbull. Important study includes all salient features and major theories. 7 chapters on determinants and matrices cover fundamental properties, Laplace identities, multiplication, linear equations, rank and differentiation, etc. Sections on invariants gives general properties, symbolic and direct methods of reduction, binary and polar forms, general linear transformation, first fundamental theorem, multilinear forms. Following chapters study development and proof of Hilbert's Basis Theorem, Gordan-Hilbert Finiteness Theorem, Clebsch's Theorem, and include discussions of apolarity, canonical forms, geometrical interpretations of algebraic forms, complete system of the general quadric, etc. New preface and appendix. Bibliography. xviii + 374pp. 5⅜ x 8. S699 Paperbound **$2.25**

AN INTRODUCTION TO THE THEORY OF CANONICAL MATRICES, H. W. Turnbull and A. C. Aitken. All principal aspects of the theory of canonical matrices, from definitions and fundamental properties of matrices to the practical applications of their reduction to canonical form. Beginning with matrix multiplications, reciprocals, and partitioned matrices, the authors go on to elementary transformations and bilinear and quadratic forms. Also covers such topics as a rational canonical form for the collineatory group, congruent and conjunctive transformation for quadratic and hermitian forms, unitary and orthogonal transformations, canonical reduction of pencils of matrices, etc. Index. Appendix. Historical notes at chapter ends. Bibliographies. 275 problems. xiv + 200pp. 5⅜ x 8. S177 Paperbound **$1.55**

A TREATISE ON THE THEORY OF DETERMINANTS, T. Muir. Unequalled as an exhaustive compilation of nearly all the known facts about determinants up to the early 1930's. Covers notation and general properties, row and column transformation, symmetry, compound determinants, adjugates, rectangular arrays and matrices, linear dependence, gradients, Jacobians, Hessians, Wronskians, and much more. Invaluable for libraries of industrial and research organizations as well as for student, teacher, and mathematician; very useful in the field of computing machines. Revised and enlarged by W. H. Metzler. Index. 485 problems and scores of numerical examples. iv + 766pp. 5⅜ x 8. S670 Paperbound **$3.00**

THEORY OF DETERMINANTS IN THE HISTORICAL ORDER OF DEVELOPMENT, Sir Thomas Muir. Unabridged reprinting of this complete study of 1,859 papers on determinant theory written between 1693 and 1900. Most important and original sections reproduced, valuable commentary on each. No other work is necessary for determinant research: all types are covered—each subdivision of the theory treated separately; all papers dealing with each type are covered; you are told exactly what each paper is about and how important its contribution is. Each result, theory, extension, or modification is assigned its own identifying numeral so that the full history may be more easily followed. Includes papers on determinants in general, determinants and linear equations, symmetric determinants, alternants, recurrents, determinants having invariant factors, and all other major types. "A model of what such histories ought to be," NATURE. "Mathematicians must ever be grateful to Sir Thomas for his monumental work," AMERICAN MATH MONTHLY. Four volumes bound as two. Indices. Bibliographies. Total of lxxxiv + 1977pp. 5⅜ x 8. S672-3 The set, Clothbound **$12.50**

Calculus and function theory, Fourier theory, infinite series, calculus of variations, real and complex functions

FIVE VOLUME "THEORY OF FUNCTIONS' SET BY KONRAD KNOPP

This five-volume set, prepared by Konrad Knopp, provides a complete and readily followed account of theory of functions. Proofs are given concisely, yet without sacrifice of completeness or rigor. These volumes are used as texts by such universities as M.I.T., University of Chicago, N. Y. City College, and many others. "Excellent introduction . . . remarkably readable, concise, clear, rigorous," JOURNAL OF THE AMERICAN STATISTICAL ASSOCIATION.

ELEMENTS OF THE THEORY OF FUNCTIONS, Konrad Knopp. This book provides the student with background for further volumes in this set, or texts on a similar level. Partial contents: foundations, system of complex numbers and the Gaussian plane of numbers, Riemann sphere of numbers, mapping by linear functions, normal forms, the logarithm, the cyclometric functions and binomial series. "Not only for the young student, but also for the student who knows all about what is in it," MATHEMATICAL JOURNAL. Bibliography. Index. 140pp. 5⅜ x 8. S154 Paperbound **$1.35**

THEORY OF FUNCTIONS, PART I, Konrad Knopp. With volume II, this book provides coverage of basic concepts and theorems. Partial contents: numbers and points, functions of a complex variable, integral of a continuous function, Cauchy's integral theorem, Cauchy's integral formulae, series with variable terms, expansion of analytic functions in power series, analytic continuation and complete definition of analytic functions, entire transcendental functions, Laurent expansion, types of singularities. Bibliography. Index. vii + 146pp. 5⅜ x 8. S156 Paperbound **$1.35**

THEORY OF FUNCTIONS, PART II, Konrad Knopp. Application and further development of general theory, special topics. Single valued functions, entire, Weierstrass, Meromorphic functions. Riemann surfaces. Algebraic functions. Analytical configuration, Riemann surface. Bibliography. Index. x + 150pp. 5⅜ x 8. S157 Paperbound **$1.35**

PROBLEM BOOK IN THE THEORY OF FUNCTIONS, VOLUME 1, Konrad Knopp. Problems in elementary theory, for use with Knopp's THEORY OF FUNCTIONS, or any other text, arranged according to increasing difficulty. Fundamental concepts, sequences of numbers and infinite series, complex variable, integral theorems, development in series, conformal mapping. 182 problems. Answers. viii + 126pp. 5⅜ x 8. S158 Paperbound **$1.35**

PROBLEM BOOK IN THE THEORY OF FUNCTIONS, VOLUME 2, Konrad Knopp. Advanced theory of functions, to be used either with Knopp's THEORY OF FUNCTIONS, or any other comparable text. Singularities, entire & meromorphic functions, periodic, analytic, continuation, multiple-valued functions, Riemann surfaces, conformal mapping. Includes a section of additional elementary problems. "The difficult task of selecting from the immense material of the modern theory of functions the problems just within the reach of the beginner is here masterfully accomplished," AM. MATH. SOC. Answers. 138pp. 5⅜ x 8. S159 Paperbound **$1.35**

A COURSE IN MATHEMATICAL ANALYSIS, Edouard Goursat. Trans. by E. R. Hedrick, O. Dunkel. Classic study of fundamental material thoroughly treated. Exceptionally lucid exposition of wide range of subject matter for student with 1 year of calculus. Vol. 1: Derivatives and Differentials, Definite Integrals, Expansion in Series, Applications to Geometry. Problems. Index. 52 illus. 556pp. Vol. 2, Part I: Functions of a Complex Variable, Conformal Representations, Doubly Periodic Functions, Natural Boundaries, etc. Problems. Index. 38 illus. 269pp. Vol. 2, Part 2: Differential Equations, Cauchy-Lipschitz Method, Non-linear Differential Equations, Simultaneous Equations, etc. Problems. Index. 308pp. 5⅜ x 8.
Vol. 1 S554 Paperbound **$2.50**
Vol. 2 part 1 S555 Paperbound **$1.85**
Vol. 2 part 2 S556 Paperbound **$1.85**
3 vol. set **$6.20**

MODERN THEORIES OF INTEGRATION, H. Kestelman. Connected and concrete coverage, with fully-worked-out proofs for every step. Ranges from elementary definitions through theory of aggregates, sets of points, Riemann and Lebesgue integration, and much more. This new revised and enlarged edition contains a new chapter on Riemann-Stieltjes integration, as well as a supplementary section of 186 exercises. Ideal for the mathematician, student, teacher, or self-studier. Index of Definitions and Symbols. General Index. Bibliography. x + 310pp. 5⅝ x 8⅜. S572 Paperbound **$2.25**

THEORY OF MAXIMA AND MINIMA, H. Hancock. Fullest treatment ever written; only work in English with extended discussion of maxima and minima for functions of 1, 2, or n variables, problems with subsidiary constraints, and relevant quadratic forms. Detailed proof of each important theorem. Covers the Scheeffer and von Dantscher theories, homogeneous quadratic forms, reversion of series, fallacious establishment of maxima and minima, etc. Unsurpassed treatise for advanced students of calculus, mathematicians, economists, statisticians. Index. 24 diagrams. 39 problems, many examples. 193pp. 5⅜ x 8. S665 Paperbound **$1.50**

AN ELEMENTARY TREATISE ON ELLIPTIC FUNCTIONS, A. Cayley. Still the fullest and clearest text on the theories of Jacobi and Legendre for the advanced student (and an excellent supplement for the beginner). A masterpiece of exposition by the great 19th century British mathematician (creator of the theory of matrices and abstract geometry), it covers the addition-theory, Landen's theorem, the 3 kinds of elliptic integrals, transformations, the q-functions, reduction of a differential expression, and much more. Index. xii + 386pp. 5⅜ x 8. S728 Paperbound **$2.00**

THE APPLICATIONS OF ELLIPTIC FUNCTIONS, A. G. Greenhill. Modern books forego detail for sake of brevity—this book offers complete exposition necessary for proper understanding, use of elliptic integrals. Formulas developed from definite physical, geometric problems; examples representative enough to offer basic information in widely useable form. Elliptic integrals, addition theorem, algebraical form of addition theorem, elliptic integrals of 2nd, 3rd kind, double periodicity, resolution into factors, series, transformation, etc. Introduction. Index. 25 illus. xi + 357pp. 5⅜ x 8. S603 Paperbound **$1.75**

THE THEORY OF FUNCTIONS OF REAL VARIABLES, James Pierpont. A 2-volume authoritative exposition, by one of the foremost mathematicians of his time. Each theorem stated with all conditions, then followed by proof. No need to go through complicated reasoning to discover conditions added without specific mention. Includes a particularly complete, rigorous presentation of theory of measure; and Pierpont's own work on a theory of Lebesgue integrals, and treatment of area of a curved surface. Partial contents, Vol. 1: rational numbers, exponentials, logarithms, point aggregates, maxima, minima, proper integrals, improper integrals, multiple proper integrals, continuity, discontinuity, indeterminate forms. Vol. 2: point sets, proper integrals, series, power series, aggregates, ordinal numbers, discontinuous functions, sub-, infra-uniform convergence, much more. Index. 95 illustrations. 1229pp. 5⅜ x 8. S558-9, 2 volume set, paperbound **$4.90**

FUNCTIONS OF A COMPLEX VARIABLE, James Pierpont. Long one of best in the field. A thorough treatment of fundamental elements, concepts, theorems. A complete study, rigorous, detailed, with carefully selected problems worked out to illustrate each topic. Partial contents: arithmetical operations, real term series, positive term series, exponential functions, integration, analytic functions, asymptotic expansions, functions of Weierstrass, Legendre, etc. Index. List of symbols. 122 illus. 597pp. 5⅜ x 8. S560 Paperbound **$2.45**

MODERN OPERATIONAL CALCULUS: WITH APPLICATIONS IN TECHNICAL MATHEMATICS, N. W. McLachlan. An introduction to modern operational calculus based upon the Laplace transform, applying it to the solution of ordinary and partial differential equations. For physicists, engineers, and applied mathematicians. Partial contents: Laplace transform, theorems or rules of the operational calculus, solution of ordinary and partial linear differential equations with constant coefficients, evaluation of integrals and establishment of mathematical relationships, derivation of Laplace transforms of various functions, etc. Six appendices deal with Heaviside's unit function, etc. Revised edition. Index. Bibliography. xiv + 218pp. 5⅜ x 8½. S192 Paperbound **$1.75**

ADVANCED CALCULUS, E. B. Wilson. An unabridged reprinting of the work which continues to be recognized as one of the most comprehensive and useful texts in the field. It contains an immense amount of well-presented, fundamental material, including chapters on vector functions, ordinary differential equations, special functions, calculus of variations, etc., which are excellent introductions to these areas. For students with only one year of calculus, more than 1300 exercises cover both pure math and applications to engineering and physical problems. For engineers, physicists, etc., this work, with its 54 page introductory review, is the ideal reference and refresher. Index. ix + 566pp. 5⅜ x 8. S504 Paperbound **$2.45**

ASYMPTOTIC EXPANSIONS, A. Erdélyi. The only modern work available in English, this is an unabridged reproduction of a monograph prepared for the Office of Naval Research. It discusses various procedures for asymptotic evaluation of integrals containing a large parameter and solutions of ordinary linear differential equations. Bibliography of 71 items. vi + 108pp. 5⅜ x 8. S318 Paperbound **$1.35**

INTRODUCTION TO ELLIPTIC FUNCTIONS: with applications, F. Bowman. Concise, practical introduction to elliptic integrals and functions. Beginning with the familiar trigonometric functions, it requires nothing more from the reader than a knowledge of basic principles of differentiation and integration. Discussion confined to the Jacobian functions. Enlarged bibliography. Index. 173 problems and examples. 56 figures, 4 tables. 115pp. 5⅜ x 8. S922 Paperbound **$1.25**

ON RIEMANN'S THEORY OF ALGEBRAIC FUNCTIONS AND THEIR INTEGRALS: A SUPPLEMENT TO THE USUAL TREATISES, Felix Klein. Klein demonstrates how the mathematical ideas in Riemann's work on Abelian integrals can be arrived at by thinking in terms of the flow of electric current on surfaces. Intuitive explanations, not detailed proofs given in an extremely clear exposition, concentrating on the kinds of functions which can be defined on Riemann surfaces. Also useful as an introduction to the origins of topological problems. Complete and unabridged. Approved translation by Frances Hardcastle. New introduction. 43 figures. Glossary. xii + 76pp. 5⅜ x 8½. S1072 Paperbound **$1.25**

COLLECTED WORKS OF BERNHARD RIEMANN. This important source book is the first to contain the complete text of both 1892 Werke and the 1902 supplement, unabridged. It contains 31 monographs, 3 complete lecture courses, 15 miscellaneous papers, which have been of enormous importance in relativity, topology, theory of complex variables, and other areas of mathematics. Edited by R. Dedekind, H. Weber, M. Noether, W. Wirtinger. German text. English introduction by Hans Lewy. 690pp. 5⅜ x 8. S226 Paperbound **$2.85**

THE TAYLOR SERIES, AN INTRODUCTION TO THE THEORY OF FUNCTIONS OF A COMPLEX VARIABLE, P. Dienes. This book investigates the entire realm of analytic functions. Only ordinary calculus is needed, except in the last two chapters. Starting with an introduction to real variables and complex algebra, the properties of infinite series, elementary functions, complex differentiation and integration are carefully derived. Also biuniform mapping, a thorough two part discussion of representation and singularities of analytic functions, overconvergence and gap theorems, divergent series, Taylor series on its circle of convergence, divergence and singularities, etc. Unabridged, corrected reissue of first edition. Preface and index. 186 examples, many fully worked out. 67 figures. xii + 555pp. 5⅜ x 8. S391 Paperbound **$2.75**

INTRODUCTION TO BESSEL FUNCTIONS, Frank Bowman. A rigorous self-contained exposition providing all necessary material during the development, which requires only some knowledge of calculus and acquaintance with differential equations. A balanced presentation including applications and practical use. Discusses Bessel Functions of Zero Order, of Any Real Order; Modified Bessel Functions of Zero Order; Definite Integrals; Asymptotic Expansions; Bessel's Solution to Kepler's Problem; Circular Membranes; much more. "Clear and straightforward . . . useful not only to students of physics and engineering, but to mathematical students in general," Nature. 226 problems. Short tables of Bessel functions. 27 figures. Index. x + 135pp. 5⅜ x 8. S462 Paperbound **$1.35**

ELEMENTS OF THE THEORY OF REAL FUNCTIONS, J. E. Littlewood. Based on lectures given at Trinity College, Cambridge, this book has proved to be extremely successful in introducing graduate students to the modern theory of functions. It offers a full and concise coverage of classes and cardinal numbers, well-ordered series, other types of series, and elements of the theory of sets of points. 3rd revised edition. vii + 71pp. 5⅜ x 8.
S171 Clothbound **$2.85**
S172 Paperbound **$1.25**

TRANSCENDENTAL AND ALGEBRAIC NUMBERS, A. O. Gelfond. First English translation of work by leading Soviet mathematician. Thue-Siegel theorem, its p-adic analogue, on approximation of algebraic numbers by numbers in fixed algebraic field; Hermite-Lindemann theorem on transcendency of Bessel functions, solutions of other differential equations; Gelfond-Schneider theorem on transcendency of alpha to power beta; Schneider's work on elliptic functions, with method developed by Gelfond. Translated by L. F. Boron. Index. Bibliography. 200pp. 5⅜ x 8.
S615 Paperbound **$1.75**

ELLIPTIC INTEGRALS, H. Hancock. Invaluable in work involving differential equations containing cubics or quartics under the root sign, where elementary calculus methods are inadequate. Practical solutions to problems that occur in mathematics, engineering, physics: differential equations requiring integration of Lamé's, Briot's, or Bouquet's equations; determination of arc of ellipse, hyperbola, lemniscate; solutions of problems in elastica; motion of a projectile under resistance varying as the cube of the velocity; pendulums; many others. Exposition is in accordance with Legendre-Jacobi theory and includes rigorous discussion of Legendre transformations. 20 figures. 5 place table. Index. 104pp. 5⅛ x 8.
S484 Paperbound **$1.25**

LECTURES ON THE THEORY OF ELLIPTIC FUNCTIONS, H. Hancock. Reissue of the only book in English with so extensive a coverage, especially of Abel, Jacobi, Legendre, Weierstrasse, Hermite, Liouville, and Riemann. Unusual fullness of treatment, plus applications as well as theory, in discussing elliptic function (the universe of elliptic integrals originating in works of Abel and Jacobi), their existence, and ultimate meaning. Use is made of Riemann to provide the most general theory. 40 page table of formulas. 76 figures. xxiii + 498pp.
S483 Paperbound **$2.55**

THE THEORY AND FUNCTIONS OF A REAL VARIABLE AND THE THEORY OF FOURIER'S SERIES, E. W. Hobson. One of the best introductions to set theory and various aspects of functions and Fourier's series. Requires only a good background in calculus. Provides an exhaustive coverage of: metric and descriptive properties of sets of points; transfinite numbers and order types; functions of a real variable; the Riemann and Lebesgue integrals; sequences and series of numbers; power-series; functions representable by series sequences of continuous functions; trigonometrical series; representation of functions by Fourier's series; complete exposition (200pp.) on set theory; and much more. "The best possible guide," Nature. Vol. I: 88 detailed examples, 10 figures. Index. xv + 736pp. Vol. II: 117 detailed examples, 13 figures. Index. x + 780pp. 6⅛ x 9¼.
Vol. I: S387 Paperbound **$3.00**
Vol. II: S388 Paperbound **$3.00**

ALMOST PERIODIC FUNCTIONS, A. S. Besicovitch. This unique and important summary by a well-known mathematician covers in detail the two stages of development in Bohr's theory of almost periodic functions: (1) as a generalization of pure periodicity, with results and proofs; (2) the work done by Stepanoff, Wiener, Weyl, and Bohr in generalizing the theory. Bibliography. xi + 180pp. 5⅜ x 8.
S18 Paperbound **$1.75**

THE ANALYTICAL THEORY OF HEAT, Joseph Fourier. This book, which revolutionized mathematical physics, is listed in the Great Books program, and many other listings of great books. It has been used with profit by generations of mathematicians and physicists who are interested in either heat or in the application of the Fourier integral. Covers cause and reflection of rays of heat, radiant heating, heating of closed spaces, use of trigonometric series in the theory of heat, Fourier integral, etc. Translated by Alexander Freeman. 20 figures. xxii + 466pp. 5⅜ x 8.
S93 Paperbound **$2.00**

AN INTRODUCTION TO FOURIER METHODS AND THE LAPLACE TRANSFORMATION, Philip Franklin. Concentrates upon essentials, enabling the reader with only a working knowledge of calculus to gain an understanding of Fourier methods in a broad sense, suitable for most applications. This work covers complex qualities with methods of computing elementary functions for complex values of the argument and finding approximations by the use of charts; Fourier series and integrals with half-range and complex Fourier series; harmonic analysis; Fourier and Laplace transformations, etc.; partial differential equations with applications to transmission of electricity; etc. The methods developed are related to physical problems of heat flow, vibrations, electrical transmission, electromagnetic radiation, etc. 828 problems with answers. Formerly entitled "Fourier Methods." Bibliography. Index. x + 289pp. 5⅜ x 8.
S452 Paperbound **$1.85**

THE FOURIER INTEGRAL AND CERTAIN OF ITS APPLICATIONS, Norbert Wiener. The only book-length study of the Fourier integral as link between pure and applied math. An expansion of lectures given at Cambridge. Partial contents: Plancherel's theorem, general Tauberian theorem, special Tauberian theorems, generalized harmonic analysis. Bibliography. viii + 201pp. 5⅜ x 8.
S272 Paperbound **$1.50**

Differential equations, ordinary and partial; integral equations

INTRODUCTION TO THE DIFFERENTIAL EQUATIONS OF PHYSICS, L. Hopf. Especially valuable to the engineer with no math beyond elementary calculus. Emphasizing intuitive rather than formal aspects of concepts, the author covers an extensive territory. Partial contents: Law of causality, energy theorem, damped oscillations, coupling by friction, cylindrical and spherical coordinates, heat source, etc. Index. 48 figures. 160pp. 5⅜ x 8.
S120 Paperbound **$1.25**

INTRODUCTION TO THE THEORY OF LINEAR DIFFERENTIAL EQUATIONS, E. G. Poole. Authoritative discussions of important topics, with methods of solution more detailed than usual, for students with background of elementary course in differential equations. Studies existence theorems, linearly independent solutions; equations with constant coefficients; with uniform analytic coefficients; regular singularities; the hypergeometric equation; conformal representation; etc. Exercises. Index. 210pp. 5⅜ x 8. S629 Paperbound **$1.65**

DIFFERENTIAL EQUATIONS FOR ENGINEERS, P. Franklin. Outgrowth of a course given 10 years at M. I. T. Makes most useful branch of pure math accessible for practical work. Theoretical basis of D.E.'s; solution of ordinary D.E.'s and partial derivatives arising from heat flow, steady-state temperature of a plate, wave equations; analytic functions; convergence of Fourier Series. 400 problems on electricity, vibratory systems, other topics. Formerly "Differential Equations for Electrical Engineers." Index 41 illus. 307pp. 5⅜ x 8.
S601 Paperbound **$1.65**

DIFFERENTIAL EQUATIONS, F. R. Moulton. A detailed, rigorous exposition of all the non-elementary processes of solving ordinary differential equations. Several chapters devoted to the treatment of practical problems, especially those of a physical nature, which are far more advanced than problems usually given as illustrations. Includes analytic differential equations; variations of a parameter; integrals of differential equations; analytic implicit functions; problems of elliptic motion; sine-amplitude functions; deviation of formal bodies; Cauchy-Lipschitz process; linear differential equations with periodic coefficients; differential equations in infinitely many variations; much more. Historical notes. 10 figures. 222 problems. Index. xv + 395pp. 5⅜ x 8. S451 Paperbound **$2.00**

DIFFERENTIAL AND INTEGRAL EQUATIONS OF MECHANICS AND PHYSICS (DIE DIFFERENTIAL- UND INTEGRALGLEICHUNGEN DER MECHANIK UND PHYSIK), edited by P. Frank and R. von Mises. Most comprehensive and authoritative work on the mathematics of mathematical physics available today in the United States: the standard, definitive reference for teachers, physicists, engineers, and mathematicians—now published (in the original German) at a relatively inexpensive price for the first time! Every chapter in this 2,000-page set is by an expert in his field: Carathéodory, Courant, Frank, Mises, and a dozen others. Vol I, on mathematics, gives concise but complete coverages of advanced calculus, differential equations, integral equations, and potential, and partial differential equations. Index. xxiii + 916pp. Vol. II (physics): classical mechanics, optics, continuous mechanics, heat conduction and diffusion, the stationary and quasi-stationary electromagnetic field, electromagnetic oscillations, and wave mechanics. Index. xxiv + 1106pp. Two volume set. Each volume available separately. 5⅝ x 8⅜.
S787 Vol I Clothbound **$7.50**
S788 Vol II Clothbound **$7.50**
The set **$15.00**

LECTURES ON CAUCHY'S PROBLEM, J. Hadamard. Based on lectures given at Columbia, Rome, this discusses work of Riemann, Kirchhoff, Volterra, and the author's own research on the hyperbolic case in linear partial differential equations. It extends spherical and cylindrical waves to apply to all (normal) hyperbolic equations. Partial contents: Cauchy's problem, fundamental formula, equations with odd number, with even number of independent variables; method of descent. 32 figures. Index. iii + 316pp. 5⅜ x 8. S105 Paperbound **$1.75**

THEORY OF DIFFERENTIAL EQUATIONS, A. R. Forsyth. Out of print for over a decade, the complete 6 volumes (now bound as 3) of this monumental work represent the most comprehensive treatment of differential equations ever written. Historical presentation includes in 2500 pages every substantial development. Vol. 1, 2: EXACT EQUATIONS, PFAFF'S PROBLEM; ORDINARY EQUATIONS, NOT LINEAR: methods of Grassmann, Clebsch, Lie, Darboux; Cauchy's theorem; branch points; etc. Vol. 3, 4: ORDINARY EQUATIONS, NOT LINEAR; ORDINARY LINEAR EQUATIONS: Zeta Fuchsian functions, general theorems on algebraic integrals, Brun's theorem, equations with uniform periodic coffiecients, etc. Vol. 4, 5: PARTIAL DIFFERENTIAL EQUATIONS: 2 existence-theorems, equations of theoretical dynamics, Laplace transformations, general transformation of equations of the 2nd order, much more. Indexes. Total of 2766pp. 5⅜ x 8. S576-7-8 Clothbound: the set **$15.00**

PARTIAL DIFFERENTIAL EQUATIONS OF MATHEMATICAL PHYSICS, A. G. Webster. A keystone work in the library of every mature physicist, engineer, researcher. Valuable sections on elasticity, compression theory, potential theory, theory of sound, heat conduction, wave propagation, vibration theory. Contents include: deduction of differential equations, vibrations, normal functions, Fourier's series, Cauchy's method, boundary problems, method of Riemann-Volterra. Spherical, cylindrical, ellipsoidal harmonics, applications, etc. 97 figures. vii + 440pp. 5⅜ x 8. S263 Paperbound **$2.00**

ORDINARY DIFFERENTIAL EQUATIONS, E. L. Ince. A most compendious analysis in real and complex domains. Existence and nature of solutions, continuous transformation groups, solutions in an infinite form, definite integrals, algebraic theory, Sturmian theory, boundary problems, existence theorems, 1st order, higher order, etc. "Deserves the highest praise, a notable addition to mathematical literature," BULLETIN, AM. MATH. SOC. Historical appendix. Bibliography. 18 figures. viii + 558pp. 5⅜ x 8. S349 Paperbound **$2.75**

INTRODUCTION TO NONLINEAR DIFFERENTIAL AND INTEGRAL EQUATIONS, Harold T. Davis. A thorough introduction to this important area, of increasing interest to mathematicians and scientists. First published by the United States Atomic Energy Commission, it includes chapters on the differential equation of the first order, the Riccati equation (as a bridge between linear and nonlinear equations), existence theorems, second order equations, elliptic integrals, elliptic functions, and theta functions, second order differential equations of polynomial class, continuous analytic continuation, the phase plane and its phenomena, nonlinear mechanics, the calculus of variations, etc. Appendices on Painlevé transcendents and Van der Pol and Volterra equations. Bibliography of 350 items. 137 problems. Index. xv + 566pp. 5⅜ x 8½. S971 Paperbound **$2.00**

THEORY OF FUNCTIONALS AND OF INTEGRAL AND INTEGRO-DIFFERENTIAL EQUATIONS, Vito Volterra. Unabridged republication of the only English translation. An exposition of the general theory of the functions depending on a continuous set of values of another function, based on the author's fundamental notion of the transition from a finite number of variables to a continually infinite number. Though dealing primarily with integral equations, much material on calculus of variations is included. The work makes no assumption of previous knowledge on the part of the reader. It begins with fundamental material and proceeds to Generalization of Analytic Functions, Integro-Differential Equations, Functional Derivative Equations, Applications, Other Directions of Theory of Functionals, etc. New introduction by G. C. Evans. Bibliography and criticism of Volterra's work by E. Whittaker. Bibliography. Index of authors cited. Index of subjects. xxxx + 226pp. 5⅜ x 8. S502 Paperbound **$1.75**

LINEAR INTEGRAL EQUATIONS, W. V. Lovitt. Systematic survey of general theory, with some application to differential equations, calculus of variations, problems of math, physics. Partial contents: integral equation of 2nd kind by successive substitutions; Fredholm's equation as ratio of 2 integral series in lambda, applications of the Fredholm theory, Hilbert-Schmidt theory of symmetric kernels, application, etc. Neumann, Dirichlet, vibratory problems. Index. ix + 253pp. 5⅜ x 8. S176 Paperbound **$1.60**

Foundations of mathematics

THE CONTINUUM AND OTHER TYPES OF SERIAL ORDER, E. V. Huntington. This famous book gives a systematic elementary account of the modern theory of the continuum as a type of serial order. Based on the Cantor-Dedekind ordinal theory, which requires no technical knowledge of higher mathematics, it offers an easily followed analysis of ordered classes, discrete and dense series, continuous series, Cantor's transfinite numbers. 2nd edition. Index. viii + 82pp. 5⅜ x 8. S130 Paperbound **$1.00**

CONTRIBUTIONS TO THE FOUNDING OF THE THEORY OF TRANSFINITE NUMBERS, Georg Cantor. These papers founded a new branch of mathematics. The famous articles of 1895-7 are translated, with an 82-page introduction by P. E. B. Jourdain dealing with Cantor, the background of his discoveries, their results, future possibilities. Bibliography. Index. Notes. ix + 211 pp. 5⅜ x 8. S45 Paperbound **$1.35**

ELEMENTARY MATHEMATICS FROM AN ADVANCED STANDPOINT, Felix Klein.

This classic text is an outgrowth of Klein's famous integration and survey course at Göttingen. Using one field of mathematics to interpret, adjust, illuminate another, it covers basic topics in each area, illustrating its discussion with extensive analysis. It is especially valuable in considering areas of modern mathematics. "Makes the reader feel the inspiration of . . . a great mathematician, inspiring teacher . . . with deep insight into the foundations and interrelations," BULLETIN, AMERICAN MATHEMATICAL SOCIETY.

Vol. 1. ARITHMETIC, ALGEBRA, ANALYSIS. Introducing the concept of function immediately, it enlivens abstract discussion with graphical and geometrically perceptual methods. Partial contents: natural numbers, extension of the notion of number, special properties, complex numbers. Real equations with real unknowns, complex quantities. Logarithmic, exponential functions, goniometric functions, infinitesimal calculus. Transcendence of e and pi, theory of assemblages. Index. 125 figures. ix + 274pp . 5⅜ x 8. S150 Paperbound **$1.85**

Vol. 2. GEOMETRY. A comprehensive view which accompanies the space perception inherent in geometry with analytic formulas which facilitate precise formulation. Partial contents: Simplest geometric manifolds: line segment, Grassmann determinant principles, classification of configurations of space, derivative manifolds. Geometric transformations: affine transformations, projective, higher point transformations, theory of the imaginary. Systematic discussion of geometry and its foundations. Indexes. 141 illustrations. ix + 214pp. 5⅜ x 8. S151 Paperbound **$1.75**

ESSAYS ON THE THEORY OF NUMBERS: 1. CONTINUITY AND IRRATIONAL NUMBERS; 2. THE NATURE AND MEANING OF NUMBERS, Richard Dedekind. The two most important essays on the logical foundations of the number system by the famous German mathematician. The first provides a purely arithmetic and perfectly rigorous foundation for irrational numbers and thereby a rigorous meaning to continuity in analysis. The second essay is an attempt to give a logical basis for transfinite numbers and properties of the natural numbers. Discusses the logical validity of mathematical induction. Authorized English translations by W. W. Deman of "Stetigkeit und irrationale Zahlen" and "Was sind und was sollen die Zahlen?" vii + 115pp. 5⅜ x 8. T1010 Paperbound **$1.00**

Geometry

THE FOUNDATIONS OF EUCLIDEAN GEOMETRY, H. G. Forder. The first rigorous account of Euclidean geometry, establishing propositions without recourse to empiricism, and without multiplying hypotheses. Corrects many traditional weaknesses of Euclidean proofs, and investigates the problems imposed on the axiom system by the discoveries of Bolyai and Lobachevsky. Some topics discussed are Classes and Relations; Axioms for Magnitudes; Congruence and Similarity; Algebra of Points; Hessenberg's Theorem; Continuity; Existence of Parallels; Reflections; Rotations; Isometries; etc. Invaluable for the light it throws on foundations of math. Lists: Axioms employed, Symbols, Constructions. 295pp. 5⅜ x 8.
S481 Paperbound **$2.00**

ADVANCED EUCLIDEAN GEOMETRY, R. A. Johnson. For years the standard textbook on advanced Euclidean geometry, requires only high school geometry and trigonometry. Explores in unusual detail and gives proofs of hundreds of relatively recent theorems and corollaries, many formerly available only in widely scattered journals. Covers tangent circles, the theorem of Miquel, symmedian point, pedal triangles and circles, the Brocard configuration, and much more. Formerly "Modern Geometry." Index. 107 diagrams. xiii + 319pp. 5⅜ x 8.
S669 Paperbound **$1.65**

HIGHER GEOMETRY: AN INTRODUCTION TO ADVANCED METHODS IN ANALYTIC GEOMETRY, F. S. Woods. Exceptionally thorough study of concepts and methods of advanced algebraic geometry (as distinguished from differential geometry). Exhaustive treatment of 1-, 2-, 3-, and 4-dimensional coordinate systems, leading to n-dimensional geometry in an abstract sense. Covers projectivity, tetracyclical coordinates, contact transformation, pentaspherical coordinates, much more. Based on M.I.T. lectures, requires sound preparation in analytic geometry and some knowledge of determinants. Index. Over 350 exercises. References. 60 figures. x + 423pp. 5⅜ x 8. S737 Paperbound **$2.00**

CONTEMPORARY GEOMETRY, André Delachet. Translated by Howard G. Bergmann. The recent developments in geometry covered in uncomplicated fashion. Clear discussions of modern thinking about the theory of groups, the concept of abstract geometry, projective geometry, algebraic geometry, vector spaces, new kinds of metric spaces, developments in differential geometry, etc. A large part of the book is devoted to problems, developments, and applications of topology. For advanced undergraduates and graduate students as well as mathematicians in other fields who want a brief introduction to current work in geometry. 39 figures. Index. xix + 94pp. 5⅜ x 8½. S988 Paperbound **$1.00**

ELEMENTS OF PROJECTIVE GEOMETRY, L. Cremona. Outstanding complete treatment of projective geometry by one of the foremost 19th century geometers. Detailed proofs of all fundamental principles, stress placed on the constructive aspects. Covers homology, law of duality, anharmonic ratios, theorems of Pascal and Brianchon, foci, polar reciprocal figures, etc. Only ordinary geometry necessary to understand this honored classic. Index. Over 150 fully worked out examples and problems. 252 diagrams. xx + 302pp. 5⅜ x 8. S668 Paperbound **$1.75**

AN INTRODUCTION TO PROJECTIVE GEOMETRY, R. M. Winger. One of the best introductory texts to an important area in modern mathematics. Contains full development of elementary concepts often omitted in other books. Employing the analytic method to capitalize on the student's collegiate training in algebra, analytic geometry and calculus, the author deals with such topics as Essential Constants, Duality, The Line at Infinity, Projective Properties and Double Ratio, Projective Coordinates, The Conic, Collineations and Involutions in One Dimension, Binary Forms, Algebraic Invariants, Analytic Treatment of the Conic, Collineations in the Plane, Cubic Involutions and the Rational Cubic Curve, and a clear discussion of Non-Euclidean Geometry. For senior-college students and graduates. "An excellent textbook . . . very clearly written . . . propositions stated concisely," A. Emch, Am. Math. Monthly. Corrected reprinting. 928 problems. Index. 116 figures. xii + 443pp. 5⅜ x 8.
S949 Paperbound **$2.00**

ALGEBRAIC CURVES, Robert J. Walker, Professor of Mathematics, Cornell University. Fine introduction to algebraic geometry. Presents some of the recently developed algebraic methods of handling problems in algebraic geometry, shows how these methods are related to the older analytic and geometric problems, and applies them to those same geometric problems. Limited to the theory of curves, concentrating on birational transformations. Contents: Algebraic Preliminaries, Projective Spaces, Plane Algebraic Curves, Formal Power Series, Transformations of a Curve, Linear Series. 25 illustrations. Numerous exercises at ends of sections. Index. x + 201pp. 5⅜ x 8½. S336 Paperbound **$1.60**

THE ADVANCED GEOMETRY OF PLANE CURVES AND THEIR APPLICATIONS, C. Zwikker. An unusual study of many important curves, their geometrical properties and their applications, including discussions of many less well-known curves not often treated in textbooks on synthetic and analytic Euclidean geometry. Includes both algebraic and transcendental curves such as the conic sections, kinked curves, spirals, lemniscates, cycloids, etc. and curves generated as involutes, evolutes, anticaustics, pedals, envelopes and orthogonal trajectories. Dr. Zwikker represents the points of the curves by complex numbers instead of two real Cartesian coordinates, allowing direct and even elegant proofs. Formerly: "Advanced Plane Geometry." 273 figures. xii + 299pp. 5⅜ x 8½. S1078 Paperbound **$2.00**

A TREATISE ON THE DIFFERENTIAL GEOMETRY OF CURVES AND SURFACES, L. P. Eisenhart. Introductory treatise especially for the graduate student, for years a highly successful textbook. More detailed and concrete in approach than most more recent books. Covers space curves, osculating planes, moving axes, Gauss' method, the moving trihedral, geodesics, conformal representation, etc. Last section deals with deformation of surfaces, rectilinear congruences, cyclic systems, etc. Index. 683 problems. 30 diagrams. xii + 474pp. 5⅜ x 8. S667 Paperbound **$2.75**

A TREATISE ON ALGEBRAIC PLANE CURVES, J. L. Coolidge. Unabridged reprinting of one of few full coverages in English, offering detailed introduction to theory of algebraic plane curves and their relations to geometry and analysis. Treats topological properties, Riemann-Roch theorem, all aspects of wide variety of curves including real, covariant, polar, containing series of a given sort, elliptic, polygonal, rational, the pencil, two parameter nets, etc. This volume will enable the reader to appreciate the symbolic notation of Aronhold and Clebsch. Bibliography. Index. 17 illustrations. xxiv + 513pp. 5⅜ x 8. S543 Paperbound **$2.75**

AN INTRODUCTION TO THE GEOMETRY OF N DIMENSIONS, D. M. Y. Sommerville. An introduction presupposing no prior knowledge of the field, the only book in English devoted exclusively to higher dimensional geometry. Discusses fundamental ideas of incidence, parallelism, perpendicularity, angles between linear space; enumerative geometry; analytical geometry from projective and metric points of view; polytopes; elementary ideas in analysis situs; content of hyper-spacial figures. Bibliography. Index. 60 diagrams. 196pp. 5⅜ x 8. S494 Paperbound **$1.50**

GEOMETRY OF FOUR DIMENSIONS, H. P. Manning. Unique in English as a clear, concise introduction. Treatment is synthetic, and mostly Euclidean, although in hyperplanes and hyperspheres at infinity, non-Euclidean geometry is used. Historical introduction. Foundations of 4-dimensional geometry. Perpendicularity, simple angles. Angles of planes, higher order. Symmetry, order, motion; hyperpyramids, hypercones, hyperspheres; figures with parallel elements; volume, hypervolume in space; regular polyhedroids. Glossary. 78 figures. ix + 348pp. 5⅜ x 8. S182 Paperbound **$2.00**

CONVEX FIGURES AND POLYHEDRA, L. A. Lyusternik. An excellent elementary discussion by a leading Russian mathematician. Beginning with the basic concepts of convex figures and bodies and their supporting lines and planes, the author covers such matters as centrally symmetric convex figures, theorems of Euler, Cauchy, Steinitz and Alexandrov on convex polyhedra, linear systems of convex bodies, planar sections of convex bodies, the Brunn-Minkowski inequality and its consequences, and many other related topics. No more than a high school background in mathematics needed for complete understanding. First English translation by T. J. Smith. 182 illustrations. Index. x + 176pp. 5⅜ x 8½. S1021 Paperbound **$1.50**

NON-EUCLIDEAN GEOMETRY, Roberto Bonola. The standard coverage of non-Euclidean geometry. It examines from both a historical and mathematical point of view the geometries which have arisen from a study of Euclid's 5th postulate upon parallel lines. Also included are complete texts, translated, of Bolyai's SCIENCE OF ABSOLUTE SPACE. Lobachevsky's THEORY OF PARALLELS. 180 diagrams. 431pp. 5⅜ x 8. S27 Paperbound **$2.00**

ELEMENTS OF NON-EUCLIDEAN GEOMETRY, D. M. Y. Sommerville. Unique in proceeding step-by-step, in the manner of traditional geometry. Enables the student with only a good knowledge of high school algebra and geometry to grasp elementary hyperbolic, elliptic, analytic non-Euclidean geometries; space curvature and its philosophical implications; theory of radical axes; homothetic centres and systems of circles; parataxy and parallelism; absolute measure; Gauss' proof of the defect area theorem; geodesic representation; much more, all with exceptional clarity. 126 problems at chapter endings provide progressive practice and familiarity. 133 figures. Index. xvi + 274pp. 5⅜ x 8. S460 Paperbound **$1.50**

INTRODUCTORY NON-EUCLIDEAN GEOMETRY, H. P. Manning. Sound elementary introduction to non-Euclidean geometry. The first two thirds (Pangeometry and the Hyperbolic Geometry) require a grasp of plane and solid geometry and trigonometry. The last sections (the Elliptic Geometry and Analytic Non-Euclidean Geometry) necessitate also basic college calculus for understanding the text. The book does not propose to investigate the foundations of geometry, but rather begins with the theorems common to Euclidean and non-Euclidean geometry and then takes up the specific differences between them. A simple and direct account of the bases of this important branch of mathematics for teachers and students. 94 figures. vii + 95pp. 5⅜ x 8. S310 Paperbound **$1.00**

ELEMENTARY CONCEPTS OF TOPOLOGY, P. Alexandroff. First English translation of the famous brief introduction to topology for the beginner or for the mathematician not undertaking extensive study. This unusually useful intuitive approach deals primarily with the concepts of complex, cycle, and homology, and is wholly consistent with current investigations. Ranges from basic concepts of set-theoretic topology to the concept of Betti groups. "Glowing example of harmony between intuition and thought," David Hilbert. Translated by A. E. Farley. Introduction by D. Hilbert. Index. 25 figures. 73pp. 5⅜ x 8. S747 Paperbound **$1.00**

Number theory

INTRODUCTION TO THE THEORY OF NUMBERS, L. E. Dickson. Thorough, comprehensive approach with adequate coverage of classical literature, an introductory volume beginners can follow. Chapters on divisibility, congruences, quadratic residues & reciprocity, Diophantine equations, etc. Full treatment of binary quadratic forms without usual restriction to integral coefficients. Covers infinitude of primes, least residues, Fermat's theorem, Euler's phi function, Legendre's symbol, Gauss's lemma, automorphs, reduced forms, recent theorems of Thue & Siegel, many more. Much material not readily available elsewhere. 239 problems. Index. I figure. viii + 183pp. 5⅜ x 8. S342 Paperbound **$1.65**

ELEMENTS OF NUMBER THEORY, I. M. Vinogradov. Detailed 1st course for persons without advanced mathematics; 95% of this book can be understood by readers who have gone no farther than high school algebra. Partial contents: divisibility theory, important number theoretical functions, congruences, primitive roots and indices, etc. Solutions to both problems and exercises. Tables of primes, indices, etc. Covers almost every essential formula in elementary number theory! Translated from Russian. 233 problems, 104 exercises. viii + 227pp. 5⅜ x 8. S259 Paperbound **$1.60**

THEORY OF NUMBERS and DIOPHANTINE ANALYSIS, R. D. Carmichael. These two complete works in one volume form one of the most lucid introductions to number theory, requiring only a firm foundation in high school mathematics. "Theory of Numbers," partial contents: Eratosthenes' sieve, Euclid's fundamental theorem, G.C.F. and L.C.M. of two or more integers, linear congruences, etc "Diophantine Analysis": rational triangles, Pythagorean triangles, equations of third, fourth, higher degrees, method of functional equations, much more. "Theory of Numbers": 76 problems. Index. 94pp. "Diophantine Analysis": 222 problems. Index. 118pp. 5⅜ x 8. S529 Paperbound **$1.35**

Numerical analysis, tables

MATHEMATICAL TABLES AND FORMULAS, Compiled by Robert D. Carmichael and Edwin R. Smith. Valuable collection for students, etc. Contains all tables necessary in college algebra and trigonometry, such as five-place common logarithms, logarithmic sines and tangents of small angles, logarithmic trigonometric functions, natural trigonometric functions, four-place antilogarithms, tables for changing from sexagesimal to circular and from circular to sexagesimal measure of angles, etc. Also many tables and formulas not ordinarily accessible, including powers, roots, and reciprocals, exponential and hyperbolic functions, ten-place logarithms of prime numbers, and formulas and theorems from analytical and elementary geometry and from calculus. Explanatory introduction. viii + 269pp. 5⅜ x 8½. S111 Paperbound **$1.00**

MATHEMATICAL TABLES, H. B. Dwight. Unique for its coverage in one volume of almost every function of importance in applied mathematics, engineering, and the physical sciences. Three extremely fine tables of the three trig functions and their inverse functions to thousandths of radians; natural and common logarithms; squares, cubes; hyperbolic functions and the inverse hyperbolic functions; $(a^2 + b^2)$ exp. ½a; complete elliptic integrals of the 1st and 2nd kind; sine and cosine integrals; exponential integrals Ei(x) and Ei(—x); binomial coefficients; factorials to 250; surface zonal harmonics and first derivatives; Bernoulli and Euler numbers and their logs to base of 10; Gamma function; normal probability integral; over 60 pages of Bessel functions; the Riemann Zeta function. Each table with formulae generally used, sources of more extensive tables, interpolation data, etc. Over half have columns of differences, to facilitate interpolation. Introduction. Index. viii + 231pp. 5⅜ x 8. S445 Paperbound **$1.75**

TABLES OF FUNCTIONS WITH FORMULAE AND CURVES, E. Jahnke & F. Emde. The world's most comprehensive 1-volume English-text collection of tables, formulae, curves of transcendent functions. 4th corrected edition, new 76-page section giving tables, formulae for elementary functions—not in other English editions. Partial contents: sine, cosine, logarithmic integral; factorial function; error integral; theta functions; elliptic integrals, functions; Legendre, Bessel, Riemann, Mathieu, hypergeometric functions, etc. Supplementary books. Bibliography. Indexed. "Out of the way functions for which we know no other source," SCIENTIFIC COMPUTING SERVICE, Ltd. 212 figures. 400pp. 5⅜ x 8. S133 Paperbound **$2.00**

JACOBIAN ELLIPTIC FUNCTION TABLES, L. M. Milne-Thomson. An easy to follow, practical book which gives not only useful numerical tables, but also a complete elementary sketch of the application of elliptic functions. It covers Jacobian elliptic functions and a description of their principal properties; complete elliptic integrals; Fourier series and power series expansions; periods, zeros, poles, residues, formulas for special values of the argument; transformations, approximations, elliptic integrals, conformal mapping, factorization of cubic and quartic polynomials; application to the pendulum problem; etc. Tables and graphs form the body of the book: Graph, 5 figure table of the elliptic function sn (u m); cn (u m); dn (u m). 8 figure table of complete elliptic integrals K, K′, E, E′, and the nome q. 7 figure table of the Jacobian zeta-function Z(u). 3 figures. xi + 123pp. 5⅜ x 8.
S194 Paperbound **$1.35**

TABLES OF INDEFINITE INTEGRALS, G. Petit Bois. Comprehensive and accurate, this orderly grouping of over 2500 of the most useful indefinite integrals will save you hours of laborious mathematical groundwork. After a list of 49 common transformations of integral expressions, with a wide variety of examples, the book takes up algebraic functions, irrational monomials, products and quotients of binomials, transcendental functions, natural logs, etc. You will rarely or never encounter an integral of an algebraic or transcendental function not included here; any more comprehensive set of tables costs at least $12 or $15. Index. 2544 integrals. xii + 154pp. 6⅛ x 9¼.
S225 Paperbound **$2.00**

SUMMATION OF SERIES, Collected by L. B. W. Jolley. Over 1100 common series collected, summed, and grouped for easy reference—for mathematicians, physicists, computer technicians, engineers, and students. Arranged for convenience into categories, such as arithmetical and geometrical progressions, powers and products of natural numbers, figurate and polygonal numbers, inverse natural numbers, exponential and logarithmic series, binomial expansions, simple inverse products, factorials, and trigonometric and hyperbolic expansions. Also included are series representing various Bessel functions, elliptic integrals; discussions of special series involving Legendre polynomials, the zeta function, Bernoulli's function, and similar expressions. Revised, enlarged second edition. New preface. xii + 251pp. 5⅜ x 8½.
S23 Paperbound **$2.25**

A TABLE OF THE INCOMPLETE ELLIPTIC INTEGRAL OF THE THIRD KIND, R. G. Selfridge, J. E. Maxfield. The first complete 6-place tables of values of the incomplete integral of the third kind, prepared under the auspices of the Research Department of the U.S. Naval Ordnance Test Station. Calculated on an IBM type 704 calculator and thoroughly verified by echo-checking and a check integral at the completion of each value of **a**. Of inestimable value in problems where the surface area of geometrical bodies can only be expressed in terms of the incomplete integral of the third and lower kinds; problems in aero-, fluid-, and thermodynamics involving processes where nonsymmetrical repetitive volumes must be determined; various types of seismological problems; problems of magnetic potentials due to circular current; etc. Foreword. Acknowledgment. Introduction. Use of table. xiv + 805pp. 5⅝ x 8⅜.
S501 Clothbound **$7.50**

PRACTICAL ANALYSIS, GRAPHICAL AND NUMERICAL METHODS, F. A. Willers. Translated by R. T. Beyer. Immensely practical handbook for engineers, showing how to interpolate, use various methods of numerical differentiation and integration, determine the roots of a single algebraic equation, system of linear equations, use empirical formulas, integrate differential equations, etc. Hundreds of shortcuts for arriving at numerical solutions. Special section on American calculating machines, by T. W. Simpson. 132 illustrations. 422pp. 5⅜ x 8.
S273 Paperbound **$2.00**

NUMERICAL INTEGRATION OF DIFFERENTIAL EQUATIONS, A. A. Bennett, W. E. Milne, H. Bateman. Republication of original monograph prepared for National Research Council. New methods of integration of differential equations developed by 3 leading mathematicians: THE INTERPOLATIONAL POLYNOMIAL and SUCCESSIVE APPROXIMATIONS by A. A. Bennett; STEP-BY-STEP METHODS OF INTEGRATION by W. W. Milne; METHODS FOR PARTIAL DIFFERENTIAL EQUATIONS by H. Bateman. Methods for partial differential equations, transition from difference equations to differential equations, solution of differential equations to non-integral values of a parameter will interest mathematicians and physicists. 288 footnotes, mostly bibliographic; 235-item classified bibliography. 108pp. 5⅜ x 8.
S305 Paperbound **$1.35**

INTRODUCTION TO RELAXATION METHODS, F. S. Shaw. Fluid mechanics, design of electrical networks, forces in structural frameworks, stress distribution, buckling, etc. Solve linear simultaneous equations, linear ordinary differential equations, partial differential equations, Eigen-value problems by relaxation methods. Detailed examples throughout. Special tables for dealing with awkwardly-shaped boundaries. Indexes. 253 diagrams. 72 tables. 400pp. 5⅜ x 8.
S244 Paperbound **$2.45**

NUMERICAL SOLUTIONS OF DIFFERENTIAL EQUATIONS, H. Levy & E. A. Baggott. Comprehensive collection of methods for solving ordinary differential equations of first and higher order. All must pass 2 requirements: easy to grasp and practical, more rapid than school methods. Partial contents: graphical integration of differential equations, graphical methods for detailed solution. Numerical solution. Simultaneous equations and equations of 2nd and higher orders. "Should be in the hands of all in research in applied mathematics, teaching," NATURE. 21 figures. viii + 238pp. 5⅜ x 8.
S168 Paperbound **$1.75**

Probability theory and information theory

AN ELEMENTARY INTRODUCTION TO THE THEORY OF PROBABILITY, B. V. Gnedenko and A. Ya. Khinchin. Translated by Leo F. Boron. A clear, compact introduction designed to equip the reader with a fundamental grasp of the theory of probability. It is thorough and authoritative within its purposely restricted range, yet the layman with a background in elementary mathematics will be able to follow it without difficulty. Covers such topics as the processes involved in the calculation of probabilities, conditional probabilities and the multiplication rule, Bayes's formula, Bernoulli's scheme and theorem, random variables and distribution laws, and dispersion and mean deviations. New translation of fifth (revised) Russian edition (1960)—the only translation checked and corrected by Gnedenko. New preface for Dover edition by B. V. Gnedenko. Index. Bibliography. Appendix: Table of values of function $\phi(a)$. xii + 130pp. 5⅜ x 8½. T155 Paperbound **$1.45**

AN INTRODUCTION TO MATHEMATICAL PROBABILITY, Julian Lowell Coolidge. A thorough introduction which presents the mathematical foundation of the theory of probability. A substantial body of material, yet can be understood with a knowledge of only elementary calculus. Contains: The Scope and Meaning of Mathematical Probability; Elementary Principles of Probability; Bernoulli's Theorem; Mean Value and Dispersion; Geometrical Probability; Probability of Causes; Errors of Observation; Errors in Many Variables; Indirect Observations; The Statistical Theory of Gases; and The Principles of Life Insurance. Six pages of logarithm tables. 4 diagrams. Subject and author indices. xii + 214pp. 5⅜ x 8½.
S258 Paperbound **$1.35**

A GUIDE TO OPERATIONS RESEARCH, W. E. Duckworth. A brief nontechnical exposition of techniques and theories of operational research. A good introduction for the layman; also can provide the initiate with new understandings. No mathematical training needed, yet not an oversimplification. Covers game theory, mathematical analysis, information theory, linear programming, cybernetics, decision theory, etc. Also includes a discussion of the actual organization of an operational research program and an account of the uses of such programs in the oil, chemical, paper, and metallurgical industries, etc. Bibliographies at chapter ends. Appendices. 36 figures. 145pp. 5¼ x 8½. T1129 Clothbound **$3.50**

MATHEMATICAL FOUNDATIONS OF INFORMATION THEORY, A. I. Khinchin. For the first time mathematicians, statisticians, physicists, cyberneticists, and communications engineers are offered a complete and exact introduction to this relatively new field. Entropy as a measure of a finite scheme, applications to coding theory, study of sources, channels and codes, detailed proofs of both Shannon theorems for any ergodic source and any stationary channel with finite memory, and much more are covered. Bibliography. vii + 120pp. 5⅜ x 8.
S434 Paperbound **$1.35**

SELECTED PAPERS ON NOISE AND STOCHASTIC PROCESS, edited by **Prof. Nelson Wax,** U. of Illinois. 6 basic papers for newcomers in the field, for those whose work involves noise characteristics. Chandrasekhar, Uhlenbeck & Ornstein, Uhlenbeck & Ming, Rice, Doob. Included is Kac's Chauvenet-Prize winning Random Walk. Extensive bibliography lists 200 articles, up through 1953. 21 figures. 337pp. 6⅛ x 9¼. S262 Paperbound **$2.50**

THEORY OF PROBABILITY, William Burnside. Synthesis, expansion of individual papers presents numerous problems in classical probability, offering many original views succinctly, effectively. Game theory, cards, selections from groups; geometrical probability in such areas as suppositions as to probability of position of point on a line, points on surface of sphere, etc. Includes methods of approximation, theory of errors, direct calculation of probabilities, etc. Index. 136pp. 5⅜ x 8. S567 Paperbound **$1.00**

Statistics

ELEMENTARY STATISTICS, WITH APPLICATIONS IN MEDICINE AND THE BIOLOGICAL SCIENCES, F. E. Croxton. A sound introduction to statistics for anyone in the physical sciences, assuming no prior acquaintance and requiring only a modest knowledge of math. All basic formulas carefully explained and illustrated; all necessary reference tables included. From basic terms and concepts, the study proceeds to frequency distribution, linear, non-linear, and multiple correlation, skewness, kurtosis, etc. A large section deals with reliability and significance of statistical methods. Containing concrete examples from medicine and biology, this book will prove unusually helpful to workers in those fields who increasingly must evaluate, check, and interpret statistics. Formerly titled "Elementary Statistics with Applications in Medicine." 101 charts. 57 tables. 14 appendices. Index. iv + 376pp. 5⅜ x 8.
S506 Paperbound **$2.00**

ANALYSIS & DESIGN OF EXPERIMENTS, H. B. Mann. Offers a method for grasping the analysis of variance and variance design within a short time. Partial contents: Chi-square distribution and analysis of variance distribution, matrices, quadratic forms, likelihood ration tests and tests of linear hypotheses, power of analysis, Galois fields, non-orthogonal data, interblock estimates, etc. 15pp. of useful tables. x + 195pp. 5 x 7⅜. S180 Paperbound **$1.45**

METHODS OF STATISTICS, L. H. C. Tippett. A classic in its field, this unusually complete systematic introduction to statistical methods begins at beginner's level and progresses to advanced levels for experimenters and poll-takers in all fields of statistical research. Supplies fundamental knowledge of virtually all elementary methods in use today by sociologists, psychologists, biologists, engineers, mathematicians, etc. Explains logical and mathematical basis of each method described, with examples for each section. Covers frequency distributions and measures, inference from random samples, errors in large samples, simple analysis of variance, multiple and partial regression and correlation, etc. 4th revised (1952) edition. 16 charts. 5 significance tables. 152-item bibliography. 96 tables. 22 figures. 395pp. 6 x 9.
S228 Clothbound **$7.50**

STATISTICS MANUAL, E. L. Crow, F. A. Davis, M. W. Maxfield. Comprehensive collection of classical, modern statistics methods, prepared under auspices of U. S. Naval Ordnance Test Station, China Lake, Calif. Many examples from ordnance will be valuable to workers in all fields. Emphasis is on use, with information on fiducial limits, sign tests, Chi-square runs, sensitivity, quality control, much more. "Well written . . . excellent reference work," Operations Research. Corrected edition of NAVORD Report 3360 NOTS 948. Introduction. Appendix of 32 tables, charts. Index. Bibliography. 95 illustrations. 306pp. 5⅜ x 8.
S599 Paperbound **$1.65**

Symbolic logic

AN INTRODUCTION TO SYMBOLIC LOGIC, Susanne K. Langer. Probably the clearest book ever written on symbolic logic for the philosopher, general scientist and layman. It will be particularly appreciated by those who have been rebuffed by other introductory works because of insufficient mathematical training. No special knowledge of mathematics is required. Starting with the simplest symbols and conventions, you are led to a remarkable grasp of the Boole-Schroeder and Russell-Whitehead systems clearly and quickly. PARTIAL CONTENTS: Study of forms, Essentials of logical structure, Generalization, Classes, The deductive system of classes, The algebra of logic, Abstraction of interpretation, Calculus of propositions, Assumptions of PRINCIPIA MATHEMATICA, Logistics, Logic of the syllogism, Proofs of theorems. "One of the clearest and simplest introductions to a subject which is very much alive. The style is easy, symbolism is introduced gradually, and the intelligent non-mathematician should have no difficulty in following the argument," MATHEMATICS GAZETTE. Revised, expanded second edition. Truth-value tables. 368pp. 5⅜ x 8.
S164 Paperbound **$1.75**

A SURVEY OF SYMBOLIC LOGIC: THE CLASSIC ALGEBRA OF LOGIC, C. I. Lewis. Classic survey of the field, comprehensive and thorough. Indicates content of major systems, alternative methods of procedure, and relation of these to the Boole-Schroeder algebra and to one another. Contains historical summary, as well as full proofs and applications of the classic, or Boole-Schroeder, algebra of logic. Discusses diagrams for the logical relations of classes, the two-valued algebra, propositional functions of two or more variables, etc. Chapters 5 and 6 of the original edition, which contained material not directly pertinent, have been omitted in this edition at the author's request. Appendix. Bibliography. Index. viii + 352pp. 5⅝ x 8⅜.
S643 Paperbound **$2.00**

INTRODUCTION TO SYMBOLIC LOGIC AND ITS APPLICATIONS, R. Carnap. One of the clearest, most comprehensive, and rigorous introductions to modern symbolic logic by perhaps its greatest living master. Symbolic languages are analyzed and one constructed. Applications to math (symbolic representation of axiom systems for set theory, natural numbers, real numbers, topology, Dedekind and Cantor explanations of continuity), physics (the general analysis of concepts of determination, causality, space-time-topology, based on Einstein), biology (symbolic representation of an axiom system for basic concepts). "A masterpiece," Zentralblatt für Mathematik und ihre Grenzgebiete. Over 300 exercises. 5 figures. Bibliography. Index. xvi + 241pp. 5⅜ x 8.
S453 Paperbound **$1.85**
Clothbound **$4.00**

SYMBOLIC LOGIC, C. I. Lewis, C. H. Langford. Probably the most cited book in symbolic logic, this is one of the fullest treatments of paradoxes. A wide coverage of the entire field of symbolic logic, plus considerable material that has not appeared elsewhere. Basic to the entire volume is the distinction between the logic of extensions and of intensions. Considerable emphasis is placed on converse substitution, while the matrix system presents the supposition of a variety of non-Aristotelian logics. It has especially valuable sections on strict limitations, existence of terms, 2-valued algebra and its extension to propositional functions, truth value systems, the matrix method, implication and deductibility, general theory of propositions, propositions of ordinary discourse, and similar topics. "Authoritative, most valuable," TIMES, London. Bibliography. 506pp. 5⅜ x 8. S170 Paperbound **$2.00**

THE ELEMENTS OF MATHEMATICAL LOGIC, Paul Rosenbloom. First publication in any language. This book is intended for readers who are mature mathematically, but have no previous training in symbolic logic. It does not limit itself to a single system, but covers the field as a whole. It is a development of lectures given at Lund University, Sweden, in 1948. Partial contents: Logic of classes, fundamental theorems, Boolean algebra, logic of propositions, logic of propositional functions, expressive languages, combinatory logics, development of mathematics within an object language, paradoxes, theorems of Post and Goedel, Church's theorem, and similar topics. iv + 214pp. 5⅜ x 8. S227 Paperbound **$1.45**

THE PRINCIPLES OF SCIENCE, A TREATISE ON LOGIC AND THE SCIENTIFIC METHOD, W. S. Jevons. Treating such topics as Inductive and Deductive Logic, the Theory of Number, Probability, and the Limits of Scientific Method, this milestone in the development of symbolic logic remains a stimulating contribution to the investigation of inferential validity in the natural and social sciences. It significantly advances Boole's logic, and contains a detailed introduction to the nature and methods of probability in physics, astronomy, everyday affairs, etc. In his introduction, Ernest Nagel of Columbia University says, "[Jevons] continues to be of interest as an attempt to articulate the logic of scientific inquiry." Index. liii + 786pp. 5⅜ x 8. S446 Paperbound **$2.98**

Vector and tensor analysis

VECTOR AND TENSOR ANALYSIS, A. P. Wills. Covers the entire field of vector and tensor analysis from elementary notions to dyads and non-Euclidean manifolds (especially detailed), absolute differentiation, the Lamé operator, the Riemann-Christoffel and Ricci-Einstein tensors, and the calculation of the Gaussian curvature of a surface. Many illustrations from electrical engineering, relativity theory, astro-physics, quantum mechanics. Presupposes only a good working knowledge of calculus. Exercises at end of each chapter. Intended for physicists and engineers as well as pure mathematicians. 44 diagrams. 114 problems. Bibliography. Index. xxxii + 285pp. 5⅜ x 8. S454 Paperbound **$1.75**

APPLICATIONS OF TENSOR ANALYSIS, A. J. McConnell. (Formerly APPLICATIONS OF THE ABSOLUTE DIFFERENTIAL CALCULUS.) An excellent text for understanding the application of tensor methods to familiar subjects such as dynamics, electricity, elasticity, and hydrodynamics. Explains the fundamental ideas and notation of tensor theory, the geometrical treatment of tensor algebra, the theory of differentiation of tensors, and includes a wealth of practical material. Bibliography. Index. 43 illustrations. 685 problems. xii + 381pp. 5⅜ x 8. S373 Paperbound **$1.85**

VECTOR AND TENSOR ANALYSIS, G. E. Hay. One of the clearest introductions to this increasingly important subject. Start with simple definitions, finish the book with a sure mastery of oriented Cartesian vectors, Christoffel symbols, solenoidal tensors, and their applications. Complete breakdown of plane, solid, analytical, differential geometry. Separate chapters on application. All fundamental formulae listed & demonstrated. 195 problems, 66 figures. viii + 193pp. 5⅜ x 8. S109 Paperbound **$1.75**

VECTOR ANALYSIS, FOUNDED UPON THE LECTURES OF J. WILLARD GIBBS, by E. B. Wilson. Still a first-rate introduction and supplementary text for students of mathematics and physics. Based on the pioneering lectures of Yale's great J. Willard Gibbs, can be followed by anyone who has had some calculus. Practical approach, stressing efficient use of combinations and functions of vectors. Worked examples from geometry, mechanics, hydrodynamics, gas theory, etc., as well as practice examples. Covers basic vector processes, differential and integral calculus in relation to vector functions, and theory of linear vector functions, forming an introduction to the study of multiple algebra and matrix theory. While the notation is not always modern, it is easily followed. xviii + 436pp. 5⅜ x 8. S656 Paperbound **$2.00**

PROBLEMS AND WORKED SOLUTIONS IN VECTOR ANALYSIS, L. R. Shorter. More pages of fully-worked-out examples than any other text on vector analysis. A self-contained course for home study or a fine classroom supplement. 138 problems and examples begin with fundamentals, then cover systems of coordinates, relative velocity and acceleration, the commutative and distributive laws, axial and polar vectors, finite displacements, the calculus of vectors, curl and divergence, etc. Final chapter treats applications in dynamics and physics: kinematics of a rigid body, equipotential surfaces, etc. "Very helpful . . . very comprehensive. A handy book like this . . . will fill a great want," MATHEMATICAL GAZETTE. Index. List of 174 important equations. 158 figures. xiv + 356pp. 5⅜ x 8. S135 Paperbound **$2.00**

Prices subject to change without notice.

Dover publishes books on art, music, philosophy, literature, languages, history, social sciences, psychology, handcrafts, orientalia, puzzles and entertainments, chess, pets and gardens, books explaining science, intermediate and higher mathematics, mathematical physics, engineering, biological sciences, earth sciences, classics of science, etc. Write to:

Dept. catrr.
Dover Publications, Inc.
180 Varick Street, N.Y. 14, N.Y.